La huida

La huida

Allan Folsom

Traducción de
Mar Vidal

Rocaeditorial

Título original: *The Exile*
© 2004 Allan Folsom

Primera edición: abril de 2008

© de la traducción: Mar Vidal
© de esta edición: Roca Editorial de Libros, S.L.
Marquès de l'Argentera, 17. Pral. 1.ª
08003 Barcelona
correo@rocaeditorial.com
www.rocaeditorial.com

Impreso por EGEDSA
Rois de Corella, 12-16, nave 1
Sabadell (Barcelona)

ISBN: 978-84-92429-13-4
Depósito legal: B. 12.370-2008

Para Karen y para Riley,
y en memoria de mi padre y de mi madre

Prólogo

En el estudio privado de una elegante residencia de la avenida Victor Hugo había dos hombres sentados. Eran viejos amigos y ambos empresarios de renombre, más o menos de la misma edad, cuarenta y pocos años. Uno de ellos era Alfred Neuss, ciudadano estadounidense nacido en Rusia. El otro, Peter Kitner, era británico de origen suizo. Ambos estaban tensos e inquietos.

—Continúa —dijo Kitner serenamente.

—¿Estás seguro?

—Sí.

Neuss vaciló.

—Vamos.

—Está bien. —Neuss encendió a regañadientes el interruptor de un proyector de cine de 8 mm que tenía en la mesa, a su lado. Apareció una luz intermitente y la pantalla portátil que tenían delante cobró vida.

Lo que vieron a continuación fue una película muda de 8 mm y de realización casera. El escenario era el moderno Parc Monceau, en la *rive droite* de París. La escena, un cumpleaños infantil. Era divertida, graciosa, llena de color. Veinte o más niños y niñas jugaban con globos y se lanzaban trozos de tarta, o se disparaban cucharas llenas de helado los unos a los otros bajo la mirada atenta de unas cuantas niñeras y de algún que otro padre que más o menos mantenían el infantil revuelo bajo control.

Al cabo de un rato la cámara se apartaba hacia otro grupo de unos diez invitados que se habían enfrascado en un improvisado partido de fútbol. Eran todos chicos y, como los otros, tenían diez u once años de edad. El fútbol era lo suyo y jugaban con dureza y abandono. Un chute demasiado fuerte mandó el balón bajo unas ramas de árbol que colgaban encima de unos arbustos. Uno de los niños salió corriendo a buscarlo y la cámara lo siguió.

El niño tenía diez años y se llamaba Paul. La cámara retrocedía un poco y se detenía para seguirlo mientras se acercaba a los arbustos y recogía la pelota. De pronto, otro muchacho aparecía por entre el follaje. Era mayor, más alto y más fuerte; tal vez de doce o trece años. Paul se detenía y le decía algo, señalándole el lugar al que había ido el balón. Y entonces, como de la nada, en la mano del chico mayor aparecía un objeto. Tocaba un botón y una enorme hoja de cuchillo surgía del mismo. Al instante siguiente, el muchacho avanzaba y hundía el cuchillo con todas sus fuerzas en el pecho de Paul. De pronto, la cámara salía en estampida hacia la escena, botando mientras avanzaba. El chico mayor levantaba la vista, sorprendido, y miraba directamente a la cámara que lo filmaba. Luego daba media vuelta y trataba de huir, pero la persona con la cámara lo cogía de la mano y le daba la vuelta. Él luchaba con todas sus fuerzas para liberarse, pero no lo conseguía. De pronto, soltaba el cuchillo y se alejaba. La cámara caía hacia atrás, al suelo, para captar en primer plano a Paul, con los ojos abiertos de par en par, yaciendo inmóvil, agonizando.

—¡Páralo! ¡Apágalo! —gritó Kitner de pronto.

Alfred Neuss detuvo el proyector bruscamente.

Peter Kitner cerró los ojos:

—Lo siento, Alfred, lo siento. —Se tomó unos segundos para recuperarse y luego miró a Neuss—. ¿No está la policía al corriente de la existencia de esta película?

—No.

—¿Ni del cuchillo?

—No.

—¿Y ésta es la única copia?

—Sí.

—¿Tienes tú el cuchillo?

—Sí, ¿quieres verlo?

—No, nunca.

Kitner apartó la mirada, pálido como la cera, los ojos perdidos. Finalmente se recompuso:

—Coge la película y el cuchillo y guárdalos en algún lugar al que sólo tengamos acceso tú y yo. Usa a quien creas necesario, a la familia si hace falta; paga el precio que sea. Pero sea cual sea el precio, asegúrate de que, en el caso de que me enfrentara a una muerte inoportuna, la policía de París, de acuerdo con los abogados que representan mi legado, tiene acceso directo e inmediato tanto al cuchillo como a la película. La manera de hacerlo la dejo en tus manos.

—¿Y qué hay del...?

—¿Asesinato de mi hijo?

—Sí.

—Yo me encargo de eso.

PRIMERA PARTE

Los Ángeles

1

Veinte años más tarde.
Estación de Amtrak. Comunidad desértica de Barstow,
California. Martes 12 de marzo, 4:20 h

John Barron cruzó solitario hacia el tren envuelto en el frío de la noche del desierto. Se detuvo en el vagón 39002 del *Amtrak Super-liner Southwest Chief* y esperó a que un bigotudo revisor ayudara a subir los peldaños a un anciano con gafas de culo de botella. Luego él mismo subió al tren.

Una vez dentro, bajo una luz tenue, el revisor le dio los buenos días, le marcó el billete y luego le indicó su asiento más allá de unos cuantos pasajeros soñolientos, hacia la mitad del vagón. Veinte segundos más tarde, Barron colocó su bolsa de viaje en el estante de arriba y se sentó en la butaca de pasillo junto a una atractiva joven vestida con camiseta y vaqueros ajustados que dormía acurrucada contra la ventana. Barron la miró y luego se acomodó, con la mirada más o menos atenta a la puerta por la que había entrado. Al cabo de medio minuto vio a Marty Valparaiso subir a bordo, darle el billete al revisor y sentarse justo enfrente de la puerta. Pasó un rato y luego oyó el pitido del tren. El revisor cerró la puerta y el *Chief* se puso en movimiento. En un segundo, las luces de la ciudad desértica dieron paso a la oscuridad absoluta del paisaje desnudo. Barron oía el gemido de los motores diésel a medida que el tren cogía velocidad. Intentó imaginarse cómo se vería desde arriba, como en las vistas aéreas que se ven en las películas: una enorme serpiente de setecientos metros, veintisiete vagones, deslizándose hacia el oeste a través de la oscuridad del desierto antes del amanecer en dirección a Los Ángeles.

2

Raymond estaba medio dormido cuando subieron los pasajeros. Primero pensó que eran sólo dos, un anciano de gafas gruesas y andar cansino y un hombre joven de pelo oscuro con vaqueros y una parca que llevaba una pequeña bolsa de deportes. El anciano se sentó en una plaza de ventana en su misma hilera, al otro lado del pasillo; el joven pasó de largo para colocar su bolsa en el estante de arriba, una docena de asientos más atrás. Y fue entonces cuando subió el último pasajero. Era delgado y enjuto, probablemente de treinta y muchos o cuarenta y pocos años, e iba vestido con un abrigo de *sport* y pantalones. Le dio el billete al revisor, éste se lo marcó y luego el hombre se sentó en una butaca frente a la puerta.

En circunstancias normales Raymond no le habría dado más vueltas, pero aquellas circunstancias no tenían nada de normales. Hacía poco más de treinta y seis horas había matado a dos personas con un revólver en la trastienda de una sastrería de Pearson Street, en Chicago. Muy poco después se subía al *Chief* rumbo a Los Ángeles.

Era un viaje en tren que no tenía previsto, pero una tormenta de granizo inesperada había forzado el cierre de los aeropuertos de Chicago y le había obligado a tomar el tren en vez del avión directo a Los Ángeles. El retraso era desafortunado, pero no tuvo elección y desde entonces el viaje había transcurrido sin incidentes, al menos hasta que se detuvieron en Barstow y los dos hombres abordaron el tren.

Por supuesto que cabía la posibilidad de que no fueran más que dos trabajadores de la zona periférica que se desplazaban cada mañana a Los Ángeles, pero no parecía lo más probable. Sus gestos, la manera en que se movían y se comportaban, el modo en que se habían colocado a ambos lados de él, uno en el asiento de pasillo frente a la puerta, el otro a oscuras, más atrás... En efecto, lo tenían acorralado de una forma que le resultaba imposible ir hacia un lado o el otro sin toparse con ellos.

Raymond respiró con fuerza y miró al hombretón de rostro rubicundo y cazadora arrugada que dormía en el asiento de la ventana, a su lado. Se trataba de Frank Miller, un vendedor de productos de papelería de Los Ángeles, cuarentón, un poco obeso y divorciado, que llevaba un peluquín bastante obvio y odiaba volar. Al otro lado de la estrecha mesa plegable estaban Bill y Vivian Woods, de Madison, Wisconsin, una pareja de cincuentones que se dirigía a pasar unas vacaciones en California y que ahora dormía en los asientos frente a él. Eran unos desconocidos que se habían convertido en amigos y compañeros de viaje casi desde el momento en el que el tren partió de Chicago y Miller se le acercó, cuando estaba solo en el vagón-restaurante, tomando una taza de café, para decirle que buscaban a un cuarto jugador de póquer e invitarlo a jugar. Para Raymond fue perfecto y asintió al instante, tomándolo como una oportunidad para mezclarse con los otros pasajeros en el caso poco probable de que alguien lo hubiera visto salir de la sastrería y la policía hubiera dado el aviso de busca y captura de alguien que viajara solo y coincidiera con su descripción.

Desde algún punto distante se oyeron dos pitidos de tren. El tercero llegó a los pocos segundos. Raymond miró hacia la parte delantera del vagón. El hombre enjuto del asiento de pasillo permanecía inmóvil, con la cabeza reclinada, como si, como todos los demás, estuviera durmiendo.

La tormenta de granizo y el viaje en tren ya eran lo bastante molestos en sí mismos, una vuelta de tuerca más en una serie de hechos meticulosamente planeados que se habían torcido. Durante los últimos cuatro días había estado en San Francisco, México D.F. y luego Chicago, adonde había llegado vía Dallas. Tanto a San Francisco como a México había ido a buscar información vital pero no había logrado encontrarla, había matado a la persona o personas implicadas e inmediatamente había continuado su camino. La misma locura se había reproducido en Chicago: donde se suponía que obtendría información, no encontró ninguna, de modo que tuvo que marcharse al último punto de su andadura por América, que era Los Ángeles o, más concretamente, Beverly Hills. Estaba seguro de que allí no tendría ningún problema para hallar la información que necesitaba antes de matar al hombre que la tenía. El problema era el tiempo. Era martes, 12 de marzo. Debido a la tormenta de granizo, llevaba ya más de un día de retraso sobre lo que había sido un plan trazado con precisión que todavía le exigía llegar a Londres no más tarde del mediodía del 13 de marzo. A pesar de lo frustrante que eso resultaba, se daba cuenta de que las cosas simplemente se habían retrasado y seguían siendo factibles. Lo único que necesitaba era que, durante las horas siguientes, todo fuera sobre ruedas. Pero no estaba tan seguro de que eso pudiera ocurrir.

Raymond se reclinó con cautela y miró su bolsa de viaje en el estante para equipajes que tenía arriba. Dentro llevaba su pasaporte de

17

Estados Unidos, un billete a Londres de primera clase de British Airways, el rifle automático Sturm Ruger del calibre 40 que había utilizado en los asesinatos de Chicago y dos cargas de munición adicionales de once balas cada una. Se había arriesgado lo bastante como para llevarlo frente a los comandos de seguridad antiterroristas que patrullaban atentos por la estación y luego meterlo en el tren en Chicago, pero ahora se preguntaba si había hecho bien. Los rifles que utilizó en los asesinatos de San Francisco y México los había mandado en unos paquetes envueltos con papel de embalar que debían recogerse en la empresa de mensajería Mailboxes Inc., en la que previamente había abierto una cuenta y disponía de un casillero con llave. En San Francisco recogió el arma, la usó y luego la tiró a la bahía, junto al cuerpo del hombre que había asesinado. En México D.F. hubo problemas para localizar el paquete y tuvo que esperar casi una hora hasta que llamaron al responsable y lo encontraron. Recogió otra arma en un punto de recogida de Mailboxes Inc. en Beverly Hills, pero con el horario ya muy apretado debido al desplazamiento en tren, y con el problema de México todavía muy presente en su memoria, decidió correr el riesgo y llevar el Ruger con él para no jugársela y no encontrarse con otra cagada que pudiera retrasar su llegada a Londres.

Otro pitido más del tren y Raymond volvió a mirar hacia el hombre que dormía cerca de la puerta del vagón. Lo observó unos instantes, luego miró la bolsa del estante de arriba y decidió intentarlo: sencillamente levantarse, coger la bolsa y abrirla como si buscara algo en su interior; entonces, aprovechando la escasa luz, meterse con cuidado el Ruger debajo del jersey y volver a poner la bolsa en su sitio. Estaba a punto de hacerlo cuando se dio cuenta de que Vivian Woods lo estaba observando. Cuando la miró, ella le sonrió. No fue una sonrisa de cortesía, ni de complicidad entre compañeros de viaje despiertos a la misma hora temprana de la mañana, sino una sonrisa cargada de deseo sexual y muy reconocible por parte de él. Con treinta y tres años, Raymond era delgado y fibroso y tenía la belleza de una estrella del rock, el pelo rubio y unos ojos azules y grandes que subrayaban unas facciones delicadas, casi aristocráticas. Tenía además una voz aterciopelada y una manera exquisita de comportarse. Para las mujeres de casi todas las edades, aquella mezcla resultaba letal. Lo miraban con atención y, a menudo, con el mismo deseo que Vivian Woods mostraba ahora, como si estuvieran dispuestas a fugarse con él adonde les dijera y, una vez allí, a hacer cualquier cosa por él.

18

Raymond le respondió con una sonrisa amable y luego cerró los ojos como si quisiera dormirse, a sabiendas de que ella seguiría contemplándolo. Era halagador, pero a la vez era una vigilancia que, en aquel momento, le resultaba de lo más inoportuno, porque le impedía levantarse y apoderarse del rifle.

3

Estación de la Amtrak, San Bernardino, California, 6:25 h

John Barron observó la hilera de madrugadores que subían al tren para ir a trabajar a la urbe. Algunos llevaban maletines u ordenadores portátiles; otros, vasos de papel llenos de café. De vez en cuando había alguno hablando por el móvil. La mayoría parecían todavía medio dormidos.

Al cabo de varios minutos el revisor cerró la puerta, y a los pocos instantes sonó el pitido del tren, el vagón dio una pequeña sacudida y el *Chief* se puso en marcha. Al hacerlo, la joven que iba al lado de Barron se agitó un poco y luego volvió a dormirse.

Barron la miró a ella y luego al pasillo, hacia la hilera de pasajeros que todavía no habían encontrado asiento. Estaba impaciente. Desde que había empezado a amanecer se moría de ganas de levantarse e ir más allá de donde estaban los jugadores de cartas para saber qué pinta tenía su hombre. Si es que era su hombre. Pero no era la táctica adecuada, de modo que se quedó en su sitio y observó pasar a un niño de unos cuatro o cinco años aferrado a su osito de peluche. Le seguía una bella rubia, que Barron supuso que era su madre. Mientras pasaban, miró a Marty Valparaiso en su asiento frente a la puerta. Dormía, o fingía hacerlo. Barron sintió que le sudaba el labio superior y se dio cuenta de que tenía las palmas de las manos también húmedas. Estaba nervioso y eso no le gustaba. De todos los estados en los que podía encontrarse ahora, nervioso era el que menos ayudaba.

Ahora el último de los madrugadores pasaba por su lado en busca de un sitio para sentarse. Era alto y atlético, iba vestido con traje oscuro y llevaba un maletín. Parecía un joven ejecutivo agresivo, pero no lo era. Se llamaba Jimmy Halliday y era el tercero de los seis detectives de paisano asignados para arrestar al jugador de cartas cuando el *Chief* llegara a Union Station en Los Ángeles a las 8:40 de la mañana.

Barron se recostó y miró por la ventana, más allá de la joven durmiente, tratando de relajarse. El trabajo de los detectives del tren era comprobar que el jugador de cartas era en efecto el hombre buscado por la policía de Chicago. Si así era, deberían seguirle si bajaba del tren antes de llegar a Los Ángeles o, si permanecía a bordo —como sospechaban que iba a hacer porque su billete era hasta allí—, atraparlo cuando fuera a bajar. La idea era acorralarlo entre ellos y los otros tres detectives de paisano que esperaban en el andén de Union Station para arrestarlo rápidamente.

En teoría, el plan era fácil: no hacer nada hasta el último instante y luego apretar la tuerca minimizando el riesgo para la gente de la estación. El problema era que su hombre era un tipo extraordinariamente receptivo, emocionalmente explosivo y un asesino extremadamente violento. Ninguno de ellos quería ni imaginarse lo que podía pasar si sospechaba que estaban dentro del tren y se ponían en acción allí mismo. Pero éste era el motivo por el cual habían subido por separado y se habían mantenido deliberadamente discretos.

Todos ellos —Barron, Valparaiso y Halliday, más los tres que esperaban en Union Station— eran detectives de homicidios pertenecientes a la brigada 5-2 de la Policía de Los Ángeles, la prestigiosa y centenaria unidad de «situaciones especiales» que ahora formaba parte de la brigada de Robos y Homicidios. De los tres que viajaban en el tren 39002, Valparaiso era el mayor, de cuarenta y dos años de edad. Tenía tres hijas adolescentes y llevaba dieciséis años en la 5-2. Halliday tenía treinta y un años, dos hijos gemelos de cinco y su esposa estaba embarazada de nuevo. Llevaba ocho años en la brigada. John Barron era el niño, con veintiséis años y todavía soltero. Llevaba una semana en la 5-2. Razón de más para que ahora sintiera las manos y el labio superior sudados y para que la joven que dormía a su lado y el niño del osito de peluche y todo el resto de personajes del vagón le preocuparan. Era su primera situación de tiroteo potencial en la 5-2, y su hombre, si resultaba que lo era realmente, era enormemente peligroso. Si algo ocurría y él no entraba en escena cuando le tocaba, o si metía la pata de alguna manera y mataban o herían a alguien... No quería ni pensarlo. En vez de eso, consultó el reloj: eran las 6:40, exactamente dos horas antes de la llegada prevista a Union Station.

4

Raymond también había visto subir al tren al hombre alto del traje oscuro. Seguro de sí mismo, sonriente, maletín en mano, con aspecto de hombre de negocios dispuesto a empezar un nuevo día. Pero, al igual que la de los hombres que habían subido al *Chief* en Barstow, su presencia era demasiado entusiasta, demasiado estudiada, demasiado cargada de autoridad.

Raymond lo observó pasar y luego se volvió disimuladamente a mirar cómo se detenía a mitad del pasillo más abajo para dejar que una mujer instalara a su hijo en un asiento, y luego proseguía y salía por la puerta del fondo del vagón, justo cuando Bill Woods entraba por la misma en dirección contraria, sonriente como siempre y con cuatro tazas de café en una bandeja de cartón.

Vivian Woods sonrió mientras su marido posaba la bandeja en la mesa de las cartas y se deslizaba en el asiento a su lado. De inmediato, cogió las tazas y las repartió, haciendo un esfuerzo por no mirar a Raymond. En vez de eso, se volvió amablemente hacia Frank Miller.

—¿Se encuentra mejor, Frank? Tiene mejor cara.

Según los cálculos de Raymond, el vendedor había entrado y salido del vagón ya tres veces en las últimas dos horas, despertándolos a todos cada vez que iba o volvía.

—Estoy mejor, gracias —dijo Miller, forzando una sonrisa—. Es algo que he comido, supongo. ¿Qué les parece si jugamos unas cuantas manos antes de llegar a Los Ángeles?

Justo en aquel momento pasó el revisor.

—Buenos días —dijo, al pasar junto a Raymond.

—Buenos días —contestó Raymond distraídamente, y luego se volvió en el momento en que Bill tomaba una baraja de naipes de la mesa de delante de ellos.

—¿Juega, Ray?

Raymond sonrió con sencillez:

—¿Por qué no?

21

5

Los Ángeles, Union Station, 7:10 h

El comandante Arnold McClatchy llevó su Ford azul claro por una zona polvorienta en construcción y se detuvo en un aparcamiento apartado de gravilla, justo enfrente de una cadena metálica que cerraba la vía 12, por donde estaba previsto que llegara el *Chief* del suroeste. Menos de un minuto más tarde, otro Ford de camuflaje aparcó a su lado con los detectives Roosevelt Lee y Len Polchak dentro.

Hubo cierres enérgicos de puertas y los tres miembros restantes de la brigada 5-2 cruzaron hasta el andén de la vía 12 bajo un sol ya muy cálido.

—Si queréis café, hay tiempo. Id a buscarlo. Yo me quedo aquí —dijo McClatchy al llegar al andén. Luego miró a sus veteranos detectives, uno alto y negro, el otro bajo y blanco, alejarse por una rampa larga que bajaba hasta el interior fresco de Union Station.

Durante un rato McClatchy permaneció donde estaba, vigilante, y luego se volvió y anduvo por el andén solitario hasta el final para mirar al punto lejano por el que las vías desaparecían haciendo una curva bajo la intensa luz del sol. Si Polchak o Lee querían café o no daba igual, ellos sabían que quería estar solo para hacerse una idea del lugar y de la acción que se desplegaría a la llegada del tren, cuando se pusieran manos a la obra.

A sus cincuenta y nueve años, *Red* McClatchy llevaba más de treinta y cinco como detective de homicidios, y treinta de ellos en la 5-2. En aquel período había resuelto personalmente ciento sesenta y cuatro casos de asesinato. Tres de sus asesinos habían sufrido la pena de muerte en la cámara de gas de San Quintín; siete más permanecían en el corredor de la muerte, a la espera de sendas apelaciones. Durante las últimas dos décadas había sido propuesto cuatro veces como jefe del LAPD, el Departamento de Policía de Los Ángeles, pero todas ellas lo había rechazado alegando que él era un currante, un policía de la calle, y no un administrador, ni un psicólogo, ni un político. Y además, quería dormir por la noche. También era el jefe de la 5-2 y lo llevaba siendo desde mucho tiempo atrás. Esto, decía, es suficiente para cualquier hombre.

Y obviamente lo era, porque en todo este tiempo, después de los escándalos y de las guerras políticas y raciales que habían empañado el nombre y la reputación tanto de la ciudad como del departamento, ese «currante» había sido capaz de conservar inmaculada la larga y rica tradición de la brigada. Su historia incluía casos que habían saltado a los titulares de la prensa internacional, entre ellos el crimen de la Dalia Negra, el suicidio de Marilyn Monroe, el asesinato de Robert Kennedy, la matanza de Charles Manson y el caso O. J. Simpson. Y todo ello envuelto con el aura, el resplandor y el *glamour* de Hollywood.

El aspecto de agente fronterizo de este policía alto y de espalda ancha, pelirrojo y con las sienes que empezaban a clarear, no hacía más que potenciar su imagen. Con su clásica camisa blanca almidonada, su traje oscuro con corbata, el Smith & Wesson del 38 enfundado en la cintura, se había convertido en una de las figuras más conocidas, respetadas e influyentes dentro de la policía de Los Ángeles, tal vez hasta de la ciudad, y era casi una figura de culto dentro de la comunidad policial internacional.

Sin embargo, nada de esto lo había cambiado. Ni a su manera de trabajar, ni a la manera de operar de su brigada. Eran artesanos: tenían un trabajo que hacer y lo hacían día a día, en lo bueno y en lo malo. Y hoy era lo mismo. Un hombre debía llegar en el *Southwest Chief* y debían capturarlo y arrestarlo para la policía de Chicago, y al mismo tiempo cuidar de que ningún otro ciudadano sufriera daños. Nada más y nada menos, así de sencillo.

6

7:20 h

Raymond tomó un sorbo de café y miró las cartas que Frank Miller le acababa de repartir. Al hacerlo vio como el hombre de Barstow de la cazadora deportiva se levantaba de su asiento frente a la puerta y se dirigía por el pasillo hacia él. Raymond se miró la mano, luego miró a Vivian y descartó tres naipes.

—Tres, Frank, por favor —dijo, a media voz.

El hombre de la cazadora pasó de largo mientras Miller le entregaba las cartas. Raymond las recogió y se volvió a tiempo de ver que el hombre de Barstow cruzaba la puerta al fondo del vagón, igual que había hecho antes el hombre del traje oscuro. En un segundo, el más joven de los hombres de Barstow se levantó de su asiento en mitad del vagón y recorrió el pasillo con aire distraído hasta la misma puerta. Lentamente, Raymond volvió a centrar su atención en el juego. Si antes había dos, ahora eran tres. Sin duda eran policías y estaban allí por un solo motivo: él.

—Es nuestro hombre, no hay duda. —Marty Valparaiso estaba con Jimmy Halliday, John Barron y el revisor del tren en la plataforma levemente inestable entre los vagones.

—De acuerdo —asintió Halliday, y miró al revisor—. ¿Quiénes son los demás?

—Por lo que he podido deducir, sólo gente a la que ha conocido en el *Chief* al salir de Chicago.

—Muy bien. —Halliday sacó un pequeño radiotransmisor de su bolsillo y lo encendió—. Red —dijo al aparato.

—Estoy aquí, Jimmy. —La voz de Red McClatchy sonó nítidamente por la radio de Halliday.

—Confirmado. Esperaremos alerta como estaba previsto. El vagón es el número tres-nueve-cero-cero-dos... —Halliday miró al revisor—. ¿Correcto?

El revisor asintió:

—Sí, señor. Tres-nueve-cero-cero-dos.

—¿Va en hora? —preguntó Valparaiso.

—Sí, señor —volvió a responder el revisor.

—Puntuales y listos, Red. Nos vemos en Los Ángeles. —Halliday apagó el radiotransmisor y miró al revisor.

—Gracias por su ayuda. A partir de aquí es nuestro trabajo. Usted y su gente manténganse al margen.

—Una cosa. —El revisor levantó un dedo de advertencia—. Éste es mi tren. La seguridad de la tripulación y de los pasajeros en él es mi responsabilidad. No quiero violencia a bordo, no quiero heridos. Esperen a que esté en el andén antes de hacer nada.

—Ése es el plan —dijo Halliday.

El revisor miró a los otros:

—Muy bien —dijo—. Muy bien.

Luego se tocó el bigote, abrió la puerta y entró en el vagón en el que se encontraban los jugadores de cartas.

Valparaiso observó la puerta cerrarse detrás de él y luego miró a los otros.

—Empieza el espectáculo, caballeros. Nada de comunicaciones por radio hasta que lleguemos.

—Bien —dijo Halliday—. Buena suerte.

Valparaiso hizo un gesto de aprobación con la mano, luego abrió la puerta y siguió al revisor hacia el vagón.

Halliday miró cerrarse la puerta detrás de Valparaiso; luego miró a Barron. Fue él quien se enteró el primero de la manera de trabajar meticulosa e inquebrantable del joven detective cuando estaba en la brigada de Robos y Homicidios, la vez que resolvió un caso de asesinato que había quedado archivado desde hacía mucho tiempo. Por eso habló de él a McClatchy y al resto de la brigada, la propia 5-2. Es decir, que Barron formaba parte de la brigada gracias a él, y estaba en el tren también por él. Halliday sabía que Barron estaría nervioso y quería hablarle.

—¿Llevas bien todo esto?

—Sí —Barron sonrió y asintió con la cabeza.

—¿Estás seguro?

—Sí, estoy seguro.

—Pues entonces, allá vamos.

25

7

7:35 h

Raymond había visto a Valparaiso pasar de largo y volver a su asiento justo enfrente de la puerta, y luego permanecer sentado y mirar distraídamente por la ventana mientras el tren se acercaba a Los Ángeles y el paisaje se volvía cada vez más urbano. Al cabo de unos instantes había visto al otro hombre de Barstow regresar a su sitio, doce hileras más atrás. Ahora estaba sentado, con la cabeza agachada, tal vez dormitando o leyendo, resultaba difícil de decir. Después de lo que pareció un intervalo cuidadosamente mesurado, el más alto y vestido con traje de ejecutivo regresó, volvió a entrar en el vagón y se sentó en un asiento de pasillo frente al lavabo; abrió su maletín y sacó un periódico, que ahora leía. Era la trampa más bien calculada que cabía imaginar.

—Raymond, ¿está usted jugando? —dijo Vivian, a media voz.

Raymond volvió a fijarse en la partida y se dio cuenta de que le tocaba jugar a él y que los otros le estaban esperando.

—Sí. —Sonrió y por un instante le aguantó la mirada de la misma manera que ella lo había hecho antes, seductora y alentadora; luego la desvió y miró sus cartas.

Si los tres hombres del tren eran efectivamente policías y estaban allí por él, necesitaría toda la ventaja que pudiera obtener, y tener a Vivian Woods de su lado podía serlo. Tuviera la edad que tuviese, con sólo chascar los dedos la podría obligar a hacer cualquier cosa.

—Jugaré esta mano, Vivian. —Los ojos de Raymond se volvieron de nuevo hacia ella, mirándola lo justo, y luego se desviaron hacia Frank Miller, que estudiaba su jugada en el asiento de ventanilla a su lado. Un vendedor obeso con el estómago revuelto y que tenía miedo de volar... sólo Dios sabía cómo podría reaccionar si la policía estrechaba el cerco y las cosas se ponían feas. Podía tener un infarto o un ataque de pánico, hacer una tontería y que aquello se convirtiera en una carnicería.

Raymond apostó, Miller enseñó sus cartas y empujó un puñado de fichas rojas de póquer hasta el centro de la mesa. Raymond se preguntó por primera vez si Miller llevaba el peluquín porque la quimioterapia o un tratamiento de radiaciones le había hecho perder el pelo. Tal vez estuviera enfermo y no lo había dicho y ése era el verdadero motivo de sus visitas frecuentes al baño.

—Para mí es demasiado, Frank, lo dejo.

Raymond dejó sus cartas. Tal vez tuviera la mejor mano, pero le daba igual. Y tampoco le importaba si Miller llevaba o no peluquín o si estaba enfermo. Lo que ahora le preocupaba era la policía y cómo le habían encontrado. Había sido absolutamente meticuloso en la manera de perpetrar los asesinatos en Chicago. Allí, como en San Francisco y en México, había estado el tiempo mínimo indispensable en el lugar de los hechos, casi no había tocado nada y había llevado siempre guantes de látex, de esos de usar y tirar que en esta época de desconfianza general por las enfermedades contagiosas se pueden encontrar en cualquier farmacia; eso significaba que no había dejado huellas en ningún sitio.

Inmediatamente después había hecho un itinerario deliberadamente zigzagueante por las calles heladas de Chicago hasta la estación de tren, de una manera prácticamente imposible de perseguir. Parecía impensable que le hubieran seguido el rastro, y desde luego no hasta el tren. Sin embargo, aquí estaban y cada segundo que pasaba lo acercaba más a la confrontación final con ellos.

Lo que tenía que hacer, y rápido, era buscar la manera de huir.

8

Union Station, 7:50 h

Los detectives Polchak y Lee subieron la rampa de la estación hasta el andén de la vía 12, donde McClatchy aguardaba. Len Polchak tenía cincuenta y un años y era de raza blanca, medía metro setenta y pesaba ciento cinco kilos. Roosevelt Lee era negro, tenía cuarenta y cuatro años y medía casi dos metros, un altísimo y todavía muy en forma ex jugador de fútbol profesional.

Polchak llevaba veintiún años en la 5-2, Lee dieciocho, y a pesar de su diferencia de edad, altura y raza, tenían la relación más estrecha que dos hombres pueden tener sin ser hermanos. Su amistad provenía de años de respirar el mismo tedio, la misma vigilancia, el mismo peligro, de ser testigos de las mismas atrocidades que la gente se hacían los unos a los otros. Aquella familiaridad, alimentada por el tiempo y la experiencia, les hacía saber lo que el otro estaba pensando y lo que iba a hacer en cualquier situación y de manera instintiva, al igual que su confianza inherente les hacía ser conscientes de poder contar con la protección del otro en todo momento.

En todo el batallón ocurría lo mismo; la tradición mandaba que ningún hombre era más importante que otro, y eso incluía al comandante. Era una mentalidad forjada a base de trabajo y de cotidianeidad que requería una casta especial de individuos; no cualquiera era invitado a formar parte de la 5-2. Un detective podía ser recomendado, luego se le vigilaba de muy cerca durante semanas, hasta meses, antes de que todo el grupo lo aprobara y se le propusiera entrar. Una vez aceptado y hechos los juramentos de responsabilidad hacia la integridad de la brigada y de todos sus miembros, aquél era un compromiso de por vida. La única manera de salir de él era por una lesión gravísima, la muerte o la jubilación. Éstas eran las normas. Con el tiempo, eso generaba una fe de hermandad que pocos cuerpos compartían, y cuanto más tiempo llevaban juntos, más compartían la misma sangre.

Eso era en lo que confiaban ahora, mientras alcanzaban el final de la rampa y recorrían el andén hacia el lugar donde los esperaba McClatchy, todos ellos contando los minutos que faltaban para que llegara el *Chief* y su jugador de cartas bajara de él.

27

7:55 h

John Barron lo había visto claramente cuando se levantó de la mesa de juego y recorrió el pasillo para ir al baño al fondo del vagón. Pero había sido apenas un vistazo rápido, que no le bastó para hacerse la idea de él que quería... para ver la intensidad de sus ojos, lo rápido que era capaz de levantarse o de actuar con las manos. Y fue lo mismo al cabo de unos minutos, cuando volvió y pasó a su lado de espaldas para retomar su asiento con los otros jugadores, al mismo lado del vagón doce hileras más atrás. Tampoco eso le bastó.

Barron miró a la joven que estaba a su lado. Llevaba unos auriculares y miraba por la ventana, dedicando su concentración a lo que fuera que escuchara. Era su inocencia, más que cualquier otra cosa, lo que le inquietaba: la idea de que ella o cualquier otro pasajero o miembro de la tripulación del tren tuviera que pasar por aquello. Era una situación potencialmente mortal y sin duda el motivo por el cual el hombre había elegido viajar por aquel medio, rodeado de inocentes que le protegían sin saberlo. Era también la razón principal por la cual no le habían atrapado sin más cuando andaba por el tren.

No obstante, a pesar de toda la confianza que tenía en que su hombre sería apresado sin incidentes, ocurría algo más, algo de lo que no estaba seguro y que, cuanto más se acercaban a Los Ángeles, más incómodo le resultaba. Tal vez fuera el nerviosismo que lo había acompañado durante todo el viaje; su preocupación por los pasajeros del tren iba de la mano de su relativa inexperiencia comparada con la de sus compañeros. Tal vez fuera su voluntad de querer demostrar que merecía el honor que le habían hecho aceptándolo en la brigada. O tal vez fuera el volátil perfil que les había facilitado la policía de Chicago: «Debe considerársele armado y extremadamente peligroso». Quizá fuera la combinación de todos los factores. Fuera lo que fuese, había una electricidad en el ambiente que resultaba cada vez más desagradable; daba la sensación de mal augurio y de que algo terrible e inesperado estaba a punto de ocurrir. Era como si el hombre supiera que estaban allí, y quiénes eran, y su mente estuviera ya dos o tres pasos por delante de ellos. Preparado para lo que haría en el último momento.

28

9

Union Station, 8:10 h

Red McClatchy observaba a la gente que empezaba a concentrarse a la espera del tren que estaba al llegar. En un cálculo rápido estimó veintiocho personas en el andén, sin contarse a él mismo, Lee y Polchak. La zona en la que estaban era donde se suponía que el vagón número 39002 se detendría. Cuando lo hiciera, las dos puertas que daban al andén se abrirían y los pasajeros desembarcarían. Daba igual por cuál de las puertas saliera el hombre. Halliday, apostado a un lado, iría justo detrás de él si venía por ahí. Valparaiso haría lo mismo si venía por aquí. Barron, en medio, cubriría a quien lo necesitara.

Al otro lado de la vía y detrás de la valla encadenada estaban aparcados sus coches con refuerzos dentro. Además, dos vehículos patrulla del LAPD con dos agentes uniformados en cada uno estaban estacionados de manera disimulada detrás de dos camiones que usaban la zona como estacionamiento temporal. Cuatro más aguardaban en puntos estratégicos fuera de la estación, por si se daba el caso improbable de que el fugitivo lograra burlarlos a todos.

Un silbido de tren lo hizo girarse y vio un tren Metrolink de cercanías llegar por una vía, dos andenes más abajo. El tren fue reduciendo velocidad hasta detenerse, y durante los minutos siguientes hubo un vivo movimiento de pasajeros. Luego desaparecieron con la misma rapidez, dirigiéndose a sus puestos de trabajo por toda la ciudad, y el andén volvió a quedarse tranquilo.

Lo mismo ocurriría con la llegada del *Chief*. Durante unos instantes locos habría mucha actividad concentrada mientras el tren soltaba su carga humana, y sería entonces cuando ellos se pondrían manos a la obra, para avanzar entre la muchedumbre mientras el jugador de cartas bajaba del tren, esposarlo rápidamente y llevárselo al otro lado de las vías hasta los coches de camuflaje. A pesar de lo intensos que serían aquellos momentos, la maniobra se completaría en cuestión de segundos y muy poca gente se daría cuenta de que había tenido lugar.

McClatchy miró a Lee y Polchak; luego sus ojos se fijaron en el reloj del andén.

29

8:14 h

—Veamos lo que tienes, Frank —se rio Bill Woods entre dientes, anticipando la mano de Miller mientras empujaba unas cuantas fichas rojas hacia el centro de la mesa.

Un poco antes, Raymond había abandonado la partida. Y también lo había hecho Vivian Woods, que ahora se dedicaba a mirarlo como antes. El hecho de que su esposo estuviera literalmente a su lado no parecía importarle. El viaje estaba a punto de finalizar y ella se estaba echando a los brazos de Raymond con una especie de esperanza desesperada de que él hiciera algo al respecto al llegar a Los Ángeles. Él la animaba, sosteniéndole la mirada justo el tiempo necesario para que se diese cuenta, y luego desviaba los ojos hacia el fondo del pasillo.

El hombre hirsuto de la parca seguía en su asiento junto a la puerta, con la cabeza girada hacia la ventana. Raymond tenía ganas de girarse a mirar hacia atrás pero no había motivo. El tipo del traje oscuro seguiría sentado cerca del baño, al fondo del vagón, y el más joven, a medio camino, en el mismo sitio en el que estaba desde que había subido en Barstow.

8:18 h

De inmediato sintió que el *Chief* empezaba a reducir velocidad. Fuera veía naves industriales, un nudo de autopistas concurridas y el canal de drenaje recubierto de cemento que era el río Los Ángeles. Eran los últimos instantes del viaje. Pronto, el resto de pasajeros empezaría a levantarse y a recoger sus pertenencias de los portaequipajes. Cuando lo hicieran, él haría lo mismo, se pondría de pie y cogería su maleta como los demás, con la esperanza de que su actitud pareciera inocente y pudiera tener tiempo de sacar el Ruger y metérselo en la pretina, debajo del jersey. Luego, cuando el tren se detuviera al cabo de unos minutos y Miller y los Woods se marcharan, él los seguiría, charlando cordialmente, dirigiéndose a la misma puerta que ellos. Sería entonces cuando utilizaría las fantasías de Vivian Woods y la tomaría del brazo justo antes de alcanzar la puerta. Le susurraría que estaba loco por ella y le pediría que se fuera con él, que dejara a su marido y todo lo demás en aquel momento. Ella se quedaría al mismo tiempo patidifusa y halagadísima, y eso le daría a él tiempo suficiente de bajar junto a ella la escalerilla hasta el andén, usándola como escudo contra la policía que, estaba seguro, estaría detrás de él, y contra los demás, los que le esperaban fuera. El tiempo, si hasta ahora había sido crucial, ahora lo era todo. Bill Woods bajaría la escalerilla detrás de ellos, furibundo, preguntándose qué demonios estaba pasando. La policía aprovecharía aquel momento para hacer su avance, y cuando lo hiciera Raymond abriría fuego con su Ruger, mataría a todos los que pudiera y, en ese proceso, provocaría el máximo caos posible. Décimas de segundo más tarde se agacharía bajo el tren, cruzaría las vías hacia el otro andén y bajaría a la estación.

Una vez allí, se perdería entre las manadas de gente de su interior, se colaría por la salida más concurrida y saldría con todos los demás. Entonces se evaporaría como el humo del terrible pandemonio que acababa de crear y desaparecería por entre el enorme entramado de calles de la ciudad que tenía delante. Mientras estuviera en hora y mantuviera la cabeza fría, su plan funcionaría. Lo sabía.

10

8:20 h

John Barron vio la puerta de delante del vagón y al revisor que entraba. Deteniéndose, miró a los pasajeros y durante un instante brevísimo detuvo la mirada en Valparaiso, en el asiento que tenía enfrente. Luego dio media vuelta y salió por la misma puerta por la que había entrado.

8:22 h

Barron miró a la joven de su lado. Seguía absorta en lo que sonaba por sus altavoces y casi no se daba cuenta de que él estaba allí. Miró hacia atrás y vio a Halliday al fondo del vagón; luego se volvió y vio a Valparaiso en el asiento de delante. Respiró y se recostó, tratando de relajarse, con una mano apoyada en el regazo y la otra justo debajo de la cazadora, apoyada en el mando de la Beretta automática que llevaba en la pretina.

8:25 h

—Jo, otra vez, Ray, lo siento. —Frank Miller se levantó de nuevo y se apretujó para pasar frente a Raymond hacia el pasillo. Era la segunda vez que se levantaba en los últimos veinte minutos para ir al baño, al fondo del vagón. La última vez se disculpó abiertamente, reconociendo que tenía un problema de vejiga. Y entonces Bill Woods le dijo que a él lo habían operado un par de veces de tumores en la vejiga y le recomendó que fuera al urólogo lo antes posible, pero Miller lo desautorizó diciendo que él estaba bien, que era el viaje tan largo en tren lo que le provocaba irritación. Esto último le hizo pensar a Raymond que tal vez estaba en lo cierto al sospechar que el peluquín de Miller era una indicación de que estaba enfermo. Tal vez no hubiera estado en Chicago por negocios, sino para recibir tratamiento, y la referencia a los tumores de Bill Woods no hubiera hecho más que empeorar las cosas.

De nuevo pensó en la importancia del reloj en la estación, lo cronometrado que tendría que salir todo una vez allí. Eso le hizo temer, como le había ocurrido antes, que fuera cual fuese el problema de Miller, éste le causara algún tipo de inconveniente a la salida del tren.

8.27 h

El *Chief* redujo todavía más su velocidad.

11

Union Station

McClatchy esperaba debajo de Lee y Polchak, vigilando cómo la actividad en el andén y alrededor de ellos empezaba a animarse. En esos momentos, la cantidad de gente que esperaba la llegada del *Soutwest Chief* ya subía a cincuenta personas o más, y minuto a minuto iban llegando más. Cualquier aglomeración complicaba las cosas, y cuanto más grande, mayor el potencial de que algo se torciera.

Miró hacia las vías y luego empezó a volverse para buscar con la mirada los coches patrulla que se escondían más allá de la valla de cadena; de pronto, apretó la mandíbula. Una tropa de niñas excursionistas empezaba a subir la rampa desde la estación hasta el andén.

Había al menos una docena, niñas de diez u once años con sus uniformes de excursionistas recién planchados. Dos mujeres, también vestidas de uniforme, las acompañaban. La situación ya era lo bastante tensa de por sí, pero si se juntaba un grupo de chicas excursionistas con un asesino inestable saliendo de un tren y que podía ser presa de los nervios y empezar a disparar, entonces ¿qué?

—Las ocho y veintinueve. —Lee se le acercó a recordarle la hora, pero su atención estaba centrada en el grupo de niñas, preocupado como Red—. Tenemos once minutos escasos.

Polchak se les acercó, mirando a las chicas y luego a Red:

—¿Qué hacemos?

—Sacadlas de aquí ahora mismo.

8:30 h

—Dentro de diez minutos llegaremos a Union Station. El *Southwest Chief* entrará por la vía doce. Diez minutos.

El sistema de megafonía del tren emitió un mensaje grabado y el *Chief* aminoró la marcha hasta avanzar muy despacio. Casi de inmediato, la gente se levantó y empezó a bajar su equipaje de los estantes, y Raymond comenzó a hacer lo mismo. Luego vio al policía joven levantarse en mitad del vagón y hacer lo propio, bloqueando el pasillo justo cuando Miller volvía del baño. El policía sonrió, dijo algo y se volvió a deslizar hasta su asiento, dejando pasar a Miller. Al tiempo que lo hacía el revisor entró por la puerta de delante y se quedó en el pasillo, cerca de Valparaiso. Por un momento Raymond se quedó petrificado, sin saber qué hacer. Necesitaba el rifle pero no podía acceder a él sin bajar su bolsa. Estaba rodeado de gente que todavía recogía sus cosas, así que no había motivo para que él no hiciera lo mismo.

De pronto se levantó e iba a coger su bolsa cuando Miller lo detuvo:

—No lo haga —le susurró, y luego se inclinó hacia los Woods, en voz baja y tono apremiante—: He oído hablar a los del ferrocarril. Creen que hay una bomba a bordo. No saben en qué vagón. Van a detener el tren antes de que lleguemos a la estación.

—¿Cómo? —Raymond se quedó atónito.

—Cundirá el pánico entre los pasajeros —dijo Miller, con el mismo tono dramático—. Tenemos que alcanzar la puerta ahora mismo para poder ser los primeros en bajar. Dejen su equipaje, déjenlo todo.

33

Cuando se levantó, la cara de Bill Woods estaba blanca como la cera.

—Corre, Vivy, vámonos. —Su voz estaba empañada de miedo y ansiedad.

—Vamos, Raymond, rápido —lo apremió Miller mientras los Woods salían al pasillo delante de ellos. Raymond lo miró y luego levantó la vista hacia su maleta. Lo último que quería era dejarla atrás.

—Mi bolsa.

—Olvídela —dijo Miller rápidamente, al tiempo que lo agarraba del brazo y le forzaba a seguir a los Woods—. Esto no es ninguna broma, Raymond. Si eso explota, saltamos todos en pedazos.

8:33 h

Valparaiso y el revisor vieron acercarse a los jugadores de cartas. Detrás de ellos, Halliday y Barron se habían levantado de pronto, sorprendidos de verlos avanzar a los cuatro.

—¿Qué coño...? —exclamó Barron abiertamente, dirigiéndose a Valparaiso.

—¿Qué están haciendo? —El revisor miraba al grupo de jugadores que se abría paso entre la gente, avanzando hasta la parte delantera del vagón, hacia ellos.

—No te muevas, no hagas nada —le advirtió Valparaiso.

Barron se puso en el pasillo y empezó a avanzar hacia ellos con la mano en la Beretta. A los tres pasos sintió la mano de Halliday en el hombro.

—No le des motivos para que haga algo —le dijo Halliday, mientras lo contenía.

—¿Qué cojones está pasando?

—No lo sé, pero no puede ir a ninguna parte. Vuelve a sentarte. Estamos a pocos minutos del objetivo.

Valparaiso vio a Halliday llevarse a Barron hacia los asientos que los jugadores habían dejado libres. Mientras tanto, el cuarteto seguía avanzando. Iban muy juntos, escurriéndose por entre los demás pasajeros. Oyó suspirar al revisor. Unas pocas hileras más y estarían junto a él. El tren todavía se movía. ¿Adónde demonios se creía que iba? ¿Al otro vagón? Sí, claro. Pero luego estaba la locomotora, de modo que el vagón siguiente era lo más lejos que podía ir, y eso lo podrían controlar si tenían que hacerlo. Tan pronto como entraran se pondría en contacto por radio con McClatchy y... de pronto, el revisor empezó a avanzar hacia los jugadores de cartas, bloqueando el pasillo.

—Ha habido un problema con los billetes —dijo, con voz autoritaria—. ¿Quieren tener la amabilidad de regresar a sus butacas hasta que podamos solventarlo?

—Dios mío —masculló Valparaiso.

Barron miraba al revisor, con la Beretta escondida debajo de la mesa.

—Déjalo solo, gilipollas —susurró, demasiado alto.

—Tranquilo —le dijo Halliday a media voz—; no te pongas nervioso.

8:34 h

El revisor estaba justo delante de ellos. Bill y Vivian Woods miraron a Miller suplicando ayuda. Estaban asustados y no tenían ni idea de qué hacer. Raymond miró hacia atrás, a su bolsa. Los policías estaban justo allí, en su sitio, con la bolsa en el portaequipajes de encima de ellos.

—Les he pedido que vuelvan a sus sitios y se sienten. Por favor, háganlo y quédense sentados hasta que lleguemos a la estación. —El revisor siguió empujándolos. Con bomba o sin ella, pensó Raymond, éste era un hombre que creía realmente que éste era su tren y que mandaba. Nadie se dirigiría a las puertas hasta que él lo autorizara, y desde luego, no un criminal buscado. De pronto le quedó medianamente claro quién había avisado a la policía.

No sólo había sido una estupidez, sino una temeridad. Y Miller lo había llevado a hacerlo. Por segunda vez en lo que parecían unos segundos hizo algo enteramente inesperado.

—Pare el tren —dijo, severamente—. ¡Párelo ahora mismo!

El revisor se puso furioso:

—No es posible.

—Sí, sí lo es. —De pronto, Miller sacó un enorme Colt automático de dentro de la americana y apuntó con fuerza a la cabeza del revisor—. Tiene usted una llave de emergencia. ¡Utilícela!

—¡Dios mío! —Barron se levantó rápidamente. Y Halliday hizo lo mismo.

Raymond estaba estupefacto. Permanecía quieto, incrédulo. Bill Woods tiró de Vivian con fuerza hacia él, estrechándola. La gente miraba, atónita. Entonces Raymond vio que Valparaiso levantaba un brazo. Tenía una Beretta de 9 mm en la mano y apuntaba directamente al pecho de Miller.

—¡Policía, no se mueva! —Los ojos de Valparaiso estaban clavados en los de Miller.

Al mismo instante, Barron y Halliday empezaron a avanzar pasillo arriba desde detrás, con los revólveres levantados y listos para disparar.

—¡Deje la pistola o mato al revisor aquí mismo! —gritó Miller a Valparaiso, luego se apartó abruptamente y apuntó la pistola a Barron y Halliday.

—¡Ya basta! —gritó.

Los policías se quedaron inmóviles allí donde estaban.

—¡Baje el arma, ahora! —gritó Valparaiso.

De pronto Miller se volvió hacia Bill Woods.

¡Puuuum!

Un disparo atronador sacudió el vagón y la cabeza de Bill Woods estalló, salpicando a su esposa y a los pasajeros que estaban más cerca con trozos de cerebro y de sangre antes de caer al suelo girando sobre sí mismo. Los gritos de Vivian Woods fueron ahogados por los chillidos de otros pasajeros. Algunos, cerca del fondo, salieron en estampida hacia la puerta de atrás, desesperados por huir. De inmediato, Miller giró el Colt hacia Vivian.

—¡Deje el arma, poli! —dijo Miller, mirando a Valparaiso. El vagón entero enmudeció.

8:36 h

Barron avanzó un poco entre los pasajeros aterrorizados, tratando de obtener un buen campo de visión. Miller lo vio:

—¿Quiere que mate a alguien más?

Miller estaba excitadísimo, sus ojos eran poco más que dos puntos ardientes que parecían hundírsele hacia el cráneo.

—¡Baja el arma, Donlan! —ladró Valparaiso, con el dedo deslizándose por el gatillo de su Beretta.

—¡No, bájala tú! ¡Bajadla los tres, malditos hijos de puta! —La mano de Miller salió disparada y agarró a Vivian por el pelo, arrastrándola hacia él y con el Colt bien apoyado bajo el mentón de la mujer.

—¡Oh, Dios mío, no! —gritó Vivian aterrorizada.

—¡Bajad las armas ahora mismo!

Y

¡Donlan! Aquel nombre impactó en Raymond como una flecha. Dios mío, el tipo no se llamaba Miller, sino Donlan, y era al que habían estado buscando todo el tiempo. ¡No a él!

Valparaiso miró a Barron y Holliday, al otro lado del pistolero, y luego abrió lentamente los dedos y dejó caer su arma al suelo.

—¡Tíremela hacia aquí con el pie! —ladró Donlan.

Valparaiso lo miró; luego avanzó un pie y empujó su automática hacia Donlan.

—¡Y ahora vosotros dos! —Se volvió Donlan, mirando ahora a Barron y Halliday, en el pasillo de detrás de él.

—Hazlo —masculló Halliday. Dejó caer su Beretta el primero. Barron vaciló. Estaba de pie, un poco de lado, en el pasillo, y veía a la madre aferrada al niño del oso de peluche. La joven que antes se sentaba a su lado estaba atónita contra la ventana, con el rostro contraído por el horror. Éste era el drama que había visto venir, el terror que estaba en el aire incluso antes de empezar. Pero no podía hacer nada sin poner en peligro más vidas. Dejó caer la Beretta y oyó cómo golpeaba el suelo a sus pies.

—Ray —dijo Donlan, mirando de pronto a su compañero de juego—. Quiero que recoja las armas y las tire por la ventana, y luego vuelva a mi lado. —Le dio la orden con mucha calma y con un tono lleno de cortesía.

Raymond vaciló.

—¡Ray, haga lo que le he dicho!

Raymond asintió con un gesto de la cabeza y, con todas las miradas del vagón puestas en él, recogió lentamente los revólveres y los tiró por la ventana del tren, luego anduvo hacia donde estaba Donlan. Se esforzó por no sonreír. Aquello era una suerte caída directamente del cielo.

8:38 h

De pronto, el pistolero se volvió hacia el revisor:

—Pare el tren. Hágalo ahora mismo.

—Sí, señor.

Tembloroso, horrorizado, el revisor sacó un fajo de llaves de su cinturón, bajó por el pasillo en dirección a Valparaiso y metió una de las llaves en la ranura que había encima de la puerta. Dudó un momento y luego la hizo girar.

12

Cincuenta metros más allá las luces de emergencia se pusieron a bailotear por el panel de control del *Chief* mientras los frenos de emergencia se disparaban automáticamente. Al mismo tiempo, un pitido de aviso se disparó sobre la cabeza del maquinista. Sintió una sacudida al engancharse los frenos; luego, por debajo de él se oyó un chirrido tremendo de acero contra acero: eran las ruedas deslizándose bloqueadas por encima de las vías.

La sorpresa, el pánico, el miedo y el caos total reinaron en el interior de los vagones de pasajeros a lo largo de todo el tren. Maletas, bolsas, móviles, ordenadores portátiles y todo tipo de objetos se precipitaron hacia delante en un huracán desatado de desechos aéreos, acompañados de una sinfonía de gritos y de chirrido del acero. Algunos pasajeros chocaron contra los respaldos y los reposacabezas. Otros, a los que el frenazo había sorprendido de pie, salieron disparados contra el suelo del pasillo. Y todavía otros lograron aguantarse con todas sus fuerzas, abrazados contra el enorme impulso del tren de más de medio kilómetro, mientras el *Chief* resbalaba y resbalaba. Finalmente, por suerte, se detuvo, y por un momento brevísimo todo quedó sumido en el silencio.

Dentro del vagón 39002 el silencio fue interrumpido por una sola voz, la de Donlan:
—Abra la puerta.
Estaba mirando a Raymond.
Estupefacto ante el giro de los acontecimientos, Raymond rodeó al revisor, se dirigió a la puerta y tiró de la manecilla de emergencia. Se oyó un chirrido hidráulico y la escalerilla bajó hasta el suelo. Miró hacia fuera. El tren estaba detenido en una amplia explanada de almacenaje de la compañía ferroviaria, a menos de setecientos metros de la estación, en medio de lo que parecía una enorme zona industrial. Raymond sentía los latidos de su corazón. Dios mío, qué

fácil era. Donlan se escaparía; la policía lo perseguiría. Lo único que tenía que hacer era recoger su maleta y marcharse. Esta vez sí sonrió, con una sonrisa ancha y para él mismo, y luego retrocedió rápidamente, esperando que Donlan saltase a su lado para recuperar la libertad. Pero en vez de hacerlo, Donlan soltó el pelo de Vivian Woods y cogió el suyo.

—Creo que será mejor que me acompañe, Ray.

—¿Cómo? —gritó éste, incrédulo.

Entonces sintió el tacto frío del Colt de Donlan debajo de la oreja. Estaba horrorizado. Dios le había prometido salvación, ahora Donlan se la quitaba. Trató de separarse de él, pero era más fuerte de lo que parecía y lo puso de nuevo en su lugar.

Donlan le habló bruscamente:

—No haga esto, Ray.

Se volvió hacia el revisor:

—Y tú, hijo de puta...

El revisor abrió los ojos de par en par. Un horrible escalofrío se apoderó de él. Hizo ademán de volverse, quiso salir corriendo, pero no le sirvió de nada. Unos disparos atronadores ensordecieron a todo el mundo en el vagón mientras el Colt daba dos sacudidas en la mano de Donlan. El cuerpo del revisor dio dos saltos al aire y luego desapareció del campo visual. Raymond trató de liberarse de nuevo del control de Donlan, pero no le sirvió de nada y éste lo arrastró escaleras abajo hasta la gravilla que había junto al tren. En una décima de segundo, Donlan lo puso de pie de nuevo, arrastrándole y empujándole a través de las vías hacia una valla que había a lo lejos.

39

13

8:44 h

Barron saltó por la puerta del vagón y cayó al suelo rodando. Al levantarse, Halliday ya estaba más adelante y corría hacia el punto donde Donlan empujaba a su rehén por encima de una valla de cadena, al final del descampado del tren. Barron salió disparado, corriendo no hacia Halliday sino por las vías junto al tren. Vio a Halliday, que se volvía a mirarlo.

—¡Si quieres perseguirle sin armas, adelante!

Barron corría con todas sus fuerzas, mirando por el suelo delante de él en busca de sus armas. Al cabo de casi cuatrocientos metros vio la primera Beretta que brillaba al sol. Luego vio las otras dos, separadas unos siete metros, sobre la gravilla junto a las vías del tren.

Recogió una, luego la otra y luego la última y salió corriendo en diagonal, cortando la distancia hacia la valla. Donlan la había cruzado. Halliday estaba a su izquierda, justo delante de él, corriendo a todo meter. Al llegar a su altura, Barron le lanzó una de las armas. En pocos segundos había llegado a la valla y la saltaba apoyado en una mano. Halliday hizo lo mismo detrás de él.

El terreno caía bruscamente al otro lado y los dos hombres se pararon. Al pie de la colina había dos avenidas principales que se cruzaban en un semáforo.

—¡Allí está! —gritó Barron, y vieron a Donlan y su rehén corriendo hacia la puerta del copiloto de un Toyota blanco que estaba parado en el semáforo. Con el Colt en la mano, Donlan abrió la puerta del conductor y sacó a una mujer a rastras a la calle. Luego miró al rehén y dijo algo. De inmediato, el rehén miró hacia atrás, a la policía, corrió hacia la puerta del copiloto y entró en el coche justo cuando Donlan lo ponía en marcha. Se oyó el chirrido agudo de las ruedas y el Toyota salió disparado hacia el cruce.

—¿Has visto esto? —gritó Barron.

—¿Están juntos?

—¡Joder, lo parece!

Union Station, 8:48 h

—¡Vamos allá, Marty! —aulló McClatchy por la radio a Valparaiso.

Levantando polvo y gravilla, olvidadas las niñas excursionistas, McClatchy y sus detectives sacaron a toda velocidad los dos Ford de camuflaje de la zona apartada de obras al otro lado de la vía 12.

McClatchy conducía el primer coche con Polchak a su lado. Lee iba solo en el segundo coche, golpeando la calle pegado a aquél. Un segundo más tarde, las dos unidades de apoyo rugieron detrás de ellos.

8:49 h

Barron y Halliday estaban en medio de la avenida mostrando sus placas doradas de detectives, tratando de detener cualquier coche que

pudieran. Pero nadie les hacía ni caso. Los coches pasaban a toda velocidad a izquierda y derecha. Insistieron, pero siguieron sin hacerles caso. La gente les tocaba el claxon, les gritaba que se apartaran.
Finalmente se oyó un fuerte chirrido de frenos y una furgoneta
Dodge verde se detuvo junto a Halliday.

Con la placa bien alta, Halliday abrió la puerta de la furgoneta de
un manotazo y le gritó a su joven conductor que se trataba de una
emergencia policial y que la necesitaba.

En cuestión de segundos, el chico estaba en la calle y Halliday se
deslizaba tras el volante hacia el asiento del copiloto y le gritaba a
Barron:

—¡Tú eres el joven, tú conduces!

Barron se metió dentro, cerró la puerta de un portazo y puso la
Dodge en marcha. Con un chirrido de ruedas, se apoyó en el claxon
y se coló por un semáforo en rojo, acelerando en la misma dirección
en la que había salido el Toyota blanco de Donlan.

8:51 h

Con el radiotransmisor en la mano, los pies deslizándose por el
suelo de roca quebrada que cubría el suelo entre vías, Valparaiso corría a todo trapo hacia la calle a lo lejos. A setenta metros lo seguían
las unidades de bomberos y policía de Los Ángeles por encima del
mismo suelo, en dirección al *Southwest Chief* detenido.

—Roosevelt, recoge a Marty.

Lee oyó la orden de McClatchy por su radio, por encima de un
griterío de sirenas, y rápidamente eligió el camino más rápido hasta
el descampado del ferrocarril, empezando por un giro a la izquierda
en el primer cruce. Al correr hacia el carril de giro vio el coche de
McClatchy y Polchak acelerando delante de él, y luego girando a la
derecha en el cruce y saliendo a toda velocidad, con las luces de
emergencia roja y amarilla de su ventana trasera centelleando con
furia. Al cabo de medio segundo, las dos unidades patrulla salieron
disparadas a la carrera. Se trataba de un Código Tres: luces rojas y sirenas.

41

8:52 h

Lee vio a Valparaiso corriendo hacia una verja baja, veinte metros más adelante. Inmediatamente, su enorme pie derecho pisó el freno y el Ford se detuvo justo cuando Valparaiso saltaba la verja y corría hacia él.

—¡Vamos! —gritó Valparaiso, subiendo al coche. Antes de que éste hubiera cerrado la puerta, Lee pisó el acelerador y el Ford salió disparado, dejando un rastro de rueda quemada.

14

8:53 h

Raymond miró a Donlan. Con el Colt automático en el regazo, la intensidad y el atrevimiento con los que conducía —cortando el tráfico, saltándose semáforos, girando abruptamente aquí y allá; todo con un ojo en la carretera y el otro en el retrovisor—, le parecía que estaba en una película de acción. Sólo que esto no era ninguna película, era más bien un exceso de realidad.

Raymond desvió la vista hacia la carretera. Iban a mucha velocidad. Donlan iba armado y era obvio que no tenía problemas para matar a la menor provocación. Además, era tan observador como Raymond. Resultaba evidente que había detectado al instante la presencia de los policías en el tren, y éste era el motivo de sus constantes viajes al baño. Eran sus nervios, nada más, mientras trataba de decidir qué hacer. Pero su vigilancia y rapidez significaban que intentar hacer algo contra él aquí y ahora era una locura. Quería decir que tenía que informar a Donlan de lo que iba a hacer antes de hacerlo.

—Voy a buscar en mi bolsillo y sacaré la cartera y el móvil, ¿vale?

—¿Por qué? —Donlan tocó el revólver de su regazo pero mantuvo los ojos en la carretera.

—Porque tengo un permiso de conducir y tarjetas de crédito falsos y si la policía nos alcanza no me gustaría que me los encontraran. Tampoco quiero que me cojan el móvil y rastreen los números de teléfono.

—¿Por qué? ¿En qué está metido?

—Estoy en este país ilegalmente.

—¿Es terrorista?

—No. Es por algo personal.

—Haga lo que tenga que hacer.

Donlan giró bruscamente a la derecha. Raymond se sujetó mientras el Toyota se enderezaba y luego sacó la cartera y sacó el efectivo que le quedaba: cinco billetes de cien dólares. Los dobló por la mitad y se los puso en el bolsillo, abrió la ventana y tiró la cartera a la calle. Al cabo de cinco segundos tiró su teléfono móvil y lo miró romperse en mil pedazos al golpearse con el bordillo de la acera. Se la jugaba, lo sabía, y mucho, en especial si salía de ésta, porque necesitaría tarjetas de crédito, documentación y un móvil. Pero escapar del psicópata armado Donlan sin la ayuda de la policía era algo improbable, al menos de manera inmediata. Si pillaban a Raymond, lo interrogarían; examinarían su documentación cuidadosamente, la comprobarían y descubrirían que su permiso de conducir era falso y que las tarjetas de crédito, aunque eran reales, estaban emitidas por entidades bancarias en las que había utilizado documentación falsa, cosa que también las convertía en fraudulentas.

Por este motivo, y en especial a la luz de la preocupación sobre seguridad interna que reinaba en Estados Unidos, si encontraban su teléfono móvil harían exactamente lo que le había dicho a Donlan: rastrear las llamadas que había hecho. Y aunque había usado números de terceros y centralitas extranjeras para hacer las llamadas, había alguna posibilidad, aunque fuera remota, de que descubrieran que había estado en contacto con Jacques Bertrand en Zúrich y con la baronesa que lo esperaba en Londres. Que descubrieran a uno de ellos o a los dos era algo que no podía dejar que ocurriera, no ahora que tenían el horario europeo cerrado y había empezado la cuenta atrás.

Con lo que la policía habría encontrado en el tren no podía hacer nada. En algún momento tendrían que buscar por los montones de equipaje esparcidos y encontrar su bolsa con un recambio de ropa, el Ruger, las dos cartucheras de munición extra, el billete de avión a Londres, su pasaporte estadounidense, las escasas notas que guardaba en una agenda delgada del tamaño de un talonario y tres llaves idénticas numeradas correspondientes a cajas fuertes, guardadas en una pequeña bolsa de plástico de cierre hermético. Ahora lamentaba haberse llevado el Ruger. El billete era sencillamente lo que era. Sus notas, probablemente, no significarían nada para nadie, y las llaves de las cajas fuertes tampoco revelaban nada, como descubrió furiosamente, puesto que sólo llevaban grabado el sello de su fabricante belga y el número de las mismas, 8989. Los anteriores propietarios de las llaves, las personas a las que había matado en San Francisco, México y Chicago, no tenían ni idea de dónde estaba la caja fuerte. De eso estaba seguro, porque a todos ellos les había provocado el suficiente dolor físico como para hacer que cualquier ser humano revelara cualquier cosa. De modo que, aunque tenía las llaves, no sabía más de ellas ahora que antes: que la caja fuerte a la que correspondían estaba en un banco en alguna localidad francesa. Pero en qué banco y en qué ciudad, no tenía ni idea. Era una información vital y sin ella las llaves no tenían ningún valor. Obtenerla antes de volar hacia Londres había multiplicado por mil su necesidad de pasar por Los Ángeles, pero eso, por supuesto, era algo que la policía no sabría.

Lo que les quedaría, entonces, sería su pasaporte, y puesto que lo había usado sin problemas para entrar y salir del país, supondrían que era auténtico. El problema llegaría si comprobaban la banda magnética de detrás. Si eran lo bastante astutos para relacionar las cosas, descubrirían que había estado en San Francisco y México D.F. los mismos días en que se habían cometido los asesinatos, y que había regresado a Estados Unidos vía Dallas, desde México, el día antes de los crímenes de Chicago. Pero eso implicaba que tendrían alguna información sobre esos crímenes, lo cual era mucho suponer, puesto que eran muy recientes y muy alejados geográficamente. Además, buscar por entre el caos de los equipajes y efectos personales que se habían caído cuando el revisor tiró del freno de emergencia del tren llevaría un tiempo, que era lo que ahora trataba de ganar desprendiéndose de cualquier elemento sospechoso. Si capturaban a Donlan, Raymond podría decir sencillamente que toda su documentación se había quedado en el tren, esperar que le creyeran un rehén aterrorizado y le dejaran marchar antes de encontrar su bolsa de viaje.

8:57 h

—La furgoneta verde —dijo Donlan bruscamente, con la mirada clavada en el retrovisor.

Raymond se volvió y miró detrás de ellos. Una furgoneta Dodge verde los seguía a unos setecientos metros y a gran velocidad.

—¡Allí! —gritó Barron. Tocó el claxon y pisó el acelerador a fondo. Le hizo un interior a un Buick y lo adelantó bruscamente, luego se colocó en el carril de la izquierda.

Halliday levantó su radio.

—Red...

—Aquí, Jimmy. —La voz de McClatchy se oyó claramente.

—Lo tenemos a la vista. Estamos en el este, en Cesar Chavez, acabamos de cruzar North Lorena.

Dos manzanas más adelante el Toyota se escoró hacia la izquierda, cambiando de carril. Estuvo a punto de estrellarse con un autobús y luego se metió a toda velocidad por una calle secundaria.

—Agárrate. —Barron rodeó un Volkswagen Beetle, luego cruzó los carriles izquierdos desafiando el tráfico que venía y se metió por la misma calle que Donlan.

Halliday cogió la radio.

—A la izquierda en Ditm... ¡Cuidado!

El Toyota venía directamente hacia ellos. Vieron a Donlan al volante sacando la mano izquierda por la ventana, con la pistola preparada. Barron dio un brusco giro a la derecha y el furgón se escoró.

¡Bang, bang, bang!

Los dos detectives se agacharon mientras el parabrisas del furgón saltaba en mil pedazos. Se levantó sobre dos ruedas y luego volvió a caer de pie. Barron redujo rápidamente, hizo un giro de 180 grados y salió disparado tras el Toyota.

—Hemos sufrido un tiroteo. Estamos bien. Volvemos a Chavez en dirección oeste —escupió Halliday por la radio—. ¿Dónde coño estáis?

—¡Lo veo! —gritó Barron. Más adelante, Donlan adelantaba a un furgón de reparto, lo cortaba y se metía por otra calle.

—¡A la derecha por Ezra! —gritó Halliday por la radio.

A lo lejos oyeron sirenas. Delante vieron el Toyota reducir, volver a acelerar y, de pronto, girar a la izquierda para salir otra vez en estampida.

—¡Es una calle sin salida! —gritó Barron.

—Sí.

Barron bajó la velocidad justo a tiempo para ver a Donlan meterse por la única posibilidad que le cabía: se estrelló contra una puerta de madera y condujo directamente contra un edificio de aparcamiento cerrado.

—¡Lo tenemos! —gritó Barron orgulloso.

45

15

9:08 h

Barron llevó el Dodge sin parabrisas frente al parking y lo detuvo, bloqueando la salida. Al cabo de un segundo llegaron cuatro unidades patrulla, casi una encima de la otra. Agentes uniformados saltaron de los coches, armas en mano, y empezaron a avanzar hacia el Dodge.

—¡Barron, Halliday, Cinco-Dos! —gritó Barron, sacando la placa por la ventanilla—. Acordonen la zona. Precinten todas las salidas.

—En marcha —se oyó la voz de McClatchy por la radio de Halliday.

Barron miró por el retrovisor. El Ford azul de Red estaba justo detrás de ellos, Red al volante, Polchak a su lado. Luego el coche de Lee y Valparaiso llegó y se detuvo detrás del de Red. Por todos lados llegaban más coches patrulla de blanco y negro.

—Entrad —dijo Red por la radio—. Deteneos en la primera rampa. Os seguimos.

Barron llevó la furgoneta hacia el garaje vacío, más allá de un cartel en la entrada que decía CERRADO DE MARZO A ABRIL POR REFORMAS ESTRUCTURALES.

Halliday conectó la radio:

—Red, están de reformas. ¿Hay gente trabajando dentro?

—No te muevas, ahora lo compruebo.

Barron se detuvo. La estructura oscura que tenían delante de ellos parecía una tumba vacía de cemento. Había muchas plazas de parking vacías iluminadas aquí y allá por fluorescentes y, de vez en cuando, a distancias calculadas, columnas de cemento armado.

Pasó un minuto, luego otro. Después la voz de Red volvió a sonar por la radio.

—Hay cierta actividad laboral, pero no ha habido nadie durante dos semanas. Entremos, pero con precaución extrema.

Halliday miró a Barron y asintió con la cabeza. El pie de Barron pisó el acelerador y el Dodge avanzó; ambos agentes buscaban el Toyota o algún rastro de los dos hombres.

Detrás de ellos entró el coche de McClatchy/Polchak, y luego el de Lee/Valparaiso. Entonces, oyeron el rugido de un helicóptero policial, con las fuertes aspas de su rotor cortando el aire mientras se mantenía inmóvil y su piloto hacía de sus ojos allí arriba.

Barron dobló una esquina, llegó a la base de la primera rampa de subida y se detuvo.

—Caballeros —dijo la voz de Red por la radio de Halliday—. El exterior está acordonado. Ni rastro de los sospechosos. —Se hizo una pausa y luego Red terminó—. Caballeros, tenemos el OK.

Barron miró a Halliday, confuso:

—¿Qué significa «tenemos el OK»?

Halliday vaciló.

—¿De qué habla?

—Quiere decir que no esperamos que llegue el SWAT. La función es nuestra.

Dentro del Ford de camuflaje, McClatchy se guardó la radio en el bolsillo y buscó el pomo de la puerta. Entonces vio a Polchak mirándolo.

—¿Se lo piensa decir? —le preguntó Polchak.

—¿A Barron?

—Sí.

—A nosotros no nos lo dijo nunca nadie. —La respuesta de McClatchy era de una lógica aplastante, casi fría. Abrió la puerta del coche.

—Es sólo un crío.

—Todos éramos unos críos cuando empezamos.

Atentos, con las armas automáticas levantadas y listas, Barron y Halliday salieron de la furgoneta. A lo lejos podían oír el rumor de radios de policía y, arriba, el fuerte latido de las aspas del rotor del helicóptero. Los otros también salieron. Valparaiso se acercó para hablar en voz baja con McClatchy. Lee y Polchak abrieron los maleteros de los dos coches y se les acercaron para darles chalecos antibalas con la palabra POLICÍA escrita en la espalda.

Barron se puso el suyo y se acercó adonde estaba McClatchy con Valparaiso, estudiando el garaje con la mirada, como hacían ellos. Donlan podía estar por cualquier rincón, esperando en la sombra su ocasión de disparar. Estaba loco. Le habían visto en acción.

—El rehén de Donlan —dijo Barron al llegar a su lado—, parecía como si hubiera subido al Toyota por voluntad propia. También fue quien recogió nuestras armas para Donlan en el tren. Puede que sean cómplices, puede que no.

Red lo escrutó ligeramente:

—¿Tiene nombre, ese rehén?

—No que sepamos. —Halliday llegó por detrás de él—. Que alguien compruebe la identidad de la esposa del hombre que Donlan ha matado en el tren. Han estado jugando a cartas juntos todo el viaje.

De pronto, un estruendo tremendo provocado por el vuelo rasante del helicóptero, que luego se quedó de nuevo inmóvil, sacudió todo el edificio. Al ceder el ruido, Barron vio a Polchak sacar del maletero del Ford un arma de cañón corto, tipo escopeta recortada, con un enorme cargador.

—Striker doce. Es un fusil sudafricano antidisturbios. —Polchak sonrió—. Cargador de cincuenta balas. Doce disparos en tres segundos.

—¿Estás cómodo con esto? —Valparaiso sostenía un revólver Ithaca del calibre doce.

—Claro —dijo Barron, y Valparaiso se lo lanzó.

McClatchy sacó el revólver Smith & Wesson de la pistolera de ante que llevaba en la cintura.

—Vamos para allá —dijo—. Jimmy y Len a la escalera norte de incendios. Roosevelt y Marty, al sur. Barron y yo iremos por el centro.

Y así se pusieron en marcha, Halliday y Polchak a la izquierda; Lee y Valparaiso desapareciendo a través de las sombras a la derecha, con el sonido de sus pasos perdiéndose bajo el latido rítmico del helicóptero.

Barron y McClatchy, escopeta y revólver, subieron la rampa principal de vehículos a un metro y medio el uno del otro, escaneando con los ojos las columnas de cemento, las pilas ordenadas de material de construcción, las plazas de parking desiertas, las sombras creadas por las columnas y los materiales apilados.

Barron visualizó a los otros subiendo por las escaleras de incendios, armas en mano, bloqueando cualquier camino de salida que pudieran tomar Donlan y su rehén o amigo. Sentía el sudor en las palmas de las manos, la carga de adrenalina. No era el mismo nerviosismo que había sentido antes en el tren; era algo totalmente distinto. Apenas una semana antes era una pieza en el engranaje de la brigada de Robos y Homicidios, y ahora aquí estaba, miembro de por vida de la prestigiosa brigada 5-2, avanzando mano a mano con el mismísimo Red McClatchy de camino a atrapar a un asesino extremadamente violento. Era algo de película. Con todo el peligro que comportaba, el subidón de adrenalina era enorme, hasta heroico. Se sentía como si estuviera al lado de Wyatt Earp entrando en el OK Corral.

—Tal vez quieras saber algo más sobre nuestro señor Donlan —le susurró McClatchy, concentrado en el cemento y en las sombras de delante—. Antes de su hazaña en el tren, antes de tener la mala suerte de ser visto en Chicago y de que la policía de allí emitiera una alerta para cazarle, se había escapado del corredor de la muerte en Huntsville. Estaba condenado por la violación y el asesinato de dos hermanas adolescentes. Y eso lo hizo exactamente cuatro días después de salir de la cárcel gracias a una reducción de condena por buen comportamiento... una condena que cumplía por otra violación... Ten cuidado.

Red dejó que su voz se apagara cuando llegaban arriba de la rampa y pasaban por la curva.

—Quieto —dijo de pronto, y se detuvieron.

A cinco metros tenían el Toyota blanco. Estaba aparcado de cara a un muro trasero y tenía las puertas del conductor y copiloto abiertas y las luces de emergencia parpadeando.

Red sacó la radio.

—El Toyota está aquí —dijo, a media voz—. Segunda planta. Acercaos lentamente y con la máxima precaución. Apagó la radio y él y Barron se quedaron escuchando, barriendo la zona con los ojos.

Nada.

Pasaron diez segundos. Entonces vieron las siluetas desdibujadas de Halliday y Polchak avanzar por la izquierda y detenerse a diez metros del coche con las armas preparadas para disparar. Al cabo de un momento, Lee y Valparaiso se acercaron por la derecha, deteniéndose a la misma distancia.

Red esperó, evaluando la situación, y luego su voz retumbó por la cámara de cemento:

—¡Policía de Los Ángeles! Donlan, el edificio está rodeado. No tiene adonde ir. ¡Tire el arma y entréguese!

Nada. El único sonido era el fuerte latido del helicóptero de la policía.

—Fin del trayecto, Donlan. ¡No se complique más la vida!

Red avanzó lentamente. Barron lo imitó, con el corazón acelerado, las palmas de las manos pegajosas de sudor alrededor de la enorme Ithaca. Los otros permanecieron donde estaban. Tensos. Vigilan-

49

tes. Los dedos en los gatillos. Polchak tenía la recámara de su enorme rifle antidisturbios contra el hombro y miraba por su mirilla.

—¡Soy Frank Donlan! —La voz del fugitivo retumbó de pronto desde mil rincones a la vez.

Red y Barron se quedaron petrificados.

—¡Voy a salir! Mi rehén está bien, viene conmigo.

—¡Mándalo a él primero! —le gritó Red.

Durante un momento que pareció durar una eternidad no pasó nada. Luego, lentamente, Raymond salió de detrás del Toyota.

16

Barron apuntaba a Raymond con la enorme escopeta Ithaca mientras éste emergía de las sombras y avanzaba hacia ellos. Lee, Halliday, Polchak y Valparaiso se mantenían atrás, con las armas listas, alerta, vigilando.

—¡Al suelo, boca abajo! —ordenó Red a gritos—. Las manos detrás de la nuca.

—¡Ayuda, por favor! —suplicó Raymond mientras avanzaba. A su izquierda, derecha y delante estaban los tres policías del tren. A los otros no los había visto nunca.

—¡Al suelo! ¡Las manos detrás de la nuca! —repitió Red—. ¡Ahora!

Raymond dio otro paso y se tiró al suelo mientras se ponía las manos en la nuca, como le ordenaban.

Al instante, Barron desvió la Ithaca de Raymond al Toyota. ¿Dónde estaba Donlan? ¿Y si estaba usando a su rehén como tapadera para colocarse y atrapar a uno de ellos? ¿Y si salía de pronto de detrás del coche, disparando al primero que se le pusiera a tiro?

—¡Donlan! —McClatchy miró al Toyota, con la distracción que suponían sus luces parpadeantes de emergencia—. ¡Tira el arma!

Nada. Barron respiró con fuerza. A su izquierda podía ver a Polchak ajustando el peso de su fusil.

—¡Donlan! —volvió a gritar McClatchy—. ¡Tira el arma o iremos a por ti!

Una nueva pausa; luego un objeto salió volando desde detrás del Toyota y rebotó por el suelo, antes de detenerse a medio camino entre Raymond y Red McClatchy. Era el Colt automático de Donlan.

Red miró rápidamente a Barron:

—¿Llevaba algo más?

—No que hayamos visto.

Red miró de nuevo hacia el Toyota:

—Pon las manos sobre la cabeza y sal lentamente.

Durante un rato todo siguió inmóvil. Luego vieron movimiento detrás del Toyota y Donlan apareció. Con las manos en la cabeza, salió de la sombra hasta la zona iluminada por la luz fluorescente. Iba totalmente desnudo.

—Dios mío —murmuró Barron.

Donlan se detuvo, con pinta extraña bajo la luz fluorescente y vestido solamente con el peluquín. Sonrió lentamente:

—Sólo quería demostraros que no tengo nada que ocultar.

Los detectives se le acercaron rápidamente; Polchak y Lee tomaron posiciones armadas a un palmo del Donlan desnudo, mientras Valparaiso se le acercaba bruscamente para esposarlo por la espalda. Barron y Halliday se dirigieron al Toyota.

—No te muevas. No hables. —Con la Smith & Wesson agarrada entre las dos manos, Red se acercó a Raymond—. Roosevelt —dijo.

De pronto, Lee se separó de Polchak y Donlan y se acercó adonde estaba Red para esposar rápidamente al segundo fugitivo.

—¿Qué coño hacen? —gritó Raymond, al sentir el acero rodeándole las muñecas—. He sido secuestrado; ¡soy una víctima!

Estaba rojo y furioso. Esperaba que le protegerían, que le interrogarían un rato, le tomarían los datos y luego lo dejarían marchar.

—Nadie más, ni armas, está limpio —dijo Barron, mientras él y Halliday salían del Toyota.

Red escrutó a Raymond un rato más, luego se guardó la pistola y miró a Lee:

—Llevaos a esta víctima al centro e interrogadle. —Luego miró a Barron—. Busca los pantalones del señor Donlan.

Raymond vio al enorme Lee inclinarse hacia él y sintió como sus enormes manos lo ayudaban a levantarse.

—¿Por qué me arrestan? Yo no he hecho nada. —Raymond lo intentaba por la vía cordial, fingiéndose la genuina víctima inocente.

—Pues entonces no tiene nada que temer.

Lee lo llevaba hacia la escalera de incendios para bajar a la planta baja.

De pronto volvió a sentir todos los miedos. Lo último que quería

51

era que lo llevaran bajo custodia y que empezaran a escarbar en su
identidad, y luego que encontraran su bolsa de viaje en el tren. Se intentó liberar de la mano de Lee, retorciéndose, y gritó hacia Barron
y Halliday:

—¡Ustedes estaban en el tren! ¡Ya han visto lo que ha pasado!

—También le he visto meterse en el Toyota con Donlan sin ofrecer ninguna resistencia —dijo Barron, mientras se disponía a marcharse.

—¡Me ha dicho que me subiese o me mataba allí mismo! —gritó Raymond. Barron siguió andando, en busca de la ropa de Donlan.
Raymond se volvió hacia Donlan—. ¡Dígaselo!

—¿Decirles qué, Ray? —le dijo Donlan, con una sonrisa cínica.

Ahora estaban ya ante la puerta metálica ignífuga. Halliday la
aguantó abierta y Lee sacó a Raymond por ella hacia la escalerilla del
fondo. Halliday los siguió y la puerta se cerró con un golpe detrás de
ellos.

17

Barron aguantaba los pantalones de Donlan mientras éste se los
ponía, una labor incómoda por las esposas y porque Polchak lo apuntaba con el rifle antidisturbios directamente a la cara. Luego vinieron
los calcetines y los zapatos.

—¿Y la camisa? —dijo Barron, mirando a Red—. No se la podrá
poner, con las esposas.

—Apártate —dijo Red.

—¿Cómo?

—Digo que te apartes.

Había una extraña calma en la actitud de Red que Barron no sabía interpretar. Vio la misma calma en las caras de Polchak y Valparaiso, como si supieran algo que él ignoraba. Confuso, hizo lo que le
decían. Entonces Polchak se apartó también y, por unos instantes, el
tiempo se detuvo. Los cuatro detectives y su prisionero cara a cara.
El único movimiento eran las luces todavía parpadeantes del Toyota.

—¿Es esto una peluca? —preguntó Valparaiso del peluquín de
Donlan—. Parece una peluca.

—No lo es.

—¿Qué mote has utilizado esta vez, Donlan? Ya sabes, para la
gente del tren, los que jugaban a cartas contigo —dijo Red, con cal-

ma—. ¿Tom Haggerty? ¿Don Donlan Jr.? ¿Tal vez James Dexter... o ha sido Bill Miller?
—Miller.
—¿Bill?
—Frank. Es mi nombre real.
—Qué gracia, pensaba que era Blanquito. Está en tus antecedentes penales desde que tenías doce años.
—Pues mira, que os den por el culo.
—Sí, que nos den. —Polchak sonrió y luego, muy pausadamente, dejó el fusil a un lado.
Donlan paseó la mirada por todos ellos.
—¿Qué pasa? —dijo, con la voz empapada de pronto por el miedo.
—¿Qué cojones crees tú que pasa? Blanquito... —Valparaiso lo miraba fijamente.
Barron miró a Red, tan confuso como antes.
Lo siguiente ocurrió en una milésima de segundo. Polchak dio un paso adelante, cogió a Donlan por los brazos y lo inmovilizó. Al mismo tiempo, Valparaiso se les acercó, empuñando un revólver del calibre 22.
—¡No, no! —gritó Donlan aterrorizado. Trató de liberarse de los brazos de Polchak, pero no le sirvió de nada. Valparaiso le apoyó el 22 en la sien.
¡Bang!
—¡Me cago en la puta! —masculló Barron, quedándose sin respiración. Entonces Polchak lo dejó y el cuerpo de Donlan cayó al suelo.

18

Raymond se sobresaltó y trató de liberarse al oír el disparo agudo que retumbó como un petardo por las paredes de cemento desde el piso de arriba. Halliday lo volvió a apoyar contra el maletero del Ford de Lee y éste siguió leyéndole sus derechos:
—Tiene derecho a un abogado. Si cree que no se lo puede permitir...

—Necesitamos una unidad de investigaciones científicas y el forense. —McClatchy se había dado la vuelta y hablaba por radio, mientras Valparaiso le entregaba el 22 a Polchak, luego se levantaba y se dirigía a Barron.
—Donlan llevaba una 22 escondida en los pantalones. Cuando

intentamos llevarlo escaleras abajo se quitó una de las esposas y se disparó. Sus últimas palabras han sido «Hasta aquí llego».

Barron lo oyó, pero apenas lo registró. El *shock* traumático y el horror se habían apoderado de él, mientras a metro y medio Polchak abría una de las esposas de Donlan y le ponía el 22 en la mano, disfrazando la escena para que pareciera exactamente como Valparaiso la había descrito. Mientras tanto, un charco de sangre oscura brotaba de debajo de la cabeza de Donlan.

Que algo así pudiera ocurrir, y que lo hubieran hecho esos hombres, resultaba incomprensible. De nuevo, y por segunda vez en su vida, el mundo de John Barron se había convertido en un sueño oscuro y terrible. En él veía a McClatchy acercarse a Valparaiso:

—Ha sido un día muy largo para ti, Marty —le decía, amablemente, como si el detective saliera simplemente de una jornada doble como conductor de autobús, o algo así—. Pídele a una de las unidades motorizadas que te lleve a casa, ¿vale?

Barron veía a Valparaiso hacer un gesto de agradecimiento con la cabeza y alejarse hacia la escalera de incendios, y luego Red se dirigía a él:

—Vuelve con Lee y Halliday —le decía, directamente—. Fichad al rehén como cómplice hasta que sepamos quién es y qué coño pasa con él. Luego vete a casa y descansa también un poco. —McClatchy hizo una pausa y Barron pensó que, tal vez, estaba a punto de ofrecerle una explicación—. Mañana por la mañana quiero que redactes un informe sobre lo ocurrido aquí.

—¿Yo? —exclamó Barron, incrédulo.

—Sí, tú, detective.

—¿Y qué coño pongo?

—La verdad.

—¿Qué, que Donlan se ha suicidado?

Red hizo una pausa deliberada:

—¿No ha sido así?

19

Santuario de Saint Francis, Pasadena, California
El mismo día, 12 de marzo, 14:00 h. Tres horas más tarde

Sin la americana, arremangado y con una raqueta de bádminton en la mano, John Barron se mantenía en el centro del terreno de césped, bajo la sombra de un enorme sicómoro, observando la trayectoria de la pelota volante por encima de la red hacia él, mientras trataba desesperadamente de quitarse de la cabeza lo que había vivido tan sólo unas horas antes. Al recibir la pelota, la golpeó con la raqueta dibujando un arco con la misma, mandándola por encima de la red hacia las dos monjas del otro lado. Una de ellas, sor MacKenzie, corrió como si quisiera responder, pero de pronto se detuvo para ceder el honor a la jovial sor Reynoso, que se avanzó para golpearla hábilmente por encima de la red. Barron se balanceó, resbaló y se pegó un batacazo que lo dejó tumbado en el césped, mirando al cielo.

—¡Oh! ¿Se ha hecho daño, señor Barron? —Sor Reynoso corrió y miró por encima de la red.

—Me siento superado, hermana. —Barron se incorporó, forzó una sonrisa y luego miró al lado de la pista—. Vamos, Rebecca, dos contra uno. Ayúdame un poco, ¿no? Me están machacando.

—Sí, venga, Rebecca. —Sor Reynoso rodeó la red—. Tu hermano te necesita.

Rebecca Henna Barron permanecía en el césped contemplando a su hermano mientras la suave brisa jugueteaba con su melena oscura, pulcramente recogida en una coleta. Sostenía una raqueta en las manos como si fuera el objeto más raro que había visto en su vida.

Barron se levantó del suelo y se le acercó:

—Sé que no puedes oírme, pero también sé que comprendes lo que está pasando. Queremos que juegues con nosotros. ¿Lo harás?

Rebecca sonrió dulcemente, luego miró al suelo y negó con la cabeza. Barron suspiró. Esto era lo que nunca cambiaba, la tristeza que la embargaba totalmente y le impedía dar siquiera los primeros pasos para llevar una vida propia.

Rebecca tenía ahora veintitrés años y no había hablado ni mostrado ningún síntoma de poder oír desde que vio a unos intrusos asesinar a tiros a su padre y a su madre, en el salón de su casa del Valle de San Fernando, ocho años atrás, cuando ella tenía quince. A partir de aquel momento, la joven poco femenina, brillante, divertida y animada a la que había conocido toda su vida se convirtió en la sombra de un ser humano, alguien envuelto en un aire de fragilidad trágica que la hacía parecer absolutamente niña y, a veces, incluso indefensa. Cualquier competencia o capacidad de comunicarse que pudiera conservar permanecía encerrada bajo la montaña del fuerte trauma. Y sin embargo, detrás del mismo, por la manera en que se comportaba, por cómo se animaba cuando la iba a visitar, estaba la hermana aguda, inteligente y divertida que él recordaba. Por lo que le habían dicho una serie de profesionales de la psiquiatría que hasta el momento no habían conseguido ningún logro, incluida su psiquiatra actual, la prestigiosa doctora Janet Flannery, si de alguna manera su alma se podía liberar y disipar la oscuridad, emergería de su temible crisálida como una brillante mariposa y en poco tiempo sería capaz de vivir una existencia autónoma y coherente, tal vez hasta plena. Pero hasta entonces no había ocurrido. Ningún cambio en absoluto.

Barron le levantó el rostro para que lo mirara directamente.

—Hey, no pasa nada. —Intentó sonreírle—. Ya jugaremos otro día, de verdad. Te quiero; lo sabes, ¿no?

Rebecca sonrió y luego inclinó la cabeza y lo observó. John vio una expresión inquieta instalarse en su rostro. Finalmente, la joven se tocó los labios y luego le tocó los suyos. Ella también le quería, eso es lo que quería decirle, pero la manera en que lo hizo, mirándolo a los ojos todo el tiempo, significaba que sabía que había algo que lo había perturbado profundamente y que quería hacerle saber que lo había percibido.

20

15:35 h

Barron estaba aparcando delante de Thrifty Dry, la lavandería donde llevaba su ropa. Estaba haciendo la maniobra, tratando de olvidarse de la experiencia traumática de haber presenciado el asesinato de Donlan y de reflexionar lógicamente cuál debía ser su próximo movimiento, cuando de pronto le sonó el móvil. Con un gesto automático lo descolgó:

—Barron.

—John, soy Jimmy. —Era Halliday y su voz sonaba algo alterada—. Los de Investigaciones Especiales que han revisado el tren han encontrado el equipaje de Raymond. Menuda víctima.

—¿Qué quieres decir?

—En la bolsa había un Ruger automático del calibre 40 y dos recambios enteros de munición.

—Dios mío —se oyó decir Barron—. ¿Llevaba sus huellas?

—Ni las suyas ni las de nadie. Nada.

—Quieres decir que ha usado guantes.

—Es posible. Ahora estamos revisando el resto de efectos. Polchak mandará sus huellas y su foto a la policía de Chicago para comprobar si tienen algún dato de él, y Lee bajará a interrogarlo. Red lo lleva todo en secreto hasta que sepamos más cosas. Que no sepa nada la prensa; ni la prensa ni nadie.

—De acuerdo.

—John... —Barron sintió el cambio de tono en la voz de Halliday. Era la misma preocupación que había mostrado en el tren antes de que empezara toda la operación para cazar a Donlan—. Lo que ha ocurrido hoy es duro, lo sé. Pero es el modo en que todos nosotros fuimos bautizados. Lo superarás. Lo único que necesitas es un poco de tiempo.

—Vale.

—¿Estás bien?

—Sí.

—Te llamaré si hay algo más de Raymond.

19:10 h

Respiró hondo una vez y luego otra.

John Barron cerró los ojos, apoyó la cabeza en la pared de la ducha de su casita alquilada en el barrio de Los Feliz y dejó deslizarse el agua por encima de él.

«Es el modo en que todos nosotros fuimos bautizados», le había dicho Halliday. ¿Todos bautizados? Eso significaba que había habido otros. Dios santo, ¿cuánto tiempo llevaban con aquellas prácticas?

Si estaba bien, le había preguntado Halliday.

¿Bien? Por Dios de los cielos.

Habían pasado casi quince horas desde el momento en que se subió al *Chief* en Barstow con Marty Valparaiso; casi diez desde que, revólver en mano, había subido por la rampa del parking hombro con hombro con Red McClatchy. Al cabo de poco, Valparaiso, padre de tres criaturas, se había acercado a un hombre esposado y lo había liquidado de un tiro en la sien.

Barron levantó la cabeza hacia la ducha, como si la fuerza del agua pudiera ser capaz de llevarse el recuerdo y el horror.

Pero no fue así. Si algo hizo, fue intensificarlos. El fuerte *bang* del disparo todavía resonaba en su cabeza. Y con él venía el recuerdo del cuerpo de Donlan cayendo al suelo. En su mente lo veía una y otra vez. Cada vez más lenta que la anterior, hasta convertirse en una danza delicada de imágenes congeladas que ilustraban la pura fuerza de la gravedad una vez la vida dejaba de existir.

Luego venía lo demás: las caras, las voces, las imágenes que fluían por su memoria.

—Dice llamarse Raymond Thorne. Dice que su documentación se ha quedado en el tren. —Lee estaba en el asiento delantero del coche de detectives, leyendo sus notas mientras Halliday conducía por el parking, de camino al exterior. Barron iba detrás, sentado junto a su rehén/prisionero esposado y todavía indignado. Intentaba desesperadamente que no le notaran la sensación de pasmo, contrariedad y horror casi insoportable que todavía circulaba por su cuerpo.

—Dice ser ciudadano estadounidense nacido en Hungría. —Lee se volvió un poco en dirección a Barron—. Reside en el número veintisiete oeste de la calle Ochenta y seis, en Nueva York. Afirma ser comercial informático y trabajar para una empresa alemana. Pasa la mayor parte de su tiempo viajando. Dice que tomó el tren hasta Los Ángeles porque en Chicago cerraron los aeropuertos a causa de la tormenta de granizo. Allí fue donde conoció a Donlan.

—No digo que soy ciudadano estadounidense, lo soy —le espetó Raymond a Lee—. Y soy una víctima. He sido secuestrado y tomado como rehén. Estos hombres estaban en el tren. Lo han visto todo. ¿Por qué no se lo pregunta?

De pronto se quedaron bañados en luz de día, al salir Halliday del garaje, y avanzaron hacia una pared de furgones satélite y periodistas. Policías uniformados les abrían paso mientras Halliday iba acercándose; luego pasaron a través de ellos, giraron hacia la calle y se alejaron, de camino a la comisaría del centro de la ciudad, situada en Parker Center.

Barron recordó los perfiles solemnes de Lee y Halliday sentados delante. Estaban en el piso de abajo cuando todo ocurrió. Ahora sabía que estaban perfectamente informados de lo que iba a suceder en el momento en que se llevaron a Raymond de la escena por la escalera de incendios. Eso significaba que la ejecución de alguien como Donlan era un hecho habitual y que ellos esperaban que, ya que Barron era uno de ellos, sencillamente lo aceptaría sin rechistar. Pero estaban equivocados. Muy equivocados.

Barron cerró el grifo con brusquedad y salió de la ducha. Se secó y se afeitó mecánicamente, sin prestar demasiada atención. Por su mente pasaban todavía viñetas inacabables de lo que había ocurrido durante las horas desde que Valparaiso apretó el gatillo aquella mañana. Dentro de ellas, dos escenas destacaban de manera imborrable.

La primera era de cuando condujeron en medio de las hordas de periodistas frente al parking, y en ella veía la silueta del hombre bajo y joven —con su habitual chaqueta desgastada azul marino, sus pantalones arrugados color caqui y sus gafas de pasta— acercarse al coche y mirar fijamente en su interior. Dan Ford era así, el más agresivo de los periodistas de la ciudad. Cuando los miraba de la manera que lo hacía, resultaba mucho más obvio porque sólo tenía un ojo; el otro era de cristal, aunque resultaba difícil de distinguir... hasta que miraba fijamente con el ojo bueno, como si tratara de asegurarse de que veía realmente lo que creía. Eso fue lo que hizo mientras Halliday conducía a través de ellos. Al verlo tan de cerca observando, Barron desvió la vista apresuradamente.

El problema no era tanto que Ford trabajara para el *Los Angeles Times*, o que, con veintiséis años, la misma edad que Barron, fuera sin duda el periodista policial más respetado de la ciudad, un tipo que contaba la verdad en lo que escribía y que conocía a los detectives de casi los dieciocho distritos policiales de la ciudad. El problema era que él y John Barron eran íntimos amigos desde el instituto. Por eso se había girado tan rápido al ver que Ford se acercaba. Barron sabía que Ford detectaría el *shock* y la repulsión en sus ojos y adivinaría que algo horrible acababa de ocurrir. Y no tardaría en preguntarle qué era.

La segunda escena ocurrió en la comisaría y el protagonista fue el propio Raymond. Lo habían fotografiado, le habían tomado las huellas dactilares y estaba de camino a la celda cuando pidió hablar con Barron. Como era el agente que lo había arrestado, Barron accedió, pensando que Raymond tenía intención de reclamar su inocencia por enésima vez. Pero, en vez de ello, su reo le preguntó por su estado:

—No parece que estés bien, John —le dijo, tranquilamente—. En el coche me has parecido inquieto por algo. ¿Estás bien?

Raymond le dedicó un levísimo esbozo de sonrisa, al final de todo, y Barron estalló en un ataque de furia, gritándoles a los guardias que se lo llevaran. Y eso hicieron, se lo llevaron de inmediato por las puertas de acero que se cerraron con fuerza detrás de él.

John.

De alguna manera, Raymond se había enterado de su nombre y ahora lo utilizaba para llegar a él, como si hubiera adivinado lo que le había ocurrido a Donlan y hubiera visto o percibido lo trastornado que Barron se había quedado por el incidente. Su petición de hablar con él había sido una manera de ponerlo a prueba y de confirmar su suposición, y Barron había caído de cuatro patas. La sonrisita, la mueca, la ironía del tono no eran solamente intolerables, sino que

59

ALLAN FOLSOM

lo delataban enteramente. Sólo le quedaba haber acabado con un
«gracias».

¿Y qué haría cuando Lee bajara a interrogarle sobre el Ruger automático hallado en su equipaje del tren? ¿Cómo explicaría este hecho? La respuesta era que, sencillamente, se haría el inocente. O tendría una respuesta legítima por lo del arma —era suya, viajaba muy a
menudo y tenía permiso de armas, lo cual Barron dudaba mucho—,
o negaría saber nada de ella, en especial si sabía que no había huellas de
ningún tipo, y alegaría no tener ni idea sobre su procedencia. En cualquiera de las dos opciones, el tema de Donlan no saldría para nada.
Raymond guardaría este pequeño dato entre él y John Barron.

19:25 h

Barron se puso unos bermudas grises de deporte y luego entró
descalzo a la cocina, a coger una cerveza de la nevera. Todo aquello se
resistía a abandonar su mente. El asesinato ya había sido lo bastante
devastador, pero la arrogante clarividencia de Raymond lo empeoraba. El resto era lo que los demás habían hecho luego: Valparaiso acercándosele con la versión oficial de lo ocurrido; la actitud mecánica de
Polchak al quitar las esposas y poner el revólver en la mano fría,
muerta, de Donlan. Luego, el prestigioso Red McClatchy... su preocupación paternalista por Valparaiso, dándole palmaditas y mandán-
dolo a casa; su aviso tranquilo de que mandaran una ambulancia y
un equipo técnico que revisara la escena del crimen y, sin duda, confirmara lo que Red les habría contado, y su última petición de que
John redactara el informe del caso. Aparte de la propia ejecución,
esto último era la mayor muestra de cinismo y crueldad.

Como todos los demás, Barron ya se había convertido en cómplice del asesinato por el simple hecho de haberlo presenciado. Pero redactar el informe, mecanografiarlo y firmarlo con su nombre lo convertiría en colaborador, con su nombre estampado a pie de página
como agente de policía que certificaba la tapadera. Eso significaba
que no se lo podía contar a nadie sin incriminarse. Era un asesinato
y él formaba parte del mismo, le gustara o no. Y le gustara o no, estaba seguro de que Raymond, fuera quien fuese y sin importar lo
que hubiera hecho, estaba al tanto de la situación.

Cerveza en mano, Barron cerró la puerta de la nevera sintiendo
que tenía la cabeza a punto de estallar. Era policía, se suponía que no
debía sentirse asqueado ni perturbado por aquel asunto, pero así era

60

como estaba. Las circunstancias eran distintas y ahora era mayor, pero el pasmo y el horror y la incredulidad que ahora le revolvían las tripas se parecían mucho a lo que sintió ocho años atrás, cuando, con dieciocho años de edad, llegó a su casa y vio los destellos de los coches de policía y de las ambulancias en la calle, aparcados enfrente. Había estado por ahí con Dan Ford y otros amigos. En su ausencia, tres tipos jóvenes habían entrado en la casa y matado a tiros a su padre y a su madre, delante de Rebecca. Los vecinos oyeron los disparos y vieron a los tres hombres salir corriendo, meterse en un coche negro y marcharse a toda velocidad. La policía lo llamó «intento de robo en domicilio que había acabado mal». Hasta la fecha nadie sabía por qué no habían matado también a Rebecca. A cambio, la muchacha había sido condenada a una especie de cadena perpetua en el purgatorio.

Cuando Barron llegó Rebecca ya había sido trasladada a una institución psiquiátrica. Dan Ford, al verlo paralizado por el horrible impacto de lo que acababa de ocurrir y darse cuenta de que la familia Barron no tenía más parientes ni amigos demasiado próximos, llamó de inmediato a sus propios padres y lo organizó todo para que John se quedara con ellos todo el tiempo que necesitara. Fue una terrible pesadilla de policía, luces, sirenas y confusión. Barron podía ver todavía la expresión de su vecino al salir de la casa. Temblaba, tenía la mirada perdida y la tez pálida como la cera. Sólo más tarde se enteraría de que el hombre se había ofrecido voluntario para reconocer los cadáveres para que John no tuviera que pasar por aquel mal trago.

Durante muchos días posteriores al episodio vivió sumido en el mismo estado de shock, horror e incredulidad que ahora sentía, mientras trataba de comprender lo que había ocurrido y consultaba con varias instituciones para encontrar un lugar en el que cuidaran de Rebecca. Luego el *shock* se transformó en un agudo sentimiento de culpa. Todo había sido culpa suya y él lo sabía. Si se hubiera quedado en casa podría haber hecho algo para evitarlo. Jamás tendría que haber salido con sus amigos. Había abandonado a su madre, a su padre y a su hermana. Si se hubiera quedado en casa. Si hubiera estado allí...

Luego la culpabilidad se convirtió en rabia de la más profunda, y quiso hacerse policía de inmediato y enfrentarse cara a cara con aquel tipo de asesinos. Estos sentimientos se volvieron más intensos a medida que pasaban los días, las semanas y los meses y los asesinos no aparecían.

John Barron había empezado sus estudios universitarios en el Instituto Politécnico de California, en San Luis Obispo, donde comenzó la especialidad de paisajismo para poder convertir en realidad su sueño desde que era niño: dedicarse profesionalmente al diseño de jardines. Después del asesinato de sus padres, pidió el traslado de inmediato a UCLA para estar más cerca de Rebecca y preparar una licenciatura en Filología Inglesa para ingresar en la facultad de Derecho, donde pensaba especializarse en Derecho Penal. Soñaba con convertirse un día en fiscal, o hasta en juez, y decidió dedicarse a hacer observar el cumplimiento de la ley. Pero cuando el dinero del seguro de vida de sus padres empezó a agotarse y los gastos de Rebecca se dispararon, tuvo que buscar un empleo a tiempo completo, y lo hizo en el departamento de Policía: de cadete a agente, y de ahí a detective, con una rápida ascensión.

A los cinco años de incorporarse al LAPD se convirtió en miembro de la prestigiosa y centenaria brigada 5-2 y subió la rampa de un garaje abandonado hombro con hombro con el legendario Red Mc-Clatchy en busca de un asesino fugado. Era la misión soñada por cualquier policía del LAPD y probablemente de la mitad de policías de todo el mundo, y había llegado a ella por una combinación de esfuerzo intenso, inteligencia y un compromiso profundo con la vida que había adoptado.

Y en un instante, todo había saltado en pedazos, igual que su vida estalló aquella noche oscura y terrible de hacía ocho años.

—¿Por qué? —gritó de repente—. ¿Por qué?

¿Por qué, si Donlan estaba desarmado y ya bajo custodia? ¿Qué respeto a la ley era éste? ¿Qué código se suponía que seguían? ¿Su propia ley de vigilancia? ¿Era éste el motivo del juramento de por vida que se hacía al ingresar en la brigada? Nadie abandonaba jamás la brigada 5-2. Ésta era la norma. Punto.

Barron abrió la cerveza y dio un trago largo. Luego miró a la foto enmarcada en la mesa que había al lado de la nevera. Era una imagen de él y Rebecca tomada en Saint Francis. Estaban abrazados y se reían. «Hermanos del año», decía el pie de foto. No se acordaba de cuándo se la habían hecho ni por qué, tal vez para recordarle que debía ir de vez en cuando a visitarla y pasar un poco de tiempo con ella. Hoy lo había hecho; mañana no podría ni soñar hacerlo.

Entonces, de pronto y como de la nada, le invadió la calma al darse cuenta que le daba igual cuáles eran las normas de la brigada. Nunca más habría lugar en su vida para el asesinato a sangre fría, en especial si el criminal era la propia policía. Sabía lo que había decidido casi en el mismo instante en el que Donlan fue ejecutado; que sólo había una cosa que podía hacer: encontrar un lugar muy lejos de Los Ángeles en el que Rebecca pudiera recibir tratamiento y luego, sencillamente, recogerla y marcharse allí con ella. Tal vez hubiera sido el último en incorporarse a la 5-2, pero sería también el primero en toda la historia del LAPD en abandonarlo.

21

Parker Center, Comisaría Central del LAPD. El mismo martes, 12 de marzo, 22:45 h

Raymond permanecía junto a la puerta de su celda, mirando a la galería oscura. Estaba solo y llevaba un mono naranja con la palabra PRISIONERO cosida a la espalda. Tenía un lavamanos, una cama y un retrete, todo a la vista de cualquiera que pasara por el pasadizo de fuera. No tenía ni idea de cuántos reos más había, ni de por qué estaban allí. Lo único que sabía era que ninguno era como él, ni podría serlo jamás. Ni hoy, ni probablemente nunca. Al menos en América.

«Tiene derecho a un abogado», le había dicho el policía negro, enorme e imponente, cuando le leía sus derechos. ¿A un abogado? ¿Qué significado tenía eso ahora? En especial a medida que el cerco se iba estrechando a su alrededor, como siempre había sabido que sucedería. Era un proceso que había empezado ya cuando ese mismo policía negro y enorme se le acercó para preguntarle sobre el Ruger. Su respuesta fue la misma que habría sido si lo hubieran pillado en el tren y el arma descubierta en su bolsa allí: sencillamente, una mentira. Actuó con absoluta sorpresa y le dijo que no tenía ni idea de dónde había salido aquella arma. Llevaba mucho tiempo en el tren, yendo y viniendo del vagón restaurante, del baño, de pasear por el pasillo. Cualquiera podría haberle metido el arma en la bolsa. Lo más probable es que fuera Donlan, para tenerla disponible por si le fallaba su propio revólver. Habló con el policía con actitud seria y absolutamente inocente, protestando todavía porque él era una víctima, no un criminal. Finalmente el policía le dio las gracias por su colaboración y se marchó. Al menos, Raymond había ganado un poco de tiempo.

La incógnita ahora era cuándo se darían cuenta de que todo lo que les había contado era mentira. Cuando lo hicieran, su atención hacia todo lo demás se intensificaría. ¿Cuánto tiempo tardarían en ponerse en contacto con la policía de Chicago para hablar del Ruger y preguntar si tenía antecedentes penales o alguna orden de arresto allí? Y fuera el que fuese el número de asesinatos cometidos en Chicago durante el fin de semana, ¿cuánto tardarían en enterarse del homicidio de los dos hombres acribillados en la sastrería de Pearson Street? Entre otras cosas, el calibre del arma usada saldría a la luz. ¿Cuánto tiempo faltaba para que la policía de Chicago pidiera un informe de balística del Ruger? Y hasta sin huellas digitales en el arma, ¿cuánto tardarían en empezar a relacionarlo todo y preguntarse qué vínculo había entre las llaves de la caja fuerte, sus recientes viajes dentro y fuera del país, los hombres asesinados en Chicago, su llegada y misión en Los Ángeles y el billete de avión a Londres?

22:50 h

De pronto Raymond se volvió y se sentó en la cama, pensando en las posibilidades de la larga cadena de coincidencias que habían tenido lugar en tan poco tiempo. Por alguna casualidad, había coincidido en el mismo tren, en el mismo vagón y en la misma mesa de juego con un hombre tan buscado por la policía que cuando supieron que viajaba allí, unos agentes de paisano de la policía habían sido enviados a bordo en mitad de la noche para asegurarse de que no se les escapaba. Luego, de entre todos los pasajeros del tren, el mismo tipo lo había elegido a él como rehén. Y casi en el mismo episodio, la policía lo había visto saltar al interior del coche robado a punta de pistola por su captor y habían asumido que eran cómplices, lo cual no tenía nada que ver con la verdad pero se había convertido en el motivo por el que estaba ahí.

Raymond hizo rechinar los dientes de rabia. Todo había sido planeado con mucho cuidado. Era un hombre que viajaba ligero, con las armas preparadas con antelación. Su único teléfono móvil era todo lo que necesitaba para mantenerse en contacto con la baronesa en un período tan breve de tiempo. Lo que debía haber sido tan sencillo se había acabado liando en una absurda e inconcebible cadena de circunstancias que, combinada con su frustración por haber sido incapaz de descubrir la ubicación en Francia de la caja fuerte —algo totalmente imprevisible porque las instrucciones contenidas en los sobres que guardaban las llaves, que él había leído y destruido, tenían que haberle dado esa información, pero no fue así—, bastaban para... De pronto cayó en la cuenta: todo aquello no tenía nada de casual. Eran hechos inevitables. Era lo que los rusos llamaban *sudba*, el destino, algo para lo que se había preparado y de lo que le habían advertido desde su infancia: que Dios pondría a prueba una y otra vez su valentía y su devoción, su dureza, su astucia y su voluntad de salir adelante en las situaciones más difíciles. Desde su juventud y hasta ahora había triunfado siempre. Y por muy imposible que la situación pareciera ahora, esta vez no sería distinto.

Esta idea lo tranquilizó, y se dio cuenta de que a pesar de toda la oscuridad que lo rodeaba, había algo que jugaba a su favor: el error cometido por la policía al matar a Donlan. El por qué no era importante; lo que importaba era que lo habían hecho. El simple eco del disparo le bastó para adivinarlo, y su conjetura quedó confirmada por el lenguaje corporal y facial del joven detective John Barron cuando se reunió con ellos en el coche patrulla, a los pocos minutos. La confirmación definitiva le llegó en forma de la respuesta furiosa y rápida de Barron al final de su detención, cuando Raymond le preguntó cómo se sentía. Así que sí, la policía había ejecutado a Donlan. Y sí, Barron estaba claramente afectado por aquel hecho. Si Raymond podría utilizar aquella información, o cómo, lo ignoraba, pero la clave, el eslabón que fallaba, era Barron. Era joven y emotivo y estaba en falso con su propia conciencia. Barron era alguien que, bajo las circunstancias apropiadas, podía ser explotado.

22

Cafetería Hollywood, Sunset Boulevard. Miércoles, 13 de marzo, 1:50 h

—A ver, déjame repasarlo otra vez. —Dan Ford se ajustó las gafas de pasta y miró el desgastado bloc de bolsillo que tenía delante—. Los otros jugadores de cartas eran William y Vivian Woods, de Madison, Wisconsin.

—Sí. —John Barron miró hacia el fondo de la cafetería. Estaban en una mesa trasera de un local abierto toda la noche, prácticamente solos. La excepción eran unos adolescentes que se reían en una mesa cerca de la entrada y una camarera de pelo canoso que conversaba en el mostrador con dos empleados de la compañía del gas que parecían recién salidos del trabajo.

—El nombre del revisor era James Lynch, de Flagstaff, Arizona.

—Ford se acabó el café que tenía en la taza—. Era empleado de Amtrak desde hacía diecisiete años.

Barron asintió con la cabeza. Los detalles sobre lo que había ocurrido en el tren *Southwest Chief* y los nombres de los implicados, que hasta entonces no habían trascendido a la prensa hasta que la investigación estuviera más avanzada y se hubiera notificado a las familias correspondientes, eran lo que le había prometido a Ford cuando éste lo llamó a casa un poco después de las once. Barron estaba despierto, miraba la tele y se había pasado las últimas horas barruntando cómo dejar la brigada y marcharse de Los Ángeles; preguntándose adónde ir y cuál era la mejor manera de hacerlo para Rebecca. La llamada a su psiquiatra, la doctora Janet Flannery, todavía no le había sido devuelta, y cuando el teléfono sonó pensó que sería ella. Pero era Dan Ford, que lo llamaba para ver cómo estaba después de su primera jornada real con el batallón, y luego preguntarle si podían hablar sobre lo ocurrido.

Quería preguntarle a Ford si había hablado con Lee o Halliday o alguno de los otros, pero se reprimió. Dan Ford era su mejor amigo y en algún momento debería hablar con él. Y si Ford estaba dispuesto a separarse un rato de Nadine, su coqueta esposa francesa a la cual después de dos años de matrimonio seguía llamando «novia» y tratando como tal, éste era un momento tan bueno como cualquier otro. Además le ayudaría a no pensar más en la cobertura periodística del día después de los asesinatos en el tren y de la persecución y muerte de Frank Donlan, que parecía estar en todos los canales de televisión. Había visto el tren parado en medio de las vías y las bolsas con los cadáveres de Bill Woods y del revisor un montón de veces. Había visto el garaje y el Ford con Halliday al volante, a él mismo sentado en el asiento de atrás al lado de Raymond, saliendo por entre el ejército de periodistas y fotógrafos; había visto el furgón del forense con el cadáver de Donlan en el mismo escenario; a Red McClatchy en Parker Center junto al jefe de policía, Louis Harwood, mientras Valparaiso reiteraba el cuento del «suicidio» de Donlan frente a las cámaras: la versión de Marty que se convertiría de inmediato en la versión oficial, como Barron sabía.

—El supuesto rehén se ha identificado como... —Ford volvió a consultar sus notas— Raymond Thorne, de Nueva York. Permanece bajo custodia hasta que se pueda verificar su identidad.

—Tiene una audiencia a las ocho y media de la mañana —dijo Barron—. Saldrá o no, depende de lo que puedan comprobar. —Estaba claro que la orden de Red de guardar silencio sobre el hallazgo del Ruger automático en la bolsa de Raymond era acatada, porque si alguien fuera del departamento podía saber algo del arma, éste era Dan Ford.

Barron miró la taza de café que tenía entre las manos. Hasta ahora había hecho lo correcto, le había dado a Ford la información que podía darle, sin dejar que sus emociones se apoderaran de él. Pero no sabía cuánto tiempo lo aguantaría. Se sentía como un drogadicto: si no recibía pronto una dosis se volvería loco. En este caso, la dosis consistiría en mirar a Ford a los ojos y contárselo todo.

Periodista o no, Dan Ford era la única persona en el mundo para quien no tenía secretos, la persona que, desde que murieron sus padres, lo había cuidado como un hermano, hasta cuando Ford se marchó a la otra mitad del país, a la Universidad de Northwestern.

Incluso entonces, con tanta distancia de por medio, Ford lo siguió ayudando, investigando con Barron la maraña inverosímil de instituciones estatales y locales, compañías de seguros y organizaciones varias para que Rebecca pudiera quedarse en Saint Francis y para poder financiar su carísima y permanente psicoterapia.

Y lo hizo todo sin ningún resentimiento ni malicia hacia el amigo que le había provocado la pérdida de un ojo cuando eran pequeños, cuando a los diez años convirtieron un trozo de tubería en un lanzador de cohetes, llenándolo de clavos y usando dos potentes petardos ilegales como propulsión. Un excitado John Barron había encendido los petardos antes de hora, lo cual hizo estallar la ventana de un vecino a dos manzanas e impulsó uno de los clavos hacia atrás, que se clavó directamente en la pupila derecha de Dan. El infierno que tuvieron que pagar por esta gamberrada fue pagado con la mitad de la vista de su mejor amigo.

Ahora, dieciséis años después de aquella tarde funesta, aquí estaban, reunidos en la mesa trasera de una cafetería nocturna de Sunset Boulevard cerca de las dos de la madrugada. Y se suponía que a las ocho Barron debía presentarse en Parker Center para redactar el informe del supuesto suicidio de Frank *Blanquito* Donlan... Barron necesitaba el apoyo de Dan Ford, probablemente más que nunca en su vida, y deseaba más que nada en el mundo contárselo todo.

Pero no podía.

Lo supo desde el momento en que entró en la cafetería y vio a Ford esperándolo. En aquel instante se dio cuenta de que, si compartía la información que albergaba en su interior, pondría a Ford en el mismo dilema en que estaba él. Una vez Dan Ford lo supiera, la

67

amistad prevalecería por encima de su profesionalidad y le guardaría el secreto. Pero con su silencio, él mismo se convertiría también en cómplice.

El hecho de que Barron tuviera la intención de abandonar la brigada no importaba. En aquel momento seguía siendo policía y miembro de la misma, y debido a lo que representaban la brigada y el propio Red McClatchy, si la verdad de lo que había ocurrido salía algún día a la luz, el escándalo sería colosal y cualquiera, aunque estuviera remotamente implicado con el acusado, estaría bajo el foco del escrutinio público. Periodistas, fiscales y legisladores removerían hasta la última piedra, y no había ningún periodista en Los Ángeles ni ningún detective de la División Central que no estuviera al tanto de la amistad entre Barron y Ford. Hasta una televisión local había hecho un pequeño reportaje sobre su amistad en las noticias de las seis. Fuera donde fuese que Barron estuviera después, aquel día formaba parte de la 5-2 y estaba en el garaje cuando Donlan fue ejecutado, y a Ford le preguntarían qué le había contado Donlan al respecto. Si Ford eludía la pregunta, su elipsis encendería la luz de alarma y no cabría duda de que el fiscal lo llamaría a contestar a la misma pregunta bajo juramento. Barron conocía a su amigo lo bastante como para saber que, hasta en aquellas circunstancias, le guardaría el secreto. Al negar lo que sabía, Ford estaría cometiendo perjurio y, si se sometía a la Quinta Enmienda, sería lo mismo que declararse culpable. De cualquier forma significaría el final de su carrera, de su manera de vivir, de su futuro. De todo.

De modo que la única vía posible era no darle a Ford más que la información que le había prometido y luego decirle que estaba muerto de sueño y poner punto y final a aquella reunión, pidiendo la cuenta a la camarera.

—Háblame de Donlan.

—¿Cómo? —Barron levantó la vista bruscamente.

Ford había dejado su libreta y lo miraba por encima de la montura de sus gafas:

—Que me hables de Donlan.

Barron sintió como si de pronto se le hundiera el suelo bajo los pies. Se esforzó por mantener la compostura.

—Te refieres a cuando estábamos en el tren.

—Me refiero a cuando estabais en el garaje. Por un lado, erais cuatro detectives y sólo un *Blanquito* Donlan. Y no cuatro detectives cualquiera: McClatchy, Polchak, Valparaiso y tú. Los mejores. Me doy cuenta de que Donlan tenía mucha experiencia con pistolas y esposas, pero ¿de pronto salió con un revólver escondido que estos cuatro detectives no habían sabido detectar?

—¿Adónde quieres ir a parar? —Barron lo miró, con la mente y las emociones totalmente trastornadas, igual que se sintió cuando Donlan recibió el tiro.

—Los detalles que me has dado están disponibles para casi cualquiera en Parker Center. —Los ojos de Dan Ford, el de verdad y el de cristal, se encaramaron hasta clavarse en los de Barron—. Yo estaba allí cuando Halliday te ha sacado del parking en su coche. Ibas sentado en el asiento de atrás con ese Raymond como-se-llame. Me has visto pero has desviado la mirada, ¿por qué?

—Si lo he hecho, no me he dado cuenta. Estaban pasando muchas cosas a la vez.

De pronto, Ford apartó la vista. La camarera se acercaba a ellos cafetera en mano. Ford movió la cabeza para que se marchara y luego volvió a mirar a Barron:

—¿Qué estaba pasando, John? Cuéntamelo.

Barron quería marcharse enseguida, levantarse y marcharse, pero no podía. De pronto se oyó a sí mismo escupir las mismas palabras que Valparaiso había pronunciado, casi palabra por palabra, las mismas que habían salido por televisión en boca del jefe de policía, Hardwood.

—Nadie lo sabe. De alguna manera, Donlan se las había arreglado para llevar una pistola del 22 escondida en los pantalones. Cuando intentamos bajarlo a la calle se deshizo de una de sus esposas y gritó «Yo llego hasta aquí», sacó la pistola y... ¡*bang!*

Dan Ford lo miraba:

—¿Así, sin más?

Barron le devolvió la mirada, inalterable:

—No había visto nunca suicidarse a un hombre.

23

3:13 h

Barron yacía a oscuras, tratando de olvidar que acababa de mentirle a Dan Ford: la explicación de Valparaiso sobre la ejecución le brotó de los labios como si fuera suya. La mentira le horrorizaba casi tanto como el propio asesinato y por eso se marchó lo más rápido que pudo; se obligó antes a mirar a Ford a los ojos para decirle que estaba exhausto y le dio a la camarera un billete de veinte pavos para pagar la cuenta de cuatro dólares y cincuenta centavos del café, sencillamente porque no podía soportar estar allí esperando un segundo más. Luego se marchó en su Ford Mustang clásico del 67, conduciendo por las calles desiertas.

Una vez en casa escuchó los mensajes en el contestador. Tenía dos llamadas. La primera era de Halliday, hecha poco tiempo después de que Barron saliese a encontrarse con Dan Ford. Decía que Lee había visitado a Raymond en Parker Center y que éste había negado tener conocimiento alguno del revólver automático hallado en su equipaje. Aparte, ni el arma ni la munición tenían huellas digitales. Todo estaba perfectamente limpio, como si el que las hubiera utilizado lo hubiera limpiado todo cuidadosamente o hubiera usado guantes.

—Este tipo esconde algo, John —concluía Halliday—. Qué, no lo sé, pero ya lo descubriremos. Nos vemos por la mañana.

La segunda llamada era de la doctora Flannery. Era demasiado tarde para devolvérsela y sabía que debía esperar a la mañana, de la misma manera que debería esperar para hacer algo más sobre la logística de abandonar la brigada. El cómo, cuándo y dónde iba en función del hecho de que debía encontrar un lugar adecuado para Rebecca, lo más lejos posible de Los Ángeles, y eso era algo que tenía que dejar enteramente en manos de la doctora Flannery. Así que, con el segundo peor día de su vida a sus espaldas, finalmente agradecido, se metió en la cama.

3:18 h

El sueño se le resistía todavía. En su lugar, la vaga agitación que le provocaba preguntarse cómo había acabado tan solo que había una única persona en la tierra en la cual podía confiar. Sus amigos del pasado, del instituto, de la universidad, habían seguido su camino, y su vida de adulto, a pesar de que seguía teniendo como objetivo lejano la licenciatura en Derecho Penal, había estado dirigida por su responsabilidad hacia Rebecca. Tuvo que encontrar un trabajo seguro y hacerlo todo lo bien que podía en el mismo, lo cual había cumplido en la policía de Los Ángeles. Y aunque había trabado alguna amistad entre los agentes y detectives con los que trabajó, ninguna había durado lo bastante para convertirse en la amistad genuina que surge después de años de experiencias compartidas. Tampoco contaba con las otras relaciones y recursos que tienen otras personas: parientes, curas, psicólogos...

Tanto él como Rebecca habían sido adoptados de niños. Su madre y padre adoptivos eran originarios de Maryland e Illinois, respectivamente, y sus propios padres habían muerto hacía tiempo. Los dos hablaban muy raramente de sus parientes, y tenían contacto con ellos todavía más raramente, de modo que si tenía tíos o tías o primos lejanos, no los conocía. Además, su padre adoptivo era judío y su madre católica, por lo que decidieron dar a los niños una educación totalmente laica. Por eso no tenía ningún pastor, cura ni rabino en quien confiar. El hecho de que Rebecca estuviera al cuidado de unas monjas era algo circunstancial que reflejaba el hecho de que Saint Francis era la mejor, y tal vez la única, institución para ella que quedaba cerca y que podían permitirse. En cuanto a la terapia, en los ocho años en Saint Francis Rebecca había visto a cinco psicoterapeutas distintos y ninguno de ellos, ni siquiera su actual psiquiatra, la aparentemente competente doctora Flannery, había sido capaz de empezar a sacarla del estado de trauma profundo en el que vivía. Eso hacía que dirigirse a ella no fuera una opción con la que él pudiera sentirse cómodo.

Y así estaba: de los miles de millones de seres humanos de la tierra sólo había dos con los que se sentía lo bastante cómodo como para abrir su corazón: Rebecca y Dan Ford. Y por razones muy obvias, no se podía dirigir a ninguno de ellos.

3:57 h

Finalmente empezó a conciliar el sueño. Mientras la oscuridad empezaba a aliviarlo vio una sombra que se levantaba y se dirigía hacia él. Era Valparaiso y llevaba una pistola en la mano. Luego vio a Donlan, de pie, aterrorizado, inmóvil entre las manos que lo atrapaban como garras de Polchak. Valparaiso se acercó a él y le puso la pistola en la sien.

—¡No, no lo haga! —gritaba Donlan.

¡Bang!

24

Parker Center. Todavía miércoles, 13 de marzo. 7:15 h

La sala de la brigada 5-2 era pequeña y práctica, amueblada con seis viejas mesas de despacho desgastadas y sus correspondientes sillas giratorias. En cada mesa había un ordenador de última generación y un teléfono multilínea; una impresora compartida cerca de la puerta descansaba sobre una mesa, bajo una pizarra grande que colgaba de la pared. En otra pared había un corcho lleno de notas y fotos pegadas de gente y de escenarios correspondientes a casos que se estaban investigando. Otra pared estaba ocupada por ventanales cubiertos por estores venecianos que tapaban el fuerte sol de la mañana. Un mapa detallado de Los Ángeles ocupaba la cuarta pared, y frente a esa pared estaba sentado John Barron, solo en el despacho, mirando a la pantalla de ordenador de su mesa y a lo que había escrito en ella:

FECHA: 12 de marzo
NÚMERO DE ARCHIVO: 01714
TEMA: Frank *Blanquito* Donlan
DOMICILIO: Desconocido
INVESTIGADOR RESPONSABLE DEL INFORME: Detective II, John J. Barron
INVESTIGADORES ADJUNTOS: Comandante Arnold McClatchy; detective III, Martin Valparaiso; detective III, Leonard Polchak

Barron miró a la pantalla un rato más y luego, de manera fría y mecánica, se puso a teclear. Prosiguió donde lo había dejado, siguiendo las instrucciones del comandante McClatchy. Lo hizo por él mismo, por Rebecca, incluso por Dan Ford: tomando la única puerta de salida que conocía.

OTROS INVESTIGADORES: Detective III, Roosevelt Lee; detective III, James Halliday
OFICINA DE ORIGEN: Brigada 5-2, División Central
CLASIFICACIÓN: Suicidio por disparo autoprovocado

De pronto, Barron se detuvo. Seleccionó las últimas palabras, le dio a la tecla BORRAR y «Suicidio por disparo autoprovocado» desapareció de la pantalla. Entonces escribió, furioso:

CLASIFICACIÓN : Homicidio
QUEJA: Ejecución del sospechoso detenido por el Detective III, Martin Valparaiso

Barron volvió a detenerse. Seleccionó el documento entero, le dio a la tecla BORRAR y la pantalla se quedó en blanco. Luego se reclinó en la silla y, por cuarta vez en los últimos quince minutos, consultó su reloj.

7:29 h

Todavía era pronto. Le importaba un comino.

7:32 h

Barron entró en una pequeña y luminosa minicafetería: una sala con varias máquinas expendedoras, media docena de mesas de fórmica y varias sillas de plástico. Un sargento de uniforme estaba sentado, charlando con dos secretarios de paisano en la mesa de más cerca de la puerta. Aparte de ellos, el lugar estaba vacío.

Barron los saludó educadamente con un gesto de la cabeza, se acercó a una máquina de café y echó tres monedas de 25 centavos. Luego pulsó la tecla de LECHE Y AZÚCAR y esperó a que apareciera el vaso de papel y empezara a llenarse. Una vez lleno, las luces de la máquina se apagaron. Cogió el vaso y fue a sentarse a una mesa de la esquina, de espaldas a los demás.

Tomó un sorbo de café y luego sacó el móvil del bolsillo y marcó un número. Al tercer pitido, una conocida voz femenina contestó la llamada:

—Habla la doctora Flannery.

—Doctora Flannery, soy John Barron.

—Anoche lo llamé. ¿Oyó mi mensaje?

—Sí, gracias. Tuve que salir. —Barron levantó la vista hacia la ruidosa carcajada que salía del trío de la puerta. De inmediato, se volvió hacia el teléfono y bajó la voz—: Doctora, necesito su ayuda. Quiero encontrar otra institución para Rebecca, en algún lugar lejos de Los Ángeles; preferiblemente fuera de California.

—¿Hay algún problema, detective?

—Es algo... —Barron buscaba la palabra justa— personal, confidencial y... muy urgente, por motivos que todavía no puedo explicarle. Quiero cambiar algunas cosas de mi vida, y el primer paso es encontrarle un lugar a Rebecca. Todavía no he pensado exactamente el lugar, tal vez Oregón, o el estado de Washington, o Colorado, algo así. Pero ha de ser lejos de aquí y lo antes posible.

Hubo un largo silencio y Barron supo que la psiquiatra estaba tratando de comprender lo que estaba ocurriendo.

—Detective Barron —dijo finalmente—, teniendo en cuenta el estado de Rebecca, creo que usted y yo deberíamos sentarnos y hablar tranquilamente.

—¡Hey, John!

Barron levantó la vista bruscamente al oír su nombre. Halliday acababa de entrar en la cafetería y se dirigía rápidamente hacia él.

Barron habló al teléfono:

—Permítame que la llame dentro de un rato, doctora. Gracias. —Colgó justo cuando Halliday llegó hasta su lado.

—No hay ningún Raymond Thorne en la calle Ochenta y seis de Manhattan —dijo Halliday, enfático—. La empresa alemana de informática para la que dice trabajar no existe. Sus huellas e identidad han salido limpias de la policía de Chicago, pero hemos descubierto que, el domingo, dos hombres fueron hallados torturados y acribillados en una sastrería, no mucho antes de que Raymond tomara el *Southwest Chief*. El arma del crimen no se encontró, pero las autopsias revelan que debe de ser de más o menos del mismo calibre que el Ruger que estaba en la bolsa de Raymond. Quieren que se haga un informe de balística.

»En la misma bolsa había un billete de primera clase a nombre de Raymond Thorne, de Los Ángeles a Londres, para un vuelo que salía de LAX a las 17:40 del lunes, lo cual nos hace suponer que sus planes originales no incluían un viaje de dos días en tren para llegar hasta aquí. Estoy trabajando con los federales, intentando que alguien en el Departamento de Estado sección Documentación nos dé una lectura de la banda magnética de su pasaporte. Polchak se encarga del test de balística. Tú ve a la audiencia de Raymond en el Tribunal Penal y asegúrate de que el juez no lo deja salir bajo fianza.

Por un instante muy breve Barron se quedó mirándolo, como si no lo hubiera entendido.

—John —lo apremió Halliday—. ¿Has oído lo que te acabo de decir?

—Sí, Jimmy, lo he oído. —Barron se levantó de pronto y se metió el móvil en el bolsillo—. Ya voy.

25

Edificio del Tribunal Penal, a la misma hora, 7:50 h

Ataviado con el mono naranja, las manos esposadas a la espalda, Raymond subía en ascensor con los dos agentes fortachones vestidos de uniforme que lo habían escoltado desde Parker Center y lo llevaban a su audiencia, a celebrarse en una sala de vistas de piso alto. Aquél era el momento que había decidido entre las pocas horas que había dormido durante la noche.

La idea de que podía usar al joven e inseguro detective Barron como medio para huir todavía le rondaba por la cabeza, pero el tiempo pasaba con rapidez. Su misión original al venir a Los Ángeles había sido mantener una confrontación final con el arrogante y extrovertido joyero de Beverly Hills Alfred Neuss. Que lo hubiera elegido para ser el último de su lista formaba parte integral de su operación.

La fase inicial del plan había sido recoger rápida y silenciosamente las llaves de la caja fuerte de los sujetos de San Francisco, México D.F. y Chicago, y luego, con el mismo silencio y rapidez, eliminar a los que las habían guardado. Si aquella fase hubiera funcionado como debía, no sólo tendría ahora las llaves sino que además sabría el nombre y la ubicación del banco francés que albergaba la caja fuerte. Con aquella información, habría mandado las dos primeras llaves rápidamente, por mensajero exprés, a Jacques Bertrand en Zúrich. La tercera llave habría sido enviada por el mismo método a la baronesa en Londres, donde el mismo Raymond la recogería a su llegada el martes. Al día siguiente habría viajado a Francia y habría retirado el contenido de la caja, para después regresar inmediatamente a Londres y mantener sus importantes reuniones al día siguiente, jueves, víspera de la ejecución de la acción en sí... que debía tener lugar en Londres el viernes, 15 de marzo; la misma fecha, irónicamente, de los idus de marzo.

La segunda fase del plan, y el motivo de convertir a Alfred Neuss en su última parada en América, era matarle, un acto que añadiría muchísima influencia a su poder creciente para lo que tenía que ocurrir el próximo viernes. Pero su incapacidad, incluso después de torturar a sus víctimas, de enterarse del nombre del banco y de su localidad le hizo darse cuenta de que la distribución de las llaves había sido una mera prevención, y que sin saber dónde estaba la caja fuerte, enviar las llaves a Bertrand o a la baronesa no tenía ningún sentido. La verdad, como se había dado cuenta al final, era que sólo dos hombres en el mundo sabían en qué banco y en qué ciudad francesa estaba la caja fuerte, y Alfred Neuss era uno de ellos. Era una certeza que añadía mucha tensión al juego y que convertía la necesidad de verle en más urgente que nunca.

Desde el principio, el factor tiempo lo había sido todo, y ahora lo seguía siendo. Y mucho más a la luz de la información que ahora tendría la policía. Significaba que no tenía más alternativa que reaccionar de manera radical antes de encontrarse más metido en el sistema jurídico americano.

7:52 h

Subieron una planta, luego otra.

Los agentes miraban al frente, no a él. Las mandíbulas apretadas, las pistolas enfundadas en los rígidos cinturones de los que también colgaban porras y esposas, los micros de las radios pegados a los cuellos de las camisas, la musculatura trabajada y su actitud fría, dura y distante; todo expresaba la intimidación obvia: que estaban totalmente preparados para hacer cualquier cosa necesaria en caso de que su prisionero se pusiera difícil.

Sin embargo, Raymond sabía que, a pesar de su pose y chulería, aquellos hombres eran poco más que funcionarios que recibían un salario. La motivación que él tenía, en cambio, era incomparablemente mayor e infinitamente más compleja. Y eso, unido a su extensa formación, suponía una diferencia enorme.

26

7:53 h

Ninguno de los dos agentes se dio cuenta de cómo Raymond giraba las muñecas con agilidad detrás de él, ni tampoco lo vieron quitarse una esposa, luego la otra. Ninguno vio su mano izquierda acercarse para tirar de la anilla de la pistolera que cubría la Beretta 9 mm del agente más cercano. Fue sólo en la décima de segundo siguiente cuando sintieron el peligro y se empezaron a dar la vuelta. Pero para entonces ya era demasiado tarde. La Beretta se deslizó hasta detrás de la oreja del primer agente y luego hacia la del otro, uno, dos, con una velocidad cegadora.

El estruendo ensordecedor de los dos disparos inundó el pequeño espacio y se apagó justo cuando el ascensor alcanzó la planta marcada y se detuvo. Con calma, Raymond tocó el botón de la última planta y el ascensor volvió a subir de nuevo. Uno de los agentes gimió, pero Raymond lo ignoró, de la misma manera que ignoraba el penetrante olor a pólvora y la sangre que fluía lentamente por el suelo de la cabina. Se quitó el mono de reo y se puso los pantalones y la camisa del primer agente. Luego cogió las armas de los dos hombres, se levantó y se colocó bien el uniforme de policía mientras el ascensor se paraba.

La puerta se abrió de inmediato a un pasillo ancho de un edificio público lleno de gente. Rápidamente tocó el botón de la planta baja y luego salió al pasillo. Medio segundo más tarde las puertas del ascensor se volvieron a cerrar y él se alejó entre la gente, en busca de la escalera más cercana.

7:55 h

El edificio del Tribunal Penal estaba a dos manzanas y al otro lado de la calle del Parker Center. Barron recorrió aquel trayecto rápidamente con el alma encerrada en la aspereza casi insoportable de sus sentimientos, la rabia y la ira hacia la brigada, hacia quienes eran realmente sus miembros y hacia lo que habían hecho con tanta sangre fría, no sólo con Donlan sino también con él. Al mismo tiempo, su lado práctico le decía que le llevaría un poco de tiempo encontrar un lugar al que trasladar a Rebecca; hasta que llegara aquel momento y la pudiera poner físicamente en el coche y llevarla no le quedaba más remedio que jugar el juego, hacer su trabajo y esconder sus cartas.

7:58 h

Ataviado con el uniforme del agente muerto, con la Beretta automática guardada en la pistolera, Raymond bajó un tramo de la escalera de incendios y luego otro. De pronto se detuvo. Había un hombre con vaqueros y una cazadora negra que subía por las escaleras. Daba igual quién fuera o qué estuviera haciendo allí; lo que Raymond necesitaba ahora era algo que le tapara el uniforme y las dos Berettas. La cazadora negra le iría bien.

Siguió bajando.

Dos pisos, tres, cuatro. El hombre estaba justo allí. Raymond le saludó con la cabeza al pasar por su lado. En medio segundo, se volvió y subió otra vez.

8:00 h

Con las dos Berettas escondidas dentro de la cazadora negra, Raymond empujó la puerta de la escalera de incendios y salió a un pasillo público. Éste, como el que había visto arriba, estaba lleno de gente.

Lo recorrió deliberadamente, tratando de actuar como si fuera a algún lugar concreto. Había rótulos por todas partes. Esta sala, esa otra sala, lavabos, ascensores. Sólo la gente que tenía que ir esquivando le obligaban a ir más lento, y eso era grave porque el tiempo era un factor crucial. A estas alturas, los cadáveres de los dos agentes ya habrían sido descubiertos y, con ellos, su mono naranja de prisionero. En cualquier momento podía esperar que el edificio se viera ocupado por un ejército entero de policías buscándolo.

—¡Eh, usted! —Un alguacil con un micro de radio en la solapa de la camisa se dirigía hacia él. Para ese hombre, la cazadora no le disimulaba el uniforme, sino que le llamó más la atención. Raymond lo ignoró y siguió andando.

—¡He dicho usted! ¡El de los pantalones de policía! —El alguacil seguía avanzando hacia él. Raymond miró hacia atrás y vio que se ponía a hablar por el micro de su solapa.

Raymond se limitó a darse la vuelta y a disparar a bocajarro con las dos pistolas. El estruendo de los tiros sacudió todo el pasillo. El alguacil se tambaleó hacia un lado y luego cayó de espaldas, tumbando con su impulso a un anciano que iba en silla de ruedas. La gente empezó a gritar y a correr en busca de refugio. Raymond se alejó corriendo.

Sala de la brigada 5-2, 8:02 h

—¡Vamos para allá! ¡Barron ya está allí! —Halliday colgó el teléfono de un golpe y se dirigió hacia la puerta. Polchak corría y estaba ya a punto de alcanzarlo.

Edificio del Tribunal Penal, 8:03

Barron se abrió paso a través del torrente de pánico que inundaba la planta baja. La gente aterrorizada corría en todas direcciones, tratando de ponerse a salvo. Lo único que sabía era lo que Halliday le había dicho por la radio: los dos agentes que custodiaban a Raymond habían sido asesinados y se había producido un tiroteo en una de las plantas superiores.

—¡Dios mío! —masculló entre dientes, mientras dejaba de lado sus monstruos personales para enfrentarse a la crisis inmediata y a la ráfaga de adrenalina que le acababa de provocar.

De pronto, un hombre con cazadora negra lo adelantó con un empujón en medio de una muchedumbre que salía de una puerta que daba a la escalera de incendios. Era otro paso antes de que Barron lo reconociera:

—¡Eeeh! —Se volvió, para ver a Raymond esforzándose por cruzar una puerta de emergencia y salir, peleando con la riada de gente que trataba de huir de él.

Barron levantó su Beretta y se abrió paso hacia la puerta, derribando a varias personas a su paso. Afuera pudo ver a Raymond bajando a la carrera por la rampa de peatones en zigzag que llevaba hasta el parking. Al mismo tiempo vio a hombres uniformados que salían de todos los rincones.

—¡Cazadora negra! —rugió Barron por su radio—. ¡Baja por la rampa hacia el parking!

Raymond llegó al final de la rampa corriendo. Sirviéndose de la gente para protegerse, vio la calle y corrió hacia ella.

Medio segundo más tarde Barron cruzó las puertas y corrió rampa abajo. Al mismo tiempo, Halliday y Polchak chocaron contra las puertas tras él.

—¡Tú! ¡El de la cazadora negra! ¡Quieto! —Una voz femenina ladró detrás de Raymond.

Él se volvió, metió la mano dentro de la cazadora y sacó la Beretta robada. La mujer policía de uniforme estaba a veinte pasos de él, apuntándolo con su arma.

—¡Cuidado! —gritó Barron demasiado tarde.

¡Bang! ¡Bang!

Raymond disparó un par de ráfagas. La mujer policía saltó hacia atrás y cayó sobre el pavimento, al tiempo que disparaba una bala al aire.

Raymond se volvió a mirar hacia el edificio, luego rodeó un Cadillac y salió corriendo, aprovechando los coches aparcados como protección, hacia la calle. Barron se plantó con fuerza al pie de la rampa, con la Beretta sujeta con las dos manos, apuntando con cuidado. Raymond se dio cuenta y se apartó justo cuando Barron disparaba.

Un dolor abrasador dibujó una línea recta en la garganta de Raymond y le hizo perder el equilibrio. Estuvo a punto de caer, luego se recuperó y echó a correr tambaleándose, apretándose con una mano la herida de la garganta. Tras él, tres coches patrulla blanco y negros hacían chirriar sus ruedas por el suelo del parking. A su izquierda pudo ver tres unidades más apareciendo por una esquina, que bajaban la calle en dirección a él. Al mismo tiempo, un taxi se detuvo justo delante de él. La puerta de atrás se abrió y de él bajó una mujer negra de mediana edad, seguida de una adolescente también negra.

Raymond apartó la mano que tenía en la garganta. Tenía un poco de sangre, pero no demasiada. La bala sólo lo había cortado y quemado. Con cinco pasos llegó al taxi. Levantó la mano izquierda y atrapó a la aterrorizada adolescente hacia él. Le dio la vuelta y la apuntó a la cabeza con la Beretta automática. Luego levantó la vista y lo que vio fue una docena o más de policías de uniforme armados hasta los dientes que se le acercaban. Se dio cuenta que trataban de buscar la manera de dispararle sin matar a la niña. Tanto a su derecha como a su izquierda, más coches patrulla acordonaban la calle. Entonces vio a John Barron abriéndose paso por entre los polis uniformados y dirigirse hacia él. Dos de los detectives de paisano del garaje lo acompañaban; uno de ellos era de los que estaba en el tren.

—¡Deténgase! —gritó Raymond, mientras sus ojos se desplazaban a la mujer de mediana edad que acababa de bajar del taxi con la chica. Ella se quedó plantada en medio de la calle, atrapada entre él y la policía. Le miraba horrorizada.

—¡Baja el arma, Raymond! —gritó Barron—. ¡Deja a la chica! ¡Déjala! —Él y sus dos compañeros estaban a unos veinte metros de él y se le iban acercando.

—Un paso más, John, y la mato —dijo Raymond, gritando pero con tono sereno, con la mirada fija en los ojos de Barron.

Barron se detuvo; Halliday y Polchak también lo hicieron. Volvíamos a estar en lo mismo: la familiaridad, la actitud confiada.

—Mirad si podéis hacer algo por los lados —dijo Barron en voz baja.

Halliday se desplazó lentamente hacia la izquierda, Polchak hizo lo mismo a la derecha.

—¡No! —La mujer se puso a gritar—. ¡No! ¡No! ¡Déjenlo en paz! ¡No se le acerquen!

—Quietos —susurró Barron. Halliday y Polchak se detuvieron.

—Gracias —le dijo Raymond a la mujer. Luego, apuntando todavía con su pistola a la cabeza de la muchacha, retrocedió hasta que los dos se quedaron con la espalda pegada al taxi. Dentro pudo ver al conductor agachado, tratando de ocultarse.

—¡Salga! —le ordenó—. ¡Salga!

En una escena digna de un cómic, la puerta del conductor se abrió de golpe y el taxista salió disparado.

—¡Corra! ¡Márchese, deprisa! —le gritó Raymond. El taxista corrió hacia la policía. Luego Raymond se volvió a mirar a Barron—. Por favor, John, di a estos patrulleros que saquen los coches. Saldremos por ahí.

Barron vaciló y luego miró a un sargento uniformado que tenía detrás.

—Déjenlo salir.

El sargento hizo una pausa antes de hablar por su radio. Al cabo de un momento, los coches patrulla del fondo de la calle dieron marcha atrás, abriendo paso.

Con la Beretta apuntando siempre a la cabeza de la adolescente, Raymond la empujó al interior del taxi y luego se puso al volante. La puerta se cerró con un golpe. Hubo un chirrido de ruedas y el taxi salió zumbando. A los dos segundos salían disparados a través de los coches patrulla al fondo de la manzana y desaparecían de la vista.

8:14 h

27

Edificio del Tribunal Penal, 8:15 h

—¿Cómo ha podido escaparse? ¡Hay cien hombres uniformados en este edificio! ¡Y fuera hay cincuenta más!

Con Valparaiso pegado a su lado, McClatchy avanzaba furioso por en medio de un montón de uniformes, jueces decepcionados y oficiales del tribunal. Cruzó una puerta y bajó hasta el parking a la carrera por la escalera de incendios. Valparaiso no había visto nunca a McClatchy tan enfadado. Y fue todavía peor cuando la palabra «rehenes» les llegó por la radio en medio de un batiburrillo de frases policiales, cuando cruzaban la puerta del fondo y entraban en el parking del sótano, donde Polchak los esperaba al volante del Ford de camuflaje de Red.

—¿Quién es el rehén? —le ladró Red a Polchak, mientras se abrochaba el cinturón a su lado y Valparaiso entraba por la puerta de atrás.

—Una mujer adolescente —le dijo Polchak—, de raza negra. Es lo único que sabemos. La acompañaba su tía, ahora estamos hablando con ella.

—¿Dónde cojones está Roosevelt?

Con la luz y la sirena puestas, Polchak bajó a toda velocidad por la rampa y se hundió en el tráfico.

—Ha llevado a su hijo al dentista. Su mujer trabaja —dijo, casi a punto de colisionar de lado con un autobús.

—¡Ya sé que su mujer trabaja! —gritó furioso McClatchy. Furioso con él, con los otros ciento cincuenta policías, con todo el asunto—. ¡Por Dios!

Cinco coches patrulla y un coche de camuflaje seguían al taxi n.º 7711 de la compañía United Independent por las calles de la ciudad, en una persecución que se desarrollaba a poca velocidad. Cada uno de los coches llevaba su potente señal luminosa encendida, pero eso era todo; las sirenas se mantenían estratégicamente en silencio. Arriba, el Air 14, un helicóptero del LAPD, había sido movilizado rápidamente y no perdía de vista el taxi. Por todo el trayecto —South Grand Avenue hasta la calle Veintitrés, de la Veintitrés a Figueroa, y luego hacia el sur por Figueroa— la gente se apiñaba en las aceras y saludaba y vitoreaba el paso del taxi 7711. Todo el espectáculo se estaba emitiendo en directo por televisión, mientras los helicópteros de las distintas cadenas se incorporaban a la acción desde el aire. Las persecuciones policiales eran algo habitual en Los Ángeles desde hacía muchos años, pero todavía eran seguidas por una numerosa audiencia televisiva que tenía a los directores de cadena deseosos de que se produjeran dos o tres cada semana, para así disparar sus niveles de *share*.

Barron y Halliday iban en el 3-Adam-34, el coche patrulla que iba en cabeza reclutado de entre la multitud de patrullas que de pronto habían bajado hasta el edificio del Tribunal Penal. No se trataba de ninguna emocionante persecución cinematográfica, sino de una procesión solemne a cuarenta por hora. Lo único que podían hacer era seguirlo y tratar de prever lo que Raymond tenía planificado para cuando aquello terminara. Si tenían alguna ventaja era que Red McClatchy era uno de los mejores negociadores de rehenes que había, y que en dos de los coches patrulla que los seguían estaban algunos de los tiradores más precisos de la policía de Los Ángeles.

Halliday se inclinó hacia delante en el asiento delantero, mirando el taxi que avanzaba a casi medio kilómetro de ellos, con el sol de la mañana reflejándose en sus ventanas. Los cristales ahumados de detrás dificultaban mucho la posibilidad de ver en su interior, y desde luego de comprobar si Raymond seguía apuntando a la cabeza de la muchacha.

—De todos modos, ¿quién coño es ese Raymond? —dijo—. La policía de Nueva York no sabe nada de él, ni tampoco la de Chicago, a menos que salga algo en el informe de balística. Los federales van a tardar un poco en disponer de la lectura de la banda magnética de su pasaporte, así que quién sabe lo que encontraremos allí. Si no hubiésemos encontrado el arma en su bolsa y nos hubiera facilitado un domicilio correcto, es casi seguro que ahora estaría libre.

—Pero encontramos el arma y nos dio un domicilio falso.

—¿Y eso basta para que empiece a matar gente?

—Ha llegado aquí desde Chicago con un arma en su equipaje. Tenía un billete de avión para volar a Londres. —Barron miró a Halliday, luego volvió a mirar al taxi—. ¿Por qué ha pasado por Los Ángeles primero? Para liarse con alguien, para matar a alguien, o quizá para ponerse moreno... ¿quién sabe? Pero sea lo que sea que esté haciendo ahora, ha de tener un motivo muy fuerte para hacerlo.

—¿Como qué?

Barron movió la cabeza.

—Este tipo ha recibido algún tipo de entrenamiento. Tal vez militar; por la manera en que ha matado a los agentes en el ascensor, la manera en que dispara... ya has visto cómo se ha cargado a la mujer policía. Eso no se aprende en las calles. Ni a tener esos cojones.

—Entonces, ¿qué va a hacer con la rehén?

—Todo esto lo ha hecho tratando de huir. Si lo acorralamos, la matará como lo ha hecho con los demás.

Más adelante, el taxi giró hacia Vernon Avenue. Barron lo siguió, al igual que el convoy de vehículos que iban detrás. Air 14, el helicóptero, cruzó por delante de ellos. Su radio empezó a crepitar y oyeron la voz de Red.

83

—Central. Habla McClatchy. ¿Se sabe algo de la identidad de la chica retenida?

—Afirmativo, comandante; nos acaba de llegar —respondió una voz femenina—. De raza negra. Se llama Darlwin Washburn. Edad: quince años. Vive en Glendale.

—¿Han avisado a sus padres?

—Los intentos han sido infructuosos.

—¿Cuál es el estado de la agente herida?

—Pues... ehm... ha muerto, señor. Lo siento.

—¿Los agentes heridos y el oficial del tribunal?

—Lo mismo, señor.

Se hizo una larga pausa y luego se volvió a oír la voz de Red, esta vez más baja.

—Gracias.

Barron tuvo que contenerse para no pisar el acelerador a fondo. Quería salir a toda velocidad hacia Raymond, acorralarlo entre coches de policía y obligarlo a salir de la carretera para ocuparse de él. Pero no podía hacerlo y lo sabía. Todos lo sabían, y Raymond el primero. Fuera lo que fuese lo que planeaba, seguía teniendo a la chica y ellos no podían hacer más de que lo que estaban haciendo: seguirle y esperar.

—¡Ahí va! —gritó Halliday.

Delante de ellos, el taxi 7711 había aumentado la velocidad y se alejaba. Barron pisó el acelerador a fondo. Los coches patrulla vacilaron y luego se precipitaron hacia delante.

Halliday hablaba por radio:

—¡Tres, Adam Treinta y Cuatro! ¡Se escapa! Air 14, ¿qué hay del tráfico más adelante?

En cuestión de segundos, Barron había acortado la distancia con el taxi a la mitad. De pronto el taxi viró a la izquierda, cortó directamente por delante de ellos y aceleró por una calle secundaria en la que había varios edificios de apartamentos.

—¡Cuidado! —gritó Barron. La mano de Halliday se aferró al asidero de encima de la puerta y Barron giró bruscamente. Con las ruedas chirriando, el coche patrulla se deslizó por la curva. Barron volvió a girar el volante hacia el otro lado, con el pie en el acelerador, y el coche salió disparado. Al cabo de un segundo pisó el freno y el coche se detuvo bruscamente.

A media manzana estaba el taxi parado junto a la acera.

28

Barron cogió la radio.

—Red, soy Barron. El taxi...

—Ya lo veo.

El coche de Red aparcó rápidamente junto al de Barron y Halliday. Al instante siguiente, unas cuantas patrullas acordonaron el final de la calle delante de ellos.

Barron miró por el retrovisor y vio las dos unidades de tiradores aparcar detrás de él. Abrieron las puertas y cuatro hombres con chalecos antibalas salieron de los coches, cargados con rifles. Al mismo instante, Red y Polchak salieron del coche, revólveres en mano y la mirada fija en el taxi. Se oyó un fuerte clic-clac cuando Valparaiso salió por la puerta de atrás cargando una escopeta del calibre 12.

Barron y Halliday salieron también de su vehículo, Berettas en mano. Detrás de ellos llegaron más coches patrulla. Arriba se oía el fuerte latido de las aspas del helicóptero.

—Air 14, ¿qué ven? —dijo Red por la radio.

—Un 7711 detenido. Lo mismo que ustedes.

Red volvió a entrar en su coche y cogió el micro de la radio.

—¡Raymond! —su voz retronó por los altavoces del coche—. Abra la puerta y deje las armas en el suelo.

Barron y Halliday avanzaron un poco, con las armas levantadas, preparados para disparar. Detrás y a un lado, los tiradores se repartieron el espacio para tomar buenas posiciones.

Polchak se arrodilló junto al guardabarros del coche de Red, con su rifle automático entre las manos:

—Directo al infierno, cabronazo —masculló.

Nada ocurrió. El taxi seguía inmóvil. Las puertas cerradas, las ventanas subidas, el brillo del sol más fuerte que nunca, agudizando la imposibilidad de ver qué sucedía dentro.

Seguía sin pasar nada. Entonces, de pronto, la ventana del conductor empezó a bajar hasta la mitad y apareció el rostro de la joven rehén.

—¡Mami! ¡Mami! ¡Mami! —gritó con todas sus fuerzas. Luego su cara desapareció y la ventana volvió a subirse.

—¿Qué cojones está pasando? —Valparaiso se desplazó hasta detrás de Red. Los tiradores se abalanzaron, listos para disparar.

De pronto, la puerta del apartamento que daba justo delante del taxi se abrió de un golpe y Mami, una mujer negra y corpulenta con vaqueros y un top de tirantes se echó a correr hacia el taxi.

—¡Mi niña! ¡Mi niña! —gritaba Mami, mientras corría.

—Mierda, mierda —exclamó Barron, y se puso a correr en dirección a la mujer.

—¡Dios mío! —se abalanzó Red.

Ahora todos corrían: Mami, Barron, Red, Polchak, Valparaiso, Halliday, todos corrían con sus armas levantadas.

La puerta del conductor del taxi se abrió. Al instante, Barron sujetó a Mami, a la que inmovilizó con un placaje rápido antes de caer con ella sobre el césped de la acera.

Red se ocupó de la puerta del taxi y la abrió de un manotazo con su Smith & Wesson lista para disparar.

—¡Quieto o disparo!

Darlwin pegó un fuerte aullido, apartándose aterrorizada del arma de Red. Detrás de ella, la puerta del copiloto se abrió de golpe y Valparaiso avanzó con su escopeta, dispuesto a vaciar su cargador en la cabeza de Raymond. Pero lo único que consiguió fue mandar a Darlwin gritando otra vez al asiento de delante, hacia Red. Luego Polchak abrió otra puerta y Halliday arrancó la cuarta de un manotazo.

Raymond no estaba. Sólo Darlwin, gritando, llorando, muy asustada.

Rápidamente, Red le hizo un gesto hacia su madre:

—Mami —le dijo—. Ahí está Mami.

De pronto, Mami se separó de Barron y corrió hacia el taxi. Y entonces ella y su hija se fundieron en un abrazo, asustadas, llorando.

—¡Sácalas de aquí! —le gritó Red a Barron.

Barron actuó rápidamente y llevó a las mujeres lejos del taxi. Al mismo tiempo, Polchak y Valparaiso se acercaron a la parte trasera del mismo. Valparaiso hizo palanca con el rifle y Polchak reventó el cerrojo del maletero. Lo único que había era la rueda de recambio del coche y unas cuantas herramientas.

—¡Hoy debe de ser el puto día de los inocentes! —dijo Polchak, volviéndose asqueado.

—Pero estamos en marzo —dijo Halliday, en voz baja.

Valparaiso se guardó el rifle bajo el brazo.

—¿Cuándo coño ha salido del coche? ¿Dónde cojones...?

Al final de la manzana, los tiradores bajaron sus rifles y retrocedieron. Poco a poco, por las ventanas iban asomando cabezas, las puertas se iban abriendo. La gente salía a los pequeños parterres de césped de delante de los bloques de apartamentos, señalando los coches patrulla, hablando entre ellos.

Red levantó la vista hacia el helicóptero que todavía esperaba y se pasó una mano por el pelo; luego se acercó adonde estaba Barron, que trataba de consolar a Darlwin y a su madre.

—Cuéntanos lo que ha ocurrido —dijo, con voz amable.

—Cuéntaselo, cariño —repitió su madre, sosteniéndole la mano con fuerza y secándole las lágrimas con la otra mano.

—Justo cuando... empezábamos a correr —consiguió decir Darlwin entre sollozos—, luego el tipo me mira... quiere saber si... si yo sé... conducir... y le digo que... claro que sé. Y me dice... pues ponte al volante y vete a tu casa. No pares por nadie y no abras la puerta... hasta que llegues. Luego él salió... y yo no quería llevarle la contraria... a un loco como ése. He hecho lo que me decía.

—¿Dónde ha bajado? ¿Te acuerdas? —El tono de Red McClatchy era tranquilo y amable, como si hablara con su propia hija.

—¿Dónde ha bajado, cariño? —la apremió la madre—. Díselo al señor, venga.

Darlwin levantó los ojos, tratando de reprimir las lágrimas que no dejaban de caerle.

—Como he dicho... ha sido al principio... habíamos bajado una manzana y habíamos girado por la primera calle... desde el juzgado... no sé exactamente qué calle es. —Movió la cabeza a ambos lados—. Ha parado el coche y se ha marchado.

—Gracias, Darlwin —dijo Red. Miró a Barron y luego se volvió y vio a sus otros detectives agrupados, expectantes, como si él estuviera a punto de revelarles el paradero de Raymond y así lavar la mancha de vergüenza que pendía sobre sus cabezas. Pero lo que obtuvieron, en cambio, cuando se les acercó, fue una buena dosis de frustración—. Una manzana más abajo y al doblar la esquina del juzgado, caballeros. Los pocos segundos que ha estado fuera de nuestra vista los ha sabido utilizar. Ha parado el taxi y se ha largado. Y le ha dicho a la chica que se fuera a casa.

Red se miró el reloj y luego miró rápidamente a Polchak.

—Nos lleva más de una hora de ventaja y tenemos que recuperar este tiempo. Pon una orden de búsqueda por toda la ciudad y que lo traten como muy peligroso. Quiero a todos los detectives disponibles y a todas las patrullas peinando la zona entre el Tribunal Penal y la autopista de Santa Monica, y entre Alvarado Street y la autopista de Santa Ana. Que manden su foto a todos los periódicos y cadenas de tele y que la envíen por fax a todas las terminales de bus y tren, compañías de taxi y empresas de alquiler de coches de la ciudad, con la petición de que nos lo hagan saber de inmediato si lo ven, o si ya lo han visto. Y, por si acaso se nos escapara del todo, que faciliten su foto y su descripción a la policía de Londres, para que puedan estar al tanto si desembarca de cualquier vuelo de llegada.

Red levantó la vista hacia el helicóptero, que todavía esperaba, se puso las manos encima de los oídos y se volvió hacia Valparaiso.

—¡Me estoy volviendo sordo con ese estruendo de ahí arriba! Manda al Air 14 a casa y diles que se mantengan en alerta por si hay novedades. ¡Da prioridad a averiguar quién coño es ese Raymond! ¡En qué lugar de Chicago estaba, y por qué! ¡Por Dios!

La siguiente petición fue para Halliday.

—Consigue toda la información de Darlwin, y sé amable. La pobre chica ha vivido una situación muy traumática.

Luego Red se volvió y miró a Barron.

—Tú y yo nos vamos a dar una vuelta.

9:19 h

29

—Habla conmigo.

Red hizo marcha atrás con el Ford de camuflaje, rodeó un coche patrulla aparcado y luego aceleró hacia la calle en dirección al centro urbano.

—¿Sobre qué? ¿Sobre Raymond? No sé nada más de él de lo que...

—Sobre Donlan. —Red miró a Barron con atención, con la rabia y la frustración que unos segundos antes sentía, ahora aparcadas.

—¿Qué quiere que le diga de él?

Delante de ellos el semáforo cambió de amarillo a rojo. McClatchy encendió la sirena, pisó el acelerador y lo pasó igualmente.

—Eligiendo a John Barron elegimos a un detective joven y excelente. Un hombre capaz de reducir a un asesino a quien nadie más en todo el puto departamento había sido capaz de echar el guante.

—No sé de qué me habla.

Los ojos de McClatchy se volvieron hacia John.

—Sí lo sabes, John. Estás preocupado por lo que ocurrió con Donlan. Me di cuenta ayer. Y todavía puedo notarlo hoy. Y lo teníamos bajo custodia, de modo que te debes de preguntar, ¿por qué? ¿Cuál era el motivo? ¿Por qué lo hicimos?

Barron no respondió y McClatchy volvió a mirar a la carretera.
—Y yo te digo: de acuerdo, vamos a averiguarlo.

30

Hotel Weslin Bonaventure, centro de Los Ángeles. 9:44 h

Raymond tenía una lujosa suite de dos habitaciones equipada con televisor, escritorio, minibar, microondas, nevera y cafetera. Disponía también de ropa nueva y de una nueva identidad, y tendría todo eso mientras nadie descubriera que el especialista en diseño de automóviles Charlie Bailey, de Nueva Jersey, faltaba de allá donde se le esperaba y la policía empezara a buscarlo.

El encuentro con Charlie Bailey fue una suerte surgida de las circunstancias y la pura necesidad. Cuando huía de la policía, al salir del edificio del Tribunal Penal, Raymond condujo el taxi robado a toda velocidad, consciente de que disponía de tan sólo diez o quince segundos antes de se le echaran encima. Entonces le preguntó a su rehén si sabía conducir, y cuando la muchacha le dijo que sí, sencillamente aparcó en el bordillo y salió corriendo del vehículo, después de decirle que se marchara a su casa y esperar lo justo para verla poner el taxi en marcha y alejarse. Luego se marchó, suplicando interiormente haberla asustado lo bastante como para que hiciera lo que le había dicho y no parara el coche por nadie, en especial la poli.

Con la cazadora negra que le había quitado al hombre de la escalera de incendios del edificio judicial y se había echado encima del uniforme del policía muerto, siguió andando, tratando de mantener la compostura y de encontrar una manera de desaparecer de las calles. Media manzana más abajo vio al hombre que resultaría ser Charlie Bailey, de más o menos la misma estatura y peso que él, vestido con traje y corbata. Iba solo y estaba abriendo un coche en un aparcamiento solitario, al cual estaba a punto de subir. Entonces Raymond hizo desaparecer rápidamente la cazadora negra en un contenedor de basura y adoptó el personaje del uniforme que llevaba, el de un agente de policía del condado de Los Ángeles.

Con el mismo acento americano fingido que venía utilizando desde hacía días, se acercó al hombre con aire autoritario, le explicó que había habido una serie de robos de automóviles en la zona y le pidió ver su permiso de conducir, además del título de propiedad del vehículo. El hombre le enseñó un carnet de conducir del estado de

Nueva Jersey que lo identificaba como Charles Bailey y le dijo que el coche era alquilado. Cuando Raymond le pidió ver los papeles del alquiler y Bailey abrió el maletero para sacar su maletín, Raymond le pegó un disparo en la nuca, embutió el cuerpo en el maletero y lo cerró. Entonces cogió el maletín y las llaves del coche, lo cerró bien y se marchó. Tan sólo se detuvo para recuperar la cazadora negra del contenedor y volvérsela a echar encima para disimular de nuevo el uniforme.

El maletín resultó ser un tesoro. Dentro había toda la identidad de Charles Bailey: su dinero en efectivo, sus tarjetas de crédito, su teléfono móvil y la tarjeta de acceso a su suite, número 1195, del hotel Westin Bonaventure, el enorme hotel en forma de torre de cristal que estaba justo un poco más arriba de la misma calle. El motivo por el que Bailey había dejado el coche en ese parking en vez de estacionarlo en el hotel no era nada evidente, pero, desde luego, le había costado la vida al asesor de diseño.

Al cabo de veinte minutos Raymond se encontraba en la suite del muerto, se había duchado, se había curado el rasguño de bala del cuello con una pomada antiséptica que había encontrado entre los efectos de baño y se había puesto un traje gris que le iba bastante bien sobre una camisa azul, en la que se anudó una corbata a rayas rojas para camuflar la herida. Entonces se decidió a usar el móvil de Bailey para marcar un número en Toronto desviado a un número en Bruselas, que a su vez estaba desviado a un número de Zúrich, desde el cual una voz grabada en el contestador le informó de que el destinatario de su llamada no estaba disponible y le decía que podía dejar un mensaje y la llamada le sería devuelta en breve. En francés, Raymond dijo que se llamaba Charles Bailey, preguntó por Jacques Bertrand y dejó el número de teléfono de Bailey. Luego colgó y esperó.

Ahora, casi una hora más tarde, seguía esperando. Mientras andaba nerviosamente de un lado a otro de la habitación, se preguntaba por qué Bertrand todavía no le había devuelto la llamada y si no debería haberle dicho directamente quién era, en vez de haber usado el nombre y el número de Bailey.

Bertrand y la baronesa tenían su número de móvil, y si hubiera podido usarlo la llamada le habría sido devuelta de inmediato, pero su teléfono había sido destruido aposta cuando lo tiró por la ventana del coche robado que Donlan utilizó para asegurarse de que la policía no se lo encontraba ni lo utilizaba para rastrear sus llamadas hasta la baronesa o Bertrand. Una llamada a Bertrand de parte de un tal Bailey podía considerarse como, sencillamente, un número equivocado si jamás llegaran a detectarla, pero dejar su nombre y número era arriesgarse a que asociaran a Bertrand con él y con un hombre al que, tarde o temprano, encontrarían muerto, y eso era algo que no se atrevía a hacer. En especial ahora, cuando la policía habría destapado la farsa con su rehén y la chica les habría indicado el lugar en el que se había bajado del taxi. No habrían tardado mucho en acordonar la zona e ir a buscarle puerta a puerta. Eso hacía que proteger su identidad y su misión fuera más importante que nunca.

31

Parker Center, 9:48 h

—1915, Huey Lloyd; 1923, Jack *Dedo* Hammel; 1928, James Henry Green.

John Barron estaba inclinado encima de una mesa en el despacho de Red mientras, una a una, éste le colocaba delante una serie de fotos en blanco y negro de 20 × 25 centímetros. Las fotos eran documentación oficial del LAPD. Fotos frías e informales de tipos fallecidos, con etiquetas que les colgaban del dedo del pie y tumbados en mesas del depósito de cadáveres. Hombres desnudos y muertos con los agujeros de bala rellenados con cera de funeraria.

—1933, Clyde Hill; 1937, Harry Shoemaker; 1948..., 1957..., 1964..., 1972... —Red iba leyendo los años a medida que iba sacando más y más de aquellas tristes fotos—. 1985, 1994, 2000, y la más reciente...

Sin más comentarios, McClatchy colocó la última, la foto del depósito de Frank *Blanquito* Donlan.

—Todos ellos asesinos en serie a los que, de alguna manera, la justicia volvía a dejar sueltos una y otra vez. —Red recogió las fotos y las volvió a meter en el grueso archivador marrón de acordeón del que las había sacado—. Usas la palabra «asesinato» para describir lo que les sucedió a todos estos hombres cuando se trata de haberle quitado la vida a un ser humano. El problema es que ninguno de éstos era humano. Eran monstruos a los que el sistema seguía dejando en libertad. Criaturas que habían matado antes y que iban a seguir matando una y otra vez. —Red cruzó la estancia y dejó el archivador encima de su despacho—. Así que aquí tienes la explicación, John Barron. No íbamos a darle otra oportunidad de matar.

Barron lo miró. Allí estaba la respuesta al asesinato de Donlan.

91

Como en la larga serie que le precedía, no se trataba de un asesinato, sino sencillamente de la eliminación de una alimaña.

—Puede que te preocupe, John Barron, que, de alguna manera, alguien pueda enterarse. Pero en un siglo de este tipo de prácticas todavía no se ha enterado nadie. ¿Y sabes por qué? Porque no quieren.

—¿No quieren? ¿Quiénes?

—La gente de la calle. Son situaciones en las cuales no quieren ni pensar, y desde luego, no quieren saber. Es para lo que nos pagan.

Barron le miró un largo rato, estupefacto ante aquella justificación tan sencilla del asesinato a sangre fría.

—Esto es lo que «el OK» significa, ¿no? —preguntó, a media voz—. El permiso para llevar a cabo la ejecución. Por eso no se planteó nunca sacar a Donlan del tren en una de las estaciones anteriores. Allí el LAPD no tiene jurisdicción; tendrían que haber llamado a una agencia local y ese «OK» no se habría dado nunca.

—Cierto —asintió Red.

—¿Y quién lo da? —Barron se sentía cada vez más furioso. De pronto se levantó y se dirigió hacia la ventana para sentir el fuerte brillo del sol de marzo en Los Ángeles, y luego se volvió de cara a McClatchy—. ¿El jefe de policía? ¿El comisario? ¿El alcalde? ¿O a estas alturas es todo producto de una combinación informática de X y O que calcula quién tiene derecho a vivir y quién no?

McClatchy esbozó una sonrisa y, de pronto, Barron se dio cuenta de que había sido manipulado adrede para que revelara sus emociones. De la misma manera que Raymond también lo había manipulado.

—Esta ciudad es una vieja zorra, John. Con el tiempo ha encontrado mil maneras distintas de sobrevivir, no todas ellas totalmente legales, pero igualmente necesarias. Tú has sido expuesto a ellas de la misma manera que todos nosotros. Eres miembro de la brigada, estás ahí, y sucede, del mismo modo que ha sucedido desde el principio, desde hace cien años. —Red se sentó al borde de su mesa—. No creas que eres el primero en inquietarte por ello. Yo tuve la misma sensación hace mucho tiempo. Pero entonces no ponían a los asesinos en serie en libertad tan rápido como lo hacen ahora.

»Antes de que te vayas, déjame que te diga algo sobre lo que puedes reflexionar. Es lo mismo que les he dicho a todos los miembros de la brigada el día después de que experimenten su primer "OK". Cuando te incorporaste a la Cinco Dos, hiciste un juramento que te compromete de por vida. Eso significa que tu estancia en ella es de largo recorrido. Acostúmbrate y no te alteres tanto ni te pongas tan moralista por un incidente como para cometer el grave error de romper tu compromiso. Si sigue representando un problema, ten en cuenta otra parte de tu juramento: resolver las diferencias dentro de la brigada. Así es como ha sido durante cien años, y en estos cien años nadie ha abandonado. Recuérdalo. Y recuerda que tienes una hermana que depende de ti para todo. No me gustaría pensar en cómo quedaría su estado mental si tú traicionaras tu juramento y trataras de largarte.

Barron sintió un escalofrío en la nuca que le bajaba por la espina dorsal. El comandante no se había limitado a manipularlo para que le revelara sus sentimientos, sino que era casi como si le hubiera leído los pensamientos. Por primera vez, comprendió por qué Red Mc-Clatchy se había convertido en una leyenda. Por qué era tan respetado y temido. No sólo lideraba la brigada, sino que la protegía. Si tratabas de marcharte, te eliminaban.

—Yo, de ti, detective, volvería ahora mismo a mi mesa y me pondría a redactar el informe sobre el tiroteo de Donlan. Demuéstranos a todos que estás en esto al cien por cien, que eres un socio en el que podemos confiar con los ojos cerrados; que podemos dejar atrás el asunto del señor Donlan y dedicar toda nuestra concentración a ese Raymond Oliver Thorne que tenemos por ahí pululando.

Durante unos segundos McClatchy se quedó en silencio, mirando a Barron sin más. Cuando volvió a hablar, su tono era más amable:

—¿Has entendido lo que te he dicho, detective?

Barron sentía el sudor frío formándose en su frente.

—Sí, señor. —Su voz era apenas un susurro.

—Estupendo.

32

Suite 1195, Westin Bonaventure Hotel, 10:20 h

Hablaban en francés.

—¿Dónde estás?

—En un hotel de Los Ángeles.

—¿Los Ángeles?

—Sí.

—¿Estás herido?

La voz de la baronesa era tranquila y, de momento, se limitaba a los hechos. Raymond sabía que su llamada había sido desviada por distintos dispositivos por al menos cuatro países y que era prácticamente imposible de rastrear.

—No —respondió, y luego se giró a mirar por la ventana y a la calle de delante del hotel, doce pisos más abajo. Desde su posición estratégica veía tres coches patrulla y dos grupos de agentes de uniforme que hablaban entre ellos en una acera—. Lo siento, baronesa, no tenía la intención de involucraros. He llamado a Bertrand.

—Lo sé, cariño, pero ahora estás hablando conmigo. ¿Qué es este número que nos has dado? ¿Quién es Charles Bailey? ¿Y tu teléfono? Te he llamado una y otra vez, pero no me contestas. Tienes problemas; ¿qué ocurre?

La llamada a Jacques Bertrand de hacía noventa minutos tuvo la intención de que el abogado suizo hablara con él primero y no la informara a ella hasta más tarde, pero, obviamente, no había sido el caso.

«Ella» era la baronesa Marga de Vienne, su tutora legal, la viuda del financiero internacional barón Edmond de Vienne y, como tal, una de las grandes damas más ricas, prominentes y poderosas de Europa. Normalmente, en esta época del año solía estar en el Château Dessaix, una mansión del siglo XVII a las afueras de Tournemire, la pintoresca región de la Auvernia, en el Macizo Central francés, pero ahora se encontraba en su suite del hotel Connaught, en Londres, donde eran casi las seis y media de la tarde. Raymond se la imaginaba enjoyada y vestida como siempre con su característica combinación de blancos y amarillos claros, con su densa cabellera oscura recogida en un delicado moño y preparándose para la cena a la que iba a asistir en breve en el número 10 de Downing Street, ofrecida por el primer ministro británico en honor de los dignatarios rusos de visita en la ciudad Nikolai Nemov, el alcalde de Moscú, y el mariscal Igor Golovkin, ministro de Defensa de la Federación Rusa. Sin duda, la reunión tendría como intriga principal el rumor supersecreto de que, con la intención de dar estabilidad a una sociedad que era percibida generalmente como caótica, corrupta y cada vez más violenta, Rusia estaba planteándose seriamente el regreso de la familia imperial Romanov al trono en forma de una monarquía constitucional. Verdad o mentira, había pocos motivos para creer que los rusos estarían dispuestos a hablar del tema ni siquiera en aquel entorno tan protegido. Sin embargo, los presionarían para que lo hicieran, y la comedia diplomática añadía interés a la velada. Era una cena a la que había previsto asistir con la baronesa, pero ahora, por motivos más que obvios, le resultaba imposible.

—Baronesa, una lamentable serie de incidentes me han llevado a una situación en la que me he visto obligado a matar a varias personas, entre ellas a policías. Las autoridades me buscan por todos lados. Sin duda lo veréis en las noticias internacionales, si no lo habéis hecho ya. He llamado a Bertrand para que me ayudara. No tengo pasaporte y, por tanto, no puedo salir del país.

»Incluso si lograra esquivar a la policía, salir del país sin pasaporte y llegar a Inglaterra me resultaría imposible. Ordene a Bertrand que disponga un jet privado para que me recoja en un aeropuerto de aviación civil. Santa Mónica es el mejor y el que me cae más cerca.

»Además del avión, necesitaré dinero y tarjetas de crédito, y un pasaporte nuevo con algún otro nombre y nacionalidad. Francesa o italiana, probablemente, da igual.

Debajo vio pasar dos unidades motorizadas y luego dos coches patrulla más. Luego un helicóptero del LAPD cruzó por el cielo.

—Hoy Peter Kniter ha sido nombrado caballero en el Palacio de Buckingham —dijo de pronto la baronesa, como si no hubiera oído nada de lo que le acababa de contar.

—Ya me lo imaginaba —respondió él, con frialdad.

—No emplees ese tono conmigo, cariño. Sé que tienes problemas, pero has de comprender que todos los otros relojes siguen marcando las horas y que no podemos permitirnos perder más tiempo del que ya hemos perdido. La última vez que hablamos, cuando estabas en el tren que venía de Chicago, me aseguraste que tenías las llaves. ¿Dónde están ahora?

Raymond tuvo ganas de colgarle el teléfono. En toda su vida, ni una sola vez había sentido el cariño de ella, sólo la realidad de las cosas más inmediatas. Incluso de niño, un corte, un rasguño o una pesadilla eran cosas sobre las que no tenía derecho a lloriquear, sólo había que resolverlas lo más rápidamente posible para que dejaran de ser un problema. La vida estaba llena de obstáculos, grandes y pequeños, le había advertido ella desde que tenía uso de razón. Y lo de ahora no era distinto. Fuera lo que fuese que hubiera sucedido, no estaba herido, seguía estando solo, seguía siendo capaz de llamar a Europa desde la protección relativa de una habitación privada de hotel.

—Cariño, te he preguntado dónde están las llaves.

—He tenido que dejarlas en mi bolsa, en el tren. Supongo que ahora están en manos de la policía.

—¿Y qué hay de Neuss?

—Baronesa, me parece que no entendéis lo que está ocurriendo aquí.

—Eres tú, cariño, quien no lo entiende.

Raymond lo entendía perfectamente. Alfred Neuss tendría una llave de la caja fuerte. Alfred Neuss sabría dónde estaba. Sin la llave, sin el contenido de la caja, y sin Neuss muerto era como si no tuvieran nada. Para ella sólo existían dos asuntos, y al resto del mundo que le dieran morcilla: ¿tenía el nombre y la dirección del banco? ¿Se había ocupado de Alfred Neuss?

La respuesta de él fue no.

—*Warum?* —«¿Por qué?», le preguntó en alemán, cambiando bruscamente de idioma, por capricho, de aquella manera exasperante que tenía de embutirle los conocimientos que ella consideraba que debía asimilar. En francés, alemán, inglés, español, ruso, el idioma no importaba. Se suponía que él debía comprender siempre lo que se decía a su alrededor, hasta si actuaba como si no lo hiciera.

—*Madame la baronesse, vous ne m'écoutez pas!* —«Baronesa, no me escucháis», le dijo enojado, aferrándose al francés—. Soy objeto de un enorme despliegue policial. ¿De qué os sirvo, si me arrestan o me disparan?

—Eso no es una respuesta —lo cortó ella como siempre.

—No —dijo él en un susurro; tenía razón, como siempre—, no lo es.

—¿Cuántas veces hemos hablado, cariño, del significado de los tiempos difíciles, para que aprendas a levantarte por encima de ellos? No te habrás olvidado de quién eres.

—¿Cómo podría? Siempre os tengo a vos para recordármelo.

—Pues entonces comprende la dura prueba a la que están siendo sometidas tu formación y tu inteligencia. Dentro de diez años, de veinte, todo esto te parecerá una tontería, pero en cambio lo recordarás heroicamente como una valiosa lección de autoconocimiento. Al lanzarte a las llamas, Dios te está exigiendo, como siempre, grandeza.

—Sí —susurró Raymond.

—Y ahora, dispondré lo que necesitas. El avión es fácil. El pasaporte y llevarlo hasta el piloto que tiene que entregártelo resultará más difícil, pero ambos te llegarán, sea como sea, mañana. Mientras tanto, haz lo que tengas que hacer con Neuss. Hazte con su llave, averigua dónde está el banco y luego mátale. Manda la llave por mensajería exprés a Bertrand, que se irá a Francia y sacará las piezas de la caja. ¿Lo has entendido?

—Sí.

Abajo, en la calle, Raymond vio a otro grupo de policías en la acera de delante del hotel. Este grupo era distinto de los agentes de patrulla que había visto antes. Llevaban casco y chalecos antibalas, e iban armados con armas automáticas. Se apartó de la ventana al ver que algunos miraban hacia las plantas superiores del hotel. Eran un equipo del SWAT y parecía que estuviesen preparándose para entrar en el hotel.

—Baronesa, comandos especiales de policía se han congregado delante del hotel.

—Quiero que te olvides de ellos y que me escuches, cariño; escucha mi voz —dijo, en un tono sereno y expeditivo—. Ya sabes lo que quiero oír. Dímelo, dímelo en ruso.

—Yo... —vaciló, con los ojos fijados en la calle. El equipo del SWAT no se había movido, sus agentes seguían en el mismo lugar de antes.

—Dímelo —le ordenó.

—*Vsay* —empezó, lentamente—. *Vsay... ego... sudba...V rukah... Gospodnih.*

—Otra vez.

—*Vsay ego sudba V rukah Gospodnih* —repitió, esta vez con la voz más fuerte y convincente.

Vsay ego sudba V rukah Gospodnih. Todo su destino está en las manos de Dios. Era un dicho popular ruso, pero ella lo había personalizado para que significara «de él». El destino del que hablaba era el suyo propio; Dios lo dirigía todo, y todo pasaba por un motivo. De nuevo, Dios le estaba poniendo a prueba, ordenándole que se levantara y encontrara una salida, porque era seguro que había una.

—*Vsay ego sudba V rukah Gospodnih* —dijo otra vez Raymond, repitiendo el dicho como un mantra que tal vez había repetido diez mil veces en su vida, exactamente del mismo modo que ella se lo enseñó cuando era niño.

—Otra vez —le susurró ella.

—*Vsay ego sudba V rukah Gospodnih.* —Ahora ya no estaba concentrado en la policía sino en lo que estaba diciendo, y lo decía como una promesa, llena de fuerza y de hechizo, como un juramento de fidelidad hacia Dios y hacia él mismo.

—Así, cariño, ¿lo ves? Cree en la Providencia, en tu formación y en tu inteligencia. Hazlo y el camino se abrirá ante ti. Con la policía, con Neuss, y luego el viernes con nuestro queridísimo... —hizo una pausa y él pudo sentir las décadas de odio acumulado explotar cuando pronunciaba su nombre—, Peter Kitner.

—Sí, baronesa.

—Que Dios te acompañe.

Se oyó un clic y el teléfono se quedó mudo. Raymond colgó lentamente, con el aura de la baronesa todavía acompañándolo. Miró otra vez por la ventana. Los policías seguían allí, en la acera de enfrente como antes. Pero ahora parecían más pequeños, como piezas de ajedrez. No tanto figuras a las que temer, sino con las que jugar.

33

10:50 h

Si confiaba en sí mismo el camino le sería indicado. La baronesa tenía razón. En cuestión de minutos sucedió.

Empezó con el sencillo razonamiento de que si la policía le había seguido el rastro hasta ahora, la prensa estaría también encima de la noticia, y entonces puso la tele que había en el salón con la esperanza de ver algún noticiario que le diera alguna idea de lo que las autoridades estaban haciendo.

De esa manera rápida y burda consiguió mucho más de lo que esperaba. Casi todos los canales mostraban imágenes del tiroteo en los juzgados. Vio los cuerpos tapados de los dos agentes, del alguacil, de la mujer policía y del hombre al que había estrangulado en la escalera de incendios para robarle la cazadora negra, y cómo eran cargados en el furgón del forense. Entrevistaban a policías nerviosos e indignados, y a ciudadanos igualmente estupefactos y furiosos. A las imágenes aéreas de la persecución a baja velocidad del taxi les seguía el clip de la adolescente negra y de su madre. Luego venían los presentadores en directo del telenoticias que anunciaban la orden de búsqueda y captura del «criminal más buscado de la ciudad, extremadamente peligroso» que había emitido el comandante de la brigada 5-2, Arnold McClatchy. Luego venía su descripción física y una imagen a toda pantalla de la foto que le había hecho el LAPD al ficharlo. Con ella venía el ruego a toda la población de avisar a la policía de inmediato en caso de verle.

Raymond retrocedió, tratando de asimilar la magnitud del asunto. La baronesa tenía razón. Dios lo estaba poniendo a prueba, ordenándole que se levantara y que encontrara la manera de salir. Y fuera cual fuese esa manera, una cosa le resultaba ahora meridianamente clara: ya no disponía del lujo de intentar esconderse durante un día más para que el avión privado de la baronesa lo recogiera en el aeropuerto de Santa Mónica. Lo que tenía que hacer era llegar a Neuss, obtener la llave de la caja fuerte y enterarse de la ubicación del banco francés en el que estaba guardada; luego matar a Neuss, salir de Los Ángeles y marcharse a Europa lo antes posible. Y eso significaba que debía hacerlo durante las últimas horas del día de hoy. Teniendo en cuenta la magnitud de la fuerza organizada contra él, se trataba de una misión, si no imposible, enormemente complicada. Pero no tenía elección. El futuro de todo lo que habían planificado desde hacía tanto tiempo dependía de ello. Cómo hacerlo, de nuevo, era otro tema.

De pronto, el canal de televisión que estaba mirando dio paso a la publicidad. Mientras trataba de pensar una salida y miraba si había más vídeos sobre el tema, cambió de canal. Casualmente cayó en el canal interno del hotel en el que había un horario de los eventos programados en el Westin Bonaventure para aquel día. Estaba a punto de seguir cambiando cuando, de pronto, vio el anuncio de un acto de bienvenida para la Universität Student Höchste —un grupo de visita formado por estudiantes universitarios alemanes—, una recepción que se estaba celebrando en una sala de actos de la planta baja en aquel mismo instante.

Al cabo de diez minutos entró en la sala, con el pelo engominado hacia atrás y todavía vestido con el traje y corbata del diseñador asesinado, y con su maletín en la mano. Dentro llevaba la cartera y el móvil de Charlie Bailey y una de las dos Berettas de 9 mm. La otra Beretta la llevaba dentro del cinturón, debajo de la americana.

Se detuvo justo en el umbral de la puerta y miró dentro. Había un grupo de cuarenta o más estudiantes y tres o cuatro guías turísticos disfrutando de café y un sencillo tentempié mientras charlaban animadamente en alemán. Había casi el mismo número de chicas y chicos, y sus edades estaban comprendidas entre los casi veinte años hasta tal vez veinticinco. Parecían felices y despreocupados, y vestían como la mayoría de estudiantes de cualquier lugar del mundo: vaqueros, camisas holgadas, algunos con alguna prenda de cuero, otros con algún elemento de joyería, otros con el pelo teñido de colores vivos.

Más allá de lo obvio —la proximidad en edad y el hecho de que él hablaba alemán fluido y podía mezclarse con ellos con facilidad— había dos cosas que Raymond les envidiaba, y sabía que todos ellos tendrían: un pasaporte y al menos una tarjeta de crédito vigente, que no sólo le serviría para complementar el pasaporte como documento

99

de identidad, sino también para financiarse un billete de avión trans-
atlántico. Lo que necesitaba era buscar a uno de ellos, hombre o mujer, al cual poder usurpar la identidad.

La aproximación tenía que parecer casual, y así lo hizo. Primero
se acercó a la mesa del café y se sirvió una taza del gran termo
plateado; luego, con la taza y el plato en la mano, anduvo hasta el
fondo de la sala, actuando para todo el mundo como si fuera uno de
los guías y estuviera totalmente en su lugar.

Volvió a detenerse y a mirar a su alrededor. En aquel momento
entró por la puerta un hombre con traje oscuro con una targeta con
su nombre que lo identificaba como empleado del hotel. Con él iba
un sargento del SWAT, con casco y chaleco antibalas. Raymond se
volvió tranquilamente y dejó el maletín en el suelo, mientras con la
mano izquierda sostenía la taza de café, y apoyó la mano derecha en
la culata de la Beretta.

Por unos instantes, los dos hombres se quedaron observando la
sala; luego, un tipo más mayor, un guía, supuso, se alejó de un pequeño grupo de estudiantes y se acercó a ellos. Los tres se pusieron a
hablar, mientras el guía hacía ocasionalmente algún gesto hacia la
gente del salón. De pronto, el sargento del SWAT se apartó de ellos
y se dirigió a la mesa del bufete, paseando la mirada por entre la gente que charlaba. Raymond tomó un sorbo de café y se quedó donde
estaba, cuidando de no hacer nada que pudiera llamar la atención. Al
cabo de un momento, el policía se volvió y les dijo algo a los otros.
Entonces salió con el hombre del hotel y el guía regresó al grupo de
estudiantes.

Fue en ese momento posterior de alivio cuando Raymond se fijó
en él: un joven alto, delgado, vestido con una camiseta, unos vaqueros y una cazadora tejana, apartado a un lado y que charlaba con una
muchacha atractiva. Llevaba una mochila colgada de un hombro y el
pelo teñido de un tono violeta. Aunque fuera más joven que él, su
complexión y sus facciones se parecían lo bastante a las de Raymond
como para que pudiera hacerse pasar por él, especialmente si se tenía
en cuenta la mala calidad que suelen tener las fotos de pasaporte. El
pelo violeta podía ser problemático —debería encontrar la manera
de teñirse el cabello, y eso le podría hacer llamar la atención—, pero
el joven era el que más se le parecía de la sala y el tiempo era ahora
básico, así que ya encontraría la manera de solucionar el problema.

Pasó un momento y luego otro; después el joven dejó a la muchacha y se dirigió a la zona central del bufete, a una mesa repleta de
bollos, panecillos y fruta fresca.

Raymond cogió su maletín e hizo lo mismo. Mientras se llenaba un plato con trozos de melón y de uva inició una conversación amistosa en alemán. Le dijo al joven que era un actor de Múnich hospedado en el hotel y que estaba en Los Ángeles para hacer un papel de malo en una peli de acción protagonizada por Brad Pitt. Se había enterado de que un grupo de alemanes iba a reunirse en el hotel y, como se sentía especialmente solo y tenía la mañana libre, había decidido incorporarse al grupo, aunque sólo fuera para charlar un poco de su país de origen.

Su víctima respondió inmediatamente con amabilidad y buen humor. En cuestión de segundos, Raymond se dio cuenta de que acababa de tocarle la lotería. El joven alemán no sólo era libre de espíritu como los demás, sino que estaba encandilado con las películas de Hollywood y le confesó que nada le gustaría más que convertirse él mismo en actor. Además, le confesó que era homosexual y —claramente tirándole la caña al guapo y elegante Raymond— que estaba sediento de aventuras.

Raymond no pudo evitar sonreír. Había abierto una trampa y el conejo acababa de saltar dentro. Y rápidamente, él le cerró la puerta detrás. Fue casi demasiado fácil.

Fingiendo su propia homosexualidad, Raymond acompañó al joven, que ya se había identificado como Josef Speer de Stuttgart, hasta una mesa al fondo, en la que se sentaron. Mientras el joven Josef coqueteaba, Raymond hacía una danza igualmente frívola, y persuadía a Speer para que le mostrara el pasaporte y el carnet de conducir, con la excusa de estudiar su fotogenia. Si algún día quería convertirse en actor de cine o de televisión, le explicó, tenía que ser fotogénico y, por muy poco favorecedoras que fueran siempre las fotos de carnet, los directores de cásting las usaban a menudo como una manera de ver el modo en que se comportaba la cara de una persona ante la cámara en las peores circunstancias. Todo inventado, por supuesto, pero funcionó, y el ingenuo Speer abrió entusiasmado su mochila y sacó tanto el pasaporte como la cartera para enseñar orgulloso su nivel de fotogenia. La foto del pasaporte era de mala calidad, como Raymond sospechaba, y con el pelo teñido de lila y la actitud adecuada al presentarlo, estaba razonablemente convencido de que podía hacerse pasar por Speer. El permiso de conducir, aunque era útil, era menos importante. Lo que quería era asegurarse de que Speer disponía de tarjetas de crédito, y cuando el joven abrió la cartera para enseñarle el carnet, Raymond se dio cuenta de que tenía al menos tres; una de ellas, la EuroMaster, era la única que necesitaría.

Raymond bajó la voz y miró a los ojos al joven teutón, cambiando en un segundo de seducido a seductor. Encontraba a Josef muy atractivo sexualmente, le dijo, pero nunca se arriesgaría a un encuentro con él en el hotel en el que se hospedaba porque eso le hacía demasiado vulnerable al chantaje. Si querían disfrutar de una «exploración mutua», como Raymond lo llamó, era mejor que fueran a algún lugar alejado del Bonaventure. Speer accedió y en cuestión de segundos salieron de la sala de actos y se encontraron en el vestíbulo.

Cuando entraron en él Raymond se quedó petrificado por unos instantes. El vestíbulo estaba lleno de clientes del hotel ruidosos y con actitud ansiosa. Detrás de ellos, apostados en todas las salidas, había una docena de policías uniformados.

—¿Qué ocurre? —preguntó Speer en alemán.

—Sin duda, deben de estar buscando homosexuales —dijo Raymond, con una leve sonrisa, mientras trataba de decidir cuál sería su siguiente paso. Entonces vio al empleado del hotel de traje oscuro que había estado antes en la sala de actos con el sargento del SWAT. Con Speer a su lado, Raymond se acercó al hombre para preguntarle, con un fuerte acento alemán, lo que sucedía. La policía buscaba a un asesino fugado, le habían dicho. Un equipo del SWAT estaba registrando el hotel, evacuando a la gente planta por planta. Raymond le repitió la historia a Speer en alemán y luego le dijo al empleado que tenían que asistir a una visita especial organizada a los estudios de la Universal, y le preguntó si era prudente y si los podía autorizar a salir del hotel.

El hombre los miró unos segundos, sacó una especie de *walkie-talkie* y dijo que dos de los alemanes del grupo tenían una cita y deseaban abandonar el edificio. Al cabo de un momento el sargento del SWAT se abrió paso por entre la gente y se les acercó bruscamente. Raymond tragó saliva pero mantuvo la compostura.

—Forman parte del grupo de estudiantes —dijo el empleado—. Acaban de salir de la sala de actos.

El sargento los miró a los dos con atención. Raymond aguantó. Luego la radio del sargento sonó y el hombre contestó en una especie de jerga policial. Luego miró al empleado del hotel.

—Está bien, que salgan por la puerta de atrás —dijo, bruscamente, antes de alejarse.

—*Danke* —dijo Raymond, y luego siguió al empleado a través del vestíbulo, más allá de una guardia policial, hasta una puerta trasera que llevaba a la calle ya protegida por las autoridades—. Gracias —repitió Raymond, con su fuerte acento fingido.

Y entonces él y Josef Speer salieron al sol brillante de California y anduvieron sin ser molestados hasta el coche de alquiler de Charlie Bailey, aparcado dos manzanas más abajo.

Un coche que todavía guardaba el cadáver del asesor de diseño en el maletero.

34

612a de Orange Grove Boulevard, Pasadena, California. 12:10 h

La doctora Janet Flannery debía de tener sesenta años y estaba probablemente cinco kilos por debajo de su peso ideal. El pelo, gris y negro, lo llevaba muy corto pero sin demasiado estilo. Lo mismo ocurría con su ropa: vestía un traje pantalón beis muy corriente combinado con una blusa de un tono más claro que le sentaba razonablemente bien. El mobiliario de su pequeña consulta —una mesilla, un sofá y dos butacas— era igualmente insulso. La idea era, por supuesto, que todo resultara útil pero que nada destacara. En una consulta de psiquiatría la atención debía centrarse en el paciente, no en el terapeuta ni en su entorno.

—Quiere usted hacer un cambio en su vida y marcharse de Los Ángeles. —La doctora Flannery juntó las manos en su regazo y miró a John Barron, que se sentaba en el sofá delante de ella.

—No sólo de Los Ángeles. Quiero marcharme de California —respondió Barron, por encima del ruido del ventilador que descansaba en el suelo, a su lado. La presencia de tal cachivache, y él lo sabía, era para que las conversaciones entre médicos y pacientes no pudieran oírse desde la consulta de al lado ni desde la sala de espera de fuera—. Me gustaría hacerlo cuanto antes.

Barron juntó las puntas de los dedos. La sesión con Red McClatchy de hacía un rato sólo le había servido para magnificar el alcance de su horror y reforzar su determinación de llevarse a Rebecca y marcharse lo antes posible.

—Tengo que recordarle, detective, que su hermana está en un lugar al que está habituada y en un entorno que le resulta cómodo. ¿No tiene usted otra alternativa?

—No. —Barron se había preparado una explicación para justificar su súbita petición de que prepararan a Rebecca para abandonar Saint Francis de inmediato y le acompañara a un lugar extraño, nuevo y lejano—. Sabrá usted lo qué pasó ayer en el tren de la Amtrak, supongo.

La doctora Flannery asintió con la cabeza:

—Usted estaba allí.

—Sí, estuve allí. Llevo algún tiempo pensando que es mejor que dedique mi vida a otros asuntos. Lo de ayer me puso al límite de mí mismo. Dejaré el LAPD lo antes posible, pero antes de hacer nada ni decir nada a nadie, quiero tener un destino para Rebecca. —Barron vaciló. Intentaba ir con cuidado y no mostrar más de sí mismo de lo que ya había hecho—. Como le he comentado por teléfono, todo esto tiene que ser estrictamente confidencial entre usted y yo. Cuando Rebecca esté lista, informaré a mis superiores.

Treinta minutos antes, en un acto de total determinación, había hecho lo que se creía incapaz de hacer: redactar el informe Donlan tal y como Red le había pedido y con su firma al pie. Inmediatamente después salió del Parker Center, consciente de que, a pesar del riesgo terrible de haber colaborado con el encubrimiento de un asesinato por parte del LAPD, redactar y firmar el informe había sido algo necesario. Tenía que cubrirse ante la 5-2 mientras preparaban a Rebecca y encontraba un lugar nuevo adonde llevarla. Una vez lista Rebecca y cuando la doctora Flannery le hubiera encontrado una institución en algún otro estado, metería tantos efectos personales como le cupieran en el Mustang y llamaría a su casero para rescindir el contrato de alquiler de su casa. Luego llamaría a la brigada para decir que estaba enfermo y se marcharía. Desde algún lugar del camino le haría llegar a McClatchy su carta formal de renuncia.

La idea era, sencillamente, desaparecer. Tenía el suficiente dinero ahorrado como para poder vivir los dos casi un año, mientras él buscaba trabajo. Todavía era joven; podían cambiarse los nombres y, sencillamente, empezar de nuevo. Parecía razonable, incluso factible. Y dudaba que Red o cualquiera de los otros quisieran malgastar el tiempo o el dinero buscando y silenciando a un hombre que, de todos modos, ya estaba callado, y cuya hermana tampoco podía saber nada, aunque, de alguna forma, fuera consciente de lo ocurrido. Pero hasta que llegara aquel momento, sabía que tenía que seguirles el juego y seguir trabajando y actuar como si hubiera asimilado la conversación con Red y tuviera toda la intención de cumplir su juramento y permanecer en la brigada durante el resto de su vida profesional.

La doctora Flannery lo escrutó durante un buen rato en silencio.

—Si esto es lo que desea, detective —dijo, finalmente—, veré lo que puedo hacer.

—¿Tiene alguna idea del tiempo que puede tardar?

—En su estado actual, lo siento pero no. Me llevará un tiempo estudiar las posibilidades.

—De acuerdo. —Barron le hizo un gesto de gratitud y se levantó—. Gracias —dijo, consciente de que, por muy rápido que él quisiera marcharse, que él necesitara marcharse, la situación de Rebecca no se podía resolver en un día, ni tal vez en una semana. Era algo que tenía que aceptar.

Cuando ya se dirigía hacia la puerta, con su mente todavía concentrada en Rebecca y en la doctora Flannery, el pitido repentino de su móvil lo sobresaltó:

—Disculpe —dijo, mientras se sacaba el teléfono del bolsillo—. Barron. ¿Cómo? —preguntó bruscamente. Su actitud cambió de inmediato—. ¿Dónde?

35

MacArthur Park, 12:40 h

El Mustang de Barron golpeó el bordillo al subir por el parterre de césped para aparcar al lado del Ford de Red. Detrás del mismo, cuatro coches patrulla delimitaban un perímetro, y más allá, agentes de uniforme mantenían a raya una multitud creciente de curiosos.

Barron salió rápidamente del coche y anduvo hacia un denso grupo de arbustos que había cerca del agua.

Al acercarse pudo ver a Red y a dos agentes de uniforme de pie a un lado, hablando con un indigente vestido con harapos y con una melena que parecía un nido de ratas. Barron alcanzó los arbustos justo cuando Halliday salía con cuidado entre ellos, sacándose unos guantes de látex.

—Varón de raza blanca —dijo Halliday—. Pelo lila. Le han disparado tres balas en la cara, muy cerca. No lleva ni ropa ni documentación. Nada. A menos que alguien denuncie su desaparición o que consigamos algo de sus huellas, pasaremos mucho tiempo sin saber quién es. Échale un vistazo —le dijo a Barron.

Red se separó de los agentes y anduvo hacia ellos, y Barron se dirigió adonde Halliday había estado unos segundos antes.

La víctima yacía en el suelo, de lado, vestido solamente con la ropa interior. Tenía casi toda la cabeza destrozada, pero quedaba lo bastante para ver que llevaba el pelo teñido de lila. La ropa había desaparecido.

—¿Qué edad debe de tener? ¿Veintiuno, veintidós...? —Barron salió de los arbustos justo cuando llegaba la gente de la división de Investigaciones Científicas—. Tiene las uñas limpias y cuidadas. No era ningún mendigo. Es como si alguien hubiera querido robarle la ropa.

—¿Se os ocurre algo, pues? —dijo Red, mirando a Halliday.

—Hace treinta minutos, tal vez una hora. Y éste, ¿qué ha dicho? —dijo Halliday, señalando al indigente, que todavía hablaba con los polis de uniforme.

—No mucho. Que se ha metido por aquí a mear y ha estado a punto de hacerlo sobre el cadáver. Que se ha pegado un susto de muerte y se ha puesto a gritar.

Los tres detectives se apartaron para dejar a los de Investigaciones Científicas el espacio suficiente para examinar el lugar de los hechos.

—Prácticamente desnudo, igual que los agentes del ascensor del juzgado —Red miraba a los de la poli científica. Tenía una rabia y una intensidad en la mirada que Barron no le había visto nunca.

—Está pensando en Raymond —dijo Halliday, mientras llegaba el primer contingente de prensa. Como siempre, Dan Ford iba el primero.

—Sí, estoy pensando en Raymond.

—Comandante —ahora Dan Ford se dirigía a Red—. Sabemos que han asesinado a un hombre joven en el parque. ¿Relaciona este asesinato con Raymond Thorne?

—Te voy a decir una cosa, Dan —espetó McClatchy mirando a Dan, y luego al resto de periodistas del grupo—: Tú y los demás hablad con el detective Barron. Él puede hablar de la investigación tan bien como el resto de nosotros.

De inmediato, McClatchy llamó a Halliday y los dos se alejaron del grupo. Ahí la tenía, la manera de Red de demostrarle que volvía a ser uno de los suyos, que todas las discrepancias se habían salvado con su firma en el informe Donlan. Además, las normas seguían intactas: resolver cualquier diferencia dentro de la brigada.

—¿Es Raymond el sospechoso, John? —le preguntó Ford. Detrás de él se acercaron otros periodistas. Las cámaras grababan, los micros se le acercaban. Entonces Barron vio otro coche de camuflaje que se aproximaba, al tiempo que Red y Halliday llegaban al coche de este último. Las puertas se abrieron y del vehículo salieron Polchak y Valparaiso. Hubo un breve intercambio de frases y luego los dos detectives se dirigieron a través del césped hacia donde los uniformados seguían conversando con el mendigo de melena de rata y hacia los arbustos, donde los de la Científica inspeccionaban el cadáver.

—¿Quién es la víctima? —gritó alguien desde el grupo de periodistas.

Barron se volvió hacia ellos.

—No lo sabemos. Sabemos solamente que es un hombre de veintipocos años y que le han disparado varias veces en la cara —dijo secamente y mientras se sentía invadido por la rabia—. Desde luego, Raymond Thorne es sospechoso. Probablemente sea «el» sospechoso.

—¿Ha sido identificada la víctima?

—¿No ha oído lo que acabo de decir? —El nerviosismo y la ira seguían instalados en Barron. Al principio pensó que su mal humor estaba provocado por Red, por su manera simplona de darle unos golpecitos a la espalda y acogerlo de nuevo en el seno de la brigada por lo que había hecho, pero cuando se encontró delante de Dan Ford y el resto de periodistas, con las cámaras y los micros grabándolo todo, se dio cuenta de que McClatchy era tan sólo una parte del problema. El problema real era él mismo, porque todo esto le afectaba. Le afectaba la ejecución a sangre fría de Donlan, el muchacho muerto bajo los arbustos, pensar en su padre y en su madre y en el horror que llenaría sus corazones para el resto de sus vidas cuando se enteraran de lo ocurrido. Le afectaba la gente que había muerto en el edificio del Tribunal Penal y se imaginaba el drama de sus hijos y de sus familias. No era capaz, después de todos aquellos años, de quitarse de la cabeza el asesinato de sus propios padres. Además, había otra cosa. Algo que ahora mismo pensó, mientras soportaba el calor y la contaminación del mediodía enfrentado a aquella congregación periodística con toda su parafernalia electrónica que lo enfocaba: que todo aquello que había ocurrido con Raymond era culpa suya. Él había sido el agente al mando de su arresto; él fue quien estuvo en Parker Center permitiendo que Raymond le tomara el pelo, como si éste supiera desde el principio lo ocurrido con Donlan y lo hubiera puesto contra las cuerdas para que le mostrara su verdadero estado mental, lo cual no hizo más que confirmar sus sospechas. Barron lo tenía que haber comprendido en aquel momento, tendría que haber sabido calibrar lo calculador y peligroso que era Raymond y haber hecho algo al respecto; como mínimo, advertir a los agentes que lo custodiaban de que estuvieran especialmente alerta. Tendría que haberlo hecho, pero no lo hizo. En vez de eso, explotó ante la astucia de Raymond, con lo cual le reveló a aquel asesino todo lo que necesitaba saber.

107

De pronto, Barron miró a Dan Ford:

—Quiero que me hagas un favor, Dan. Pon la foto de Raymond en la portada del *Times*. Todo lo grande que puedas. ¿Crees que te va a ser posible?

—Creo que sí —asintió Ford.

De inmediato, Barron se volvió hacia los demás:

—Ésta es la segunda vez hoy que pedimos la colaboración ciudadana para encontrar a Raymond Thorne. Nos gustaría que su foto siguiera apareciendo en todos los noticiarios y que siguieran pidiendo a cualquiera que lo vea, o incluso que crea haberlo visto, que llame de inmediato al 911. Raymond Thorne es un enemigo público despiadado. Va armado y debemos considerarle extremadamente peligroso.

Barron se quedó en silencio y vio el furgón del forense que avanzaba más allá de los coches patrulla y se metía por encima del césped, hacia los arbustos donde se encontraba el cuerpo del muchacho. Su atención se volvió bruscamente a la prensa y a la cámara de vídeo que tenía directamente delante de él.

—También tengo algo que decirte a ti, Raymond, si me estás viendo. —Hizo una pausa, y cuando volvió a hablar fue en el mismo tono sereno y burlón que Raymond le había dedicado el día anterior en Parker Center—. Me gustaría saber cómo te sientes, Raymond. ¿Estás bien? Tú también puedes llamar al 911, lo mismo que todos los demás. Sencillamente, pregunta por mí. Ya sabes cómo me llamo, detective John Barron, de la brigada cinco dos. Vendré a recogerte personalmente, donde tú me digas. Así no le harás daño a nadie más. —Barron vaciló otra vez, y luego prosiguió con la misma calma—. Sería lo más fácil para todos, Raymond. En especial para ti. Nosotros somos nueve millones, y tú eres sólo uno. Haz números, Raymond. No es difícil deducir las probabilidades que tienes.

Una vez acabó, Barron dijo «eso es todo» y se marchó hasta donde Polchak y Valparaiso hablaban con el jefe de la unidad de policía científica. Si algo acababa de conseguir con su súplica directa ante las cámaras había sido convertir la búsqueda de Raymond en una guerra personal.

36

Beverly Hills, 13:00 h

Raymond aparcó el coche de Charles Bailey en la manzana 200 de South Spalding Drive, a la vista del Instituto de Beverly Hills, sacó la segunda Beretta del maletín de Charlie y la metió dentro de la mochila de Josef Speer para complementar la otra Beretta que llevaba en la cintura. Luego cogió la mochila y salió, cerró el coche y recorrió la breve distancia hasta Gregory Way.

Les hizo un gesto simpático de saludo a dos mujeres que hablaban en la esquina, antes de girar por Gregory en dirección a Linden Drive. Ya sin la apariencia de hombre de negocios engominado, sino con la cazadora tejana de Speer, la camiseta y el pantalón vaquero, la mochila colgada de un hombro y una gorra de los L.A. Dodgers calada sobre el pelo, recién teñido de lila, Raymond se parecía a cualquier joven veinteañero de los que circulaban por este barrio de césped impecable y de edificios de apartamentos.

Al llegar a Linden Drive giró a la izquierda y se puso a buscar el número 225, el bloque de apartamentos en el que vivía Alfred Neuss y al que iba a regresar para el almuerzo exactamente a las 13:15. Lo mismo que hacía seis días a la semana y que había hecho cada semana durante los últimos veintisiete años. Un paseo preciso de siete minutos desde su exclusiva joyería de Brighton Way. Raymond se había protegido la semana anterior contra cualquier cambio de hábito inesperado con la misma estrategia que había utilizado en San Francisco, México y Chicago, sencillamente llamando antes y, con un nombre ficticio y una historia creíble, concertando una cita con su víctima. Con Neuss no fue distinto. Sencillamente lo llamó y, con acento del Medio Oeste, le dijo que era un criador de caballos de Kentucky llamado Will Tilden que iba a la ciudad y estaba interesado en comprarle un collar de diamantes muy caro a su esposa. Neuss estuvo más que contento de concertar la cita y quedaron para el lunes siguiente a las dos de la tarde, lo cual le daba a Neuss la oportunidad de seguir con su rutina diaria. La tormenta de granizo que obligó a Raymond a cambiar su medio de transporte retrasó las cosas, pero llamó a Neuss desde el tren y cambió la cita para el martes. El hecho de que no se hubiera presentado, sin duda, habría irritado a Neuss, pero eso ya no tenía manera de solucionarlo. Pero si Neuss estaba en la ciudad lunes y martes y había respetado su estricta semana de trabajo de seis días durante todos aquellos años, no había razón para creer que nada se la habría hecho cambiar ahora, ni tampoco sus costumbres diarias.

Si la obsesión cronológica de Neuss era casi fóbica, el horario de Raymond era impecable y había sido establecido con una precisión casi militar. Había matado a Josef Speer en MacArthur Park a las 11:42 y se había llevado su ropa y su mochila. A la 11:47 se metió en el lavabo de hombres de la estación de servicio de la calle Nueve de Koreatown y cambió el traje y corbata de Bailey por el atuendo vaquero de Speer. Las mangas de la cazadora le iban un poco largas, pero se las enrolló un poco y le quedaba bastante bien. A las 12 en punto tiró el traje y las ahora inservibles tarjetas de crédito y documentación de Bailey a un contenedor junto a la estación de servicio y se volvió a meter en el coche. Hacia las 12:10 pasó frente a un centro comercial de Wilshire Boulevard, justo al este de Beverly Hills, cuando vio lo que buscaba: Snip & Shear, una peluquería. Lo que le llamó la atención fue el anuncio grande y escrito a mano que tenían en la ventana: TEÑIMOS EL PELO DE CUALQUIER TONO EN 30 MINUTOS. A las 12:45 salía del establecimiento con el pelo al estilo de Speer y teñido de lila. A las 12:48 salía de una tienda de material deportivo del mismo centro comercial con la gorra de los L.A. Dodgers que llevaba ahora.

13:08 h

Raymond se detuvo delante del 225 de Linden Drive, un bloque de tres pisos con la entrada sombreada por una enorme palmera. Pasó una de las tarjetas de crédito de la cartera de Josef Speer por el cerrojo magnético de la puerta de hierro forjado de la entrada. Se oyó un clic, empujó la puerta y se metió dentro.

13:10 h

Subió los últimos peldaños de acceso al apartamento de Neuss, en la tercera planta. La terraza cubierta de fuera estaba decorada con varios árboles ornamentales en grandes macetas y una pequeña mesa blanca de hierro con un par de sillas a juego. Directamente enfrente había una puerta de ascensor. Tanto el ascensor como las escaleras se abrían a la terraza, de modo que daba igual cuál fuera a usar Neuss. El ascensor era más probable, porque Neuss tenía sesenta y tres años.

13:12 h

Raymond se bajó la mochila del hombro y sacó una pequeña toalla de mano que había comprado en el Snip & Shear. Luego se sacó la Beretta de la cintura y enrolló la toalla por el cañón, a modo de silenciador. Luego se volvió a colgar la mochila y se puso a esperar detrás de los árboles.

El vuelo 453 de Lufthansa salía del aeropuerto internacional de Los Ángeles (LAX) a las 21:45 y llegaba a Frankfurt sin escalas al día siguiente, a las 17:30. Había una butaca, de clase turista, reservada a nombre de Josef Speer. Raymond había hecho la reserva con el móvil de Charlie Bailey mientras se desplazaba de MacArthur Park a Beverly Hills. Frankfurt era el principal aeropuerto internacional de Alemania y un destino obvio para un estudiante alemán de regreso a casa. Además, una vez tuviera la llave de la caja fuerte de Neuss y los datos del banco, podía volar a la ciudad donde estuviera a la mañana siguiente, el viernes, ir al banco, abrir la caja fuerte, retirar su contenido y tomar un vuelo a Londres que aterrizara en Gatwick, no en Heathrow, y pasar por el control de pasaportes como miembro de la CE sin que apenas le inspeccionaran la documentación.

De modo que daba igual si la policía tenía su bolsa de viaje con su billete de primera clase de British Airways a Londres/Heathrow. Hasta si habían alertado a la Policía Metropolitana de Londres, sus búsqueda estaría concentrada en Heathrow y en los vuelos provenientes de Estados Unidos. Una vez en Gatwick y superado el control, ya sólo le quedaba un sencillo recorrido de treinta minutos en tren hasta Victoria Station, y desde allí, unos pocos minutos en taxi hasta el hotel Connaught y los acogedores brazos de la baronesa.

13:14 h

En sesenta segundos, el indecentemente puntual Neuss estaría allí. Cinco segundos más tarde Raymond le daría a la baronesa el premio que ella le exigía.

13:15 h

Nada. Nadie.

Raymond respiró fuerte. Tal vez Neuss estuviera atrapado en un semáforo y había tenido que esperar para cruzar. O tal vez había surgido algún problema en la joyería. O se había parado a hablar con alguien.

13:16 h

Todavía nadie.

13:17 h

Nada.

13:20 h

¿Dónde estaba? ¿Qué estaba haciendo? ¿Tal vez un viejo amigo se le había presentado inesperadamente en la ciudad y había aceptado a regañadientes su invitación a almorzar? Lo primero, no. Neuss no hacía vida social en horas de trabajo. Un accidente era siempre posible, pero no probable porque el joyero era tan neurótico sobre su propio bienestar como histérico con la puntualidad. Miraba cuatro veces antes de cruzar la calle y conducía con la misma prudencia. Sólo había una cosa capaz de retener a Neuss: el negocio. Siempre el negocio. Eso significaba que, por alguna razón, se había quedado en la joyería. La única solución era acercarse a ella, buscar la manera de abordarlo a solas y hacer allí lo que tuviera que hacer.

37

Parker Center, 13:25 h

—Muy bien, mató al chico por su ropa. ¿Por qué le disparó en la cara de esa manera?

—Quizás estaba nervioso.

—O tal vez tuviera algún otro motivo.

—Sigues pensando que ha sido Raymond.

—Sí, sigo pensando que ha sido Raymond, ¿tú no?

Barron estaba con Halliday y Valparaiso en los urinarios del baño de hombres, al otro lado del pasillo de la sala de la brigada, y hablaban entre ellos, todos igual de frustrados. Por supuesto que estaban totalmente concentrados en la situación, y que la mayor parte de los nueve mil agentes del departamento estaban movilizados de alguna manera intentando encontrar a Raymond. No sólo no habían sido capaces de detenerle, sino que seguían sin tener ni idea de quién era. Por lo poco que sabían, podía tratarse de un fantasma.

Especialistas de los servicios de pasaportes del Departamento de Estado norteamericano escanearon la banda magnética del pasaporte de Raymond usando el sistema TECS II, que conecta la comunicación entre terminales de los servicios de vigilancia jurídica de todo el país con una terminal central del Departamento del Tesoro (y, por tanto, el de Justicia) de Estados Unidos. Descubrieron, confirmado por el servicio de Inmigración, que el documento en sí era válido y que había sido emitido en la oficina de pasaportes de Los Ángeles del Edificio Federal de Westwood dos años antes. Según los archivos, Raymond Oliver Thorne (nombre de nacimiento: Rakoczi Obuda Thokoly) había nacido en Budapest, Hungría, en 1969 y se había nacionalizado estadounidense en 1987. El problema era que el INS no tenía noticia de esa nacionalización, aunque en la oficina de pasaportes, a Raymond le habrían pedido que presentara un certificado de nacionalidad emitido por el gobierno estadounidense. Además, el domicilio que había facilitado a la agencia de pasaportes resultó ser una dirección de una empresa de alquiler de cajas postales de Burbank, California, y el domicilio que facilitó a la citada empresa no existía.

De modo que lo que tenían era un pasaporte válido con información falsa. De todos modos, el documento sí contenía una relación de sus movimientos más recientes: mostraba que había llegado a Dallas, Texas, proveniente de México D.F., el sábado, 9 de marzo, y que había llegado a México D.F. desde San Francisco el viernes, 8 de marzo.

Las huellas de Raymond y su identificación habían venido directamente del departamento de policía de Chicago. Pero todavía quedaba por resolver el tema del doble asesinato en la sastrería de Chicago y de un test e informe de balística sobre el Sturm Ruger hallado en la bolsa de viaje de Raymond, que se estaba llevando a cabo ahora. En resumen, lo que tenían era un pasaporte válido pero inválido y una posible acusación de asesinato contra Raymond en Chicago. Para

113

apoyar la investigación de Chicago se habían mandado encuestas a las policías de Dallas, México D.F. y San Francisco sobre posibles actividades de Raymond Oliver Thorne en sus ciudades y en las fechas que estuvo en ellas. El propio Barron había iniciado otras dos líneas de investigación: la primera, a través del agente especial del FBI Pete Noonan, un compañero de *racquetball* desde hacía muchos años en el YMCA de Hollywood en el que ambos entrenaban, pidiendo información de las bases de datos del FBI sobre fugitivos a nivel nacional que pudieran coincidir con la descripción de Raymond. La segunda era todavía más amplia, una petición de información similar a nivel internacional, hecha a través de la Interpol en Washington. Facilitó a ambas agencias la foto y las huellas digitales de Raymond. Se trataba de un trabajo policial profesional y bienintencionado, pero el problema era que ninguno de los dos ayudaban aquí y ahora. Raymond seguía en algún lugar de Los Ángeles y nadie era capaz de encontrarlo.

Se oyó el ruido de la cadena de Barron y luego se acercó al lavamanos. A pesar de su desafío, emotivo y muy público, lanzado a Raymond, y a pesar de su necesidad desesperada e igual de emotiva de dejar la 5-2 y marcharse de Los Ángeles, había otras dos cosas que le carcomían por dentro: su sensación de que era muy importante sacar a Raymond de la calle antes de que volviera a matar, y luego, el elemento secundario que lo acompañaba: la consciencia de que si era la 5-2 y no otro cuerpo cualquiera de la policía de Los Ángeles los que encontraban a Raymond, rápidamente lo llevarían a un aparte y se lo cargarían. De nuevo, él estaría allí y formaría parte del crimen. Y, con todo lo horrible que sería, había algo que era todavía peor. Una parte de él empezaba a sentir que las acciones de Raymond habían sido tan salvajes y brutales que asegurarse de que no volvía a tener nunca más la oportunidad de matar le parecía casi justificado, incluso lo correcto. Era una sensación que lo aterrorizaba porque comprendía lo fácil que era volverse como los demás y quedar inmunizado. Era algo en lo que no podía pensar; que no se permitía considerar. Se secó las manos rápidamente y se volvió hacia la puerta, pensando conscientemente en el chaval muerto del parque. Al hacerlo, cayó en la cuenta de algo:

—¡El tiempo, el tiempo, maldita sea! —Se volvió a mirar a Halliday y a Valparaiso—. Los múltiples disparos en la cara le hacían casi imposible de identificar con rapidez. Por eso lo ha hecho Raymond, y por eso le ha elegido. Son parecidos en edad y en complexión física, y el chico no era pobre. Raymond sabía que llevaría algún tipo de identificación, dinero y, probablemente, tarjetas de crédito. No sólo quería su ropa, sino también todo lo demás. Intentará hacerse pasar por su víctima.

Barron salió volando por la puerta al pasillo iluminado con fluorescentes. Halliday y Valparaiso iban justo detrás de él.

—¡Buscamos a un tipo con el pelo lila que trata de salir de la ciudad, y tal vez del país, lo antes posible! Cuando sepamos quién era el chico, sabremos dónde está Raymond en el momento que muestre su carnet de conducir o intente usar la tarjeta de crédito.

38

Beverly Hills, 13:30 h

Raymond bajaba rápidamente por la elegante Brighton Way, frente a una hilera de comercios exclusivos por una acera tan limpia que parecía recién pulida. Pasó un Rolls-Royce, y luego una limusina alargada con cristales ahumados. Y entonces lo vio: ALFRED NEUSS JOYEROS. Un Mercedes lustroso estaba aparcado enfrente en doble fila, con el chófer con uniforme negro esperando al lado.

Había acertado. Neuss estaba haciendo negocios.

Raymond se puso bien la mochila. Entonces, sintiendo la presión sólida de la Beretta debajo de su cazadora Levi's, abrió la puerta de bronce pulido y caoba y entró en el establecimiento, totalmente dispuesto a explicar por qué un joven en vaqueros y el pelo teñido de lila con una gorra de los L.A. Dodgers entraba en una lugar tan elegante y prohibitivamente caro.

Sintió la mullida moqueta bajo los pies y la puerta se cerró detrás de él. Levantó la vista, esperando ver a Neuss atendiendo al cliente del Mercedes. Pero lo que vio en cambio fue a una vendedora con aire de matrona, muy bien vestida y bien peinada. La clienta también estaba y era una joven rubia y sensual con un vestido corto y llamativo. Le pareció haberla visto en alguna película, pero no estaba seguro. Pero eso, como la historia que se había inventado para explicar su presencia, no importaba. Porque al instante en que preguntó por Alfred Neuss, todo su plan se vino abajo.

—El señor Neuss —le explicó la vendedora, con más arrogancia de la que jamás había encontrado entre los adinerados amigos de la baronesa— está de viaje.

—¿De viaje? —Raymond se quedó estupefacto. Nunca había valorado la posibilidad que Neuss no estuviera—. ¿Y cuándo vuelve?

—No lo sé. —Se estiró un poco para mirarlo—. El señor Neuss y su esposa están en Londres.

¡Londres!

Raymond sintió los pies sobre la acera al instante que la puerta del establecimiento de Neuss se cerraba detrás de él. Estaba atontado, superado por su propia insensatez. Tenía que haber un solo motivo por el cual Neuss hubiera ido a Londres, y éste era que se había enterado de los asesinatos en Chicago, y tal vez también de los otros, y se hubiera marchado no sólo por su propia seguridad, sino para encontrarse con Kitner. Si éste era el caso, había muchos motivos para pensar que irían a la caja fuerte y trasladarían su contenido. Y si eso ocurría, todo lo que él y la baronesa habían planeado...

—Raymond.

De pronto oyó una voz conocida pronunciar su nombre y se quedó helado. Justo a su lado había una pizzería. Tenía la puerta abierta y había unos cuantos clientes reunidos delante de un televisor de pantalla grande. Entró y se detuvo junto a la puerta. Estaban mirando un boletín informativo. En pantalla había una entrevista grabada con John Barron: aparecía en MacArthur Park, de espaldas a los arbustos en los que Raymond había matado a Josef Speer.

«Me gustaría saber cómo te sientes, Raymond. ¿Estás bien?» Barron miraba directamente a la cámara y lo miraba con la misma preocupación fingida que Raymond había utilizado contra él en Parker Center, apenas veinticuatro horas antes.

«Tú también puedes llamar al 911, lo mismo que todos los demás. Sencillamente, pregunta por mí. Ya sabes cómo me llamo, detective John Barron, de la brigada cinco dos. Vendré a recogerte personalmente, donde tú me digas. Así no le harás daño a nadie más.»

Raymond se acercó un poco más, intrigado por las maneras de Barron pero igualmente sorprendido de que hubieran encontrado el cuerpo de Speer tan rápido y al mismo tiempo lo hubieran relacionado con él.

De pronto sintió una presencia y miró a su izquierda. Una muchacha adolescente lo observaba. Cuando vio que la miraba, se giró y se acercó más a la pantalla, aparentemente atraída por lo que estaba pasando.

Raymond volvió a mirar y vio que la imagen de Barron desaparecía del televisor. En su lugar apareció su foto de cuando lo fichó la policía. Se vio él mismo fotografiado de frente y de perfil. Ahora el video volvía a mostrar a Barron en el parque. El tono de burla había desaparecido y ahora hablaba más en serio que nunca.

«Nosotros somos nueve millones, y tú eres sólo uno. Haz números, Raymond. No es difícil deducir las probabilidades que tienes.»

La foto de Raymond volvió a aparecer en pantalla. La chica se volvió a mirarlo otra vez.

Ya no estaba.

13:52 h

39

14:00 h

Raymond cruzó Wilshire Boulevard invadido por la rabia. Furioso contra sí mismo por haber presupuesto que encontraría a Alfred Neuss, furioso contra Neuss por haberse marchado a Londres, furioso contra la arrogancia de John Barron. Lo que lo agravaba todo era la eficacia de la policía de Los Ángeles y su rapidísima e implacable persecución contra él. Eso hacía mucho más urgente su necesidad de abandonar el país de inmediato, esta noche, tal y como lo había planeado. Y significaba, también, que tenía que informar a la baronesa.

Se detuvo a la sombra de una palmera grande y sacó el móvil de Charles Bailey de la mochila. Llamar a la baronesa para darle más malas noticias era lo último que ahora deseaba hacer, pero no tenía más remedio que hacerlo. Abrió el móvil y empezó a marcar el número. Las dos de la tarde en Beverly Hills eran las diez de la noche en Londres. La baronesa estaría todavía en el número 10 de Downing Street, en la cena que el primer ministro británico ofrecía en honor del alcalde de Moscú y el ministro de Defensa de la Federación Rusa, y no podía llamarla allí.

Inmediatamente volvió a abrir el móvil y marcó el número de Jacques Bertrand en Zúrich, donde eran las 11 de la noche. Si Bertrand dormía, mala suerte. Sonaron un par de pitidos y Bertrand respondió al teléfono, despierto y alerta.

—*Il y a un nouveau problème* —dijo Raymond en francés—. *Neuss est à Londres. Il est là maintenant.* —«Tenemos otro problema: Neuss está en Londres; está allí ahora mismo.»

—¿Londres? —preguntó Bertrand.

—Sí, y probablemente estará con Kitner.

—¿Conseguiste la...? —La conversación continuó en francés.

—No. No tengo ni la llave ni la información. —De pronto, Raymond salió de la sombra de la palmera y siguió andando. Pasó por delante del apartamento de Neuss y volvió sobre sus propios pasos por Linden Drive, como cualquier persona de las que andan por la calle y hablan por el móvil al mismo tiempo—. Ha salido mi foto por televisión; la policía está por todas partes. Tengo un pasaporte robado y un billete de Lufthansa para el vuelo 453 de esta noche, con destino a Frankfurt. Ha puesto usted la maquinaria en marcha para que disponga de un *jet* privado y de un pasaporte, ¿no?

—Sí.

—Pues cancélelo.

—¿Estás seguro?

—Sí. No vale la pena correr el riesgo para que luego me descubran. Ahora no.

—¿Estás seguro? —volvió a preguntarle Bertrand.

—Sí, maldita sea. Dígale a la baronesa que lo siento, pero que así es como han salido las cosas. Nos volveremos a reunir y empezaremos de nuevo por el principio. Me voy a deshacer de este móvil, para que no puedan rastrear la llamada hasta usted si llegan a detenerme. Me pondré de nuevo en contacto cuando llegue a Frankfurt.

Raymond colgó y giró por Gregory Way hacia Spalding Drive, donde había dejado el coche aparcado. Su plan era ir en el coche hasta uno de los parking de la terminal del aeropuerto internacional, dejar el coche allí y tomar un autocar-lanzadera hasta el mismo aeropuerto. Y luego confiar en el destino para poder llevar a cabo su charada y poder obtener el billete, pasar por el control de seguridad y embarcar en el vuelo de Lufthansa 453 como Josef Speer sin más problemas.

Llegó a Spalding y dobló la esquina, luego se detuvo. Dos coches de la policía local de Beverly Hills estaban aparcados en mitad de la manzana, con las luces del techo encendidas. En la calle y en las aceras había un grupo de gente mirando cómo unos polis de uniforme examinaban un coche aparcado. Su coche. El que llevaba el cadáver de Charles Bailey en el maletero.

Cerca de él había una mujer anciana enfrascada en una animada conversación con uno de los policías, mientras luchaba por sujetarse a la correa de un perrito que bailaba en círculos y ladraba sin cesar hacia el coche. De inmediato, otro policía volvió hasta su coche patrulla, sacó una herramienta y volvió a acercarse al coche de Bailey. Hizo palanca con la herramienta y abrió el maletero.

Al instante, un grito se levantó a coro al ver el cadáver que había en el interior. El perro ladró más fuerte y se puso a tirar de su correa con fuerza, provocando que la mujer casi perdiera el equilibrio.

Raymond siguió mirando unos segundos y luego se volvió y se marchó rápidamente en dirección contraria, hacia Wilshire Boulevard.

Depósito de cadáveres municipal de Los Ángeles, 14:15 h

John Barron estaba detrás de Grammie Nomura, observando cómo la mujer hacía su boceto. Grammie tenía sesenta y siete años, era americana de origen nipón, bisabuela, una gran bailarina y autora de unos de los cuadros paisajísticos más misteriosos que John había visto en su vida. Era también la mejor retratista profesional del LAPD y llevaba veinte años a su servicio. En ese período de tiempo había hecho más de dos mil retratos robot de gente buscada, y más o menos la mitad de desaparecidos o muertos, gente a la que la policía buscaba o trataba de identificar. Ahora estaba sentada frente el cuerpo mutilado de la víctima de homicidio del pelo lila, tratando de dibujar el aspecto que debía de haber tenido unas cuantas horas antes, cuando estaba todavía vivo.

—Dibuja dos, Grammie —le dijo Barron, mientras la mujer trabajaba en el boceto que sería mostrado por todos los canales de televisión de Los Ángeles tan pronto como lo completara—. Uno como si tuviera el pelo lila y otro como si no. Tal vez sólo se lo hubiera teñido estos últimos días.

Barron la siguió observando un rato más, luego se volvió para caminar arriba y abajo y dejarla terminar.

Descubrir la identidad de la víctima era la clave, y éste era el motivo por el que estaba aquí, presionando personalmente a Grammie. Mientras Raymond estuviera libre iría probando suerte, y Barron estaba decidido a cortar esa libertad lo antes posible echándole todo el dispositivo de prensa encima mientras trataban de identificar a la víctima, para luego atraparlo desde el otro lado, al instante en que usara la identidad de la víctima.

McClatchy dio también por buena la teoría del robo de identidad de Barron y mandó de inmediato un aviso a todas las comisarías de policía del sur de California de que su fugitivo podía estar disfrazándose de joven con el pelo lila y tratando de huir de la zona por cualquier medio posible. Luego procedió a ordenar que doblaran los efectivos de policía en los principales puntos de salida —aeropuertos, estaciones de tren y terminales de autobús— y a distribuir la foto de Raymond a todas las peluquerías, con la expectativa de que Raymond ya se habría hecho teñir el pelo para parecerse a la víctima o trataría de hacerlo en breve. Y por último, había mandado una orden tajante a todas las comisarías, desde San Francisco hasta San Diego, pidiendo que apartaran e identificaran a cualquier varón de raza blanca de edad comprendida entre quince y cincuenta años que llevara el pelo lila. «Ya se disculparán luego», acababa su orden.

—Detective —dijo Grammie Nomura, volviéndose hacia Barron—. Ese sospechoso al que buscan, se lo veo en todo lo que hace. Por su postura, por la manera en que camina arriba y abajo, por su ansiedad de que termine...

—¿Qué es lo que ve?

—Que quiere atraparlo. Usted, personalmente.

—Sólo quiero atraparlo. Me da igual quién lo haga o cómo.

—Pues entonces créame y que sea así, y limítese a hacer su trabajo. Si deja que se le meta dentro acabará recibiendo un tiro.

—Sí, Grammie. —Barron sonrió.

—No se lo tome a la ligera, detective. Lo he visto otras veces, y llevo aquí muchos más años que usted. —Se volvió a mirar el dibujo—. Aquí, venga a ver esto.

Barron se le acercó por detrás. Estaba dibujando los ojos, llenándolos de brillo y de pasión, devolviéndole poco a poco la vida al chico asesinado. Verlo impresionó a Barron de tal manera que su desprecio hacia Raymond se hizo más intenso. La percepción de Grammie era correcta, pero su advertencia llegaba demasiado tarde. John quería detener a Raymond personalmente: ya lo llevaba debajo de la piel.

40

MacArthur Park, 15:10 h

Polchak estaba encorvado a la sombra de un arbusto, tratando de entender el sentido de todo aquello. Red estaba agachado un poco más abajo, escrutando el suelo donde había estado la víctima hasta hacía unos momentos. Hacía un buen rato que el cadáver había sido retirado por el cuerpo de forenses, y los de la policía científica se habían marchado también. Ahora ya sólo quedaban ellos dos, los detectives más veteranos de la 5-2 que reflexionaban sobre el terreno, como llevaban haciendo muchos años; como viejos perdigueros que husmean y tratan de entender lo que ha ocurrido y cómo. Y adónde puede haber ido el criminal después de hacerlo.

Red se levantó y cruzó con cautela hacia el otro lado:

—No hay ni ramas rotas, ni marcas en la tierra. Al chico no lo han arrastrado hasta aquí, ha venido voluntariamente.

—¿Un encuentro homosexual?

—Puede ser. —Red siguió examinando el suelo. Lo que más deseaba era encontrar alguna pista que lo llevara hasta el lugar al que el asesino había ido después—. ¿Recuerdas el taxi? Pensábamos que Raymond estaba dentro y no estaba. A lo mejor el chico ha pensado que Raymond era homosexual porque él le ha inducido a pensarlo —dijo, mirando a Polchak.

—Subió en el *Southwest Chief* en Chicago. Tal vez fue él quien mató a los hombres de Chicago, pero tal vez no. Tal vez tuviera algo que ver con Donlan, pero tal vez no. Pero dejando todo esto de lado, iba en un tren que debía llegar a Los Ángeles a las 8:40 de un martes por la mañana. En cambio, llevaba un billete de avión a Londres para un vuelo del lunes que despegaba de Los Ángeles el lunes a las 17:40. Creo que es bastante lógico pensar que cogió el tren debido a la tormenta de granizo en Chicago. De lo contrario, habría llegado a Los Ángeles el domingo. Pero olvidémonos del día. El hecho es que estaba decidido a venir hasta aquí y con un arma considerable en su equipaje. ¿Por qué?

Justo en aquel momento sonó el teléfono de McClatchy y él lo sacó del bolsillo.

—¿Cuál? —le dijo a Polchak, y luego abrió el móvil—. McClatchy.

—Hola, Red, soy G.R. —le dijo una voz animada—. ¿Cómo te va el día?

G.R. era Gabe Rotherberg, el jefe de detectives de la policía de Beverly Hills.

—¿Tú qué crees?

—Tal vez pueda ayudarte —dijo Rotherberg.

—¿No me estarás diciendo que lo tenéis?

Polchak se volvió de golpe. ¿Qué estaba pasando?

—No, pero creo que tenemos a otra de sus víctimas.

15:50 h

Raymond estaba de pie, agarrado a la barandilla y embutido entre la muchedumbre de trabajadores del extrarradio que abarrotaban el autobús número 6 blanco y verde de Culver City, bajando por Sepulveda Boulevard hacia la principal estación de autobuses de Los Ángeles.

Vsay ego sudba V rukah Gospodnih. Todo su destino estaba en las manos de Dios. Todo era por esta razón. Lo único que tenía que hacer era confiar en ello. Y lo había vuelto a hacer.

Se había alejado deliberadamente de la policía que estaba en Spalding Drive y llegó a Wilshire Boulevard justo cuando el autobús metropolitano descargaba pasajeros. Entonces se acercó tranquilamente a una mujer regordeta de mediana edad que bajaba y le preguntó si sabía cómo ir a Santa Mónica en autobús. Al principio la mujer se sobresaltó, pero luego lo miró y se le iluminó la mirada como les ocurría a muchas mujeres, como si quisiera envolverlo y llevárselo a casa en aquel instante.

—Sí —le dijo—. Venga, se lo enseñaré.

Entonces lo acompañó, cruzando la gran explanada de la intersección de los boulevares Wilshire y Santa Mónica, y le dijo que tomara el autobús número 320 hasta Santa Mónica. Casi no recordaba el tiempo que estuvo allí esperando, pero le pareció que pasaban unos pocos segundos hasta que llegó el bus y se subió a él, después de darle las gracias educadamente a la mujer. Miró por la ventana mientras el autobús arrancaba y la vio, mirándolo. Finalmente, ella se volvió y se alejó por el mismo camino por el que lo había llevado, encorvada, con el bolso metido debajo del brazo, con el mismo aspecto que tenía la primera vez que la vio, ya apagada del todo la luz que brillaba cuando caminaba a su lado.

Sin embargo, a pesar de toda la ayuda que le acababa de prestar, Raymond sabía que podía convertirse en un estorbo descomunal, en especial si ponía la tele al llegar a su casa y veía su foto y llamaba a la policía. Por eso le había pedido que le enseñara cómo llegar a Santa Mónica en vez de al aeropuerto, y luego esperó a preguntarle a alguien en el bus dónde cambiar a un bus que lo llevara al aeropuerto internacional de Los Ángeles.

—Bájese en Westwood y coja el bus de Culver City número seis. Lo lleva directamente a la estación de autobuses —le dijo animadamente un cartero que iba a su lado—. Allí hay una lanzadera gratuita que lo llevará al aeropuerto. Es muy fácil.

Y eso era lo que había hecho, bajar en Westwood y esperar en una esquina junto a media docena más de personas hasta que llegó el seis. Cuando lo hizo, se aseguró de que era el último en subir. Entonces metió el móvil de Charles Bailey con cuidado debajo de la rueda delantera del autobús justo antes de subir; luego se colocó al lado de la conductora mientras el autobús arrancaba y oyó el ligero crujido del móvil que quedaba aplastado contra el asfalto.

Después ocupó su sitio entre los pasajeros. Allí, como en el bus anterior y como cuando esperaba en la parada que llegara éste —y a pesar de la difusión pública de su foto de la ficha policial y de la petición de John Barron para que la gente lo denunciara—, con sus pantalones y su cazadora vaqueros, la mochila y la gorra de los L.A. Dodgers bien calada y que le tapaba casi todo el pelo teñido de lila, nadie le prestó la más mínima atención.

41

Hotel Westin Bonaventure, Suite 1195, 16:17 h

Barron, Halliday, Valparaiso y Lee avanzaban con cautela. Llevaban todos guantes de látex y vigilaban exactamente por dónde pisaban y lo que tocaban. La suite era grande, con un salón principal con sofá, televisor y mesa de despacho. Detrás había la puerta abierta que daba al dormitorio. A la derecha, un pequeño pasillo con armarios a un lado llevaba al baño. Detrás de ellos, el director del hotel y dos asistentes aguardaban nerviosamente frente a la puerta abierta, observándolos. Que un equipo del SWAT se hubiera paseado por el hotel cual tropa de combate ya era lo bastante malo, pero ahora existía la posibilidad real de que un huésped del hotel hubiera sido asesinado. Y no era precisamente el tipo de publicidad que necesitaban.

—¿Por qué no esperan fuera? —les dijo Barron a media voz, y luego los acompañó hasta el pasillo y cerró la puerta de la habitación.

El Bonaventure era perfecto. Un hotel grande, de gama alta, a cinco minutos andando de donde Raymond había dejado el taxi después de huir del edificio del Tribunal Penal. Lo que nadie sabía era cómo había encontrado y matado al asesor de diseño de Nueva Jersey Charles Bailey, ni cómo el coche de alquiler de Bailey había acabado en Beverly Hills, y éste era el motivo por el cual Red y Polchak se habían desplazado directamente hasta allí.

El problema era que ni el asesinato de MacArthur Park ni el de Charles Bailey podían ser atribuidos a Raymond con claridad. Sí, el *modus operandi* y la hora —ambos habían recibido disparos en la cabeza y desde cerca, y ambos a las pocas horas de la fuga de los juzgados— le apuntaban directamente, pero hasta ahora la policía no disponía de pruebas incriminatorias, de nada que dijera «Raymond» sin duda y con claridad y les mostrara el rastro que había dejado. Sin eso, el asesino o asesinos de ambos hombres podía haber sido cualquiera y la policía seguía buscando la aguja en el pajar mientras Raymond se alejaba cada vez más de sus garras.

—Miraré por aquí —dijo Barron, mientras examinaba el pasillo, registraba los armarios y luego se metía en el baño. Como el resto de habitaciones del hotel, la 1195 había sido objeto de un riguroso registro por parte de un equipo del SWAT, pero ellos habían buscado a un fugitivo oculto, no a un hombre que ya no estaba. Una suite vacía era una suite vacía, y avanzaron a partir de ahí.

—Yo me encargo del dormitorio. —Lee había regresado de llevar a su hijo de ocho años al dentista y se incorporó al grupo rápidamente.

—Aquí —sonó de pronto la voz de Barron desde el baño. Halliday y Valparaiso se acercaron veloces, Lee salió del dormitorio tras ellos.

Cuando entraron, Barron estaba arrodillado y sacaba una bolsa de basura de plástico de un armarito que había debajo del lavamanos.

—Tiene pinta de que alguien lo ha querido esconder —dijo Barron. Abrió la bolsa con cuidado, metió la mano dentro y sacó una toallita todavía húmeda.

—Sangre —dijo—. Parece como si el mismo sujeto hubiera intentado lavarla y no hubiera podido. Aquí hay también un par de toallas usadas.

—¿Raymond? —Lee estaba en la puerta, llenando el umbral con su enorme envergadura.

Halliday miró a Barron:

—Tú le has disparado frente a los juzgados.

—Sólo le he hecho un rasguño.

—Bueno, un rasguño basta para sacar el ADN.

—¿Por qué la dejaría aquí y no en cualquier otro lugar, un contenedor de basura, por ejemplo?

—Imagina que tienes a todo un equipo del SWAT registrando el edificio detrás de ti, como una invasión de los marines, ¿qué vas a hacer? ¿Ocultarlo todo? Haces lo que puedes y sales del lugar cagando leches.

Barron volvió a poner la toalla en la bolsa y luego salió al salón por en medio de ellos, se acercó a la puerta y la abrió.

El director del hotel y su par de ayudantes seguían allí.

—¿A qué hora han limpiado la habitación?

—Pronto, señor. Hacia las ocho. —El director miró detrás de Barron, a los otros que se acercaban hacia ellos—. El señor Bailey vio a la señora de la limpieza en el pasillo cuando se iba y le dijo que podía entrar a hacer la habitación.

—Pero no habrían dejado toallas y una toallita húmeda embutidos en el armarito del baño.

—Desde luego que no.

—Y aparte del personal del SWAT, desde entonces no ha entrado nadie más.

—No, señor. Que yo sepa no.

Barron miró otra vez a su alrededor y luego miró a Lee.

—¿Qué hay de la habitación?

—Ven a ver.

Barron siguió a Lee hasta el dormitorio con Halliday detrás. En un perchero de la esquina había una maleta abierta. La puerta de uno de los armarios estaba parcialmente abierta, y la cama estaba arrugada pero sin destapar, como si alguien hubiera descansado encima pero sin meterse dentro.

—Llamemos a la unidad científica y que vengan rápidamente —dijo Halliday de inmediato, y luego se volvió hacia la puerta a mirar a Valparaiso—. Una vez la habitación ha estado limpia y ordenada, alguien ha entrado. Fuera quien fuese, ha usado el baño y la habitación. Tenemos las huellas de Raymond. Si ha sido él, no nos llevará mucho tiempo comprobarlo.

—Marty, Jimmy, quien sea —se oyó la voz de Red de pronto por la radio.

—Aquí Marty, Red —respondió Valparaiso—. Dígame.

—La policía de Beverly Hills está buscando huellas en el coche, las hay por todos lados. Al señor Bailey lo liquidaron de un disparo limpio, de cerca, en la nuca, como a los dos agentes de los juzgados. Más importante: podemos tener un doblete. Dos llamadas seguidas a la policía de Beverly Hills. Una chica de una pizzería afirma estar segura de que Raymond ha estado en el establecimiento hace una hora y media, más o menos. Otra mujer dice haberle dado indicaciones hasta el autobús 320 que va a Santa Mónica, unos veinte minutos más tarde. La policía de Santa Mónica se ocupará del autobús. Roosevelt y tú id a hablar con la mujer, Edna Barbes. 240 South Lasky Drive. La poli de Beverly Hills está interrogándola.

—Jimmy, John y tú id a ver a la chica de la pizzería. Alicia Clement, se llama, en el Roman Pizza Palace, 9560 Brighton Way. También está hablando con la poli de Beverly Hills. Tal vez no sea él, pero la pizzería y el lugar de Lasky Drive están separados por unas pocas manzanas y muy cerca de donde estaba el coche aparcado. Voy a suponer que es él. A estas alturas ya hace rato que se habrá bajado del bus, pero está en el oeste y cometiendo errores. Todavía no lo tenemos, caballeros, pero nos estamos acercando. Buena suerte y tened cuidado.

16:40 h

42

Autobus número 6 de Culver City. A la misma hora

Raymond sintió que el autobús aflojaba la marcha y luego se detenía. Las puertas se abrieron, unos cuantos pasajeros bajaron y el mismo número subieron. Luego la conductora cerró las puertas y el bus arrancó.

En menos de diez minutos estarían en la estación de autobuses del aeropuerto, y luego en la lanzadera que lleva hasta el propio aeropuerto. Hasta ahí, todo bien. Él era un simple pasajero como todos los demás. Nadie se había tomado ni tan siquiera la molestia de mirarle. Echó un vistazo hacia la parte delantera del bus y, al hacerlo, el corazón se le subió a la garganta. Dos policías de tránsito uniformados y armados habían subido con el último grupo de pasajeros. Estaban cerca de la conductora, uno hablaba con ella y el otro miraba hacia los viajeros.

Lenta, cuidadosamente, Raymond se volvió para encontrarse de cara a un hombre, negro y anciano, con el pelo blanco y barba blanca, sentado al otro lado del pasillo y mirándolo. Raymond lo había visto antes de pie, de modo que debía de haberse sentado cuando uno de los pasajeros que bajó dejó un asiento libre. Alto y delgado y vestido con una colorida túnica que le llegaba hasta los tobillos, su aspecto era el de una especie de príncipe tribal, orgulloso y muy inteligente. Raymond lo miró un momento y luego se volvió. Al cabo de quince segundos lo volvió a mirar con aire distraído. El hombre seguía observándole, y Raymond empezó a pensar si tal vez creía que la cara de Raymond le sonaba e intentaba ubicarlo. Si así fuera y al final cayera en la cuenta de quién era él, eso le convertiría en alguien muy peligroso, en especial con dos polis a bordo.

Raymond volvió a desviar la mirada, pero esta vez cambió la mano con que se sujetaba y deslizó la mano libre por debajo de la cazadora para coger la Beretta que llevaba embutida en el cinturón. Justo en aquel momento el autobús empezó a aminorar la marcha y vio las luces brillantes de la estación de autobuses, y luego sintió la oscilación del bus al meterse en la estación. Miró atrás, hacia el anciano. Seguía mirándolo.

Resultaba lo bastante enervante incluso sin la policía de tránsito, y Raymond sabía que debería hacer algo para distraer las ideas de aquel hombre antes de que llegara a una conclusión e hiciera algo al respecto. Entonces hizo lo único que se le ocurrió: sonreír.

Lo que vino entonces fue el momento más largo de su vida, un punto en el tiempo en el que el anciano no hizo absolutamente nada más que seguir mirándolo. Raymond pensó que se volvería loco. Entonces, finalmente y para su alivio absoluto, el anciano caballero le devolvió la sonrisa. Fue una sonrisa inmensa y llena de conocimiento, una sonrisa que llegaba hasta lo más hondo. Una sonrisa que le dijo que sabía perfectamente quién era, pero que por motivos que sólo él sabía, había decidido guardarle el secreto. Fue el regalo de un desconocido a otro. Un regalo que Raymond valoraría toda su vida.

127

43

Coche de Barron y Halliday, autovía de Santa Mónica. 17:10 h

Halliday iba a casi 130 kilómetros por hora, sorteando el tráfico de la autovía, con las barras de luz amarilla y roja mandando destellos por la ventana de atrás.

—¿Qué crees que se trae entre manos? —preguntó Halliday. Era la primera vez que él y Barron se encontraban a solas desde la mañana en la que Halliday había mandado a Barron precipitadamente a los juzgados para asegurarse de que Raymond no salía bajo fianza.

—Tres llaves de caja fuerte correspondientes a un cofre que probablemente esté en un banco de algún lugar de Europa. Raymond Oliver Thorne, de nacimiento —Halliday tartamudeó ante la dificultad de pronunciarlo— Rakoczi Obuda Thokoly, nacido en Budapest, Hungría, en 1969; nacionalizado estadounidense en 1987. Está sembrando el pánico aquí en Los Ángeles pero tiene todos estos asuntos en Londres, Europa y Rusia. ¿Quién demonios es ese tío, y qué demonios se propone?

Londres, Europa y Rusia.

Había otras cosas que habían salido a la luz antes de que empezara la escalada asesina de Raymond, cuando la gente de Investigaciones Científicas empezó a registrar las cosas encontradas en su bolsa de viaje. Además del Ruger automático, los recambios de munición, el pasaporte y las llaves de la caja fuerte —llaves hechas por un fabricante belga que sólo exportaba en la Comunidad Europea, una empresa que no podía (o tal vez no quería) divulgar a nadie, ni a la policía, la ubicación de las cajas fuertes que sus llaves abrían— encontraron una muda de ropa pulcramente doblada (jersey, camisa, calcetines, ropa interior y neceser de afeitado) y una agenda pequeña y barata. Dentro de la misma había cuatro fechas marcadas y con una simple anotación hecha a mano debajo de cada una:

Lunes, 11 de marzo. Londres.

Martes, 12 de marzo. Londres.

Miércoles, 13 de marzo. Londres-Francia-Londres.

Jueves, 14 de marzo. Londres. Debajo de ésta había una pequeña leyenda escrita en un idioma extranjero y luego, en inglés: «*Cita con I.M., Penrith's Bar, High Street, 20:00 h*».

Viernes, 15 de marzo. Uxbridge Street, 21.

Eso era todo hasta:

Sábado, 7 de abril. Después del 7 había una barra manuscrita seguida de una sola palabra escrita en el mismo idioma que el del 14 de marzo, un idioma que pronto dedujeron que era ruso. Traducida, la anotación decía: «7 de abril/Moscú». La anotación del 14 de marzo, traducida, decía: «Embajada de Rusia/Londres».

Lo que todo eso significaba o cómo correspondía a lo que Raymond estaba haciendo o había hecho ya, si es que era algo, resultaba imposible de saber. El único elemento de conexión era el billete de avión que tenía desde Los Ángeles para el 11 de marzo, que le habría llevado a Londres el 12 de marzo. Lo que planeaba hacer una vez allí y si alguna de las otras fechas tenía que ver con su razón de haber venido a Los Ángeles o de haber estado en Chicago resultaba igualmente imposible de deducir.

El FBI había tenido acceso a la información para comprobarla con sus bases de datos de identificación de terroristas, y se había establecido contacto con la policía municipal de Londres. De momento no había salido nada que lo incriminara. Las fechas eran sólo fechas. Londres, Francia y Moscú eran sólo lugares, al igual que la embajada de Rusia en Londres. La dirección de Uxbridge Street 21 estaba también en Londres y a poca distancia de la embajada de Rusia, pero se trataba de un domicilio privado, la propiedad del cual estaba siendo comprobada. El Penrith's Bar de High Street también estaba en Londres, pero era tan sólo un pub frecuentado por estudiantes, y también resultaba imposible de saber quién era I.M. De modo que, aparte del Ruger, el pasaporte y, posiblemente, las llaves de la caja fuerte, parecía no haber mucho más de lo que sacar conclusiones, a menos que pudieran detener al propio Raymond e interrogarle.

—Si le matamos, nunca lo sabremos —dijo Barron a media voz.

—¿Cómo? —Halliday tenía la vista puesta en la autovía que tenía enfrente.

—Raymond. —Barron se volvió a mirar a Halliday directamente—. Hay un OK también para él, ¿no es cierto?

Halliday cambió de carril rápidamente.

—Red te ha mostrado las fotos, ¿no? Y te habrá soltado su discursito sobre esta ciudad maldita, la advertencia sobre tu juramento de fidelidad a la brigada, su amenaza para que no intentes nunca abandonarla. Todos lo hemos sufrido.

Barron lo escrutó un momento, luego apartó la vista. Después de él, Halliday era el más joven de la brigada. Barron no tenía manera de saber si Red le había hablado de todos los criminales a los que se habían cargado, de modo que tampoco podía saber cuántas ejecuciones había presenciado Halliday, o había perpetrado él mismo. Lo que estaba claro, sólo por su actitud y por la manera en que hablaba del asunto, es que se había vuelto inmune ante ello. A estas alturas ya sólo era algo que formaba parte de su trabajo.

—¿Quieres hablar del tema? —Halliday aminoró la marcha y se colocó detrás de una limusina Cadillac, luego giró el volante a la izquierda y volvió a pisar el acelerador. El coche viró hacia el arcén y salió disparado hacia delante envuelto en una nube de polvo.

—¿De qué tema?

—Sobre el OK. Si tienes problemas con eso, habla, sácalo. Así es como funciona: un jugador del equipo habla con otro sobre algo que le preocupa.

—No pasa nada, Jimmy. Estoy bien. —Barron desvió la mirada.

129

Lo último que quería era escuchar más argumentos para justificar la ejecución.

—John —dijo Halliday, mirándolo con una expresión de advertencia en el rostro—. La leyenda es que nadie ha abandonado la brigada en toda su historia. Pero no es verdad.

—¿Qué quieres decir?

De pronto Halliday miró atrás, luego puso la sirena y cruzó cuatro carriles a toda velocidad para tomar la siguiente salida. Al final de la rampa se detuvo detrás de una hilera de coches, luego volvió a poner la sirena y los rodeó, giró bruscamente a la derecha en un semáforo en rojo y salió acelerando en dirección norte, por Robertson Boulevard en dirección a Beverly Hills.

—Mayo de 1965, detective Howard White —dijo Halliday—. Agosto de 1972, detective Jake Twilly. Diciembre de 1989, detective Leroy Price. Y éstos son sólo los tres que yo he descubierto.

—¿Lo dejaron?

—Sí, lo dejaron. Y los tres están muertos por este motivo, por y para la brigada. Y todos recibieron honores de héroe *a posteriori*. Por eso te digo que, si tienes un problema, me lo digas. No seas tan estúpido como para pensar que puedes actuar en solitario. Acabarás con una bala en la cabeza.

—No pasa nada, Jimmy, no te preocupes —dijo Barron a media voz—. De veras, no te preocupes.

17.20 h

44

LAX, aeropuerto internacional de Los Ángeles, 17:55 h

La lanzadera cerró sus puertas, y de nuevo se mezcló el olor acre de aire de mar con el de los gases de las aeronaves y el olor seco de los cuerpos de los viajeros cansados mientras el conductor arrancaba en la terminal internacional Tom Bradley y se adentraba en el tráfico del bucle interior del aeropuerto.

Raymond estaba de pie en el centro del autobús, anónimo como cualquier otro pasajero, agarrado a la barandilla y aguardando con paciencia las paradas de las terminales 1 y 2 y luego la terminal Tom Bradley, donde se encontraba Lufthansa.

Tenía los nervios cada vez más afilados, consciente de que a cada

minuto que pasara habría más angelinos que habrían visto los noticiarios con su foto por televisión. ¿Qué había dicho Barron? «Nosotros somos nueve millones y tú uno.» ¿Cuánto tiempo pasaría antes
de que uno de ellos lo reconociera y sacara el móvil allí mismo para
llamar a la policía?

Aunque hasta entonces había tenido suerte, todavía le quedaba
pasar por el mostrador de Lufthansa y el arriesgado trámite de usar
el pasaporte de Josef Speer y su tarjeta de crédito para pagar el billete. Y luego, suponiendo que hubiera tenido suerte, le quedaban más
de tres horas hasta la salida de su vuelo, lo cual suponía esperar en
público todo ese tiempo. La baronesa le había asegurado que si tenía
la astucia y la malicia de sobrevivir, ésta sería una experiencia de valor incalculable, y tenía razón. Hasta aquí sus herramientas le habían servido, y sabía que si se mantenía alerta y no caía en las garras
de sus propios miedos o de la tenacidad policial, si seguía avanzando
igual que hasta ahora, tenía todos los motivos para pensar que a esa
misma hora de mañana se encontraría en Londres.

Parking de la policía de Los Ángeles, Parker Center, 18:25 h

John Barron hizo todos los movimientos como si estuviera soñando: abrir la puerta del Mustang, meterse detrás del volante. Ya
casi no se acordaba de la conversación con la chica de la pizzería de
Beverly Hills. Hacia las 14:00, la joven había observado al hombre
que le resultó tan parecido al fugitivo de la policía cuya foto había
visto por televisión, pero luego no pensó mucho más en ello y se
marchó a casa. Luego volvió a ver otra vez la foto por televisión y se
lo dijo a su madre, quien llamó de inmediato a la policía de Beverly
Hills. La interrogaron y la volvieron a llevar a la pizzería, donde describió las circunstancias y les señaló el lugar en el que estuvo el
hombre. Les volvió a contar la misma historia a Halliday y Barron
cuando llegaron. El hombre era muy parecido a Raymond. Llevaba
vaqueros y una cazadora tejana. No sabía si tenía el pelo teñido porque llevaba una gorra de béisbol. Tal vez con algún logotipo deportivo, pero no lo recordaba.

La mujer de Beverly Hills con la que Lee y Valparaíso habían hablado les dio una descripción similar de un hombre joven al que había ayudado a encontrar el autobús que llevaba a Santa Mónica un
poco después de las dos. La hora coincidía. Y les indicaba, también,
que había ido en dirección oeste desde Brighton Way hasta la esqui-

na de Wilshire con Santa Mónica Boulevard. La mujer redondeó la descripción de la chica de la pizzería diciendo que era un hombre guapísimo y que llevaba una mochila.

Con esta información en mano, Red ordenó el traslado inmediato de la investigación a la zona entre Beverly Hills y Santa Mónica, e hizo intervenir al departamento del sheriff de Los Ángeles y a la policía de Santa Mónica. Intervenir, quizá, pero todo el mundo sabía que Raymond pertenecía a la brigada 5-2, y si lo encontraban, la prensa y el público serían mantenidos al margen hasta que llegara la 5-2 y se ocupara de él.

Barron puso el motor del Mustang en marcha, sacó el coche de la plaza de parking y salió de allí. Se iba a casa, como Halliday, a descansar un poco mientras Red y los otros seguían trabajando, coordinando sus esfuerzos desde el Parker Center.

¿Casa? ¿Descansar? ¿Qué significaban aquellas palabras?

Durante casi cinco años pensó que estaba desempeñando una profesión honorable, y luego le llegó la supuestamente soñada promoción en la 5-2. Y entonces, casi de la noche a la mañana, el sueño se convirtió en una pesadilla inimaginable y todo se torció, se manchó y se quedó boca abajo. La idea de quedarse cruzado de brazos y contemplar cómo ejecutaban a Raymond le ponía enfermo. Sin embargo, si Raymond hubiera tan siquiera apuntado su arma contra cualquiera de ellos, Barron le hubiera disparado al instante y sin pensárselo dos veces. Y el hecho era que ya había tratado de cargárselo en el parking de enfrente del Tribunal Penal, pero Raymond se le escapó en el último instante y esquivó la bala. De modo que, si podía haberlo hecho allí mismo, delante de todo el mundo, ¿qué diferencia había con llevarlo a un lugar oculto y hacer lo mismo?

De entrada, la respuesta era fácil. Él era policía, no asesino. La advertencia de Red le había dado más motivos que nunca para abandonar la 5-2. Y por muy alarmante que resultara, la advertencia de Halliday no lo había amedrentado. El problema era el tiempo. Al actuar de acuerdo con la brigada sin mostrar sus cartas, como había planeado, hasta que la doctora Flannery le encontrara un lugar al que llevar a Rebecca, le estaba dando a la 5-2 y a él mismo tiempo para atrapar a Raymond. Y cuando ocurriera le obligarían otra vez a formar parte de su ejecución. Este hecho ya era lo bastante horrible, pero no tanto como el pensamiento que le había invadido aquella tarde y que le continuaba acechando: cada vez veía más claro que matar a alguien como Raymond podía estar justificado. Y una vez aceptada esta premisa, todo lo demás resultaba fácil. Sencillamente, participar como el resto del grupo —imperturbable, inmune, natural—, creyendo que aquello era por el bien de todos y lo que había que hacer.

—¡No! ¡Maldita sea! —escupió, gritando.

Todo aquello era como una droga seductora y monstruosa y algo en lo que no podía y no quería participar otra vez. Atrapar a Raymond era tan sólo cuestión de tiempo. Sólo cuestión de tiempo que tuvieran a Raymond acorralado y a solas y uno de ellos lo encañonara con su arma y apretara el gatillo. Eso significaba que no tenía más alternativa que ir a Saint Francis, recoger a Rebecca y marcharse de Los Ángeles en aquel momento, ahora, esta noche.

45

18:30 h

Cuando salía con el Mustang a la calle, Barron sintió que el corazón le latía con fuerza y que el sudor frío se le acumulaba en la frente. Al cabo de un momento encendió la radio y sintonizó el canal 8 protegido de la 5-2. Quería saber dónde estaban y qué estaban haciendo.

No oyó nada. El canal estaba en silencio.

Entonces cambió bruscamente a la frecuencia principal del LAPD, pensando que a lo mejor allí oiría algo, pero lo único que oyó fue el típico parloteo policial.

Bajó por San Pedro Street y volvió a cambiar al canal 8. Seguía en silencio como antes.

Delante de él vio a un hombre que cruzaba la calle con muletas. Se detuvo a esperar que pasara. Mientras esperaba, sentado tras el volante, se le ocurrió que la brigada debería haber hecho mejor los deberes. Haber sabido mejor qué tipo de persona era antes de incorporarlo a ella.

El hombre de las muletas alcanzó la acera; Barron pisó el acelerador y el Mustang salió disparado. Al final de la manzana giró a la derecha hacia la autovía y Pasadena, con la decisión tomada y Raymond borrado de su cabeza.

El canal 8 seguía en silencio y cambió el dial al canal 10, la frecuencia utilizada por la central para comunicarse con la 5-2. La radio resucitó de pronto.

—Comandante McClatchy. —La central intentaba ponerse en contacto con Red.

133

—McClatchy —respondió la voz de Red.

—Entre el grupo de estudiantes alemanes que se albergaban en el Westin Bonaventure, uno de ellos ha desaparecido. Acaban de ver el retrato robot de la víctima de MacArthur Park por la tele. Creen que es él. Varón, blanco, veintidós años de edad. Josef, con *f* final, de apellido Speer. Llevaba el pelo teñido de lila. No lo han visto desde antes de las doce del mediodía.

—Recibido, gracias —escuchó decir a Red, y luego—: Marty, Roosevelt. Volved pitando al Bonaventure.

—Recibido —se oyó la voz de Valparaiso.

—¡Dios! —exclamó Barron en voz alta. ¿Por qué demonios no se le había ocurrido buscar a la víctima entre los huéspedes del hotel? Raymond había estado allí; era lógico. Tenía a su víctima delante de las narices. La encontró, la utilizó para cruzar el cordón policial y luego la llevó a MacArthur Park. De inmediato se le ocurrió otra idea: las notas de Raymond se centraban en Europa y Rusia, ¡y el chico era alemán!

Barron miró el reloj del salpicadero:

18:37 h

46

—Dan Ford, un segundo —dijo el periodista tuerto. Estaba inclinado, peleándose con el enchufe de la impresora de su portátil, con un bocadillo de atún a medio comer sobre la mesa a su lado y el auricular del teléfono embutido debajo de un oído.

—Soy yo —dijo Barron, secamente.

Ford se levantó:

—He intentado localizarte. —Sus preguntas sonaron como una ráfaga de disparos—. ¿Dónde coño estás? ¿Qué le pasa a tu móvil? ¿Qué pasa con la poli de Beverly Hills?

—Han encontrado un cadáver en un coche, un diseñador de New Jersey. Parece obra de Raymond.

—¿Lo han identificado? ¿Cómo ha llegado Raymond a Beverly Hills? ¿Hay algo más del chico de...?

—Dan... necesito que me ayudes. ¿Estás en el despacho?

—Más o menos.

Hacía tan sólo unos minutos que Ford había llegado resoplando y sudoroso a su pequeño cubículo de un despacho de la sede central del *Los Angeles Times*, después de pasar varias horas siguiendo a la unidad de personas desaparecidas por la zona de MacArthur Park mientras trataban de averiguar la identidad del hombre muerto.

—Déjame coger la silla. —Ford rodeó la mesa de su despacho con el teléfono agarrado, mientras levantaba el cable por encima de los montones de notas, libros y material de documentación que ocupaban todo el espacio—. Va a llover, ¿lo sabes? Y pronto. Lo noto por todo el cuerpo. Mi mujer cree que estoy como una cabra.

Ford tal vez tuviera veintiséis años, pero cada vez que llovía le dolían las articulaciones, la musculatura y los huesos como a la gente que le triplicaba la edad. La lluvia le provocaba también unas palpitaciones dolorosas detrás del ojo bueno.

—Dan, no te he llamado para que me hagas una predicción meteorológica —dijo Barron con tono de urgencia.

—¿Qué necesitas? —Ford encontró su silla y se sentó.

—Ponte los horarios de vuelos internacionales de hoy en la pantalla. Quiero saber qué vuelos tienen prevista la salida esta noche desde LAX con destino Alemania, sin escalas.

—¿Alemania?

—Sí.

—¿Hoy?

—Sí.

—¿Raymond? —adivinó Ford. Barron sabía algo o estaba haciendo alguna suposición.

—Tal vez; no lo sé.

—¿Qué ciudad de Alemania?

—Tampoco lo sé. Prueba las grandes, Berlín, Frankfurt y Hamburgo. Raymond tenía un billete a Londres en la bolsa. Eso está a tiro de piedra de cualquiera de estas tres ciudades.

Ford hizo girar su silla y se acercó el portátil. Clicó en el directorio interno de vuelos del *Times*.

—¿Por qué Alemania?

—Iluminación.

—Esto no es una respuesta, John. Si no me lo dices, no te lo miro.

—Dan, por favor...

—Está bien. ¿Por qué sin escalas?

—Dudo que se arriesgue a bajar en cualquier otro aeropuerto de Estados Unidos. Está demasiado apurado.

La voz de Barron sonaba muy seria. Tal vez estuviera haciendo suposiciones sobre Raymond, tal vez no, pero pasara lo que pasara

135

—presentimiento, conocimiento o algo de lo que Barron no podía hablar—, contagió a Ford la electricidad del momento mientras éste escrutaba el monitor que tenía delante, esperando a que le apareciera la información que había pedido.

—Vamos... —le apremió Barron.

—Estoy esperando.

—Joder.

De pronto la información apareció en la pantalla de Ford.

—Vale, aquí está.

British Airways, Continental, Delta, Lufthansa, American, Air France, Virgen Atlantic, KLM, Northwest... Ford analizó la lista. Aquella noche despegaban un montón de vuelos de Los Ángeles con destino a Alemania, pero los únicos vuelos sin escalas eran a Frankfurt; los otros hacían escala en Londres, París y Ámsterdam. Eran las 18:53, y de los tres únicos vuelos sin escala de esta tarde sólo había uno que todavía no había salido.

—Si quieres uno sin escala, John, has tenido suerte. Sólo queda uno por salir. Lufthansa, vuelo 453. Despega de LAX destino Frankfurt a las 21:45.

—¿Sólo éste?

—Sólo éste.

—Lufthansa.

—453.

—Gracias, Dan.

—John, ¿dónde coño estás? ¿Qué ocurre?

Clic.

Ford se quedó atónito, mirando el teléfono.

—¡Maldita sea!

47

LAX, terminal internacional Tom Bradley. Mostrador de billetes de Lufthansa, 18:55 h

—*Etwas geht nicht?* —«¿Algún problema?», preguntó Raymond en alemán, desconcertado y con una sonrisa, a la agente rubia de billetes de Lufthansa que tenía al otro lado del mostrador. La mujer estaba al teléfono, aguardando algún tipo de confirmación.

—Su reserva no consta en el ordenador. —Prosiguió su conversación en alemán.

—La he hecho yo mismo, esta tarde. Me confirmaron el asiento.

—Nuestros ordenadores han estado varias horas sin servicio. Miró a su monitor y tecleó algo. Raymond miró a la derecha. Había sólo otro agente de billetes trabajando. Detrás de él, los pasajeros empezaban a acumularse en la cola. Había veinte o más, aguardando impacientes, y unos cuantos lo miraban a él como si tuviera la culpa de que la cola tuviera que esperar.

—¿Tienen butacas?

—Lo siento, el vuelo está lleno.

Raymond desvió la mirada. Eso era algo que ni siquiera había considerado. Qué pasaba si...

—Gracias —dijo de pronto la mujer en inglés, antes de colgar el teléfono—. Le pido disculpas por la confusión, señor Speer. Sí tenemos su reserva. ¿Me deja el pasaporte y una tarjeta de crédito, por favor?

—*Danke* —dijo Raymond, sonriendo con alivio y luego sacó la cartera de Speer del bolsillo de la cazadora y entregó el pasaporte y la Euro/Master Card del muerto a la agente de la aerolínea. A su izquierda estaba el embarque de primera clase, donde había un solo ejecutivo bien vestido que regañaba a la encargada de detrás del mostrador. Su asiento no era el que había reservado; quería que lo acomodaran bien y rápido. Primera clase, donde Raymond sabía que debía estar pero no estaba.

Miró hacia atrás. La agente de billetes tenía su pasaporte abierto y lo miraba; luego lo miró a él, comparando su parecido a la foto.

—¡Ah! —dijo él rápidamente, y sonrió.

Rápidamente se quitó la gorra de béisbol de los Dodgers para mostrarle el pelo lila.

—Aquí era más joven, ¿eh? Pero... —volvió a sonreír—, sigo llevando el mismo pelo.

La mujer sonrió y le devolvió el recibo de la tarjeta de crédito para que se lo firmara. Sin esfuerzos, garabateó la firma de Speer —algo que había estado ensayando en el bus de Santa Mónica— y luego se lo devolvió. La mujer le entregó el pasaporte y la tarjeta.

—¿Lleva equipaje para facturar?

—No, está en... —Raymond se había deshecho de la mochila de Speer en la estación de autobuses del aeropuerto, donde se deslizó la segunda Beretta debajo de la cazadora, dentro del pantalón por la espalda, y luego embutió la mochila en un cubo de basura justo antes de subir a la lanzadera que lo llevaba hasta su terminal. Le empezaba a resultar engorrosa y ya no la necesitaba, pero no pensó en la necesidad obvia de llevar algún tipo de equipaje. Nadie viajaba a nueve mil kilómetros con las manos vacías. Rápidamente rectificó—. Sólo llevo una bolsa de mano —dijo, hablando todavía en alemán, y luego señaló hacia un restaurante de comida rápida que había al otro lado del despacho de billetes—, me la ha guardado un amigo mientras yo recogía el billete.

Ella sonrió y le dio el billete y la tarjeta de embarque.

—Puerta uno veintidós. El embarque empezará aproximadamente a las nueve y cuarto. *Gute Reise* —añadió, mientras él se volvía de espaldas. *Gute Reise*. Buen viaje.

—*Danke* —dijo él, y se alejó.

48

19:15 h

Barron conducía por la autovía de Santa Mónica en dirección oeste, la misma autovía por la que había pasado dos horas antes con Halliday. El tráfico avanzaba lentamente, embotellado desde el centro de la ciudad hasta la playa. Eso le hizo desear ir en el coche patrulla más que nunca, con la sirena y las luces a tope.

19:20 h

El tráfico seguía lento. Tal vez estuviera loco. Tal vez aquello no fuera nada. El informe decía que el grupo de estudiantes alemanes «creía» que el retrato robot era de su amigo desaparecido. Así que tenía el pelo lila, pero cientos de jóvenes llevan el pelo lila. ¿Por qué se esforzaba por llegar al aeropuerto para interceptar a un posible/probable/tal vez desaparecido Josef Speer, cuando debería estar recogiendo a Rebecca y largándose de Los Ángeles? No tenía ningún sentido, en especial si su suposición sobre el vuelo de Frankfurt era errónea y cuando llegara no hubiera nadie llamado Speer.

De inmediato cogió su teléfono móvil y marcó el número de información. Se identificó como detective de homicidios del LAPD y pidió que le pasaran con las oficinas de Lufthansa en LAX, el aeropuerto internacional de Los Ángeles. En cuarenta segundos tenía un supervisor de la aerolínea al teléfono.

—Vuelo 4-5-3 destino a Frankfurt de esta noche —dijo, con claridad—. ¿Tienen una reserva hecha a nombre de Josef, con *f*, Speer?

—Un momento, señor. —Se hizo un largo silencio y luego—: Sí, señor. El señor Speer ha comprado el billete hace casi treinta minutos.

—¿En qué terminal está Lufthansa?

—Terminal internacional. Tom Bradle.

—Gracias —dijo Barron, y colgó.

Dios, tenía razón. De pronto se le ocurrió otra cosa. Podía tratarse del propio Speer. Tal vez le había surgido un asunto personal y sencillamente decidió volver a casa sin encomendarse a nadie. El problema era que... para tratar de localizarlo dentro de la terminal y de comprobar su identidad, necesitaría la colaboración de los agentes de seguridad de Lufthansa. Al pedirlo, tendría que explicarles por qué, y puesto que había la posibilidad de que ese Josef Speer fuera Raymond, Lufthansa alertaría al departamento de policía del aeropuerto, una situación que llevaría a McClatchy y a los demás, con sirenas y luces rojas encendidas, directamente a la terminal de Lufthansa. Y ellos sí tenían las luces y las sirenas.

19:24 h

139

Un camión enorme de mercancías se detuvo delante de él. Barron se paró detrás y miró por el retrovisor. Un mar de faros se extendía hasta muy lejos. El camión siguió avanzando, y también él, sólo que ahora cambió de carril, acercándose al interior para poder desviarse en la salida siguiente y meterse por calles de la superficie para llegar al aeropuerto. Entonces volvió a mirar por el retrovisor. Esta vez no sólo vio la extensión de faros detrás de él, sino su propia imagen, y por un momento se quedó así, mirándose a los ojos.

No importaban Red McClatchy ni la 5-2. Lo que vio fue la imagen de un agente de policía jurado y encargado de defender la ley y proteger al ciudadano. Sin embargo, era un agente de policía tan cegado por las creencias personales que no había valorado la magnitud de la maldad de Raymond, ni había presentido su capacidad para el asesinato a sangre fría. Como resultado, no había tomado ninguna precaución contra él. Era un error por el que habían pagado cuatro policías, uno de ellos mujer, un hombre que llevaba una cazadora negra, un diseñador de New Jersey y un muchacho de pelo lila que apenas superaba los veinte años de edad. La sensación de responsabilidad por aquellas muertes y el complejo de culpa que lo acompañaban eran gigantescos.

19:29 h

Miró la radio que llevaba en el asiento de al lado. Lo único que tenía que hacer era cogerla y llamar a Red, decirle lo que había descubierto, marcharse hacia Pasadena y dejar que la brigada se encargara del enigmático Josef Speer. Pero sabía que no podía hacerlo, porque eso equivalía a ordenar personalmente su ejecución.

19:32 h

Barron salió de la autovía y tomó la rampa de salida de La Brea. Entonces pensó en Rebecca y se dio cuenta de que, en nombre de su propia conciencia, él mismo podía haber sido una de aquellas víctimas, y no de la brigada, sino de Raymond. Disponía de un seguro de vida y Rebecca era su única beneficiaria; se había ocupado de que su póliza dispusiera del dinero suficiente como para mantenerla de por vida si algo le ocurría a él. Pero eso la dejaría sola. Él era la única persona a la que tenía en el mundo. Estaba bien atendida por las monjas y se sabía cuidar gracias a él. Tanto sor Reynoso como la doctora Flannery se lo habían dicho: él era el puntal de la poca razón que le quedaba; su existencia silenciosa y frágil se aguantaba por su amor hacia él y dependía de su presencia. Era cierto que, en caso de que Barron muriera, Dan Ford y su esposa, Nadine, quedaban como sus tutores legales, pero el periodista, por mucho que los dos le quisieran, no era su hermano.

19:33 h

Barron se detuvo detrás de una docena de coches en el semáforo, arriba de la rampa, y hundió la cabeza entre las manos.

—Dios mío —exclamó en voz alta, con el raciocinio tan al límite que tenía que esforzarse por ser capaz de pensar. Podía girar a la derecha al llegar al semáforo, recoger a Rebecca y encontrarse a ochocientos kilómetros de allí cuando amaneciera. O girar a la izquierda y perseguir a Raymond. Si es que era Raymond.

Delante de él cambió el semáforo y el tráfico empezó a avanzar. Seguía verde cuando Barron llegó al cruce. Era ahora cuando le tocaba decidir qué hacer. Y lo hizo. Sólo había una respuesta. Rebecca era su responsabilidad. Sus padres ya habían sufrido una muerte terrible y violenta; no estaba dispuesto a exponerla de nuevo a ese tipo de horror, fuera lo que fuese lo que creyera que tenía que hacer para él.

Dio un golpe de volante y giró a la derecha, acelerando en dirección a Pasadena. En una hora estarían fuera de Los Ángeles, rumbo al norte/sur/este, daba igual. Dentro de una semana las cosas se habrían calmado; dentro de un mes todavía estarían más tranquilas porque, para entonces, Red se habría dado cuenta de que no representaba una amenaza. Y con el tiempo, todo quedaría olvidado.

Entonces llegó: el escalofriante, omnipotente sentido de la verdad: Josef Speer era el chico muerto de MacArthur Park, y Raymond era quien había comprado el billete de Lufthansa a Frankfurt. En aquel instante cegador desaparecieron todas las consideraciones momentáneas anteriores. Sólo importaba una cosa: llegar a LAX antes de que el vuelo 453 despegara.

49

Tienda de regalos de la terminal internacional 6 Tom Bradley, LAX. 19:50 h

Raymond recorrió el pasillo tratando de actuar como un pasajero cualquiera que busca algún artículo concreto. En este caso, algún tipo de maleta que pudiera llevar con él al avión. La agente de billetes de Lufthansa había aceptado su explicación de que había dejado una bolsa de mano en el bar de comida rápida del aeropuerto. Era un detalle, no demasiado importante, pero lo había pasado por alto y podía ser que alguien se fijara en ello, en especial en la puerta de embarque, si entraba sin equipaje de mano y sin un recibo de facturación grapado en el sobre de su billete.

«Saca lecciones de tus errores», otro de los consejos frecuentes que la baronesa le repetía a menudo desde que era niño. ¿Molesto? Sí, tal vez, pero sus enseñanzas eran válidas. Lo último que necesitaba, en especial con el alto nivel de seguridad aeroportuaria, era despertar dudas, cualquier alteración en el flujo del protocolo de la aerolínea que pudiera hacer levantar cejas o llamar la atención.

Las vio al fondo del pasillo: una docena o más de mochilas de lona que colgaban de un mostrador. Eligió una de color negro y se dirigió hacia la caja. Casi al mismo tiempo, cayó en la cuenta de que necesitaba algo que llevar dentro. Rápidamente cogió una sudadera

de Los Ángeles, una camiseta con el logotipo de los Los Ángeles La-
kers, un cepillo de dientes, dentífrico... cualquier cosa que hiciera
bulto y que pudiera resultarle útil durante el viaje.

Cuando hubo acabado se colocó detrás del grupo de clientes que
guardaban cola en la caja de salida. Entonces se quedó petrificado.
A menos de medio metro vio un estante con una pila de la última
edición del *Los Angeles Times*. Su foto de la ficha policial que le habían hecho en Parker Center ocupaba prácticamente toda la portada. Encima, en grandes titulares, se leía: SE BUSCA ASESINO DE POLI-
CÍAS. Haber salido por televisión ya era lo bastante malo, pero
ahora sólo le faltaba el periódico. Un periódico que estaría a la venta por todo el aeropuerto y que incluso podía que tuvieran a bordo
del avión.

Leyó el subtítulo y las cosas empeoraron: «Puede que lleve el
pelo teñido de lila». Otra vez la policía. Rápidos, eficientes; habían
supuesto correctamente que había asumido la identidad y el aspecto
de Josef Speer.

Dejó bruscamente sus cosas en un mostrador lateral y se retiró a
otro pasillo para, en una rápida sucesión, coger varias cosas más: un
espejito de mano, una máquina de afeitar eléctrica, pilas para la máquina.

La cola había desaparecido y se acercó a la caja, puso sus cosas al
lado y dejó deslizar una mano hacia una de las Berettas que llevaba
embutidas en el cinturón. Si la mujer lo reconocía y lo demostraba de alguna manera, la mataría allí mismo y se marcharía para
abandonar el edificio de la terminal en medio del horror y el caos
sembrados por él. El mismo método que había planeado usar para
huir del cordón policial en Union Station y del *Southwest Chief* antes
de que Donlan lo cambiara todo.

La miró con atención, esperando a que ella lo mirara, pero no lo
hizo. La mujer se limitó a pasar los artículos por el lector. Y lo mismo cuando le dio la tarjeta Master de Speer para pagar. Lo mismo
cuando firmó el recibo y cuando ella le puso las cosas en una bolsa de
plástico. Al final le entregó la bolsa, lo miró y le dijo «buenas tardes»
en un tono mecánico antes de volverse para atender al cliente siguiente.

—Gracias —dijo él y se marchó.

Había estado allí, delante de sus narices, con su foto a toda página en la portada del *Times* a pocos centímetros de ella, y la mujer ni
siquiera lo había visto. La única explicación lógica era que la cajera
era como la gente de los autobuses. Veían a cientos de personas cada

142

día, día tras día, mes tras mes, año tras año, sin parar, y a estas alturas ya todas les parecían iguales.

20:00 h

Barron salió de La Brea bruscamente por Stocker. Un kilómetro más tarde giró a la izquierda por La Cienaga Boulevard, luego cortó por La Tijera hasta Sepulveda, kilómetro y medio más al sur. En total le quedaban unos seis kilómetros antes de la salida del aeropuerto en la calle Noventa y seis. De pronto, varios goterones de lluvia cayeron sobre su parabrisas, algo de lo que Dan Ford ya le había advertido, a pesar de que el servicio de meteorología sólo había pronosticado un 10 por ciento de posibilidades. Y él tuvo la esperanza de que fuera Dan quien se equivocaba.

Cien metros más y las gotas se convirtieron en una lluvia regular y luego en un buen chaparrón. El tráfico de delante de él empezó a reducir la velocidad hasta casi pararse. En cuestión de segundos, la carretera se quedó tan taponada como la autovía que acababa de abandonar.

—¡Joder! —blasfemó en voz alta. Volvió a desear disponer de las luces y la sirena de los coches patrulla. Aquellos cinco kilómetros podían suponer cuarenta minutos, hasta una hora, si la lluvia seguía como ahora. ¡Una hora hasta la calle Noventa y seis! Y diez minutos más por el bucle interior del aeropuerto hasta la terminal internacional. Luego identificarse ante los encargados de seguridad de Lufthansa y luego recoger a la policía del aeropuerto para luego tratar de localizar a Raymond sin que se diera cuenta dentro de la terminal. Era demasiado tiempo y se arriesgaba peligrosamente a perder a Raymond del todo.

Con la bolsa de mano colgada del hombro, Raymond entró en un lavabo de hombres que estaba a veinte metros del control de seguridad de Lufthansa. Pasó frente a una hilera de lavamanos y frente a media docena de hombres que se tenían de pie ante los urinarios. Entró en un retrete y cerró la puerta con candado.

Dentro se quitó la cazadora de Speer, abrió la bolsa y sacó el espejito, la afeitadora eléctrica y las pilas, y las metió dentro de la máquina. Segundos más tarde se pasó la afeitadora por la cabeza. Un minuto, dos y el último mechón de color lila cayó a la taza. Tiró de la cadena, guardó el espejito y se puso la sudadera de Los Ángeles. Luego guardó la cazadora en la bolsa, volvió a tirar de la cadena y se acercó a un lavamanos para afeitarse. En un par de minutos se había afeitado la cara. Luego miró por el baño rápida y disimuladamente: nadie le prestaba la más mínima atención. Con el mismo disimulo se volvió a mirar en el espejo que tenía delante, desplazó la maquinilla hasta su cabeza y se acabó de afeitar el cráneo.

20:20 h

Barron avanzó lentamente por La Cienaga Boulevard, usando el arcén de la carretera para adelantar al tráfico parado. Cincuenta metros, cien. Delante de él había un coche que ocupaba medio carril y medio arcén, bloqueándole el paso. Tocó el claxon y le hizo luces, pero nada. Volvió a blasfemar. Estaba atrapado como todos los demás. La lluvia caía con más fuerza. Se imaginaba a Raymond dentro de la terminal. Estaría actuando con disimulo y extrema profesionalidad, esperando sencillamente la salida de su vuelo e intentando hacerse pasar por un pasajero anónimo cualquiera. Pero —y aquí estaba la duda— ¿y si la enorme atención mediática que habían desplegado para obtener la ayuda de los ciudadanos para encontrar a Raymond se hubiera vuelto contra ellos? ¿Y si alguien que hubiera visto su foto por la tele o en el periódico lo reconociera y lo señalara? Todos sabían demasiado bien de lo que Raymond era capaz cuando se veía acorralado. ¿Cómo reaccionaría si esto ocurría en una terminal de aeropuerto abarrotada?

Barron miró a la radio que tenía al lado. Luego miró de pronto el móvil. Vaciló una décima de segundo y lo cogió.

20:25 h

—Puede tratarse de Raymond Thorne haciéndose pasar por el pasajero Josef Speer. —Barron estaba hablando con seguridad de Lufthansa en LAX, con tono urgente y enfático—. Si es Thorne, intentará actuar como un pasajero cualquiera. Thorne o Speer, deben asumir que va armado y es extremadamente peligroso. Limítense a localizarlo y no hagan nada más. No le den ninguna razón para que piense que lo vigilan hasta que yo llegue y pueda identificarlo. Dénme veinte minutos y que un agente me espere en la entrada. Repito:

no le den motivos para que piense que lo están vigilando. Queremos evitar un tiroteo en la terminal.

Barron dio su número, cerró el teléfono y luego usó una tecla rápida para llamar a otro móvil. Lo oyó sonar un par de veces y oyó una voz conocida:

—Dan Ford.

—Soy John. Estoy de camino al aeropuerto, terminal de Lufthansa. Hay un estudiante desaparecido de un grupo de alemanes; se llama Josef Speer, y hay un Josef Speer que ha hecho la facturación en el vuelo de Frankfurt. Creo que puede tratarse de Raymond.

—Tenía el presentimiento de que tenías un presentimiento. Estoy a medio camino del aeropuerto.

Barron esbozó una sonrisa: éste era Dan. Podía haber supuesto que estaría de camino.

—Tengo a los de seguridad de Lufthansa buscándolo. Puede que estemos dando palos al aire, puede que no. Sea como sea, que quede entre nosotros. Sólo lo sabemos tú y yo hasta que nos podamos asegurar.

—Eh, ¡me encantan las exclusivas!

Barron ignoró la broma:

—Cuando llegues, di a seguridad que vas conmigo y que te lleven hasta donde esté yo. Diles que yo te he dado permiso. Yo también se lo diré cuando llegue. Y, Dan... —hizo una pausa—. Ya sabes que lo estás haciendo por tu cuenta y riesgo.

—Igual que tú.

—Sólo quiero recordarte con quién te enfrentas. Si es realmente Raymond, mantente al margen y limítate a mirar. Te estoy dando la oportunidad de tener una noticia, pero no te quiero muerto.

—Yo tampoco me quiero muerto, John, ni a ti tampoco. Ten cuidado, ¿eh? Ten muchísimo cuidado.

—Claro. Nos vemos allí. —Barron cerró el móvil. No había querido involucrar a Ford de aquella manera, pero lo había hecho porque su llamada a seguridad de Lufthansa incluyó una condición que no le gustaba pero que se hizo necesaria: que llevaran a la policía del aeropuerto para cubrirlos en caso de que ocurriera algo. Lo hizo porque lo tuvo que hacer, por la seguridad de los pasajeros por si se trataba de Raymond. Pero al hacerlo, sabía que sería sólo cuestión de minutos que Red se enterara, y cuando lo hiciera, él y los suyos estarían de camino a LAX como si los hubieran disparado desde un cañón. Por eso Barron incluyó a Ford: quería a un representante importante de la prensa para que hiciera de testigo de lo que ocurría.

Por supuesto, todo esto daba por sentado que todo lo demás funcionaría, y eso giraba alrededor del principal factor de Barron: el tiempo. McClatchy y los demás seguían por algún lugar de la ciudad, y con la lluvia y el tráfico, incluso con luz y sirena, tardarían un poco en llegar hasta allí. Lo bastante, esperaba, para que todo hubiera terminado: que el estudiante Speer hubiera sido mandado a casa, o que Barron tuviera a Raymond esposado, rodeado por el servicio de seguridad de Lufthansa, los polis del aeropuerto y, probablemente, la policía federal perteneciente a la Administración de Seguridad en el Transporte; tal vez incluso agentes del FBI y, con suerte, Dan Ford de *Los Angeles Times*. En otras palabras, la situación sería demasiado pública, con demasiada gente de demasiadas agencias como para que Red pudiera llevar a cabo «el OK».

20:29 h

—John.

La voz de Red irrumpió de pronto por la radio, en el asiento contiguo. Barron se sobresaltó. Habían pasado apenas cuatro minutos desde que había hablado con la gente de Lufthansa.

—John, ¿estás ahí?

Barron vaciló, luego cogió la radio y contestó:

—Estoy aquí, Red.

—¿Dónde es, aquí? ¿Qué estás haciendo? ¿Qué ocurre?

La voz de Red era tranquila pero preocupada a la vez, como la de un padre cuando habla con su hijo. Era la misma voz que utilizó en su despacho cuando le mostró las fotos de los hombres que la brigada había ejecutado a lo largo de los años y luego le recordó, no tan amablemente, sus propias responsabilidades como miembro de la misma, y el precio que pagaría si actuaba contra ellos. El simple tono ya le bastaba a Barron para saber que si Red detectaba cualquier cosa en su voz que le hiciera sospechar que estaba actuando a solas para proteger a Raymond de la brigada, éste no sería el único que acabaría muerto.

—Estoy atrapado en el tráfico de La Tijera, cerca del LAX —dijo, con la máxima neutralidad posible—. El desaparecido Josef Speer ha comprado un billete de avión para el vuelo 453 de Lufthansa rumbo a Frankfurt hacia las siete de la tarde. Puede que se trate del chico desaparecido, pero también podría tratarse de Raymond. El vuelo sale a las 21:45.

—¿Y por qué no me has informado de inmediato? —la calma de la voz de Red había desaparecido de repente. En su lugar había un tono de exigencia rigurosa—. ¿Por qué has llamado antes a la aerolínea?

—Es sólo una suposición, Red, por eso. Seguramente será sólo el chico, Speer. He avisado a seguridad para asegurarme. Ellos tan sólo le localizarán y esperarán a que yo llegue y lo pueda identificar.

—Vamos para allá ahora mismo. Espéranos. No te acerques a él. No hagas nada hasta que lleguemos. Confirma que me has entendido, John.

De pronto, el coche de delante de John avanzó y le dio pista libre para salir del embotellamiento.

—Tengo espacio para salir del tráfico, Red, voy para allá.

Barron dejó la radio en el asiento de al lado, pisó el acelerador y el Mustang salió disparado por el arcén.

50

LAX, terminal internacional 6 Tom Bradley. En un café Starbucks. 20:44 h

Faltaba una hora y un minuto para despegar.

Raymond miró el reloj que había detrás del mostrador, luego pagó a la cajera y se llevó la taza de café y un cruasán a una mesita. Se sentó y miró a los escasos clientes de las mesas que lo rodeaban, luego tomó un sorbo de café y cogió el cruasán. No comió porque tuviera hambre, sino porque desde su detención había ingerido poco alimento y necesitaba comer. Tampoco podía perder de vista el reloj porque el tiempo resultaba ahora crucial. No podía pasar por los detectores de metal con las Berettas encima; debería deshacerse de ellas pero debía apurar hasta el último momento, una vez hubieran anunciado el embarque y los pasajeros ya estuvieran subiendo a bordo del avión. Entonces las tiraría, pasaría por los detectores, se dirigiría directamente a la puerta correspondiente y subiría al avión.

20:53 h

Raymond se acabó el café y se levantó educadamente para echar el vaso de papel y la servilleta de su cruasán a la papelera, mientras se preguntaba qué habría hecho la policía con sus llaves de la caja fuerte si tenía manera de localizar la caja a la que correspondían. Al mismo tiempo, se preguntó si habrían tratado de determinar el significado de las fechas y lugares que tenía anotados en su agenda. O el significado de las iniciales I.M.

20:54 h

Raymond abandonó la cafetería y salió al pasillo central, mirando al fondo, en dirección al control de seguridad de Lufthansa. Había una docena aproximada de personas esperando pasar. Sin retrasos. Sin nada que alterara la normalidad. Observó un momento más y luego volvió a mirar el reloj que había en el mostrador de Starbucks.

20:55 h

21:05 h

Barron miró a través del aguacero, tratando de ver el trazado de la carretera con el reflejo de los faros de los coches que avanzaban hacia él. Entonces se encontró en un cruce importante. La luz del semáforo cambió de verde a amarillo. Aceleró y cruzó justo cuando la luz cambiaba a roja. En aquel instante oyó un crujido en su radio y luego la voz de Red que hablaba a la central:

—Habla McClatchy. Solicito a la policía del aeropuerto que retrasen el embarque del vuelo de Lufthansa 453.

21:08 h

La lluvia aflojó ligeramente y Barron vio la señal que indicaba la calle Noventa y seis. Desaceleró y oyó el rugido profundo del tubo de escape del Mustang; luego aceleró y giró en dirección al aeropuerto.

—John —la voz de Red le llegó a través de la radio—. ¿Dónde estás?

—Entrando en el bucle del aeropuerto.

—Estamos a tan sólo unos minutos de ti. Repito lo que te he dicho antes. No lo persigas tú solo. Espéranos. Es una orden.

—Sí, señor. —Barron cortó la comunicación. Maldita sea, habían tardado menos de lo que imaginaba. Lo único que podía hacer ahora era mantenerse por delante de ellos y esperar que Dan Ford no estuviera mucho más atrás. Ahora se encontraba ya en el bucle y avanzaba rápidamente hasta la zona de las terminales.

Adelantó a un taxi y a una lanzadera del aeropuerto por el interior de la curva, luego se metió por debajo del nivel superior y al abrigo de la lluvia mientras adelantaba una limusina que parecía tan larga como toda una manzana.

21:10 h

Vio la terminal 2, la 3 y, finalmente, la terminal internacional Tom Bradley. Entonces se detuvo junto al bordillo en una zona en la que estaba prohibido aparcar y salió de un salto del coche, disparado.

—¡Eh, usted! ¡Aquí no se puede aparcar! —le gritó un agente de control de estacionamiento, grande y calvo, mientras se le acercaba bajando por la acera.

—¡Policía! ¡Es una emergecia! ¡Barron, brigada 5-2! —le dijo Barron, antes de acercársele y tirarle las llaves del coche—. Me lo vigilas, ¿vale?

En un abrir y cerrar de ojos cruzó la acera y desapareció dentro del edificio.

51

21:13 h

Raymond observó de nuevo la circulación de gente que pasaba por los detectores de metal del control de seguridad. Entonces oyó lo que había estado esperando:

—El vuelo de Lufthansa 453 está listo para embarcar por la puerta veintidós. El vuelo de Lufthansa 453 está listo para embarcar por la puerta veintidós.

El avión estaba embarcando; era la hora.

21:14 h

Cruzó el pasillo y entró en el mismo baño de caballeros en el que se había cortado el pelo y luego se había afeitado la cabeza. Estaba justo doblando la esquina hacia los urinarios cuando, de pronto, se detuvo. Había un cartel amarillo chillón colocado en el suelo justo al otro lado de la puerta: LIMPIEZA DEL LAVABO.

A lo lejos oyó otra vez que anunciaban el embarque del vuelo 453. Avanzó con gesto decidido y miró dentro del baño por la esquina. Un solo empleado de mantenimiento entraba justo en aquel momento en la cabina de uno de los retretes del fondo, fregona en mano. Directamente delante de él, pasado el cartel amarillo, había un cubo grande de plástico amarillo lleno de agua sucia con detergente. Raymond miró de nuevo detrás de él y luego rodeó el cartel y se sacó las dos Berettas automáticas del cinturón. Miró otra vez rápidamente hacia el hombre que fregaba dentro de la cabina, las lanzó al cubo y luego esperó apenas un segundo, hasta asegurarse de que ya no se veían. Una décima más, se volvió y salió del baño.

21:16 h

Barron subió las escaleras de dos en dos. Dos empleados de seguridad de Lufthansa, con sendos uniformes oscuros, corrieron detrás de él. A pesar de la petición de McClatchy y a pesar de disponer de copias claras de las fotos policiales de Raymond, ni el servicio de seguridad de Lufthansa ni la policía aeroportuaria de paisano habían sido capaces de localizarlo entre los numerosos pasajeros. Ni tampoco habían querido actuar con una agresividad mayor, por miedo a alertarlo. Lo único que pudieron hacer fue buscar a un hombre de su talla y edad vestido con vaqueros, cazadora tejana y gorra de béisbol... y tal vez el pelo teñido de lila.

—Localicen al agente que le ha vendido el billete a Speer —dijo Barron al llegar arriba de las escaleras y dirigirse pasillo abajo, hacia el control de seguridad—. Que se reúna con nosotros en la puerta de embarque.

21:18 h

Raymond estaba en la cola del control de seguridad. Al llegar a la cinta transportadora, se quitó los zapatos como hacían el resto de pasajeros, luego los puso junto a su bolsa negra en la cinta y pasó por el arco detector de metal.

21:19 h

Raymond recogió los zapatos y la bolsa de la cinta, luego se calzó y se dirigió hacia la puerta de salida. Nadie del servicio de seguridad pestañeó siquiera.

21:20 h

Halliday cortó rápidamente hacia los carriles centrales del bucle del aeropuerto y aceleró en dirección a la terminal Bradley. Aparcó el coche metiendo el morro entre un taxi y un monovolumen Chevrolet con las luces rojas y amarillas de emergencia de su coche de camuflaje todavía parpadeando por el cristal de atrás. Al cabo de unos segundos entró en la terminal mientras se colgaba su placa dorada de detective del bolsillo de la chaqueta y sacaba la radio.

—John, soy Jimmy. Acabo de entrar —dijo, mientras cruzaba el vestíbulo principal y se dirigía hacia las escaleras mecánicas que llevaban a las puertas de embarque de la planta superior.

151

21:21 h

Con las luces de emergencia encendidas, uno detrás de otro, los coches de McClatchy/Polchak y Valparaiso/Lee aparcaron junto al de Halliday en el espacio que el Chevrolet acababa de dejar libre. En un instante, los cuatro detectives salieron de sus vehículos, los cerraron con varios portazos y entraron en el edificio mientras se colgaban las placas de detectives.

21:22 h

—Estamos aquí, Jimmy. —La voz de Red se oyó por la radio de Halliday.

—Planta superior, puerta veintidós. —Halliday medio andaba, medio corría mientras hablaba con Red. Lo acompañaban dos agentes uniformados de la policía aeroportuaria de Los Ángeles y un agente de seguridad de Lufthansa—. De momento no se ha encontrado a Speer.

21:23 h

Raymond guardaba cola detrás de veinte o más pasajeros que esperaban para abordar el vuelo 453, con unos cien o más pasajeros deambulando a su alrededor por el mismo motivo.

«Casi —pensó—, casi.»

Entonces oyó a alguien por delante de él que murmuraba sobre algo que sucedía y levantó la vista hacia el personal de Lufthansa a la entrada del avión, que hablaban entre ellos. De pronto no dejaban pasar a nadie. Por alguna razón, estaban reteniendo la cola. Detrás de él alguien protestó. Como si se tratara de la respuesta, el sistema de megafonía empezó a anunciar:

—Rogamos su atención, por favor. El embarque del vuelo de Lufthansa número 453 con destino a Frankfurt va a retrasarse unos minutos.

Un gruñido colectivo barrió el grupo de pasajeros y Raymond sintió un malestar repentino que lo golpeaba. Miró a su alrededor y vio a dos agentes de la policía aeroportuaria, altos y armados, a menos de cuatro metros de él, que vigilaban a la gente.

Dios, ¿podía ser que el retraso fuera por su culpa? Volvió a pensar en la policía y su eficiencia fría, casi asombrosa. ¿Cómo podían saberlo? ¿Era posible que hubieran descubierto la identidad de Speer y lo hubieran rastreado hasta allí? No, eso era una locura. Imposible. Tenía que tratarse de otro problema.

Miró pasillo abajo para ver si había más policía, pero en vez de eso, lo que vio fue a la joven agente de Lufthansa que le había vendido el billete abriéndose paso entre la gente y andando hacia él. La acompañaban dos hombres con traje oscuro.

Dios bendito...

Se volvió de espaldas, tratando de pensar qué debía hacer. Entonces lo vio y el corazón se le subió a la garganta. John Barron avanzaba decidido por entre los viajeros; un hombre y una mujer con los mismos trajes oscuros que los anteriores le acompañaban. Los tres buscaban a alguien.

Entonces vio también venir a los otros, aquellos hombres cuyas caras estaban grabadas en su memoria para siempre: los hombres del aparcamiento. Y por si le había cabido alguna duda, su cabecilla le parecía inconfundible: uno al que llamaban Red, o Lee, el enorme negro americano que lo había visitado en la cárcel para preguntarle sobre la Ruger.

A su alrededor todo el mundo protestaba, se quejaba por el retraso y se preguntaba qué estaba pasando. Él se mantuvo bien quieto, buscando la manera de escapar.

21:29 h

—¿Hay algún rastro de él? —Red se acercaba a Barron. Lee lo acompañaba. Y con ellos iban la joven agente de billetes de Lufthansa y los dos agentes de seguridad de la aerolínea.

—No, de momento no. Y seguimos sin saber si se trata de Raymond. Al fin y al cabo, podría también tratarse del chico alemán, que podría haber decidido marcharse a casa.

Red miró a Barron a los ojos:

—Cierto —dijo, tranquilamente. Fue solamente un instante, pero Barron supo que Red no estaba de acuerdo con que hubiera hecho aquello por su cuenta.

De pronto Red miró al fondo, con los ojos enfocados más allá de la muchedumbre, y Barron supo que, como él, no creía que se tratara del chico alemán. Raymond estaba allí, en algún rincón.

Red miró a la joven vendedora de Lufthansa:

—¿Hablaba alemán?

—Sí, con fluidez. —La chica miraba a la gente, igual que lo había hecho Red, igual que lo hacían todos ellos—. Era muy guapo, con el pelo de color lila.

Red se volvió hacia Lee:

—Que acordonen el pasillo detrás de nosotros. Vamos a pasear entre la gente. Que no salga nadie hasta que hayamos terminado. —Se volvió bruscamente hacia Barron—. A partir de ahora eres mi socio, ¿entendido?

—¿Tu socio? —Barron se quedó atónito. En la brigada no había socios; todos eran intercambiables con cualquier otro de ellos. Ahora, de pronto, Red y él eran un equipo.

—Sí. Y esta vez quédate conmigo, no te vayas a tu...

¡Pum, pum, pum!

El retronar de los disparos se llevó lo que McClatchy iba a añadir a continuación.

—¡Al suelo! —Barron empujó a la agente de Lufthansa al suelo mientras los detectives se abrían paso, empuñando sus armas.

Durante una milésima de segundo el tiempo se detuvo y todo quedó inmóvil. Entonces irrumpió Raymond, que apareció disparan-

153

do por entre la gente, cruzando la zona de embarque en dirección al avión en una carrera a muerte.

52

—¡La gorra de los Dodgers! ¡Está en el *finger*! —Poco tiempo había permanecido junto a Red. Barron gritaba mientras corría en medio de la confusión general. La gente corría, gritaba, empujaba y berreaba, todos tratando de salir de allí. Por encima de todos ellos flotaba el olor acre de la pólvora.

Barron esquivó a un cura que corría en dirección contraria. Al mismo tiempo vio a los de seguridad de Lufthansa cerca del *finger*:

—¡Cierren el avión desde dentro!

Red corría detrás de él, abriéndose paso entre la confusión. Pistolas en mano, Polchak y Valparaiso, Lee y Hallyday hacían lo mismo, todos ellos acercándose al *finger*.

Detrás de ellos, el cura estaba arrodillado junto a los dos policías aeroportuarios que habían estado más cerca de Raymond; dos policías a los que había doblegado a la velocidad de la luz y por total sorpresa, lo mismo que hizo con los agentes del ascensor en el edificio del Tribunal Penal. Primero le quitó el arma sin miramientos de la pistolera al primero y cuando reaccionó le disparó a bocajarro; luego le metió dos balas en la cara al segundo cuando trataba de protegerlo. Entonces, con la pistola todavía levantada, saltó por entre la masa atolondrada y corrió hacia el *finger* que llevaba hasta el avión. Fue en aquel instante fugaz cuando él y Barron se cruzaron la mirada.

Barron se apostó bruscamente a la entrada del *finger*. Con la Beretta levantada con las dos manos, al estilo militar, escrutó cuidadosamente el túnel medio en penumbra. Estaba vacío. Al instante notó una presencia detrás de él. Se volvió rápidamente. Era Red. Tenía una actitud solemne, fría, desprovista de emoción.

—Ya entiendes lo que va a pasar cuando lo atrapemos.

Barron miró a McClatchy un milisegundo; luego sus ojos miraron más allá, buscando a Dan Ford. Si estaba, no lo vio. Volvió a mirar a Red y supo que tenía que olvidarse de Ford.

—Lo entiendo —dijo, y luego, de pronto, se volvió y se adentró en el *finger* con la pistola por delante.

Y

Bajo la suave luz podía ver el pasillo que viraba a la izquierda cinco metros más adelante. ¿Cuántas veces había pasado por un pasillo igual con la mente despreocupada? Sencillamente siguiendo a los demás pasajeros para abordar el avión sin pensar en quién más estaba allí, a la vuelta de la esquina, esperando a matarle cuando llegara.

—Aquí McClatchy. —Red seguía siendo su sombra y hablaba en voz baja por su radio—. Ponme con seguridad de Lufthansa.

Barron avanzó hacia la curva, con el corazón acelerado y el dedo en el gatillo de la Beretta. Esperaba encontrar a Raymond justo allí, al doblar la esquina, y estaba preparado para disparar al instante de verlo.

—McClatchy —volvió a decir Red—. ¿Está el sospechoso en el avión?

Barron contó a tres y dobló la esquina.

—¡No! —gritó de pronto y saltó hacia delante—. ¡Está fuera!

Al fondo del *finger* había una puerta abierta. Barron corrió hacia ella, se detuvo al alcanzarla, luego tomó aire y la cruzó. Se encontró arriba de la escalerilla exterior justo cuando Raymond empujaba una puerta de servicio a ras del suelo y corría al interior de la terminal.

Barron bajó la escalerilla a la carrera. Detrás de él podía ver a Red saliendo de la puerta mientras ladraba órdenes a la radio.

Abajo cruzó el asfalto y luego se detuvo rápidamente al llegar a la puerta por la que Raymond se había colado. Volvió a tomar aire y la abrió fácilmente para entrar en un vestíbulo bien iluminado por fluorescentes de techo. Avanzó. Justo enfrente, había una puerta a la izquierda. Tomó aire de nuevo. La abrió y se quedó inmóvil. Era una cafetería para empleados. Había varias mesas volcadas, media docena de empleados tumbados en el suelo, con las manos en la nuca.

—¡Policía! ¿Dónde está? —gritó Barron.

De pronto, Raymond se levantó desde detrás de una mesa volcada, justo delante de una puerta al fondo.

¡Pum, pum, pum!

La automática del policía asesinado bailó entre sus manos.

¡Pum, pum! Barron respondió y se echó al suelo. Rodó y volvió a levantarse, preparado para volver a disparar. La puerta estaba abierta, Raymond había desaparecido.

En un segundo Barron la había cruzado y bajaba por otro pasillo

155

a toda velocidad. De pronto, una puerta al fondo se abrió de golpe y apareció Halliday, Beretta en mano.

—¡Por aquí no ha entrado! —gritó Halliday.

Barron vio una puerta entreabierta a medio pasillo, entre los dos, y corrió hacia ella. Llegó el primero, se detuvo en seco y luego la cruzó para encontrarse en otro pasillo. Más abajo oyó un disparo, luego otro.

—¡Dios mío!

Ahora corría con todas sus fuerzas. Con los pulmones encendidos, empujó una puerta al fondo. Era la zona de equipajes. Había un empleado de maletas muerto en el suelo delante de él; otro estaba de rodillas y sangrando, tres metros más allá.

—¡Por allí! ¡Ha salido por allí! —El encargado herido señaló una cinta transportadora que llevaba las maletas hacia la Terminal.

Apartando maletas, cajas y bolsas, Barron se metió en la cinta.

¡Pum! ¡Ping!

Barron oyó el disparo y el eco. Al mismo tiempo notó algo que pasaba rozándole a pocos centímetros de la cabeza. Entonces se encontró subiendo por la cinta. Seis metros más adelante estaba Raymond, agachado entre equipajes. A estas alturas ya había perdido la gorra de los Dodgers y Barron se dio cuenta de que llevaba la cabeza rapada al cero.

¡Pum, pum!

Barron disparó. La primera bala impactó en una maleta grande al lado de la cabeza de Raymond. La segunda falló totalmente. Entonces vio a Raymond que se levantaba sobre una rodilla para disparar. Barron se echó al suelo esperando oír el disparo atronador, pero en vez de esto oyó un *clic* metálico. Luego lo oyó una vez más, y otra. Algo fallaba en el arma de Raymond.

Barron avanzó, al tiempo que se echaba a un lado, preparado para disparar. Pero era demasiado tarde: Raymond había desaparecido de su vista. Lo oía abriéndose camino por la cinta transportadora, apartando equipajes por el camino.

La cinta era estrecha y estaba diseñada para transportar maletas, no personas, pero si Raymond podía viajar en ella, también podía hacerlo Barron. Se embutió la Beretta en el cinturón, luego se agachó y empezó a subir, colándose entre dos bolsas grandes de golf. Un segundo, dos. Volvió a agacharse cuando la cinta pasaba por debajo de unos conductos eléctricos. Luego viró bruscamente a la izquierda y tuvo que agarrarse a una de las bolsas para no perder el equilibrio. De pronto se encontró a Raymond encima, que había caído como una rata enorme de la estructura de soporte de la cinta que había arriba. En un instante tuvo a Barron agarrado del cuello y levantó la automática atascada como si fuera un martillo.

Barron esquivó el golpe y luego le propinó un puñetazo en la cabeza. Lo oyó gritar y agarró la camisa de Raymond con la otra mano, tirando de él para darle otro puñetazo. Al hacerlo, Raymond volvió a levantar la automática. El movimiento fue rápido, corto y muy fuerte. El golpe le cayó a Barron en toda la oreja, y por un instante brevísimo perdió el mundo de vista. Entonces la cinta transportadora cedió debajo de ellos y cayeron los dos dando tumbos, uno tras otro, con maletas entre ellos. Un segundo más y volvían a estar en la cinta de maletas. La cabeza de Barron se despejó y vio muchas caras. De gente que gritaba y le decía cosas, pero él no entendía qué, ni por qué. De pronto se dio cuenta de que estaba de espaldas. Buscó la Beretta en el cinturón con la mano pero ya no estaba.

—¿Es esto lo que buscas?

Raymond estaba de pie delante de él, con su pistola en la mano, a dos palmos de su cara.

—*Dasvedanya.* —«Adiós», le dijo en ruso. Barron trató de apartarse, de protegerse de alguna manera del disparo.

—¡Raymond!

Barron oyó el ladrido de la voz de Red y vio cómo Raymond se daba la vuelta. Sonó un terrible rugido del tiroteo. Entonces Barron vio que Raymond saltaba de la cinta y desaparecía de su vista.

53

Dan Ford apareció por la puerta con un agente de seguridad de Lufthansa para ver cómo Raymond corría hacia él. Por un instante se cruzaron la mirada; entonces Raymond viró a un lado, apartando a un anciano de su camino, y salió disparado por una puerta corredera. Ford tardó un momento en darse cuenta de a quién había visto y de qué había ocurrido. Luego se dio cuenta de los gritos y alaridos que venían de la zona de recogida de maletas detrás de él. Se volvió y corrió hacia allá.

Red yacía en suelo en medio de un charco de sangre. La gente lo rodeaba estupefacta, demasiado horrorizados y atónitos para reaccionar. Ford corrió a acercarse en el mismo instante en que Barron se abría paso desde el otro lado, empujando a la gente, gritándoles que se apartaran. Los dos hombres alcanzaron a Red al mismo tiempo. Barron se arrodilló a su lado y le abrió la chaqueta, luego le apretó el pecho con las dos manos, tratando de detener la hemorragia.

—¡Que alguien llame a una ambulancia! ¡Que alguien llame a una puta ambulancia! —gritó, luego levantó la vista y se dio cuenta de que era Dan Ford a quien tenía al lado.

—¡Llama a una maldita ambulancia! —le gritó directamente—. ¡Llama a la maldita ambulancia!

—Se negaba a llevar chaleco —oyó decir a alguien Barron, antes de sentir un brazo que tiraba de él para apartarlo. Él se soltó.

—John, déjalo —le dijo la misma voz, tranquilamente. Barron levantó la mirada y vio a Roosevelt Lee de pie a su lado.

—¡Vete a la mierda! —le gritó.

Luego vio a Dan Ford hablando con brío con Halliday, Polchak y Valparaiso, señalando el camino por donde había ido Raymond. De pronto, los tres policías salieron corriendo en aquella dirección. Los ojos de Barron se volvieron de nuevo hacia Red y entonces oyó la voz de Lee, ablandada por las lágrimas.

—Es demasiado tarde, John.

El rostro de Barron reflejaba lo atónito que estaba y Lee lo tomó del brazo, lo levantó y le miró a la cara.

—Es demasiado tarde, ¿lo comprendes? El comandante ha muerto.

Aquellas palabras se quedaron flotando en el aire. Por todas partes había caras que miraban. Barron vio a Dan Ford que volvía, se quitaba la americana azul y tapaba la cara de Red con ella. Vio a Halliday, a Polchak y a Valparaiso que también volvían, respirando con fuerza, con las chaquetas mojadas por la lluvia. Vio cómo el enorme Roosevelt Lee los miraba moviendo la cabeza hacia ellos, con las lágrimas, ahora convertidas ya en gotas fluidas, resbalándole sin prisas por las mejillas.

Eran las 21:47.

54

El mismo miércoles, 13 de marzo. 22:10 h

Fue Halliday quien lo mandó a casa. Necesitaban que por la mañana hubiera alguien fresco en la oficina, le dijo; además, él y Valparaiso eran fuerzas suficientes para coordinar la caza de Raymond desde el aeropuerto. Lee y Polchak ya se habían ido para recorrer los kilómetros más largos de su vida hasta el barrio de Mount Washington, hasta el sencillo chalet de tres domitorios del número 210 de Ridgeview Lane para comunicarle a Gloria McClatchy que su marido había muerto.

—Conduce.

—¿Adónde?

—Adonde tú quieras. Sencillamente, conduce.

Dan Ford arrancó el motor y condujo el Mustang de John Barron hasta la salida del aeropuerto internacional de Los Ángeles, para luego girar al norte en dirección a Santa Mónica. La camisa y las manos de Barron estaban todavía manchadas con la sangre de Red. No parecía darse cuenta, allí sentado en el asiento del copiloto de su propio coche, mirando a la nada.

El hecho de que hubieran acordonado una zona de ocho kilómetros cuadrados alrededor del aeropuerto pocos minutos después del incidente, y que literalmente cientos de agentes de policía, apoyados por helicópteros y perros, hubieran empezado a peinar la zona para encontrar a Raymond Oliver Thorne no parecía importarle. Ni tampoco el hecho de que todos los vuelos de salida hubieran sido retrasados hasta que todos y cada uno de sus pasajeros hubiera sido cuidadosamente registrado para asegurarse de que Raymond no se había limitado a cambiar de aerolínea en su intento de fuga.

Lo que sí importaba era que Red McClatchy estaba muerto. Tal vez habría podido limitarse a disparar a Raymond en la cinta de las maletas sin antes gritar su nombre. O tal vez hubiera habido gente en medio y no podía haber disparado sin ponerlos en peligro. O tal vez había temido que si no distraía a Raymond en aquel preciso instante, en el segundo siguiente éste habría matado a Barron. Pero al final, en aquellos últimos segundos terribles se produjo un tiroteo breve y atronador, que significaba que Red había disparado a Raymond. El problema era que, por muy bueno que hubiera sido Red, Raymond era todavía mejor. O más rápido. O había tenido más suerte. Fuera lo que fuese, Red McClatchy estaba muerto y Raymond no.

Fuera lo que fuese que hubiera ocurrido, Red había salvado la vida de John Barron.

Red McClatchy, un hombre a quien Barron respetaba, desprecia-

159

ba y amaba con la misma intensidad. Que lo había convertido en su socio tan sólo unos minutos antes de que sucediera el horror.

Sin importar lo que hubiera hecho, o lo que la 5-2 tuviera intención de hacer, resultaba imposible considerarle mortal. Era un gigante, una leyenda. Los hombres como él no caían en el suelo de una terminal transitada de aeropuerto con todas las luces encendidas y doscientas personas deambulando alrededor de él, tratando de recuperar sus equipajes. No se morían en absoluto. Eran consagrados. Tal vez un día, dentro de cuarenta años, oirías que habían fallecido después de una larga jubilación. E incluso entonces, las notas necrológicas redactadas sobre él serían heroicas e interminables.

—En el garaje llevaba una chaqueta antibalas como todos nosotros. Pero no llevaba nunca el chaleco. No había caído en la cuenta —dijo Barron, mientras seguía con la mirada perdida, mientras la lluvia seguía cayendo, ahora con menor intensidad, convertida en un fino velo frente a los faros—. Tal vez se creía su propia leyenda. Tal vez pensaba que nada podía matarlo.

—Conociendo a Red, probablemente la única explicación es que esos accesorios no le gustaban. Eran de una época posterior a la suya —dijo Dan Ford a media voz, mientras seguía conduciendo—. Tal vez eso fuera para él razón suficiente.

Barron no respondió y la conversación concluyó aquí. Al cabo de una hora habían dejado atrás las luces de la ciudad y avanzaban en dirección norte, hacia las colinas por la autopista del Golden State, acercándose a las montañas Tehachapi. Para entonces la lluvia había amainado y el cielo se había cubierto de estrellas.

55

Al cabo de treinta y cinco minutos de haberse marchado del aeropuerto, Raymond se encontraba en el parking del Hotel Disneyland que daba al monorraíl encargado de transportar a los clientes del hotel al parque de atracciones. Por un instante sonrió divertido —no por haber escapado a una emboscada policial por los pelos, o por habérselas arreglado por salir del mismo modo que había llegado al aeropuerto, sencillamente subiéndose al primer autobús que pasaba en dirección a Disneylandia, incluso cuando las primeras sirenas empezaban ya a salir disparadas en dirección a la terminal in-

ternacional, lo cual significaba el comienzo de una enorme concentración de policía que invadiría la zona minuto a minuto—; sonrió
porque se acordó de que en 1959, el entonces presidente de la Unión
Soviética, Nikita Kruschev, había pedido visitar Disneylandia y el
gobierno de Estados Unidos le denegó el permiso. Fue un paso en
falso de la diplomacia que se convirtió en un amargo y emotivo conflicto internacional. Lo que no recordaba era lo que ocurrió finalmente. Era la extraña idiotez del asunto, imaginar lo que pudo ocurrir en las cámaras oscuras y hostiles de Washington y Moscú
cuando los pulgares de las superpotencias de la guerra fría se decan-
taban por denegar una confrontación nuclear con Mickey Mouse.

De pronto, su divertida ensoñación cesó. Sabía que la intensidad
de la cacería que lo acechaba estaba ya creciendo en forma de espiral.
Sabían cómo iba vestido y que llevaba la cabeza afeitada casi al cero.
Necesitaba un lugar en el que poder descansar a salvo, recapacitar y
tratar de ponerse de nuevo en contacto con Jacques Bertrand en Zúrich. Esta vez no para comentar su llegada a Frankfurt, sino, de nuevo, para hablar de la posibilidad de que un avión y un pasaporte lo
sacaran de California lo antes posible.

Los faros de otro aerobús cruzaron por delante de él, y luego el
vehículo se detuvo. Abrió las puertas y vio cómo bajaban un grupo
de turistas francocanadienses. Al instante, se incorporó al grupo y
entró con ellos al vestíbulo del hotel. Luego se metió en la tienda de
regalos. Volvió a utilizar la Euro/MasterCard de Josef Speer, esta vez
para comprarse una gorra de Disneylandia y una parka de *Piratas
del Caribe*.

Con el aspecto cambiado, aunque fuera sólo un poco, volvió a
utilizar el transporte público. Cogió el siguiente autobús de regreso
a la ciudad, pasando primero por el aeropuerto John Wayne para
cambiar allí de autobús, que lo llevaría hasta el único lugar en el que
estaba relativamente seguro de que podría pasar la noche sin que lo
molestara nadie: el apartamento de Alfred Neuss en Beverly Hills.

Al cabo de una hora estaba enfrente del mismo, pensando en la
manera de entrar. Suponía que un joyero americano y rico, incluso
si vivía en un apartamento modesto como el de Neuss, dispondría de
un sistema electrónico de alarma y tendría todas las puertas y ventanas aseguradas contra los cacos. Estaba preparado para inutilizar
una docena distinta de sistemas variados de seguridad, sencillamente aislando el cable de control hasta el lugar por el cual quería entrar,
para luego hacer un bucle con el mismo y volver a conectar la corriente a la estación monitor antes de hacer el corte, de modo que se

161

mantenía un circuito cerrado y se aparentaba que el sistema de seguridad estaba intacto cuando de hecho había sido alterado. Y estaba preparado para enfrentarse al sistema que tuviera Neuss, pero no fue necesario.

Alfred Neuss no sólo era excesivamente predecible, sino que además era arrogante. Lo único que protegía la entrada de su apartamento de Linden Drive era un cerrojo de puerta principal que el más simple de los ladronzuelos era capaz de desmontar, y veinte minutos exactos después de la medianoche, eso fue exactamente lo que hizo Raymond. A las 00:45 ya se había duchado, se había puesto un pijama limpio de Alfred Neuss, se había preparado un bocadillo de pan de centeno con queso suizo y se lo había comido acompañado de un trago de vodka ruso bien frío que Neuss guardaba en el congelador.

A la 1:00 —prefirió no utilizar el teléfono de Neuss, a pesar del complejo sistema de desvío de llamadas para evitar que en algún momento los detectives policiales pudieran rastrearlas con algún sistema sofisticado— estaba sentado frente al ordenador de Neuss en un pequeño despacho al otro lado del recibidor, con la Beretta de Barron encima de la mesa. En cuestión de segundos entró en el emulador de centralita, marcó el número de contacto en Buffalo, Nueva York, y luego, en red telefónica con su receptor, se conectó y mandó un mensaje codificado a una dirección de e-mail en Roma que sería reenviada electrónicamente a otra dirección de e-mail en Marsella, para luego desviarse a la dirección de e-mail de Jacques Bertrand en Zúrich. En él le decía al abogado suizo lo que había ocurrido y le pedía asistencia inmediata.

Luego se sirvió un segundo vaso de vodka ruso y después, exactamente a la 1:27 de la madrugada del jueves, 14 de marzo, mientras casi toda la policía de Los Ángeles andaba detrás de él, Raymond Oliver Thorne se metió en la enorme cama de Alfred Neuss, se tapó con la colcha y se quedó profundamente dormido.

56

Jueves, 14 de marzo. 4:15 h

—Stemkowski. Jake, ¿no?

John Barron se apoyó en la barra de la cocina de su casa alquilada del barrio Los Feliz de Los Ángeles, con un lápiz en una mano y el teléfono en la otra.

—¿Tiene el teléfono de su casa? Ya sé que son las seis y cuarto de la mañana. Aquí son las cuatro y cuarto —dijo Barron con energía. Al cabo de un momento garabateó un teléfono en un bloc de papel—. Gracias —dijo, antes de colgar.

Hacía diez minutos que un exhausto Jimmy Halliday lo había llamado con tres datos que acababan de llegarle. El primero era sobre dos Berettas de 9 mm encontradas en el cubo de un limpiador del lavabo de hombres de la Terminal de Lufthansa. Si llevaban alguna huella digital, el detergente del cubo las había disuelto, pero no había duda sobre la procedencia de las dos armas: habían pertenecido a los dos agentes del sheriff a los que Raymond asesinó en el ascensor del edificio del Tribunal Penal.

El segundo dato tenía relación con el test de balística del Sturm Ruger automático que se encontró en el equipaje de Raymond hallado en el *Southwest Chief*. Los tests comparativos demostraban sin lugar a dudas que era el arma usada para la tortura y muerte de los dos hombres de la sastrería de Pearson Street de Chicago.

El tercero era que acababan de llegar los informes de las indagaciones mandadas ayer tarde a las policías de San Francisco, México D.F. y Dallas... ciudades en las que la banda magnética del pasaporte de Raymond demostraba que había estado justo antes de ir a Chicago, que era un período de poco más de veinticuatro horas desde el viernes, 8 de marzo, hasta el sábado 9. Casualmente había habido asesinatos en las tres ciudades en este mismo período de tiempo. Tanto en San Francisco como en México D.F., las autoridades comunicaron que habían encontrado los cadáveres de hombres que habían sido brutalmente torturados antes de que el asesino acabara con sus vidas. Posteriormente les habían desfigurado totalmente el rostro a base de disparos a bocajarro. La víctima de San Francisco fue lanzada a la bahía; la de México dejada en una zona de obras abandonadas. El motivo detrás de la desfiguración de las víctimas parecía ser siempre el retraso en su identificación, para así dar al asesino tiempo para desaparecer, o que pasara tiempo antes de que descubrieran los cadáveres y se anunciaran los asesinatos, o ambos. Era el mismo *modus operandi* que Raymond había utilizado con Josef Speer. Halliday finalizó su llamada informándole de que seguía trabajando con las policías de San Francisco y México D.F. para ir ampliando la información sobre las víctimas de los asesinatos, y le pidió a Barron que hiciera lo mismo en Chicago.

Barron tomó un sorbo de un café instantáneo que se había pre-

163

parado a toda prisa, marcó el número que le habían dado y esperó respuesta. En el mostrador, junto a él, descansaba un Colt Double Eagle automático del calibre 45. Era su revólver, que había sacado de un cajón cerrado de su habitación para sustituir a la Beretta que Raymond le arrebató en el aeropuerto.

—Stemkowski —dijo una voz ronca y áspera al contestar el teléfono.

—Soy John Barron, policía de Los Ángeles, brigada cinco-dos. Siento despertarle, pero tenemos a un tipo a la fuga realmente peligroso por ahí.

—Eso he oído. ¿Qué puedo hacer?

Un tipo muy peligroso. Barron estaba solo en su casa, vestido con unos pantalones de chándal y una camiseta vieja. Podía haberse encontrado en pelotas en medio de Sunset Boulevard, en hora punta, daba igual. Quería toda la información que el investigador de homicidios Jake Stemkowski de la policía de Chicago pudiera darle sobre los hombres asesinados en la sastrería.

—Eran sastres —dijo Stemkowski—. Hermanos. De sesenta y siete y sesenta y cinco años de edad. De apellido Azov. Inmigrantes rusos.

—¿Rusos?

De pronto Barron pensó en las notas de la agenda de Raymond. «Embajada rusa/Londres. 7 de abril/Moscú.»

—¿Le sorprende?

—Puede, no estoy seguro —dijo Barron.

—En fin, rusos o lo que fueran, eran ciudadanos estadounidenses desde hacía cuarenta años. Hemos sacado un archivo de nombres rusos que abarca la mitad de estados del país. Treinta y cuatro sólo en la zona de Los Ángeles.

—¿Los Ángeles?

—Sí —gruñió Stemkowski.

—¿Son judíos?

—¿Está pensando en crímenes inducidos por el odio?

—Tal vez.

—Tal vez tenga razón, pero no se trata de judíos. Eran rusos cristianos ortodoxos.

—Mándeme la lista.

—Lo antes que pueda.

—Gracias —dijo Barron—. Y ahora, vuelva a la cama.

—No, ya me toca levantarme.

—Gracias de nuevo.

Barron colgó y se quedó quieto. Tenía delante el Colt Double Eagle del 45. A la derecha, cerca de la nevera, tenía la foto de él y Rebecca tomada en Saint Francis bajo la cual se leía: «Hermanos del año». Ahora no sabía qué hacer con Rebecca. Aunque hacía apenas cuarenta y ocho horas, todo lo sucedido anteriormente parecía quedar en un pasado muy lejano. El horror y la repulsión que sintió ante la ejecución de Donlan, al enterarse de lo que hacía la brigada, y llevaba haciendo durante tanto tiempo, ante la advertencia de Red y también la de Halliday... todo aquello parecía formar parte de otra vida, vivida cuando era un hombre mucho más joven. Lo único que ahora importaba era que Red estaba muerto y que su asesino andaba por ahí suelto. Un hombre del que no sabían prácticamente nada pero que seguiría matando una y otra vez hasta que fuera detenido. Esta sensación lo llenaba de rabia. Sentía cómo el corazón se le aceleraba y la sangre se le calentaba. Su mirada abandonó la foto y se centró en el Colt automático.

Fue entonces cuando tomó conciencia de lo que había ocurrido: se había convertido en lo que más temía. Se había convertido en uno de ellos.

57

Beverly Hills. El mismo día, jueves, 14 de marzo, 4:40 h

Raymond se inclinó frente a la pantalla del ordenador del pequeño estudio de Alfred Neuss. En ella aparecía un mensaje codificado de Jacques Bertrand en Zúrich. Traducido, decía:

«Los documentos se están preparando en Nassau, Bahamas. El avión ha sido dispuesto. Confirmación en breve.»

Eso era todo. La baronesa le había dicho antes que los trámites para que le prepararan un pasaporte y se lo mandaran al piloto que se lo llevaría tardarían un poco. Él le había dicho a Bertrand que lo cancelara todo después de prevenirlo sobre el hecho de que había abandonado el plan inicial y estaba de camino a Frankfurt. De modo que debían empezar el proceso otra vez de cero. No había sido culpa de nadie, simplemente, así era como estaban las cosas. No, esto no era cierto, era otra cosa.

Dios lo estaba poniendo todavía a prueba.

Santuario de Saint Francis, 8:00 h

Lo que John Barron estaba mirando ahora era de un color blanco puro. Luego vio la mano, con las puntas de los dedos cubiertas de rojo, tocar el blanco y dibujar un gran círculo escarlata. En el centro apareció un ojo, luego un segundo ojo. Luego, rápidamente, una nariz triangular. Y finalmente una boca, con las comisuras hacia abajo, triste, como la máscara de una tragedia.

—Estoy bien —dijo Barron. Intentó sonreír y luego se apartó de donde Rebecca estaba pintando con los dedos delante de su caballete, en la pequeña y abarrotada sala de arte de Saint Francis, para acercarse a una ventana abierta y contemplar la verde extensión de césped del jardín tan bien cuidado de la institución.

La lluvia de la noche anterior había sido como una ducha refrescante para la ciudad, de modo que ahora Los Ángeles estaba limpia y fresca y se empezaba a secar bajo una luz radiante. Pero esa pureza y ese brillo no hacían más que enmascarar la realidad de lo que Rebecca había dibujado: había muerto demasiada gente y él iba a hacer algo al respecto.

Barron se sobresaltó cuando sintió que le tiraban de la manga y se dio la vuelta. Rebecca estaba a su lado y se limpiaba los restos de pintura de los dedos con una pequeña toalla. Cuando hubo terminado, dejó la toalla a un lado, le tomó las dos manos entre las suyas y lo miró fijamente. Los ojos oscuros de la muchacha reflejaban todo lo que él sentía: rabia, dolor y pérdida. John sabía que ella intentaba comprender todo lo que le ocurría y que estaba enojada y frustrada por no poder decírselo.

—Todo va bien —le susurró, mientras la estrechaba entre sus brazos—. Todo va bien. Todo va bien.

Parker Center, 8:30 h

Dan Ford se había colocado en la primera fila de cámaras y micrófonos mientras el alcalde de Los Ángeles leía una declaración escrita.

—Hoy, los ciudadanos de Los Ángeles lamentamos la muerte del comandante Arnold McClatchy, el hombre al que todos conocíamos como Red. Ningún héroe, sólo un poli, como él mismo solía decir, que hizo el sacrificio supremo para que un compañero policía pudiera vivir...

Estas últimas palabras se le quedaron atrapadas en la garganta y tuvo que hacer una pausa. Luego se recompuso y prosiguió, añadiendo que el gobernador de California había ordenado que las banderas ondearan a media asta en el Capitolio del estado en honor de McClatchy. Posteriormente, anunció, siguiendo los deseos expresos del comandante, no se celebraría ningún funeral, sino «una sencilla reunión de amigos en su casa. Ya sabéis todos cómo odiaba Red los eventos lacrimógenos y quería siempre que acabaran cuanto antes cuando asomaba la sensiblería». Esbozó una breve sonrisa pero nadie se rio. Luego el alcalde le pasó el micro al jefe de Policía Louis Harwood.

El ambiente cambió bruscamente de sombrío a severo cuando Harwood dijo que, siguiendo sus propias órdenes, los miembros de la brigada 5-2 no estarían disponibles para la prensa. Punto. Estaban concentrados en capturar al fugitivo Raymond Oliver Thorne. Punto. Cualquier pregunta que tuvieran deberían dirigirla al departamento de Relaciones con la Prensa del LAPD. Punto y final de la sesión.

Los periodistas de la prensa local que acostumbraban a cubrir las informaciones del LAPD lo entendieron a la perfección. El resto, que a estas alturas ya casi sumaba el centenar —con más refuerzos de camino a medida que la prensa internacional empezaba a hacerse eco del caso— tuvo la sensación de que se los apartaba del epicentro de un drama enorme y en pleno desarrollo. Y así era, en efecto. Aparte del respeto que se pedía por el dolor y la intimidad de los hombres de la 5-2, el propio departamento de policía, afectado también por el dolor de la pérdida, estaba dolido con el tratamiento que la prensa estaba ofreciendo de todo aquel asunto.

Sin contar el homicidio de Red McClatchy, cinco agentes de policía más y dos civiles habían sido asesinados y el criminal seguía a la fuga. Como resultado, la fama legendaria de la brigada 5-2 como una de las unidades policiales más prestigiosas del país empezaba a tambalearse y a presentarse ante el público como no del todo inadecuada pero sí como algo irónica. De la noche a la mañana, la actuación de Raymond había convertido de nuevo a la ciudad de Los Ángeles en el Far West. De manera instantánea, un asesino a sangre fría se convertía en héroe de los tabloides, un forajido descarado y atrevido al que alguien había apodado como Ray *Detonante* Thorne y cuyas hazañas eran pasto de titulares que retumbaban por todo el mundo. Aparentemente desprovisto de conciencia y de pasado, Raymond Oliver Thorne se había convertido en una suma de John Di-

167

llinger y de Billy el Niño del siglo XXI. Era un asesino joven, guapísimo, intrépido y sin piedad que se salvaba de las situaciones imposibles a base de tiros y burlaba a la autoridad a cada encuentro. Y lo mejor era que estaba todavía prófugo, y cuanto más tiempo siguiera así, más aumentarían las audiencias ya enormes de la televisión y las astronómicas ventas de los periódicos.

Ese tipo de circo era algo que el LAPD no estaba dispuesto a tolerar, y menos ahora, cuando todos los periodistas querían entrevistar a algún miembro de la brigada. La solución más sencilla, y ésta fue la conclusión, era mantenerse aislados de los medios. Y eso era lo que habían hecho.

La única excepción era Dan Ford. El departamento sabía que podía confiar en él, no sólo para divulgar la verdad sino para guardar silencio cuando fuera consciente de que algo podía hacer salivar a los medios sensacionalistas, o intensificar el ambiente circense, o interferir con la investigación. Por ejemplo, su conocimiento del test de balística que relacionaba a Raymond con los asesinatos de Chicago. O las investigaciones que se estaban llevando a cabo sobre los homicidios con tortura de San Francisco y de México D.F. O, en un plano más personal, que al recibir la llamada de Halliday confirmando la relación con los asesinatos de Chicago, John Barron había dejado de lado momentáneamente su velo de dolor y se había puesto en contacto de inmediato con la policía de Chicago y con el detective asignado a los asesinatos de Pearson Street. Éste era el tipo de cosas que Dan Ford sabía pero que se guardaba para él, y éste era el motivo por el cual el departamento le hacía partícipe de sus investigaciones mientras que a los otros se los mantenía al margen.

58

Beverly Hills, 8:45 h

Raymond miraba a la pantalla del ordenador. Hacía exactamente cuatro horas que había recibido el e-mail de Jacques Bertrand. Ignoraba qué era lo que le impedía confirmarle el resto más rápido. Tenía ganas de coger el teléfono y llamarle, para exigirle una respuesta, pero no podía hacerlo.

Lo único que podía hacer era esperar y confiar en que éste no fuera el día en que la mujer de la limpieza o cualquier otro empleado del hogar de Neuss decidiera presentarse y le pidiera que se identificara y le dijera qué estaba haciendo allí. En vez de preocuparse, conservó la Beretta a mano y puso todas sus energías en hacer una búsqueda sistemática en los archivos del ordenador de Neuss y luego en su apartamento: abriendo cada cajón, armario, cómoda, mueble, maceta; inspeccionando literalmente cada palmo del espacio en busca de otra llave de caja fuerte o de cualquier información que pudiera indicarle la localización de la que buscaba. No encontró nada de nada. Lo más que se le acercó fue un falso cajón del tocador en el que la esposa de Neuss guardaba las joyas. Las joyas estaban. La llave no. La información tampoco.

Al final lo único que pudo hacer fue volver a poner las cosas donde las había encontrado y esperar a que Jacques Bertrand le confirmara lo que le había prometido.

Y esperar que nadie que hubiera visto los noticiarios por la tele ni leído el periódico de la mañana lo hubiera visto la noche anterior bajando por Linden Drive, o lo hubiera detectado desde una ventana al otro lado de la calle.

Zúrich, Suiza, a la misma hora. 17:45 hora local

La atención de la baronesa Marga de Vienne estaba concentrada en el televisor, exquisitamente encajado en las estanterías de caoba del elegante despacho de Jacques Bertrand situado en un cuarto piso del Lindenhof, una tranquila plaza que daba al barrio antiguo y al río Limmat.

Tan bella a sus cincuenta y dos años como lo había sido a los veinte, la baronesa —vestida con un traje oscuro de viaje, hecho a medida y de corte muy conservador, y con la larga melena recogida bajo un sombrero de lana virgen que le ocultaba casi todos los rasgos— se sentía claramente incómoda. Raras veces se encontraba cara a cara con su abogado. Sus asuntos solían despacharse a través de una línea de teléfono protegida y de un correo electrónico codificado, y desde luego, cuando se encontraban no era ella quien iba a verle. Pero esto era distinto. Había venido a Zúrich porque las cosas habían cambiado radicalmente. Lo que hacía unos pocos días había sido una operación cronometrada y programada con precisión, pero básicamente sencilla, se había convertido en una pesadilla provocada por una cadena de casualidades imprevisibles. La propia supervivencia de Raymond dependía ahora tanto de ellos como de él mismo. Lo que harían el viernes en Londres o el 7 de abril en Moscú ahora tenía que ser totalmente replanteado.

Tampoco tenían manera de saber si Neuss o Kitner sospechaban quién había cometido los asesinatos en América. Ni siquiera si hubieran visto su cara en televisión, era dudoso que después de todos aquellos años lo reconocieran, en especial porque recordarían a alguien con el pelo y las cejas oscuras, y no al hombre rubio con cejas rubias y la cirugía plástica en la nariz que cambiaba radicalmente su aspecto facial. Sin embargo, estaba claro que Neuss se había marchado a Londres de manera improvisada, y lo más probable era que lo hubiera hecho porque temía que quien fuera que había matado a los demás pudiera ir luego a por él. Además, una vez en Londres se encontraría con Kitner para decidir cuál era el siguiente paso, lo cual era muy probable que supusiera trasladar las piezas de donde estuvieran ahora hasta otra caja fuerte en otro lugar, complicando así las cosas todavía más.

Sin embargo, por muy inquietante que esto resultara, no era ni la mitad de preocupante de lo que ahora estaban viendo por la pantalla del televisor de Bertrand: la foto de Raymond divulgada en una emisión especial de la CNN y, con la imagen, escenas grabadas en vídeo la noche anterior en el aeropuerto internacional de Los Ángeles, posteriores a su tiroteo con la policía local y al asesinato de tres de ellos —entre los que se hallaba un detective muy conocido y querido— cuando intentaba subir a bordo del vuelo 453 de Lufthansa con destino a Frankfurt.

El repentino pitido del teléfono de Bertrand interrumpió la noticia y él respondió. Cuando lo hizo, la mano enguantada de la baronesa apretó un botón del mando y la tele quedó en silencio.

—Sí —dijo Bertrand en francés—. Sí, por supuesto. Notifíquenmelo de inmediato. —Colgó y miró a la baronesa—: Ya está. El avión está en el aire. El resto está en sus manos.

—Dios nos está poniendo a todos a prueba.

La baronesa volvió a girarse hacia el televisor para ver un montaje editado a toda prisa sobre la operación policial de búsqueda de Raymond que reflejaba cómo los distintos departamentos policiales de California tomaban posiciones para capturarlo. Mientras lo miraba, sus pensamientos se fueron hacia su interior y se preguntó si Raymond era lo bastante fuerte para superar aquello.

O si tenía que haberlo presionado todavía más.

Los Ángeles. Parker Center, 9:05 h

Barron recorrió rápidamente un pasillo interno mientras hablaba por el móvil con Jake Stemkowski en Chicago. A pesar de la orden del jefe Harwood, un grupo de periodistas había intentado acorralarle a su llegada, justo cuando contestaba a la llamada de Stemkowski. Los agentes habían obligado a la prensa a retroceder y él se metió por una puerta lateral para subir por un ascensor de la parte trasera, donde sacó el móvil tan pronto como vio que tenía la cobertura suficiente.

—Hemos hecho una lista de los nombres y direcciones rusos que se encontraban en el archivo de los hermanos Azov asesinados —dijo Stemkowski—. Se lo mando todo por fax. Seguimos trabajando en ello y nos pondremos en contacto en caso de surgir cualquier novedad.

—Gracias —contestó Barron.

—Y siento mucho lo de su comandante.

—Gracias.

Barron cortó la llamada y abrió la puerta de la sala de la brigada 5-2. Polchak estaba allí; también Lee. Estaban de pie junto a la ventana más cercana a su mesa, como si lo esperaran. Notó que habían bebido, pero no estaban borrachos.

—¿Qué ocurre? —dijo, mientras cerraba la puerta detrás de él.

Ni Lee ni Polchak contestaron.

—¿Se han ido a casa Halliday y Valparaiso?

—Se han ido, sencillamente —dijo Polchak lacónicamente. Llevaba el mismo traje que le había visto en el aeropuerto; tenía la mirada endurecida e iba desafeitado—. Dejaste que ese hijo de puta te quitara la pistola. La has cagado bien cagada. Pero eso ya lo sabes.

Barron miró a Lee. Como Polchak, llevaba la misma ropa que la noche anterior y tenía la misma mirada dura, la misma barba sin afeitar. Ninguno de los dos había pasado por casa después de darle la noticia a la esposa de Red. Claramente, ninguno de ellos estaba en su mejor estado emocional, pero eso daba igual. Para ellos Red había sido un dios y Barron era un capullo novato que tendría que haber matado a Raymond y no lo hizo, y luego lo había empeorado todavía más dejando que Raymond le quitara el arma y matara con ella a Red. Estos hechos juntos convertían en inequívoco lo que veía ahora en sus rostros. Lo culpaban de la muerte de Red.

—Lo siento —dijo, a media voz.

—¿Vas armado? —Los ojos de Polchak estaban llenos de un asco que bordeaba el odio.

—¿Por qué? —De pronto Barron desconfió de ellos. ¿Lo odiaban lo bastante como para matarle allí mismo?

—Raymond te quitó el arma —dijo Lee—. Mató a Red con ella.

—Ya lo sé. —Barron miró a los dos hombres y luego se abrió la cazadora lentamente. El Colt del 45 descansaba en la funda de su cintura—. La tenía en casa —dijo, antes de que la cazadora volviera a taparlo—. Lo que sintáis por mí ahora no importa. Lo único que importa es sacar a Raymond de la calle, ¿no es así?

Polchak se quedó inmóvil, buscando la mirada de Barron. Finalmente gruñó:

—Sí.

Barron miró a Lee:

—¿Roosevelt?

Por un largo instante, Lee se quedó en silencio. Se limitaba a mirarlo como si intentara decidir qué iba a hacer. Por primera vez, Barron se dio cuenta de lo alto que era. Enorme, como si pudiera aplastarlo con un dedo.

Un pitido del fax interrumpió el momento con la transmisión del documento de Stemkowski desde la policía de Chicago. Fue suficiente y Lee hizo que sí con la cabeza:

—Sí —dijo—. Tienes razón.

—De acuerdo —dijo Barron, mirándolo a los ojos, antes de ir a recoger el fax que acababa de llegar.

Intentó no prestarles atención mientras examinaba la lista de teléfonos que Stemkowski había recopilado de la agenda de los hermanos asesinados. Azov, su apellido, era ruso, como lo eran la mayoría de nombres de la lista. La mayoría de direcciones estaban distribuidas por el sur de California, principalmente en Los Ángeles y sus alrededores. Unas cuantas pertenecían a la zona norte, en la bahía de San Francisco.

Barron leyó la lista una vez y luego lo volvió a hacer. La primera vez se le pasó por completo, y estuvo a punto de sucederle lo mismo la segunda. Estaba dispuesto a tirar el documento a la papelera cuando algo le llamó la atención y volvió la vista atrás. Había un nombre a tres cuartos de la página que no era ruso, o al menos no lo parecía, pero la dirección a la que correspondía le sonaba demasiado. De pronto miró a Lee y Polchak:

—Las víctimas del asesinato de Chicago tenían un amigo en Beverly Hills. Tiene un negocio a pocos pasos de la pizzería en la que la chica dijo haber visto a Raymond, y sólo a unas manzanas de donde la policía de Beverly Hills encontró el coche con el cadáver del diseñador. La dirección es 9520 Brighton Way. Se llama Alfred Neuss.

9:17 h

59

Beverly Hills, 10:10 h

Raymond volvió a consultar la pantalla del ordenador para ver si le llegaba el mensaje de Bertrand. Seguía sin haber nada. ¿Qué había ocurrido? ¿Por qué no había respuesta?

¿Tal vez Bertrand, sencillamente, no dispusiera de más información? ¿Habrían tenido problemas para conseguir un avión y un piloto? ¿O tal vez el problema había surgido al intentar obtener un pasaporte, y el retraso al facilitárselo al piloto? ¿Habría surgido algún otro problema? Sólo Dios lo sabía.

Raymond apartó enojado la vista de la pantalla. ¿Cuánto tiempo podía seguir esperando? A estas alturas, afuera en la calle había cada vez más actividad: jardineros, personal de mantenimiento, gente que hacía entregas, conductores que aparcaban y luego recorrían la corta distancia hasta Wilshire Boulevard y los comercios y oficinas cercanos.

Volvió a mirar a la pantalla. Todavía nada.

Se dirigió al pasillo, luego a la cocina y luego volvió al estudio, mientras su nivel de ansiedad iba creciendo minuto a minuto. Sabía que cuanto más tiempo permaneciera en el apartamento, mayores eran las posibilidades de que lo encontraran. Como medida de precaución había planeado una manera de escapar en caso de que ocurriera algo antes de que Bertrand le respondiera. La encontró en un juego de llaves del Mercedes azul marino de Alfred Neuss, que había descubierto cerrado y aparcado en una plaza de la parte trasera del edificio, en el callejón de servicio. Pero era solamente una manera de escapar en caso de emergencia. La realidad era que no tenía ningún otro lugar adonde ir.

173

10:12 h

Volvió a consultar la pantalla, convencido de que no iba a encontrar nada y de que volvería a maldecir a Bertrand. Pero esta vez se sorprendió de encontrar un mensaje esperándolo. También era codificado y, una vez descodificado, decía:

«West Charter Air, Nassau, Bahamas. El *Gulfstream IV* recogerá al hombre de negocios mexicano Jorge Luis Ventana en el aeropuerto municipal de Santa Mónica. 13:00 horas. Los documentos necesarios de identificación se encuentran a bordo.»

Eso era todo. Lo único que necesitaba. De pronto se metió en Internet y clicó en HERRAMIENTAS. Luego seleccionó OPCIONES DE INTERNET. En los ARCHIVOS TEMPORALES de Internet clicó en BORRAR ARCHIVOS y luego borró los CONTENIDOS EXTERNOS y clicó en ELIMINAR HISTORIAL. Estas acciones, combinadas con la maraña de servidores IP que había utilizado para ponerse en contacto con Bertrand, prácticamente impedirían que se pudieran rastrear sus mensajes de salida o de entrada.

Lo siguiente que hizo fue apagar el ordenador y dirigirse al armario de Neuss, del cual sacó el traje de lino que se había probado un rato antes. Los pantalones le venían algo cortos y la cintura un poco ancha, pero con un cinturón bien apretado, la chaqueta ocultaría el exceso de tela. De la cómoda de Neuss sacó una camisa blanca almidonada y una corbata cara a rayas rojas y verdes.

En unos minutos estuvo vestido, se estaba anudando la corbata y calzándose un sombrero de rafia al estilo Panamá para ocultar la cabeza afeitada. Una vez listo, cogió la Beretta de 9 mm de Barron de la cama y se la puso dentro del cinturón. Finalmente se miró en el espejo de cuerpo entero de Alfred Neuss. Tenía un aspecto más que presentable y sonrió satisfecho.

—Bueno —dijo, en español, y por primera vez en tanto tiempo como era capaz de recordar, se relajó. Al salir de un país en un avión privado no había que pasar el trámite de la inspección de pasaportes u otra documentación de identidad. Esos documentos los necesitaría al aterrizar, y estaba seguro de que los encontraría a bordo tal como Bertrand le había prometido. Lo único que tenía que hacer era llegar al aeropuerto de Santa Mónica, y ya tenía el medio de transporte: el Mercedes de Alfred Neuss.

—Bueno —volvió a exclamar. Finalmente, las cosas empezaban a salirle bien.

Una última mirada al espejo, un ajuste del sombrero y la corbata y se dirigió a la puerta. De pronto se detuvo, al decidir que, por prudencia, era mejor echar un último vistazo por la ventana. Pero, al hacerlo, se quedó petrificado. Fuera había un coche estacionado en doble fila del que John Barron salía en aquel preciso instante. Lo acompañaban dos de los detectives del LAPD que estaban en el aeropuerto y en el garaje en el que mataron a Donlan. Con ellos, y guiándolos hasta el edificio, iba la arrogante encargada de la joyería de Alfred Neuss.

10:19 h

60

Los cuatro desaparecieron de su vista, debajo del edificio. Obviamente, la encargada debía de tener la llave del apartamento o no los estaría acompañando. Eso significaba que era sólo cuestión de minutos, incluso de segundos, que llegaran a la puerta de entrada. No tenía tiempo para tratar de disimular que había estado allí. De prisa, Raymond entró en el baño y miró por la ventanita al callejón de atrás, preguntándose si tenían alguna patrulla de policía apostada en la parte posterior del edificio. Al parecer no era así.

En un instante cruzó la cocina, salió por al puerta trasera y bajó las escaleras. Al llegar abajo se sacó la Beretta del cinturón y abrió la puerta. Un camión grande de basura bloqueaba parcialmente el callejón mientras dos operarios recogían los cubos de los edificios. Por el otro lado había pista libre hasta la calle. Con la Beretta sujeta a un costado, Raymond abrió la puerta y se dirigió directamente al lugar donde estaba el coche. Tranquilamente apretó el botón del mando de las llaves que desconectaba la alarma y abría las puertas y se metió en el coche. En un momento el motor del Mercedes se puso en marcha y Raymond dio marcha atrás para meterse en el callejón. El camión de la basura estaba ahora más cerca, pero todavía le quedaba espacio para hacer la maniobra.

Hizo marcha atrás hasta donde pudo, luego puso el cambio de marchas en DRIVE y pisó el acelerador. El coche salió hacia delante... pero inmediatamente pisó el freno. Un segundo camión de la basura acababa de meterse desde el otro lado del callejón, dejándolo atrapado entre los dos.

175

10:23 h

Greta Adler era la mujer que quedaba al mando de la joyería Alfred Neuss cuando no estaban ni Neuss ni su esposa, y fue ella quien abrió la puerta del apartamento.

—Gracias —dijo Barron—. Ahora, por favor, espere aquí. —Miró a Lee y Polchak y luego sacó el Colt Double Eagle de la funda de su cintura y entró en el piso. Lee y Polchak iban justo detrás de él. Recibidor. Un pequeño despacho con ordenador. Sala de estar. Dormitorio. Cocina. Puertas abiertas, armarios revisados. Allí no había nadie.

—Inspeccionémoslo con más detalle. —Lee entró en la cocina, Polchak en la habitación.

Barron se guardó el arma y volvió a la puerta principal.

—Entre, señora Adler —le dijo.

—Señorita Adler —le corrigió ella mientras lo obedecía.

Greta Adler reconoció la foto de Raymond al instante en que Barron se la mostró, en la joyería. Había estado allí el día antes por la tarde, les dijo.

—Dijo que buscaba al señor Neuss y pareció sorprendido, hasta asombrado, cuando le informamos de que no estaba aquí sino en Londres.

—¿Conoce el señor Neuss a Raymond Thorne? —preguntó Barron.

—No lo creo.

—¿Había visto usted alguna vez a Raymond Thorne?

—No.

—¿Ni había oído tampoco mencionar su nombre al señor o a la señora Neuss?

—No.

—¿Les dijo el motivo por el que quería ver al señor Neuss?

—No le di la oportunidad —la mirada de Greta se endureció—. Por la manera en que iba vestido, lo que quería era que saliera de la joyería lo antes posible, de modo que, sencillamente, le dije que los señores Neuss estaban en Londres. Lo cual es cierto.

—La foto de Raymond ha estado saliendo por televisión y también ha aparecido en la portada de *Los Angeles Times* —dijo Barron con incredulidad—. ¿No la ha visto?

—No veo televisión. —Greta levantó la nariz—. Y tampoco leo el *Times*.

10:27 h

Con la ansiedad reflejada en el rostro y la Beretta en la mano, Raymond mantenía la mirada clavada en la entrada trasera del edificio de apartamentos, convencido de que Barron y sus compañeros aparecerían por ella como un tifón en cualquier momento. Pero no tenía nada que hacer. Los camiones de la basura seguían bloqueando el Mercedes entre ellos mientras sus conductores se enzarzaban cara a cara en una discusión en español por una deuda de dinero.

10:28 h

Lee salió de pronto de la cocina mirando a Greta Adler.

—¿Cuándo se marcharon los Neuss a Londres?

—El martes por la tarde.

—¿Tienen hijos, o hay alguien más que pueda haber estado en el apartamento?

—No, los Neuss no tienen hijos, y no hay nadie que pueda haber estado aquí. No son ese tipo de gente.

—¿Viajan muy a menudo? ¿Puede ser que dispongan de una persona que les cuide el apartamento cuando no están?

—No, viajan más bien poco. De hecho, casi nunca. No tienen por qué tener a alguien que cuide del piso en su ausencia. Y si lo tuvieran, me habrían informado.

Lee miró a Barron:

—Alguien ha estado aquí, y de eso no hace mucho. En la encimera de la cocina hay gotas de agua, y en el fregadero hay un vaso todavía mojado.

Polchak salió de la habitación en aquel instante.

—Ha sido Raymond.

—¿Cómo? —Barron y Lee levantaron la vista al mismo tiempo.

—Hay unos vaqueros en el suelo del armario como los que llevaba en el aeropuerto cuando disparó a Red. Y también una gorra y una cazadora de Disneylandia.

Lee miró a Polchak:

—¿Y qué te hace pensar que son de Raymond y no de Neuss?

—El señor Neuss se dejaría torturar antes de ponerse unos vaqueros —intervino Greta Adler—. Y lo mismo se puede decir de la ropa de Disney.

—Eso no quiere decir que sean de Raymond.

—No lo eran —dijo Polchak—. Apuesto la paga de un año a que originariamente pertenecían a Josef Speer. En la etiqueta pequeña pone que los vaqueros están comprados en unos grandes almacenes de Alemania.

Raymond abrió la puerta del Mercedes de un manotazo, se metió la Beretta en el cinturón, debajo de la chaqueta, y se acercó a los hombres enfrentados.

—Soy médico —dijo en un español apresurado—. Es una emergencia. Por favor, aparte el camión.

No le hicieron ni caso y siguieron discutiendo.

—¡Es una emergencia, por favor! —dijo, con más severidad.

Finalmente, el conductor del camión que bloqueaba la salida a la calle lo miró:

—Sí —dijo, a regañadientes—. Sí.

Y con una mirada muy dura hacia el tipo con el que había estado discutiendo, se metió en su camión y dio marcha atrás. Raymond anduvo doce pasos y entró de nuevo en el Mercedes, puso la marcha y lo hizo avanzar impaciente, esperando a que el callejón quedara libre.

Barron y Polchak bajaron rápidamente las escaleras de atrás. Lee iba detrás de ellos y llamó por radio a la policía de Bevery Hills para que les mandaran refuerzos. Los dos hombres se detuvieron al pie de las escaleras y sacaron sus revólveres. Barron miró a Polchak, éste asintió con la cabeza y salieron en estampida por la puerta.

De inmediato se detuvieron. El callejón estaba vacío excepto por los dos camiones municipales de recogida de basuras, con sus dos chóferes que seguían en el medio enzarzados de nuevo en la misma discusión.

61

12:05 h

GATILLO RAY VUELVE A ESCAPARSE, anunciaban al mundo las agencias de noticias de Internet. El Mercedes de Alfred Neuss había sido hallado y, de nuevo, Beverly Hills estaba sumido en un estado de casi toque de queda mientras la policía uniformada y de paisano, acompañada de perros y helicópteros, barrían una zona de más de siete kilómetros cuadrados. La prensa estaba encantada. Los residentes, la comunidad empresarial y los políticos ya estaban hartos. Para todos, el resultado era el mismo: la policía de Beverly Hills acababa de sumarse a la policía de Los Ángeles y a la brigada 5-2 como primeros aspirantes al título de «payasos de la década».

Mientras permanecía en el recibidor del piso de Alfred Neuss vigilando cómo la policía científica de Beverly Hills registraba el hogar del joyero de arriba abajo, a Barron no le importaba lo que dijera la prensa ni lo que pensaran los políticos. Los policías no eran ningunos payasos. El problema era que Raymond era un tipo increíblemente atrevido, y astuto hasta un extremo maníaco. Había ido al apartamento de Neuss porque sabía que estaba vacío. Era el único lugar con el que podía contar para descansar y refugiarse y confió en que allí no le encontrarían. Y si había ido a Los Ángeles para encontrarse con Neuss, posiblemente también para asesinarle, de lo cual estaban casi seguros, ¿qué mejor lugar para esconderse que el hogar de la propia víctima? Entonces le habían sorprendido y huyó, vestido con la ropa de Neuss, conduciendo su vehículo y dejando los principales interrogantes en el aire.

¿Quién era Raymond Oliver Thorne? ¿Y qué estaba haciendo? Todos le habían escuchado hablar inglés con un acento perfectamente americano, pero también se dirigió con un español impecable a los chóferes de los camiones de la basura y le soltó un *Dasvedanya* a Barron en la rampa de equipajes cuando estaba a punto de dispararle. *Dasvedanya* significa «adiós» en ruso, lo cual significaba que al menos conocía una palabra, y tal vez muchas más, en ruso. Un empleado medio del hotel Bonaventure afirmó que lo había oído conversar en alemán con Josef Speer. Y también la agente de billetes de Lufthansa les dijo que «Speer» hablaba alemán con fluidez.

Además, los hombres a los que asesinó en Chicago eran rusos, y el nombre de Alfred Neuss había sido hallado en su agenda junto a una lista de ciudadanos ruso-americanos. Cuando le preguntaron sobre el asunto, Greta Adler declaró sencillamente desconocer el motivo por el cual su nombre se encontraba en aquella lista. Según su conocimiento, su único contacto con los sastres era que una vez utilizó sus servicios en Chicago y luego pidió que le mandaran la factura a

179

la joyería. En cuanto a su propio patrimonio, el señor Neuss nunca lo había mencionado. De modo que, fuera cual fuese su relación con Neuss o con las víctimas de Chicago, de momento nada ayudaba a responder al enigma de quién era el pistolero políglota. ¿Un sicario internacional? ¿Un mafioso ruso? ¿Algún tipo de terrorista solitario con relaciones desconocidas? Y seguían sin tener manera de comprobar si tenía algún vínculo previo con Donlan.

Esas complicaciones no sólo enfurecían, sino que frustraban a Barron y le hacían plantearse todavía más preguntas. ¿Por qué había matado a los dos sastres de Chicago? ¿Y cuál era la explicación de los hombres torturados y asesinados en San Francisco y México D.F.? ¿Qué había venido a hacer Raymond a Los Ángeles? ¿Qué significado tenían las llaves de la caja fuerte? ¿Tenían alguna importancia los nombres, lugares y fechas anotados en su agenda?

Lunes 11 de marzo, Londres.

Martes 12 de marzo, Londres.

Miércoles 13 de marzo, Londres-Francia-Londres.

Jueves 14 de marzo, Londres. Con la breve leyenda escrita en ruso debajo —*Embajada rusa/Londres*— y luego, en inglés, *I.M. en el Penrith's Bar, High Street, 20:00 h.*

Viernes 15 de marzo. Uxbridge Street, 21.

Domingo, 7 de abril. Con la barra después del 7 y la palabra, también escrita en ruso, la nota decía: *7 de abril/Moscú.*

Y finalmente, ¿cómo cuadraba un joyero rico, respetado y de Beverly Hills desde hacía muchos años como Alfred Neuss en todo aquello?

Estaba claro que ellos lo ignoraban, pero tal vez Alfred Neuss supiera explicárselo. En estos momentos la policía metropolitana de Londres estaba intentando localizarle, y cuando lo hiciera era probable que el hombre tuviera una respuesta, o al menos pudiera arrojar cierta luz sobre lo que estaba ocurriendo. Pero de momento, nada de aquello contribuía a aclarar el paradero actual de Raymond. Ni cuáles eran sus planes. O quién caería herido, o tal vez muerto, cuando volviera a atacar.

12:25 h

Barron salió del recibidor para cruzar la cocina y bajar otra vez al callejón donde Polchak y Lee estaban trabajando con los detectives de Beverly Hills. Mientras bajaba se acordó de algo. Gracias a Greta

Adler, Raymond sabía adónde había ido Neuss. Si se les volvía a escapar y conseguía salir de Los Ángeles, lo siguiente que sabría de él sería a través de una llamada de la Scotland Yard que les comunicaría que Alfred Neuss había sido hallado muerto.

62

12:35 h

Raymond permanecía en silencio en el asiento de atrás del taxi, mientras el vehículo dejaba Olympic Boulevard por Bundy Drive, de camino al aeropuerto de Santa Mónica.

Había cogido el Mercedes de Neuss para ir al aeropuerto por sus propios medios, pero cuando apenas salía del callejón pensó que la mujer de la joyería de Neuss sabría qué coche tenía su jefe y de qué color. En pocos minutos se darían cuenta de que faltaba de su plaza de parking y ordenarían la alerta, de modo que cualquier intento de recorrer más que unas pocas manzanas, y desde luego de ir desde Beverly Hills a Santa Mónica con el intenso tráfico de mediodía equivaldría a pintar sus puertas de naranja fosforescente con las letras FUGITIVO BUSCADO DENTRO.

Por ese motivo decidió aparcarlo a medio kilómetro del apartamento de Neuss, cerrarlo y tirar las llaves a una alcantarilla. Al cabo de cinco minutos, vestido con el traje ocre de Neuss y su sombrero panameño, había cruzado Rodeo Drive y se metía en el elegante vestíbulo del hotel Beverly Wilshire. Dos minutos más y se encontraba en la entrada de vehículos trasera, esperando mientras un portero le pedía un taxi. Y sesenta segundos más tarde ya estaba sentado en el asiento trasero del taxi.

—Al Beach Hotel de Santa Mónica —le dijo al taxista en inglés, pero fingiendo un fuerte acento francés—. ¿Sabe dónde está?

—Sí, señor —dijo el taxista, sin mirarlo—. Ya lo conozco.

Al cabo de veinte minutos se bajó del taxi frente al lujoso hotel de playa de Santa Mónica y entró en el vestíbulo. Cinco minutos más tarde salía por una puerta lateral y paraba un taxi en la acera.

—Al aeropuerto de Santa Mónica —dijo, ahora fingiendo acento español.

—¿Habla usted español? —le preguntó el taxista hispano.

—Sí —dijo Raymond—, sí.

181

12:40 h

El taxi salió de Bundy Drive y se metió por una calle estrecha que corría junto a una verja de cadenas con avionetas privadas estacionadas al otro lado. Pasaron de largo de un desvío y luego el taxista se metió por el siguiente, hacia la terminal del aeropuerto.

El taxi redujo la velocidad a medida que se acercaban y Raymond se incorporó, mirando hacia la terminal y a las aeronaves estacionadas en el asfalto de más atrás. Parecían avionetas civiles, de hélices. No se veía ningún jet entre ellas. Ni tampoco ninguna de ellas parecía indicar que se trataba de un chárter. Consultó el reloj y se preguntó si el avión que Jacques Bertrand le mandaba venía con retraso o si había habido algún problema de comunicación, o mecánico, con el propio avión.

Un bimotor Cessna despegó a lo lejos. Y luego, nada. ¿Dónde estaba su avión? Raymond sintió que se le aceleraba el pulso y, al mismo tiempo, el labio superior se le llenaba de gotitas de sudor. ¿Qué tenía que hacer ahora, salir y esperar? ¿Llamar a Bertrand a Zúrich? ¿Qué?

«Tranquilo —se dijo—. Tranquilízate y espera.»

Se acercaban a la terminal y el taxista rodeó otro taxi, luego aminoró la marcha mientras esperaba que el tráfico de delante se despejara. Entonces fue cuando Raymond lo vio: un gran jet plateado Gulfstream con el nombre *West Charter Air* estampado en grandes letras rojas y negras a lo largo del fuselaje. Estaba aparcado en el asfalto al fondo de la terminal con la puerta de pasajeros abierta. Dos pilotos uniformados esperaban en el suelo, al lado, y charlaban con un operario de mantenimiento.

—Maldita sea, más policía —protestó de pronto el taxista hispano en español, y Raymond miró delante del taxi. Tres coches azules y blancos de la policía de Santa Mónica estaban estacionados directamente delante de la terminal, y en la puerta había policías de uniforme. Desde lejos resultaba imposible saber qué estaban haciendo. —Ya estoy harto —volvió a quejarse el taxista—. No sé quién es ese tipo, pero nos está amargando la vida a todos. Espero que lo atrapen y pronto, ¿me entiende? —Se volvió a mirar a Raymond por encima del asiento.

—Sí, yo también lo espero —dijo Raymond en español—. Aquí estará bien; me puede dejar aquí.

—OK —El taxista llevó el coche junto al bordillo y se detuvo a unos cincuenta metros de la terminal.

—Gracias. —Raymond le pagó con los dólares en efectivo de Josef Speer y bajó del vehículo.

Esperó a que el taxi se alejara y luego empezó a caminar hacia la terminal, preguntándose si habría otra manera de llegar al avión que no supusiera superar la barrera de policías, o si osaría pasar delante de ellos fingiendo ser el hombre de negocios mexicano que se suponía que era y usando su español.

Cuando estaba más cerca pudo ver a los dos policías que estaban sentados en el primer coche patrulla. Había cuatro más en la puerta de la terminal y ahora podía ver lo que hacían: comprobaban meticulosamente la identificación de todo aquel que entraba. Hubiera sido fantástico disponer de los documentos de identidad que Bertrand le había mandado, que sabía que estaban en el avión. Pero si intentaba explicar quién era sin ellos llamaría demasiado la atención. La policía le haría preguntas y dispondría de copias de su foto.

Miró al Gulfstream a través de la valla. Los dos pilotos seguían charlando, seguían esperando, pero no tenía manera de llegar hasta ellos. Vaciló y luego decidió no hacerlo, dio media vuelta y se alejó, de nuevo hacia la calle, por donde había venido.

63

Los Ángeles, 210 Ridgeview Lane, 20:10 h

La casa de Red era un chalet sencillo de una sola planta y tres dormitorios con lo que un agente inmobiliario llamaría «vista parcial de la ciudad» desde el patio de atrás. Esta noche, la vista era más que parcial. Con el cielo despejado y las ramas de los sicómoros que colgaban todavía desnudas, las luces de Los Ángeles alcanzaban casi hasta el horizonte como una galaxia. Era una visión más que mágica que atraía poderosamente la vista, y quien miraba se daba cuenta de que, en algún punto de aquella visión, estaba Raymond.

John Barron siguió mirando un breve momento, luego se volvió y anduvo más allá de un grupo de gente que charlaba discretamente en el césped, hasta el interior de la casa. Iba vestido con traje oscuro, como casi todos los demás.

En los cinco o diez minutos que llevaba fuera, el desfile de dolientes había crecido sustancialmente, y seguían llegando más. Uno a uno, se detenían a darle el pésame a la viuda de Red, Gloria, a abrazar a sus dos hijas, ya mayores, y a besar juguetonamente a sus tres nietos. Luego se trasladaban a otras partes de la casa para beber o tomar un tentempié y luego ponerse a hablar tranquilamente entre ellos.

Barron conocía de vista a la mayoría. El alcalde de Los Ángeles, Bill Noonan; Su Eminencia Richard John Emery, cardenal de Los Ángeles; el jefe de policía, Louis Harwood; el sheriff del condado de Los Ángeles, Peter Black; el fiscal del distrito, Richard Rojas; el venerable rabino Jerome Mosesman; casi todos los miembros del consistorio municipal; los entrenadores titulares de los equipos universitarios de fútbol, de la UCLA y de la USC. También había más altos cargos del LAPD, hombres a los que Barron conocía pero de los que desconocía los nombres; varias figuras prominentes del deporte y de los medios informativos; un actor oscarizado con su esposa; media docena de detectives veteranos, uno de ellos, Gene VerMeer, alto y de rostro curtido, del que Barron sabía que era uno de los mejores y más viejos amigos de Red; y luego estaban también Lee, Polchak, Valparaiso y Halliday, todos vestidos con la misma sobriedad que Barron y acompañados de mujeres a las que nunca había visto pero que suponía que eran sus esposas.

Barron, de pie, mientras contemplaba a la delgada y enérgica Gloria McClatchy —una prestigiosa profesora de escuela pública con una excelente reputación ganada a pulso— desempeñar con entereza y elegancia su papel de anfitriona, se sintió embargado por una emoción casi aplastante: dolor, rabia, sentimiento de pérdida, ira y frustración por no haber sido capaz de capturar a Raymond, todo combinado con lo que ahora ya empezaba a ser un enorme agotamiento físico y mental.

Era la primera vez que veía a Halliday y a Valparaiso desde la muerte de Red. Sabía que habían hablado con Polchak porque le había oído por la radio informándoles de lo ocurrido en el apartamento de Alfred Neuss. Ambos estaban ya en la casa de los McClatchy cuando llegó, pero estaban con las hijas de Gloria y Red y luego empezó a llegar más gente y ellos se separaron, y desde entonces no le habían buscado ni le habían prestado la más mínima atención. Tenía que asumir que no eran sólo Polchak y Lee los que le culpaban de la muerte de Red, sino también Valparaiso y Halliday, y tal vez también Gene VerMeer y el resto de detectives.

Y ahora, mientras los contemplaba a todos —a Lee y Halliday aguardando en silencio junto a sus esposas; a VerMeer y a los otros, que hablaban en voz baja entre ellos; a Polchak y Valparaiso, que se acercaban a un mueble bar improvisado en un rincón, para aferrarse a solas a sus copas, sin decir nada, con sus esposas en otro lugar—, empezó a ser consciente de la profundidad de su dolor y de lo insignificantes que eran sus emociones comparadas con las de ellos. Halliday, con toda su juventud, hacía muchos años que conocía a Red McClathy, que había trabajado codo a codo con él, que lo quería y que lo respetaba. Lee y Valparaiso llevaban más de una década trabajando a su lado. Y Polchak más tiempo que ninguno de ellos. Todos sabían que el peligro de muerte era inherente al trabajo, pero eso no les hacía aquel momento más llevadero. Ni tampoco lo hacía la consciencia de que Red había muerto para proteger al miembro más joven y nuevo de su equipo. Y todavía los ayudaba menos saber que el asesino seguía libre y que la prensa se estaba frotando las manos con la noticia. Pero quizá lo más problemático de todo era que sabía que estaban bajo el foco de la larga y orgullosa historia de la legendaria brigada y que sentían que no estaban dando la talla.

¡Ya bastaba! De pronto, Barron dio media vuelta y cruzó el pasillo hacia la cocina, sin saber qué hacer, decir o ni siquiera pensar. A medio camino se detuvo. Gloria McClatchy estaba sentada a solas en un pequeño sofá de cuadros en una sala que debía de haber sido el estudio de Red, con una sencilla lámpara encendida en un rincón. En una mano tenía una taza de café de la que no había tomado ni un sorbo; con la otra acariciaba tiernamente la cabeza de un viejo labrador que se sentaba a sus pies con la cabeza apoyada en su regazo. Estaba muy pálida, con el rostro envejecido y muy cansado, como si todo lo que había tenido le hubiera sido arrebatado bruscamente.

Ésta era la Gloria McClatchy que le había cogido las dos manos entre las suyas cuando llegó y, aunque no se habían conocido antes, lo miró a los ojos y le agradeció sinceramente que hubiera venido. Y que fuera tan buen policía. Y luego le dijo lo orgulloso que Red estaba de él.

—Maldita sea —juró para sus adentros, cuando las lágrimas empezaban a brotar de los ojos. De pronto dio media vuelta, volvió a la sala de estar y se abrió paso entre todas aquellas caras conocidas, tratando de encontrar la puerta principal.

—¡Raymond!

La voz atronadora de Red le resonó por la cabeza con tanta fuerza como si estuviera allí mismo. Un grito que apartó de Barron la atención mortífera del pistolero y la atrajo hacia él en lo que sería la última orden de su vida.

—¡Raymond!

Oyó a Red gritando de nuevo y casi esperó oír la explosión del disparo.

Luego se dirigió a la puerta, la abrió y salió al exterior.

El aire fresco de la noche le golpeó la cara medio segundo antes de que una pantalla de luz lo cegara con el brillo de lo que parecían cientos de cámaras de televisión. Desde la oscuridad de más allá del cerco mediático sonó un coro de voces que lo llamaban por su nombre. «¡John! ¡John! ¡John!», coreado por el grupo de periodistas invisibles que requerían su atención y le suplicaban que hiciera alguna declaración.

Los ignoró y cruzó la franja de césped hasta el cordón policial que mantenía alejada a la prensa. Le pareció haber visto a Dan Ford, pero no estaba seguro. En un momento logró alejarse de ellos y se encontró dentro de la oscura y relativa tranquilidad de aquella calle suburbana, camino del lugar en el que había aparcado su Mustang. Cuando lo había casi alcanzado una voz lo llamó por detrás.

—¿Adónde coño te crees que vas?

Se volvió. Polchak se dirigía andando hacia él por debajo del brillo de una farola. Se había quitado la chaqueta y la corbata y tenía la camisa medio abierta. Sudaba y respiraba con fuerza, como si hubiera perseguido a Barron corriendo desde la casa.

Polchak se detuvo y se balanceó sobre los talones.

—¡Te he dicho que adónde vas!

Barron lo miró. Esa mañana, en la sala de la brigada, le resultó evidente que había bebido pero no estaba borracho. Ahora sí lo estaba.

—A casa —dijo Barron, con calma.

—No. Vamos a tomar una copa. Sólo nosotros. Sólo los de la brigada.

—Len, estoy cansado. Necesito dormir.

—¿Cansado? —Polchak dio un paso hacia él, clavándole los ojos—. ¿Y qué cojones has hecho para estar tan cansado, aparte de volver a dejarlo escapar? —Polchak se le acercó todavía más y Barron pudo ver su Beretta embutida en el cinturón como si fuera una potente ocurrencia de última hora—. Y ya sabes de quién te hablo... de Raymond.

—No se me escapó sólo a mí, Len. Tú estabas allí a mi lado.

Barron vio cómo a Polchak le temblaban las aletas de la nariz en su rostro cuadrado instantes antes de abalanzarse sobre él. Lo agarró de la americana, lo empujó con fuerza y lo tiró de cabeza contra el Mustang.

—¡Lo han matado por tu culpa, pedazo de mierda! —gritaba Polchak, enfurecido.

Barron se tambaleó y se dio la vuelta con la mano levantada:

—No pienso pelearme contigo, Len.

El puño del detective se le estrelló entonces por sorpresa en algún lugar entre la nariz y la boca y lo mandó dando tumbos hacia la calle.

Polchak se le abalanzó de nuevo, esta vez usando los pies, pateándole en la cabeza, en las costillas, por todas partes que podía.

—¡Esto es por Red, hijo de la gran puta!

—¡Len, basta ya, maldita sea! —gritó Barron mientras se arrastraba por el suelo y Polchak lo seguía como enloquecido, pateándolo una y otra vez.

—¡Que te den por culo, gilipollas! —Polchak estaba ido, presa de la furia—. ¡Aquí tienes más, capullo de mierda!

De pronto apareció alguien por la espalda de Polchak y que trataba de tirar de él hacia atrás.

—¡Basta, Len! ¡Por Dios! ¡Déjalo ya!

Polchak se volvió, sin ni siquiera mirar, y le lanzó un gancho de revés sin contemplaciones.

—¡Aaah! ¡Mierda! ¡Coño! —Dan Ford se tambaleó hacia atrás, las gafas en el suelo, sujetándose la nariz con las dos manos mientras la sangre le resbalaba entre los dedos.

—¡Aparta de aquí, cretino! —le gritó Polchak.

—¡Len! —Ahora apareció Lee, resoplando por haber llegado corriendo, con la mirada volando rápidamente de Polchak a Barron, de Barron a Ford—. ¡Por Dios, basta ya!

—¡Vete a tomar por culo! —le gritó Polchak, con los puños levantados y el pecho agitado.

Luego apareció Valparaiso en medio de la oscuridad, detrás de Lee.

—¿Te diviertes, Len?

Polchak, de pronto, se quitó el cinturón y se lo envolvió en el puño:

—¡Te voy a enseñar cómo me divierto!

Entonces apareció Halliday:

—Basta ya, Len, apártate. —Halliday lo apuntaba directamente con su Beretta.

Polchak miró el revólver y luego miró a Halliday:

—No me vengas con esto.

—Tu esposa te está esperando, Len. Vuelve a la casa.

Polchak dio un paso hacia él, mirándolo a los ojos:

—Venga, úsalo.

—Len, por el amor de Dios. —Lee lo miraba fijamente—. Cálmate.

Valparaiso sonrió, como si, de alguna manera, aquella situación le divirtiera.

—Vamos, Jimmy, dispárale. Más feo no puede quedar.

Barron se levantó y se dirigió hacia Dan Ford. Llevaba una americana nueva, puesto que la vieja la había sacrificado para cubrir el cuerpo de Red en el aeropuerto. Encontró sus gafas y se las dio.

—Aléjate de aquí —le dijo, mientras sacaba un pañuelo del bolsillo y se lo ofrecía.

Ford cogió el pañuelo y se lo llevó a la nariz, pero, mientras, tenía toda su atención centrada en Polchak y Halliday.

—¡He dicho que te vayas! ¡Ahora! —le dijo otra vez Barron, ahora con tono brutal.

Ford le miró y luego se volvió bruscamente y se alejó por la oscuridad, hacia la casa y el grupo de periodistas.

Fue un intercambio del que Polchak no se dio cuenta. Durante todo aquel rato estuvo mirando a Halliday. Ahora se le acercaba un poco más mientras se abría la camisa, empujándola hacia atrás.

—Si tienes cojones, Jimmy, dispárame. —Polchak se tocaba el centro del pecho—. Aquí, en el corazón.

De pronto Halliday enfundó la Beretta:

—Ha sido un día muy largo, Len. Es hora de marcharse a casa.

Polchak levantó la cabeza:

—¡Eh! ¿Cuál es el problema? ¿Qué importancia tiene un muerto más, entre amigos?

De pronto miró a los otros, de pie bajo el semicírculo de luz que dibujaba la farola:

—¿Nadie quiere hacerlo? Pues entonces lo haré yo mismo.

Polchak quiso sacarse la Beretta del cinturón, pero no estaba. Atónito, se dio la vuelta, buscándola.

—¿Buscas tu revólver, Len?

Polchak se volvió.

Barron tenía la Beretta de Polchak en una mano, sin apretar. Le salía sangre de la nariz, pero no le prestó atención:

—Es tuyo. Si lo quieres, cógelo.

De un solo gesto, Barron deslizó la pistola por el suelo hasta que se detuvo entre él y Polchak.

—Vamos.

Polchak miró a Barron, con los ojos brillantes como los de una fiera salvaje:

—¿Piensas que no lo haré?

—Yo no pienso nada.

—Soy el único aquí que tiene lo que hay que tener —dijo Polchak, mirando a los otros—. Puedo matar a quien me dé la gana. Hasta a mí mismo. Mirad.

De pronto Polchak se inclinó y quiso coger el arma. En el mismo instante, Barron se le acercó y le dio una patada. Toda la inercia de la misma impactó en la mandíbula de Polchak e hizo que su cuerpo se levantara. Por unos momentos se quedó colgando en el aire, luchando contra la gravedad; luego se le doblaron las piernas y cayó desparramado al suelo.

Barron se acercó lentamente y recogió el revólver de Polchak. Lo miró unos segundos y luego se lo dio a Halliday. Todo él estaba agotado, retorcido, acabado.

Polchak yacía en el suelo ante ellos, con los ojos abiertos y la respiración entrecortada.

—¿Está bien? —preguntó Barron a quien quisiera responderle.

—Sí —asintió Lee.

—Me marcho a casa.

64

22:41 h

Barron llevó el Mustang más allá de las enormes buganvillas que bordeaban la entrada de coches y se metió en su plaza de parking. Le dolía todo; hasta quitarse el cinturón y salir del coche le resultaba una agonía. Subió el largo tramo de escaleras traseras, peldaño a peldaño. Dormir, sólo dormir, era lo único que pedía.

Con la llave todavía en la puerta, entró en casa y se metió en la cocina. El simple gesto de tocar el interruptor de la luz le representaba un esfuerzo, al igual que el acto de volverse a cerrar la puerta detrás de él. Respiró lenta y profundamente, una y otra vez. Tal vez las patadas de Polchak le hubieran roto alguna costilla, o tal vez sólo tuviera contusiones, no lo sabía.

Miró a través del rectángulo oscuro del recibidor que llevaba al resto de la casa. Le parecía que habían pasado dos años desde la última vez que estuvo en casa; y todavía más desde que había hecho algo relativamente normal.

Se quitó lentamente la chaqueta del traje y la echó por encima de una silla; luego se acercó al lavamanos para humedecer una toalla y limpiarse la sangre pegada de la boca y la nariz. Luego miró el contestador de su teléfono: había un 3 parpadeante. Tocó el botón de MENSAJES, el número cambió a 1 y oyó la voz de Pete Noonan, su amigo del FBI, a quien le había pedido que buscara en los bancos de datos de terrorismo si había información sobre Raymond.

«John, soy Pete Noonan. Lamento informarte de que no tenemos nada sobre tu amigo Raymond Thorne. Sus huellas no se encuentran en ninguno de nuestros archivos, ni nacionales ni internacionales. Y no hay ninguna información más sobre él. Sea quien sea, todavía no es de los nuestros. Seguiremos buscando. Ya sabes dónde encontrarme si necesitas algo más, de día o de noche. Siento mucho lo de Red.»

¡*Bip!* Acabó el mensaje y salió el número 2.

«John, soy Dan. Creo que tengo la nariz rota, pero estoy bien. Dentro de una hora estaré en casa. Llámame.»

¡*Bip!* Apareció el número 3.

John se volvió para colgar la toalla.

«Soy Raymond, John.»

Barron giró la cabeza como una bala y se le erizaron los pelos de la nuca.

«Lástima que no estés en casa. —La voz de Raymond sonaba tranquila y muy práctica, casi elegante—. Hay algo que deberíamos aclarar esta noche. Te llamaré dentro de un rato.»

¡*Bip!*

Barron se quedó mirando a la máquina. Su número no estaba en las páginas amarillas. ¿De dónde lo había sacado?

Cogió el teléfono rápidamente y marcó el número del móvil de Halliday. Sonó cuatro veces antes de que la voz grabada de la operadora le anunciara que el número marcado no estaba disponible. Barron colgó y llamó a Halliday a casa. El teléfono sonó pero no respondió nadie, ni le salió un contestador. Estaba a punto de colgar y probar con los otros, Lee o Valparaiso, cuando alguien respondió finalmente. Era una voz de niño:

—¿Diga?

—¿Está tu papá?

—Está con mi mamá. Es que mi hermano está vomitando.

—¿Le puedes decir que se ponga al teléfono, por favor? Dile que es muy importante.

Se oyó un fuerte golpe cuando el niño dejó el teléfono. Se oían voces a lo lejos. Al final Halliday cogió el auricular.

—Halliday.

—Soy John. Siento molestarte, pero me ha llamado Raymond.

—¿Cómo?

—Me ha dejado un mensaje en el contestador.

—¿Y qué decía?

—Que quería volver a hablar conmigo esta noche. Que me llamará más tarde.

—¿Cómo ha sabido tu número?

—Ni idea.

—¿Estás solo?

—Sí, ¿por qué?

—Porque si ha conseguido tu número, también puede averiguar tu dirección.

Barron miró a su alrededor y otra vez al rectángulo oscuro delimitado por la puerta que llevaba de la cocina al resto de la casa. Tocó distraídamente el Colt que llevaba en la funda del cinturón.

—Estoy bien.

—Te pincharemos el teléfono. Si vuelve a llamar, intenta alargar la conversación todo el tiempo que puedas. Él mismo se meterá en la trampa. Te mando ahora mismo una patrulla de vigilancia, para que tengas protección en caso de que decida hacerte una visita.

—De acuerdo.

—Es listo. Tal vez sólo lo haya hecho para acojonarnos.

—¿Cómo está tu hijo?

—La canguro le ha dado pizza. No sé cuánta se ha comido, pero la está sacando toda. Llevo diez minutos aguantándole la cabeza encima del retrete.

—Ve a cuidarle. Y gracias.

—¿Estás bien? —La voz de Halliday sonaba sinceramente preocupada.

—Bueno, un poco dolorido.

—Red era el mejor amigo de Polchak.

—Lo sé.

—Veremos lo que nos depara esta noche. Dejaré mi radio y mi móvil encendidos. Intenta dormir un poco.

—Sí. Gracias.

Barron colgó y miró el teléfono; luego sus ojos se centraron otra vez en el contestador. Estaba a punto de apretar el botón, a punto de volver a escuchar el mensaje de Raymond, cuando lo oyó.

Un sonido, leve pero claro, había sonado por detrás del rectángulo oscuro que llevaba al resto de la casa. El edificio era antiguo, de la década de 1920. Había experimentado varias remodelaciones pero los suelos eran todavía del roble original y por algunos lugares crujían al pisar.

Crac.

Volvió a oír el ruido de antes, ahora un poco más fuerte, como si alguien viniera hacia la cocina desde las habitaciones. Barron sacó el Colt de su funda. En medio segundo había cruzado la sala y junto a la ventana, con la espalda apoyada a la pared.

Con el revólver levantado y listo para disparar, aguantó la respiración y escuchó. Silencio. Levantó la cabeza. Nada. Estaba cansado, hecho polvo por la paliza de Polchak y por el cúmulo de emociones. Tenía los nervios de punta. Tal vez estuviera imaginando cosas. Tal vez...

Crac.

¡No! ¡Allí había alguien! Justo al fondo de la puerta. De pronto hubo un movimiento en el recibidor. Barron saltó como una flecha. Su mano agarró una muñeca y la retorció hacia él para apuntar con su automática en toda la cara de...

—¡Rebecca!

Con el corazón acelerado soltó a la muchacha y ella se encogió horrorizada.

—¡Dios mío! ¡Perdona, cariño! Perdona.

Barron dejó el arma y se le acercó, abrazándola con ternura.

—No pasa nada —le susurró—. Todo va bien, todo va bien...

Se quedó en silencio mientras ella levantaba los ojos y le sonreía. A pesar del susto de muerte que le había dado, con el pelo negro recogido detrás de las orejas, vestida con su camiseta y sus vaqueros, parecía tan frágil y bella como siempre.

No podía oírle, pero él se lo preguntó de todos modos porque sabía que era capaz de leerle los labios, al menos lo suficiente para entender una pregunta sencilla.

—¿Estás bien?

Ella asintió con la cabeza, escrutándolo.

—¿Por qué has venido?

Ella lo señaló.

—¿Por mí? ¿Cómo has venido?

—Bus —balbució ella.

—¿Se lo has dicho a sor Reynoso? ¿A la doctora Flannery?

Ella negó con un gesto de la cabeza y luego levantó la mano delicadamente para tocarle el rostro. Barron hizo una mueca y se volvió hacia el espejo que tenía detrás de la mesa del comedor. Polchak había hecho un buen trabajo. Tenía un buen moratón, azul y negro, alrededor del ojo izquierdo; la nariz hinchada y roja, y el labio superior igual. El pómulo izquierdo parecía más bien un pomelo, por lo hinchado y amarillento que estaba. Se volvió hacia Rebecca y vio el 3 rojo y grande parpadeando en el contestador. ¿Y si Raymond llamaba ahora y tenía que hacer algo? ¿O si se presentaba antes de que llegara la patrulla de vigilancia? La situación no era buena; tenía que hacer algo con Rebecca.

23:02 h

65

Viernes, 15 de marzo, 00:15 h

Barron tardó poco más de una hora en llevar a Rebecca de vuelta a Saint Francis, acomodarla en su dormitorio y volver a casa. Ahora, por segunda vez en menos de dos horas, estaba doblando la esquina del final de su calle y bajaba la pendiente frente a las casas oscuras hasta llegar a la suya.

«Bus», balbució Rebecca cuando Barron le preguntó cómo había llegado hasta su casa. Luego le explicó el resto escribiéndolo en una libreta, en el coche, mientras Barron la llevaba de vuelta a Saint Francis. Aquella mañana, cuando él la fue a visitar, ella supo que algo malo había ocurrido y que él estaba muy triste y preocupado, y estuvo muy inquieta todo el día. Al final quiso asegurarse de que estaba bien, de modo que, sin decírselo a nadie, por miedo a que se lo impidieran, sencillamente se marchó de Saint Francis a las 7:30 y tomó un autobús. Escribió la dirección adonde quería ir y el conductor del bus la ayudó. Le había resultado fácil: sólo un trasbordo y luego un pequeño tramo de diez minutos a pie, y llegó a la casa al cabo de una hora.

Entrar le había resultado fácil porque conservaba el juego de llaves que él le dio cuando se instaló. Fue un gesto por parte de John para que se sintiera tranquila en Saint Francis y supiera que en su casa siempre tenía un lugar.

Cuando llegó y vio que no estaba, decidió ponerse a mirar la tele. Al cabo de un rato se cansó y se quedó dormida. Cuando se despertó, vio que la luz de la cocina estaba encendida. No quiso asustarle; el único motivo por el que había venido era que era su hermano y que estaba preocupada por él.

Más adelante, dos casas más arriba del muro de las buganvillas, Barron advirtió el coche de vigilancia aparcado en el bordillo, con los faros apagados. Redujo la marcha, se detuvo al lado y bajó la ventanilla. El hombre al volante era Chuck Grimsley, un joven detective con quien había trabajado brevemente en Robos y Homicidios. Le acompañaba el veterano detective Gene VerMeer, a quien había visto hacía un rato en casa de Red.

—¿Alguna novedad? —preguntó Barron.

—De momento, no —dijo Grimsley en voz baja.

—Gracias por venir.

Gene VerMeer lo miró:

—Es un placer —dijo, fríamente.

—Hola, Gene. —Barron intentó mantener la cordialidad. Sabía que VerMeer era casi tan amigo de Red como Polchak.

—¿Qué te ha pasado en la cara? —le preguntó Grimsley.

—Ya sé que no tengo muy buen aspecto.

—Lástima que ya no sea Carnaval —dijo VerMeer, como si deseara haberle partido la cara él mismo.

Barron volvió a quitarle importancia:

—Me he dado contra una farola. Tengo que dormir, chicos. Voy a meterme dentro. ¿Estaréis aquí toda la noche?

—A menos que haya alguna novedad —dijo Grimsley.

—Nunca se sabe —comentó VerMeer, mirándolo, antes de apoyarse en el respaldo.

Barron forzó una sonrisa y dijo:

—Gracias de nuevo.

00:20 h

Barron metió la llave en el cerrojo y abrió la puerta, encendió la luz de la cocina y cerró la puerta detrás de él, como había hecho antes. Esta vez se fue directo al contestador. El gran 3 brillante todavía estaba. No había borrado ninguno de los tres mensajes y no había recibido ninguna nueva llamada. No importaba dónde estaba ni qué estaba haciendo Raymond; el hecho era que no había vuelto a llamar.

Y fuera el que fuera el asunto que tuvieran que resolver aquella noche, según las palabras de Raymond, no se había materializado.

Sin la fuerza ni la energía para sentarse a esperar algo que tal vez no llegara a ocurrir nunca, Barron se dirigió directamente a su dormitorio.

Sacó el Colt de su funda y lo dejó en la mesilla, al lado del despertador, luego se desnudó y fue al baño. Mientras se miraba al espejo, se maravilló de nuevo del buen trabajo que le había hecho Polchak. Su ataque había sido del tipo que los polis están entrenados para soportar, pero que no acostumbraban a venir de otros polis. Polchak estaba angustiado y borracho, pero ése no era su única motivación. Había algo más, y éste era el motivo por el que Barron no había respondido a la paliza. El propio Polchak.

No sabía si lo que había ocurrido esta noche era fruto de los años que Polchak llevaba en Homicidios, enfrentándose a lo terrible de la muerte a tantos niveles y durante tanto tiempo; de la pérdida de Red, en quien probablemente confiaba más que en su propia esposa o en sus propios hijos; sencillamente del mismo agotamiento, o de una combinación de todos estos factores, pero el caso era que Polchak estaba loco.

Ya había visto síntomas de ello con anterioridad: la manera casi alegre con que se había enfrentado al arma justo antes de que salieran tras Donlan en el garaje; el modo ansioso en que sujetó a Donlan esposado con las manos cuando sabía que Valparaiso estaba a punto de ejecutarlo; la frialdad con la que quitó las esposas al muerto y le puso la pistola en la misma mano; el odio con que miró a Barron en la sala de la brigada aquella mañana, culpándolo de lo que le había sucedido a Red. Y luego lo de esta noche.

Por eso no quiso enfrentarse a él. Sabía que, si lo hacía, ese simple hecho impulsaría a Polchak al límite y al final, el resultado podía muy bien haber sido la muerte de cualquiera de los dos.

Barron se cepilló los dientes todo lo bien que su cuerpo dolorido le permitió, y luego apagó la luz y volvió al dormitorio.

Cogió el Colt de la mesita, comprobó su carga, la dejó y se metió en la cama. Acercó la mano a la lámpara, apagó la luz y se acostó a oscuras mientras se esforzaba por dejar de lado los acontecimientos del día y dejar que el agotamiento se apoderara de él.

Suspiró mientras se tapaba con las sábanas, a oscuras, e hizo una mueca de dolor mientras se daba la vuelta para aferrarse a la almohada como un niño. Dormir era lo único que le importaba. Lo último que vio fue la luz de su reloj digital.

00:34 h

66

3:05 h

—¡No!

Su propio grito le arrancó del sueño más profundo de toda su vida. Estaba empapado en sudor y miraba a la oscuridad. Había visto a Raymond en sueños. Allí mismo, en su habitación, observándolo dormir.

Respiró profundamente, una vez y dos. Y se dio cuenta de que no pasaba nada. Por instinto buscó a tientas su revólver en la mesilla de noche. Lo único que encontró fue la suavidad de la madera lacada. Volvió a mover la mano por la superficie. Nada. Se incorporó. Sabía que había dejado el Colt allí encima. ¿Dónde estaba?

—Ahora tengo tus dos armas.

Barron se sobresaltó y volvió a gritar.

—Quédate exactamente donde estás. No te muevas para nada. —Raymond estaba de pie en medio de la penumbra, a los pies de la cama. Tenía el Colt de Barron en la mano y le apuntaba directamente con él—. Estabas muy cansado, así que te he dejado dormir. Dos horas y media no es mucho, pero ya es algo. Deberías agradecérmelo.

Raymond hablaba a media voz, tranquilamente.

—¿Cómo has entrado?

Barron lo veía apenas entre tinieblas mientras cruzaba del pie de la cama hasta colocarse de espaldas a la pared que había junto a la ventana.

—Tu hermana ha dejado la puerta abierta.

—¿Mi hermana?

—Sí.

De pronto, Barron se dio cuenta:

—Has estado aquí todo el tiempo.

—Bueno, llevo un rato, sí.

—¿Y la llamada?

—Me invitaste a llamarte y lo he hecho. Pero no estabas en casa. Entonces decidí que, si al fin y al cabo teníamos que acabar encontrándonos, por qué no venir directamente a tu casa. —Raymond se movió de nuevo, sólo un par de palmos pero lo suficiente para que

Barron viera que había salido de la alfombra en la que estaba antes y que ahora se ponía encima del parquet. No estaba dispuesto a perder el equilibrio ante un movimiento rápido del policía.

—¿Qué quieres?

—Tu ayuda.

—¿Por qué debería ayudarte?

—Vístete, por favor. Ponte el tipo de ropa que llevarías al trabajo. Lo que llevabas antes ya está bien —le dijo, acompañando la frase de un gesto con la cabeza hacia la silla de madera en la que Barron había dejado el traje, la camisa y la corbata que llevó para ir a casa de Red.

—¿Te importa que encienda una luz?

—La lámpara de la mesita, ninguna más.

Barron encendió la lámpara y salió lentamente de la cama. Bajo la luz tan pálida pudo ver a Raymond sujetando el Colt con seguridad. Llevaba un traje caro de lino tostado, con unos pantalones que le quedaban cortos y anchos de cintura, una camisa blanca que tampoco era de su talla y una corbata a rayas rojas y verdes. La Beretta de Barron, el arma que Raymond le había quitado en LAX y usado para matar a Red, le hacía bulto en la cintura, con la funda que tapaba la culata y el gatillo sobresaliendo detrás de la hebilla del cinturón.

—¿Este traje que llevas no será de Alfred Neuss, por casualidad?

—Por favor, acaba de vestirte. —Raymond apuntó a los zapatos de Barron en el suelo con el Colt.

Barron vaciló, luego volvió a sentarse en la cama para ponerse un calcetín y luego el otro. Un zapato y el otro.

—¿Cómo me has encontrado? —Se lo estaba tomando con calma, tratando de buscar la manera de derribar a Raymond físicamente. Pero el pistolero mantenía la distancia conscientemente, de espalda a la pared y con los pies sólidamente en el suelo de parquet, apuntando con el Colt al pecho de Raymond.

—En América parece haber tiendas de fotocopias casi en cada esquina. Son tiendas en las que uno puede alquilar ordenadores y acceder a Internet por minutos. Por muy poco dinero uno puede recibir y mandar mensajes electrónicos y, con pocos conocimientos, puede acceder a bancos de datos de prácticamente cualquier institución, incluidas las policiales. En cuanto a cómo llegué hasta aquí, a los taxistas de la ciudad parece importarles muy poco el aspecto de su pasaje.

197

—Lo tendré en cuenta. —Barron terminó de atarse los cordones de los zapatos y luego se levantó—. Dime otra cosa. Los asesinatos de Los Ángeles los puedo entender, puesto que tratabas de evitar que te detuvieran. Pero ¿qué hay de los hombres de Chicago, los hermanos Azov?

—No sé de qué me hablas.

—¿Y Alfred Neuss? —prosiguió Barron, sin inmutarse—. También ibas a matarle. Fuiste a su joyería pero no estaba. Eso debió de ser una sorpresa.

Raymond miró el reloj.

3:12 h

Volvió a mirar a Barron. La policía había inferido lo que suponía posible y había relacionado su arma con el doble asesinato de Chicago. Lo que le sorprendía era que hubieran descubierto lo de Neuss. Y puesto que habían estado en su establecimiento y habían hablado con la encargada, ahora también debían de saber que Neuss se había ido a Londres. Por tanto, se habrían puesto en contacto con la policía metropolitana de Londres, que intentaría interrogar al joyero directamente. Ya era bastante desgracia que Neuss se hubiera ido a Londres, pero que encima hablara con la policía complicaba mucho más las cosas.

De nuevo, volvió a mirar el reloj.

3:14 h

—Estás a punto de recibir una llamada en el móvil.

—¿En mi móvil?

—Tu teléfono fijo está pinchado. Con la esperanza de localizarme cuando volviera a llamarte, claro.

Barron lo miró detenidamente. La idea de que Raymond hubiera evitado todas las trampas y, de alguna manera, hubiera llegado hasta su casa, le provocaba estupefacción. Y ahora sabía incluso lo del pinchazo. Iba siempre un paso por delante de ellos y se mantenía allí.

—¿Quién me llamará?

—Un buen amigo tuyo, un tal señor Dan Ford, del *Los Angeles Times*. A las once y media de la noche le he mandado un e-mail de tu parte, diciendo que tu hermana había venido a tu casa y que ibas a acompañarla a su residencia, y luego le pedías que te llamara al móvil a las tres y veinte, exactamente. Él ha respondido que lo haría.

—¿Qué te hace pensar que somos amigos?

—Lo mismo que me hizo pensar que la joven es tu hermana y que su nombre es Rebecca. No sólo la he visto mientras miraba la tele y se quedaba dormida en el sofá, sino que tienes fotos suyas y de Dan Ford en la cocina. He leído los artículos del señor Ford sobre mí en el periódico. Le he visto en tu presencia un par de veces. Una en el aeropuerto de Los Ángeles y otra fuera del garaje, después de la ejecución de Frank Donlan.

Así que éste era el motivo de la visita de Raymond. Había visto a Barron como una vía de escape a partir del momento en que subió al coche después del asesinato de Donlan. Por eso lo empujó hasta el límite de sus nervios, para hacerle revelar la verdad en el Parker Center, después de que lo ficharan. Ahora intentaba de nuevo utilizarlo contra él como medio para intentar escapar.

—Frank Donlan se disparó a sí mismo —dijo Barron rotundamente.

Raymond le ofreció una sonrisa gatuna:

—Para ser policía, haces que la verdad sea demasiado obvia. Ya existía antes. Y sigue existiendo. Y siempre existirá.

El reloj marcó las 3:20. Hubo un silencio y luego el teléfono de Barron empezó a sonar. Raymond volvió a sonreír:

—¿Por qué no le preguntamos al señor Ford qué cree él que le ocurrió al señor Donlan?

El teléfono volvió a sonar.

—Cójelo y dile que espere un momento —dijo Raymond—. Luego me lo pasas.

Barron vaciló y Raymond levantó el arma.

—El revólver no es para amenazarte, John. Es para evitar que me ataques tú a mí. Para ti, el auténtico peligro es tu conciencia.

El teléfono volvió a sonar por tercera vez. Raymond le hizo un gesto hacia él y Barron lo cogió.

—Danny —dijo Barron, con calma—. Gracias por llamar. Ya sé que es tarde. ¿Rebecca? Estaba preocupada por mí. Se las ha arreglado para coger un autobús y venir hasta aquí. Sí, se encuentra bien. La he vuelto a acompañar a Saint Francis. Sí, sí, estoy bien. ¿Y tú?... Bueno. Espera un segundo, ¿eh?

Barron le pasó el teléfono a Raymond, que se lo apoyó contra el pecho para que Dan Ford no pudiera oírle.

—El plan es el siguiente, John: iremos a buscar tu coche. Yo iré en el asiento de atrás, para que no me vean por si fuera hubiera policía haciendo guardia, lo cual estoy seguro de que es así, asignada para protegerte por si se me ocurría completar mi llamada telefónica con una visita. Te pararás junto a ellos y les dirás que no podías dormir y que te vas al despacho. Les darás las gracias y te irás. —Raymond hizo una pausa—. El señor Ford es mi seguro de que me obedecerás.

—¿Seguro para qué?

—Para la verdad sobre Frank Donlan. —Raymond volvió a sonreír—. No querrás poner al señor Ford en la posición de tener que investigarte personalmente, ¿no? Dile que quieres que se encuentre contigo dentro de media hora. Tienes una información muy importante que sólo le puedes dar en persona.

—¿Dónde? —Barron se sintió atrapado. Raymond lo controlaba absolutamente todo.

—En el Mercury Air Center del aeropuerto Bob Hope, en Burbank. Hay un jet fletado que vendrá a buscarme. No es tan increíble como parece. Díselo. —Raymond le entregó el teléfono bruscamente.

Barron vaciló un instante y luego habló por el teléfono.

—Danny... hay algo de lo que tenemos que hablar y sólo puedo decírtelo personalmente. En el aeropuerto Bob Hope, en el Mercury Air Center, dentro de treinta minutos. ¿Puedes estar allí? —Barron hizo un gesto afirmativo con la cabeza al escuchar la respuesta de Ford—. Gracias, Danny.

Barron cerró el teléfono y miró a Raymond.

—En el aeropuerto habrá policía.

—Lo sé. Tú y el señor Ford os ocuparéis de hacerme pasar sin problema por delante de ellos.

Al cabo de dos minutos salieron por la puerta de atrás y bajaron las escaleras hasta el parking abierto, donde estaba aparcado el Mustang. Antes de salir Raymond le había hecho una última petición, que ahora llevaba puesta. Un complemento debajo de la camisa almidonada y del traje de lino que había cogido en el apartamento de Neuss: el chaleco antibalas de *kevlar* de John Barron.

67

3:33 h

Barron dio marcha atrás con el Mustang para salir del parking, luego bajó por la rampa para detenerse ante la pared de buganvillas que daba a la calle. Raymond iba en el suelo del asiento de atrás, directamente detrás de él, y Barron estaba convencido de que llevaba el Colt, o el Beretta, o ambos, en las manos.

Más arriba de su calle, a la izquierda, vio el coche de Grimsley y VerMeer. Ya debían de haber visto sus faros y debían de estar preguntándose qué ocurría.

Aceleró hacia ellos y luego redujo la marcha y se detuvo.

—No podía dormir —dijo, siguiendo las instrucciones de Raymond al pie de la letra—. Tengo demasiadas cosas en la cabeza, prefiero ir a trabajar. ¿Por qué no lo dejáis y os vais a casa?

—Lo que tú digas —bostezó Grimsley.

—Gracias de nuevo —dijo Barron, mientras ponía el Mustang en marcha y se alejaba.

—Bien —dijo Raymond desde atrás—, de momento.

Al cabo de un momento Barron se metió por Los Feliz Boulevard y luego en la autovía del Golden State, dirección norte, rumbo al aeropuerto de Burbank.

Raymond le había dicho que su verdadera amenaza no era un arma sino su propia conciencia. Luego Raymond se había protegido todavía más, o al menos dijo haberlo hecho. Su salvavidas estaba en forma de e-mails programados para que se enviaran automáticamente a una hora determinada al fiscal del distrito de Los Ángeles, al *Los Angeles Times*, al Organización por las Libertades Civiles del sur de California, a la oficina de Los Angeles del FBI, a la sede de la CNN en Atlanta y al gobernador de California.

En los e-mails se explicaba quién era y se decía lo que creía que le había ocurrido a Frank Donlan mientras se encontraba bajo custodia policial. Añadía que él estuvo con Donlan como rehén durante un tiempo y decía que la única arma que había visto en aquel período fue la que había utilizado para matar a las víctimas del tren: un arma que al final Donlan había lanzado a la policía en el garaje, antes de salir desnudo a rendirse para demostrarles que no iba armado. Estos e-mails programados, prometió Raymond, los retiraría más tarde —sin enviar, como dijo él—, cuando se encontrara en el avión y a salvo lejos de allí.

Según Raymond, lo que estaba haciendo era sencillamente evitarle a Barron la molestia de ser llamado ante un tribunal para tratar de determinar si había pruebas suficientes para juzgarlo a él y a sus compañeros detectives por el asesinato de Frank Donlan. Y en eso tenía razón, porque fuera lo que fuese que los otros dijeran o hicieran para protegerse ellos mismos y la brigada, a él le resultaría imposible mentir bajo juramento. Lo sabía él y lo sabía Raymond.

Por otro lado, si Raymond escapaba realmente, ¿qué? El hombre que había matado a Red McClatchy, a cinco policías más, a un diseñador de Nueva Jersey y a un joven alemán a sangre fría quedaría libre para continuar su racha asesina por cualquier razón retorcida que lo hubiera empujado a hacerlo la primera vez. ¿Cuántos inocentes más tendrían que morir antes de que acabara? ¿Y sería Alfred Neuss uno de ellos?

Así pues, Raymond estaba en lo cierto. Era un problema de conciencia. Y éste era el motivo por el que, unos minutos antes, cuando hablaba por teléfono con Dan Ford, le había llamado Danny. La última vez que lo hizo tenían nueve años y Ford le dijo claramente que odiaba que lo llamaran así y que quería que lo llamara Dan. Barron se rio y le dijo que era un creído y le volvió a llamar Danny. Como respuesta, Dan le dio un puñetazo en la nariz y lo mandó corriendo a casa, llorando, a buscar a su mamá. Desde entonces le llamó siempre Dan. Dan... hasta hacía unos momentos, cuando volvió a llamarlo Danny con la esperanza de que Ford se diese cuenta de que estaba en apuros y se lo estaba intentando transmitir.

68

Aeropuerto Bob Hope, 3:55 h

Raymond se acomodó en el asiento de atrás sólo lo suficiente para verlos pasar por el extremo oeste de la rampa de la pista de aterrizaje del aeropuerto, y luego ver cómo giraban por Sherman Way hacia el edificio de la terminal Mercury Air, una estructura moderna a cuatro vientos que se levantaba delante de la terminal principal.

Había empezado a caer una ligera llovizna y Barron puso los limpiaparabrisas. A través de los mismos, Raymond podía ver una serie de aeronaves privadas estacionadas detrás de la verja de cadenas que separaba la pista de la calle. Ambas estaban a oscuras.

La llovizna, la verja y las hileras de lámparas de vapor que iluminaban la calle y las filas de taxis daban un aire fantasmagórico e inquietante a toda la zona. La terminal Mercury Air y sus edificios comerciales de más abajo daban la sensación de formar parte de un complejo elitista de alta seguridad, protegido no por hombres sino por equipos técnicos.

—Ya hemos llegado. —Las palabras de Barron fueron las primeras que pronunciaba desde que se habían despedido de los detectives de la patrulla de vigilancia. Aminoró la marcha y luego aparcó el Mustang en una acera, delante de una puerta metálica. A un lado había un interfono sobre el cual colgaba un aviso que advertía a los clientes fuera de horario de que se pusieran en contacto con el mostrador principal a través del botón del interfono.

—¿Qué quieres que haga? —preguntó Barron.

—Toca el botón, como dice aquí. Diles que estás aquí para coger el *West Charter Air* Gulfstream, previsto para las cuatro en punto.

Barron bajó la ventanilla y tocó el botón. Respondió una voz y Barron dijo lo que le pedían. En unos instantes se abrió la puerta y entraron con el coche.

Al hacerlo vieron que en el parking había tres coches más estacionados a la izquierda. Estaban mojados y tenían las ventanas cubiertas de vaho por la humedad. Eso significaba que llevaban allí algún tiempo, tal vez toda la noche. Barron siguió avanzando.

Al cabo de cinco segundos llegaron a la entrada principal de la terminal. A su derecha había dos coches de la policía de Burbank. Dentro de la puerta había tres agentes de policía uniformados, observándolos acercarse.

—La policía está aquí.

—Busca al señor Ford.

—No le veo. Tal vez no haya venido.

—Vendrá —dijo Raymond, con una tranquilidad serena—, porque tú se lo has pedido.

Entonces Barron vio el Jeep Liberty verde oscuro de Dan Ford aparcado delante de una puerta iluminada que llevaba a la pista y a las avionetas estacionadas detrás. Había un coche de la policía de Burbank estacionado a su izquierda, con dos agentes uniformados dentro.

De pronto a Barron se le revolvió el estómago. ¿Y si lo de Danny no había funcionado? ¿Y si Ford estaba demasiado cansado o demasiado atontado por los antiinflamatorios para ni siquiera haberse dado cuenta? ¿Y si estaba aquí, con toda la ingenuidad, sólo porque Barron le había pedido que viniera, como Raymond había

203

previsto? Si era así, eso añadía otro eslabón de horror al asunto, porque si algo fallaba Raymond no vacilaría ni un segundo en matar a Ford.

69

Barron estaba a punto de volverse y decirle a Raymond que Ford no estaba y que probablemente no iría, cuando la puerta del Liberty se abrió y Dan salió del vehículo con su americana azul, pantalones de algodón, las gafas de pasta apoyadas sobre la nariz vendada, todo, excepto que ahora llevaba una gorra de golf para protegerse de la llovizna.

Raymond se incorporó de repente y miró por encima del respaldo.

—Párate aquí.

Barron pisó el freno y se detuvo a unos veinte metros de donde estaba Ford, en la puerta de entrada.

—Llámalo al móvil. Dile que vas a recogerlo y luego conduce hasta la pista para esperar a un vuelo de llegada. Dile que hablarás con la policía.

Barron miró la avioneta oscura que estaba estacionada al fondo, al otro lado de la verja. No había ni rastro de personal de tierra ni de ningún mecánico. Ni un alma visible. El reloj del salpicadero marcaba las 4:10. Tal vez no hubiera ningún avión que lo viniera a recoger. Tal vez Raymond estuviera haciendo algo totalmente distinto.

—Tu Gulfstream se ha retrasado, Raymond. ¿Qué pasa si no viene?

—Vendrá.

—¿Cómo lo sabes?

—Porque está aquí.

Raymond señaló hacia la pista de aterrizaje mientras los focos de un avión que descendía aparecían a través de la llovizna al fondo de la pista. A los pocos segundos un Gulfstream IV tocaba el suelo.

Oyeron el estridente gruñido de los motores mientras el piloto frenaba, giraba al fondo de la pista y luego volvía en dirección a la Terminal, cortando con los focos una franja a través de la brumosa oscuridad.

Raymond se deslizó un poco más abajo del asiento mientras el avión se acercaba, con el chirrido ensordecedor de sus motores y sus luces iluminando el Mustang como si fueran miles de antorchas.

Luego, bruscamente, las luces se desviaron mientras el pequeño jet giraba y se detenía al fondo de la puerta. El piloto cerró los motores y el rugido se desvaneció.

—Llama a Ford y haz exactamente lo que te he dicho.

—De acuerdo. —Barron cogió el móvil y llamó.

Vieron que Ford se tapaba la boca para toser antes de sacarse el móvil del bolsillo de la chaqueta y responder.

—Aquí, John —dijo Ford, tosiendo de nuevo.

—Danny... —la voz de Barron quedó un instante suspendida en el aire, después de llamar de nuevo a Ford por aquel nombre que odiaba, tratando de advertirle de que algo iba mal y de darle la oportunidad de salir corriendo de allí.

—Recuerda los e-mails programados, John. Díselo —dijo Raymond.

—Yo... —Barron vaciló.

—Díselo.

Barron sintió el frío acero del cañón del Colt contra el lóbulo de la oreja.

—Danny, tú y yo vamos a recibir el Gulfstream que acaba de aterrizar. Voy a acercarme hasta ti con el coche. Cuando esté a tu lado, limítate a abrir la puerta y a subir. Yo hablaré con los polis.

Ford cerró el teléfono y les hizo gestos para que avanzaran hacia él.

—¡Venga! —lo apremió Raymond.

Barron no se movió.

—Tienes los e-mails en la lista de salida, Raymond. ¿Para qué lo necesitamos a él?

—Para que el policía que llevas dentro no aparezca de pronto y te haga decirles algo a tus amigos cuando les pidas que abran la puerta.

Dan Ford les volvió a hacer gestos para que avanzaran. Al mismo tiempo se abrieron las puertas del coche patrulla y los dos agentes de uniforme salieron. Miraban el Mustang, al parecer preguntándose qué hacía su conductor y qué había estado haciendo tanto tiempo allá parado.

—Hora de marcharnos, John —dijo Raymond en voz baja.

Barron vaciló otro momento y luego avanzó con el coche.

Barron podía ver a Dan Ford claramente con la luz de los faros mientras se acercaba a la puerta. El periodista dio un paso hacia ellos, luego se detuvo y les dijo algo a los policías, señalando el coche.

Ya casi estaban, faltaban unos diez metros.

—Cuando llegues a la puerta —dijo Raymond—, baja la ventanilla lo justo para que la policía te vea con claridad. Diles quién eres y quién es el señor Ford. Diles que estáis aquí para recibir al Gulfstream que acaba de aterrizar. Puedes añadir que tiene que ver con la investigación del caso Raymond Oliver Thorne.

Barron aminoró y se detuvo, observando cómo los uniformados se les acercaban por la izquierda y Dan Ford por la derecha. Ford iba un paso por delante de ellos, tal vez dos, con la cabeza gacha para protegerse de la lluvia.

Luego Ford llegó y abrió la puerta del copiloto. Al mismo tiempo, el agente de más cerca abrió la puerta del conductor. Barron oyó un grito de alarma de Raymond. Al mismo instante vio la cara de Halliday, luego sonó una explosión atronadora y el destello más breve que había visto en su vida.

70

4:20 h

Con los oídos zumbando, medio cegado, Barron sintió cómo unas manos lo sacaban del coche a rastras. Desde algún lugar le pareció oír a Raymond gritando. El resto era un sueño.

Recordaba vagamente ver a Lee detener un coche de camuflaje y a un Polchak alerta pero obviamente todavía resacoso, disfrazado de Dan Ford, esposando a un Raymond atónito y metiéndolo en el asiento de atrás del mismo. Había otro coche, y Halliday con el uniforme azul de un poli de patrulla le ayudaba a entrar en el asiento del copiloto mientras le preguntaba si se encontraba bien. Luego se oyó el sonido de los portazos y el coche en el que se encontraba se alejaba con Halliday al volante.

Barron no estaba seguro de cuánto tiempo había pasado, pero poco a poco el zumbido de sus oídos se fue amortiguando y el brillo punzante de la granada de luz empezó a atenuarse de sus ojos.

—Dan os ha llamado —se oyó farfullear.

—Tan pronto como te colgó el teléfono llamó a Marty a casa —dijo Halliday, sin quitar el ojo de la carretera—. No nos has dado demasiado tiempo.

—No era exactamente yo quien mandaba el horario. —Barron sacudió la cabeza, tratando de aclararla, ordenando sus ideas—. El coche de Dan estaba allí. ¿Y él, dónde está?

—En la terminal, probablemente hablando con el SWAT. Los hemos traído por si las moscas. Si estaba Raymond no íbamos a dejarle escapar otra vez.

—No. —Barron desvió la mirada. Estaba totalmente oscuro y los dos coches avanzaban pegados a través del tranquilo barrio residencial justo al este del aeropuerto.

Valparaiso había sido el otro agente uniformado de la puerta de seguridad. Y con la chaqueta azul, los pantalones de algodón, la nariz vendada, las gafas de pasta y la gorra de golf, Polchak se parecía lo bastante a Dan Ford como para hacerse pasar por él en medio de la llovizna y la oscuridad. Barron supo que por eso había tosido por el teléfono. Si Barron le hubiera reconocido la voz tal vez habría reaccionado, y entonces quién sabe lo que Raymond habría hecho. Al final, habían hecho lo que la 5-2 hacía siempre: aprovechar una oportunidad de manera rápida, atrevida y decisiva. Y a pesar de toda la inteligencia y osadía de Raymond, funcionó.

—Jimmy —la voz de Valparaiso sonó de pronto por la radio de Halliday.

Halliday la cogió del asiento a su lado:

—Dime, Marty.

—Vamos a parar a tomar café.

—Bien.

—¿Café? —dijo Barron, mirando a Halliday.

—Ha sido un día muy largo —dijo Halliday, mientras cerraba la radio—. Además, Raymond no irá a ninguna parte.

4:35 h

El café Jerry's 24 Horas estaba en una esquina de una zona industrial cerca de la Golden State Freeway, lo bastante próximo al aeropuerto como para que se viera todavía el aura de sus luces. Halliday aparcó el coche primero y Valparaiso se detuvo a su lado. Luego los dos salieron y se metieron en la cafetería.

Barron los miró alejarse y luego miró al coche de al lado. Raymond iba en el asiento de atrás, atrapado entre Lee y Polchak. Era la primera vez que Barron lo veía desde la explosión de la granada. Tenía un aspecto cansado y todavía sorprendido, como si no estuviera del todo seguro de dónde estaba o de qué había sucedido. Era también la primera vez que veía a Polchak desde el incidente frente a la casa de Red. Se volvió hacia atrás, sin querer pensar en ello. Dentro de la cafetería se podía ver a Halliday y a Valparaiso en la barra, hablando mientras esperaban los cafés.

De pronto se oyeron unos golpes en la ventanilla del coche de al lado y se sobresaltó. Polchak estaba allí, haciéndole gestos para que bajara la ventana. Barron vaciló y luego la bajó. Los dos hombres se miraron.

—Lamento lo que pasó antes —le dijo Polchak en voz baja—. Estaba borracho.

—Ya lo sé. Olvídalo.

—Lo digo de veras. También le he pedido diculpas a Dan Ford, ¿vale?

Polchak le ofreció la mano. Barron la miró y luego se la estrechó. Tal vez Polchak ya no estuviera borracho, y tal vez tratara de disculparse, pero su mirada no había cambiado. Lo que tanto le inquietaba antes seguía estando allí.

—Bueno —dijo Polchak, mientras levantaba la vista hacia Halliday y Valparaiso, que volvían con unas bandejas de cartón llenas de vasos térmicos de café cubiertos con tapas de plástico. Valparaiso llevaba cuatro, Halliday dos.

Polchak miró a Valparaiso.

—¿Listos?

—Esperad —dijo Barron—. Raymond sabe lo que le ocurrió a Donlan.

—¿Cómo? —La mirada de Valparaiso se endureció.

—Lo dedujo.

—Quieres decir que se lo has dicho —gruñó Polchak, sin pensar. Barron advirtió cómo cerraba los puños con fuerza mientras lo miraba. Los demonios habían vuelto con toda su rabia.

—No, Len, yo no se lo he dicho. Él lo ha supuesto. Por eso quería que viniera Dan, por si a mí se me ocurría decirles algo a los agentes de la puerta. Iba a decírselo a Ford.

—Ahora Dan Ford no está ni tampoco va a estar —dijo Halliday, mirando a Valparaiso—. Vayámonos de aquí, ¿eh?

—Un momento —dijo Barron bruscamente—. Hay algo más. Raymond ha mandado unos e-mails programados que me ha dicho que borraría si conseguía escapar sin problemas. A la DA, al FBI, a la ACLU, a Dan Ford, a muchos otros. Según él, en ellos lo explicaba todo. No constituye ninguna prueba, pero es bastante para que la gente empiece a hacer preguntas.

—John —dijo Halliday a media voz—. Es un asesino de policías, nadie va a creerle.

—¿Y si lo hacen?

—¿Qué? —se burló Polchak—. Es su palabra contra la nuestra.

—De pronto miró a Valparaiso—. El café se enfría, Marty.

4:44 h

Los portazos de los coches rompieron la quietud de la mañana antes del amanecer y los vehículos se marcharon por donde habían venido, con Halliday a la cabeza y Valparaiso siguiéndolo de cerca.

Salieron de la zona industrial y se dirigieron más allá del Hilton del aeropuerto de Burbank, luego cruzaron las vías del tren de cercanías Metrolink. Halliday no decía nada, se limitaba a conducir, mientras los dos vasos de café entre ellos seguían sin abrir y sin tocar.

«Es su palabra contra la nuestra.»

Barron oía mentalmente las palabras de Polchak y podía visualizar su risita burlona. Pero no era «la nuestra», sino «la suya». Dejando de lado las heroicidades del aeropuerto, él no pertenecía más a aquel grupo ahora que cuando asesinaron a Donlan. Si Polchak tenía demonios, si todos ellos los tenían, eran solamente de la 5-2, entremezclados con la formación y la historia de la brigada. Por muchas cosas que hubiera pensado o sentido cuando murió Red —que se había acercado mucho a convertirse en uno de ellos—, ahora volvía a saber que no formaba parte de la 5-2 del mismo modo que los otros. Era lo que había sabido desde el principio: no era como ellos y nunca lo sería. Los clavos de su conciencia se le clavaban como tacones de aguja.

Un chirrido repentino de ruedas y la aguda inclinación del coche cuando Halliday giró bruscamente por una calle secundaria lo sacaron de sus ensoñaciones. De pronto Halliday volvió a virar el coche, esta vez metiéndose en una callejuela en penumbra llena de garajes de recambios baratos de automoción para acabar parado ante un oscuro y siniestro taller de pintura de carrocerías. En un segundo el coche de Valparaiso se detenía detrás de ellos y, por un instante, los faros los inundaron de luz brillante antes de apagarse. Instintivamente, Barron miró a su alrededor. Toda la zona estaba a oscuras, descuidada, aislada. Aparte de una farola solitaria al fondo del callejón, las únicas luces que se veían provenían del Jerry's 24 Horas en el que habían comprado los cafés, casi medio kilómetro más abajo.

Barron oyó los portazos de los coches cerrándose detrás de ellos, luego vio a Polchak y Lee cruzar con Raymond rápidamente en dirección al taller de pintura. Valparaiso, con algo a cuestas, iba delante de ellos y abrió una puerta de una patada, y luego los cuatro se metieron dentro.

—Esta vez ya estás informado, John. —Halliday abrió la puerta del coche. Las luces de dentro se encendieron y Barron pudo ver la chaqueta de Halliday abierta deliberadamente, mostrando la Beretta automática de 9 mm en la funda de su cintura—. Vamos.

71

4:57 h

Raymond estaba bajo la luz de un solo fluorescente cuando Barron y Halliday entraron en el local. Tenía las manos esposadas delante de él, con Polchak a la izquierda y Lee a la derecha. Valparaiso estaba unos palmos más adelante, de pie cerca de una mesa de trabajo, con la mano aguantando lo que llevaba antes: uno de los vasos de café. En la penumbra, detrás de ellos, había un Volkswagen escarabajo que asomaba como una escultura fantasmagórica, con las ruedas y ventanas forradas de papel y con cinta de pintar, preparado para la pintura inmediata, y con toda la carrocería cubierta de una capa de imprimación que le daba un color gris blancuzco muy etéreo. Por todas partes, el suelo, las paredes, la maquinaria, las puertas y ventanas estaban cubiertas por finas capas del mismo gris blancuzco, el resultado de años de moléculas de pintura flotantes que, con su monotonía, acababan absorbiendo la poca luz que había. Daba la sensación de ser el interior de una tumba.

Halliday cerró la puerta y él y Barron avanzaron hacia el centro de la estancia. Barron vio como los ojos de Raymond lo seguían mientras se situaba detrás de Valparaiso. Era una mirada desesperada, suplicante, buscándole para que le ayudara. Lo que no tenía manera de saber era la situación de Barron: aunque quisiera ayudarle no podía hacerlo. Si trataba de intervenir, él mismo sería eliminado. Lo único que podía hacer era quedarse y vigilar.

Pero Raymond seguía mirándole. Fue entonces cuando Barron se dio cuenta de lo que ocurría realmente. La mirada de Raymond no era tanto de terror como de insolencia. No estaba sencillamente pidiendo ayuda; la estaba esperando.

Era una postura equivocada, porque Barron no sólo estaba ofendido, sino que de pronto se sentía furioso, y mucho.

Delante de él tenía un hombre que había asesinado sin piedad, de manera atroz, cargándose a una persona tras otra a sangre fría. Un hombre que, desde el principio, se había apropiado de los principios más profundos de Barron y les había dado la vuelta en su provecho. Que se le había colado en casa y lo había manipulado para que lo ayudara a escapar. Que había involucrado cuidadosa y resueltamente a Dan Ford por su fuerte influencia y por su estrecha amistad con Barron, y que lo habría matado sin pestañear para servir a sus propios intereses. Y ahora aquí estaba, a un paso de morir, esperando a que Barron interviniera para salvarle.

Barron no había sentido mayor repulsión en su vida, ni siquiera por los asesinos de sus padres. Red tenía razón. Los hombres como Raymond no eran seres humanos; eran monstruos despreciables que volverían a matar una y otra vez. Son una enfermedad que hay que eliminar. Para gente como ellos, la justicia y los tribunales son entes porosos e indecisos y, por tanto, de los que no hay que fiarse por el bien de la sociedad. De modo que eran hombres como Valparaiso y Polchak y los otros los que debían llenar estas carencias de la civilización. Y hasta nunca. Raymond lo había juzgado erróneamente, porque a Barron ya no le importaba.

211

—Fuiste tú quien pidió café, Raymond —le dijo Valparaiso, acercándosele con un vaso de café en la mano—. Como somos buena gente, nos hemos parado a buscártelo. Hasta te lo hemos llevado al coche. Y encima, cuando te lo hemos dado, aunque todavía fueras esposado, lo has cogido y se lo has tirado al detective Barron.

De pronto, Valparaiso giró la muñeca y le tiró café caliente a Barron a la camisa y la chaqueta. Barron se sobresaltó y se apartó.

Valparaiso dejó el café y se acercó todavía más:

—Además, le has quitado el Colt Double Eagle automático, un arma personal que él llevaba en sustitución de la Beretta que ya le habías robado en la terminal de Lufthansa. La que utilizaste para matar al comandante McClatchy. Esta pistola, Raymond.

De pronto, Valparaiso sacó la Beretta de Barron de su cinturón con la mano derecha y la puso delante de Raymond. En una fracción de segundo buscó detrás de él y sacó el Colt de Barron de la funda en que estaba guardado, en la parte trasera del cinturón.

—El doble pistolero Raymond —dijo Valparaiso, mientras retrocedía medio paso—. Es probable que no te acuerdes, pero el detective Polchak te ha quitado estas dos armas unos momentos después de hacer estallar la granada que te ha dejado atontado. Más tarde lo has visto devolverle el Colt al detective Barron.

Barron miraba, paralizado, mientras Valparaiso embaucaba a Raymond con los detalles de lo que se convertiría en la versión oficial de su muerte. Se asemejaba mucho a la tortura y a Barron no le importaba; en realidad, se dio cuenta de que lo estaba disfrutando. De pronto, Raymond se volvió y le miró directamente.

—¿Y qué pasa con los e-mails, John? Matadme y no habrá nadie que los pueda eliminar.

Barron sonrió con frialdad:

—Nadie parece muy preocupado por ellos, Raymond. La historia real eres tú. Ya tenemos tus huellas. Cualquier parte de tu cuerpo nos dará una muestra de tu ADN, una muestra que luego podemos comprobar que cuadra con los restos de sangre de la toalla encontrada en la suite de la víctima del hotel Bonaventure. Y averiguaremos lo de los asesinatos en Chicago. Lo de las víctimas de San Francisco y México. Y lo del Gulfstream y quién te lo ha enviado. Lo de Alfred Neuss. Lo que tenías planeado para Europa y Rusia. Descubriremos quién eres, Raymond. Lo descubriremos todo.

Raymond paseó la vista por toda la estancia y luego se quedó como ausente.

—*Vsay* —dijo, en un susurro—. *Vsay ego sudba V rukah Gospodnih.* —La poca esperanza que había conservado de que Barron le ayudara se había esfumado. Lo único que le quedaba era su fuerza interior. Si Dios había decidido que muriera allí mismo, que así fuera—. *Vsay ego sudba V rukah Gospodnih* —repitió, con fuerza y convicción, como muestra de fidelidad a Dios y a él mismo, la misma fidelidad que sentía hacia la baronesa.

Lentamente, Valparaiso le dio la Beretta a Lee. Luego avanzó y empujó el Colt entre los ojos de Raymond para terminar lo que tenía que decir.

—Después de haberle robado la pistola al detective Barron, te has largado y te has escondido aquí. Cuando hemos intentado cazarte, has disparado hacia nosotros... —De pronto Valparaiso retrocedió y dirigió la automática hacia la puerta de entrada del taller.

¡Bum! ¡Bum!

Un par de disparos atronadores del calibre 45 sacudieron el edificio y los cristales de la ventana, cubiertos de pintura, explotaron hacia el callejón, dejando un rastro recortado de la negra noche en la pared gris clara.

Valparaiso volvió a girarse y levantó el mentón de Raymond con el cañón del arma.

—Nos hemos quedado fuera y te hemos ordenado que salieras con las manos levantadas. Pero no lo has hecho. Te hemos vuelto a llamar y te hemos dado una segunda oportunidad, pero la única respuesta ha sido el silencio. Y entonces hemos oído... un último disparo.

Barron miraba a Raymond con atención. Movía los labios pero no emitía ningún sonido. ¿Qué estaba haciendo? ¿Rezarle a Dios? ¿Rogando misericordia antes de morir?

—John.

Barron levantó la vista.

De pronto Valparaiso se giró, le cogió la mano y le puso el Colt en ella.

—Por Red —le susurró—. Por Red.

Los ojos de Valparaiso se clavaron en los de Barron por un brevísimo momento, luego miraron a Raymond. Barron le siguió la mirada y vio a Polchak que se acercaba para agarrar a Raymond con el mismo gesto de hierro con que había aferrado a Donlan.

Raymond luchaba contra la fuerza de Polchak, mientras no dejaba de mirar boquiabierto a Barron. ¿Cómo era posible que Dios permitiera algo así? ¿Cómo era posible que el hombre al que había elegido para que le salvara se convirtiera de pronto en su verdugo?

—No, John, por favor, no lo hagas —le susurró Raymond—. Por favor.

Barron miró la automática que tenía en la mano, sintió el peso del arma. Avanzó un paso. Los otros estaban en silencio, mirando. Halliday. Polchak. Valparaiso. Lee.

Los ojos de Raymond brillaban bajo la luz del fluorescente.

—Éste no eres tú, John, ¿no lo entiendes? ¡Son ellos! —Los ojos de Raymond apuntaron a los detectives y luego volvieron a Barron—. Recuerda a Donlan, recuerda cómo te sentiste después. —Las palabras de Raymond eran apresuradas, pero la manipulación y la insolencia habían desaparecido. Estaba suplicando por su vida—. Si crees en Dios que está en el cielo, baja esta pistola. ¡No lo hagas!

—¿Crees tú en Dios, Raymond?

Barron se le acercó más. Rabia, odio, sed de venganza. Sus emociones se combinaban como el efecto de una droga fantástica. La referencia a Donlan no significaba nada. La pistola que tenía en la mano lo significaba todo. Y ahora estaba allí a su lado, su cara a centímetros de la de Raymond.

¡Clic!

Tiró del percutor mecánicamente. El cañón del Colt se apoyó en la sien de Raymond. Podía oír el aliento de Raymond saliendo de su cuerpo mientras luchaba por liberarse de Polchak y de las esposas. El dedo de Barron se tensó sobre el gatillo y miró a los ojos de Raymond. Y entonces...

Se quedó petrificado.

5:21 h

72

—¡Mátale, maldita sea!

—Es un animal. ¡Aprieta el puto gatillo!

—¡Dispara, por el amor de Dios!

Las voces gritaban detrás de él mientras el rostro de Barron se contorsionaba agónicamente. De pronto se volvió hacia ellos.

¡Pum! ¡Pum! ¡Pum!

Los disparos retronaron mientras abría fuego contra una vieja butaca andrajosa y manchada de pintura.

—¿Qué cojones te pasa? —Lee no entendía nada.

Barron se volvió, tembloroso, horrorizado ante lo que había estado a punto de hacer.

—Lo que me pasa, Roosevelt, es que en algún lugar, esta vieja puta ciudad nos ha engullido. Un hombre se olvida de la ley, se olvida de muchas cosas... como de quién cojones es. —Por un instante, Barron los miró a todos. Sus siguientes palabras surgieron en forma de susurro—. Lo que no entendéis es... que yo no soy capaz de cometer un asesinato.

Valparaiso se le acercó y tendió la mano:

—Dámelo a mí.

Barron retrocedió un paso.

—No, voy a entregarle.

—Dale la pistola, John —dijo Lee, poniéndose delante de Halliday.

Entonces John apuntó con el Colt al pecho enorme de Lee:

—He dicho que voy a entregarle, Roosevelt.

—No lo hagas —le advirtió Halliday.

Barron le ignoró.

—Poned todos las armas ahí encima.

Hizo un gesto hacia un banco de trabajo manchado de pintura que había cerca de la puerta.

—Estás acabado, John —dijo Polchak, acercándose desde detrás de Raymond.

Valparaiso avanzó también:

—Vas a hacer que te maten.

—Has sido el primero en llegar aquí, John. —Lee no prestaba atención a la pistola que le apuntaba al pecho—. Raymond tenía tu Colt. Para cuando hemos llegado, eras hombre muerto.

—Al menos Raymond así lo cree. —Polchak se acercó un poco más—. ¿Y qué hay de tu hermana, quién va a cuidar de ella? Tienes que pensar en estas cosas, John.

De pronto John levantó el arma, apuntando ahora a la entrepierna de Polchak.

—¡Un paso más y te dejo sin cerebro!

—¡Dios mío! —exclamó Polchak, dando un salto hacia atrás.

—Las pistolas en el banco. Roosevelt, tú primero.

Con la Beretta todavía en la mano, Lee permaneció donde estaba y Barron pudo ver cómo evaluaba la situación, preguntándose si era capaz de levantar el arma para disparar antes de que lo hiciera Barron. O incluso si Barron dispararía.

—No vale la pena arriesgarnos a que algo salga mal, Roosevelt —dijo Halliday en voz baja—. Haz lo que te pide.

—La Beretta, Roosevelt. Utiliza la mano izquierda. Dos dedos en la empuñadura, eso es todo —le ordenó Barron.

—Está bien. —Lee levantó el arma lentamente la mano izquierda y cogió el revólver de Barron de la derecha con dos dedos, luego se acercó al banco y la dejó.

—Ahora tú, Marty, de la misma forma. —Barron apuntaba ahora a Valparaiso.

Durante unos segundos, Valparaiso no hizo nada, luego sacó el arma lentamente de la funda y la puso en el banco.

—Ahora vete para atrás —dijo Barron con severidad. Valparaiso lo hizo y luego miró a Polchak y a Halliday.

215

Con cautela, Barron se acercó al banco, cogió su Beretta y se la metió en el cinturón.

—Y ahora tú, Jimmy. Del mismo modo, con dos dedos.

Halliday cruzó hasta el banco, sacó la Beretta y la dejó.

—Aparta —dijo Barron, y Halliday le obedeció—. Len.

Durante un momento muy largo Polchak no hizo nada. Luego miró al suelo y se encogió de hombros.

—Esto no está bien, John. No está nada bien.

Barron vio que Polchak se movía. Al mismo instante, Lee se volvió hacia el banco, haciendo un gesto hacia su Beretta. Barron saltó, le dio un fuerte golpe a Lee con el hombro y lo mandó de espaldas hacia Polchak.

Polchak cayó al suelo con Lee encima.

Barron giró con la Colt en la mano. Se oyó un solo disparo atronador. La luz de trabajo que había encima de Raymond explotó en pedazos y todo quedó a oscuras. Entonces Barron saltó disparado, encontró las esposas de Raymond y lo arrastró a oscuras hacia el exterior.

¡Pum! ¡Pum! ¡Pum!

Las ráfagas de Lee iluminaron el garaje detrás de ellos. Por todos lados salían despedidos trocitos de cristales y las balas saltaban por las maderas y el metal mientras Barron encontraba la puerta de salida.

¡Pum! ¡Pum!

Lee disparó hacia la puerta.

—¡Me vas a dar, gilipollas! —gritó Polchak.

—¡Pues quítate de en medio!

Barron y Raymond cruzaron la puerta rápidamente. Fuera, el aire era húmedo y seguía cayendo la fina lluvia, mientras el cielo justo empezaba a aclararse por el horizonte. Barron miró a los coches de camuflaje y entonces se dio cuenta de que no llevaba las llaves. Aquella reflexión fue casi demasiado larga.

—¡Cuidado! —gritó Raymond, mientras Lee salía por la puerta. Con las esposas y todo, agarró a Barron por la chaqueta y lo arrastró detrás del segundo coche de camuflaje.

Lee disparó un par de veces a oscuras y sus balas rebotaron en el cristal de detrás del coche. Polchak iba justo detrás de él. Luego los seguían Valparaiso y Halliday.

Lee rodeó el coche rápidamente, con la Beretta sujeta entre las dos manos, dispuesto a disparar. Polchak se les acercó por el otro lado. Nadie.

—¿Dónde coño...?

Entonces vieron el boquete en la verja de madera justo detrás del coche.

73

5:33 h

Barron mantenía a Raymond delante de él mientras salían a trompicones, medio cayendo por una pequeña y empinada bajada. Cuando llegaron abajo Barron levantó a Raymond a oscuras. Podían oír a los otros que se les acercaban, chocando contra la valla y empezando a descender. Entonces vieron un fuerte destello de luz y luego un segundo.

—No te apartes de mí, Raymond. —Barron lo agarró por las esposas y le arrastró hacia delante a ciegas—. Si tratas de escaparte, te mataré. Te lo juro.

Otro haz de luz pasó por delante de ellos y luego volvió.

¡Pum! ¡Pum!

Dos disparos rápidos retronaron detrás de ellos y las balas rebotaron cerca de sus pies. Enloquecido, Barron tiró de las esposas de Raymond y lo arrastró a un lado y al otro en zigzag, corriendo, saltando hierbajos y piedras por un terreno desigual y ahora resbaladizo por la fina lluvia que caía. Detrás de ellos, los haces de luz cortaban la oscuridad y de vez en cuando se oía algún disparo. Entonces Barron vio fragmentos de maquinaria de corrimiento de tierras que se levantaba ante ellos y arrastró a Raymond hacia allá.

A los pocos segundos, empapados de sudor y lluvia y respirando entrecortadamente, se protegieron detrás de un enorme *bulldozer*. A lo lejos oyeron el rugido gutural de un avión que despegaba. El cielo se aclaró un poco más y Barron miró a su alrededor, tratando de orientarse. Lo único que veía era barro y formas vagas de maquinaria pesada.

—No te muevas —le susurró a Raymond, antes de meterse en la cabina del *bulldozer*. Desde allí podía ver las luces a lo lejos de la terminal principal del aeropuerto de Burbank y se dio cuenta de que estaban en el otro extremo de una zona de obras al sur del mismo. Detrás de ellos había una zona abierta, de unos treinta metros de an-

217

cho, y luego un terraplén empinado coronado con una verja de cadenas. Detrás estaban las luces de la estación de cercanías Metrolink del aeropuerto.

Rápidamente saltó del *bulldozer* y aterrizó al lado de Raymond, a oscuras. Miró el reloj: eran cerca de las seis de la mañana, justo cuando empezaban a funcionar los trenes de la Metrolink. Miró a Raymond:

—Vamos a dar un paseo en tren.

74

5:47 h

En la penumbra vieron pasar a Polchak de largo y luego detenerse. Barron sabía que Lee estaría a su derecha o a su izquierda, con Valparaiso o Halliday siguiéndolos de cerca. El otro habría cogido uno de los coches y debía de estar dirigiéndose a la calle del otro lado de la zona de obras entre donde se encontraban y la estación Metrolink. Lo que estaban intentando era hacerlos salir del mismo modo que los perros cazadores harían para que un ave de caza saliera del matorral.

Si no los encontraban así, llamarían a un helicóptero y las unidades de patrulla, y probablemente hasta perros. Su argumento sería sencillo: Raymond se había escapado y se había llevado a Barron de rehén. Eso significaba que la fuerza contra ellos sería enorme y su captura, prácticamente segura.

De cómo los llevarían bajo su custodia *a posteriori*, no tenía idea, pero no había duda de que lo harían. Y sucedería muy rápido. En un santiamén se cargarían a Raymond de un disparo y Barron sería apartado, probablemente a su casa, donde le darían una combinación letal de alcohol y pastillas y luego le dispararían con su propia arma o le dejarían morir. Otro trágico suicidio policial provocado por las circunstancias familiares, las muertes violentas de Red McClatchy y los otros agentes y las presiones insoportables del trabajo.

—¡Adelante! —le susurró, y luego él y Raymond se levantaron y se pusieron a avanzar hacia las lejanas luces de la estación Metrolink.

—¡Ahí están!

Barron oyó a Valparaiso que gritaba en la penumbra, detrás de ellos. Eso significaba que era Halliday el que estaría en el coche, tratando de cortarles el paso si intentaban alcanzar la estación.

Con el corazón acelerado, los pies resbalando por el suelo enfangado y una mano sujetando el Colt y la otra metida dentro de las esposas de Raymond, Barron corrió a través de la zona de obras en dirección a la estación, rezando por alcanzarla antes de que lo hicieran Halliday o una bala.

Entonces llegaron al terraplén del fondo y lo sortearon por la valla que había encima. Todavía los oía acercarse por detrás y veía los focos de la policía barriendo el terreno, tratando de dar con su objetivo. Ahora ya estaban en la verja y Barron levantó literalmente a Raymond y lo tiró por encima, y luego saltó él.

—Un coche —dijo Raymond cuando Barron caía al suelo a su lado. A más de medio kilómetro unos faros doblaban la esquina y aceleraban hacia ellos.

—¡Vamos! —gritó Barron, se levantaron y echaron a correr. Cruzaron la calle y subieron por la rampa que llevaba a la estación.

6:02 h

Halliday los vio cruzar la calle desde lejos. A los diez segundos paró el coche y saltó de él, justo cuando los otros saltaban la verja.

—¡A la estación! —gritó, y los cuatro salieron disparados hacia la rampa a la que Raymond y Barron se habían dirigido.

Empezaba a asomar la luz del día, una franja pálida por el horizonte, cuando los detectives llegaban arriba. Polchak y Halliday alcanzaron el andén por un lado, Lee y Valparaiso por el otro. No había nadie. El andén estaba desierto.

—Demasiado tarde.

Valparaiso, empapado, en medio del viento, aterido y frustrado, miraba hacia las vías, por donde un tren de cercanías desaparecía a lo lejos.

75

6:08 h

Iban en el vagón detrás de la locomotora con media docena de madrugadores. Uno de ellos, una mujer joven y muy embarazada, tenía aspecto de que podía ponerse a parir en cualquier momento.

De pronto Barron se dio cuenta de que tenía que atar a Raymond a algún lugar del tren para protegerse tanto él mismo como al resto de los pasajeros. Rápidamente miró por el vagón y vio un enrejado para poner maletas que estaba atornillado al suelo y al techo, cerca de la parte de delante. Si tuviera una llave podría abrir las esposas de Raymond y luego atarlo allí, pero... en aquel instante Barron se dio cuenta de que llevaba los mismos pantalones y chaqueta que la noche anterior y que sus propias esposas las llevaba en una pequeña funda de piel detrás del cinturón.

—¡Ven!

De pronto llevó a Raymond por entre los pasajeros y lo metió contra la reja de equipajes. Luego sacó sus esposas y se las puso entre las que Raymond ya llevaba, dejándolo allí atado.

—No te muevas ni digas una sola palabra —masculló Barron. Inmediatamente se dio la vuelta y les mostró la placa dorada de detective a los sorprendidos pasajeros.

—Soy policía —dijo—. Estoy escoltando a un prisionero. Por favor, vayan al vagón de detrás de éste.

La mujer embarazada desvió los ojos de Barron a Raymond:

—¡Oh, Dios mío! —exclamó, con los ojos muy abiertos y lo bastante alto para que la oyeran todos los demás—. ¡Es Gatillo Ray, el asesino de la tele! ¡Tiene a Gatillo!

—Por favor —les apremió Barron—, vayan al vagón de atrás.

—¡Tengo que decírselo a mi marido! ¡Dios mío!

—¡Vamos, señora! ¡Todos fuera de aquí, al otro vagón!

Barron los llevó hacia atrás, a través de la puerta, al vestíbulo que quedaba entre vagones. Esperó a que se cerraran las puertas y luego cogió el móvil y volvió hacia donde estaba Raymond.

6:10 h

—¿Qué estás haciendo? —Raymond miraba el teléfono mientras Barron se le acercaba.

—Tratando de alargarte la vida un poco más.

Una ligerísima sonrisa cruzó el rostro de Raymond:

—Gracias —dijo. Volvía a asomar su arrogancia, como si estuviera convencido de que Barron todavía le temía y le protegía por este motivo.

De pronto Barron reaccionó:

—Si esta gente no estuviera aquí, en el otro vagón —le susurró con mucha severidad—, te daría una paliza de la que te acordarías toda la vida. Puñetazos, patadas, todo. Y me importaría una mierda que estuvieras esposado, ¿lo entiendes, Raymond? Dime que sí, anda.

Raymond asintió con la cabeza, lentamente.

—Lo entiendo.

—Estupendo. —Barron retrocedió, luego cogió el móvil, marcó un número de la memoria y esperó. Luego:

—Dan Ford.

—Soy John. Tengo a Raymond. Estamos en un Metrolink que viene del aeropuerto de Burbank, supongo que a unos veinte minutos de Union Station. Quiero que lo filtres a todos los medios que puedas lo antes posible. Que cuando bajemos del tren se dé una cobertura total a la noticia: tele local, nacional, periódicos, teles extranjeras, CNN. Todos y cada uno de los medios. Que sea un puto circo.

—¿Qué coño estás haciendo en el tren? ¿Dónde está la brigada? ¿Qué...?

—Tenemos muy poco tiempo, Dan... cobertura total, ¿vale? Haz todo lo que puedas. Lo mejor.

Barron cortó la comunicación, volvió a mirar a Raymond y luego miró atrás, a la puerta que daba al otro vagón. Los pasajeros aplastaban sus caras contra el cristal para ver algo. En el centro de ellos estaba la embarazada, con su cara redonda, los ojos abiertos de par en par y mirando ávidamente, como si estuviera en el programa concurso más popular de la tele y quisiera entrar desesperadamente.

—Dios mío —exclamó Barron en voz alta y se dirigió rápidamente por el pasillo hacia la puerta, mientras se quitaba la chaqueta para colgarla en la ventana y que no pudieran ver nada.

Miró otra vez a Raymond esposado a la rejilla de las maletas y comprobó sus armas. El Colt tenía todavía dos cargadores y la Beretta toda una carga de quince balas. Esperaba sinceramente no tener que usar ninguna de las dos. Esperaba también que la brigada hubiera llegado al andén demasiado tarde para haber visto el tren que se marchaba y estuvieran todavía registrando la estación y la zona circundante.

221

6:12 h

76

6:14 h

El tren empezó a aminorar la velocidad. Justo delante estaba la estación de Burbank y luego venía Glendale. Eran paradas rápidas de cercanías con apenas cinco o seis minutos entre cada una. Barron, cuando subieron al tren, pensó que llamaría a la dirección de Metrolink, se identificaría y les pediría que no se detuvieran hasta que llegaran a Union Station, pero sabía que si lo hacía, los responsables de Metrolink avisarían a seguridad y en un abrir y cerrar de ojos la brigada sabría dónde estaban y exactamente en qué tren.

En pocos minutos, unidades del LAPD se apostarían en Union Station y acordonarían toda la zona, y luego la brigada llegaría y tomaría el relevo. Una vez al mando, por muy enorme que fuera el ejército mediático que hubiera juntado Dan Ford, ninguno de los periodistas se podría acercar al lugar de la acción. Eso significaba que lo único que Barron podía hacer era esperar y rezar para que el tren llegara a Union Station antes que Lee, Polchak y los demás lo dedujeran y se adelantaran.

6:15

Barron notó como el tren empezaba a reducir cada vez más velocidad. Entonces se oyó el ruido agudo del timbre de aviso cuando el tren ya sólo se arrastraba, entrando en la estación de Burbank. Bajo la llovizna y la escasa luz pudo distinguir a unos veinte pasajeros que aguardaban en el centro iluminado del andén. Miró a Raymond. El asesino lo vigilaba, esperando a ver qué venía. Barron se preguntó en qué debía de estar pensando. El hecho de que no fuera armado y estuviera esposado en el enrejado de las maletas no quería decir mucho: como Barron sabía, ya había salido de unas esposas una vez. Y así fue como mató a los agentes del ascensor en el edificio del Tribunal Penal.

Y como siempre, calculaba bien su tiempo, observando, pensando, como ahora, el momento indicado para actuar. De pronto el pensamiento de Barron se centró en los nuevos pasajeros. Con ellos ten-

222

dría que hacer lo mismo que había hecho con el grupo de la embarazada, identificarse como policía y ordenarles que subieran al vagón posterior.

Por la ventana podía ver cómo avanzaban hasta el fondo del andén. Entonces se oyó el chirrido del acero frotando acero cuando el maquinista tocó los frenos. Se oyó una ligera sacudida, el tren se detuvo y las puertas de pasajeros a medio vagón se abrieron hacia los lados.

6:16 h

Barron sostenía el Colt escondido a un lado y retrocedió, observando con cuidado, casi esperando que de pronto aparecieran Polchak y Valparaiso, encabezando al resto del grupo. Pero lo único que vio fueron pasajeros que entraban en los vagones de más atrás. Cinco segundos, diez. Miró a Raymond, luego más allá y a través de la puerta cerrada para ver el sólido casco de la locomotora justo detrás. Volvió a mirar las puertas de pasajeros. De momento no había intentado entrar nadie. Cinco segundos más y las puertas se cerraron. Sonó un silbido de la locomotora, se oyó el aullido de los motores diésel y el tren empezó a avanzar, tomando velocidad gradualmente. Barron suspiró aliviado. En cinco minutos llegarían a la parada de Glendale. Y luego, ya directamente, a Union Station, catorce o quince minutos. Trató de imaginarse el embrollo de medios de comunicación que Dan Ford habría organizado. Una horda de periodistas, *paparazzi*, cámaras y unidades de sonido invadiendo la estación y peleando por el espacio en el andén para captar de manera tan pública la llegada del infame Ray *Gatillo* Thorne cuando Barron lo sacara del tren. Entonces, y sólo entonces, podrían...

De pronto lo invadió el pánico. ¿Por qué no había intentado ningún pasajero subir al vagón en el que estaban ellos?

—¡Maldita sea!

En un momento se sacó el Colt del cinturón y salió disparado hacia el final del vagón. Llegó a la puerta y arrancó la chaqueta que había usado para tapar la ventana y que no pudieran verlos.

—¡Oh, Dios mío!

Lo único que se veía ahora eran las vías del tren. Los vagones de pasajeros ya no estaban. Los breves instantes en que estuvieron en la estación habían bastado para que alguien desenganchara los vagones. El tren estaba hecho ahora de sólo dos elementos: su vagón y la máquina.

6:18 h

77

—¿Qué están haciendo? —le gritó Raymond mientras volvía por el pasillo.

—Cállate.

—Quítame las esposas, John, por favor.

Barron no le hizo ningún caso.

—Si podemos bajar del tren antes de que nos vean, John, puedo hacer que me vuelvan a mandar el avión al aeropuerto. Nos podemos ir todos. Tú, yo y tu hermana.

—¿Mi hermana? —John reaccionó como si le hubieran dado un bofetón.

—No querrás dejarla atrás.

—Y tú moverías todos los hilos del planeta para sacarme de ésta...

—Piénsalo bien, John... tú la quieres. En realidad no podrías irte sin llevarla contigo, ¿no es cierto?

—¡Cállate! —le gritó John, furioso. Ya era lo bastante grave que Raymond lo hubiera violentado entrando en su casa, pero, encima, ¿Rebecca? ¿Cómo coño se atrevía ni tan siquiera a pensar en ella? De pronto Barron recordó dónde estaba y qué estaba ocurriendo. Se volvió y miró por la ventana. Estaban pasando por una curva. Delante estaba la estación de Glendale. En pocos segundos estarían allí parados. Sacó el Colt de su cinturón y su otra mano tocó la Beretta. Su primera idea cuando vio que el tren había sido separado del resto de vagones fue llamar a Dan Ford y advertir a la prensa que había un problema con el tren. Pero no serviría de nada. Aunque Ford los hubiera reunido, estarían en Union Station y ahora sabía que su tren no llegaría nunca tan lejos. Adónde iba, tampoco lo sabía. La estación de Glendale se acercaba rápidamente, y detrás de ella había todo un entramado de desvíos y vías muertas adonde la máquina y su único vagón podían ser desviados.

—Dame una a mí —le dijo Raymond, mirando las armas.

Barron le miró.

—Nos matarán a los dos.

De pronto la locomotora soltó un fuerte gemido del motor diésel. En vez de aflojar la marcha, el tren tomó más velocidad. Barron se agarró al respaldo de un asiento para no caerse. Fuera, bajo la luz gris y húmeda del amanecer, vio pasar ante ellos la estación de Glendale. Esperaba encontrar a un grupo de pasajeros sorprendidos en vez del grupo desdibujado de uniformes y la media docena de coches patrulla en el *parking*. Entonces vio a Lee corriendo desde allí, mirando fijamente al vagón que se acercaba. Por unas décimas de segundo sus miradas se cruzaron y Barron lo vio levantar la radio.

Entonces pasaron de largo de la estación, con el tren corriendo como un fugitivo. Miró el río Los Ángeles y, detrás, los faros de los coches que abarrotaban la autovía del Golden State.

De pronto el tren aminoró la marcha y Barron tuvo que agarrarse al pasamanos para no perder el equilibrio. El tren redujo todavía más. Oyó un claro *clunc-clunc* mientras pasaban sobre una serie de desvíos y entonces el tren viró hacia un ramal. Vio otro ramal delante de ellos con almacenes a ambos lados. Pasaron sobre más desvíos y, luego, la poca luz de día que tenían antes se fundió del todo. Por unos segundos avanzaron a oscuras y el tren dio un tirón brusco y se detuvo. Al cabo de unos instantes el motor se apagó y todo quedó en silencio.

—¿Dónde estamos? —dijo Raymond a oscuras.

—No lo sé.

225

6:31 h

78

Barron se metió el Colt en el cinturón y sacó la Beretta, luego recorrió el vagón mirando por las ventanas. Por lo que atinaba a ver, estaban debajo del techo o algún tipo de cubierta de un enorme almacén en forma de U que tenía andenes elevados por todos lados para facilitar la descarga de los vagones de mercancías. Arriba, unas puertas cerradas a la altura de la cabeza alcanzaban el andén y estaban iluminadas e identificadas individualmente con unos números grandes y de colores vivos, pintados en rojo, amarillo o azul. El reflejo de las luces se filtraba por las ventanas del vagón, dividiendo el espacio en zonas de brillo cegador y zonas de casi total penumbra.

Barron estiró el cuello. Fuera podía ver varios vagones de carga en el mismo ramal, detrás de ellos. Aparte de esto la zona estaba totalmente a oscuras. Habían pasado de la noche al día y ahora otra vez parecía ser de noche, todo en el espacio de apenas veinte minutos.

Barron miró otra vez a Raymond, esposado al fondo del vagón. Luego un movimiento exterior le llamó la atención y vio a un hombre alto en uniforme de ferroviario salir corriendo de la locomotora y desaparecer de la vista. Era el maquinista.

—Dame una oportunidad, John. Quítame las esposas. —Raymond también había visto al maquinista.

—No.

De pronto Barron se acordó de su radio de policía. Estaba en su chaqueta, al otro lado del vagón. Se agachó y corrió a buscarla, pasando por el claroscuro blanco y negro como un arlequín.

Y ahí estaba, recuperando su chaqueta, sacando la radio y sintonizando el canal protegido de la brigada. Una fuerte ola estática recorrió el vagón, luego se oyó:

—John, ¿estás ahí?

La voz de Valparaiso sonó por el receptor. Sonaba relajado, hasta tranquilo.

Barron sintió cómo se le erizaban los pelos de la nuca. Miró afuera. Lo único que vio fueron las hileras de puertas iluminadas. Cruzó al otro lado pero no vio más que las siluetas oscuras de los vagones de mercancías y, detrás, lo que parecían ser más puertas iluminadas de almacenes. Entonces vio los faros de un coche que giraba al fondo de los edificios y que emprendía el camino irregular de gravilla entre las vías. Al cabo de un momento el coche se detuvo, las luces se apagaron y la puerta del coche se abrió. Durante un instante fugaz vio la silueta de Lee, que luego desapareció entre las sombras.

—¿John? —La voz de Valparaiso volvió a irrumpir por la radio—. Estás en un almacén cerrado. Todo el edificio está rodeado por agentes uniformados. Podemos hacerlo fácil o difícil, ya sabes cómo van estas cosas. Entréganos a Raymond y te podrás ir; no te pasará nada. Aunque pensaras que tenías que denunciarlo, seguirás siendo tú solo contra cuatro. Sencillamente, te darán una pequeña baja por estrés.

—Miente —dijo de pronto la voz de Raymond desde el fondo del vagón.

¿O lo había imaginado?

Sonaba más cerca y Barron se preguntó si se había liberado de los dos juegos de esposas y había avanzado hasta el centro del vagón.

—Sólo danos a Raymond, John. ¿Por qué quieres hacernos venir a sacarte cuando no hay necesidad de hacerlo?

—Todo empezó en un tren, John, y acaba en un tren —volvió a decir la voz de Raymond.

Con la radio en una mano y la Beretta en la otra, Barron miró al fondo del vagón. Lo único que podía ver eran las rayas de cebra, negro azabache interrumpido por franjas de fuerte luz brillante. Sin embargo, aquella voz había sonado más cerca. Raymond venía hacia él, lo sabía.

6:36 h

Revólver en mano, Halliday asomó por entre las sombras cerca de una puerta con un 7 pintado en rojo al lado, y cruzó las vías hasta la parte delantera de la locomotora. A la izquierda podía ver a Lee avanzando junto a Valparaiso, y luego los dos se dirigieron hacia la puerta trasera del vagón.

Barron retrocedió a oscuras, escuchando. No oyó nada y se preguntó si se estaba equivocando.

—Hazlo fácil, ¿eh, John? —volvió a intervenir la voz de Valparaiso por su radio.

Barron miraba hacia las luces blanco y negro y las sombras que tenía delante. Escuchaba a Raymond incluso cuando levantó la radio.

—Marty —dijo.

—Te escucho, John.

—Bien. Que te den por culo.

6:37 h

Raymond oyó cómo Barron apagaba la radio. Estaba tumbado en el suelo y oculto de la luz, avanzando a gatas. Conservaba aposta una de las esposas colocada y mantenía la mitad libre en la palma de la misma mano. Un garrote perfecto para usar en el cuello de Barron cuando lo alcanzara. Se detuvo y escuchó. ¿Dónde estaba? No se oía ningún ruido, nada.

De pronto sintió el contacto del acero frío debajo de la oreja.

—Me parece que no lo has entendido, Gatillo Ray. Estoy intentando evitar matarte.

De pronto Barron se agachó a su lado.

—Inténtalo de nuevo y haré que te cojan.

Raymond sintió un hilillo de sudor junto al oído, donde estaba el revólver de Barron. De pronto Barron le cogió la esposa abierta y tiró de él, mientras con la Beretta lo tocaba debajo del mentón.

—¿Quién cojones eres? —Los ojos de Barron bailoteaban bajo la luz reflejada.

—No lo adivinarías en tu vida —dijo Raymond, sonriendo con arrogancia—. Ni aunque vivieras dos vidas.

De pronto Barron tuvo un ataque de furia. Cogió a Raymond con fuerza y lo tiró de cabeza contra el pasamanos. Una vez. Dos. Tres veces. La nariz de Raymond empezó a sangrar y las gotas empezaron a mancharle la camisa. Entonces Barron tiró de él y lo miró a los ojos.

—¿Qué es todo eso de Europa? ¿Y los hombres asesinados y Alfred Neuss y Rusia? ¿Qué coño son esas llaves de caja fuerte?

—He dicho que jamás lo adivinarías.

Barron lo acercó todavía más a él:

—Ponme a prueba —dijo, en un tono lleno de amenaza.

—Las piezas, John. Las piezas que aseguran el futuro.

—¿Qué piezas?

La sonrisa arrogante volvió a aparecer en su rostro. Sólo que esta vez fue más lenta y calculada:

—Eso lo tendrás que averiguar tú mismo.

—John... —la voz de Valparaiso pareció estar flotando en el aire—. ¿John?

Bruscamente, Barron volvió a poner la esposa libre por la muñeca de Raymond:

—Si te la vuelves a quitar te mato.

Barron buscó su móvil. Al menos sabía dónde estaban y todavía tenía a Dan Ford. Si podían aguantar lo suficiente, Ford podía traer a la prensa hasta aquí. Abrió el teléfono y esperó a que se encendiera. Pero no lo hizo. Lo volvió a intentar, en vano. Tal vez se hubiera quedado sin batería. Tal vez se le había olvidado...

—Maldita sea —masculló. Lo intentó de nuevo. Nada.

—Está muerto, John —dijo Raymond, mirándolo.

—Vale, está muerto, pero nosotros estamos vivos. Cuando yo te diga, salimos corriendo hacia el lado de la locomotora. Agachados y rápido, ¿vale?

—Vale.

—¡Ahora!

79

6:48 h

Alguien en medio de la horda de periodistas de Union Station se enteró de la acción del almacén ferroviario a través de un escáner policial. Inmediatamente, Dan Ford trató de localizar a Barron en el móvil, pero lo único que consiguió fue que le saliera el contestador. Lo intentó otra vez pero no tuvo mejor suerte. Una llamada a un confidente de Robos y Homicidios de Parker Center confirmó lo que se había captado del escáner: Raymond Thorne tenía a Barron como rehén en un tren de Metrolink. La policía lo había desviado a una zona aislada de almacenes que ahora tenían acordonada. La 5-2 estaba al mando de la situación.

Normalmente, el trayecto en coche desde Union Station hasta los almacenes ferroviarios llevaba unos quince minutos. Ford lo hizo en nueve, más de cinco minutos por delante de la ola de cobertura mediática que él mismo había organizado.

Aparcó su Jeep Liberty en la calle y anduvo rápidamente bajo la llovizna, acercándose a la hilera de coches patrulla que tenía la zona acordonada. Cuando estaba a punto de alcanzarla el jefe Harwood apareció de pronto de entre la masa de uniformes, con un lugarteniente de rango a su lado. Harwood tenía las manos levantadas para que se parara.

—Nadie cruza esta línea, Dan. Y eso te incluye a ti.

—¿John está aquí? —preguntó, señalando con un gesto de la cabeza hacia los inhóspitos almacenes que tenían frente a ellos.

—Raymond Thorne lo ha tomado como rehén.

—Lo sé, y la 5-2 está al mando.

—Cuando sepamos algo más habrá un comunicado a la prensa —dijo Harwood bruscamente, antes de dar media vuelta y volver al grupo de uniformados. Su lugarteniente miró a Ford antes de seguirle.

Dan Ford llevaba demasiado tiempo como periodista de asuntos policiales como para que se le escapara ningún gesto o mirada, hasta de aquellos hombres entrenados para ocultarlos. El hecho de que el propio Harwood estuviera allí y se hubiera acercado a hablar con él ya revelaba muchas cosas. Lo que Harwood había dicho tal vez fuera la versión oficial, pero era mentira. Ford sabía perfectamente que Barron tenía a Raymond bajo custodia y que su intención había sido llevarlo a Union Station. Pero entonces, de pronto, el tren fue desviado de la vía principal y detenido en un lugar oculto detrás de unos almacenes, con la 5-2 al mando y la policía impidiendo que nadie viera nada. Y el mismísimo jefe de policía salía ahora a hablar con el periodista que contaba con la mayor confianza de la policía para decirle que Barron se había convertido en rehén.

¿Por qué? ¿Qué estaba ocurriendo? ¿Qué había pasado?

Había visto a la brigada llevarse a Raymond custodiado en el Mercury Air Center, y marcharse con él hacia las 4:20 de la madrugada. Luego, casi dos horas más tarde, hacia las 6:10, Barron le llamaba desde el tren para decirle que estaba solo con Raymond bajo custodia y le pedía que organizara un circo mediático para recibirlos cuando el tren llegara a Union Station. ¿Qué había pasado entre tanto? ¿Cómo y por qué llegó Barron a custodiar él solo a Raymond?

De pronto Ford empezó a pensar que algo terrible había sucedido en la brigada. Se acordó de lo raro que había estado John la noche que se encontraron en la cafetería, la noche en que Frank Donlan se suicidó. Cuando le preguntó sobre el tema, Barron le dio una versión casi literal de lo que Red había comunicado a los medios, que Donlan había conseguido ocultarse un revólver entre la ropa y que prefirió quitarse la vida antes que entregarse. Tal vez fuera verdad, tal vez no. Corrían rumores desde hacía años de que, en más de una ocasión, la 5-2 había abusado del significado de «hacer respetar la ley» y se habían ocupado ellos mismos de liquidar a un sospechoso detenido. Pero los rumores no habían sido nunca confirmados, y no conocía a ningún periodista, y menos él mismo, que hubiera profundizado en el tema.

No tenía manera de saberlo a ciencia cierta, pero, igualmente, tenía que preguntárselo: ¿y si los rumores fueran ciertos? ¿Y si la brigada se había cargado a Frank Donlan y Barron fue testigo y no supo qué hacer al respecto? Desde luego, Barron no se lo podía haber contado. No se lo podía haber contado a nadie. El asesinato de sus padres había dejado a Barron totalmente traumatizado. A raíz de este hecho, pasó de estudiar arquitectura del paisaje a obsesionarse con el derecho criminal y con los derechos de las víctimas. Si la brigada hubiera asesinado a Donlan, Barron estaría horrorizado. Y si tenían intención de hacer lo mismo con Raymond, entonces... De pronto, Ford se preguntó si éste era el motivo por el cual Barron lo había llamado desde el coche cuando se dirigía al aeropuerto internacional de Los Ángeles para contarle el asunto de Josef Speer/Raymond y abrirle las puertas de seguridad, porque temía que la brigada tuviera intención de matar a Raymond en el aeropuerto y quería que la presencia de alguien de la prensa les arruinara el plan. Y también lo llamó antes de llegar a LAX para darle información sobre el caso, tal vez incluso antes de que la brigada estuviera al tanto. ¿Qué le había dicho? «Que quede entre nosotros, sólo tú y yo hasta que lo sepamos seguro.» Sólo tú y yo, eso quería decir sólo Barron y él mismo, no los otros medios de comunicación, que sabía que serían mantenidos al margen si la 5-2 ya estaba allí o estaba a punto de llegar.

Pero fue una situación que nunca se dio porque Raymond mató a Red, una acción que por sí misma ya era motivo suficiente para eliminar a Raymond cuando lo tuvieran detenido. Si era eso lo que tenían planeado cuando se marcharon del Mercury Air Center y lo habían llevado a algún lugar para ejecutarlo, era muy posible que Barron hubiera reaccionado otra vez con horror y se negara a permitir que volviera a ocurrir. Si era eso lo que había ocurrido y si se las había apañado para arrancar a Raymond de las garras de la brigada y se lo había llevado al tren...

Era la única línea de pensamiento que tenía sentido y éste habría sido el motivo por el que Barron quiso que un circo mediático estuviera presente en Union Station a la llegada del tren, porque, como tenía planeado en el LAX, sabía que la brigada no actuaría delante de todo el mundo.

Si era eso lo que Barron había hecho, Harwood habría sido el primero en saberlo. Y si la historia le había dado a la 5-2 la libertad para hacer con la justicia lo que le diera la gana, el LAPD no iba a arriesgarse a hacerlo público ahora. No después de los años de escándalos y de comportamientos policiales poco éticos que habían salido a la luz. El resultado era que la maquinaria pesada del LAPD se había puesto a funcionar a fondo. Barron y su prisionero estaban aislados y ocultos, mientras el jefe de policía le contaba al mundo que Barron había sido tomado como rehén en vez de contar la verdad: que había sido arrinconado por sus propios compañeros por haber intentado proteger la vida del prisionero.

Ford volvió a mirar a Harwood entre el revuelo de uniformes. Entonces vio un coche conocido que llegaba. Estaba a unos cincuenta metros y avanzaba hacia la pared de coches patrulla bajo la fina lluvia. Corrió hacia él, con los pies resbalando sobre el suelo mojado. Al acercarse pudo ver que el cristal de atrás había saltado en pedazos. Luego vio a Polchak al volante. Alguien iba delante con él, pero no podía ver quién era.

—¡Len! —gritó, mientras aceleraba el paso—. ¡Len!

231

Vio a Polchak que se giraba. Entonces el ejército de uniformes abrió un paso y Polchak condujo por en medio. Con la misma premura, el camino se iba cerrando detrás de él y los agentes uniformados se volvieron a mirar a Ford, mientras el agente al mando le hacía gestos para que retrocediera. Ford se detuvo y se quedó quieto bajo la lluvia, mientras se le empañaban los cristales de las gafas, se le mojaba la chaqueta y el humor y las esperanzas se le rompían como la nariz que le palpitaba de dolor bajo el vendaje. Poco importaba que se encontrara rodeado de policías, o que conociera a muchísimos de ellos personalmente, o que fuera el periodista de sucesos más prestigioso de Los Ángeles. John Barron estaba a punto de ser asesinado.

Y él no podía hacer nada por evitarlo.

80

7:12 h

Barron y Raymond estaban tumbados en el suelo de entre las vías, debajo del vagón de Metrolink, vigilando a Lee y Valparaiso que se les acercaban. Berettas en mano, los dos detectives avanzaban a tres metros el uno del otro y miraban hacia el interior del vagón. Barron no tenía ni idea de dónde se encontraban Halliday y Polchak. Lo más probable era que estuvieran en algún lugar, a oscuras, esperando y vigilando.

Lo que sí resultaba claro era que Lee y Valparaiso suponían que Barron y Raymond seguían dentro del vagón. Seguían acercándose. Cinco pasos más. Seis. Siete. Ahora los detectives estaban en mitad del vagón y sólo se les veían las piernas, de rodilla para abajo. Barron casi podía alargar el brazo y tocar los enormes zapatos de Lee.

—Ahora —susurró Barron, y él y Raymond salieron rodando de debajo del vagón por el lado opuesto al de los detectives. En un segundo se pusieron de pie y se echaron a correr en busca de la protección de los vagones de mercancías que había en el siguiente ramal, a unos siete metros de la otra vía.

Halliday los vio al pasar por delante de la locomotora. Sacó el revólver para disparar pero lo hizo demasiado tarde y erró el tiro; se le escabulleron por el manto oscuro, bajo un vagón de mercancías de la Southern Pacific, el cuarto vagón de una hilera de seis.

Y

Barron vio como Halliday empezaba a acercarse hacia ellos desde la locomotora; luego vio a Lee que saltaba por encima del amarre entre el vagón Metrolink y la locomotora. Una décima de segundo más tarde Valparaiso apareció por el fondo del vagón. Iban separados unos doce metros y se les estaban acercando. Barron vio como Lee levantaba la radio.

—Te has equivocado de compinches, John —dijo la voz de Lee por la radio de Barron.

—Ahora estamos solos —dijo Valparaiso por su radio, a medida que se les acercaba, con la mirada fija en el espacio oscuro bajo el vagón por el que se habían colado Barron y Raymond—. El exterior está acordonado. Ya no tienes ninguna posibilidad, John —prosiguió Valparaiso, con la voz crujiendo por la radio de Barron—. Ni siquiera para ti. Tenemos que proteger la brigada.

Raymond, de pronto, miró a Barron:

—Dame un revólver —le susurró—. Si no lo haces nos moriremos los dos.

—Retrocede por las vías —le dijo Barron, en voz baja—. Métete debajo del vagón de detrás.

Raymond miró hacia atrás, y luego hacia delante. Se veía a Halliday yendo hacia la izquierda y luego desaparecer. Valparaiso y Lee permanecieron donde estaban.

—Dame un arma —insistió Raymond.

—Haz lo que te digo. —La mirada de Barron se desvió hacia Raymond—. ¡Ahora!

—Estoy aquí, Marty. —La voz de Polchak saltó de pronto por la radio de Barron. Barron miró a su alrededor. Polchak. ¿Dónde estaba? ¿Dónde había ido?

—John. —Ahora era la voz de Valparaiso la que sonaba por la radio—. Len tiene una sorpresa. Una especie de regalo de despedida.

Un fuerte ruido retronó detrás de ellos. Barron se volvió para ver la puerta de arriba, la del almacén número 19, abrirse de golpe. Entonces Polchak salió a la luz. En una mano llevaba la monstruosa metralleta antidisturbios Striker 12. En la otra llevaba a Rebecca.

—Len, ¿qué cojones estás haciendo? —La voz atónita de Halliday sonó por las radios.

—¡Suéltala! —De pronto, Barron salió de debajo del vagón, se

233

encaramó al andén y se puso a avanzar hacia Polchak, que estaba delante de él.

—¡Suéltala! ¡He dicho que la sueltes!

Barron tenía los ojos clavados en los de Polchak y apretaba la Beretta con la mano:

—¡Suéltala! —volvió a gritar.

De pronto Valparaiso apareció corriendo por la izquierda detrás de él, y Barron oyó como Raymond le gritaba una advertencia. Al mismo tiempo, Lee salió de la sombra al fondo del vagón de mercancías y se puso a andar hacia él, con la Beretta lista para disparar.

Barron lo vio y saltó a la izquierda, disparando tres ráfagas al mismo tiempo que Lee disparaba su arma. El enorme detective se detuvo en seco, trató de recuperar el equilibrio y luego cayó de bruces a la gravilla, con su Beretta deslizándose hacia delante.

Barron se quedó quieto y luego miró hacia atrás, a Polchak. Rebecca estaba petrificada a su lado, confundida y aterrorizada.

—¡A tu derecha! —gritó Raymond.

Barron se dio la vuelta.

Valparaiso estaba a pocos metros, con el percutor a punto de golpear su arma.

¡Pum! ¡Pum! ¡Pum! ¡Pum!

Las armas de los dos detectives descargaron a la vez.

Barron sintió algo que impactaba en su muslo y lo tiraba hacia atrás. Al mismo tiempo vio que Valparaiso se sujetaba la garganta y empezaba a caer al suelo. Entonces Barron rebotó con fuerza contra el vagón y cayó, y su propia Beretta salió volando. Sintió que iba a desmayarse pero luchó por recuperar el sentido. Al mismo tiempo veía a Rebecca mirándolo aterrada, tratando de liberarse de la mano de Polchak. Polchak tiró de ella y levantó la Striker 12. Barron intentaba levantarse pero no podía. De pronto, Raymond saltó encima de él y le quitó el Colt del cinturón.

Barron empezó a gritarle pero Raymond ya tenía a Polchak apuntado con el Colt.

Al mismo tiempo, Polchak soltó una ráfaga con el Striker 12. El sonido de mil martillazos llenó todo el aire. Por una décima de segundo una expresión de incredulidad cruzó el rostro de Raymond; luego se estampó contra el vagón y cayó al suelo, al borde del andén.

Barron lo vio cubierto de sangre, tratando de levantarse, luego perdió el equilibrio y cayó hacia atrás. Por un instante su mirada se clavó en los ojos de Barron, luego rodó a un lado y desapareció de la vista, hacia las vías.

Barron se volvió. Polchak avanzaba hacia él y le apuntaba al pecho con la Striker 12. Detrás de él, Barron podía ver a Rebecca, con las manos en los oídos, presa del pánico.

Barron buscó con los ojos su Beretta, en el suelo del andén, a tres o cuatro metros de él, y luego el Colt, a la mitad de esa distancia, donde Raymond lo había dejado caer.

Podía ver a Polchak sonriendo a medida que se le acercaba. Se oyó un fuerte *clonc* de acero mientras montaba la Striker. Luego, con el rabillo del ojo, vio acercarse a Halliday, con la Beretta levantada, dispuesto a acabar con él si no lo hacía la Striker.

—Dios mío, Jimmy —masculló Barron.

—¡Por Red, hijo de puta! —gritó de pronto Polchak, disponiéndose a apretar el gatillo de la Striker.

Fue entonces cuando Rebecca se puso a gritar. Con los ojos llenos de terror y abiertos de par en par, gritó y gritó y gritó. Después de años de silencio, aquél fue un grito contenido, primitivo. El horror, el terror y el pánico surgiendo y brotando al unísono. Ninguno de ellos había oído nunca un grito igual, y ella no cesaba de gritar. O no podía hacerlo. El sonido duraba una eternidad. Resonaba por los edificios, por las vías, por todos lados.

Polchak apretó los ojos, como si le costara pensar; aquel grito le estaba robando todo el equilibrio mental. Lentamente, se volvió y empezó a avanzar hacia ella, con los ojos abiertos como platos y las pupilas contraídas al máximo. La Striker seguía entre sus manos.

—¡Baaaaasta! —gritó él, con el rostro de puro alabastro, la voz aguda y extraña, con un grito que era más animal que humano—. ¡Basta! ¡Basta! ¡Para!

Rebecca no callaba. Seguía gritando, aullando. Desesperado, Barron intentó alcanzar la Beretta, pero sólo podía empujar con una pierna. En la otra no tenía sensación.

—¡Para! ¡Para!

Polchak avanzaba hacia Rebecca, que seguía gritando con aquel sonido espantoso e inhumano, y la apuntaba directamente con la Striker. Pero la tensión hacía que le temblaran las manos y le flaqueara el objetivo.

—¡Len! ¡No lo hagas! ¡Nooo! —Barron estaba ahora boca abajo, avanzando con su pierna buena hacia la Beretta.

Un paso más y Polchak había llegado. Ahora la metralleta estaba en plena cara de Rebecca.

—¡Len!

Esta vez el grito no venía de Barron, sino de Halliday. Al oírlo,

235

Polchak se detuvo. Barron vio como respiraba agitadamente y entonces Polchak volvió a girarse, esta vez apuntando la Striker hacia Halliday.

¡Pum! ¡Pum! ¡Pum! ¡Pum!

Los casquetes de 9 mm de Halliday impactaron en el cuello y en el hombro derecho de Polchak. La Striker empezó a resbalarle. Polchak apretó la mano y trató de levantar la metralleta, pero ya no tenía fuerza. Lo único que pudo hacer fue disparar al suelo, a sus pies, al caer. Se oyó un ruido sordo cuando su cuerpo golpeó el suelo. Como si no hubiera caído, sino que lo hubieran tirado desde muy arriba. El pecho se le agitó una última vez y luego gruñó cuando la vida abandonó su cuerpo.

Y entonces se hizo el silencio.

SEGUNDA PARTE

Europa

1

Domingo de Pascua, 31 de marzo. 16:35 h

John Barron oyó el silbido agudo de los motores y luego sintió la fuerza que empujaba su cuerpo contra el respaldo mientras el vuelo 0282 de British Airways tomaba impulso por la pista del LAX, rumbo a Londres. A los pocos segundos la nave despegó y se oyó el ruido del tren de aterrizaje escondiéndose dentro del fuselaje. Debajo podía ver cómo el paisaje urbano de Los Ángeles desaparecía a medida que el avión ganaba altura. Luego vio la franja de la costa y el azul profundo del Pacífico, y la hilera de playas blancas que alcanzaban hasta Malibú. Y entonces el avión viró suavemente a la izquierda y lo único que vio fue el cielo. Estaban ahí arriba, sanos y salvos.

Barron suspiró aliviado y se volvió para mirar a Rebecca, acurrucada a su lado. Dormía profundamente, tapada con una manta. Con la fuerte sedación que le habían administrado, parecía sorprendentemente en paz, como si sus vidas estuvieran tomando al fin el rumbo adecuado.

John miró a su alrededor. Los otros ocho pasajeros de la cabina de primera clase no les prestaban ninguna atención. Para ellos era sencillamente un pasajero más, acompañado de una chica que dormía a su lado. ¿Cómo podía ninguno de ellos imaginar que huían para salvar sus vidas?

—¿Le apetece una copa, señor Marten?

—¿Disculpe? —Distraído y sorprendido, John Barron levantó la vista y vio a una azafata en el pasillo, a su lado.

—Le preguntaba si le apetece una copa, señor Marten.

—Oh... sí, gracias. Un vodka martini, por favor. Doble.

—¿Con hielo?

—Sí, gracias.

—Gracias, señor Marten.

Barron se recostó. Tenía que acostumbrarse a que lo llamaran por el apellido Marten. Como también tenía que acostumbrarse a que lo llamaran Nick, o Nicholas. Igual que Rebecca debería acostumbrarse a usar el nombre Rebecca Marten, o señorita Marten, y a reaccionar a este nombre como si lo hubiera hecho toda la vida.

El avión viró de nuevo suavemente hacia el este. Al cabo de un momento la azafata volvió y le sirvió la copa en el reposabrazos de al lado. Barron le hizo un gesto de agradecimiento con la cabeza, cogió la copa y probó el combinado. Era frío, seco y amargo al mismo tiempo. Se preguntó cuándo fue la última vez que se había tomado un vodka martini, si es que lo había hecho alguna vez, y por qué lo había pedido. Por otro lado, sabía que era fuerte, y eso era lo que ahora necesitaba.

Hoy se cumplían exactamente dos semanas y dos días del terrible baño de sangre en las vías del tren. Dieciséis días de dolor, ansiedad y miedo. Tomó otro sorbo de su copa y miró a Rebecca, que dormía a su lado. Estaba bien, y él también. La miró un rato más. Luego miró por la ventana, a las nubes que pasaban, e intentó reconstruir lo que había ocurrido en aquel periodo tan breve y abrasador.

Todavía podía sentir la fetidez de la pólvora y ver a Halliday en el andén, pidiendo a gritos que le mandaran ambulancias. Todavía podía ver a Rebecca corriendo enloquecida hacia él, huyendo de la mano de Polchak caído. Aullando, gritando, histérica, echándose al suelo para estrecharlo entre sus brazos. En lo que parecía una película a cámara lenta, veía al jefe de policía Harwood y a sus ayudantes bajando al andén cuando empezaban a llegar los primeros vehículos de rescate. Y en el mismo movimiento a cámara lenta, los equipos médicos de emergencia se ponían al mando de la situación. Vio cómo el horror crispaba el rostro de Rebecca cuando la arrancaban de su lado, hasta que desaparecía, absorbida por un mar de uniformes. Recordaba cómo le habían cortado la ropa y que le dieron una inyección de morfina. Y a Halliday hablando con el jefe Harwood. Y a la gente de Urgencias metiéndose debajo del vagón para ocuparse de Raymond, tendido sobre las vías.

Entonces cargaron a Barron en una camilla y lo llevaron a una ambulancia, pasando por delante de las figuras postradas de Lee, Valparaiso y Polchak. Y él sabía que estaban muertos. Mientras la reali-

240

dad se le iba desdibujando bajo los efectos de la morfina, echó una última mirada al jefe Harwood, rodeado de sus ayudantes. No había duda de que estaba al tanto de lo sucedido, y el control de los daños ya se había puesto en marcha.

Antes de que hubiera transcurrido una hora la prensa mundial ya estaba pidiendo a gritos los detalles de lo que ya se llamaba «el gran tiroteo de la Metrolink», y exigiendo saber la identidad del hombre apodado Ray *Gatillo* Thorne. Lo que obtuvieron a cambio fue un tibio comunicado del LAPD declarando que tres detectives habían muerto en el tiroteo con el sospechoso cuando trataban de rescatar a uno de los suyos; que el propio Thorne había sido gravemente herido y que estaba en marcha una intensa investigación interna.

Y entonces, para todos, el asunto entero estalló de una manera totalmente descontrolada. A John Barron lo llevaron al Glendale Memorial Hospital para ser tratado de urgencias de varias heridas de bala, unas heridas que, gracias a Dios, estaban todas alojadas en tejidos blandos y no suponían peligro para su vida. Raymond Oliver Thorne fue trasladado al centro médico del condado en un estado mucho más grave.

Y allí, apenas treinta horas más tarde y después de someterse a varias intervenciones quirúrgicas, sin haber recuperado nunca la consciencia, murió de una embolia pulmonar, un coágulo en los pulmones. Luego, por una confusión en la oficina del forense del condado que bordeaba lo cómico y que empeoraba gravemente la imagen del departamento, el cadáver fue mandado por error a una empresa privada de funerales y fue incinerado a las pocas horas. De nuevo, el LAPD se llevaba las manos a la cabeza mientras la prensa mundial se frotaba las manos.

19:30 h

Llevaban ya tres horas de vuelo. Habían cenado y la iluminación de la cabina había sido atenuada. Los pasajeros tomaban copas y miraban películas en sus pantallas individuales de TV. Rebecca seguía durmiendo. John Barron trató de imitarla pero no conseguía conciliar el sueño. El recuerdo de lo sucedido lo seguía acechando.

En la misma tarde que Raymond murió y fue incinerado, el sábado, 16 de marzo, a primera hora, Dan Ford visitó a Barron en el hospital. Claramente preocupado por la vida de su mejor amigo, había algo en él, en su manera de comportarse, que le decía a Barron que sabía lo que había pasado en el tiroteo y por qué, pero no le dijo nada. En vez de hacerlo, le habló de su visita a Rebecca en Saint Francis; había sido sedada y cuando llegó la encontró descansando, pero de inmediato lo reconoció y le cogió la mano. Y cuando le dijo que luego iría a visitar a su hermano y le preguntó si podía decirle que estaba bien, ella le apretó la mano y le dijo que sí con la cabeza.

Entonces Ford le dio dos noticias referentes a Raymond. La primera era sobre una entrevista que la policía metropolitana de Londres había mantenido con Alfred Neuss.

—Lo único que les ha dicho —dijo Ford— es que estaba en Londres por una cuestión de negocios y que no tenía ni idea de quién era Raymond o de lo que buscaba. El único motivo por el cual podía justificar que su nombre figurara en la agenda de los dos hermanos a los que supuestamente Raymond había asesinado en Chicago era que se trataba de unos sastres que una vez utilizó cuando estaba en la ciudad, y que les había pedido que le mandaran la factura a su domicilio de Beverly Hills.

La segunda noticia de Ford tenía relación con algo que las investigaciones del LAPD habían descubierto en su intento por averiguar quién había contratado el *jet* privado que había ido a recoger a Raymond en la Mercury Air Terminal de Burbank.

—La West Charter Air mandó un Gulfstream a recoger a Raymond no una vez, sino dos. Un día antes, el mismo avión había ido a recogerlo al aeropuerto de Santa Mónica, pero él no llegó a presentarse. El avión había sido contratado por un hombre que se hizo llamar Aubrey Collinson, supuestamente un abogado jamaicano que llegó a la oficina de Kingston de la compañía y pagó el vuelo en efectivo. Más tarde, obviamente ya informado de que Raymond no había cogido el avión, se disculpó por la confusión y volvió a pagar, pidiendo que esta vez recogieran a su cliente en el aeropuerto de Burbank en vez del de Santa Mónica. El resto de instrucciones eran exactamente igual.

»Los pilotos debían recoger a un hombre de negocios mexicano llamado Jorge Luis Ventana y llevarlo a Guadalajara. Junto a las instrucciones había un sobre que debía entregarse a Ventana cuando abordara el avión... un sobre que la policía de Los Ángeles retiró del Gulfstream como prueba. Dentro había veinte mil dólares en efectivo, un pasaporte mexicano con el nombre de Jorge Luis Ventana, un permiso de conducir italiano con una dirección de Roma y un pasaporte italiano, ambos a nombre de Carlo Pavani. Los tres documentos llevaban la foto de Raymond. La dirección de Roma resultó ser una parcela vacía. Tanto el permiso de conducir como los pasaportes eran falsos. Y de momento, los inspectores de la policía jamaicana han sido incapaces de localizar a nadie llamado Aubrey Collinson.

Fue en aquel momento, mientras las últimas palabras de Ford salían de su boca, cuando la puerta de la habitación de Barron se abrió y apareció el jefe de la policía del LAPD, Louis Harwood, totalmente vestido de uniforme, acompañado de su ayudante. Harwood saludó con la cabeza a Ford y luego le pidió discretamente que los dejara solos. Sin mediar palabra, su ayudante acompañó a Ford a la puerta, lo hizo salir y cerró la puerta detrás de él.

Fue un gesto que, en otras circunstancias, podía haber sugerido una necesidad de intimidad, la de un jefe de policía preocupado por el bienestar de uno de sus oficiales herido en cumplimiento del deber. Sin embargo, ahora constituía un acto de amenaza lleno de mal augurio.

Barron recordaba claramente a Harwood cruzando la habitación, diciéndole que se alegraba de saber que sus heridas no eran graves, y que le habían informado que podía salir el lunes del hospital. Y luego la mirada de Harwood se endureció como una piedra.

—Hace cosa de una hora el caso Raymond Thorne ha sido oficialmente cerrado. No contaba con socios ni tenía vínculos con ningún grupo terrorista. Era un pistolero solitario que actuaba a solas.

—¿Qué quiere decir que actuaba a solas? Alguien le mandó un avión privado a dos aeropuertos distintos en dos días distintos. Lo sabe tan bien como yo. —Barron, hasta en el estado en que se encontraba, protestó enérgicamente, enfadado—. Tiene usted un montón de muertos aquí en Los Ángeles, en Chicago, en San Francisco y en México D.F. Tiene las llaves de una caja fuerte de algún lugar de Europa. Tiene...

—El anuncio formal —lo interrumpió Harwood— se hará en el momento oportuno.

Bajo circunstancias normales Barron habría seguido protestando, mencionando las referencias específicas que Raymond tenía apuntadas en su agenda de Londres, Francia y del 7 de abril en Moscú. Le habría dicho a Harwood lo que Raymond le había dicho en el tren sobre «las piezas que sirven para asegurar el futuro» y luego le habría advertido que, aunque Raymond estuviera muerto, estaba seguro de que lo que había empezado seguía vivo, que tal vez hubiera todavía algo más mortífero por venir. Pero éstas no eran unas circunstancias ordinarias, y no lo hizo. Además, Harwood no había terminado.

—Hace cosa de una hora —prosiguió en un tono más gélido que su mirada—, la centenaria brigada 5-2 ha sido oficialmente disuelta. Ya no existe.

»En cuando al resto de sus miembros, al detective Halliday se le ha concedido una baja de tres meses, después de la cual será asignado a un puesto menos estresante en la Dirección de Tráfico del valle.

»Usted, detective Barron, firmará un acuerdo secreto por el que se compromete a no divulgar ninguna de las acciones y operaciones ejercidas por la brigada 5-2. Acto seguido abandonará su puesto en el departamento de Policía de Los Ángeles alegando motivos médicos, y se le concederá una indemnización global por incapacidad permanente de ciento veinticinco mil dólares.

Harwood miró bruscamente a su ayudante, que le entregó un sobre grande de papel manila. Con el sobre en la mano, Harwood volvió a mirar a Barron:

—Como ya sabe, por su propia seguridad, su hermana recibió una sedación con drogas psicotrópicas en la escena de los hechos. Me ha sido garantizado que el efecto de estas drogas en combinación con su estado emocional y su necesidad de seguir tratándose con medicación durante un tiempo le dejarán un recuerdo muy vago, prácticamente nulo, de lo ocurrido allí.

»Oficialmente, la dirección del Saint Francis cree que la llevaron a verle a usted al hospital porque había sido herido en el tiroteo con el fugitivo y de camino sufrió una crisis nerviosa. Entonces la llevaron al hospital más cercano. Eso es lo único que se ha filtrado a la prensa y a la opinión pública, y así debe seguir. En el informe oficial no constará que jamás estuviera en el andén.

Harwood le entregó bruscamente el sobre a Barron.

—Ábralo —le ordenó, y Barron lo hizo.

Dentro había una matrícula de coche retorcida y chamuscada, perteneciente al estado de California. Era del Mustang de Barron.

—Alguien chamuscó su coche en el parking del Mercury Air Center, donde lo dejó ayer por la mañana.

—¿Chamuscó? —dijo Barron en voz baja—. ¿Quiere decir que lo incendió a propósito?

—Sí, quiero decir, que se lo han quemado.

Lentamente, los ojos de Harwood se llenaron de odio. Y también su voz.

—Ha de saber que hay un montón de rumores que circulan por

el departamento. El principal es que usted fue el principal responsable de las muertes de los detectives Polchak, Lee y Valaparaiso. Y, al fin y al cabo, de la clausura de la brigada.

»Sea o no cierto, una vez salga del hospital volverá usted a un ambiente poco favorable, incluso hostil. —Harwood hizo una pausa y Barron pudo ver el odio en él creciendo en intensidad. Luego Harwood prosiguió—. Hay una historia que circula de una nota que le fue entregada al alcalde de una pequeña ciudad de un país sudamericano devastado por la guerra. La nota le fue entregada por un granjero, pero había sido mandada por el comandante de una guerrilla. Decía algo como: "Por el bien de su salud, debe usted marcharse de la ciudad. Si no lo hace, se convertirá en un objetivo".

»Por el bien de su salud, detective, yo seguiría el mismo consejo, y lo haría con la máxima rapidez.

2

Vuelo de British Airways 0282, lunes, 1 de abril. 00:30 h

En medio de la penumbra de la cabina de primera clase sólo había una persona que se agitaba. Era John Barron, despierto y tenso como si le hubieran inyectado una buena dosis de cafeína. Por mucho que intentaba olvidar, los recuerdos insistían en acecharlo.

Era como si acabara de ocurrir. El clic agudo, el golpe agudo de la puerta cuando Harwood y su ayudante se marcharon. Harwood no había añadido ni una palabra más. No hubo necesidad. Barron ya había sido advertido explícitamente de que su vida corría peligro. Eso significaba que no le quedaba más alternativa que hacer lo que había planeado después de que la brigada ejecutara a Frank Donlan: recoger a Rebecca y abandonar Los Ángeles de inmediato dejando el mínimo rastro posible. Había renunciado a su plan por culpa de Raymond y porque sintió que era su deber hacer todo lo posible por capturarlo antes de que volviera a matar. Pero ahora Raymond estaba muerto y cualquier plan en el que hubiera estado involucrado, cualquier otra cosa que hubiera puesto en marcha y estuviera a punto de ocurrir era responsabilidad de otros. Ahora tenía que concentrarse en una sola cosa: salvar su vida y la de Rebecca.

La primera vez había sido cuestión de organizar las cosas con la doctora Flannery, de encontrar un destino, meter las maletas en el coche, recoger a Rebecca y marcharse. Pero luego tuvo lugar el tiroteo y eso le provocó una enorme reacción psicológica. Como resultado del intenso tratamiento psiquiátrico que necesitaría para sacarla adelante, por no decir nada del propio estado físico de John, la idea de ir a cualquier lugar y de manera inmediata parecía imposible. Pero no había alternativa. Si la *vendetta* que Harwood le había prometido llegara a materializarse y él fuera asesinado, Rebecca volvería a replegarse sobre ella misma y volvería a quedar en nada.

Presa de los nervios, llamó a la doctora Janet Flannery a primera hora de la mañana del domingo 17 de marzo y le pidió que fuera al hospital. Ella llegó antes del mediodía y, a petición de Barron, lo llevó en una silla de ruedas hasta una espaciosa zona exterior para visitas, donde le preguntó por el estado de Rebecca.

—Ha hecho un avance enorme —le dijo la doctora—. Enorme. Habla con la voz entrecortada, responde a las preguntas. Pero el período aquí es crucial y muy difícil. Está medicada y viene y va. Ahora histérica, luego retraída, y pregunta por ti siempre que tiene la oportunidad. Es fuerte y muy brillante, pero si no tenemos mucho cuidado podríamos perderla y fácilmente podría volver a su estado anterior.

—Doctora Flannery —dijo Barron, en voz baja pero con tono enfático—. Rebecca y yo tenemos que desaparecer de Los Ángeles lo antes posible. Y no para irnos a Oregón ni a Washington ni a Colorado, como le había dicho antes. Tenemos que irnos más lejos. A Canadá, o tal vez a Europa. Sea donde sea, decidamos donde decidamos, tengo que saber cuándo estaremos preparados para hacer un viaje tan largo y tan lejos.

Recordó cómo la doctora Flannery se lo había quedado mirando, sabiendo que veía la misma premura y desesperación que había visto antes. Sólo que esta vez era más fuerte y mucho más desesperada.

—Si todo va bien, tal vez dos semanas, como muy pronto, antes de que pueda ser trasladada para recibir tratamiento en otro lugar. —La doctora Flannery lo escrutó con más atención—. Detective, debe comprender que Rebecca es un caso totalmente nuevo, un caso que precisa un tratamiento intenso. Por este motivo, y por lo que usted quiere hacer, debo preguntarle el por qué.

Barron vaciló un largo instante, sin saber qué hacer. Finalmente se dio cuenta de que no podía hacer solo lo que tenía que hacer y le pidió si podían mantener una sesión privada, él como paciente, ella como terapeuta profesional.

—¿Cuándo?

—Ahora.

Ella le dijo que era algo poco ortodoxo y que lo más indicado sería concertarle una cita con otro profesional, pero él se lo suplicó, después de confiarle que allí corría un riesgo físico real y que el tiempo era un factor esencial. Ella le conocía y lo sabía todo de Rebecca; además, Barron confiaba en ella.

Finalmente accedió y lo llevó en la silla a un rincón al fondo del patio, lejos de otros pacientes y visitantes. Allí, bajo la sombra de un enorme sicómoro, él le contó lo de la brigada, lo de la ejecución de Frank Donlan, lo del asesinato de Red por parte de Raymond, su pelea con Polchak y lo que pasó en el taller de pintura de coches después de que capturaran a Raymond, y finalmente lo que había ocurrido en los almacenes ferroviarios. Y acabó con el incendio de su coche y la solemne advertencia del jefe Harwood.

—Tengo que cambiar mi identidad y la de Rebecca y luego debemos marcharnos tan lejos de Los Ángeles como podamos, lo antes posible. De las identidades me puedo ocupar yo. Para el resto necesitaré ayuda: adónde podemos ir para que Rebecca reciba el tratamiento sin que nos hagan demasiadas preguntas y donde sea improbable que el LAPD pudiera encontrarnos. Algún lugar lejos, al que nos podamos adaptar y donde podamos empezar una nueva vida sin correr riesgos, tal vez en otro país.

La doctora Flannery no decía nada, sólo le miraba, y él sabía que estaba evaluando la realidad de lo que era preciso hacer contra la realidad de qué era posible hacer.

—Obviamente, detective, si cambian ustedes sus identidades, como cree que debe hacer, el seguro médico que ahora tiene dejará de ser válido, a menos que quiera arriesgarse a dejar un rastro documental.

—No, no puedo hacerlo. Ningún rastro documental.

—Pero compréndalo, vaya donde vaya, su tratamiento resultará caro, al menos al principio, cuando el cuidado deberá ser más intenso.

—Me han dado una especie de «indemnización por cese» y tengo una pequeña cuenta de ahorro y algunos bonos del Estado. Durante un tiempo estaremos cubiertos, hasta que pueda encontrar un trabajo. Sólo... —Barron se detuvo a media frase y esperó a que pasara un enfermero que acompañaba a un paciente anciano caminando. Luego bajó la voz y prosiguió—. Dígame cuáles son exactamente las necesidades de Rebecca.

—La clave —dijo la doctora— es encontrarle un buen programa de tratamiento del estrés postraumático, uno que acelere y ayude a

247

crear lo que llamamos estabilidad de la personalidad y que la ayude a alcanzar el punto en que pueda funcionar cómodamente de manera autónoma. Si está pensando en Canadá...

—No —dijo Barron bruscamente—, Europa sería mejor.

La doctora Flannery asintió con la cabeza:

—En este caso hay tres lugares que me vienen a la cabeza, todos ellos excelentes. El centro de tratamiento postraumático de la Universidad de Roma; el centro equivalente en la Universidad de Ginebra y la clínica Balmore, en Londres.

Barron sintió que el corazón se le subía a la garganta. Había sugerido Canadá o Europa porque sabía que allí había americanos por todas partes y sentía que podrían adaptarse sin llamar demasiado la atención. También estarían lo bastante lejos como para que para las fuerzas del LAPD contra las que el jefe Hardwood le había advertido fuera a la vez impráctico y difícil encontrarles, en especial si tenían identidades distintas y no dejaban ningún rastro.

Pero ahora se daba cuenta de que lo había restringido repentinamente a Europa por otro motivo: Raymond y todo lo que parecía tramar apuntaba a Europa, y más directamente a Londres. Herido como estaba y preocupado por su seguridad y la de Rebecca y su tratamiento, algo en su interior se resistía a olvidarse de Raymond. Raymond había sido bueno, demasiado bueno, demasiado profesional, demasiado cuidadoso controlando lo que tenía entre manos como para que se lo quitaran de encima considerándolo, sencillamente, un loco. Estaba claro que tenía otros objetivos y, como demostraban los aviones fletados para él, no actuaba en solitario. Y hasta sin pruebas concretas, Barron, a pesar de ser joven, era un detective experimentado y la sensación de que tenían que pasar más cosas le carcomía por dentro y se le paseaba por las tripas. Éste fue el motivo por el que, cuando tuvo que hacerlo, eligió Europa antes que Canadá. Y al sugerir Londres como lugar potencial para la rehabilitación de Rebecca, la doctora Flannery acotó todavía más su elección.

Londres habría sido el destino inmediato de Raymond cuando acabara lo que tenía intención de hacer con Alfred Neuss en Los Ángeles, y la vida de Neuss se había salvado sencillamente porque se había marchado a Londres. Fue un viaje que, claramente, había sorprendido a Raymond, porque era obvio que había esperado encontrarlo en Beverly Hills.

Estaban los otros elementos, también. «Las piezas», como Raymond había dicho. Las llaves de una caja fuerte de fabricación belga cuya empresa hacía negocios sólo dentro de la Unión Europea, y eso significaba que la caja y su contenido se encontraban en algún lugar de Europa continental; también las tres referencias específicamente a Londres: una dirección, Uxbridge Street 21, que la policía metropolitana había descrito como una residencia privada bien conservada cerca de los jardines de Kensington, propiedad del señor Charles Dixon, un corredor de bolsa inglés jubilado que pasaba casi todo el año en el sur de Francia, y que estaba a poca distancia de la embajada rusa; la referencia a la propia embajada; y el recordatorio de encontrarse con alguien llamado I.M. en el Penrith's Bar de High Street, una persona a la cual el investigador de la policía metropolitana de Londres que se ocupaba del caso había sido incapaz de identificar.

Aquella información seguía siendo reciente, de hacía apenas un par de semanas, y significaba que fuera cual fuese la operación en que se basaba, podía muy bien seguir activa y localizable. El FBI había estado investigando posibles vínculos terroristas y se suponía que habrían pasado cualquier información que hubieran obtenido a la CIA y, probablemente, hasta al departamento de Estado, pero Barron sabía que jamás se enteraría de lo que habían descubierto o comunicado.

La información más reciente y misteriosa provenía de Dan Ford, que acababa de descubrirla y se la había confiado la noche antes de su partida a Londres. Un grupo de investigadores del ministerio de Justicia ruso había desembarcado sigilosamente en Los Ángeles la semana posterior a la muerte de Raymond. Supervisados por el FBI, habían tenido acceso a los archivos del LAPD y habían hablado también con los detectives de la policía de Beverly Hills. Se habían marchado al cabo de tres días diciendo que, a pesar de las acciones de Raymond Thorne, a pesar del avión fletado para recoger a Raymond en dos aeropuertos y en dos días distintos con sobres con pasaportes y permisos de conducir falsos, a pesar del misterioso Aubrey Collinson que había fletado el avión desde Kingston, Jamaica, y a pesar de las breves notas manuscritas de su agenda, no habían encontrado indicios de amenaza al gobierno o a la ciudadanía rusa. Cuando se les preguntó, afirmaron que la anotación 7 de abril/Moscú en la agenda de Raymond no tenía ningún significado especial. Para ellos eran simplemente una fecha y un lugar, nada más.

Los rusos habían venido, pensó Barron, con el espíritu de cooperación internacional de una época de actividad terrorista creciente, porque el uso de un jet fletado sugería que cualquier amenaza que pudiera haber existido había sido muy bien fundada y podía tener repercusiones internacionales. Pero ese rastro se había enfriado rápidamente y, en cuanto al propio Raymond, a pesar de lo brutal y asesino de sus acciones, ni él ni sus crímenes cuadraban con el actual perfil de los terroristas ni de sus organizaciones.

Sin embargo, la desestimación de sus aberraciones como algo sin más implicaciones ni complicaciones —por parte de los rusos, del FBI, y más específicamente del LAPD, que deseaba enterrar rápidamente un asunto que amenazaba con convertirse en una importante mancha en un departamento ya de por sí muy empañado, si llegaba a saberse la verdad del tiroteo de la estación Metrolink— era, en opinión de John Barron, un grave error, puesto que, para él, todas aquellas otras cosas suponían indicios importantes de que Raymond estaba involucrado en algo muy importante, de consecuencias tal vez catastróficas, que no acababa con su muerte. A pesar de lo que habían dicho los investigadores rusos, el 7 de abril, una fecha que se acercaba rápidamente, le parecía un augurio especialmente malo. ¿Cómo podía saber nadie con seguridad si la anotación de Raymond era de carácter personal, para acordarse de alguien o de algo que ocurriría en Moscú aquel día, o si hacía referencia al día y el lugar de algún acto terrorista, como la toma de rehenes de los rebeldes chechenos en el teatro de la calle Melnikova, o los bombardeos suicidas en un festival de rock en Moscú... o algo incluso más terrible, como el atentado a los trenes de Madrid, o algo pensado para matar a miles de personas, algo similar al horror que invadió Nueva York y Washington aquel infame 11 de septiembre?

Si la anotación hacía referencia a un ataque terrorista, ¿significaba que la postura adoptada por las distintas agencias, incluidos el LAPD y los investigadores rusos, era solamente una cortina de humo para evitar aterrorizar a la ciudadanía? Y si era sólo una postura, ¿significaba que el FBI, la CIA, la Interpol y otras organizaciones antiterroristas internacionales estaban colaborando con los servicios secretos rusos y controlando secretamente la situación por todo el mundo, esperando descubrir y luego abortar lo que fuera que Raymond y sus secuaces tenían planeado?

O...

Tal vez no había nada planeado. ¿Tenía todo aquello algún significado? ¿Estaba todo el asunto tan muerto como el propio Raymond?

Fuera como fuese, había algo más que Barron debía tener presente: a pesar de todo lo que estuviera ocurriendo y de la desestimación pública hecha por el LAPD de posibles derivaciones del caso Raymond, era posible que siguieran tras el rastro de sus notas y del resto de pruebas. En ese caso, y si Barron hacía lo mismo, era muy posible que en algún momento se cruzara con los detectives del jefe de policía Harwood. Eso podría costarle la vida. Pero también sabía que desentenderse le resultaba imposible. El complejo de culpa que seguía cargando por las muertes de las víctimas de Raymond en Los Ángeles era enorme, y la idea de que pudiera morir más gente le horrorizaba. De modo que, por muy grande que fuera el riesgo, debía continuar hasta asegurarse de que el fuego que Raymond había iniciado se había apagado finalmente y para siempre.

Pero no podía estar seguro. Ahora no. En absoluto.

En lo más profundo de su ser había una voz que luchaba por salir, lo mismo que le ocurría desde el momento en que supo que Raymond había muerto. Cada vez que la oía, él trataba de silenciarla. Pero no podía. Seguía volviendo, apremiándolo a seguir, a encontrar a la bestia y asegurarse de que estaba muerta.

Cuando escuchaba la voz, como ahora le ocurría, se daba cuenta de que si quería volver a recoger el rastro de la bestia, resultaba claro que sólo había un lugar por el que empezar.

—Londres —le había dicho a la doctora Flannery con claridad.

—¿La clínica Balmore?

—Sí. ¿Podría usted meter a Rebecca en un programa de éstos? ¿Y hacerlo con rapidez?

—Haré todo lo que pueda —dijo ella.

Y lo hizo. Y muy bien hecho.

3

Londres, York House. Clínica Balmore. Lunes 1 de abril,13:45 h

La primera impresión que Clementine Simpson le causó a John Barron, o más bien Nicholas Marten, fue menos que extraordinaria. Alta, más o menos de su misma edad y con una media melena de color caoba, con un traje de chaqueta azul marino que le quedaba un poco grande, daba la impresión de ser una supervisora de hospital razonablemente atractiva pero poco estilosa. Lo que sabría más tarde era que no se trataba de ninguna supervisora, sino de un miembro de la Fundación Balmore que participaba en una de las semanas que dos veces al año dedicaba al trabajo voluntario en la clínica. Fue en el ejercicio de esta función que acompañó a la nueva psiquiatra de Rebecca, la doctora Anne Maxwell-Scot —una mujer bajita, más bien gruesa y especialmente astuta a la que Marten le supuso una edad de cincuenta y pocos años— y a dos asistentes médicos al aeropuerto de Heathrow para recibir a Rebecca Marten y a su hermano a la llegada del avión de la British Airways, justo antes de mediodía.

Para entonces Rebecca llevaba despierta cerca de una hora y, aunque estaba todavía grogui por la medicación, se había tomado un pequeño desayuno y parecía entender dónde estaba y por qué ella y su hermano estaban en un avión de camino a Londres. La misma calma y comprensión reinó durante el trayecto en ambulancia desde el aeropuerto hasta la York House de Londres, el centro para pacientes ingresados de la clínica Balmore, en Belsize Lane.

—Si tiene cualquier duda, señor Marten, por favor no dude en preguntar —le dijo Clementine Simpson mientras salía de la pequeña pero alegre habitación de Rebecca en la tercera planta—. Estaré aquí todo el resto de la semana.

Y luego se marchó, y Nicholas Marten se quedó ayudando a su hermana a instalarse. Luego pasó un rato a solas con la doctora Maxwell-Scot, y ella le dijo el buen aspecto que tenía Rebecca, mucho mejor de lo que había imaginado, y luego le explicó lo que tenía planeado.

—Estoy convencida de que es consciente, señor Marten, de que usted no es sólo el hermano de Rebecca, sino también su manta de seguridad, y es importante que se mantenga cerca, al menos estos primeros días. Sin embargo, es igual de importante que Rebecca aprenda a prescindir lo antes posible de este apoyo. Es básico que adquiera confianza y vaya haciendo progresos por ella misma.

»Pronto, tal vez mañana mismo, y aparte de las consultas privadas un par de veces al día conmigo, Rebecca empezará a participar en sesiones de terapia de grupo en las que ella y los demás participantes trabajarán en el montaje de una obra teatral o en el diseño de un nuevo edificio para el hospital. Son labores que requieren colaboración y que impiden a los participantes crearse escondites particulares en los cuales podrían sufrir regresiones o quedarse bloqueados. La idea es proporcionarle a Rebecca un medio en el que entablar relaciones sociales y potenciar que cada vez sea más autosuficiente.

Marten escuchaba con atención, intentando asegurarse de que la política de la Balmore era, como la doctora Flannery le había asegurado, igual que en todas partes en el mundo de la psicoterapia: los historiales de los pacientes eran confidenciales y, si la familia lo pedía —lo cual él había hecho—, sólo estaban disponibles para el médico personal del enfermo. La doctora Flannery le aseguró especialmente que su explicación de la necesidad de que Rebecca fuera admitida en la Balmore con tanta premura había sido totalmente confidencial, y Marten estaba sencillamente tratando de asegurarse de que así era.

Quince minutos con la doctora Maxwell-Scot le habían proporcionado esta seguridad y más. Ella le habló solamente del estado de Rebecca y del programa que ella y la doctora Flannery habían diseñado para la muchacha, y sobre los buenos resultados que creía que iban a obtener. Eso le dio a Marten una sensación de confianza y de comodidad, que aumentaba por el carácter cálido y humano de la especialista. Era una sensación que parecía reinar en toda la clínica Balmore. La tuvo también con la señora Simpson y con todo el resto de personal, desde el momento en que fueron recibidos a la puerta de Heathrow y los acompañaron por los trámites de control de pasaportes y aduanas hasta la ambulancia que los esperaba, y también durante los trámites de admisión una vez en la clínica.

—Parece cansado por el viaje y, estoy segura, también por su preocupación, señor Marten —dijo finalmente la doctora—. Espero que esté hospedado cerca de aquí.

—Sí, en el Holliday Inn de Hampstead.

—Estupendo. —Sonrió—. No está lejos. ¿Por qué no se va a descansar un poco? Rebecca estará bien. Tal vez sea buena idea que regrese sobre las seis, un poco antes de la cena.

—De acuerdo —dijo Nicholas Marten, agradecido, y luego añadió, sinceramente—: Y gracias. Muchísimas gracias por todo.

4

El Hampstead Holliday Inn estaba a poca distancia en taxi de la clínica Balmore, y Marten se relajó mientras trataba de hacerse una idea de la ciudad, que sólo conocía por la historia, los libros y las películas, y por el sonido de las bandas de rock británicas.

El taxi giró por Haverstock Hill y Marten se dio cuenta del tráfico que venía hacia ellos por la derecha, en vez de por la izquierda. Ya lo había advertido durante el recorrido en ambulancia desde Heathrow. Volverlo a ver ahora le hacía darse cuenta de que estaba realmente en un lugar distinto, y que gracias a Dan Ford y a la doctora

Flannery, todo su mundo en Los Ángeles había quedado bien cerrado y detrás de ellos.

Después de instalar a Marten sigilosamente en la casa de un amigo situada en una zona de cultivos cítricos al noroeste de Los Ángeles, Ford se había ocupado de rescindir el contrato de alquiler de la casa de Marten y de sacar sus efectos personales, la mayoría de los cuales regaló y unos pocos los guardó en un trastero a su nombre. Por su parte, la doctora Flannery no sólo había hecho los trámites para que Rebecca ingresara en la clínica Balmore, sino que se ocupó también de arreglar la situación en Saint Francis, informando a sor Reynoso tan sólo unas horas antes de su marcha de que, a petición de John Barron, trasladaba a Rebecca a una institución en otro lugar. Menos de media hora después de su charla con sor Reynoso, la doctora Flannery llevaba en su propio coche a John y a Rebecca al aeropuerto, donde, debido al estado de la chica, les permitieron embarcar en el avión mucho antes que el resto de pasajeros y, por tanto, quedaron protegidos de la vista del público.

De este modo fueron superados los trámites más importantes y ahora se encontraban ya a salvo aquí. A Nicholas Marten le hizo bien tomarse un momento para relajarse y contemplar la ciudad. Tomarse un momento y no pensar sobre por qué escogió la clínica Balmore antes que la de Roma y la de Ginebra. Tomarse un momento y no pensar en el motivo que lo había llevado hasta Londres.

5

El mismo lunes, 1 de abril. 15:25 h

Marten se registró en el hotel y deshizo las maletas. Inmediatamente después se dio una ducha rápida, se puso unos vaqueros limpios, un jersey fino, una cazadora y bajó al vestíbulo, donde pidió indicaciones para ir a Uxbridge Street. Al cabo de veinte minutos su taxi salía de Notting Hill hacia Camden Hill Road, y luego llegaba a Uxbridge Street.

—¿A qué número va, jefe? —le preguntó el taxista.

—Bajaré aquí mismo, gracias —dijo Marten.

—Bien, señor.

El taxi se detuvo junto a la acera. Marten pagó, salió y el taxi se alejó. Y así se metió de nuevo en el mundo de Raymond. O, al menos, en el pedazo de él que encontró anotado en una hoja de papel de su bolsa de viaje.

Y

El número 21 de Uxbridge Street era una elegante residencia privada de tres plantas que quedaba separada de la calle y de la acera por una verja de hierro forjado negra y de dos metros de altura. Justo al otro lado había dos enormes plátanos que empezaban a brotar, animados por un tiempo soleado y, según el taxista, excepcionalmente cálido de principios de primavera.

A medida que se acercaba, Marten podía ver la puerta de hierro que daba acceso a la casa abierta por el peso de una escalerilla de un pintor. Había un gran trapo que cubría el suelo de debajo para proteger la entrada de ladrillo, mientras que un cubo de pintura negra colgaba de uno de los peldaños de la escalerilla. Por algún motivo desconocido, el pintor no parecía estar a la vista.

Marten se detuvo ante la entrada y levantó la vista hacia la casa. La puerta principal estaba cerrada y por la izquierda había un sendero que parecía dar la vuelta a la edificación. Seguía sin haber ni rastro del pintor. Respiró con fuerza y cruzó por debajo de la escalerilla la puerta del jardín. Entró por el sendero hacia el lateral de la casa. Cuando se aproximaba a la parte posterior vio tres peldaños que subían hasta una puerta entreabierta. Volvió a mirar a su alrededor. Seguía sin ver a nadie. Subió los peldaños rápidamente y luego se detuvo ante la puerta a escuchar.

—Hola —gritó. No hubo respuesta. Respiró otra vez y se metió dentro. En pocos minutos había recorrido la casa desde la planta baja hasta la tercera y había vuelto a bajar, y no encontró nada más que una mansión decorada con opulencia sin señales de estar habitada por nadie. Se quedó muy decepcionado, pero de alguna manera había encontrado lo esperado, hasta antes de dar la vuelta que había dado en persona. La casa, como Marten recordaba del informe de la policía metropolitana de Londres, pertenecía a un tal Charles Dixon, un corredor de bolsa jubilado que residía en el sur de Francia. Según el informe, Dixon no había oído hablar nunca de Raymond Oliver Thorne ni conocía a nadie que tuviera su mismo aspecto. Ocupaba la casa exclusivamente durante las fiestas de Navidad y luego volvía a hacerlo a finales de junio, durante la semana de Wimbledon. El resto del año lo pasaba en Francia y la casa estaba vacía. Y, sin embargo, Raymond debía estar en Londres y, según el papel, haber ido a la casa a mitades de marzo. No tenía ningún sentido, a menos que la casa se alquilara de vez en cuando, pero la policía de Londres no hizo ninguna mención del tema.

255

ϒ

—¿Quién demonios es usted?

Nicholas Marten se detuvo en seco. Estaba saliendo por la puerta por la que había entrado y, de pronto, se encontró cara a cara con un hombre grandote, de pelo blanco y vestido con un mono.

—Usted debe de ser el pintor.

—¡Lo soy, pero le he preguntado quién demonios es usted y qué carajo está haciendo aquí!

—Buscaba al señor Charles Dixon. La puerta estaba abierta y he entrado. Me han dicho que de vez en cuando alquila la casa y...

—No sé quién le ha dicho esto ni quién es usted —dijo el pintor, mientras lo miraba con atención de arriba abajo—, pero el señor Dixon no alquila nunca su casa, nunca. ¿Le queda claro, señor...?

—Ah... —Marten se inventó un nombre rápidamente—. Kaplan. George Kaplan.

—Bien, señor Kaplan. Ahora ya lo sabe.

—Gracias. Lamento haberle molestado. —Con esta frase, Marten hizo ademán de marcharse. Pero, de pronto, se acordó de algo y volvió atrás—. ¿Tiene idea si el señor Dixon es amigo de un tal señor Aubrey Collinson, de Kingston, Jamaica?

—¿Cómo?

—Aubrey Collinson. Su nombre venía con el del señor Dixon. Creo que es abogado. Viaja a Londres y a otros lugares del mundo a menudo, en jet privado.

—No sé qué demonios quiere usted, pero jamás he oído hablar de ese tal Aubrey Collinson; y si el señor Dixon lo conoce, es su problema. —El pintor dio un paso amenazante hacia él—. Si no se marcha usted en los próximos cinco segundos tendré que llamar a la policía.

—Gracias de nuevo. —Marten le sonrió y luego dio media vuelta y se marchó.

16:15 h

Unas cinco calles y doce minutos más tarde estaba delante de la imponente estructura del número 13 de Kensington Palace Gardens, la embajada de la Federación Rusa en Londres. Las verjas estaban protegidas por guardas, y en el patio del otro lado había unas pocas personas.

Marten se quedó un rato observando y luego uno de los guardas de la puerta abrió y un soldado armado se dirigió hacia él. Marten levantó una mano e hizo una sonrisa.

—Sólo estaba mirando, disculpe —dijo, antes de alejarse rápidamente en dirección a la verde extensión de los jardines de Kensington. En la casa de Uxbridge Street no había visto nada que supusiera que era otra cosa de lo que parecía, y la embajada rusa era sencillamente eso, la embajada de un país extranjero ubicada a poca distancia andando de la residencia de Uxbridge Street. Así, pues, ¿qué significado tenía todo aquello, si es que tenía alguno? El único que lo sabía era Raymond y estaba muerto.

Además, ¿qué pensaba Marten que iba a hacer, aunque descubriera algo? ¿Alertar a las autoridades? Y luego ¿qué? ¿Tratar de explicar lo que sucedía y que se empezaran a preguntar quién era él? No, eso no podía hacerlo. Tenía que dejar el caso y lo sabía. Pero ¿cómo? De pronto volvía a encontrarse en una situación de querer y no poder. El sentido común le decía que no tenía ningún motivo para volver a retomar, de manera privada, su investigación de esta trama más global en la que Raymond estuvo involucrado, y por la que había acabado muerto. Pero una vocecita lo arrastraba con todas sus fuerzas a volver a meterse en el caso. Era como si la investigación lo sedujera y él fuera un esclavo de esa pasión o, para ser más precisos, como si fuera un adicto y no pudiera concentrarse en nada que no fuera su hábito. Aquella vocecita tenía todo el poder. De alguna manera, tenía que encontrar la manera de acallarla.

6

Hotel Hampstead Holiday Inn, 21:00 h

Nicholas Marten se despertó sobresaltado a oscuras. No tenía idea de dónde estaba ni de cuánto tiempo había estado durmiendo. Se incorporó. Vio una luz que procedía de una puerta entreabierta y se dio cuenta de que era la puerta del baño y de que la debía de haber abierto él mismo. Entonces recordó. Se había marchado de la embajada rusa y anduvo por los jardines de Kensington hasta Bayswater Road, y luego tomó un taxi hasta la clínica Balmore para visitar a Rebecca. La muchacha se alegró de verlo pero estaba claramente cansada del largo viaje, de modo que no se quedó mucho tiempo. Le prometió que iría a verla a la mañana siguiente y luego volvió al hotel, se quitó la chaqueta y se acurrucó en la cama delante del televisor. Debió de quedarse dormido.

El *jet lag* y las emociones del propio viaje lo habían dejado exhausto, pero ahora había dormido lo bastante para quitarse el agotamiento de encima, y ya estaba despierto y alerta y no tenía ni idea de qué hacer. Después de lavarse rápidamente la cara, se peinó, bajó al vestíbulo y salió a la calle. La noche seguía siendo cálida y Londres estaba animado y vivo. Cruzó la calle y anduvo hacia Haverstock Hill, como un turista que sale a pasear, atento a los sonidos y a las vistas de un lugar en el que no había estado jamás.

«Las piezas. —De pronto, volvió a oír la voz de Raymond en su cabeza. Sonaba baja, aguda y apremiante, como si le estuvieran susurrando deliberadamente al oído—. Las piezas —repetía la voz—, las piezas.»

—¡No! —dijo, en voz alta, y aceleró el paso. Aquel día ya se había enfrentado a esa batalla. No estaba dispuesto a volverla a librar.

«Las piezas —le volvió a decir el susurro. Marten aceleró el paso todavía más, como si así fuera capaz de escapar a aquello. Las piezas —volvía a oír—. Las piezas.»

De pronto Marten se detuvo. Por todas partes a su alrededor había luces brillantes y aceras atiborradas de gente y tráfico que avanzaba a buen ritmo. Lo que vio no era el mismo Londres de hacía unos momentos, sino el Londres de aquella tarde, de Uxbridge Street y de la embajada rusa. Fue entonces cuando se dio cuenta de que la voz susurrada no era la de Raymond, sino la suya, y que eso había sido desde el principio. La brigada ya no existía, pero él sí. Había venido a Londres, había traído a Rebecca a Londres y todo por un motivo: porque Raymond y cualquiera que fuera la trama en que estuvo involucrado lo habían llevado hasta allí. Lo último que podía hacer era huir y olvidarse de ello.

7

Penrith's Bar, High Street, 21:35 h

Nicholas Marten entró y por un momento se quedó junto a la puerta, mirando a su alrededor. El Penrith era el típico pub inglés con paneles de madera oscura en las paredes, ruidoso y lleno de clientes incluso un lunes por la noche. La barra en sí era una especie de herradura en el centro del local, con mesas y taburetes a los lados y hacia el fondo. En medio de la barra había dos camareros. Uno tenía el pelo oscuro y era muy musculoso; el otro era más alto, de complexión media y llevaba el pelo corto y teñido de rubio. Ambos aparentaban poco más de treinta años. Por su manera de actuar, el más alto y rubio parecía estar al mando, y de vez en cuando se apartaba de la acción y se iba al final de la barra a conversar con alguien a quien Marten no alcanzaba a ver.

Éste era su hombre, decidió Marten, y empezó a avanzar hacia él a través de la gente. Eso le dio la oportunidad para observar a los clientes más de cerca. La mayoría, pensó, parecían estudiantes universitarios, mezclados aquí y allá con algún profesor y algún ejecutivo, hombre o mujer. Nada que ver con el tipo de gente con el que un asesino como Raymond podía relacionarse. Por otro lado, debía tener presente lo camaleónico que Raymond se había mostrado, en su manera de vestir, en su estilo, incluso en su manera de expresarse, y que a Josef Speer se lo ligó mezclándose con un grupo de estudiantes. Eso significaba que alguien como Raymond, alguien con su formación, con su seguridad y su mentalidad, podía adaptarse a cualquier ambiente.

A medida que se iba acercando a la barra la densidad y el ruido eran más intensos. A través del barullo y del movimiento constante de los cuerpos Marten veía al camarero rubio cerca del fondo que seguía conversando. Se coló por entre dos chicos y rodeó a una joven que los miraba. Y allí estaba Marten, a menos de tres metros del barman. De pronto se detuvo en seco. El camarero hablaba con dos hombres de mediana edad vestidos con pantalones y chaquetas de sport. A uno de ellos no lo conocía; al otro, el que estaba más cerca de él, lo conocía demasiado: era el duro y obstinado veterano de la brigada de Robos y Homicidios de la policía de Los Ángeles, el detective Gene VerMeer, uno de los dos policías apostados frente a su casa cuando se llevó a Raymond oculto en el asiento de atrás de su coche hasta el aeropuerto de Burbank. VerMeer había sido uno de los mejores amigos de Red McClatchy y solía salir a beber con Roosevelt Lee, Len Polchak y Marty Valparaiso. Era un policía del que sabía que había sido mantenido fuera de la brigada 5-2 porque tenía un carácter demasiado violento e inestable, como si eso fuera posible. Un policía del que también sabía que lo culpaba a él de la muerte de Red McClatchy y por ello lo odiaba. De todos los miembros del LAPD, VerMeer era el último con quien deseaba encontrarse y, con toda probabilidad, el primero que querría verlo muerto. Preferentemente a trocitos.

—¡Dios mío! —masculló Marten y se volvió de espaldas rápidamente.

VerMeer tenía que estar allí por uno o dos motivos. O bien estaba persiguiendo la misma información que Marten —la anotación de Raymond para encontrarse con alguien que respondiera a las iniciales I.M en el Penrith—, o bien había descubierto la identidad de Marten, había averiguado dónde estaba y había venido a Londres pensando tal vez en cruzarse con él, si Marten seguía el rastro de Raymond. Si este era el caso, VerMeer podía estar muy bien preguntándole al barman no sólo por Raymond e I.M., sino también por Marten.

—Es usted el señor Marten, ¿no? —Una voz alta de mujer con acento británico sonó por encima del barullo. A Marten se le subió el corazón a la boca y se volvió para ver a Clementine Simpson, que avanzaba hacia él—. Clem Simpson —dijo ella, dibujando una ancha sonrisa al llegar frente a él—. De la clínica Balmore. Esta tarde.

—Ah, claro, por supuesto. —Marten se volvió un segundo. VerMeer y el tipo que lo acompañaba seguían hablando con el barman.

—¿Cómo caramba has acabado en este bar? —preguntó Clem, y Marten la apartó por entre la gente.

—Pues... necesitaba distraerme un poco —dijo, rápidamente—, y alguien con quien estuve hablando en el avión me comentó que era un buen lugar para conocer el ambiente de Londres.

—Seguro que te vendrá bien distraerte. —Clem le sonrió amablemente—. Estoy celebrando el cumpleaños de una amiga, ¿te gustaría tomar algo con nosotros?

—Yo... —Marten miró de nuevo hacia atrás. VerMeer y su acompañante empezaban a alejarse del barman y se abrían paso por entre la gente, en dirección a ellos—. Acepto encantado, gracias —dijo Marten rápidamente, y luego siguió a Clementine Simpson a través del local, hasta una mesa al fondo donde estaban reunidas media docena de personas con aspecto académico.

—¿Vienes aquí a menudo?

—Cuando estoy en la ciudad, sí. Tengo amigos que se reúnen aquí desde hace años, y eso es lo que convierte un local en un buen pub de barrio.

Marten se arriesgó a volver a girarse. VerMeer se había detenido y miraba en dirección a él; entonces el otro hombre le tocó la manga y le señaló hacia la puerta. VerMeer miró un instante más y luego se volvió de pronto y siguió al tipo hasta fuera.

—Señorita Simpson —dijo Marten, poniéndole una mano delicadamente en el brazo.

—Clem —le sonrió ella.

—Si no te importa —dijo, con una sonrisa forzada—, tengo que ir un momento al baño.

—Claro. Nuestra mesa está justo allá.

Marten asintió y se volvió, con la mirada fija en la puerta de salida. Ya no había rastro ni de VerMeer ni de su acompañante. Miró a la barra. Había un pequeño momento de respiro y el camarero rubio estaba solo, limpiando vasos. Al otro no se le veía por ninguna parte.

Marten se preguntó si VerMeer le habría preguntado al barman sobre él, hasta si le habría dado su descripción y un número al que llamar si lo veía. Volvió a mirar a la puerta del pub, pero sólo vio a clientes. Miró de nuevo al camarero, vaciló un momento y entonces decidió arriesgarse. Cruzó hasta la barra y avanzó hasta el fondo y pidió una cerveza de presión. Al cabo de veinte segundos el barman le puso una jarra espumosa delante.

—Busco a alguien que se supone que viene a menudo por aquí —dijo Marten, deslizando un billete de veinte libras al lado de su jarra—. En un chat de Internet me chivaron que tiene muchos chollos en apartamentos de alquiler. Sea quien sea, firma con las iniciales I.M. No sé cómo se llama realmente, tal vez sólo I.M., o «Im», o si es un apodo o la abreviatura de algo.

El barman lo miró con atención, como si tratara de ubicarlo. De pronto Marten estuvo seguro de que VerMeer le había dado su descripción y de que el barman estaba intentando decidir si se trataba de él. Marten no se inmutó, tan sólo esperó. Luego, abruptamente, el barman se inclinó hacia él.

—Déjame decirte una cosa, chico. Hace unos minutos, un detective de policía de Los Ángeles me ha hecho la misma pregunta sobre ese I.M. Lo acompañaba un inspector de la Scotland Yard, pero ninguno de ellos ha dicho nada sobre un chat ni de unos apartamentos de alquiler. —Miró deliberadamente al billete de veinte libras que había junto a la jarra de Marten y bajó la voz—. Sea lo que sea lo que buscas es tu problema, pero te diré lo que les he dicho a estos dos. Sea hombre, mujer, un poco de las dos cosas o imposible de definir, yo estoy detrás de esta barra seis noches a la semana y llevo así once años, y en todo este tiempo no he oído ni una sola vez hablar a nadie, ni a nada, por lo que hace al caso, en referencia ni a I.M, ni a Im, ni a «i-eme»; ni a ningún otro maldito apodo que pueda cuadrar con estas iniciales, como Iron Mike, o Izzy Murphy o Inés María. Y si hubiera alguien más en el bar que lo supiera, yo también lo sabría porque saberlo es mi trabajo y además soy el propietario del local, ¿te queda claro?

261

Marten asintió:

—Sí.

—Perfecto, entonces.

El barman alargó el brazo, cogió el billete de veinte libras y se lo metió en el bolsillo del delantal. Durante toda la operación no dejó de mirar a Marten ni un segundo.

—Señor Marten —dijo Clementine, inesperadamente a su lado—. ¿Viene con nosotros?

—Pues... —Marten la miró y le sonrió—. Perdona, me he distraído con la conversación.

Cogió rápidamente su jarra, le hizo un gesto de agradecimiento al barman y se alejó con ella. Con toda su inocencia, Clementine acababa de revelarle su nombre al hombre.

—Clem —dijo él—, si no te importa, de pronto siento que el *jet lag* me está afectando. Será en otra ocasión, si no te sabe mal.

—Claro, señor Marten. ¿Le veré mañana en la clínica?

—Iré por la mañana.

—Yo también. Buenas noches.

Marten le hizo un saludo con la cabeza y se dirigió a la puerta. Estaba cansado y no había averiguado nada. Y encima se había delatado, hablando con el barman, y ahora el tipo hasta sabía su nombre.

—Maldita sea —masculló entre dientes.

Desanimado y enfadado consigo mismo, estaba a punto de alcanzar la puerta cuando vio un grupo de jóvenes que se apiñaban alrededor de una mesa, en una salita que había a un lado. En la pared, detrás de ellos, había una banderola grande, roja y blanca, en la que se leía ASOCIACIÓN RUSA.

Marten sintió que el corazón se le aceleraba. Ahí estaba. De nuevo la conexión rusa. Volvió a mirar hacia la barra. El barman estaba ocupado y no miraba en absoluto hacia allí. Marten entró rápidamente en la salita y se acercó a la mesa. Había diez personas en total, seis hombres y cuatro mujeres, y todos hablaban en ruso.

—Disculpen —dijo, cortésmente—, ¿hablan inglés alguno de ustedes?

La respuesta fue una sonora risotada.

—¿Qué quieres saber, tío? —le espetó un joven delgado con gafas gruesas, con una ancha sonrisa.

—Busco a alguien llamado I.M., o —dijo, robando la pronunciación del barman—, tal vez «i-eme», o que tenga las iniciales o el apodo I.M.

Diez cabezas se miraron las unas a las otras alrededor de la mesa, y al cabo de un segundo vio las diez cabezas volverse hacia él. Todas tenían la misma expresión confusa.

—Lo siento, jefe —dijo un hombre de pelo negro.

Marten miró el cartel pintado a mano de ASOCIACIÓN RUSA clavado en la pared de detrás de ellos.

—Si no os importa que os lo pregunte, ¿qué hace vuestro grupo?

—Nos reunimos cada dos semanas para hablar sobre las cosas de nuestro país natal. Política, sociedad, cosas así —respondió el joven de las gafas gruesas.

—Lo que quiere decir en realidad es que todos tenemos nostalgia —dijo una rubia regordeta con una sonrisa, y todos se rieron.

Marten sonrió y los observó medio segundo más.

—¿Qué sucede en vuestro país natal que pueda valer una discusión? —preguntó, sin darle importancia. Intentaba que alguien hablara de la fecha del 7 de abril, por si diera la casualidad de que alguien lo supiera—. ¿Va a suceder algo que el resto del mundo querría saber?

—¿Quieres decir aparte del movimiento separatista, la corrupción y la mafia rusa?

—Sí.

—Pues nada. A menos que quieras creerte los rumores de que el parlamento puede estar a punto de votar para reinstaurar la monarquía y volver a poner al zar. —El chico del pelo negro volvió a sonreír—. Entonces podríamos ser igual que los británicos y dar al pueblo a alguien especial para que se sienta unido a su alrededor. No sería mala idea si esa persona fuera alguien decente, porque eso ayudaría a distraerlos de toda la otra mierda que está pasando. Pero eso, como todos los cambios mayores que se supone que van a ocurrir en casa, no es más que rumorología callejera porque no sucede nunca. De todos modos —añadió—, por eso nos reunimos, para poder hablar de este tipo de cosas y aligerar el hecho de sentirnos... —miró a la rubita rechoncha— nostálgicos.

Se rieron todos menos Marten. Estaba claro que no lo iban a mencionar, de modo que lo hizo él mismo.

—¿Os puedo hacer una última pregunta? —dijo—. ¿Significa la fecha del 7 de abril algo especial para los rusos, en especial para la gente de Moscú? ¿Es algún tipo de fiesta local? ¿Sucede algo fuera de lo habitual?

La regordeta volvió a sonreír:

—Soy de Moscú y, que yo sepa, 7 de abril significa 7 de abril. —Miró alrededor de la mesa y se rio.

263

—Tiene razón, tío. —El flaco de las gafas gruesas sonrió, apoyándola—. El 7 de abril es el 7 de abril. —De pronto se inclinó hacia delante y se puso más serio—. ¿Por qué?

—Por nada. —Marten se encogió de hombros. Era la misma respuesta que había dado el ministerio de Justicia ruso cuando estaban en Los Ángeles—. Alguien me dijo que era fiesta, pero nunca lo había oído decir. Creo que lo entendí mal. Gracias, muchas gracias.

Marten se volvió para marcharse.

—Pero ¿por qué nos preguntas todo esto? —volvió a insistir el joven.

—Muchas gracias —se limitó a decir Marten.

Y entonces salió de la sala y desapareció.

8

Hotel Hampstead Holiday Inn. El mismo lunes 1 de abril, 23:35 h

Nicholas Marten se recostó sobre su almohada, a oscuras, escuchando el tráfico de la calle. Estaba más tranquilo que antes, cuando salió, y todavía más que hacía media hora, cuando volvió del Penrith's Bar. Pero seguía allí, de alguna manera. Un zumbido regular que le recordaba que la ciudad seguía muy viva.

«La casa de Uxbridge Street. Aubrey Collinson y el *jet* fletado no una vez, sino dos; un enorme gasto para alguien. La embajada rusa. El Penrith's Bar e I.M., el grupo de la Asociación Rusa. El 7 de abril en Moscú/Rusia es una simple fecha, nada más. Ninguna información nueva en absoluto. No he descubierto nada.» Había comprado una libreta en la tienda de regalos del hotel aquella tarde, al registrarse, y apuntó sus primeras notas justo antes de acostarse.

Tal vez no hubiera descubierto nada —la idea de preguntarle al pintor por Aubrey Collinson no había sido más que un disparo a tientas—, pero las pistas, como la ciudad, seguían estando allí igualmente. Lo mismo que Gene VerMeer había estado allí. Sabía que había muchas posibilidades de que el detective del LAPD ya hubiera recibido una llamada del barman, diciéndole que un hombre que respondía a la descripción que le había dado antes había estado en el bar preguntando por I.M. Era estadounidense y se llamaba Marten. O Martin, como probablemente habría entendido.

Si eso era cierto y el barman había hecho la llamada, no había duda de que VerMeer ya estaría haciendo algo al respecto, utilizando a sus contactos en Scotland Yard para repasar todos los hoteles de Londres en busca de un americano apellidado Martin. ¿Cuánto tardarían en llamar a su hotel y descubrir que había un americano registrado apellidado Marten? A VerMeer le importaría un carajo que no se escribiera igual, y sería sólo cuestión de tiempo que llamaran a su puerta.

Marten se volvió y trató de olvidar lo ocurrido. Probablemente no tendría que haber ido al Penrith. Aunque VerMeer no lo estuviera buscando a él, también había ido a preguntar por I.M. Este hecho por sí solo ya significaba que el LAPD seguía con el caso y que no había cerrado el archivo de Raymond de una manera tan definitiva como su postura pública podía hacer pensar. Antes le preocupó que si no habían cerrado el caso, en algún momento se los podía cruzar, y ahora ya le había sucedido. Fue sólo pura suerte que VerMeer no lo hubiera visto, y eso significaba que a partir de ahora tenía que pensar muy bien lo que hacía. Él y Rebecca estaban a salvo en Londres y habían recibido la bendición de poder empezar una nueva vida. Tenía que ser consciente de que, sencillamente, no podía permitirse el lujo, si ésta era la palabra, de dar rienda suelta a su naturaleza y dejar que el adicto inconsciente que llevaba dentro lo volviera a arrastrar hacia el juego. Por su bien y el de ella, tenía que prometerse que sacaría a Raymond y todo su universo de su cabeza. Con esta idea, suplicó interiormente que VerMeer no le hubiera preguntado nunca al camarero rubio por él, y que el camarero no hubiera oído a Clementine Simpson decir su nombre.

Miró el reloj de la mesilla.

23:59 h

Un vehículo de emergencias pasó volando, con la sirena zumbando, y luego se alejó rápidamente. De nuevo volvía el sonido del tráfico y ahora una fuerte discusión de un grupo que pasaba por el pasillo, frente a su habitación. ¿No dormía nunca Londres?

Pasó un momento y otro. Por alguna razón pensó en el verdadero Nicholas Marten. Y en el recuerdo que lo acompañaba.

Diez días antes, el viernes 22 de marzo —el mismo día en que se celebró el funeral masivo de los detectives de la brigada 5-2, Polchak,

Lee y Valparaiso—, ayudado de un bastón para apoyar una pierna derecha todavía muy dolorida, Marten, entonces John Barron, embarcó en un vuelo desde Los Ángeles a Boston. Desde allí tomó un vuelo lanzadera hasta Montpellier, en Vermont, donde pasó la noche.

A la mañana siguiente a primera hora condujo en un coche alquilado hasta la diminuta localidad de Coles Corner, donde se encontró con Hiram Ott, el jovial y enorme editor y director del *Lyndonville Observer*, un periódico local de la zona rural norte y centro de Vermont.

—Se llamaba Nicholas Marten —le explicó Hiram Ott, mientras lo llevaba a través de un campo abierto, cubierto de césped, con restos todavía de nieve medio fundida—. Marten, con e, no con i. Había nacido el mismo mes y el mismo año que tú. Pero creo que eso ya te lo han contado.

—Sí —asintió John Barron, apoyado en su bastón mientras se abría paso por el pasto irregular.

Su encuentro con Hiram Ott había sido obra de Dan Ford, quien, a los pocos días del tiroteo de la Metrolink, fue ascendido (o, como él lo explicaba, debido a su buena amistad con John Barron, fue apartado de la zona) a un puesto de redactor de plantilla en la oficina de Washington del *Los Angeles Times*. Él y su esposa, Nadine, se encontraron rápidamente viviendo en un apartamento de tres dormitorios a orillas del Potomac, y la extrovertida francesa Nadine, que en esta ciudad más parecida a París que Los Ángeles se sentía mucho más en casa, encontró rápidamente un trabajo como profesora de francés en un programa de formación de adultos mientras su esposo se ocupaba de cubrir la política interna de Washington.

Y a pesar de todo el trastorno y el alboroto que mantenía a Ford en un torbellino durante dieciocho horas al día, nadie le había quitado todavía la agenda ni sus contactos de reportero, o de estudiante activo en sus tiempos de la Medill School de periodismo en la Universidad de Northwestern.

Para desaparecer de la manera que debía hacerlo, John Barron tenía que adoptar totalmente la identidad de otra persona. Así de simple en tiempos más simples. En otros tiempos podría sencillamente haber acudido a media docena de calles de Los Ángeles en las que por unos pocos cientos de dólares se podía obtener una nueva identidad en cuestión de minutos: con certificado de nacimiento, tarjeta de la seguridad social y permiso de conducir del estado de California. Pero éstos no eran tiempos sencillos y las autoridades, desde las agencias de seguridad nacional, la policía local, hasta las instituciones financieras, estaban construyendo bases de datos enormes para destapar las identidades falsas. De modo que su cambio debía ser lo más real y lo más rápido posible. Tenía que encontrar a alguien de más o menos su misma edad, con un certificado de nacimiento y un número de la seguridad social legítimos... pero algo más; alguien que hubiera muerto hacía poco y cuyo certificado de defunción todavía no hubiera sido tramitado.

Sabía que encontrar algo así, y además de manera inmediata, era prácticamente imposible y casi una locura. Pero Dan Ford no opinó lo mismo. Para él los obstáculos tan grandes no hacían más que elevar el nivel de la partida. Al instante se puso a enviar un e-mail masivo; una llamada peculiar, lo llamó. En él decía que quería hacer un reportaje con un giro político. Hacía referencia a la gente que había fallecido recientemente pero que, por un motivo u otro, seguían legalmente vivos y sus nombres figuraban en el registro de votantes. En otras palabras, quería investigar el fraude electoral.

Hiram Ott le respondió de inmediato por e-mail. ¿Había oído hablar alguna vez de un tal Nicholas Marten? No. Claro que no. Muy poca gente lo había hecho. Y aquellos que lo conocieron lo recordarían como Ned Marten, porque así es como siempre se presentaba.

Nicholas Marten, hijo ilegítimo de un camionero canadiense y una viuda de Vermont, huyó de casa a los catorce años para incorporarse como batería a un grupo de rock de gira, y eso fue lo último que se supo de él. No fue hasta doce años más tarde, cuando se enteró de que sufría un cáncer de páncreas y que sólo le quedaban unas cuantas semanas de vida, que volvió a Coles Corner para visitar a su madre. Una vez allí supo que tanto la madre como el padre habían muerto y que su madre estaba enterrada en el pequeño camposanto de la granja familiar, de cuarenta héctareas de extensión. Solo y sin un centavo, le pidió ayuda a la única persona que conocía, un solterón amigo de la familia llamado Hiram Ott. Ott lo instaló en su casa y se puso a buscarle algún tipo de institución donde pudiera pasar sus últimos días bajo el cuidado médico, pero no fue necesario. Nicholas murió en la habitación de invitados de Ott al cabo de dos días. Como custodio oficial de los archivos del condado, entre otras cosas, Ott redactó un certificado de defunción e hizo enterrar a Marten junto a su madre en la parcela familiar.

Pero, por alguna razón, no llegó nunca a tramitar el certificado. Lo tenía guardado desde hacía casi un mes en un cajón de su despacho cuando le llegó el e-mail de su compañero de estudios de Northwestern, Dan Ford. Cuando Ford lo llamó para explicárselo, le dijo toda la verdad: que la vida de uno de sus mejores amigos dependía de un cambio de identidad. Ford le preguntó también si aquélla era una situación que pudiera incomodar a Ott. Cualquier otra persona se habría negado en redondo, pero aquí había otros elementos en juego. De entrada, Hiram Ott tenía una personalidad bravucona y gamberra. Luego, muy poca gente en Coles Corner se acordaba de que Edna Mayfield había tenido un hijo hacía treinta y seis años fuera del matrimonio, y todavía menos sabían que un joven llamado Ned Marten había regresado al pueblo a morir. Y sólo el propio Ott estaba al tanto de que el certificado de defunción no había sido nunca tramitado formalmente. El tercer motivo era que, la tarde de su muerte, Nicholas Marten le había dicho a Ott que se avergonzaba de no haber hecho nada bueno en su vida y que ojalá tuviera tiempo para hacer alguna contribución que pudiera servirle a otra gente. Y el último era el definitivo. Cuando estudiaban juntos en Northwestern, Ford había salvado a Hy Ott de una situación extremadamente comprometida y potencialmente peligrosa, que involucraba al propio Ott y a la novia de un jugador de fútbol americano de la liga universitaria especialmente fornido y con fama de tener mal genio. Era una de estas ocasiones en las que un favor es tan bienvenido que uno no está tranquilo hasta que no lo ha pagado con otro favor. Y ahora Ott lo estaba haciendo: acompañaba a John Barron por un prado de Coles Corner en un día de principios de la primavera para visitar la tumba sin marcar de Nicholas Marten entre las hojas caídas del pequeño cementerio familiar.

En el caso de Barron, había venido por agradecimiento, puesto que quería darle las gracias personalmente a Hiram Ott por lo que había hecho, y también porque quería saber en quién se estaba convirtiendo, dónde había vivido su tocayo de niño y cómo eran allí el paisaje y la gente. Había también otros motivos: sentimiento de culpabilidad y de reverencia y, tal vez de manera más pronunciada, afán de autoprotección, por si acaso alguna vez lo interrogaban sobre su pasado. Intentaba no demostrarlo, pero sabía que Hiram Ott percibía el conflicto, la emoción y la incertidumbre que lo invadían. Aquello no era algo que uno hiciera cada día. Y sabía que ése era el motivo por el cual el corpulento editor de pronto le dio un fuerte abrazo, y luego retrocedió un paso y le dijo:

—Esto es entre tú, yo, Dan Ford y Dios. Nadie más lo sabrá nunca. Además, a Nicholas le hubiera gustado, de modo que no te lo pienses más. Sencillamente, acéptalo como un regalo.

John Barron vaciló antes de responderle, emocionado y todavía inseguro, y finalmente le sonrió:

—De acuerdo —dijo—, de acuerdo.

—En este caso —la sonrisa de Hiram Ott se ensanchó mientras levantaba una mano—, déjame ser el primero en llamarte Nicholas Marten.

1:15 h

Nicholas Marten se dio la vuelta en la cama y miró a través de la habitación a oscuras hacia la puerta. Estaba cerrada, con la cadena puesta; como lo había estado todo el tiempo. Tal vez el barman no hubiera hecho nada de nada. Tal vez Gene VerMeer no hubiera preguntado nunca por él.

1:30 h

Fuera, finalmente, Londres había quedado en silencio.

9

York House, clínica Balmore. Jueves 2 de abril, 11:30 h

Marten avanzó por el vestíbulo repleto de personal que supuso que eran médicos, enfermos, personal clínico y familiares de pacientes como él. Doce pasos y se metió por un pasillo menos transitado en dirección a las puertas de salida que había al fondo. Había pasado un par de horas con Rebecca y luego estuvo hablando brevemente con la doctora Maxwell-Scot, que le había dicho lo bien y lo rápido que su hermana se estaba aclimatando, tanto que ya la había inscrito en un grupo de terapia para aquella misma tarde. De nuevo, Rebecca le había dicho que si él estaba bien, ella estaría bien. Era algo típico de su hermana, que pensaba, y él lo sabía, tanto en ayudarlo a él como en tranquilizarse ella. Y él había puesto de su parte diciéndole que estaba bien y que estaba disfrutando, recuperando el sueño perdido y visitando Londres. Entre risas, le contó cómo había salido a explorar Londres la noche anterior y casualmente se había encontrado con Clementine Simpson en un pub. A ella le caía muy bien

Clementine y pensó que era fantástico que se hubieran encontrado. Eso mantuvo la conversación divertida, ligera y aireada. De todo el resto no le contó nada, en especial de su casi encuentro con Gene VerMeer, ni tampoco el motivo por el que inicialmente había ido al pub. Ni tampoco le había dicho que llamó a Dan Ford tan pronto como llegó al hotel para decirle que había visto a VerMeer en Londres y para pedirle si podía enterarse de la implicación que la policía de Los Ángeles seguía teniendo en la investigación de Raymond.

Ni tampoco le dijo nada de la llamada de Dan Ford aquella mañana, para informarle que VerMeer había pedido ir a Londres solo y que se le esperaba de vuelta en Los Ángeles a última hora de ese día. Ni de la advertencia de que la petición de VerMeer para ir solo a Londres probablemente significaba que el verdadero motivo de su viaje, quizá con la aprobación del LAPD, era buscar a John Barron, bajo la sospecha de que tal vez también siguiera investigando el rastro de Raymond. Ni tampoco le contó lo otro que Ford le había dicho, que creía que lo más conveniente ahora para Nicholas Marten era actuar con discreción y permanecer totalmente al margen de cualquier cosa en la que pensara que Raymond hubiera estado implicado.

Era una idea que todavía no se había quitado de la cabeza mientras se dirigía la salida, empujaba las puertas y salía a la calle, rumbo a su hotel, concentrado en el futuro y en lo que haría para asegurarlo una vez Rebecca fuera capaz de abandonar la clínica. Entonces vio un cartel que anunciaba un ballet especial que se celebraba en el auditorio Balmore ese domingo siguiente, 7 de abril.

¡7 de abril!

¡Otra vez aquella fecha!

De inmediato oyó su vocecita interior, y esta vez no le hablaba de «las piezas» sino que soltaba una auténtica exclamación: «¡7 de abril/Moscú!».

Así le vino la cruda consciencia de que, con todo lo que había estado haciendo, había perdido la noción del tiempo y el 7 de abril era ya el domingo siguiente. De pronto dejó de importarle lo que los investigadores rusos de Los Ángeles o los estudiantes rusos del Penrith's Bar hubieran dicho. Para Marten no era simplemente una fecha, ni un día como cualquier otro; era algo muy real porque Raymond lo tenía anotado. Si no era nada, ¿por qué lo había apuntado? ¿Qué era lo que él, o quien fuera que estuviera asociado a él, tenían planeado que sucediera aquel día en Moscú?

¿Y si la postura oficial adoptada por todas las agencias de seguridad, que descartaba la posibilidad de que las acciones de Raymond formaran parte de una conspiración mayor, no hubiera sido tan sólo una cortina de humo para seguir investigando a un nivel superior, sino realmente un punto y final a todo lo que él había estado tratando de averiguar? ¿Y si 7 de abril/Moscú fuera sencillamente otro de los breves apuntes de un loco fallecido y no tuviera significado para nadie más que él?

Entonces, ¿qué?

¿Le pasarían el caso a cualquier burócrata de quinta división y se olvidarían de él? La respuesta era que, probablemente, sí, porque no tenían nada más que les permitiera continuar. Ninguno de ellos lo había mirado nunca a los ojos, ni había contemplado su manera de moverse, ni habían percibido su arrogancia suprema. En las propias palabras de Raymond, las «piezas» seguían por ahí. ¿Y si esas «piezas» estaban preparadas para detonar en Moscú ese domingo siguiente?

«Basta —se dijo de pronto a sí mismo—. Basta ya de pensar en eso. ¡Quítate a Raymond de la cabeza! Recuerda la advertencia de Dan Ford y permanece al margen del caso y vive con discreción. Piensa en Rebecca y en tu propia vida, lo mismo que hiciste anoche. No hay nada que puedas hacer, de modo que mantente al margen.»

Marten respiró fuerte y siguió andando. Llegó a la esquina y esperó a que cambiara la luz del semáforo. De pronto el recuerdo de I.M lo acechó de nuevo, y con él otra vez la fecha del 7 de abril en Moscú.

Tal vez el 7 de abril fuera tan sólo una fecha normal y corriente y demasiado vaga como para tener ningún significado especial. I.M era casi igual de vago, pero un poco más concreto que una fecha, o que unas llaves de caja fuerte, o una casa, o una embajada, o un avión fletado del que nadie era capaz de saber nada más, porque I.M era casi seguro una persona. Y obviamente, VerMeer, fuera cual fuese su auténtica razón por ir a Londres, había pensado bastante en ello como para acudir al Penrith's Bar a preguntárselo al camarero.

Hoy era martes. Eso quería decir que todavía había tiempo. Si de alguna manera pudiera averiguar quién era ese, o esa, I.M. y encontrarlo, tal vez también pudiera saber qué iba a pasar en Moscú el domingo y, a su vez, evitarlo. Se lo hubiera prometido o no, era algo que tenía que hacer porque temía que nadie más lo haría.

De pronto dio media vuelta y volvió hacia la Balmore. Tal vez no hubiera tenido suerte con el camarero del Penrith ni con los estudiantes rusos, pero había alguien más que tal vez pudiera ayudarlo.

271

Y

La oficina de la Fundación Balmore en la que trabajaba Clementine Simpson era pequeña y, de momento, tranquila, mientras la media docena de personas que se apiñaban en el espacio permanecían mirando impacientes sus pantallas oscurecidas de ordenador. Estaba claro que se habían colgado todos y que estaban esperando a que volvieran a funcionar.

—Señor Marten. —Clementine Simpson se levantó nada más verlo—. Qué agradable sorpresa.

—He estado con mi hermana y ya me iba, pero me he dado cuenta de la hora. He pensado que tal vez estés libre para almorzar.

—Bueno —sonrió y miró a las pantallas todavía fundidas, y luego a Marten—, pues sí.

10

Spaniards Inn, Spaniards Road, Hampstead, 12:20 h

—Éste era uno de los locales favoritos de Lord Byron y Shelley, y también del tristemente famoso bandolero del siglo XVIII Dick Turpin, que se paraba aquí a beber entre un asalto y otro —le contó Clementine Simpson mientras se sentaban a una mesa de un rincón de aquella taberna del siglo XVI, que daba a un jardín bañado de luz del sol—. Y éste es mi primer y último comentario histórico.

—Gracias —sonrió Marten.

Clem Simpson iba vestida como el día anterior, con el mismo tipo de traje aburrido, azul marino y un poco holgado. Esta vez le había añadido una blusa blanca recién planchada y abotonada hasta arriba y unos pequeños pendientes de oro de bucle que le colgaban justo dentro de la melena color caoba. A su manera, y aunque parecía empecinarse en ocultarlo, era bastante atractiva.

Un camarero con pinta de llevar allí desde los tiempos de Dick Turpin les llevó las cartas, y cuando les preguntó si deseaban beber algo, ella pidió sin pestañear una copa de Châteauneuf-du-Pape.

—Es un vino muy bueno del Ródano, señor Marten —le dijo.

—Nicholas.

—Nicholas —sonrió.

Nicholas Marten no bebía nunca al mediodía, pero por alguna razón miró al camarero y se oyó decir:

—Lo mismo para mí.

El camarero asintió con la cabeza. Marten lo observó alejarse y luego, tranquilamente y sin darle importancia, como si lo preguntara por simple curiosidad, sacó el motivo por el cual la había invitado realmente a almorzar.

—Anoche, cuando me iba del Penrith's Bar, pasé por delante de una pequeña sala que hay cerca de la entrada. Había un grupo de estudiantes rusos que se sentaban a una mesa junto a la que había un cartel que decía «Asociación Rusa». Les pregunté por esa asociación y me dijeron que hacían reuniones de jóvenes rusos para poder hablar sobre lo que ocurría en su tierra natal. Antes me dijiste que ibas al Penrith bastante a menudo cuando estás en la ciudad. Me preguntaba si conocías la existencia de este grupo.

—¿El grupo de la asociación rusa?

—Sí.

El camarero llegó con el Châteauneuf-du-Pape y dos copas. Sirvió un poco para probar y puso la copa delante de Clementine. Ella lo probó y luego hizo un gesto de aprobación con la cabeza. Entonces les sirvió las dos copas, dejó la botella sobre la mesa y se marchó.

Clementine tocó su copa con un dedo y miró a Marten:

—Siento decepcionarte, Nicholas, pero no sé nada de un grupo de la asociación rusa. He visto alguna vez el cartel, pero no tengo ni idea de quiénes son ni de lo que hacen. Pero eso no significa nada. En Londres hay una comunidad de rusos muy numerosa, y la zona en la que se encuentra el Penrith es muy popular entre ellos. Supongo que dentro de la comunidad hay muchos tipos de comités y asociaciones. —Levantó su copa y tomó un trago largo del vino—. ¿Es éste el motivo por el que me has invitado a comer?

Cualquier preocupación que Marten hubiera podido tener sobre cuánta información le había pasado la doctora Flannery a la doctora Maxwell-Scott sobre Rebecca y sobre él mismo, y sobre quién en la Balmore podía estar informado, se disipó ahora, al menos respecto a Clementine Simpson. Por su manera de hablar y por cómo había reaccionado ante su pregunta, estaba convencido de que no tenía ni idea de quién era o del por qué le estaba haciendo aquel tipo de preguntas. Sin embargo, sabía que una vez hechas las preguntas era muy posible que ella le respondiera con un «por qué» y, a su manera, ya lo había hecho.

—Anoche te dije que estaba en el Penrith porque alguien a quien conocí en el avión me había dicho que era un buen lugar para conocer el ambiente londinense. Ese alguien —explicó, mientras levanta-

273

ba su propia copa y se tomaba un respiro para beber un sorbo del vino— era una joven rusa muy atractiva. Fui al pub con la esperanza de encontrármela. Y no estaba, pero vi el cartel ruso y...

—Chocaste con él.

—Eso.

—Has tenido un vuelo muy largo. Añádele a eso la emoción de cuidar a tu hermana y, encima de todo, el *jet lag*, y todavía tuviste las fuerzas para cruzar medio Londres. —Con la copa en la mano, Clementine se apoyó en el respaldo y sonrió irónicamente—. Debía de ser muy atractiva.

—Lo era. —Marten no se había esperado la astucia o lo deliberado de su respuesta. Eso le hizo preguntarse qué más podía esperar. Esta chica podía ir vestida como la tía aburrida de cualquier amigo, pero su comportamiento distaba mucho de serlo—. Ni siquiera supe nunca su nombre. Se presentaba como I.M.

—¿Sus iniciales?

—Supongo, o un sobrenombre. Me dijiste que tus amigos llevan reuniéndose en el Penrith desde hace años —la apremió con tacto Marten—. Me pregunto si alguno de ellos tiene contactos con la comunidad rusa.

—¿Para que te ayude a buscar a esa jovencita?

—Sí.

Clementine lo observó un segundo y luego volvió a poner su sonrisa irónica:

—Ya veo que te quedaste realmente encandilado.

—Simplemente, me gustaría encontrarla.

Marten sabía que involucrar a Clementine era, como mucho, una posibilidad a largo plazo, pero ella era su último contacto concreto con el Penrith y la clientela regular que lo frecuentaba. Su esperanza era que, a través de ella o ellos, alguien pudiera conocer, o haber oído hablar de I.M., suponiendo que esas iniciales se refirieran a una persona. En este caso, la persona sería definida de inmediato con comentarios como «bueno, conocemos a un I.M. pero dista mucho de ser la personificación de una hermosa joven. El I.M. que conocemos no es mujer, sino hombre, tiene cincuenta años y pesa más de cien kilos».

Si eso ocurría, obtendría una descripción y algo por donde empezar para, a partir de allí, de alguna manera apremiarla para descubrir dónde estaba esta persona y dónde se la podía encontrar.

—¿Rubia? —preguntó Clementine, mientras levantaba una ceja.

De pronto, Marten tuvo que darle una descripción. Una descripción cualquiera.

—No, pelo caoba y con una melena a la altura de los hombros, como —hizo una pausa—, la tuya.

Clementine Simpson lo miró, tomó otro sorbo de vino y buscó el teléfono móvil en el bolso. Al cabo de un momento estaba hablando con una mujer llamada Sofia y le pedía ayuda para localizar a una «zorrita rusa sexy y pizpireta» (en sus palabras exactas) con una melenita castaña rojiza y con las iniciales o el apelativo de I.M. Luego le dio las gracias a Sofia, colgó y miró a Marten.

—Anoche te dije que estábamos en el Penrith celebrando el cumpleaños de una amiga. Era el de Sofia. Acaba de cumplir ochenta. Llegó a Londres desde Moscú hace cuarenta y cinco años y es madrina de casi todos los inmigrantes rusos que llegan desde entonces. Si alguien puede encontrar a tu pequeña adorada, es ella.

De pronto tomó otro sorbo del vino, cogió la carta y la leyó atentamente.

A pesar de la premura del calendario, que se acercaba al domingo, Marten sonrió ante la actitud casi de colegiala de Clem hacia una mujer que ni siquiera existía. Tomó un sorbo de vino y la observó un momento más, antes de coger la carta.

En vez de ir casa por casa por todo el barrio del Penrith's Bar llamando a las puertas en busca de alguien llamado I.M., había hecho lo que había podido. Sin tener en cuenta el hecho de que era un barrio amplio y que había miles de puertas, existía también la posibilidad muy real de que Gene VerMeer, a través de la policía de Londres, hubiera hecho o estuviera haciendo lo mismo, y lo último que necesitaba era cruzarse con ellos y encontrarse de pronto señalado e interrogado. De modo que lo único que ahora podía hacer era tocar madera y esperar que la omnipresente Sofia trajera alguna pista nueva. Ahora ya sólo le quedaba almorzar y conversar de frivolidades con Clementine Simpson.

De lo que ocurrió durante la hora y media siguiente Marten no se acordaba claramente. Pidieron platos de la carta. El camarero les sirvió más vino. En el transcurso de la conversación Clementine le pidió, como había hecho la noche anterior, que la llamara Clem.

En algún momento, mientras acababan de comer y el camarero recogía los platos y los cubiertos, Marten recordaba claramente que Clem se tocó la blusa y se desabrochó el botón de arriba. Sólo el de arriba, nada más, pero, por alguna razón, fue el gesto más sexy que le había visto jamás hacer a una mujer. Y tal vez fuera eso, y por supuesto el Châteauneuf, lo que llevó al resto. En lo que parecían ser segundos la conversación derivó hacia el sexo. Al hablar del tema, Clem Simpson hizo dos declaraciones que, para él, deberían figurar en los momentos más grandes de la historia del erotismo. La primera fue pronunciada con una gran sonrisa de gato de Angora:

—A mí lo que más me gusta es tumbarme y dejar que el hombre haga todo el trabajo.

La segunda, que vino poco después, hacía referencia al tamaño de sus pechos:

—Los tengo enormes, ¿sabes?

Fue una conversación que borró cualquier rastro de I.M en la cabeza de Marten y fue seguida de la desvergonzada propuesta de ella. Lo hizo inclinando ligeramente la cabeza, mirándolo a los ojos y con una fórmula muy sencilla:

—¿Qué planes tienes para esta noche?

La reacción de él fue todavía más directa, tomándole la mano y abreviando la cacería con su propia versión de la propuesta:

—¿Qué planes tienes para ahora mismo?

Fue una pregunta que inevitablemente los llevó sin vacilar y en cuestión de minutos a su habitación del Holiday Inn.

11

15:52 h

Ahora, al menos por el momento, ya no estaban empapados en sudor. La ducha los había refrescado, pero también en ella habían vuelto a hacer el amor... después de haberlo hecho tres veces en el espacio de unos cuarenta minutos en la enorme cama del Holliday Inn. Ahora yacían desnudos en la media penumbra que proporcionaban las cortinas cerradas, mientras miraban alternativamente al techo y el uno al otro y él jugueteaba con alguna parte del cuerpo de ella. Ahora mismo un pezón. Los pechos de Clem eran realmente grandes, como ella ya le había avanzado: su sujetador tenía cuatro corchetes y él apenas alcanzaba a rodearle un pecho con las dos manos. Lo que más le gustaba a Nicholas, o lo segundo, eran las areolas alrededor del pezón. No sólo eran grandes sino que se llenaban de pequeños bultitos cuando las rozaba con la lengua. El efecto, por supuesto, no hacía más que estimularlo de nuevo y provocarle una nueva erección, el tamaño y pulso de la cual lo sorprendía... era del estilo que los policías llamaban «polla de venas azules». Pero, más allá de todo esto —y a pesar de que ahora le costaba separar la lujuria y pasión del genuino afecto que ambos compartían—, lo que encontró fue un ser humano distinto a todo lo que había conocido hasta entonces. Una mujer lista, cariñosa, divertida y, algunas veces, descaradamente grosera. Como en la bañera, donde jugaron y se rieron y se enjabonaron el uno al otro, y donde ella se arrodilló para tomarle todo el pene dentro de la boca hasta casi llevarlo hasta el clímax, y cuando estaba a punto, se levantó en medio de la cascada de vapor y se volvió, levantando el culo y diciéndole:

—Móntame por detrás, Nicholas, oh, móntame.

A lo cual, por supuesto, él accedió encantado.

Ahora, tumbado a su lado, con las sábanas todavía mojadas por la humedad de sus cuerpos, se preguntaba si ella se habría creído su explicación cuando al principio empezaron a desnudarse y él le habló de las heridas que tenía en el muslo, el hombro y el antebrazo. Era una explicación que llevaba preparada desde antes de venir a Londres, consciente de que alguien podía sospechar si se desnudaba en un gimnasio o precisaba ver a un médico, o en el caso de tener la suerte que había tenido hoy, de acabar en la cama con una mujer atractiva.

Después de la universidad, según le contó, quería ingresar en la facultad de Derecho pero, debido al estado de Rebecca, tuvo que buscarse un trabajo normal. Tenía un amigo que trabajaba en televisión y entró a trabajar como lector en una pequeña productora. Más tarde se convirtió en productor asociado y estuvo en el plató de una comedia de acción cuando uno de los especialistas cometió un error y provocó la explosión de una pequeña bombona de gas. Trocitos de metralla se le clavaron en varias partes del cuerpo y lo tuvieron hospitalizado varios días. La indemnización resultante de la compañía de seguros fue cuantiosa y le había permitido llevar a Rebecca a la clínica Balmore, que era algo que quería hacer desde hacía tiempo, pero nunca hasta entonces se había podido permitir estar tanto tiempo sin trabajar.

—Y ahora, ¿qué harás? —Clem se dio la vuelta y lo miró, como si también ella hubiera estado pensando en lo que le había contado—. ¿Te matricularás finalmente en Derecho?

—No —sonrió aliviado. Le había creído, o al menos, eso parecía—. Es algo... —escogió sus palabras con cuidado— que ha dejado de interesarme.

—Y entonces, ¿qué vas a hacer?

—No lo sé.

De pronto se incorporó, se apoyó en un codo y lo miró directamente.

—¿Cuál era tu sueño antes de que tuvieras que responsabilizarte de Rebecca? ¿Qué te habría gustado hacer en la vida?

—¿Sueño?

—Sí. —Sus ojos brillaban con intensidad.

—¿Qué te hace pensar que tenía un sueño?

—Todo el mundo los tiene.

Nicholas Marten la miró. Miró la manera en que ella esperaba la respuesta, como si le importara realmente lo que había dentro de él.

—¿Cuál era tu sueño, Nicholas? —insistió, sonriendo tranquilamente—. Dímelo.

—Te refieres a... ¿qué quería hacer con mi vida?

—Sí.

12

—Jardines.

Clementine Simpson, totalmente desnuda en la habitación de Nicholas Marten del Hampstead Holiday Inn a las cuatro en punto de la tarde, lo miró con curiosidad.

—¿Jardines?

—Desde niño me he sentido fascinado por los jardines formales. No tengo ni idea del porqué. Me sentía atraído por lugares como Versalles, las Tullerías de París, los jardines de Italia y de España. La magia espiritual —sonrió con ganas— de los diseños orientales, en especial en lugares como Ryotan-Ji, el templo Zen de Hikone, en Japón, o Katsura Rikyu, en Kyoto. Ayer estuve paseando por los jardines de Kensington. Asombrosos.

—¿Katsura Rikyu?

—Sí, ¿por qué?

—Cuéntame más cosas.

—¿Por qué?

—Sólo hazlo.

Marten se encogió de hombros:

—Empecé en la universidad, en el Cal Poly, el instituto politécnico en San Luis Obispo (está en la costa de California, entre Los Ángeles y San Francisco), a estudiar paisajismo, y... —Se detuvo, pensando que no podía hablar del asesinato de sus padres ni del motivo por el cual pidió el traslado a UCLA, porque eso llevaría a lo sucedido más tarde. Rápidamente retomó el hilo y prosiguió—: Rebecca estuvo compartiendo conmigo un apartamento en el campus. Cuando se puso enferma decidimos que el mejor lugar para ella era Los Ángeles, de modo que me trasladé a UCLA para estar cerca de ella. Elegí Filología Inglesa porque, en aquel momento, era la especialidad más fácil a la que acceder. Pero en mis años junior y sénior me las arreglé para cursar asignaturas optativas en la facultad de Arte y Arquitectura. —Sonrió, para cubrir la transición y con la esperanza de que ella no hiciera preguntas. Al mismo tiempo se dio cuenta de que también sonreía por los buenos recuerdos que conservaba de sus estudios—. Cursos con nombres como Elementos del diseño urbano, o Teorías de la arquitectura del paisaje. —Se recostó y miró al techo—. Me has preguntado lo que hubiera hecho. Aquí lo tienes: aprender a diseñar y construir este tipo de jardines formales.

De pronto Clem se inclinó encima de él, mirando hacia abajo, con sus grandes tetas rozándole el pecho:

—Te estás quedando conmigo —dijo, fingiendo indignación, divertida, pero con un tono que demostraba que estaba muy intrigada.

—¿Cómo?

—Que te estás quedando conmigo, que lo sabes todo de mí.

Marten se apartó, como si compartiendo con ella sus sueños más íntimos hubiera hecho algo malo.

—Apenas hace un día y medio que te conozco, ¿cómo podría saberlo todo de ti?

—Venga hombre, me tomas el pelo.

—No, no te tomo el pelo.

—Pues entonces, ¿cómo sabes que me dedico a eso?

—¿Qué es a lo que te dedicas?

—A eso.

—¿A qué?

—A los jardines.

—¿Qué?

—La clínica forma parte de mi trabajo voluntario anual, pero mi ocupación a tiempo completo es como profesora de Proyectos urbanos y rurales en la Universidad de Manchester, en el norte de Inglaterra. Es decir, que estoy implicada en la formación de gente que quiere convertirse, entre otras cosas, en arquitectos paisajistas.

Marten se la quedó mirando:

—Ahora eres tú quien se está quedando conmigo.

279

—No, es la verdad.

De pronto Clementine Simpson se levantó de la cama y entró en el baño. Cuando salió iba envuelta en una toalla.

—UCLA. La Universidad de California en Los Ángeles, ¿no?

—Sí.

—¿Y tienes una licenciatura en Inglés con asignaturas optativas en arquitectura del paisaje?

—Sí —sonrió Marten—, ¿por qué?

—¿Te gustaría hacerlo?

—¿Volver a hacer el amor? —rio Marten, mientras le tiraba de la toalla—. Si tú estás dispuesta, yo también.

Ella retrocedió inmediatamente y se volvió a envolver con la toalla:

—Estoy hablando de la universidad. ¿Te gustaría ir a Manchester y estudiar diseño de paisajes?

—Estás de broma.

—Manchester está a tres horas en tren de Londres. Podrías ir a la universidad y seguir visitando a Rebecca siempre que quisieras.

Marten se la quedó mirando en silencio. Seguir sus estudios, en especial en el campo que completaría su sueño de la infancia, era algo que nunca, jamás se había planteado.

—Vuelvo a Manchester este sábado. —Clem se abrió la toalla y luego volvió a cerrarla, estrechándola más a su alrededor—. Ven conmigo. Puedes visitar la universidad, conocer a unos cuantos estudiantes, ver qué te parece.

—Vas a ir el sábado...

—Sí, este sábado.

13

Manchester, Inglaterra. Sábado 6 de abril, 16:45 h

Nicholas Marten y Clem Simpson llegaron en tren a la estación Piccadilly de Manchester justo a las 16:12, exactamente con treinta y un minutos de retraso y bajo una lluvia torrencial.

Hacia las 16:30 él se había registrado en una habitación del hotel Portland Thistle, de Portland Street, y quince minutos más tarde estaban los dos bajo el gran paraguas de Clem, cruzando el arco de piedra de un edificio gótico que tenía grabadas las palabras UNIVERSITY OF MANCHESTER encima.

Para entonces —de hecho, hacia el final de la primera hora en el tren—, él ya había recibido un par de informaciones claras y separadas. La primera provino de una llamada de la maternal detective rusa amiga de Clem, Sofia, que la informaba de que no sólo el barrio del Penrith's Bar había sido totalmente registrado en busca de alguien que respondiera a las iniciales I.M., sino que también se había investigado a toda la población de inmigrantes rusos de la ciudad de Londres y, para sorpresa de casi todos, ni una sola persona llevaba ni las iniciales, ni el apodo, ni respondía a la descripción que ella le había dado. Para divertirse, incluso aventuró que tal vez la bella dama de Nicholas le estuvo tomando el pelo y estas iniciales respondían a otra cosa —un lugar, un objeto—, o fuera el acrónimo de alguna organización. Pero no se les ocurrió nada. De modo que, por decirlo en otras palabras, si había algún afiliado ruso llamado I.M. en aquella parte de Inglaterra, no había nadie que lo conociera o hubiera oído hablar de él. Esto, por supuesto, dejaba abierta la posibilidad de que el personaje con quien Raymond iba a reunirse no fuera un ruso residente en Londres, sino alguien que viniera de otro lugar. Eso, o que I.M. no fuera ruso en absoluto. En cualquier caso, su último rayo de esperanza de descubrir a I.M. se había esfumado, a menos que estuviera dispuesto a revolver el planeta entero buscándolo o buscándola.

La segunda información llegó, para su absoluta sorpresa, cuando se enteró de que Clementine Simpson no era sencillamente Clem, o la señorita Clementine Simpson o, por ejemplo, la profesora Simpson; era lady Clementine Simpson, la única hija de sir Robert Rhodes Simpson, conde de Prestbury, miembro de la Cámara de los Lores, Caballero de la Orden de la Jarretera, el rango más alto de la caballería inglesa, y miembro prominente del consejo de gobierno de la Universidad de Manchester. Eso significaba que lady Clem —la compañera de viaje de Marten, recientemente nombrada supervisora de estudios, miembro orgulloso y dedicado de la Fundación Balmore y amante del sexo en la bañera— era algo que todavía no le había confesado: un miembro con título de la aristocracia británica.

La revelación surgió de la nada cuando el revisor del tren se detuvo junto a sus butacas del vagón de primera clase y le dijo:

—Bienvenida a bordo, lady Clementine, es un placer verla de nuevo. ¿Cómo está su padre, lord Prestbury?

Entablaron una breve conversación y luego el hombre siguió controlando los pasajes. Apenas se hubo marchado, una mujer tipo matrona muy bien vestida que avanzaba por el pasillo también reconoció a Clem y le preguntó prácticamente lo mismo. ¿Cómo estaba? ¿Cómo estaba lord Prestbury?

Marten fingió educadamente ignorar ambas conversaciones, pero cuando la mujer se hubo alejado, miró a Clem, levantó una ceja y dijo:

—¿Lady Simpson?

Fue entonces, y a regañadientes, cuando Clem se lo contó todo: cómo había nacido en el seno de una familia rica y aristócrata, cómo su madre había muerto cuando ella tenía doce años y cómo, desde aquel momento, ella y su padre se habían más o menos apoyado el uno al otro, y cómo, tanto de niña como ya de mayor, odiaba tanto el título y la insolencia de la clase alta y trataba de mantenerse lo más alejada posible de aquel ambiente. Sin embargo, era una misión complicada, teniendo en cuenta que su padre era un miembro eminente de la nobleza británica —además de una fuerza muy respetada, poderosa y empecinada tanto en los círculos políticos como en el sector privado, en el que figuraba en los consejos de administración de varios grandes grupos empresariales— y que esperaba de ella que lo representara totalmente siempre que la ocasión lo mandara. Eso era demasiado a menudo, en opinión de Clem, y le complicaba mucho la vida porque «él está increíblemente orgulloso de su linaje, de su prominencia, de su Reina y de su patriotismo». Era un porte y una actitud que a ella la hacía volver loca.

—Puedo entenderte perfectamente —dijo Marten, con una ligera sonrisa.

—No, señor Marten —respondió ella, encendida, los ojos brillantes de rabia—, si no lo has vivido, ni siquiera puedes a empezar imaginarte lo que es.

Con esta frase se volvió a mirar hacia otra parte y sacó un libro grueso de bolsillo de su bolso; *David Copperfield*, de Charles Dickens. Lo abrió con un gesto final de rabia y se propuso concentrarse en su lectura. Era el mismo «fin de la conversación» emocional que había utilizado con él en el Spaniards Inn, cuando Nicholas le pidió ayuda para encontrar a I.M., o su zorrita, como ella misma había dicho de manera cortante, antes de ponerse a leer la carta.

Nicholas la observó un momento y luego miró el paisaje inglés que se deslizaba por la ventana. Clem, o lady Clem, era distinta a todas las mujeres que había conocido hasta ahora. Totalmente abierta con sus emociones —al menos con él—, era también una mujer culta, divertida, brusca, vulgar, furiosa y fascinante, por no mencionar su manera de ser a menudo alentadora y cariñosa. Mostrarse más que un poco fastidiada con toda la idea de pertenecer a la clase alta y a los nacidos en una familia de alcurnia había sido algo que, al final, resultaba divertido. El problema era que todo aquello, como Clem, el mismo viaje a Manchester y los días que llevaban hasta allí, estaba teñido de algo más: dos pistas sin resolver: el avión fletado y 7 de abril/Moscú.

El miércoles por la mañana había llamado a Dan Ford a Washington para preguntarle si había alguna información más sobre Aubrey Collinson, el hombre que había fletado aviones en dos ocasiones para recoger a Raymond, desde Kingston, Jamaica, y que había entregado a la tripulación documentación falsa para que se los facilitaran al llegar a California. De nuevo, Ford le había advertido que se mantuviera al margen, pero Marten lo apremió y Ford le dijo que la CIA y el Ministerio de Justicia ruso había mandado investigadores tanto a Kingston como a Nassau, desde donde los vuelos habían partido. Por declaraciones hechas *a posteriori*, ambas agencias informaron del mismo callejón sin salida que habían encontrado antes. El piloto del avión había recibido simplemente el sobre con documentación de manos de su supervisor, quien le pidió que se lo entregara al cliente al que iba a recoger. No había nada raro en ello. Ni tampoco había nada especialmente raro en el hombre que se presentó como Aubrey Collinson, un tipo al que el supervisor recordaba como de unos cincuenta años, que hablaba con acento británico y llevaba gafas de sol y un traje elegante, y que pagó el servicio en efectivo. El hecho de que hubiera vuelto a encargarlo una segunda vez cuando su hombre perdió el primer vuelo en Santa Mónica, pidiendo que volvieran a mandar el avión, pero esta vez a un aeropuerto distinto, podía haber levantado sospechas, pero no lo hizo. Kingston y Nassau eran universos muy especiales, habitados mayormente por los muy ricos —de los cuales una parte habían hecho sus fortunas de manera legal, y otra parte igual, si no mayor, lo habían hecho ilegalmente, pero casi todos ellos preferían mantener sus asuntos privados con la mayor discreción y usaban terceras partes para llevar a cabo sus transacciones y solían pagar sus vuelos a Estados Unidos en dólares—. Era un mundo en el cual hacer negocios dependía de no hacer más preguntas que las imprescindibles, y convertía la posibilidad de descubrir a alguien que no quería ser descubierto —en especial por la policía, la prensa o los agentes de gobiernos extranjeros— en una misión casi imposible.

Y así, después de recibir de nuevo la advertencia de Ford de que se mantuviera al margen del caso Raymond, y por mucho que odia-

283

ba hacerlo, Nicholas Marten puso a Aubrey Collinson y a los vuelos fletados en el mismo saco de las otras pistas estériles e hizo todo lo posible por olvidarse del asunto.

El 7 de abril en Moscú era distinto, por mucho que dijera Dan Ford, y era algo que no podía dejar de lado porque todavía estaba por ocurrir. El jueves y el viernes, Nicholas casi no había podido pensar en nada más. Esa mañana, cuando se despertó y luego se encontró con Clem para coger el tren a Manchester, había sido peor, porque el 7 de abril era el día siguiente. Por mucho que intentó quitárselo de la cabeza, cada giro de las ruedas encima de las vías elevaba su nivel de ansiedad, y con él la insistencia de su vocecita interior, desencadenada como una flecha isabelina que le hacía desear no haber estudiado nunca literatura inglesa. ¿Qué cosa horrible nos traerá el mañana? Preguntaba una y otra vez.

¿Qué cosa horrible?

¿Qué cosa horrible?

Vendrá mañana.

7 de abril.

7 de abril.

¿Qué cosa horrible nos traerá el mañana?

De pronto Nicholas Marten miró a Clem, que seguía leyendo en silencio, absorta en su libro. No sabía nada, ¿cómo iba a saberlo? Incluso si él le revelaba la verdad y le contaba quién era, ¿cómo podría explicar su miedo si todo lo que tenía era una vaga historia sobre una fecha en el calendario y un lugar?

Miró hacia el campo ondulado moteado de nubes y sol y supo que tenía que continuar con lo que tenía entre manos.

Y aguantar la respiración.

Y esperar.

Y observar.

14

Todavía en Manchester, sábado 6 de abril, 21:40 h

Con el cuello de la chaqueta subido a causa de la fina lluvia, Nicholas Marten caminó sin rumbo por las calles de la ciudad. Quería hacerse una idea del lugar y trataba de moverse y de eliminar de su mente los pensamientos acerca de Moscú y de lo que pasaría al día siguiente. Se acordó de una película alemana en la que un capitán de submarino le decía a un subordinado: «No pienses. Pagarás un precio por ello: no podrás descansar». El capitán tenía razón.

Un rato antes había metido a lady Clem en un taxi para que la llevase a su apartamento de Palatine Road. Manchester era una ciudad bastante grande, le había dicho ella cuando Nicholas insistió en que se fuese al hotel con él, pero su padre y ella eran muy conocidos y Clem no quería dar lugar a rumores de haber sido vista acompañando a un hombre a su hotel, especialmente si ese hombre iba a estar relacionado con la universidad y probablemente bajo su tutela. La universidad no toleraba las relaciones entre los profesores y los alumnos, a menos que estuvieran casados, lo cual, naturalmente, no era el caso. Así que se dieron un besito de buenas noches, ella se marchó en el taxi y Nicholas se quedó solo.

Anduvo por Oxford Road y pasó el edificio de la universidad y los barrios de Hulme, Knot Mill y Castlefield, para parar finalmente en el puente que cruzaba el río Irwell y mirar hacia el canal Manchester Ship; un enorme cauce de agua que, según le habían contado, recorría unos sesenta kilómetros desde Liverpool hasta el mar de Irlanda.

Lo que había visto hasta entonces era una ciudad grande y moderna con gran cantidad de comercios y, al mismo tiempo, llena hasta los topes de arte, ópera, teatro, música y cultura pop. Una ciudad en la que los tranvías eléctricos y los autobuses de dos pisos pasaban cada pocos minutos. Nuevas construcciones asomaban en cada calle y en cada callejón, y se mezclaban con los maravillosos edificios de obra vista, magistralmente conservados, de las antiguas fábricas textiles que hablaban del ilustre pasado de Manchester, cuna de la Revolución Industrial.

Lo que Marten vio y sintió mientras estuvo de pie bajo la lluvia, mirando desde el puente, fue un mundo que estaba a años luz de las escurridizas, ultrarrápidas, despiadadas y soleadas calles de Los Ángeles.

Ya se había dado cuenta de esas diferencias un rato antes, cuando Clem le había presentado a tres estudiantes de paisajismo. Los tres, dos hombres y una mujer, eran de la misma edad que Marten o quizás un poco más jóvenes, y tenían el mismo entusiasmo por la universidad, los cursos que seguían, los profesores y las carreras que habían escogido. Uno de ellos estaba convencido de que un estudiante que fuese inteligente y se relacionara bien podía, en unos pocos años, ganarse bien la vida. O, en sus propias palabras, «hacerse casi rico».

Había sido una buena experiencia que hizo pensar a Marten que tenía algo en común con aquella gente y que quizás había acertado al ir allí. Pero hubo algo que le hizo volver a casa: cuando tomaban brandy después de cenar, uno de los estudiantes le dijo:

—Los inviernos aquí son horribles, casi no hay verano y llueve todo el tiempo. ¿Por qué razón alguien querría dejar el sur de California para venir aquí?

¿Por qué?

Era como si una luz brillante hubiera caído de pronto de los cielos. Nada que ninguno de ellos hubiera dicho podía haber resonado con tanta fuerza. Dejando de lado la idea de perseguir un sueño de toda la vida y convertirse en un arquitecto paisajista, en todo lo demás, Nicholas Marten era poco más que un hombre huyendo para salvar la vida, con una identidad falsificada y un pasado violento que no deseaba desvelar, que tenía que apartarse de la escena central y quedarse a un lado. ¿Qué lugar mejor que una ciudad grande e industrial en el norte de Inglaterra? Una ciudad lluviosa, gris y fría. El hombre tenía razón. ¿Quién en el sur de California pensaría en venir a buscarlo aquí? La respuesta era nadie. Y esto, más que ningún otro motivo, fue lo que lo convenció.

De modo que la idea era buena y el lugar también. Y lo que la convertía en factible eran los progresos de Rebecca. No sólo estaba contenta en la Balmore y con su brillante y corpulenta psiquiatra, la doctora Maxwell-Scot, sino que se había adaptado a ambas con una facilidad y un entusiasmo notables. Y ayer, cuando recogió a Clem y fueron a visitarla y le contó adónde iba y por qué, y para explicarle que pasaría la noche fuera, Rebecca se limitó a mirarlo y miró a Clem, sonrió y le dijo que pensaba que lo que se estaba planteando le parecía estupendo, y también le recordó lo que habían hablado antes: que si ella sabía en su corazón que él estaba bien, la sería mucho más fácil recuperarse.

Su actitud fue confirmada por la doctora Maxwell-Scot cuando Marten le comentó su idea de ir a Manchester y dejar a Rebecca en Londres.

—Cuánto más independiente se vuelva Rebecca —le dijo la doctora—, mayores serán sus posibilidades de recuperarse del todo. Además, en caso de emergencia usted estaría sólo a pocas horas en tren o en avión, de modo que sí, creo que su intención de volver a la universidad es totalmente factible, sería más que aceptable y conveniente para los dos.

Empapado por la lluvia, Marten se volvió de espaldas al puente y se puso a andar hacia su hotel. En su cabeza, si todo iba bien y lo aceptaban en el programa de la universidad, estaba decidido. En muy poco tiempo, la ciudad y las calles que ahora estaba recorriendo se convertirían en su hogar.

15

Domingo 7 de abril. 6:02 h en Manchester, 9:02 h en Moscú

Hoy era... 7 de abril/Moscú.

Marten estaba en calzoncillos y camiseta delante de la tele en su habitación, cambiando ansiosamente de canal —BBC1, BBC2, ITV1, Sky, CNN—. Lo que veía no era más que las típicas noticias de relleno de domingo por la mañana. El tiempo, un poco de deportes, noticias de interés general —por ejemplo una tienda en la que vendían bollos del tamaño de un coche, una pareja que se había casado en una carrera de caballos, un perro que se había quedado atascado en un váter— salpicado de comentarios varios, discusiones políticas sobre el estado del mundo y servicios religiosos varios. Si Moscú estaba sufriendo algún atentado, nadie hablaba de ello. De hecho, ni Moscú ni Rusia fueron mencionados para nada. Si había que fiarse de las principales cadenas de televisión, en ningún lugar del mundo parecía haber sucedido nada inmediatamente noticiable.

287

7:30 h

Marten ya se había duchado y vestido y volvía a estar delante de la tele. Seguía sin haber ocurrido nada.

9:30 h

Nada de nada.

10:30 h

Nada. Cero. Calma absoluta.

Y

Londres, el mismo 7 de abril. 18:15 h

Marten había vuelto a dar una vuelta por la universidad con Clem. Habían tenido un almuerzo más bien formal con un par de profesores colegas y luego tomó el tren de las 13:30 de vuelta a Londres, que llegó a la estación de Euston un poco después de las 17:30. Desde allí tomó un taxi hasta el Hampstead Holiday Inn y, una vez en su habitación, encendió de inmediato el televisor. Estuvo diez minutos cambiando de un canal al otro y seguía sin haber noticias de Moscú.

Se cambió rápidamente de ropa y se fue a la Balmore, donde una animada Rebecca le pidió ansiosa novedades sobre su visita a Manchester y todo lo que allí había ocurrido. Cuando le habló sobre la ciudad, y la gente a la que había conocido y la casi seguridad con que Clem pensaba que sería aceptado en el programa de la universidad, se mostró encantada. Y luego le contó quién era realmente Clem y quién era su padre y cuál era su rango social, y la muchacha se rio e hizo broma y se comportó como si fuera una colegiala. Saber que Clem ostentaba realmente un título y se la podía llamar lady Clementine le daba la sensación de que trataba con la realeza.

—Es el tipo de vida —dijo, con cierta nostalgia— en la que la gente como nosotros solamente puede soñar.

Poco después llamaron a Rebecca para cenar y Marten se marchó. Entonces, como lo había hecho en Manchester, se puso a andar, a andar y a andar. Esta vez prestaba poca atención a la ciudad. Su mente estaba centrada en Rebecca, en él mismo, en Clem y en cómo iba a ser el futuro. Y pensaba en la logística de toda la situación y en cuánto tiempo podría permitirse pagar por el cuidado de Rebecca y por su universidad antes de tener que ponerse a trabajar.

«Las piezas.»

De pronto, el sonido de su propia voz interior lo sobresaltó y se detuvo, cuando apuntaba el anochecer, para mirar a su alrededor, inquieto por la voz e inseguro de dónde se encontraba. Rápidamente, se dio cuenta de adónde lo había llevado su paseo. La casa del número 21 de Uxbridge Street.

«Las piezas», volvió a decir la voz.

De manera instintiva se ocultó de las miradas detrás de un árbol grande. Aunque Gene VerMeer hubiera vuelto a Los Ángeles, podía tener a agentes de la Scotland Yard vigilando la casa y el jardín y, entre otras cosas, haber dado su descripción diciendo que se trataba de alguien con quien le gustaría mucho hablar.

Sin embargo, miró a un lado y al otro de la calle y no vio a nadie, ni siquiera un coche aparcado. Y la propia casa estaba vacía. Una casa que, al igual que las llaves de la caja fuerte, la embajada rusa, el Penrith's Bar, I.M., el avión fletado y el 7 de abril en Moscú, había resultado ser como un callejón sin salida. Un globo pinchado; nada más que aire.

Marten vigiló un rato más y luego, de pronto, se volvió y se marchó. La voz había vuelto a ser como una lucha interior, algo en él que trataba de mantener aquel asunto vivo.

«Raymond está muerto —se dijo, enfrentándose a la voz—, y el asunto en el que estuvo implicado también murió con él. Tres intentos y basta, señor Marten. Acéptalo y sal adelante con tu maldita vida. Clem te lleva en el buen camino. Ve con ella y olvídate de lo otro. Porque, te guste o no, la verdad del asunto es que, cualquiera que fuera el significado de "las piezas", ya no queda nada de ellas. Cero. Nada de nada.»

16

El día siguiente, lunes 8 de abril, Nicholas Marten solicitó formalmente su admisión al programa de posgrado de la facultad de Urbanismo y Paisajismo de la Universidad de Manchester; con una carta de recomendación —y estaba seguro, la intervención personal— de lady Clementine Simpson. El jueves 25 de abril fue aceptado. El sábado 27 de abril llegó a Manchester en tren y, con la ayuda de Clem, el lunes 29 de abril encontró un pequeño *loft* amueblado en Water Street con vistas al río Irwell. Aquel mismo día firmó el contrato de alquiler y se instaló. El martes 30 de abril empezó las clases.

Todo sucedió a ritmo muy rápido, con facilidad y sin obstáculos, como si, de alguna manera, el Cielo le hubiera suavizado el camino y lo hubiera mandado de cabeza a su nueva vida. A medida que avanzaban las semanas y se iba instalando, siguió escribiendo pequeñas anotaciones en el diario que empezó cuando llegó a Londres. La mayoría eran notas excepcionalmente breves y que giraban alrededor del mismo tema: «Ni rastro de las piezas, sin voces, ninguna presencia de Raymond en absoluto.»

El 21 de mayo, a poco más de siete semanas de su llegada a Londres, la psiquiatra de Rebecca, la doctora Maxwell-Scot, fue trasladada a un nuevo centro de rehabilitación llamado Jura que la clínica Balmore había abierto hacía poco en Neuchâtel, Suiza.

Jura, una enorme mansión a orillas del lago Neuchâtel, aplicaba un programa experimental diseñado para enrolar a no más de veinte pacientes a la vez y construido sobre la idea de combinar las sesiones de psicoterapia aceleradas con una serie rigurosa de actividades al aire libre. Se trataba de una situación que la doctora Maxwell-Scot consideraba ideal para Rebecca, por lo cual recomendó que la muchacha la acompañara a Suiza. Ante la actitud entusiasmada de Rebecca, Marten asintió.

La segunda semana de junio Marten hizo su primera visita a Jura. Aunque la doctora le había advertido de la fragilidad todavía subyacente de su hermana y le había sugerido que hasta el recuerdo más vago del pasado podía servir de detonante de sus memorias más oscuras y provocarle una regresión al terrible estado en el que se hallaba antes, encontró a Rebecca, tal vez un poco insegura y todavía afectada por cambios de humor frecuentes, pero más entusiasmada, independiente y fuerte de lo que la había visto desde su gran avance. Además, cualquier duda que hubiera podido tener sobre el propio centro Jura —se había imaginado un lugar austero, una institución tipo asilo— quedó inmediatamente despejada. Jura era una finca espléndida y muy bien gestionada rodeada de varias hectáreas de viñedos, con unos jardines cuidados que alcanzaban casi un kilómetro hasta la orilla del lago Neuchâtel. Rebecca disponía de una gran habitación privada con vistas tanto al jardín como al lago, con una perspectiva impresionante de los Alpes a través del agua. Era como si Rebecca, que había venido a curarse, hubiera sido plantificada en medio de un balneario magnífico, imposiblemente caro.

—Forma parte de lo estipulado en la donación del benefactor que ha cedido las instalaciones —le explicó la doctora— que el tratamiento en este centro no suponga ningún gasto para los pacientes o sus familias.

—¿Y quién es el benefactor? —preguntó él directamente, y la doctora Maxwell-Scot le dijo que no lo sabía. La fundación era muy grande y las donaciones provenían a menudo de individuos muy ricos que, por un motivo u otro (algunos tenían a familiares ingresados allí) preferían permanecer en el anonimato. Era algo que Marten comprendía y estaba dispuesto a aceptar, y eso le dijo a Maxwell-Scot, diciéndole que se trataba de un regalo que él y Rebecca agradecían y apreciaban sobremanera.

A finales de junio, Marten fue a París a visitar a Dan y Nadine

Ford, para celebrar que Ford había sido ascendido a la delegación parisina del *Los Angeles Times*. Se trataba de un ascenso que Nadine había promovido con fuerza, aunque con mucho tacto, a través de su contacto con la esposa del jefe de corresponsales del *Times* en Washington, una mujer a la que le daba clases de francés casi desde el primer día de su llegada a Washington. Se instaló para pasar un fin de semana largo en el pequeño apartamento que la pareja tenía en la rue Dauphine, en la Rive Gauche.

La primera noche, Marten y Dan Ford dieron un largo paseo por la orilla del Sena, durante el cual Marten le preguntó a Ford si había alguna novedad sobre la intervención del LAPD en el caso Raymond, y si seguían enfrascados en la investigación. La respuesta de Ford fue que, por lo que sus compañeros del *Los Angeles Times* sabían, todo el caso Raymond había sido aparcado. «Por parte del LAPD, del FBI, de la CIA, la Interpol, hasta los rusos. No queda ni una chispa entre las cenizas», le dijo. VerMeer volvía a cumplir su turno regular en Robos y Homicidios y Alfred Neuss volvía a hacer negocios como siempre en Beverly Hills y seguía defendiendo su versión de no tener ni idea de lo que Raymond Oliver Thorne había querido de él.

Finalmente Marten le preguntó si sabía cómo estaba Halliday, y lo único que Ford pudo decirle fue que seguía en el departamento de Tráfico del Valle, lo cual quería decir que seguía trabajando pero que su cargo consistía ahora en poco más que repartir multas de tráfico. Básicamente, había sido degradado y mandado a pastar. Un buen golpe para un detective de elite de la 5-2, y a un puesto del que no había recuperación posible; al menos, no para él. Y Halliday tenía todavía treinta y pocos años.

Más tarde se detuvieron en una *brasserie* a tomar una copa de vino, y en una mesa apartada Ford le dijo a Marten que había algo que tenía que saber.

—Gene VerMeer tiene ahora su propia página web. Es muy graciosa. Se llama puñosypuños.com.

—¿Y...?

—Apuesto a que ha pedido información sobre John Barron media docena de veces durante los últimos seis meses.

—¿Quieres decir que vino a Londres buscándome a mí?

—No me puedo meter dentro de su cabeza, Nick. —Ford llevaba tiempo programando el nombre Nick Marten en su mente y en la de Nadine. Para ellos, Nick Marten era Nick Marten y lo había sido siempre—. Pero es un cabrón brutal y malicioso que se ha propues-

to vengar a la brigada. Quiere encontrarte, Nick, y cuando lo haga te
matará antes de decirte hola.

—¿Por qué me lo dices ahora?

—Porque tiene la web y porque tiene a muchos colegas que sim-
patizan con él. Y porque no quiero que lo olvides.

—No lo olvidaré.

—Estupendo.

Ford se quedó mirando a Marten. Estaba advertido y eso bastaba. De pronto sonrió y cambió de tercio, empezando a preguntarle
con actitud de chaval sobre su estilo de vida bohemio como estudiante, y en especial, riéndose de su romance clandestino con una de
sus profesoras, la no muy recatada lady Clem.

A primera hora del día siguiente Nicholas, Dan y Nadine cogieron un tren en la Gare de Lyon y emprendieron una excursión de un
día hasta Ginebra y luego hasta Neuchâtel para visitar a Rebecca en
Jura. Fue una visita breve pero feliz que restableció la relación de Rebecca con Dan y Nadine Ford, y que además les permitió a todos maravillarse ante lo mucho que habían cambiado sus vidas en tan poco
tiempo.

A mediados de julio Nicholas Marten fue a visitar de nuevo a
Rebecca, esta vez acompañado de Clem como miembro de la fundación. Lo que encontró fue a una Rebecca todavía más recuperada que
antes. Por primera vez aparentaba a la bella joven de veinticuatro
años que era. Las dudas y los cambios de humor de antes habían desaparecido. Parecía brillante, atlética y saludable y, como la doctora
Maxwell-Scot descubrió por primera vez en Londres y ahora le estaba ayudando a desarrollar, tenía muy buena aptitud para los idiomas
y disfrutaba aprendiendo a leer y hablar lenguas extranjeras.

Estuvo bromeando con su hermano juguetonamente, soltándole
expresiones en francés, en italiano, e incluso en español. Marten no
sólo estaba encantado ante su agilidad mental, sino que estaba muy
ilusionado. Y, como su visita anterior con Dan y Nadine Ford, fue un
encuentro cálido, feliz y divertido.

A mediados de agosto Clem volvió a Jura para resolver asuntos
de la fundación y se quedó sorprendida al encontrar a Rebecca en el
lago, a solas, y de paseo con una familia suiza.

Gerard Rothfels era director general de operaciones europeas de una empresa internacional de diseño y mantenimiento de viaductos con sede en Lausana. Hacía poco tiempo que se había mudado con su familia —su esposa Nicole y sus niños pequeños, Patrick, Christine y Colette— desde Lausana a Neuchâtel, a menos de media hora en coche, porque quería separar su vida familiar del ambiente de trabajo.

Rebecca había conocido a los Rothfels unas semanas antes en la playa y, casi de inmediato, ella y los niños se habían quedado encandilados. A los pocos días, y a pesar de que sabían que era paciente del centro Jura, Rebecca —con el consentimiento de la doctora Maxwell-Scott— fue invitada a su magnífica residencia del lago. Muy pronto empezó a visitarlos tres veces por semana, visitas que dedicaba a jugar con los niños y a comer con la familia. De manera gradual, y bajo la supervisión vigilante de la madre, los niños fueron confiados a su cuidado. Era la primera vez que Rebecca asumía una responsabilidad real desde la muerte de sus padres, y se lo tomó con mucho entusiasmo. Toda la situación recibió el aplauso de la doctora Maxwell-Scot, y Marten fue informado de la misma por lady Clem a su regreso.

293

A principios de septiembre Marten volvió a Jura y fue invitado a casa de los Rothfels, donde Rebecca pasaba cada vez más tiempo y donde, confiaba Gerard Rothfels, empezaba a sentirse cada vez más como en familia. Esperaban que, en algún momento, se quedara a vivir con ellos para cuidar de los niños como *au pair* a tiempo completo.

Y como Jura estaba muy cerca y Rebecca podía seguir asistiendo a sus sesiones con su doctora, a finales de septiembre se trasladó. Aquel traslado no sólo subrayaba los enormes progresos que había hecho y le daba una buena dosis de autoconfianza, sino que además le proporcionaba un beneficio adicional. En su empeño por dar a sus hijos una formación completa, los Rothfels empleaban a profesores particulares varios días a la semana para darles lecciones de piano y de idiomas, y Rebecca fue invitada a compartir ambas enseñanzas. El resultado fue una iniciación a la disciplina de la música clásica y un progreso notable en su dominio de los idiomas.

Para Nicholas y Rebecca los cambios en el último medio año habían sido extraordinarios. Ambos habían ganado madurez, curación e independencia. Para Nicholas había el placer añadido de que su relación con Clem, aunque por necesidad, era secreta para todo el mundo menos para Rebecca; Clem se había convertido no sólo en su mejor amiga, sino también en la de su hermana. Eso les daba a los tres una comodidad casi de familia que les aportaba calidez, cariño y una sensación que sólo era capaz de recordar muchos años atrás, cuando él y Rebecca eran niños.

Poco a poco, el horror del pasado se iba disipando y unas vidas totalmente nuevas, felices y a salvo, iban echando raíces. Casi la misma manera en que John Barron se había convertido en Nicholas Marten, la vida del detective de homicidios se había metamorfoseado en la de un estudiante de posgrado en busca del verdor, el orden y la belleza apacible.

17

Universidad de Manchester, Whitworth Hall. Domingo 1 de diciembre, 16:10 h

«El invierno llega y "las piezas" siguen adormecidas —escribió Marten en su diario—. Ocho meses y ni rastro del objetivo de Raymond.»

Nicholas Marten había llegado a Londres el 1 de abril y ahora, casi nueve meses después de su inmersión en la sociedad británica, todavía no había aprendido a sostener una taza de té como era debido. Pero hoy se esperaba de él no sólo que fuera capaz de sostenerla, sino de llevarla, con el platito debajo, por un salón amplio, deteniéndose a tomar un sorbo de vez en cuando mientras le presentaban a uno y a otro.

Para un extranjero, la formalidad del té de la tarde y la inevitable conversación trivial que lo acompaña ya eran lo bastante difícil, pero si además tenía lugar en un sitio tan venerable como Whitworth Hall y con varios cientos de invitados altaneros que venían a conocer al nuevo rector de la universidad —entre ellos, el vicerrector, miembros del consejo, las autoridades supremas de la universidad, los decanos de cada facultad y los profesores, además de miembros de la política local como el obispo de Manchester y el honorable alcalde de la ciudad— la idea resultaba más que incómoda y rozaba con lo horripilante, en especial para un hombre que no deseaba saber nada de la luz pública.

Bajo otras circunstancias Marten habría estado menos preocupado por su falta de refinamiento, de *savoir faire*, y hasta de presencia pública, y sencillamente se habría mantenido en segundo plano y habría dejado pasar el tiempo de la mejor manera que hubiera podido, pero esto era distinto. Estaba aquí porque Clem le había invitado y porque, como acababa de enterarse, su padre también estaría. Qué manera tan práctica se le había ocurrido para que se conocieran.

Conocer a su padre era algo que había conseguido evitar durante aquellos ochos meses, algo que le resultó más fácil por el hecho de que el viejo pasaba la mayor parte de su tiempo en Londres, y lo evitó mientras estaba en Manchester con el pretexto de estar agobiado de trabajo de la universidad o por la coincidencia de un viaje previamente planeado fuera de la ciudad, por ejemplo a París, para ver a Dan y a su ahora embarazada esposa, Nadine.

No era tanto que Marten quisiera evitar al hombre, sino que parecía ser lo más sensato. Aparte de las consideraciones sociales, o de su fama de ser un tipo feroz, brusco y exigente que expresaba su opinión, esperaba que su interlocutor expresara la suya y luego lo destrozaba sin piedad, había algo más: la naturaleza de su relación. Más concretamente, la naturaleza secreta de su relación. Eran amantes desde aquel día en Londres y, sin embargo, aparte de Rebecca, Dan y Nadine, no lo sabía ni podía saberlo nadie. Como Clem había dicho antes, el sexo entre profesores y estudiantes estaba rigurosamente prohibido, de modo que había que hacerlo en secreto, y durante ocho meses así había sido. Naturalmente, conocer a cualquier progenitor bajo aquellas circunstancias resultaría un poco extraño, en especial cuando era la primera vez y cuando el progenitor, por no hablar del resto de la universidad, no estaba al tanto de la situación.

Lo que lo hacía todavía más que difícil era el cargo del padre como miembro de alto rango del consejo universitario. El hecho de que Robert Rhodes Simpson, conde de Prestbury, fuera además miembro de la Cámara de los Lores y Caballero de la orden de la Jarretera tampoco ayudaba en absoluto.

—Buenas tardes, señor. —Marten saludó a una cara familiar y, mientras hacía equilibrios con su taza de té en el platito, avanzó por la inmensa sala de piedra de estilo catedralicio que se estaba llenando por momentos con trajes más oscuros y sobrios que el suyo y con gente de rango mucho más elevado que el estudiante de posgrado. Otro sorbo de té. Ahora estaba frío y la leche que lo acompañaba le provocó casi una arcada. Él era un hombre de café, caliente, solo y fuerte, y siempre lo había sido. Miró a su alrededor. Seguían sin aparecer. De pronto se preguntó por qué había ni tan siquiera venido, para acabar con un nudo en el estómago, pasando por una situación como aquélla. Y juró que no tenía respuesta.

Bueno, sí que la tenía.

Ella lo chantajeó para que aceptara poco antes de la medianoche tres días antes, durante una de sus habituales e impresionantes sesiones de sexo oral. De pronto, se detuvo y levantó la vista mientras él estaba todo sudado y tembloroso en pleno estado de excitación y lo invitó a la celebración. La manera en que lo miraba y el tono de su voz —mientras le sostenía el pene con una mano como si fuera un helado enorme y mantenía su boca respirando a pocos centímetros del mismo— le dejaron perfectamente claro que, si no aceptaba ir a tomar el té a Whitworth Hall el domingo por la tarde, ella no acabaría su trabajo. Teniendo en cuenta el momento, no era plan retrasar la decisión, de modo que aceptó de inmediato. Había sido una broma muy maliciosa, pero formaba parte del humor subido de tono que la caracterizaba y uno de los motivos por el cual la amaba. Además, en aquel momento, le pareció bastante inocente. Pensó que, sencillamente, ella no tenía ganas de pasar una tarde a solas con sus colegas profesores. Todavía no sabía nada de su padre.

—Buenas tardes —saludó a otra cara conocida, luego miró más allá, escrutando el mar de trajes oscuros con tacitas de té en la mano y tomando pastas y pequeños emparedados de pepino para ver si Clem y su padre habían llegado.

Todavía no. Al menos no los veía. Si habían llegado, estaban en otra parte del edificio, tal vez mientras el padre conversaba con el alcalde o con el obispo o con el vicerrector. Fue un momento en el que pensó que todavía estaba a tiempo de escapar. Ya pensaría en la excusa más tarde. Lo único que tenía que hacer era dejar la taza de té y encontrar la salida lo antes posible. El hecho de que fuera estuviera lloviendo a cántaros, o de que en Manchester hubiera llovido prácticamente cada día desde su llegada, no importaba. No tenía impermeable entonces ni tampoco lo tenía ahora. Lo único que quería era huir. A papá ya lo conocería en algún momento del futuro lejano.

Allí estaba: una mesita. Con cuidado, posó la taza y el platito y luego se volvió, buscando una salida.

—¡Nicholas!

El corazón se le subió a la garganta. Demasiado tarde. Habían entrado por una puerta lateral y avanzaban hacia él a través de la gente. No había duda de quién era «papá». Sesenta y pocos años, alto y muy en forma, con aspecto de miembro de la clase alta de fin de semana con su traje perfectamente a medida confeccionado en Londres, igual que Nicholas lo había visto en televisión y en los periódicos y en la foto que ella tenía en su tocador. Hombre poderoso y de porte aristocrático, tenía las facciones perfectamente talladas, los ojos negro azabache y un bonito pelo blanco y rizado que encajaba perfectamente con el color de sus pobladas cejas.

«Bueno —se dijo Nicholas—, respira hondo, tranquilízate y que sea lo que Dios quiera.»

Vio la chispa en los ojos de Clem cuando se le acercaban y supo de inmediato que ella encontraba aquel encuentro diabólico, peligroso y divertidísimo.

—Papá, me gustaría presentarte a...

Papá no la dejó acabar.

—Usted debe de ser el señor Marten.

—Sí, señor.

—Y es usted estudiante de posgrado.

—Sí, señor.

—En la facultad de Urbanismo y Paisajismo.

—Sí, señor.

—Americano.

—Sí, señor.

—¿Qué opina de mi hija como profesora?

—Es todo un desafío, señor. Pero muy útil.

—Tengo entendido que de vez en cuando la contrata usted como profesora particular.

—Así es, señor.

—¿Por qué?

—Porque lo necesito, señor.

—¿Lo necesita? ¿Para qué?

La mirada del viejo lo cortó por la mitad, como si estuviera al tanto de todo.

—Para... que me dé clases. Hay cosas, términos, procesos, maneras de enfocar los temas que, como extranjero, me cuestan de entender. En especial cuando hacen referencia a la sociología europea y a la psicología del paisaje.

—¿Sabe cómo me llamo?

—Sí, señor. Lord Prestbury.

—Bueno, está usted aprendiendo algunos de nuestros modales.

—De pronto, sus ojos negros se volvieron hacia su hija—. Clementine, ¿quieres excusarnos, por favor? —Su orden fue tan brusca como inesperada.

297

—Yo... —Lady Clem miró a Nicholas con la sorpresa y las ganas de disculparse estampadas en su expresión. Rápidamente volvió a mirar a su padre—. Claro —dijo. Sus ojos volvieron a fijarse en Marten antes de dar media vuelta y alejarse.

—Señor Marten. —Robert Rhodes Simpson, duque de Prestbury, Caballero de la orden de la Jarretera, miró a los ojos de Nicholas Marten y, apuntando con un dedo encogido hacia él, le dijo—: Venga conmigo.

18

—Whisky. Dos vasos. Y deje la botella —le dijo lord Prestbury al joven rechoncho y de rostro rojizo, vestido con chaqueta blanca almidonada, que estaba detrás de la barra. Una barra sólida, de madera de roble, de lo que parecía ser una taberna muy oculta en algún lugar de las entrañas del complejo de Whitworth Hall. Un lugar tan oculto que ellos tres eran los únicos que, de momento, la llenaban.

Al cabo de unos momentos lord Prestbury y Nicholas Marten se sentaron a una pequeña mesa hacia el fondo, con los dos vasos y la botella del malta escocés de etiqueta privada de lord Prestbury entre ellos.

Para Marten, no había duda de por qué estaban allí. Lord Prestbury sabía de su relación con su hija, le parecía aborrecible y estaba decidido a ponerle punto y final ahora y allí mismo, probablemente con la amenaza de que expulsaran a Nicholas de la universidad si se resistía.

—Acabo justo de conocerle, señor Marten.

El padre de lady Clem sirvió tres dedos de whisky en cada vaso, luego levantó la vista y dejó que sus ojos se fijaran en el joven que tenía delante.

—Me acusan de ser brusco, y es porque tengo la costumbre de decir lo que pienso. Así es como soy y no sé si lo corregiría si pudiera hacerlo. —De pronto, lord Prestbury cogió su vaso, se bebió la mitad del whisky de un solo trago, volvió a dejar el vaso y luego miró a Marten de nuevo—. Dicho esto, me gustaría hacerle una pregunta directa y personal.

Justo en aquel momento, las dos grandes puertas de roble por las que habían entrado se abrieron y entraron dos miembros más del

Consejo. Hicieron un saludo con la cabeza hacia Prestbury y se dirigieron a la barra. Prestbury aguardó a que estuvieran hablando con el camarero y luego miró a Marten y bajó la voz:

—¿Se está usted revolcando con mi hija?

¡Dios bendito! Los ojos de Marten se clavaron en el vaso que tenía delante. Brusco y al grano, para ser exactos. El viejo lo sabía. Ahora sólo exigía la confirmación.

—Yo...

—Señor Marten, un hombre sabe si se está revolcando con alguien. Y, desde luego, sabe a quién le mete el clavo. La respuesta es simple: ¿sí o no?

—Yo...

Marten dibujó círculos con el dedo en el cristal de su vaso y luego lo cogió y se acabó el whisky de un trago.

—La conoce usted desde hace ocho meses. Ella es el motivo por el que está usted en la universidad, ¿es eso correcto?

—Sí, pero...

Lord Prestbury lo miró, luego volvió a llenar los dos vasos.

—Por Dios, hombre, si ya conozco la historia. La conoce usted en la Balmore, adonde ha llevado a su hermana para recibir tratamiento. Acaba usted de resultar herido en un accidente industrial y está pensando en qué hacer con el resto de su vida. El diseño de paisajes es un sueño que tiene desde toda la vida y, con el apoyo de Clementine, decide usted perseguirlo.

—¿Se lo ha contado ella? —Marten estaba estupefacto. No tenía ni idea de que lady Clem le hubiera contado nada de él, excepto que era uno de sus estudiantes.

—No, señor, acabo de inventármelo. ¡Pues claro que me lo ha contado ella! —De pronto, la mano de lord Prestbury salió disparada por encima de la mesa y cogió a Marten por la muñeca, con sus ojos azabache clavados en él de nuevo—. No estoy aquí para causar ningún problema, señor Marten. Estoy gravemente preocupado por mi hija. Sé que no la veo a menudo. Desde luego, no lo bastante a menudo. Pero se acerca a la treintena. Conozco las normas de la universidad mucho mejor que usted, estoy seguro. Los profesores y los estudiantes no pueden compartir lecho. Es una buena norma. Y necesaria. Pero, por Dios, Clementine habla de usted como si fuera su mejor amigo en todo el mundo. Y eso es lo que me preocupa. Y el motivo por el que tengo que saber, entre caballeros, si se la está usted tirando o no.

—No, señor... —mintió Nicholas Marten. No tenía ninguna intención de caer en una de las famosas trampas del viejo: suplicar una respuesta sincera y luego frotársela por la cara.

—¿No?

—No.

—Oh, Dios mío. —Lord Prestbury soltó la muñeca de Marten y se apoyó en el respaldo de su butaca. Pero rápidamente volvió a inclinarse hacia él—. Por el amor de Dios, ¿por qué no? —dijo, en un susurro áspero—. ¿No la encuentra atractiva?

—Es extremadamente atractiva.

—Entonces, ¿qué problema hay? A estas alturas ya debería haber sido madre una o dos veces, por lo menos. —Lord Prestbury cogió su vaso y dio otro trago largo de whisky—. Está bien, pues. Si no es usted, ¿sabe de algún otro tipo que se la esté beneficiando?

—No, señor, no lo sé. Y, con todos los respetos, me resulta muy difícil continuar esta conversación. Si me disculpa...

Marten iba a levantarse, pero lord Prestbury le ordenó:

—¡Siéntese, señor!

Los dos miembros del Consejo se volvieron a mirarlos desde la barra. Lentamente, Nicholas Marten volvió a sentarse. Entonces, mirando temeroso a lord Prestbury, cogió su vaso y tomó un trago largo.

300

—No lo entiende, señor Marten —le dijo el viejo, claramente desanimado—. Como le he dicho, no paso mucho tiempo con mi hija, pero en todos los años que lleva en Manchester sólo ha traído a casa a hombres en un par de ocasiones. Y no se trataba del mismo hombre. Mi esposa murió hace trece años, y lady Clementine es mi única hija. Me preocupa terriblemente que, como padre sin pareja (dejando a un lado la Orden de la Jarretera, la Cámara de los Lores, el rango nobiliario y el orgulloso y antiguo linaje), me haya salido una hija —lord Prestbury se le acercó un poco más y susurró—, bollera.

—¿Cómo?

—Bollito.

—No le entiendo, señor. —Marten tomó otro trago y sostuvo el vaso en la mano, esperando qué era lo siguiente que venía.

—Lesbiana.

Marten reaccionó de pronto, tragando de golpe el whisky que tenía en la boca. El trago casi lo hizo atragantarse y tosió con fuerza, llamando de nuevo la atención de los dos hombres que se sentaban en la barra. Lord Prestbury ignoró todo el asunto y se limitó a mirarlo.

—Se lo ruego, señor. Dígame que no lo es.

La respuesta de Nicholas Marten, aunque podría haber sido cualquiera, no llegó nunca, porque en aquel mismo instante todos los timbres y campanas de la alarma de incendios de Whitworth Hall se dispararon de golpe.

19

Nicholas yacía a oscuras y contemplaba cómo dormía a lady Clem —desnuda, como lo hacía siempre cuando estaban juntos—, con el cuerpo elevándose y descendiendo con tanta gracia mientras respiraba; su magnífica melena de pelo castaño cayéndole suavemente por la mandíbula; la piel tan blanca; los pechos, grandes y firmes, con las grandes areolas alrededor de los pezones que tanto le gustaban a Nicholas.

Tal vez la hija única de lord Prestbury vistiera como una matrona sin estilo, pero eso era de cara a Inglaterra, a la universidad y para protegerse. Debajo de los pliegues oscuros de los conservadores trajes de chaqueta que vestía, casi a modo de uniforme, estaba el cuerpo de una mujer bella y excepcionalmente dotada que, a sus veintisiete años, podría aparecer en el póster de cualquier revista.

Lord Prestbury no tenía por qué preocuparse sobre la orientación sexual de su hija, aunque si fuera lesbiana no resultaría ni un ápice menos atractiva. Era inteligente, sexy y guapa, y en aquel momento tenía la expresión inocente de una niña, como si durmiera profundamente abrazada a un osito de peluche.

¿Inocente?

Lady Clementine Simpson, hija del conde de Prestbury, era absolutamente gamberra, salvajemente profana y carecía totalmente de remordimientos si era necesario. Apenas seis horas antes habían estado con su padre y Dios sabe cuántos miembros prominentes más de la universidad, protegiéndose de una lluvia helada con paraguas recogidos a toda prisa, delante de Whitworth Hall, mientras contemplaba las docenas de camiones del cuerpo de bomberos de Manchester que llegaban con las sirenas a todo trapo. La policía mantenía a los curiosos apartados, los bomberos corrían hacia el edificio con máscaras y dispositivos de respiración y entraron valientes en la preciosa edificación, esperando encontrar una caldera de llamas y humo asfixiante. Lo que encontraron en cambio fue poco más que los restos silenciosos de un té de la tarde abandonado apresuradamente. Al parecer, alguien había elegido la ocasión para dar la bienvenida al nuevo rector con una falsa alarma.

¿Alguien?

¡Lady Clem!

Era algo que jamás le habría confesado a alguien que no fuera él. Aunque lo hubiera hecho sin apenas inmutarse ante el paso de los primeros bomberos; un gesto mínimo en un intento de redimirse, para salvarlo de Dios sabe qué horror al que su padre lo debía de estar sometiendo en la taberna del sótano, usando la primera herramienta que le vino a la cabeza.

Una *bollito*, la había llamado lord Prestbury, aterrorizado de que, de alguna manera, pudiera haberse vuelto homosexual. El miedo de un padre de haber perdido contacto con su única hija y de que ella se hubiera convertido en algo que él no comprendería ni aceptaría.

¿Una *bollito*? Ni de lejos. Y lo bien puestas que las tenía, al volver directamente a su ático de Water Street con vistas al río Irwell, la misma noche del fiasco de la falsa alarma, inmediatamente después de haber estado aguantando una cena con su padre, el obispo de Manchester y el alcalde en la que el tema principal de conversación fue el acto terrorista de la falsa alarma.

Luego, mientras se desnudaba lentamente o, mejor dicho, hacía un *strip-tease* delante de él, insistiendo en que le contara qué era aquello que su padre estaba tan ansioso por saber en la oculta taberna de Whitworth Hall. Y cuando él se lo contó, usando el término gentil que había usado el padre, su reacción fue, sencillamente:

—Pobre papá. Papá maravilloso. Tanta Cámara de los Lores y tantas cosas en la vida que no comprende.

Apenas pronunciadas aquellas palabras, se deslizó desnuda a su lado, le quitó la ropa e hizo una fiesta del resto de la noche. Riendo, bromeando, tumbándolo en la cama y poniéndolo boca arriba. Luego, viendo la considerable erección que apuntaba directamente al techo, ella se encaramó encima de él y, con los ojos cerrados, la espalda arqueada y los enormes pechos tambaleándose, empezó a cabalgar, perdiéndose en aquel exceso de felicidad, amor, travesura y pasión. Y todo el tiempo murmurando una y otra vez, cada vez más fuerte, hasta que él estuvo convencido de que la gente que pasaba por la calle podía oírlos, «¡Fóllame! ¡Fóllame! ¡Oh, fóllame!».

Por dios, y era profesora, e hija de un caballero de la Orden de la Jarretera. Una mujer de clase alta, con título aristocrático y rica más allá de lo imaginable.

Nicholas sonrió de nuevo. Esto era en lo que la vida se había convertido. Ahora, a los veintisiete años de edad, estaba estudiando para sacarse un máster en Urbanismo y Paisajismo y literalmente flirteando con la nobleza.

Al mismo tiempo, y poco a poco, el oscuro latido de Raymond se iba apagando. Quién sabe qué había acabado ocurriendo con sus amenazas de e-mails. O habían sido un farol desesperado y de entrada nunca existieron, o habían sido mandados con programación, como él había prometido, y sencillamente se habían perdido, flotando en algún lugar del ciberespacio para el resto de la eternidad. En cualquier caso, ya no importaba, porque jamás se materializaron, al menos en las semanas y los meses desde entonces, y cada hoja del calendario hacía más fácil su olvido y creer que nunca existieron.

De alguna manera, costaba creer que nada de aquello hubiera sucedido nunca. Los Ángeles y todo lo ocurrido era un sueño perdido en algún punto del pasado lejano. Aquí, bajo la fría lluvia de Manchester, se había convertido en un hombre que encontraba la felicidad en el día a día, que estaba cada vez más involucrado en sus estudios, en su historia secreta con Clem y con la paz y la plenitud de una vida totalmente nueva.

20

Manchester. Lunes, 13 de enero

«Nunca se hará el énfasis suficiente en el impacto psicológico de la conservación y el mantenimiento de los parques urbanos en una sociedad inmediata, global y guiada por el etéreo Internet. Seamos o no conscientes, estas magníficas extensiones de amplios paisajes...»

Marten dejó de escribir y se apartó del teclado. Estaba solo en su apartamento, redactando el trabajo del trimestre, un estudio sobre la importancia psicológica y funcional de los parques urbanos en la Europa del siglo XXI. Calculaba que el trabajo tendría entre ochenta y cien páginas y que le llevaría unos tres meses acabarlo. Aunque no debía entregarlo hasta principios de abril, sabía que iba a costarle, en especial porque ya llevaba con él más de un mes y de momento sólo tenía veinte páginas redactadas.

Eran las tres y media de la tarde y una fría lluvia caía sobre la ventana de su buhardilla, como lo hacía desde las siete de la mañana, cuando se había puesto a trabajar. Con la cabeza entumecida por el esfuerzo de la concentración, se levantó y deambuló alrededor de las pilas de libros y de artículos de investigación que tenía esparcidas por el suelo para meterse en la cocina a prepararse una nueva cafetera.

Mientras esperaba a que saliera el café, ojeó el periódico del día, el *Guardian*. Agotado, con la cabeza todavía en su trabajo, hacía poco más que pasar las páginas cuando un artículo breve le llamó la atención. Era un artículo procedente de la Associated Press y titulado NUEVO JEFE PARA LA POLICÍA DE LOS ÁNGELES, en el que se relataba brevemente que el alcalde de Los Ángeles acababa de nombrar un jefe nuevo, muy bien considerado y con un historial muy bueno, para dirigir el departamento. El elegido había sido seleccionado fuera de la organización y recibía el encargo de volver a poner de pie un departamento de policía muy empantanado.

—Que tenga suerte —murmuró Marten, pero al instante deseó que fuera posible. Era obvio que, después de todo lo ocurrido, el alcalde y el ayuntamiento en pleno habían visto la necesidad, al menos política, de un cambio. Pero aunque el nuevo cargo fuera bueno y sus rangos y filas lo respetaran, llevaría mucho tiempo deshacerse de las viejas actitudes y tradiciones, en especial con detectives veteranos como Gene VerMeer. De momento, estaba hecho, y tal vez con el tiempo los cambios serían a mejor.

De pie en medio de la cocina, mientras escuchaba el tamborileo del agua contra la ventana, Nicholas sintió una calidez y un bienestar que ya no recordaba haber sentido. El abrumador trauma de Raymond y de fueran cuales fuesen sus objetivos se había ido disipando hasta convertirse en un recuerdo lejano, y ahora, con el jefe Harwood alejado de su puesto, empezaba una nueva era en el LAPD. Por suerte, parecía que aquella parte de su vida había finalmente acabado.

Marten giró la página y estaba a punto de cerrar el periódico cuando otra noticia breve le llamó la atención. Era una noticia de la agencia Reuters y procedía de París. El cadáver desnudo de un hombre de mediana edad había sido encontrado en un parque público. La víctima había recibido varios disparos en la cara de muy cerca, lo cual destruyó sus facciones y dificultaba mucho las tareas de identificación.

Nicholas se quedó sin aliento y se le erizó el pelo de la nuca. Era el mismo caso de Los Ángeles y de MacArthur Park y del cuerpo del estudiante alemán, Josef Speer, y de las víctimas de Chicago, San Francisco y México D.F., otra vez. Al instante, una sola palabra le cruzó la mente: Raymond.

Pero era imposible.

Agitado, Marten apartó el *Guardian*, se sirvió el café y volvió a la mesa de trabajo.

Raymond.

No. No era posible. No después de todo aquel tiempo.

Lo primero que se le ocurrió fue llamar a Dan Ford en París, comprobar y ver lo que sabía y obtener todos los detalles, pero luego decidió no hacerlo, decidió que era una locura. Él mismo se lo estaba volviendo a hacer y él mismo tenía que pararlo. Era un simple asesinato y nada más, y Ford le diría lo mismo.

A las siete y media paró, recogió su gabardina y su paraguas y salió de casa. Anduvo a paso ligero durante diez minutos, hasta el Oyster Bar de Shambles Square, y pidió una pinta de cerveza y un plato de *fish and chips*. A las ocho cuarenta y cinco volvía a estar trabajando, y a las once, cansinamente, apagó la luz y se metió en la cama, agotado, con cinco páginas más redactadas.

23:20 h

Las luces de los coches que pasaban por la calle creaban dibujos irregulares que se movían por el techo, encima de su cama, mientras la incesante lluvia en la claraboya completaba las imágenes con una especie de banda sonora reconfortante. Unido a su cansancio, le provocaba el efecto de una droga blanda, y se fue relajando y dejando que su mente volara hacia lady Clem, como si estuviera allí a su lado en vez de en Ámsterdam, adonde había ido para asistir a un seminario que duraba una semana.

Fugazmente pensó en Rebecca, feliz y a salvo en el hogar de los Rothfels de Suiza.

23:30 h

El sueño empezó a apoderarse de él, y sus pensamientos lo llevaron hasta Jimmy Halliday y en cómo debía de encontrarse en la División de Tráfico del Valle. Halliday, que en los últimos segundos en el almacén ferroviario había protegido tan heroicamente la vida de Rebecca y la suya enfrentándose a la metralleta asesina de Polchak, al que paró de la única manera que sabía: matándolo. Intentó visualizar la cara de Halliday, recordar su aspecto y preguntarse si habría cambiado, pero la imagen se le desdibujaba, sustituida por la sonrisa cálida de Dan Ford, tranquilamente acurrucado con Nadine en su pequeño apartamento de París mientras los dos esperaban orgullosos el nacimiento de su primer hijo.

París.

Volvió a ver el breve artículo del *Guardian*. El cuerpo desnudo de un hombre hallado muerto en un parque. Acribillado varias veces en la cara. Su identificación inmediata casi imposible.

Raymond.

Pero era absurdo. Ahora no había sentido el pulso acelerado, ni el susurro de su voz interior, ni la sensación de fatalidad. Raymond estaba muerto.

Cuando regresaba de cenar, bajo la lluvia, había vuelto a pensar que tal vez debía llamar a Ford a París y comentarle el asunto. Pero, otra vez, había decidido no hacerlo. Era su propio desasosiego y lo sabía. Lo que había ocurrido no era más que pura coincidencia, y la idea de que pudiera ser cualquier otra cosa resultaba ridícula.

—¡Nooo!

Su propio grito lo sobresaltó y lo sacó de un sueño profundo. Estaba empapado en sudor y mirando fijamente a la oscuridad. Había visto a Raymond en sueños. Allá mismo, en su habitación, observándolo mientras dormía.

Con un gesto instintivo, tocó la mesilla de noche en busca de su revólver. Lo único que notó fue la suavidad de la madera lacada. Su mano volvió a moverse. Nada. Se incorporó. Sabía que había dejado el Colt allí. ¿Dónde estaba?

—Ahora tengo tus dos armas.

La voz de Raymond lo sacudió de arriba abajo, y levantó la vista esperando ver al asesino parado a los pies de su cama, mirándolo a oscuras con el Double Eagle Colt de John Barron en la mano y vestido con aquel traje mal ajustado que pertenecía al joyero de Beverly Hills Alfred Neuss.

De pronto, una fuerte cortina de agua cayó sobre la ventana y fue consciente de dónde se encontraba. Raymond no estaba. Ni tampoco lady Clem. Ni nadie más excepto él. Había sido una pesadilla, una repetición de lo sucedido en Los Ángeles, cuando soñó que Raymond estaba en su habitación y se despertó y se dio cuenta de que el sueño era real y Raymond estaba ahí mismo, a los pies de su cama.

Se levantó lentamente y anduvo hacia la ventana para mirar al exterior. Estaba todavía oscuro, pero por la luz de las farolas más abajo pudo ver que la lluvia, atizada por el vendaval, estaba empezando a entremezclarse con aguanieve y que el agua oscura y helada del río Irwell tenía un tono negro, en contraste con el gris que la rodeaba. Respiró hondo y se pasó una mano por el pelo; luego miró el reloj.

Acababan justo de dar las seis. Ya estaba levantado, por tanto, decidió darse una ducha y ponerse a estudiar. Tenía un trabajo trimestral en el que pensar, no el acecho de su propio pasado. Por vez primera, se daba cuenta de lo verdadero y sencillo que era aquello.

Se quitó rápidamente el calzoncillo con el que había dormido y se dirigió al baño, a tomar una ducha bien caliente, con el entusiasmo por el trabajo trimestral y su vida en Manchester renovado. Entonces sonó el teléfono y se quedó petrificado.

Volvió a sonar. ¿Quién debía de ser? Nadie llamaba a aquellas horas a menos que fuera alguien que se equivocaba o una emergencia. Volvió a sonar y cruzó la estancia, desnudo, y respondió.

—Soy Nicholas.

La persona al otro lado vaciló; luego oyó la voz amiga:

—Soy Dan. Ya sé que es muy pronto.

Marten sintió un escalofrío que le recorría la espina dorsal:

—El hombre asesinado en el parque.

—¿Cómo lo has sabido?

—He visto una noticia en el periódico.

—La policía francesa ya tiene su identidad.

—¿Quién es?

—Alfred Neuss.

21

Vuelo 1604 de British Airways de Manchester a París. Martes 14 de enero. 10:35 h

Las nubes redondeadas intercaladas con el sol permitían a Marten entrever el Canal de la Mancha mientras lo cruzaban. Más adelante podía ver la costa normanda, y luego, más allá, el extenso tablero de ajedrez que era la campiña francesa.

Llevaba diez meses esperando a que ocurriera algo, y nada, y casi se había convencido de que ya no ocurriría. Y ahora esto. La confirmación de que el cuerpo desfigurado pertenecía a Alfred Neuss le provocó una mezcla de miedo, ansiedad y excitación. Por un lado se sentía exonerado porque en todo aquel tiempo no había sido presa de la locura, sino de una sospecha real. Pero se sentía igualmente inquieto porque tampoco había manera de saber qué estaba ocurriendo: el motivo del asesinato, por qué tantos meses después, cómo encajaba con lo ocurrido anteriormente, con quién podía haber estado implicado Raymond y, lo más terrible de todo, lo que le daba significado a todo: qué quedaba por ocurrir.

La decisión de volar a París la tomó sin reflexionar, mientras hablaba por teléfono con Dan Ford. En el aspecto práctico le resultó fácil, puesto que las dos semanas siguientes no tenía clases, sólo alguna reunión ocasional con sus responsables de tesis. Lady Clem era uno de ellos y se encontraba en Ámsterdam. Además, había planeado su agenda para concentrarse en su trabajo trimestral y, ahora mismo, eso podía esperar. El otro único obstáculo era el coste. La indemnización pactada con el LAPD les había permitido a él y a Rebecca viajar a Inglaterra con suficiente dinero para que ella ingresara en la clínica Balmore y para que él pudiera pagar su alquiler en Manchester y su nada desdeñable matrícula universitaria. La suerte de que Rebecca pudiera trasladarse a Jura les ahorró un gasto sustancial, y el único dispendio que suponía ahora mismo la muchacha era su vestuario. Sus gastos cotidianos estaban cubiertos de largo por el pequeño salario que se ganaba trabajando para los Rothfels. Lo que le quedaba de su compensación lo había guardado, y sólo lo utilizaba para sacar lo que necesitaba para su vida cotidiana y para pagar las cuentas mensuales de sus dos tarjetas de crédito.

Sin embargo, aún faltaba bastante para completar su título y poderse buscar un trabajo, y debía vigilar los gastos. Volar a París era caro, pero también lo era el Eurostar, el tren del canal, y el avión resultaba más rápido. Además, sería su único desembolso, mientras estuviera en París podía dormir en el sofá de la sala de estar de Dan. Por otro lado, si hubiera tenido una agenda llena de clases y nada de dinero, igualmente habría ido a París: la llamada de Raymond y de sus andanzas era demasiado fuerte.

22

Dan Ford lo esperaba mientras hacía los trámites de aduana en el aeropuerto de Roissy-Charles de Gaulle, y juntos volvieron a la ciudad en el pequeño Citroën blanco de Ford.

—Un par de adolescentes encontraron el cuerpo de Neuss bajo unos arbustos en el Parc Monceau, cerca de la estación de metro, —le explicó Dan mientras cambiaba de marcha y aceleraba para entrar en la Autoroute A1, en dirección a París—. La esposa de Neuss pidió al personal del hotel que lo buscara, al no poder ponerse en contacto con él. Ellos fueron los que llamaron a la policía, que al poco tiempo ató cabos.

»Neuss estaba aquí en viaje de negocios. El hotel en el que se alojaba queda cerca del parque. Había volado de Los Ángeles a París, luego tomó un vuelo hasta Marsella y, finalmente, se dirigió en taxi hasta Montecarlo, para luego regresar a París. En Montecarlo había comprado diamantes por valor de un cuarto de millón de dólares. Que se han esfumado.

—¿Tiene algo sólido la policía?

—Sólo saben que Neuss fue torturado antes de que lo mataran.

—¿Torturado?

Ford asintió con la cabeza.

—¿Cómo? —De inmediato, Marten pensó en los hermanos Azov de Chicago y en los hombres asesinados en San Francisco y en México D.F. Todos ellos habían sido torturados antes de morir.

¡Raymond! El nombre volvía de nuevo a golpearlo en la cabeza. Pero sabía que era una locura y, de nuevo, decidió no decir nada.

—La policía no ha entrado en detalles. Si saben algo más, no lo han querido decir, pero lo dudo. Philippe Lenard, el inspector jefe asignado al caso, sabía que yo me había encargado del asunto en Los Ángeles, y cuando le conté que había estado involucrado previamente en el asunto Neuss me pidió si podía contar conmigo para que le respondiera a más preguntas. Supongo que si el método de tortura hubiera tenido algún significado, o si tuviera alguna otra información, me lo hubiera dicho porque habría querido saber mi opinión.

Ford cambió de carril y redujo la velocidad detrás del tráfico. Marten no lo había visto desde principios del otoño, cuando él y Nadine se presentaron por sorpresa en Manchester para sorprenderlo con la noticia del embarazo de ella. Ahora, casi cinco meses más tarde, la inminencia de la paternidad parecía haberlo afectado poco. Seguía llevando la chaqueta azul marino arrugada sobre los pantalones de algodón y las gafas de pasta de toda la vida; seguía mirando el mundo y a su lugar en él con la misma intensidad y fuerza monocular que había hecho siempre. Además, parecía importarle poco en qué lugar del planeta se encontraba: California, Washington, París... todos le resultaban tan cómodos como una zapatilla.

309

—¿El LAPD está al tanto de lo de Neuss?

Ford asintió:

—Los chicos de Robos y Homicidios han hablado con su esposa y con los detectives de la policía metropolitana de Londres, que lo había interrogado anteriormente. Y también con Lenard, aquí en París.

—¿Robos y Homicidios quiere decir VerMeer?

Ford lo miró:

—No sé si ha sido VerMeer.

—¿Y qué ha pasado?

—La esposa de Neuss ha dicho que no tiene ni idea de quién puede haber sido ni de si puede tener algo que ver con lo ocurrido anteriormente. Su impresión es que se trata sencillamente de un robo que ha acabado mal. Lo único que tenía la poli de Londres es la transcripción de la conversación mantenida con Neuss el año pasado, y lo mismo que contó él todo el tiempo y que su esposa corroboró: que habían ido a Londres por negocios y que no tenían ni idea de quién era Raymond, ni del motivo por el que le fue a buscar a su joyería o a su apartamento, y que la única explicación de que su nombre apareciera en la agenda de los hermanos a los que Raymond mató en Chicago era que él los utilizó como sastres en una ocasión y les pidió que le mandaran la factura a su tienda de Beverly Hills.

—Esos tipos eran rusos. ¿Alguien se ha puesto en contacto con los investigadores rusos que fueron a Los Ángeles después de la muerte de Raymond? Con Neuss asesinado, puede que tengan algún punto de vista nuevo sobre todo el asunto.

—Ni idea. Si lo han hecho, ni Lenard ni sus hombres me han dicho nada.

Dan Ford redujo la velocidad al cruzar el enlace de la Porte de la Chapelle para entrar a París por el norte.

—¿Quieres que vayamos al parque, a ver dónde encontraron el cuerpo de Neuss?

—Sí —dijo Marten.

—¿Qué crees que podemos encontrar que la policía de París no haya hecho?

—No lo sé, pero la policía de París no estuvo en MacArthur Park cuando encontramos a Josef Speer.

—Éste es exactamente el tema. —Ford se volvió para mirar a Marten directamente—. Te he llamado para contarte lo de Neuss porque sabía que cuando supieras quién era y cómo lo habían encontrado, vendrías corriendo. —De pronto Ford redujo la marcha, giró a la derecha y volvió a acelerar—. Esto es París, Nick, no Los

Ángeles, y ahora se trata de Alfred Neuss, no de Josef Speer. Y había diamantes de por medio. La policía lo considera un robo con asesinato, nada más. El *modus operandi* ha sido una coincidencia. Por eso los chicos del LAPD siguen allí, y no aquí.

—Tal vez sea una coincidencia, tal vez no.

Ford pisó el freno y se detuvo detrás de una cola de tráfico.

—¿Qué crees que vas a hacer al respecto, en cualquiera de los dos casos? Ya no eres policía. Ya no tienes ninguna autoridad. Si empiezas a meter las narices tratando de encontrar algo, la gente empezará a preguntarse quién eres y qué te propones.

»El asesinato de Neuss lo está resucitando todo. La prensa está animadísima; los tabloides crearán noticia aunque no la haya. Raymond salió por las televisiones de todo el mundo, y tú también. Y la gente se acuerda. Puede que te hayas cambiado el nombre, pero tienes la misma cara. ¿Qué pasará si alguien empieza a relacionar las cosas y adivina quién eres? Si averiguan tu nombre y descubren dónde vives...

El tráfico de delante de ellos empezó a avanzar y Ford dejó que el Citroën siguiera.

—¿Y si esta información llega a manos de los que no deben saberla nunca en el LAPD, los que quieren saber dónde está John Barron, qué le ocurrió, adónde fue, adónde fue su hermana...? Ya te advertí hace tiempo sobre la página web de Gene VerMeer. Ahora ya hay otra, llamada, inocentemente, copperchatter. ¿No has oído hablar de ella?

—No.

—Es un chat entre polis de todo el mundo. Con la jerga policial, con el humor policial y con las ganas de venganza propia de los polis. Apuesto a que el nombre John Barron aparece un par de veces al mes, incitado por VerMeer y mantenido en el candelero por la gente que recuerda a Red, a Len Polchak, a Roosevelt Lee, a Valparaiso y a Jimmy Halliday. Están dispuestos a poner pasta para encontrarte, alegando que te dejaste algo importante en Los Ángeles y que quieren devolvértelo.

Marten desvió la mirada.

Ford prosiguió:

—Si empiezas a hacer ruido, Nick, estarás poniendo tu vida y todo lo que has conseguido en peligro. Y también estás exponiendo a Rebecca, si alguien está dispuesto a ir tan lejos.

Marten volvió a mirarlo:

—¿Y qué demonios quieres que haga?

—Dar media vuelta y volver a Manchester. Yo sigo al frente de todo esto. Si surge algo, lo sabrás de inmediato.

Ford se detuvo en un semáforo en rojo. Los peatones abrigados del frío de enero irrumpieron por todas direcciones y, durante unos instantes, los dos amigos de infancia permanecieron en silencio.

—Nick, por favor, haz lo que te digo; vuelve a Manchester —dijo finalmente Ford.

Marten lo miró.

—¿Y cuál es el resto de la historia?

—¿El resto de qué?

—Todo lo que no me estás contando. Me he dado cuenta al instante en que te he visto en el aeropuerto. Sabes algo. ¿Qué es?

—Nada.

—Me encanta la nada. Inténtalo.

—Está bien. —El semáforo cambió y Ford arrancó de nuevo—. Cuando leíste la noticia del cadáver del parque, ¿qué es lo primero que pensaste?

—Raymond.

—De manera automática. Te golpeó en las entrañas.

—Sí.

—Pero sabemos que Raymond murió y que lleva tiempo muerto.

—Sigue. —Marten miró a Ford, expectante.

—Cuando supe lo del cadáver en el parque, desnudo y con el rostro desfigurado, y antes de saber que se trataba de Alfred Neuss... no pude evitar pedirle a uno de los reporteros de plantilla del *Times* en Los Ángeles que hiciera unas cuantas indagaciones.

—¿Y...?

—Esta mañana, cuando tú estabas de camino, me ha llegado la información. El expediente de Raymond ha desaparecido de la oficina del forense del condado de Los Ángeles. Ha sido borrado de la base de datos. Sus huellas digitales, sus fotos, toda su información ha desaparecido. Lo mismo ha ocurrido con los archivos del LAPD en Parker Center. Lo mismo con su expediente del departamento de Justicia en Sacramento. Lo mismo con el informe de la policía de Beverly Hills redactado después de que registraran el apartamento de Alfred Neuss. Lo mismo con el de la poli de Chicago. Y quizá lo más interesante de todo: la base de datos del FBI ha sido pirateada y todos los archivos relacionados con Raymond y pruebas relacionadas, borrados. Ahora están comprobando qué ha sucedido con la Interpol en Washington y en los archivos del departamento de policía en San Francisco y México D.F. en los que figuraban la foto y las huellas de

312

Raymond de cuando fue detenido. Si los piratas han metido mano en todo lo demás, ¿qué supones que van a encontrar?

—¿Cuándo ha ocurrido?

—No se sabe. —Ford miró a Marten y luego volvió la vista hacia la calle—. Pero hay más. Hay tres personas en la oficina del forense que han sido despedidas o trasladadas a raíz del fiasco de la cremación: dos hombres y una mujer. Los hombres han muerto con tres semanas de diferencia y la mujer ha desaparecido, y todo menos de cuatro meses después del incidente. Se suponía que la mujer se había ido a vivir con su hermana a Nueva Orleans, pero en Nueva Orleans no hay ninguna hermana, sólo un tío que es incapaz de acordarse de la última vez que supo algo de ella.

Marten se sintió como si alguien le hubiera puesto una mano helada en el cogote. Ésta era la impresión que había tenido cuando leyó la noticia del cadáver en el parque, pero se convenció de que no tenía ni por qué hablar del tema:

—Estás sugiriendo que Raymond podría seguir con vida.

—No, no estoy sugiriendo nada. Pero sabemos que alguien mandó un avión a buscarlo, dos veces. Eso significa que no actuaba solo y, quien fuera que lo estuviera ayudando, es obvio que tenía dinero, y mucho.

Marten desvió la vista. Era más de lo que había sabido hasta ahora. Más de lo que había sido aparcado con tanta rudeza por el jefe Harwood en su afán por poner punto y final al caso Raymond y proteger la verdad de lo que le había ocurrido a la brigada. De pronto, Marten se volvió a mirarle:

—¿Y qué hay del médico que certificó su muerte en el hospital?

—Felix Norman. Ya no figura entre el personal del hospital. Tengo a un par de personas investigándolo.

—Dios mío. ¿Lo sabe la policía de Los Ángeles?

—No lo creo. O si lo saben, no le han dado mucha bola. Las dos muertes fueron, aparentemente, por causas naturales. La desaparición de la mujer no ha sido nunca denunciada, y ¿quién va a mirar los viejos expedientes y bases de datos en busca de información de un caso que ha sido oficialmente cerrado y con el cual ya nadie quiere tener nada que ver?

Delante de ellos podían ver el edificio circular de Barrière Monceau, uno entre los miles de edificios de viviendas construidos alrededor del casco antiguo a finales del siglo XVIII y uno de los pocos que todavía seguían en pie. Justo detrás estaba la extensión verde apagado de un parque urbano en invierno.

—¿Es aquí? ¿El lugar donde encontraron el cuerpo de Neuss?

—El Parc Monceau, sí.

Ford vio cómo la mirada de Marten se encendía a medida que se acercaban. Sintió su electricidad cuando se erguía en su asiento, escrutando las calles inconscientemente, el barrio que rodeaba el lugar, los distintos accesos al parque. Buscando la manera en que un asesino habría llegado y habría salido. Era el policía que llevaba dentro el que volvía a despertar. Exactamente lo que Ford había temido que ocurriera.

—Nick —le advirtió—. Mantente al margen. No lo sabemos todo. Déjame que lo investigue yo a través de mi gente en Los Ángeles. Dale una oportunidad a la policía parisina para que encuentre algo aquí.

—¿Por qué no damos un paseo por el parque y vemos lo que encontramos?

Al cabo de tres minutos Ford aparcó el Citroën en la rue de Thann, en diagonal delante del parque. Eran justo las doce y media del mediodía cuando salieron y cruzaron el Boulevard de Courcelles bajo un sol brillante de enero, entraron en el Parc Monceau, el elegante proyecto del duque de Chartres del siglo XVIII, a través de las puertas ornamentadas de hierro forjado cerca de la boca de metro de Monceau, y se metieron por el sendero en dirección a la zona en la que se había hallado el cadáver de Neuss.

Cuando habían avanzado veinte metros vieron a tres policías de uniforme de pie junto a una plantación de arbustos perennes que había frente a un castaño enorme e imponente. Todavía más cerca y junto a los arbustos, dos hombres de paisano estaban parados conversando. Resultaba claro que eran detectives. Uno de ellos era bajo y de complexión fuerte, y gesticulaba aquí y allá como si explicara cosas; el otro asentía con la cabeza y parecía estar haciendo preguntas. Era más joven y mucho más alto que el primero, y no tenía ninguna pinta de ser francés.

Era Jimmy Halliday.

23

—Fuera de aquí —dijo Ford en el momento en que lo vio.

Marten vaciló.

—¡Ahora mismo! —gritó Ford, y Marten dio media vuelta y se alejó por donde habían venido, con Dan siguiéndolo. A Ver-Meer lo hubiera esperado, pero ¿a Halliday? ¿Qué estaba haciendo allí?—. Esto es exactamente a lo que me refería, sólo que de pronto nos lo hemos encontrado de bruces —dijo Ford, mientras lo alcanzaba y se dirigía con él a las puertas de al lado de la parada de metro.

—¿Cuánto tiempo hace que está en París?

—No lo sé, es la primera vez que le veo y, como ya te había dicho, el LAPD estaba manteniendo las distancias. Puede que acabe de llegar.

—El detective que lo acompañaba, ¿es el que está al frente de la investigación?

Ford asintió con la cabeza:

—El inspector Philippe Lenard, de la prefectura de Policía de París.

—Dame las llaves del coche, esperaré aquí. Halliday te conoce. Vuelve y averigua todo lo que puedas.

—Me preguntará por ti.

—No, te preguntará por John Barron —dijo Marten, con una media sonrisa—. Y no le has visto desde que estabas en Los Ángeles.

315

Marten se metió en el Citroën y esperó. Halliday. A pesar de su postura oficial, debía haber sabido que el LAPD mandaría a alguien. Y Halliday, donde fuera que estuviera trabajando ahora, sabía más cosas del caso Neuss que nadie en el cuerpo, de modo que era el más indicado. Hasta podía ser que hubiera pedido venir él mismo. Eso le hizo preguntarse a Marten si el asesinato de Neuss no habría puesto al LAPD a revolver de nuevo en busca de información, del mismo modo que Ford había puesto de nuevo al *L.A. Times* a hacer pesquisas... y, en este caso, si se habrían encontrado con los mismos cabos sueltos y, como resultado, la misma suposición inquietante: que, de alguna manera, Raymond había logrado escabullirse del hospital con vida, dejando atrás un certificado de defunción y un cadáver incinerado. Y ahora, con sus expedientes desaparecidos, con sus posibles cómplices bien muertos, bien esfumados, y nadie que pudiera dar fe de su verdadera identidad, se había recuperado convenientemente y había retomado su camino desde el punto en que lo habían interrumpido tan groseramente.

Y

Neuchâtel, Suiza, a la misma hora

Rebecca lo había visto por primera vez cuando formaba parte de un grupo de invitados que había ido a visitar las dependencias de Jura a mediados de julio. Varias semanas más tarde la conoció en un almuerzo en casa de los Rothfels. Él sabía que la muchacha era paciente en Jura y mostró mucho interés por el programa que aplicaban en el centro. Pasaron una hora o más hablando, y luego jugando con los niños de los Rothfels, y al final ella supo que él se había enamorado. Y aun así, pasó más de un mes hasta que la cogió de la mano, y todavía otro mes hasta que se aventuró a besarla.

Aquellos primeros meses, antes de que él entablara ningún tipo de contacto físico, fueron también para ella una agonía. La mirada del chico le decía cómo se sentía, y sus sentimientos rápidamente crecieron para igualar los de su pretendiente, o superarlos en intensidad. Pensar en él la hacía estremecerse, y los momentos que compartían a solas superaban cualquier experiencia que hubiera tenido anteriormente, aunque no hicieran más que dar un paseo por el lago para contemplar las ondulaciones en el agua provocadas por la brisa y para escuchar el canto de los pájaros. Para ella, Alexander Cabrera era el hombre más guapo que había conocido en su vida, o que jamás hubiera imaginado conocer. Que tuviera treinta y cuatro años y fuera diez mayor que ella no le importaba en absoluto. Ni tampoco el hecho de que fuera un hombre de negocios triunfador y con una formación muy sólida que resultaba ser el propietario de la empresa para la que trabajaba Gerard Rothfels.

Cabrera, argentino, era propietario y dirigía Cabrera WorldWide, una empresa que diseñaba, instalaba y gestionaba sistemas de viaductos de gran capacidad aplicados a industrias desde la agricultura hasta la producción y exploración de petróleo en más de treinta países. Su sede corporativa estaba en Buenos Aires, pero su gran centro de operaciones en Europa estaba ubicado en Lausana, donde pasaba parte de cada mes mientras conservaba al mismo tiempo una pequeña oficina en París, en la suite que tenía alquilada permanentemente en el hotel Ritz.

Alexander se mostraba muy respetuoso con la situación personal de Rebecca y con su puesto como empleada de su director de operaciones en Europa, y tampoco quería alterar su oficina de Lausana con chismorreos, ni el hogar de los Rothfels, del cual ella se había convertido en parte integral, por lo que insistió en que mantuvieran su relación con la máxima discreción.

316

Durante cuatro meses maravillosos y llenos de amor su relación había sido sencillamente esto, discreta: cuando él estaba en Lausana por trabajo, o cuando lograba convencer a los Rothfels de que renunciaran a ella durante una, dos o tres noches, la invitaba de pronto a Roma, a París o a Madrid. E incluso entonces, su relación era comedida. Se alojaban en hoteles separados y él le mandaba un coche a recogerla para llevarla adonde estuviera, que luego la volvía a llevar a su hotel. Además, durante todo el tiempo que llevaban viéndose, no habían dormido juntos ni una sola vez. Eso, le prometió él, era para la noche de bodas y no antes. Y habría una noche de bodas. Eso también se lo prometió, antes de darle el primer beso.

Aquella tarde en concreto, bien abrigada para protegerse del frío de enero, Rebecca estaba sentada en un banco junto al estanque helado de la finca de los Rothfels, mientras vigilaba a sus niños —Patrick, de tres años, Christine, de cinco y Colette, de seis— mientras tomaban lecciones de patinaje sobre hielo. En veinte minutos acabarían y entrarían en casa a tomar una taza de chocolate caliente. Luego ella se llevaría a Patrick a jugar, mientras Christine y Colette recibían las lecciones de piano y luego de italiano que les daba el profesor que venía los martes y jueves. Los miércoles y viernes a las cuatro venía el profesor de ruso, que luego pasaba una hora para enseñar a Rebecca. A estas alturas, la muchacha ya se encontraba igual de cómoda en francés, italiano y español, y se estaba acercando rápidamente al mismo nivel con el ruso. Sin embargo, el alemán siempre le había costado y seguía siendo un problema, puesto que sus sonidos tan guturales le resultaban casi imposibles de imitar correctamente.

Lo que convertía el día de hoy en especial y al mismo tiempo en muy difícil era que Alexander venía a Suiza para una cena de trabajo aquella misma noche, después de haber pasado diez días en su ciudad natal de Buenos Aires. El problema era que la cena tendría lugar en Saint Moritz, una localidad que se encuentra al otro extremo del país respecto adonde estaba ella, en Neuchâtel. Además, él debía regresar a París inmediatamente después. A pesar de que hablaban por teléfono al menos una vez al día, llevaban semanas sin verse y ella anhelaba ir a Saint Moritz, aunque sólo fuera por verlo un ratito. Pero, teniendo en cuenta su cargo en la empresa como director, su apretada agenda y su propia visión tan digna y comedida de la relación, sabía que no le iba a resultar posible. Y debía aceptarlo. Igual que había aceptado mantener en secreto su relación. Cuando les llegara la hora de casarse, le dijo él, el mundo se enteraría. Hasta entonces, sus vidas tenían que permanecer enteramente para ellos, para ellos y para los pocos que compartían su secreto: el señor Rothfels y su esposa, Nicole, y el corpulento Jean-Pierre Rodin, el guardaespaldas francés de Alexander que iba con él a todas partes y se ocupaba de casi todos sus asuntos.

Bueno, en realidad, había otra persona que lo sabía: lady Clem, que había conocido a Alexander cuando vino a visitar a Rebecca en septiembre y se enteró de su interés en el Jura. Lo volvió a ver en Londres, durante un acto para recaudar fondos de la Balmore en el Albert Hall, donde él regaló a la fundación un donativo muy generoso, destinado especialmente a Jura. Coincidieron en una tercera ocasión, cuando Clem visitó a Rebecca en Neuchâtel varios meses después. Para entonces, él y Rebecca ya estaban claramente comprometidos, y Rebecca llevó a Clem a un aparte para confiarle la relación y para hacerle notar la importancia de que le guardara el secreto, incluso ante su hermano, quien estaba empeñado en protegerla y consideraría su madurez emocional, como mucho, delicada. Después de todo lo que habían pasado juntos, era probable que reaccionara de manera demasiado visceral, si no directamente irracional, cuando se enterara de la profundidad de la relación con un hombre tan cosmopolita como Alexander Cabrera: un hombre al que, estaba convencida, acusaría de estar usándola como un juguete, lo cual no tenía nada que ver con la realidad. Además, eso era lo que Alexander quería, al menos de momento.

—No sólo eso —le dijo Rebecca a Clem con una sonrisita aniñada—. Si Nicholas y tú podéis mantener una relación clandestina, no veo el motivo por el cual no pueda yo hacer lo mismo con Alexander. Sencillamente, lo podemos convertir en un juego —dijo, sonriendo de nuevo—. No se lo digas a Nicholas, ¿vale?

Clem se rio:

—Vale —asintió, con cara de pícara. Entonces, enlazando dos dedos a modo de ritual, prometió no decirle nada a Nicholas hasta que Rebecca le diera permiso para hacerlo. El resultado fue que, meses después, Nicholas Marten seguía sin tener ni idea de la conspiración contra él ni del amor de la vida de su hermana.

24

París, bodega L'ecluse de la Madeleine, Place de la Madeleine.
El mismo día, martes 14 de enero, 14:30 h

Dan Ford marcó un número, luego le pasó a Halliday el móvil y cogió una copa de Burdeos mientras aguardaba a que Halliday cambiara las reservas de su vuelo para poder alargar unos días su estancia en París.

Habían venido hasta aquí en taxi desde el Parc Monceau, hacía unos veinte minutos. Halliday quiso beber algo y Ford quería alejarlo del parque, y L'Ecluse, en un extremo tranquilo de la Place Madeleine, en medio del centro de la ciudad, quedaba lo bastante alejado del parque y de cualquier itinerario que Marten eligiera para apartarse de él.

Ford había acompañado a Halliday paseando hasta la boca del metro y cruzando el Boulevard de Courcelles bien a la vista, y luego esperó a que pasara un taxi. Sabía que Marten estaba allí, al otro lado de la calle, en el Citroën, y esperaba que viera lo que había ocurrido y, sencillamente, cogiera el coche y se marchara al apartamento de Ford, en la Rive Gauche. Si Marten lo había hecho o no, o si los había visto, no tenía manera de saberlo. Podría muy bien seguir allí esperando, en el coche.

—Lo siento, me hacen esperar —dijo Halliday señalando el teléfono, mientras tomaba un trago del coñac que acababan de servirle.

—Tranquilo, está bien —respondió Ford. Halliday tenía aspecto de haber envejecido una década en los diez meses escasos que pasaron desde la última vez que se vieron. Estaba delgado, la cara demacrada y con arrugas, y sus ojos azules, antes tan penetrantes, parecían ahora vacíos y exhaustos. Sus pantalones grises y arrugados y su chaqueta de sport azul clara parecían tan gastados como él mismo.

Claramente cansado y con signos de *jet lag*, había llegado desde Los Ángeles aquella misma mañana para dirigirse directamente al despacho del inspector Lenard en la Prefectura de Policía, para acompañarlo al cabo de un rato a la escena del crimen en el parque.

Lo interesante era que Halliday había dejado de ser miembro del LAPD y se había convertido en investigador privado, contratado por la compañía de seguros de Neuss para investigar la desaparición del cuarto de millón de dólares en diamantes. Normalmente, la policía tenía poca relación con los investigadores privados, pero Halliday había formado parte del equipo de detectives del LAPD involucrados anteriormente en el caso Neuss, con lo cual Lenard no tuvo inconveniente en recibirle, lo mismo que a Dan Ford.

El plan inicial de Halliday había sido pasar dos o tres días en París, estudiando las pruebas que tuviera la policía francesa y luego, una vez establecido el contacto personal con Lenard y sabiendo que lo mantendría informado, volver a casa. Pero las cosas cambiaron inesperadamente de rumbo poco después de que Ford se reuniera

319

con ellos en el parque, cuando Lenard recibió una llamada en la que le informaron que Fabien Curtay, uno de los comerciantes de diamantes más ricos del mundo, había sido asesinado unas horas antes en su lujoso apartamento de Montecarlo por un encapuchado que acribilló al propio Curtay y a su guardaespaldas.

Lenard no tuvo necesidad de informar ni a Ford ni a Halliday del significado de aquel crimen. Fabien Curtay era la persona a quien Neuss acababa de visitar en Mónaco, y a quien le había comprado los diamantes que ahora estaban en paradero y manos desconocidas.

Lenard se marchó de inmediato a Montecarlo, y en este momento Halliday le pidió a Ford si conocía algún lugar en el que pudieran tomar una copa y él pudiera llamar para cambiar su reserva. El motivo real, por supuesto, era que quería hablar, de modo que a Ford no le quedó prácticamente más alternativa que seguirlo.

De camino, Halliday habló muy poco, salvo alguna alusión breve a Neuss y al asesinato de Curtay y un poco de conversación banal, comentando cómo se alegraba de ver a Ford y la envidia que le tenía de que su carrera lo hubiera llevado a un lugar como París. Ni una sola vez hizo alusión a John Barron, a su paradero, o a lo que habría sido de él. A Raymond lo mencionó sólo por casualidad y en pasado, sin dar muestra alguna de compartir la misma información que tenía Ford.

Eso hizo que Ford se preguntara por el verdadero motivo que había llevado a Halliday a París, más allá de que estaba trabajando como investigador privado en una misión especial para una compañía de seguros. A menos que se tratara de una operación cuidadosamente orquestada para reanudar su relación pasada con Dan Ford y, a través de él, encontrar a John Barron. Fuera cual fuese su aspecto actual, había sido un detective de primera línea cuyas técnicas de control y manipulación habían sido afiladas al máximo bajo la dirección de Red McClatchy en la brigada 5-2. Era algo que Ford debía tener presente para asegurarse de que no se le escapaba nada.

—Gracias —dijo Halliday, antes de cortar la línea y devolverle el móvil a Ford—. Todo arreglado.

Halliday cogió su copa y se reclinó:

—Me he divorciado, Dan. Mi esposa se ha quedado con los niños. Han pasado, ¿qué...? —se detuvo a pensar—, casi siete meses, ya.

—Lo siento.

Halliday miró su copa y revolvió lentamente el licor que contenía, luego se lo acabó de un sorbo y le hizo un gesto al camarero para que le sirviera otro.

—La brigada fue disuelta.

—Lo sé.

—Cien años de historia y ahora los únicos que quedamos somos Barron y yo. Sólo John y yo. Los últimos de la cinco-dos.

Ahí estaba, la manera de Halliday de sacar el tema de Barron. Ford no estaba seguro de cómo proseguiría, pero no tuvo que esperar demasiado porque Halliday fue lo bastante explícito:

—¿Dónde está?

—¿Barron?

—Sí.

—No lo sé.

—Venga, Dan.

—No lo sé, Jimmy.

La copa de Halliday llegó y él se tomó la mitad de un trago; luego la posó sobre la mesa y miró a Ford.

—Sé que lo pasó mal por culpa de algunos tíos del LAPD. Quise hablar con él del tema, pero no pude conseguir ni un teléfono, ni una dirección suya. Intenté localizarle a través de su hermana en Saint Francis, pero resulta que ya no está. Y no han querido decirme qué le ha ocurrido ni adónde ha ido. —Halliday apretó la mano alrededor de su copa—. Y también estuve intentando localizarte a ti. No recuerdo cuándo, pero ya te habían trasladado a Washington. Y probé allí.

—Pues no me dieron el mensaje.

—¿No?

—No.

Halliday miró el local, y luego otra vez a Ford:

—John y yo tenemos que hablar, Dan. Quiero encontrarlo.

Ford no iba a dejarse presionar:

—No lo he visto desde Los Ángeles. Ojalá pudiera ayudarte, pero no puedo. Lo siento.

Halliday siguió mirando a Ford un buen rato y luego desvió la vista otra vez.

Ford tomó un trago del Burdeos. Estaba claro que Halliday sabía que mentía, y antes se lo hubiera dicho, pero ahora se limitó a quedarse allí sentado, copa en mano, contemplando distraídamente cómo el local se iba vaciando de clientes a medida que se terminaba la hora del almuerzo.

Ford no sabía qué pensar. Tal vez Halliday estuviera simplemente hecho polvo: el golpe enorme que había significado el desastre de la 5-2, seguido del denigrante traslado a la división de Tráfico del Valle; y luego, encima de todo, su divorcio y la pérdida de sus niños. Tal vez lo único que quisiera de Barron fuera un poco de camaradería. Sentarse con él y hablar de las cosas con el único miembro de la brigada que seguía con vida. Por otro lado, tal vez considerara a Barron culpable de todo lo ocurrido y éste fuera el motivo de su visita. Tal vez incluso se hubiera inventado el rollo de la compañía de seguros. El asesinato de Neuss y el hecho de que Dan Ford se encontrara en la misma ciudad eran la excusa perfecta.

—Necesito dormir un poco, Dan. —Halliday se levantó de repente—. ¿Cuánto es todo esto?

—Ya me ocupo yo, Jimmy.

—Gracias. —Halliday apuró su copa y luego la dejó en la mesa y se inclinó hacia Ford.

—Quiero hablar con John. Esta noche, mañana como máximo. Estoy en el hotel Eiffel Cambronne. Se lo dices, ¿vale? Dile que tiene que ver con Raymond.

—¿Raymond?

—Tú díselo, ¿eh? Dile que necesito su ayuda. —Halliday miró a Dan Ford unos instantes más y luego, bruscamente, se volvió y se encaminó hacia la puerta.

Ford se levantó rápidamente, dejó un par de billetes de veinte euros sobre la mesa y siguió a Halliday hasta el exterior, donde brillaba un fuerte sol de tarde.

25

Ni Dan Ford ni Jimmy Halliday habían advertido la presencia de un hombre barbudo y corpulento que estaba sentado solo a una mesa cercana a la puerta cuando salieron. Ni tampoco lo vieron salir a la calle y colocarse detrás de ellos, para escuchar inocentemente mientras Ford metía a Halliday en un taxi y le daba al taxista el nombre de su hotel. Ni tampoco Dan Ford se dio cuenta de que lo estaban siguiendo mientras andaba rápidamente hacia la estación de metro de la Place de la Madeleine, al tiempo que se sacaba el móvil del bolsillo.

Ni tampoco habían advertido su presencia momentos antes, cuando estaba sentado en un banco del Parc Monceau y echaba comida a las palomas, observando mientras ellos examinaban la escena del crimen con Lenard, hasta que el detective parisiense recibió la llamada y se marchó repentinamente. No habían advertido, tampoco, que los había seguido hasta la salida del parque y los vigiló mientras tomaban un taxi, para luego seguirlos en su propio taxi hasta L'Ecluse Madeleine.

El hombre de la barba pasó diez segundos más en la acera, frente a L'Ecluse, fingiendo que trataba de decidir qué hacer a continuación y asegurándose que no se notaba que había seguido a los americanos hasta la calle. Finalmente se volvió y anduvo hacia el fin de la manzana, desapareciendo entre la manada de transeúntes que abarrotaban la Place de la Madeleine.

Se llamaba Yuri Ryleev Kovalenko. De cuarenta y un años de edad, era investigador de homicidios para el Ministerio de Justicia ruso y se encontraba en París a petición de su gobierno, para colaborar en la investigación del asesinato de Alfred Neuss. Oficialmente, formaba parte del equipo francés de investigación de homicidios, pero no tenía poderes policiales y respondía al oficial superior de investigaciones, Philippe Lenard, un hombre que le demostraba toda la cortesía profesional pero que lo mantenía a poca distancia, que lo incluía cuando quería y, cuando no, le daba solamente la información mínima indispensable.

La actitud de Lenard era comprensible bajo dos puntos de vista. El primero era que el crimen había tenido lugar en su ciudad y se esperaba que fuera su agencia la que lo resolviera. El segundo era que la solicitud francesa de un investigador ruso había sido iniciada por el gobierno ruso a través de su Ministerio de Asuntos Exteriores, siendo la invitación francesa una cortesía de tipo diplomático para evitar que el caso pareciera tener cualquier significado internacional; en cambio, sería contemplada como una simple petición de colaboración en el caso del asesinato de un antiguo ciudadano ruso. En efecto, Lenard había recibido un caso político disfrazado de detective ruso, y se le había dicho que lo hiciera plenamente partícipe de sus investigaciones, sin darle ninguna explicación más. Todo esto hacía que sus relaciones fueran un poco tensas y era uno de los motivos por los cuales Kovalenko todavía no había sido presentado al periodista del *Los Angeles Times* Dan Ford, ni tampoco fue incluido cuando Lenard llevó a Halliday a estudiar la escena del crimen en el Parc Monceau.

No había sido invitado, tal vez, pero no había ninguna norma que impidiera a un visitante de la ciudad ponerse unas gafas oscuras y sentarse en un banco del parque a alimentar a las palomas, mientras observa distraídamente lo que ocurre a su alrededor.

323

Hacerlo le dio la oportunidad de aprender algunas cosas de Halliday. Se enteró del aspecto que tenía, que le gustaba o necesitaba beber, y el nombre del hotel en el que se hospedaba. Además, hubo un regalo en su misión: cuando Dan Ford llegó al parque iba acompañado de un segundo hombre, y al ver que había policía, Ford habló de inmediato con su acompañante y luego se dio la vuelta y se alejó. Kovalenko se preguntó quién sería aquel hombre y por qué el periodista lo había escondido tan rápidamente cuando vieron a la policía. Teniendo en cuenta que acompañaba a Ford, resultaba prudente suponer que estaba interesado en el crimen, sin embargo, Ford no había querido que lo vieran. Pero ¿quién? ¿Lenard o Halliday? ¿O tal vez ambos?

Lo interesante era el conjunto de la situación: cómo Lenard había decidido excluirlo de su reunión con Halliday, un antiguo detective del LAPD que se había ocupado del caso Neuss en Los Ángeles; la aparición de Ford, un periodista de la prensa escrita que también se había encargado del caso en Los Ángeles; y el comportamiento extraño del tipo que había acompañado a Ford hasta el parque. Todo eso llevaba a Kovalenko a creer que el asesinato de Alfred Neuss era algo más que el homicidio con robo que parecía y suponía una ampliación de lo ocurrido en América casi un año antes. Que era de entrada el motivo que lo había llevado hasta París.

Algo que muy pocos conocían —el ministerio ruso de Justicia y, ahora, la Prefectura de Policía de París— era el hecho de que Alfred Neuss era un antiguo ciudadano ruso. Y también lo fueron los hermanos Azov, los sastres de Chicago muertos acribillados por el infame Raymond Oliver Thorne poco antes de subir al tren que lo llevaría hasta Los Ángeles. Además, dos hombres más de ascendencia rusa habían sido asesinados en América en los días anteriores a la visita de Thorne a Chicago; uno de ellos un director de banco de San Francisco, el otro un conocido escultor de México D.F.; ciudades que, según banda magnética del pasaporte de Thorne, él había visitado en las fechas en que ocurrieron los asesinatos. Cuatro antiguos ciudadanos rusos asesinados con días de diferencia. El quinto, a quien Thorne había intentado acceder cuando pereció en el intento, era Alfred Neuss. El hecho de que el joyero de Beverly Hills se encontrara en Londres en aquel momento, sin duda le había salvado la vida. El problema era que el supuesto autor de la mayoría de estos crímenes estaba muerto, su cadáver había sido incinerado y su auténtica identidad y el motivo de sus crímenes no se aclaró nunca.

Debido a esto, Moscú había mandado a investigadores rusos a

Estados Unidos para trabajar con la policía local y determinar si los asesinatos formaban parte de una conspiración organizada contra antiguos ciudadanos. Con aprobación federal, el LAPD permitió a los rusos el acceso al contenido de la bolsa de Raymond encontrada en el tren. Después de examinarlo detenidamente, dicho contenido —las llaves de la caja fuerte, las referencias manuscritas de Raymond a Londres, a la casa de Uxbridge Street, a la embajada rusa, al Penrith's Bar e I.M., y la referencia del 7 de abril/Moscú— seguía siendo tan misterioso para ellos como para cualquier otro. Y aunque se había demostrado que la Ruger automática era el arma del crimen de los hermanos Azov en Chicago, no había sido utilizada en los asesinatos de San Francisco ni de México D.F. Así, si Raymond Thorne había cometido aquellos crímenes, no había pruebas directas que lo incriminaran. Su muerte, cremación y la ausencia de cualquier otra información había acabado con cualquier esperanza de comprobarlo, y el caso y su documentación posterior habían sido archivados en un enorme almacén moscovita que contenía los expedientes de otros asesinatos sin resolver. Y entonces Alfred Neuss fue cruelmente torturado y asesinado en París por una persona o personas desconocidas, el caso volvió a abrirse y también la investigación asignada a Kovalenko.

Si alguien le hubiera preguntado directamente, él hubiera respondido que el robo y asesinato de Neuss y los asesinatos previos de América eran un caso de *razborka*, un ajuste de cuentas violento. Por qué motivo, no tenía ni idea. Además, ahora no había pruebas concluyentes, ni tampoco antes las había habido, para demostrar esta teoría.

Sin embargo, el asesinato de Neuss había renovado el interés, no sólo del ministerio de Justicia ruso y de la Prefectura de Policía de París, sino del detective de homicidios del LAPD retirado y del periodista del *Los Angeles Times* que anteriormente se habían encargado de investigar el caso Neuss desde sus ámbitos respectivos.

En Rusia, los periodistas extranjeros y sus amigos y actividades estaban casi siempre bajo sospecha porque se los suponía elementos de la inteligencia de sus países de origen, y en la mente de Kovalenko no había motivo para cambiar de mentalidad por el hecho de encontrarse en París. Lo que Ford y Halliday habían estado hablando en L'Ecluse no tenía modo de saberlo, e igualmente misteriosa era la identidad del amigo de Ford del parque, y el motivo por el que había actuado como lo hizo.

No había razón para creer que los investigadores rusos enviados a América en un primer momento habían sido privados de informa-

325

ción. Por otro lado, puesto que el permiso que se les otorgó para examinar pruebas y hablar con la policía local procedía de Washington, no estaba fuera de cuestión suponer que no se los había informado de todo. El conjunto, y teniendo en cuenta la experiencia rusa con la prensa extranjera y las acciones de Ford en el parque, despertaba la curiosidad y el interés de Kovalenko, que se dijo que tal vez Ford fuera el hombre clave, un hombre alrededor del cual giraran los acontecimientos. Y por tanto, alguien a quien había que vigilar, y de cerca.

<h1 style="text-align:center">26</h1>

Apartamento de Dan y Nadine Ford en la rue Dauphine. El mismo jueves 14 de enero. 20:40 h

—Halliday no ha hablado de Raymond porque sí. No ha pedido mi ayuda porque sí. —Nicholas Marten se reclinaba por encima de la mesa del pequeño comedor de Ford.

Marten había visto a Ford y Halliday cruzar la calle juntos desde de Parc Monceau y esperar un taxi, como Ford esperó que ocurriera, entendiendo que la maniobra era una señal para que cogiera el Citroën y saliera de allí. Y así lo había hecho para ponerse a dar vueltas por la ciudad, conduciendo en círculos hasta que finalmente encontró el domicilio de Ford en la rue Dauphine, lo cual sorprendió sólo un poco a la esposa de Ford, la coqueta Nadine, puesto que había sido avisada de que iría. Aunque empezaba a notar los efectos del embarazo, le dio la bienvenida de inmediato, le preparó un bocadillo y le sirvió una copa de vino, y se quedó conversando con él hasta que su marido llegó a casa, todo con cariño y alegría porque sabía que era el mejor amigo de Dan en todo el mundo.

Y ahora esos dos íntimos amigos discutían durante la cena en el pequeño apartamento de Dan Ford. Marten estaba decidido a llamar a Halliday y a enterarse de lo que sabía de Raymond. Ford, en cambio, quería que se marchara de París de inmediato y que no volviera hasta que Halliday se hubiera marchado.

Tal vez Marten le hubiera escuchado si no hubiera visto a Halliday en el Parc Monceau, examinando la escena del crimen de Neuss con Lenard, de la misma manera que lo había visto hacer en el crimen de Josef Speer en MacArthur Park con Red, él mismo y el resto de la brigada. Era una imagen que no se le podía borrar de la cabeza, ni tampoco podía deshacerse del mar de recuerdos que la acompañaban. Recuerdos que le hacían ser consciente de lo enorme que era todavía su sentimiento de culpa, no sólo por la gente inocente que había muerto por la manera errónea en que había juzgado a Raymond, sino también, aunque lo hiciera en defensa propia, porque él fue quien acribilló a Roosevelt Lee y a Marty Valparaiso en las vías del tren. La durísima visualización de aquella escena era ahora tan real que casi podía sentir el olor acre de la pólvora encima de la silla en la que se sentaba.

La presencia de Halliday lo había resucitado todo y, de alguna manera, tenía que enfrentarse a ello, finalmente y de una vez por todas. Hablarlo. Sacarlo. Llorar. Gritar. Enfurecerse. Lo que hiciera falta para, de alguna manera, superarlo. Por eso tenía que hablar con Jimmy Halliday. Él era la única persona en la Tierra que lo entendería porque, cuando todo ocurrió, estaba con él.

—¿Y si el motivo por el que ha hablado de Raymond y ha pedido tu ayuda no fuera más que un cebo? —Dan Ford posó su taza de café y se separó un poco de la mesa—. Puede ser una manera de darte algo lo bastante fuerte para tentarte a extender la mano y llamarlo.

—¿Crees que me quiere tender una trampa?

—¿Cómo sabes que no ha sido él quien empezó toda la campaña en el LAPD contra ti? Y aunque no lo fuera, desde entonces ha perdido a sus amigos, su autoestima, su trabajo y a su familia. Tal vez esté al corriente de lo que hemos averiguado sobre Raymond. Quizá sepa incluso más y te lo quiere contar. Pero entonces, ¿qué pasa si te considera culpable de todo ello y viene a buscar justicia? ¿Quieres correr ese riesgo?

Marten lo miró atentamente y luego desvió la vista. Ford sólo estaba tratando de protegerle, lo sabía, lo mismo que había hecho antes, al volver del aeropuerto y cuando vieron a Halliday en el parque. Y tal vez tuviera razón para hacerlo, pero había algo en lo que se equivocaba. Por muy abajo que estuviera Halliday, él no habría sido nunca el incitador de la guerra contra Marten. Tal vez Dan Ford adivinara lo que había ocurrido en el almacén ferroviario, pero nunca había presionado a Marten para que se lo contara y Marten no lo había hecho. De modo que no tenía manera de saber cómo había actuado Halliday.

Así que tal vez Ford tuviera razón al intentar mantenerlo alejado de Halliday, pero dejando de lado sus propias emociones, el peso de su culpa y remordimientos y las simples ganas de hablar con él, cabía la posibilidad de que lo que Ford había sugerido fuera cierto:

que Halliday se hubiera enterado de algo y quisiera compartirlo con él. Pero ambas posibilidades superaban el sentido común de Ford. Se volvió hacia él.

—Quiero ver a Halliday. Quiero ir a su hotel. Ahora, esta noche.

—¿Verlo? ¿Quieres decir cara a cara?

—Sí.

Nadine Ford cogió la mano de su marido. Entendía sólo un poco de lo que estaban hablando, pero sabía que la discusión había tomado de pronto un rumbo nuevo. Vio la manera en que se miraban y sintió la emoción del momento, lo cual la asustó.

—*C'est bien* —le dijo Dan, cariñosamente, en francés, mientras sonreía y le acariciaba el vientre prominente—. *C'est bien*.

Marten tuvo que sonreír. Nadine había empezado a enseñarle francés a Dan cuando estaban en Los Ángeles. Era obvio que había sido una buena maestra, puesto que su dominio del idioma fue uno de los motivos por el que le habían ofrecido el puesto en la oficina de París y a estas alturas parecía sentirse como pez en el agua.

El móvil de Ford empezó a sonar en la cocina y él se levantó a contestar.

—Dan Ford —lo oyó decir Marten—. *Comment? Où?* —¿Cómo? ¿Dónde? —La voz de Ford se tiñó de pronto de sorpresa y alarma. Marten y Nadine se volvieron hacia la cocina. Podían ver a Dan allí de pie, teléfono en mano, escuchando—. *Oui, merci* —dijo finalmente, antes de colgar. Al cabo de un instante volvió a entrar en el comedor.

—Era el inspector Lenard, que acaba de regresar de Mónaco. Halliday ha sido hallado muerto en la habitación de su hotel.

—¿Cómo?

—Ha sido asesinado.

27

Hotel Eiffel Cambronne, rue de la Croix Nivert, 21:20 h

Dan Ford aparcó su Citroën media manzana más abajo del hotel. Desde donde estaban podían ver a policías de uniforme y unos cuantos vehículos de emergencia a la entrada del hotel. Entre ellos, el Peugeot marrón de Lenard.

—Nick —le advirtió Ford a media voz—, ahora mismo nadie sabe nadie quién eres. Si el LAPD todavía no ha sido informado, pronto lo serán. Si entras ahí, Lenard querrá saber quién eres y por qué estás aquí. Te buscarás todo tipo de problemas.

Marten sonrió:

—Utiliza tu encanto. Dile sencillamente que soy un amigo de Estados Unidos.

—Estás decidido a que te peguen un tiro, ¿no?

—Dan, Jimmy Halliday era un amigo y un colega. Tal vez yo pueda entender lo que ha pasado. Tal vez mejor que la policía francesa. Al menos, lo puedo intentar. —De pronto, Marten hizo una pausa—. Él habría hecho lo mismo por mí.

Cuando entraron, Lenard estaba allí. Lo acompañaba otro detective. Un pequeño equipo técnico examinaba la habitación y el baño anexo. Un fotógrafo de la poli tomaba fotos de todo lo que le pedían.

El cuerpo de Halliday estaba en la cama. Llevaba una camiseta y unos calzoncillos tipo *boxer*. La camiseta y las sábanas de alrededor del torso estaban empapadas de sangre. Lo curioso era la manera en tenía la cabeza torcida hacia la almohada. Se acercaron un paso más y entendieron el motivo: le habían cortado el cuello, casi hasta la columna.

—*Qui est-ce?* —¿Quién és?, preguntó Lenard mirando a Marten.

—Nicholas Marten, *un ami américain* —respondió Ford—. *D'accord?*

Lenard escrutó a Marten unos segundos, luego asintió:

—Siempre y cuando no se meta por el medio y no toque nada —dijo, en inglés.

Ford asintió, agradecido:

—¿Tienen alguna idea de quién ha sido, o de cómo ha ocurrido?

—Hay sangre en la moqueta, junto a la puerta. Creo que tal vez estuviera descansando, o en el baño, cuando alguien entró. Fue a abrir la puerta y el individuo debió de cortarle el cuello allí mismo, para luego llevarlo hasta la cama. Actuó con mucha rapidez y con un arma muy afilada, una navaja de afeitar, diría, o algún tipo de cuchilla.

—¿Y qué ha sido, un robo?

—A primera vista no lo parece. La cartera está intacta. Su equipaje todavía está sin deshacer.

Marten se acercó con cuidado hacia la cama, tratando de ver mejor a Halliday. Al hacerlo, un hombre con barba y con un traje holgado salió del baño.

Tendría unos cuarenta años, era un poco gordo y tenía unos ojos marrones y grandes como de perro pachón que le daban un aire adormecido.

329

—Éste es el inspector Kovalenko, del Ministerio de Justicia ruso —le dijo Lenard a Ford—. Nos está ayudando con el asesinato de Alfred Neuss. Neuss era un antiguo ciudadano ruso.

—Sé que un grupo de investigadores rusos aterrizaron en Los Ángeles poco después del incidente con Raymond Thorne —explicó Ford, mirando fugazmente a Marten. Si quería saber si alguien se había puesto en contacto con los rusos, ya tenía la respuesta—. No sabía que Neuss era ruso —dijo, mirando a Kovalenko—. Soy Dan Ford, del *Los Angeles Times*.

—Ya le conozco, señor Ford —dijo Kovalenko, con un inglés con fuerte acento—. Entiendo que el detective Halliday era amigo suyo. Mi más sentido pésame —dijo, sinceramente.

—Gracias.

Entonces Kovalenko miró a Marten:

—¿Y usted es un amigo del señor Ford?

—Sí, Nicholas Marten.

—Es un placer, señor Marten —dijo Kovalenko, saludando con un gesto de la cabeza. Éste era el hombre del parque que había desaparecido con tanta prisa cuando vio que había policía, y ahora aquí estaba en medio de todos ellos, sin apenas pestañear.

Ford miró a Lenard:

—¿Quién le ha encontrado?

—Una camarera ha entrado a abrirle la cama. Cuando ha llamado no le han respondido, de modo que ha usado su llave para entrar. Al verlo ha avisado de inmediato al director del hotel. Eran sobre las siete y veinte.

El fotógrafo de la policía se acercó a retratar la cama desde un ángulo distinto y Marten retrocedió. Eso le dio la oportunidad de observar a Halliday más de cerca. Tenía la cara más arrugada de lo que recordaba. Y estaba delgado; en realidad, demasiado flaco. Y había algo más. Para ser alguien de treinta y pocos años de edad, parecía demasiado viejo. Fuera cual fuese su aspecto actual, o justo antes de que lo mataran, seguía siendo el hombre que había resultado clave para su admisión en la brigada, que lo había acompañado a través de las crisis por el caso Donlan y a través de todo el horror y la carnicería de Raymond. Y finalmente, era el hombre que, en el momento más crucial de su vida, se había puesto a su lado y los había salvado a Rebecca y a él del enloquecido Len Polchak.

De pronto un enorme sentimiento de rabia y de pérdida embargó a Marten. Sin pensarlo, miró a Lenard.

—¿La camarera ha llamado al director o ha ido a buscarle?

Dan Ford le hizo un gesto con la cabeza, tratando de indicarle que se mantuviera al margen.

—¿Quiere decir si ha llamado desde aquí o desde otro lugar?

Era demasiado tarde, Lenard ya estaba respondiendo.

—Eso.

—Como puede imaginarse, se ha quedado horrorizada. Ha salido corriendo de la habitación y ha usado el teléfono interno que hay al fondo del pasillo, cerca de los ascensores —dijo Lenard, mirando a Ford—. Creo que su amigo sugiere que el asesino podía estar todavía por aquí, tal vez escondido en el baño, o en el armario, y podía haberse marchado cuando la camarera ha salido a avisar. —Volvió a mirar a Marten—. ¿Es eso?

—Sólo he preguntado qué había pasado.

Ford masculló entre dientes. No era solamente Lenard quien se había fijado en Marten, sino también Kovalenko. Y no le dio tiempo a ir más lejos:

—Conozco a la esposa de Halliday. —Se interpuso entre Marten y Lenard—. ¿Quieren que la avise yo?

—Si quiere hacerlo.

Entre tanto, Marten dio un paso atrás y examinó la habitación. La maleta de Halliday estaba abierta sobre un portaequipajes al pie de la cama y llena hasta el borde de ropa. Hasta su neceser de afeitado seguía dentro, embutido a un lado. Parecía como si apenas acabara de abrirla antes de que tuviera lugar el crimen.

—Nick, vámonos. Dejemos a estos chicos hacer su trabajo. —Dan Ford estaba junto a la puerta y Marten notó que lo quería sacar de allí rápidamente.

—¿Se le ocurre algún motivo por el que alguien quisiera matarle?

—No. Ninguno.

—Quizá pueda venir a verme mañana por la mañana. A lo mejor, juntos podemos desentrañar un poco este misterio.

—Claro —dijo Ford, antes de que él y Marten cruzaran la puerta.

—Señor Ford —dijo Kovalenko, bloqueando la salida—. Usted conocía al detective Halliday cuando trabajaba en Los Ángeles, ¿correcto?

—Sí.

—Creo que era miembro de la legendaria brigada cinco-dos, ¿no?

—Sí, así es. —Dan Ford se mantenía tranquilo y conciso.

—La fama de la cinco-dos es muy conocida por los policías de todo el mundo. Rusia no es una excepción. Su último comandante, Arnold McClatchy, figura en una foto en mi despacho. Era un héroe, ¿eh? Como Gary Cooper en *Solo ante el peligro.*

—Sabe usted muchas cosas de América —dijo Ford.

—No, sólo un poco —respondió Kovalenko, con una leve sonrisa, antes de mirar a Marten—. ¿Conocía usted también al detective Halliday, señor Marten?

Marten vaciló. Ya sabía que quedarse en París e implicarse en la investigación del asesinato de Neuss, luego querer reunirse con Halliday y, finalmente, acudir a la escena del crimen donde estaba la policía francesa era arriesgarse cada vez más, como Ford no dejaba de repetirle. Y su actitud arriesgada le había llevado a interrogar a Lenard de aquella manera, y por mala suerte, el detective ruso había reaccionado. Barbudo y rechoncho, con sus grandes ojos pardos, Kovalenko parecía tranquilo y profesional, pero era una máscara. En realidad era agudo y extremadamente intuitivo. Además, venía con los deberes hechos. Sabía lo de la 5-2 y conocía a Red. Si era cierto o no que tenía su foto colgada resultaba secundario. Lo que Kovalenko hacía era buscar un factor de reconocimiento, algún indicio de que Marten o Dan Ford sabían más de lo que ocurría o de lo que estaban demostrando.

Marten pensó de pronto que tal vez la cuestión fuera realmente Neuss y lo que Marten y Ford pudieran saber que Kovalenko, la policía francesa y los investigadores rusos que habían ido antes a Los Ángeles no supieran.

Fuera lo que fuese, y sin importar lo que Kovalenko estuviera tratando de descubrir, Marten tenía que ir con cuidado. Si metía la pata o daba alguna pista que indicara su familiaridad con el caso, provocaría que el ruso lo presionara más, y esto era lo último que quería.

—Sí, le conocía, pero muy poco —dijo tranquilamente—. Lo poco que sabía era por las anécdotas que me contaba Dan.

—Entiendo. —Kovalenko sonrió amablemente y se distendió un poco, pero no del todo—. Está usted en París visitando al señor Ford, ¿no es cierto?

—Sí.

—¿Puedo preguntarle dónde se aloja?

—En mi apartamento —respondió Ford.

—Gracias. —Kovalenko volvió a sonreír.

—En mi despacho mañana a las nueve de la mañana —le dijo Lenard a Ford.

—Vale, a las nueve. *Au revoir.* —Ford saludó con un gesto de la cabeza y luego se llevó a Marten de allí.

28

—¿Por qué has tenido que empezar a hacer preguntas? —Ford hablaba como si fuera el padre de Marten, su hermano mayor, su esposa y su jefe, todos en una misma persona, riñéndolo por lo bajini mientras recorrían rápidamente el pasillo hacia los ascensores. Había policías de uniforme por todos lados que mantenían acordonada la zona alrededor de la habitación de Halliday—. Puede que Lenard no haya dicho nada hoy, pero mañana a primera hora me preguntará quién cojones eres y qué coño te propones.

—Está bien, he dicho algo, ¿y qué?

—Nick —le advirtió Ford—, mantén la boca cerrada.

Llegaron al final del pasillo y giraron hacia la hilera de ascensores.

—Pídele a uno de estos polis que te indique cuál de los teléfonos es el que ha usado la camarera —dijo Marten de pronto—. Quiero ver dónde está.

—Por Dios, Nick; mantente al margen de esto.

—Mira, Dan, a Jimmy Halliday acaban de cortarle el cuello.

Ford se detuvo, respiró y se acercó al poli que tenían más cerca. Le dijo en francés que el inspector Lenard les había hablado de un teléfono interno que la camarera había utilizado para llamar al director y le preguntó dónde estaba.

—*Là-bas.*

El uniformado le señaló un sencillo teléfono blanco montado en la pared que tenían enfrente. Marten lo observó y luego miró hacia el fondo del pasillo por donde acababan de venir. El teléfono estaba a unos veinticinco metros, tal vez treinta, de la puerta abierta de la habitación de Halliday. La camarera, horrorizada y corriendo hasta él, habría estado de espaldas a la puerta todo el rato, lo cual le habría dado a cualquier persona en la habitación tiempo de sobra para llegar a la escalera de incendios del otro lado sin ser visto.

—*Merci* —dijo Dan, y llevó a Marten hacia los ascensores.

Al alcanzarlos, la puerta del ascensor más cercano se abrió y dos técnicos de ambulancia salieron empujando una camilla con una bolsa para cadáveres de color gris plateado doblada encima. Pasaron sin mirarlos y se metieron por el pasillo que llevaba a la habitación de Halliday.

—Maldita sea —dijo Marten en voz alta—. ¡Maldito sea el infierno!

29

Los dos hombres se quedaron mirando al suelo mientras las puertas se cerraban y el ascensor iniciaba su descenso.

—No entiendo cómo alguien con la experiencia y la formación de Halliday se dejó atrapar así —dijo Ford a media voz.

Marten trató de reconstruir lo ocurrido:

—Estás en un hotel que parece seguro, deprimido, con *jet lag*, un poco bebido y, posiblemente, echándote una siesta, cuando alguien llama a la puerta. No tienes motivos para esperar problemas, de modo que abres. O si no, al menos preguntas quién es. La persona de fuera contesta con la suficiente inocencia y en francés, como si fuera algún miembro del personal del hotel. ¿A quién se le ocurre que...? Abres la puerta. Y sea quien sea, ya sabe exactamente qué va a hacer en el instante en que te vea: de inmediato te corta el cuello con una cuchilla o una navaja. —Los ojos de Marten brillaban de rabia mientras expresaba aquella idea. La facilidad, la sencillez de la misma—. Ha sido un asesinato premeditado, Dan. Y la pregunta es ¿por qué? ¿Qué creía el asesino que Halliday sabía, o haría, que tuvo que matarlo por ello? ¿Y Neuss era ruso? Esto nunca lo supimos; ¿tú lo sabías?

—No —dijo Ford, moviendo la cabeza—. Está claro que los detectives rusos que vinieron a Los Ángeles se guardaron la información. Pero te diré otra cosa: Fabien Curtay, el comerciante de diamantes de Mónaco, era también un expatriado ruso.

—¿Cómo?

—No lo he relacionado hasta que Lenard ha hablado de Neuss. Curtay era uno de los comerciantes de diamantes más conocidos del mundo. Neuss era un joyero rico de Beverly Hills. Ambos de origen ruso. Y también lo eran los hermanos Azov de Chicago a los que supuestamente mató Raymond.

—¿Estás pensando en tráfico de diamantes? ¿En la mafia rusa? —dijo Marten—. ¿De qué va todo esto? ¿Qué se proponía Raymond? ¿Qué se supone que debía suceder en Londres? ¿Y qué estaba tramando Halliday? ¿Por qué lo han matado?

—Eso explicaría el avión que le mandaron a Raymond, lo que les ha ocurrido a sus expedientes, hasta las circunstancias de la cremación y lo ocurrido *a posteriori* con la gente implicada. También explicaría la presencia de investigadores rusos en Los Ángeles y lo que Kovalenko está haciendo en París.

Marten asintió:

—Estoy de acuerdo en que está aquí por algo más que para investigar un asesinato, pero todavía tengo que ver a alguien mandando un *jet* privado para rescatar a un sicario. La idea puede cuadrar con los asesinatos de Chicago y con Neuss y con Fabien Curtay, pero metes a Raymond y algo chirría.

»Le he visto en demasiados escenarios. He observado su cara, le he escuchado hablar, he visto su manera de moverse. Es una persona con buena formación y que habla fluidamente al menos tres idiomas, y tal vez un cuarto, que sería el ruso. Tal vez sea un asesino con mucho entrenamiento, pero tiene más de aristócrata que de matarife.»

Marten se encogió levemente de hombros:

—Tal vez Halliday estuviera suponiendo lo de la mafia rusa, y tal vez Lenard y Kovalenko están en lo mismo. Tal vez descubran algo en este sentido, pero lo dudo. Yo estuve allí con Raymond, Dan. —Marten hizo una pausa—. Y es algo distinto.

Eran pasadas las diez cuando Ford puso en marcha el Citroën aparcado cerca del hotel. El cielo raso de antes se había tapado durante la cena y ahora caía una lluvia fina. A través de la misma, Marten podía ver el magnífico espectáculo de la parte superior de la torre Eiffel ocultándose entre las nubes bajas. Luego siguieron avanzando y cruzaron el Sena por el Pont d'Iéna hacia la Rive Droite, donde se encuentran el Arc de Triomphe, el Parc Monceau y L'Ecluse Madeleine. Al cabo de unos minutos pasaban por la avenue New York y volvían a circular junto al río hacia el Quai des Tuileries y el Louvre. Durante todo este tiempo, ninguno de los dos dijo ni una palabra. Finalmente habló Dan Ford.

—Tú eres el último de ellos, ya lo sabes.

—¿El último de quién?

—De la brigada. Halliday lo dijo esta tarde. Cien años de historia y él y tú erais los únicos que quedaban. Y ahora sólo continúas tú.

—No soy en absoluto el hombre al que querrían como representante, o que ni siquiera quieran recordar que formó parte de la misma. —Marten desvió la mirada y se quedó un rato en silencio—. Halliday era un buen tipo —dijo, finalmente.

—Por eso su asesinato es mucho peor. Creías que todo esto estaba muerto, pero los dos sabemos que no es así. —Ford redujo la velocidad del Citroën, detrás de un taxi, y se volvió a mirar a Marten. Su ojo de cristal, detrás de la montura de pasta, no revelaba nada; el otro, el ojo bueno, delataba una profunda inquietud y mucha preocupación—. ¿Y si te digo que te alejes ahora mismo y vuelvas a Manchester, como ya te he pedido antes? ¿Que yo me ocuparé del asunto y ya te iré informando? —Ford volvió a mirar el tráfico delante de él—. No lo harías, ¿no?

—No.

—Ni por mí, ni por Rebecca, ni por lady Clem. Ni siquiera por ti mismo como Nick Marten, estudiante de arquitectura del paisaje, un hombre con una vida protegida y equilibrada y que finalmente ha podido hacer lo que siempre había deseado.

—No.

—No, claro que no. En cambio, persigues este asunto con todo tu empeño el tiempo que haga falta, hasta que puedas con él o él pueda contigo. Y si el bueno de Raymond, de alguna manera, sigue vivo, no lo sabrás hasta que sea demasiado tarde. Porque para entonces ya estarás en la cueva y... de pronto, ahí lo tienes.

Marten miró a Ford y luego desvió la mirada bruscamente. Delante de ellos se veían las luces de Notre Dame. A la derecha, la larga serpentina oscura del Sena. Al otro lado, a través de la lluvia, estaban las luces de la Rive Gauche, adonde se dirigían y donde Dan vivía.

—Lo harás de todos modos. Así que tal vez esto te ayude —dijo Ford, mientras sacaba algo de dentro de su chaqueta y se lo ofrecía a Marten.

—¿Qué es esto? —Marten le dio la vuelta a un cuaderno viejo y repleto de papeles, y una agenda con tapas de piel y su contenido sujeto con goma elástica.

—La agenda de Halliday. La he cogido de la mesilla de noche mientras tú jugabas a detectives con Lenard. Halliday dijo que quería hablar contigo. Tal vez siga queriéndolo.

Un levísimo rastro de sonrisa cruzó el rostro de Marten:

—Eres un ladrón.

—Eso es lo que pasa cuando alguien conoce a otra persona mejor de lo que debería.

30

El sonido de una puerta que se abría y se cerraba despertó a Nicholas Marten de un sueño profundo. Estaba oscuro y, por un momento, no tenía ni idea de dónde se encontraba. ¿Había entrado o salido alguien? ¿O lo había soñado? Tocó el botón de su despertador digital y por una décima de segundo se iluminó.

2:12 h

Se incorporó y escuchó.

Nada.

La suave luz de una farola de la calle proporcionaba la iluminación justa para permitirle recordar dónde estaba: en el sofá del salón de Dan Ford. Volvió a escuchar, pero no oyó nada. Luego percibió el ruido distante de una puerta de coche que se cerraba y, unos segundos más tarde, oyó arrancar un motor. Rápidamente saltó de la cama y se acercó a la ventana. Diez metros más abajo vio el Citroën de Dan Ford que salía del pequeño aparcamiento en el que se habían metido al volver del hotel Eiffel Cambronne.

Volvió a mirar su reloj.

2:16 h

No, no eran las 2:16; eran las 3:16. Su reloj seguía a la hora de Manchester; en París era una hora más tarde.

Al cabo de unos segundos se puso el albornoz que Ford le había prestado y se dirigió al dormitorio de Dan y Nadine.

—¿Nadine?

Hubo un largo silencio y luego la puerta se abrió y vio aparecer a una dormida Nadine Ford. Llevaba un camisón blanco largo y su mano derecha descansaba sobre su muy preñada barriga.

—¿Ha salido Dan?

—No hay ningún problema, Nicholas —dijo a media voz y con un inglés torpe—. Lo han llamado por teléfono y luego se ha vestido y se ha marchado.

—¿Era la policía?

—No, la policía no. Era una llamada que ha estado esperando, algo en lo que estaba trabajando, no me ha dicho qué era.

—Así que no sabes adónde ha ido.

—No. —Nadine sonrió—. Está bien, no te preocupes.

—Estoy seguro —dijo Marten. En Los Ángeles o en París, casado o no, nada había cambiado. Era la manera de trabajar de Dan Ford y siempre lo había sido. Una pista, un informador, el rastro de una noticia y salía disparado. Solía trabajar en una docena de artículos al mismo tiempo, y la hora del día o el lugar adónde tuviera que ir para obtener información no tenía importancia. Por eso era Dan Ford y era tan bueno.

—Vuelve a la cama —dijo Nadine—. Ya hablaremos por la mañana.

Le sonrió y cerró la puerta, y Marten volvió a recorrer el pasillo de vuelta al sofá. La idea de Ford saliendo solo no le gustaba. Todavía había demasiadas cosas y demasiadas preguntas sin aclarar. Supuso que llamaría a Ford al móvil y que le pediría que volviera a recogerlo. Por otro lado, si Ford hubiera pensado que corría peligro se hubiera llevado a Marten con él. Además, Nadine no parecía preocupada, no de la manera que lo estaba antes, cuando cenaban, y cuando hablaban de Halliday. Al fin y al cabo, Ford era el corresponsal de un importante periódico y éste era su trabajo. Cocina francesa, una cena o fuera lo que fuese, los informadores tenían la información que podía llevar hasta una noticia importante o hasta un cotilleo jugoso, y todo era noticia y ésta era la profesión de Dan Ford. De modo que, si Nadine había considerado que aquella salida era algo rutinario y no estaba preocupada ¿por qué debía preocuparse él?

Marten volvió a echar un vistazo por la ventana, luego volvió a tumbarse en el sofá y se tapó con las mantas. La calle, fuera, estaba tranquila; Nadine se había dormido y no sufría por su marido. Sin embargo, a él lo inquietaba algo. Era más que nada una sensación... la de que Ford había acudido a un lugar al que no debía, y que no era consciente de la situación.

Marten se dio la vuelta y aplastó bien la almohada, tratando de ponerse cómodo y desprenderse de la desagradable inquietud que sentía por todo el cuerpo. Se puso a pensar en la agenda hecha polvo y repleta de papeles sueltos de Halliday, que contenía anotaciones del año anterior y del presente (era sólo mediados de enero, el año apenas empezado). Sus páginas estaban llenas de la letra pequeña y echada hacia atrás tan difícil de descifrar que Marten recordaba de Los Ángeles. Era una agenda que parecía más un diario personal, con citas y notas sobre su vida privada y la de sus hijos, que algo que pudiera hacerle revelaciones sobre la brigada o sobre Raymond. Y a primera vista, parecía que no contuviera ninguna información relevante.

Poco a poco, los pensamientos de Halliday dieron paso a visiones de lady Clem, al recuerdo de su olor, del la sensual sensación de su cuerpo contra el de él, su sonrisa y su sentido del humor chispeo, a veces picante. Sonrió con el recuerdo de su conversación terrorífica con lord Prestbury en la taberna oculta en las entrañas de Whitworth Hall momentos antes de que ella lo rescatara haciendo saltar la alarma de incendios.

Clem.

De pronto, su sonrisa se desvaneció, apartada por el eco de lo que Dan Ford había dicho: «Y si el bueno de Raymond, de alguna manera, sigue vivo, no lo sabrás hasta que sea demasiado tarde. Porque para entonces ya estarás en la cueva y... de pronto, ahí estará».

Raymond.

Su inquietud se hizo más viva.

Como una voz susurrada le decía que Neuss estaba muerto por culpa de Raymond. Y también Fabien Curtay. Y Jimmy Halliday. Y ahora Dan Ford estaba ahí fuera, a solas en medio de la lluvia y la oscuridad.

De pronto se oyó a sí mismo decir:

—Las piezas —dijo—. Las piezas.

Rápidamente se levantó. Hurgó hasta encontrar el móvil a oscuras y entonces marcó el número de Ford. El teléfono sonó pero no hubo respuesta. Finalmente se oyó una voz grabada que hablaba en francés. No entendía el idioma, pero ya sabía lo que decía: que el teléfono al que estaba llamando estaba apagado o fuera de cobertura y que lo intentara de nuevo más tarde. Marten colgó y volvió a llamar. De nuevo, el teléfono volvió a sonar, pero otra vez escuchó el mismo mensaje.

Con la cabeza acelerada, lo primero que se le ocurrió fue llamar a Lenard, pero luego pensó que no tenía ni idea de adónde había ido Ford; aunque lograra ponerse en contacto con el policía francés, ¿qué le diría? Entonces dejó el teléfono y permaneció un rato a oscuras. Dan Ford estaba solo y él no podía hacer nada para ayudarle.

339

31

3:40 h

Yuri Kovalenko puso en marcha el control de velocidad de su Opel alquilado. Se mantenía conscientemente medio kilómetro por detrás del Citroën blanco de Ford mientras el periodista conducía en dirección sureste paralelo al Sena, pasando por delante de la Gare d'Austerlitz hasta Ivry-sur-Seine, siguiendo el curso del río.

Kovalenko no tenía ni idea de adónde se dirigía Ford, pero estaba sorprendido de que su amigo no lo acompañara. Se había quedado igual de sorprendido cuando vio a Marten entrando en la habitación del hotel, en medio de todo el revuelo policial.

Por su primer encuentro en la escena del crimen le resultaba todavía difícil deducir quién era Marten o por qué estaba allí. O qué relación tenía con Ford, o había tenido en el pasado con Halliday. Lo que sí sabía ahora era que, por la manera directa en que Marten había interrogado a Lenard, no era del inspector francés de quien se había escondido en el parque, sino de Halliday. De modo que, al menos, una pregunta ya tenía respuesta.

Por la mañana, cuando Ford fuera a ver a Lenard a su despacho, Kovalenko se enteraría de más cosas, y cuando lo hiciera —cuando tuviera el nombre completo de Marten, su profesión y su lugar de residencia— pondría en marcha una indagación exhaustiva de su historial. Así encontraría respuestas, o al menos el principio de ellas, a algunas de sus dudas. Para Kovalenko, Nicholas Marten era más que un simple *ami américain* de Dan Ford.

Más adelante, los faros traseros del Citroën se iluminaron cuando Ford pisó el freno; entonces Kovalenko lo vio cambiar de carril y volver a acelerar, cruzar el Sena en Alfortville y meterse en la autopista A6 sur en dirección a Montgeron.

Kovalenko cambió la postura de sus manos sobre el volante del Opel. No era un hombre que durmiera bien cuando se encontraba en medio de una investigación de asesinato, y el hecho de que ahora hubiera un segundo crimen sólo hacía aumentar sus sospechas de que probablemente Ford contaba menos de lo que sabía. Que Marten estuviera alojado en su casa estimulaba todavía más su curiosidad y fue lo que hizo que Kovalenko se decidiera a seguir vigilando hasta mucho después que todo el mundo se hubiera ido a su casa y a la cama. No tenía idea de qué esperaba descubrir, ni tampoco se lo había comentado a Lenard, porque no había motivo para tratar de hacerlo oficial. Era, sencillamente, algo que creía prudente hacer.

Había encontrado un lugar para aparcar justo enfrente, un poco más abajo del domicilio de Ford, a las doce y diez de la noche, y metió el coche dentro. Luego, por si a pesar de la hora tardía surgiera algún intercambio de información, sacó un pequeño aparato Kalinin-7 de su maletín, se puso los auriculares y fijó su diminuta antena parabólica en la ventana delantera de Ford. Una llamada al teléfono fijo de Ford resultaría imposible de detectar sin una escucha telefónica. Pero Kovalenko había visto a Ford con un móvil un par de veces, cuando se lo dejó a Halliday en L'Ecluse y luego más tarde, por la calle, cuando Ford se marchó, de modo que había muchas posibilidades de que éste fuera el teléfono que usara normalmente. Si recibía una llamada por él, el Kalinin-7 la captaría con casi tanta claridad como si el mismo Kovalenko la estuviera atendiendo.

A las doce y cuarto Kovalenko ya se había instalado a esperar, escuchar y vigilar. Una vez, hacia las dos y media, pensó en llamar a su esposa, Tatiana, a Moscú, pero se dio cuenta de que todavía estaría durmiendo. En aquel momento debió de quedarse dormido porque a las tres y cinco un pitido regular en su auricular lo despertó, alertándolo de una llamada entrante. El teléfono sonó tres veces antes de que alguien respondiera.

—Dan Ford —oyó decir al periodista, medio dormido.

Entonces se oyó una voz masculina que hablaba en francés:

—Soy Jean-Luc —dijo la voz—. Tengo el mapa. ¿Puedes venir a las cuatro y media?

—Sí —dijo Dan Ford, en francés, antes de colgar y de que la Kalinin-7 se quedara en silencio.

Al cabo de siete minutos vio cómo se abría la puerta principal del edificio de Ford y el periodista salía en medio de la lluvia y se metía en su coche. Kovalenko se preguntó quién debía de ser ese Jean-Luc y de qué mapa hablarían. Fuera quien fuese y fuera cual fuese el mapa, estaba claro que era lo bastante importante como para que Ford saliera de la cama a esa hora, se vistiera y decidiera conducir solo bajo la lluvia.

Autopista N6

Los limpiaparabrisas del Opel danzaban en un suave vaivén; la carretera mojada estaba totalmente a oscuras, excepto por la estela de los faros traseros del lejano Citroën. Kovalenko miró el reloj.

4:16 h

Eran las 6:16 de la mañana en Moscú. Tatiana ya se habría levantado y estaría iniciando el lento proceso de preparar a sus tres hijos para el colegio. Tenían once, nueve y siete años, y todos querían ser más independientes que los demás. A menudo se preguntaba cómo era posible que fueran los hijos de dos empleados del Ministerio de Justicia y de la RTR, la cadena estatal de televisión, donde su

esposa trabajaba como ayudante de producción. Yuri y Tatiana Kovalenko vivían obedeciendo órdenes. Pero no era así para sus hijos,
en especial cuando las órdenes procedían de sus padres.

4:27 h

Volvió a ver cómo las luces de freno del Citroën se iluminaban.
Acababan de pasar a través de una zona boscosa a unos quince minutos al sur de Montgeron y Ford estaba reduciendo la velocidad.
Ahora giró por una rampa de salía de la N6.
Kovalenko redujo también la marcha y luego apagó las luces y
tomó la misma salida. Con la lluvia y la oscuridad resultaba difícil
ver nada, y tenía miedo de salirse de la calzada y caer en una cuneta,
pero su coche y el de Ford habían sido los únicos dos de la autopista
y no quería que Ford sospechara que lo estaban siguiendo.
Forzando la vista, llegó al pie de la rampa y se detuvo. Entonces
vio el Citroën alejarse mientras Ford aceleraba en dirección oeste.
Kovalenko volvió a encender rápidamente los faros del Opel y se
apresuró a seguirlo. Al cabo de un kilómetro y medio aminoró,
aguantando la velocidad.
Pasó un minuto, luego dos. De pronto Ford giró hacia una carretera secundaria, en dirección norte, siguiendo la orilla arbolada del
Sena rural.
Kovalenko lo seguía, observando con la ayuda de los faros del
Opel el denso boscaje, interrumpido de vez en cuando a la izquierda
por lo que parecían accesos al río. De pronto, los árboles de la dere-
cha dieron paso a un campo de golf y a un desvío hacia el pueblo de
Soisy-sur-Seine.

4:37 h

Las luces de freno del Citroën brillaban a lo lejos y Kovalenko
volvió a reducir la velocidad. Ford aminoró todavía más y luego, de
repente, giró a la izquierda, en dirección contraria a la autopista y
hacia el río.
Kovalenko seguía a velocidad lenta. Al cabo de veinte minutos
había alcanzado el desvío de Ford y avanzó un poco más allá. A través de la oscuridad y de la lluvia pudo ver a Ford detener el Citroën
junto a otro coche y, de pronto, apagar las luces.

Kovalenko siguió avanzando. A unos trescientos metros la carretera viraba bruscamente a la derecha a través de una densa pared de coníferas. Volvió a apagar los faros, dio media vuelta y volvió hacia atrás.

Lentamente, avanzó hasta quedarse a cincuenta metros de donde Ford había girado y miró a través de la oscuridad, tratando de distinguir los dos vehículos aparcados. Le resultaba imposible. A tientas, abrió la guantera del Opel, sacó unos prismáticos y miró la zona en la que se había detenido el Citroën. No vio más que la misma oscuridad insistente que había a simple vista.

32

Kovalenko bajó los prismáticos y tocó con la mano la Makarov automática que llevaba enfundada en la cintura, maldiciéndose por no haberse llevado un dispositivo de visión nocturna.

De nuevo, trató de ver con los prismáticos. Si había algún movimiento cerca de los coches aparcados, no alcanzaba a verlo. Esperó. Sesenta segundos, noventa, hasta tres minutos enteros. Finalmente dejó los prismáticos en el asiento, se subió el cuello de la cazadora y salió del coche, bajo la lluvia.

Por un momento se limitó a escuchar, pero lo único que oía era el sonido de la lluvia y del caudal del río que corría a lo lejos. Lentamente, levantó la Makarov y avanzó.

Cuarenta pasos y el suelo debajo sus pies pasó del barro de arcén a la gravilla molida del desvío. Se detuvo y miró a través de la oscuridad, aguzando el oído. Lo mismo que antes, el repicar de la lluvia sobre el sordo rugido del río al fondo. Avanzó veinte pasos más y se detuvo. No lo entendía; estaba casi a la orilla del río y todavía no había visto nada.

Nervioso, se cambió el arma de mano y avanzó hasta el borde del río. El agua oscura bajaba con fuerza quince metros más abajo. Se volvió. ¿Dónde estaban los coches? ¿Lo había entendido mal; habían aparcado más abajo de lo que pensaba? En aquel momento vio la luz de unos faros de un camión grande que trazaba la curva de la autopista. Por un instante, sus luces iluminaron la zona y luego pasó hasta desaparecer a lo lejos.

—¿*Shto*? —¿Cómo?, exclamó Kovalenko en ruso, y en voz alta. Por un instante fugaz aquellos faros habían iluminado toda la zona y allí no había nada. El Citroën blanco de Ford y el otro coche habían desaparecido. Pero ¿cómo? Había tardado menos de treinta segundos en pasar de largo del desvío, dar media vuelta y volver atrás. Aun a oscuras y bajo la lluvia, desde el lugar en el que se detuvo había una buena vista de la zona en la que ahora se encontraba. Si los dos coches se habían marchado, o bien habrían pasado por delante de él, o bien habrían ido por el otro lado. En la dirección opuesta la carretera era recta durante, al menos, tres kilómetros más, y no habrían ido tan lejos, de noche y con aquel tiempo, con los faros apagados. ¿Dónde estaban? Los coches no desaparecían por arte de magia. No encontraba ninguna explicación. Ninguna.

A menos que...

Kovalenko se volvió y miró hacia el río.

33

Viry-Châtillon, Francia. Miércoles, 15 de enero. Sol fuerte y frío después de la lluvia. 11:30 h

La gente se agolpaba a lo largo de las dos orillas del río, contemplando en silencio cómo el cable metálico de la grúa se tensaba y un Citroën blanco de dos puertas, con las ventanillas abiertas, era arrastrado fuera del agua hasta el terraplén. No hacía falta preguntarse si había alguien dentro. Los submarinistas de la policía ya lo habían confirmado.

Nicholas Marten se acercó un poco más hasta quedarse justo detrás de Lenard y Kovalenko mientras los submarinistas tiraban de la puerta del conductor. Al abrirla, el agua pantanosa salió a presión y luego un grito ahogado surgió cuando la gente que estaba más cerca pudo ver lo que había dentro.

—Oh, Dios mío —susurró Marten.

Lenard bajó solo hasta el terraplén y estudió la situación; luego retrocedió e hizo un gesto hacia el equipo técnico, y ellos y el jefe de la policía de Viry-Châtillon, cuya patrulla de agentes habían encontrado el coche colgado de una roca que sobresalía del río más abajo, bajaron hasta el Citroën. Lenard miró todavía un momento y luego volvió a subir, mirando a Marten:

—Lamento que haya tenido que verlo. Debía haberlo mantenido más atrás.

Marten asintió a medias. Abajo podía ver a Kovalenko agachado, estudiando el cadáver. Unos segundos más tarde se levantó y se les acercó, con la fría brisa del río azotándole el pelo. Marten podía leer en su expresión y en la de Lenard que, igual que él mismo, no habían visto nunca algo parecido a lo que había dentro del coche.

—Si le sirve de algún consuelo —dijo Kovalenko a media voz y con su fuerte acento ruso—, con todo lo brutal que ha sido, parece que se lo han hecho con mucha rapidez. Como en el caso del detective Halliday, el corte en la garganta es recto y profundo hasta la columna. Diría que las otras heridas son posteriores. Si ha habido lucha, habrá sido breve y previa, de modo que tal vez no haya sufrido.

Kovalenko miró a Lenard mientras los submarinistas se apartaban y el equipo científico se disponía a trabajar.

—Parece como si se lo hubieran hecho dentro del vehículo y luego el criminal hubiera bajado las ventanas y hubiera hecho caer el coche al río con la esperanza de que se hundiera —explicó Kovalenko—. La corriente lo ha arrastrado y lo ha llevado río abajo hasta que se ha quedado atascado en las rocas.

De pronto, la radio de Lenard empezó a crujir y el detective se volvió para contestar.

—¿Lo ha arrastrado desde dónde? —dijo Marten, mirando a Kovalenko.

—El Citroën ha caído al río unos cuantos kilómetros más arriba, cerca de Soisy-sur-Seine. Lo sé porque he seguido al señor Ford hasta allí desde su casa.

—¿Le ha seguido?

—Sí.

—¿Por qué? Si era periodista.

—Me temo que eso es asunto mío, señor Marten.

—¿Y era también asunto suyo dejar que esto ocurriera? —Los ojos de Marten se dirigieron furiosos hasta el Citroën, y luego otra vez a Kovalenko—. Si estaba usted allí, ¿por qué no hizo nada para impedirlo?

—La circunstancia escapaba a mi control.

—¿Ah sí?

—Sí.

Lenard apagó su radio y miró a Kovalenko:

—Han encontrado el otro vehículo en la bajada en la que usted se encontraba. La corriente lo ha arrastrado muy poca distancia antes de quedar frenado entre las rocas del fondo.

34

Lenard condujo su Peugeot marrón en dirección sur bajo unas nubes blancas y gruesas y a través del bucólico paisaje que bordeaba el Sena rural. Kovalenko iba a su lado; Marten iba detrás. Los tres estaban en silencio, como lo hicieron a la ida desde París, acompañados tan sólo del rugido del motor y de la fricción de las ruedas sobre el asfalto.

Antes, en París, le habían pedido a Marten si deseaba acompañarlos a presenciar la recuperación del coche, pero su auténtico motivo era hacerle identificar el cadáver de Ford y evitarle a Nadine ese horrible trámite. No estaba seguro de por qué lo llevaban con ellos ahora, cuando podrían haberlo dejado fácilmente para que regresara a París con un coche patrulla.

Marten contempló por la ventanilla el paisaje rural, mareado y entumecido, tratando de comprender lo que había ocurrido. A las ocho de la mañana, cuando Ford todavía no había regresado a casa, Marten lo llamó al móvil sin obtener respuesta. A las nueve llamó al despacho de Lenard para saber si tal vez Ford había acudido a la cita con Lenard y Kovalenko directamente. Fue entonces cuando le comunicaron que ambos detectives estaban de camino al apartamento de Ford de la calle Dauphine. Marten supo al instante lo que significaba e intentó preparar a Nadine. La reacción de la mujer fue llamar tranquilamente a su hermano y a su hermana, ambos afincados a pocas manzanas el uno del otro, para pedirles que fueran. En el breve y tenso momento antes de que llegara la policía, Marten tuvo la entereza de coger la agenda de Halliday y entregársela a Nadine para que la escondiera. Y ella lo hizo justo cuando sonaba el timbre de la puerta.

Varios coches de policía, un furgón de submarinistas y una grúa grande estaban en la escena cuando Lenard aparcó su coche. Los tres salieron y cruzaron la gravilla hasta arriba de un saliente rocoso que se levantaba unas dos o tres veces la altura de un hombre por encima del caudal del río.

La grúa había hecho marcha atrás hasta el borde de la orilla y tenía el brazo extendido por encima del agua, con el fuerte cable de acero atado a algo encima de la superficie fluvial. Lenard miró a dos submarinistas debajo de él, en el agua. Uno de ellos le hizo una señal de aprobación con el pulgar y él asintió con la cabeza. El submarinista le hizo señales a la grúa. Empezó a oírse un motor al ralentí; el torno empezó a girar y el cable se tensó.

—Monsieur Marten —Lenard contemplaba la carrocería de un

automóvil que empezaba a asomar por el agua—, ¿le dice algo el nombre de Jean-Luc?

—No. ¿Debería conocerlo?

Lenard apartó los ojos del coche para mirar a Marten.

—Dan Ford vino hasta aquí para encontrarse con alguien llamado Jean-Luc. ¿Sabe usted quién es?

—No.

—¿Le ha hablado alguna vez de un mapa?

—No, a mí no.

Lenard sostuvo la mirada de Marten todavía un momento y luego se volvió justo cuando el capó del Toyota sedán gris asomaba por la superficie. El motor de la grúa sonaba más acelerado y el coche fue levantado al aire. Cuando estuvo lo bastante arriba para despejar la orilla, el brazo de la grúa viró hacia la tierra para bajar el Toyota empapado hasta el suelo de gravilla. Lenard hizo un gesto de aprobación e inmediatamente el coche fue depositado en el suelo. Como en el Citroën de Ford, las ventanillas del Toyota estaban abiertas, lo cual permitió que se llenara de agua y que se hundiera por debajo de la superficie.

Lenard se apartó de Marten y él y Kovalenko se acercaron juntos al coche. Kovalenko lo alcanzó primero y Marten vio cómo se le retorcía el rostro al mirarlo. Su expresión lo decía todo. Quien fuera que estuviera dentro del coche había sufrido la misma suerte que Dan Ford.

347

35

—¿Cuál es su nombre completo, señor Marten? —Kovalenko tenía abierta una pequeña libreta en espiral y estaba girado en el asiento delantero, mirando a Marten mientras Lenard conducía de regreso a París.

—Nicholas Marten. Marten, con e.

—¿Inicial o nombre intermedio?

—No tengo.

—¿Dónde vive?

—En Manchester, Inglaterra. Soy estudiante de posgrado en la universidad.

—¿Lugar de nacimiento? —Kovalenko hablaba en tono distendido, en sus ojos de perro pachón había una mirada ligeramente inquisitiva.

—Estados Unidos.

De pronto, la visión del cuerpo de Dan Ford en el interior del Citroën empapado le bloqueó cualquier otro pensamiento. Lo embargó una sensación de culpabilidad casi insoportable y recordó la horrible explosión del cohete casero que, a la edad de diez años, le provocó a Dan la pérdida del ojo derecho, y se preguntó si en caso de que hubiera tenido la vista intacta, habría visto antes aparecer a su asaltante y eso le habría dado la oportunidad de salvar la vida.

—¿En qué ciudad? —oyó que Kovalenko le preguntaba.

De pronto, la mente de Marten saltó al presente.

—Montpelier, Vermont —dijo, sin énfasis, con la historia de Nicholas Marten ya programada en él.

—El señor Ford era de Los Ángeles, ¿de qué se conocían?

—Un verano fui a California, cuando era adolescente. Nos conocimos y nos hicimos amigos. —Tampoco ahora vaciló para nada. Marten lo tenía todo previsto. No había necesidad de mencionar a Rebecca ni ninguna otra parte de su vida en Los Ángeles. Sencillamente, hacerlo fácil. Él era Nicholas Marten de Vermont, nada más.

—¿Y fue entonces cuando conoció al detective Halliday?

—No, fue más tarde. Volví a visitarle cuando Dan ya se había convertido en un famoso periodista de sucesos. —Marten miraba directamente a Kovalenko al decirlo para no dar al ruso ningún indicio que pudiera despertarle dudas. Al mismo tiempo, tres nombres retumbaban en su cabeza como si se los hubieran estampado con una máquina: Neuss. Halliday. Ford. Y luego un último nombre, el nombre que los conectaba a todos.

Raymond.

Tenía que ser Raymond. Pero era una locura, Raymond estaba muerto. ¿O no lo estaba? Y si no lo estaba, ¿quién era el siguiente en su lista? ¿Él? ¿Rebecca, tal vez? Aunque el jefe Harwood había eliminado cualquier rastro de su presencia en el tiroteo, el hecho es que estuvo allí y, lo recordara o no, le había visto, y Raymond lo sabía.

De pronto pensó que tal vez fuera mejor contarles a Lenard y Kovalenko quién era y lo que sabía. Pero en el momento en que lo hiciera se pondrían en contacto con el LAPD y les contarían que John Barron estaba en París y les pedirían que reexaminaran las circunstancias que envolvieron la supuesta muerte y cremación de Raymond Thorne. Si eso ocurría, el desembarco en París de Gene VerMeer y los otros que todavía lo buscaban como buitres sólo sería cuestión de tiempo. El fallecido Raymond Thorne perdería mucho interés. Sería en John Barron en quien estarían interesados.

De modo que no, Marten no podía decir nada. Si Raymond estaba vivo, Marten, como «Marten», sería quien debería descubrirlo y luego hacer algo al respecto.

Dan Ford había sido tristemente profético cuando le dijo que aquella era «su guerra»: «tú lo persigues hasta que lo atrapas, o te atrapa y todo lo demás se va a la mierda».

Nunca le había parecido tan cierto.

—¿Qué edad tiene? —Kovalenko le hablaba de nuevo y al mismo tiempo iba anotando cosas en su libreta.

—Veintisiete años.

Kovalenko levantó la vista:

—¿Veintisiete?

—Sí.

—¿A qué se dedicaba antes de venir a Manchester?

La rabia embargó de pronto a Marten. No estaba en un juicio y ya estaba harto de aquello.

—No estoy seguro de entender por qué me hace estas preguntas.

—El señor Ford ha sido asesinado, señor Marten. —Lenard lo miraba por el retrovisor—. Usted era su amigo y una de las últimas personas que lo ha visto con vida. A veces, la información más banal resulta útil.

Era una respuesta sólida y estándar y no había manera de torearla. Marten no tenía más remedio que seguir respondiendo de la manera más vaga y simple que se le ocurriera.

—Viajé mucho, probé distintos oficios, Hice de carpintero, de camarero, intenté escribir. No estaba seguro de lo que quería hacer.

—Y luego, de pronto, decide elegir una universidad en Inglaterra. ¿Había estado ya allí antes?

—No.

Kovalenko estaba en lo cierto al seguir que marcharse de América de repente para ir a una universidad del norte de Inglaterra era algo poco habitual. Su pregunta requería una respuesta que ambos detectives pudieran creerse y sin ninguna sospecha. De modo que dijo la verdad.

—Conocí a una chica. Resulta que es profesora en Manchester. Y decidí seguirla.

—Ah. —Kovalenko sonrió a medias y, de nuevo, lo apuntó en su libreta.

Ahora estaba claro por qué lo habían querido tener allí desde el principio, en especial cuando fueron a sacar el segundo coche. Identificar el cuerpo había sido una cosa, pero ver el cuerpo mutilado de Ford había sido para ellos un buen golpe y sabían que Marten, como amigo íntimo de Ford, estaría mucho más afectado que ellos, y contaron con esto. Por eso Lenard le preguntó por Jean-Luc, y por eso Kovalenko le estaba ahora presionando, tratando de que revelara algo bajo el estrés emocional que no revelaría en otro estado. Era una manera de proceder para la cual Marten debía haberse preparado, porque, como detective de homicidios, había actuado de la misma forma unas cuantas veces. Pero no lo había hecho. Estaba desentrenado y sólo había vuelto a investigar activamente desde su llegada a París el día antes. Había dispuesto de poco tiempo para aclimatarse. No estar preparado para un interrogatorio policial en una investigación de homicidio, a pesar de que la necesidad no había resultado nunca aparente, era un fallo que sabía que lo podía hacer resbalar. Las preguntas de Kovalenko también le hacían preguntarse qué era lo que buscaban. Sí, había cometido el error de preguntar a Lenard demasiado directamente en la habitación de hotel de Halliday, pero eso no justificaba este tipo de interrogatorio, y sabía que tenía que haber algún otro motivo. Al instante siguiente descubrió cuál era, y le pilló totalmente desprevenido.

—¿Por qué dio usted media vuelta en el Parc Monceau al ver al detective Halliday? —Las maneras amables y cálidas y la mirada de perro pachón de Kovalenko se habían desvanecido—. Ayer fue usted al Parc Monceau con el señor Ford. Cuando vio al detective Halliday con el inspector Lenard, usted se giró de inmediato y se marchó.

No era sólo el ruso quien lo escrutaba; Lenard lo miraba por el retrovisor, observándolo, también, como si fuera algo tramado entre los dos: que el ruso preguntara mientras Lenard observaba la reacción.

—Le debía dinero desde hace mucho tiempo. —Marten les dio algo creíble, como había hecho antes—. No era mucho, pero estaba avergonzado. Y no esperaba encontrármelo allí.

—¿Y cómo acabó usted debiéndole dinero? —contraatacó Kovalenko—. ¿Si, como usted dijo, apenas lo conocía?

—Béisbol.

—¿Cómo?

—Béisbol americano. Halliday, Dan y yo comimos juntos un día en Los Ángeles y nos pusimos a hablar de béisbol. Apostamos sobre un partido de los Dodgers y yo perdí. Nunca le llegué a pagar y no lo había vuelto a ver nunca más hasta ayer en el parque, pero siempre me ha hecho sentir incómodo. Y me marché esperando que no me viera.

—¿Cuánto le debía?

—Doscientos dólares.

Lenard volvió a mirar la carretera y la severidad de Kovalenko se desvaneció.

—Gracias, señor Marten —dijo, y luego apuntó algo en una página de la libreta, la arrancó y se la dio a Marten.

—Es mi número de móvil. Si se le ocurre algo más que cree que puede ayudarnos, llámeme, por favor. —Kovalenko se volvió de espaldas, hizo algunas anotaciones más en su libreta y luego la cerró y se quedó callado durante el resto del trayecto.

36

Lenard los llevó de vuelta a París a través de la Porte d'Orleans; luego cogió el Boulevard Raspail y pasó frente al cementerio de Montparnasse, en el corazón de la Rive Gauche, en dirección al apartamento de Ford en la rue Dauphine. De pronto se metió por la rue Huysmans, recorrió media manzana y aparcó.

—Número veintisiete, apartamento B. —Lenard se volvió a mirar a Marten por encima del hombro—. Es el apartamento de Armand Drouin, el hermano de la esposa de Dan Ford. Es donde está ella y adónde han sido trasladados sus efectos personales.

—No lo entiendo.

—La ley nos permite ocupar la escena de un crimen para investigarla, y estamos tratando el apartamento de Dan Ford como si fuera la escena del crimen.

—Entiendo. —De inmediato, Marten pensó en la agenda de Halliday. Incluso escondida, la encontrarían. Ya empezaban a desconfiar de él. Aunque pensaran que se la había llevado Dan, tratarían de culparle a él. Y si buscaban las huellas digitales y luego le tomaban las suyas, lo descubrirían de inmediato. ¿Qué diría entonces?

—¿Cuándo tiene previsto regresar a Inglaterra?

—No estoy seguro. Quiero estar aquí para el funeral de Dan.

—Si no le importa, me gustaría tener un teléfono de Manchester en el que pueda localizarlo en caso de que surjan nuevas preguntas.

Marten vaciló y luego le dio su número a Lenard. Hubiera sido absurdo no hacerlo. El detective podía obtenerlo en cualquier mo-

351

mento, si quería. Además, necesitaba toda su buena voluntad si llegaban a encontrar la agenda de Halliday y venían a interrogarlo.

Cuando ya estaba empujando la puerta, con la mente saltando ya hacia Nadine y al apartamento de su hermano y la montaña de emoción que sabía que encontraría dentro, Lenard volvió a llamarlo.

—Una última cosa, monsieur Marten. Dos americanos a los que conocía personalmente han sido salvajemente asesinados en un período muy breve de tiempo. No sabemos quién lo hizo, ni por qué, ni qué está ocurriendo, pero quisiera advertirle que tome muchas precauciones en todo lo que haga. No quisiera que fuera usted el próximo en tener que salir en grúa del Sena.

—Ni yo tampoco.

Marten salió y cerró la puerta, quedándose un momento para ver como Lenard se alejaba en el coche. Luego se volvió hacia el apartamento, pero al hacerlo, se cruzó con un hombre que paseaba un doberman enorme. Soltó un grito asustado y dio un torpe paso hacia atrás. En el mismo instante, el perro puso las orejas planas y con un rugido horrible quiso saltar a la garganta de Marten. Ésta volvió a gritar y levantó un brazo para protegerse. Rápidamente, el hombre tiró con fuerza de la correa del perro y lo atrajo hacia él.

—Disculpe —dijo, rápidamente, y llevó el perro calle abajo.

Con el corazón acelerado, Marten se quedó petrificado donde estaba, mirándolos. Se dio cuenta de que era la primera vez desde que se había marchado de Los Ángeles que se sentía genuinamente asustado. El doberman no había hecho más que empeorar las cosas, pero no había sido culpa del perro. El animal, sencillamente, intuyó el miedo y su ataque fue instintivo.

El sentimiento en sí había empezado cuando, todavía en Manchester, vio el artículo sobre el cadáver hallado en el parque. Su primera reacción entonces fue «¡Raymond!». Pero sabía que Raymond estaba muerto y trató de alejar la idea de su cabeza, decirse que no era posible, que era otra persona quien había cometido el crimen. Entonces Dan Ford lo llamó para decirle que la víctima era Alfred Neuss, y de nuevo volvió a tener el horrible presentimiento de que Raymond estaba vivo. Era una sensación agravada por la revelación de Ford de que todos los expedientes médicos y policiales de Raymond habían sido suprimidos. Y ahora Ford, Jimmy Halliday y el hombre del Toyota habían sido, como Neuss, brutalmente asesinados. Y Lenard acababa de advertirle que él podía ser el siguiente.

Raymond.

La simple idea le helaba hasta los huesos. No tenía ninguna

prueba, pero por dentro sabía que tampoco había ninguna duda. Ya no eran solamente «las piezas», o intentar comprender lo que Raymond se proponía, o lo que había puesto en marcha. Ahora eran todas esas cosas, más el propio Raymond. No estaba muerto en absoluto, sino vivo y en algún lugar de París.

37

18:50 h

Kovalenko llevaba dos jerséis y se sentaba acurrucado sobre su ordenador portátil en su fría y pequeña habitación de la quinta planta del hotel Saint Orange, en la rue de Normandie, en el barrio del Marais. Era miércoles y había llegado el lunes a París. Apenas tres días y ya estaba convencido de que moriría de frío, en aquel hotelucho cutre y arcaico. La mínima brisa hacía vibrar las ventanas. Los suelos estaban combados y las tablas del parquet crujían por cualquier lado por donde pisabas. Los cajones de la única cómoda jugaban a quedar abiertos o cerrados, puesto que, hicieras lo que hicieses quedaban trabados y convertían el simple acto de abrir o cerrar en una prueba de fuerza. El baño, *la salle de bains* al fondo del pasillo, daba agua tibia durante quince minutos como mucho antes de convertirse en un chorro de agua helada. Y luego estaba lo de la calefacción. La poca que había se encendía durante una media hora antes de apagarse durante dos o tres horas antes de volverse a encender. Y, finalmente, había chinches.

Las protestas a la dirección del hotel habían resultado estériles, y con su superior en el Ministerio de Justicia no había tenido mejor suerte cuando lo llamó a Moscú para pedirle permiso para cambiar de hotel: le dijo que aquél era el hotel seleccionado y que no había nada que hacer. Además estaba en París, no en Moscú; ya se podía dar con un canto en los dientes y dejar de quejarse. Fin de la conversación, fin de la llamada. Y, sí, puede que estuviera en París, pero en Moscú, al menos, tenía calefacción.

De modo que lo mejor que podía hacer era olvidarse de su entorno y ocuparse de los asuntos que debía resolver. Y eso fue lo que hizo desde el momento en que llegó, con el portátil en una mano y una *baguette* de jamón y queso en la otra, una botella de agua mineral y otra de vodka ruso, todo adquirido en un pequeño mercado de barrio.

Su primer tema a resolver era Nicholas Marten, quien seguía siendo un misterio y de quien no se fiaba. Tal vez hubiera sido amigo de Ford y hubiera conocido a Halliday brevemente, pero a Kovalenko no le gustaban sus respuestas aparentemente bruscas y a la vez preparadas. Eran definitivas pero al mismo tiempo vagas, todas excepto la de la chica a la que dijo haber conocido y seguido hasta Manchester, donde ahora vivía. Podía ser estudiante de posgrado, y podía no serlo, pero desde luego había muchas cosas más que escondía. Y tal vez también en su chica.

Kovalenko abrió su portátil y lo encendió. Tres *clics* del ratón más tarde ya tenía el número que quería. Sacó su libreta y marcó el número en su móvil.

Una operadora de la central de la Greater Manchester Police le pasó con el inspector Blackthorne. Después de identificarse, le pidió ayuda para verificar que un tal Nicholas Marten de Vermont, Estados Unidos, era realmente estudiante de posgrado en la Universidad de Manchester, Inglaterra.

Blackthorne le cogió el número y le dijo que vería lo que podía hacer. Al cabo de veinte minutos lo llamó con la confirmación. Nicholas Marten era, en efecto, un estudiante de posgrado matriculado en la universidad desde abril.

Kovalenko le dio las gracias a Blackthorne y colgó, satisfecho pero no del todo. Apuntó algo en su libreta: «Marten en un posgrado. ¿Dónde cursó su licenciatura?». Y luego otra anotación: «Averiguar quién es la chica y cuál es su relación actual con Marten».

Una vez hecho, comió un mordisco de su bocadillo, lo regó con un par de buenos tragos de vodka y volvió a concentrarse en el ordenador para redactar su informe del día, con la esperanza de que al hacerlo llegaría a comprender lo ocurrido.

Aparte de la sensación inquietante que Marten le seguía provocando, lo que más le preocupaba era el asesinato de Dan Ford y del otro hombre del coche, y las preguntas perturbadoras que lo rodeaba. Dejando a un lado su todavía considerable sentimiento de culpa por no haber sido capaz de evitar al menos el asesinato de Dan Ford, había una serie de cosas que permanecían en su cabeza: la absoluta carnicería de las víctimas, el breve lapso de tiempo entre el momento en que vio a Ford desviarse por el camino y su asesinato, y la manera en que los coches habían sido lanzados al río.

Estas dudas eran lo bastante preocupantes, pero planteaban otras. ¿Había sido uno solo el responsable, o tuvo cómplices? ¿Con qué medios habían llegado y habían huido de la escena del crimen?

De momento, Kovalenko estaba asumiendo que el criminal era un hombre; pocas mujeres tenían ni la fuerza ni la mentalidad para cometer este tipo de ataques horripilantes. Y luego estaba también el hombre llamado Jean-Luc, que ahora sabían que era la segunda víctima, la del Toyota.

¿Qué era lo que había dicho por teléfono? «Soy Jean-Luc. Tengo el mapa. ¿Puedes venir a las cuatro y media?»

¿El mapa?

¿Qué tipo de mapa? ¿Y de qué? ¿Dónde estaba ahora el mapa? ¿Había sido el motivo por el que los dos hombres estaban ahora muertos?

Kovalenko tomó otro trago de vodka y lo hizo bajar con un sorbo de agua mineral, mientras dejaba que su mente se desviara desde los asesinatos hacia otra cosa. Su vigilancia de Dan Ford había tenido un efecto secundario que él no había calculado: una relación más estrecha con Philippe Lenard. El policía francés lo había mantenido a cierta distancia desde su llegada y sólo empezó a acercarlo a la investigación después de la muerte de Halliday. Incluso entonces, Kovalenko se había tenido que conformar con mantenerse a la sombra del francés y con trabajar en solitario. Pero la repentina desaparición de los coches cambiaba totalmente las cosas y él había llamado a Lenard de inmediato, despertándolo de madrugada para informarle de lo ocurrido. Había esperado recibir una reprimenda por haber actuado sin autoridad, pero a cambio le expresaron su agradecimiento por la vigilancia y Lenard acudió inmediatamente a la escena del crimen.

Por una razón desconocida, tal vez por frustración personal o por la presión de sus superiores, resolver los asesinatos de Alfred Neuss y de Fabien Curtay se había convertido de pronto en una prioridad de Lenard, y quién recibía crédito o se convertía en el héroe parecía no importarle. Eso resultaba útil porque acercaba a Kovalenko al corazón de la investigación, pero también complicaba las cosas porque su misión iba más allá de lo obvio y de los asesinatos en sí, y eso era algo de lo que la policía francesa no sabía nada. Asunto estrictamente ruso, tenía que ver con el propio futuro de su madre patria, pero de esto estaban al tanto sólo él mismo y sus superiores dentro del departamento especial del Ministerio de Justicia ruso al que él estaba adscrito. De modo que trabajar demasiado cerca de Lenard presentaba el riesgo de que éste o alguien de su entorno sospecharan que Kovalenko estaba haciendo algo más. Sin embargo, así era cómo las cosas habían evolucionado y, sencillamente, debería tener cuidado y manejarlo lo mejor que pudiera.

355

Y

Una ráfaga repentina de viento helado sacudió el edificio y provocó en Kovalenko una sensación de frío todavía más intensa. Otro trago de vodka, otro mordisco de bocadillo y cambió de su documento actual a Internet para leer su e-mail.

Tenía media docena de mensajes, casi todos personales y de Moscú: de su esposa, de su hijo de doce años, de su hija de ocho, de su vecino, con el que mantenía una discusión sobre un trastero compartido en el sótano de su edificio; de su superior inmediato, que se preguntaba dónde estaba su informe del día; y finalmente el último, el que realmente esperaba.

Procedía de Mónaco y del despacho en Montecarlo del capitán Alain Le Maire, de los Carabiniers du Prince, la policía de seguridad monegasca. Le Maire y Kovalenko se habían conocido tres años antes en un curso de intercambio de información en la sede de la Interpol de Lyon, Francia. Diez meses después volvieron a encontrarse cuando Le Maire colaboró en la gélida Rusia a resolver el caso de unas cuentas relacionadas con la mafia en uno de los bancos principales de Mónaco, en medio de un escándalo internacional de blanqueo de dinero ruso. Y fue a Le Maire a quien llamó Kovalenko cuando se enteró del asesinato de Fabien Curtay, para pedirle su ayuda. Con suerte, este e-mail le sería útil, si Le Maire había descubierto algo.

El mensaje estaba codificado, pero a Kovalenko le llevó apenas unos segundos descifrarlo:

«Asunto: F. Curtay. Caja fuerte de grandes dimensiones en su residencia violentada. Curtay llevaba un inventario preciso de su contenido y de las fechas de cada depósito. Muchos artículos de gran valor, pero sólo dos extraviados: 1) un pequeño rollo de película Súper 8; 2) un cuchillo español antiguo, un arma blanca llamada navaja, de marfil y bronce, fechada hacia 1900. Junto a ambos artículos había las iniciales A.N. (tal vez Alfred Neuss?) La fecha del depósito es 01-09, el día que Neuss llegó a Montecarlo. Eran viejos amigos desde hacía cuarenta años, de modo que tal vez Curtay se los guardaba. No hay más detalles».

Kovalenko apagó el ordenador y lo cerró. No tenía manera de saber si Lenard tenía la misma información, o si la compartiría con él si la recibía. Pero, dejando de lado la política, la lógica de lo que pudo haber ocurrido se imponía de inmediato. Todos sabían que el viaje de Neuss lo había llevado desde Los Ángeles hasta París, y luego a Marsella antes de acabar en Montecarlo. ¿Significaba esto que había recogido la película de Súper 8 en Marsella y la había llevado a la caja fuerte privada de Curtay en Montecarlo? ¿Significaba eso también que la transacción de diamantes había sido una mera tapadera, para dar la sensación de un negocio como cualquier otro?

Neuss había sido hallado muerto el viernes diez, y Curtay había sido asesinado en Mónaco a primera hora de la mañana del lunes trece, lo cual hacía razonable presuponer que la desfiguración de Neuss había tenido uno, o posiblemente dos objetivos: el primero, dar tiempo al asaltante para llegar a Montecarlo y estudiar la situación antes de atacar a Curtay, antes de que Neuss fuera identificado y Curtay se pusiera en guardia; el segundo, disimular las torturas deliberadas infringidas a Neuss para hacerle confesar el paradero del cuchillo y de la película. En este caso, lo mismo se podía aplicar a las otras víctimas rusas, torturadas y luego asesinadas, de San Francisco, México D.F. y Chicago. ¿Y si el asesino se había acercado a cada una de sus víctimas con la esperanza no sólo de encontrar las llaves de la caja fuerte, sino de saber el paradero de la misma? Suponiendo que las víctimas hubieran tenido las llaves pero no conocieran el lugar en el que se encontraba la caja, tal vez el asaltante pensara que sí y las había torturado para obtener la información.

De pronto la mente de Kovalenko se trasladó de nuevo a Beverly Hills y a la idea de que el motivo por el cual Raymond Thorne había acudido al domicilio de Neuss tal vez no hubiera sido simplemente matarlo, sino enterarse del paradero del cuchillo y la película. Esto hubiera justificado su billete de avión a Inglaterra, en especial si sabía que se ocultaban en algún lugar de Europa... tal vez en un banco, lo cual, a su vez, explicaría el hallazgo de unas llaves de caja fuerte en su bolsa de viaje en el tren de Los Ángeles.

El detective Halliday, Dan Ford y Jean-Luc habían sido todos asesinados con algún tipo de arma cortante y afilada. ¿Era posible que el arma homicida fuera el cuchillo robado? Y, si así era, ¿por qué? ¿Era simplemente por motivos prácticos, o tenía aquella navaja algún simbolismo especial? Y en este caso, y por la manera tan depravada en que los tres habían sido degollados, ¿podía tratarse de sacrificios rituales? Si la respuesta era afirmativa, ¿podía significar que el asesino no había terminado?

Υ

38

Rue Huysmans, 27, apartamento de Armand Drouin, hermano de Nadine Ford. A la misma hora

Ya fuera por puro instinto o por simple descaro, de alguna manera y a pesar de su propio estado de desconsuelo emocional —agravado por la conciencia de que el hijo que llevaba en las entrañas no conocería nunca a su padre— y bajo la vigilancia del policía que Lenard le había mandado para ocupar y precintar el apartamento de los Ford, Nadine Ford se las arregló no sólo para meter su ropa y la de Nicholas Marten en un par de maletas, sino para al mismo tiempo sacar a escondidas unos cuantos artículos de contrabando: la agenda de Halliday y un gran archivador de acordeón que contenía las anotaciones de las investigaciones actuales de su marido. Había sido un gesto valiente y arriesgado que, de alguna manera, ella consiguió llevar a cabo sin pestañear. Ahora, aislado en un pequeño despacho del apartamento del hermano de Nadine, Marten, medio bebido y emocionalmente exhausto por el horror del día, tenía tanto el archivador como la agenda de Halliday abiertos delante de él.

En las estancias contiguas, entre jarrones de flores y mesas repletas de tentempiés y de botellas de vino, estaban Nadine, su hermano Armand, su hermana, sus cónyuges y su padre y su madre. Había también unos cuantos amigos. Y más amigos. Y más amigos, incluidas las dos mujeres responsables de la oficina del *Los Angeles Times* en París y que habían trabajado a las órdenes de Dan Ford. Que aquella cantidad de gente cupiera en un apartamento tan pequeño era una imposibilidad matemática que ahora no importaba; estaban allí a pesar de ella, abrazándose, llorando, conversando y, alguno de ellos, hasta riendo ante la recuperación de algún recuerdo.

Un poco antes, cuando Marten se dirigió al estudio para escapar de los dolientes e intentar hacer algo de utilidad, pasó por delante de un pequeño dormitorio. La puerta estaba abierta y vio a Nadine sentada a solas en la cama, acariciando con la mirada ausente un gato grande y pardo que le acariciaba juguetonamente con una pata el gran vientre redondo, como si tratara de consolarla. Era la misma imagen que había visto en casa de Red después de su asesinato: las salas repletas de dolientes y la esposa de Red sola en su despacho, con la cabeza del labrador negro de Red apoyada en su regazo mientras ella sostenía una taza de café en la mano y miraba a la nada.

Marten sintió de inmediato la necesidad de marcharse, de salir del apartamento y buscar aire fresco, de andar y estar a solas antes de ahogarse en su propio dolor. El frescor del aire le sentó bien, y a pesar de la advertencia de Lenard, bajó la guardia y se puso a pasear, tal vez, de alguna manera secreta, deseando que Raymond estuviera allí vigilándolo, incluso siguiéndolo. Con suerte se descubriría y entonces, de una manera u otra, todo acabaría. Pero no ocurrió nada y al cabo de cuarenta y cinco minutos regresó, se metió directamente en el pequeño despacho, cerró la puerta y se puso a trabajar, buscando deliberadamente alguna clave que lo llevara hasta Raymond. Si es que era Raymond.

Ahora, mientras estudiaba la agenda de Halliday y trataba de mantener el amasijo de páginas sueltas en orden, trató otra vez, como lo había hecho la noche anterior, de descifrar la letra diminuta y a contrapelo y encontrar alguna pista útil. Pero le resultaba igual de imposible que entonces. Una página tras otra abarrotada de frases a la mitad, de palabras sueltas, de nombres, fechas, lugares. Como antes, las únicas notas que era capaz de leer eran de índole personal o relativas a la familia de Halliday, y Marten tenía la sensación de que no eran asunto suyo y que no debería estar leyéndolas, aunque por más frustrado e incómodo que se sentía, siguió haciéndolo.

Al cabo de un cuarto de hora ya estaba harto y a punto de dejar la agenda y ponerse a examinar el archivador de Ford cuando un nombre le llamó la atención: Felix Norman. Felix Norman, el médico que había firmado el certificado de defunción de Raymond en Los Ángeles. En la página contigua Halliday había escrito otro nombre: «Doctor Hermann Gray, cirujano plástico. Bel Air. 48 años. Retirado repentinamente, vende casa, abandona el país». Entre paréntesis, junto al nombre de Gray, había escrito «Puerto Quepos, Costa Rica; luego Rosario, Argentina, nombre cambiado a James Patrick Odett-ALC, accidente de caza».

Y junto a esto, escrito a lápiz y borrado y luego vuelto a escribir como, si por algún motivo, Halliday estuviera enojado consigo mismo, había anotado 26/1—VARIG 8837.

26/1, tal vez una fecha. Y Varig era, o podía ser, la aerolínea. Y 8837 era, o podía ser, un número de vuelo.

De inmediato Marten giró en su silla y encendió el ordenador de Armand. Cuando lo tuvo conectado entró en la página web de Varig y tecleó 8837 en el buscador. Al cabo de un segundo lo tenía: vuelo 8837 de Los Ángeles a Buenos Aires, Argentina.

Marten volvió a mirar la agenda repleta y caótica de Halliday. Tal vez no la hubiera examinado con la suficiente atención. Se había

359

concentrado en lo que había escrito en las páginas, pero tal vez hubiera algo más, algo que se le había escapado.

La volvió a coger, le dio la vuelta y la abrió con cuidado por la última página. Había unas cuantas páginas sueltas y, debajo de ellas, un bulto extraño donde el cartón de apoyo de la parte diaria estaba metido por dentro de la solapa de cuero de la cubierta. Sacó las páginas y giró la primera de ellas. Lo que encontró fue unas cuantas fotos de los hijos de Halliday y mil cien dólares en cheques de viaje. Junto a ellos estaba el pasaporte de Halliday y dos papeles doblados. Marten abrió uno de los dos y luego el otro. Eran billetes de avión electrónicos enviados por fax. El primero correspondía al viaje de ida y vuelta L.A.-París de United Airlines; el segundo era un billete de Varig: viaje de ida y vuelta L.A.-Buenos Aires con ida el 26 de enero y la vuelta abierta.

—Dios mío —suspiró. Halliday tenía previsto ir a Argentina, tal vez antes del asesinato de Neuss, o tal vez a raíz del mismo. Y no precisamente de vacaciones. Escrito a lápiz arriba del billete de Varig estaba el nombre de James Patrick Odett y, entre paréntesis, al lado, doctor Hermann Gray y, otra vez, el ALC.

Marten sintió que el corazón se le aceleraba. ¿Era a Argentina adonde se habían llevado a Raymond mientras se suponía que su cadáver se encontraba en la incineradora? ¿Y era el doctor Gray, el cirujano plástico, quien fue contratado para dirigir su reconstrucción facial? El ALC y lo del «accidente de caza» no lograba descifrarlo, a menos que, por alguna razón, Halliday hubiera errado el orden de las letras y lo que realmente quisiera decir fuera LCA, por «ligamentos cruzados anteriores», lo cual querría decir que alguien, Raymond o el propio doctor, se había herido gravemente la rodilla en un accidente de caza. La pregunta real era: ¿había sido asesinado Halliday porque había descubierto lo del doctor Gray y Argentina y tenía previsto viajar allí para proseguir su investigación?

De pronto se le ocurrió otra idea y se quedó helado. Si Neuss, Halliday, Dan Ford y ese Jean-Luc habían sido todos asesinados por la misma persona, y esa persona era Raymond —y si el doctor Gray, como cirujano plástico, había hecho bien su trabajo—, ahora no tendrían ni idea de cuál era su aspecto. Podía ser cualquiera. Un taxista, un florista, un camarero. Cualquiera que se te acerca sin que te fijes en él una segunda vez. Podía recordar la variedad de disfraces que había utilizado en Los Ángeles, de vendedor a cabeza rapada a tipo elegante con el traje de Alfred Neuss.

—Nicholas.

La puerta que había detrás de Marten se abrió de pronto y una Nadine pálida y demacrada entró. Había alguien detrás de ella. Marten se levantó.

—Rebecca —dijo, absolutamente sorprendido. Y entonces su hermana avanzó a Nadine y entró en el despacho.

39

Con el pelo largo y negro recogido en un elegante moño, vestida con una falda larga negra y una chaqueta a juego, en medio del torbellino de dolor y tristeza, Rebecca aparecía bella y relajada. Lejos de la familia Rothfels y sola, resultaba asombroso ver lo lejos que quedaba la frágil inválida que había sido durante tanto tiempo.

—*Merci*, Nadine —dijo, en voz baja, al tiempo que abrazaba a la mujer que tantas veces la había ido a visitar con Dan cuando estaba en Saint Francis y de nuevo ahora, cuando estaba en Jura. Rebecca prosiguió, diciéndole en francés lo que Nadine ya sabía, que Dan había sido un segundo hermano para ella gran parte de su vida, y luego, con tanto cariño, expresándole su más sincera compasión por la terrible pérdida. Entonces apareció el padre de Nadine y les dijo que tenían un asunto familiar que resolver, se disculpó y se llevó a su hija de la habitación.

—He llamado a Suiza esta tarde —le dijo Marten, mientras cerraba la puerta detrás de ellos—. No estabas. He dejado un mensaje. ¿Cómo has...?

—¿Llegado tan rápido? Estaba fuera de casa con los niños y cuando he vuelto me han dado el recado. La señora Rothfels ha visto que estaba alterada y cuando le he dicho lo que había sucedido, ha hablado con su marido. El *jet* de la empresa iba a traer a un cliente a París y el señor Rothfels ha insistido en que aprovechara el viaje. Su chofer me ha recogido al pie del avión. Cuando hemos llegado al apartamento de Dan, la policía nos ha indicado que viniéramos aquí.

—Ojalá no hubieras venido.

—¿Por qué? Tú y Dan sois la única familia que tengo, ¿por qué no iba a venir?

—Rebecca, Jimmy Halliday estaba en París, investigando el asesinato de Alfred Neus. Lo mataron anoche en su habitación del hotel.

—¿Jimmy Halliday, de la brigada?

Marten asintió con la cabeza.

—De momento no ha trascendido.

—Oh, Dios, y luego Dan...

—Y otra persona, alguien con quien la policía cree que Dan tenía que encontrarse. Y ahora la policía me ha advertido que tenga mucho cuidado.

—Pero no saben quién eres.

—No, pero ése no es el problema.

—¿Cuál es?

Marten vaciló. Por mucho que ahora Rebecca parecía una mujer sana, adaptada a la realidad y sofisticada, en algún lugar de ella se ocultaba todavía lo que Dan Ford había comentado y que Marten se temía: la idea de que su psicoterapia había funcionado sólo hasta cierto punto y que el mínimo recordatorio del pasado podía desencadenar vivencias capaces de mandarla tambaleándose hasta su estado anterior.

Por otro lado, tampoco podía vivir en una urna y él debía considerarla lo bastante fuerte como para arriesgarse a contarle lo que estaba seguro que más pronto que tarde descubriría.

—Rebecca, existe la posibilidad de que Raymond siga vivo y sea el responsable de lo ocurrido con Dan, Jimmy Halliday y los otros asesinatos.

—¿Raymond? ¿El Raymond de Los Ángeles?

—Sí.

Marten pudo ver cómo se sobresaltaba. En su larga transición de la enfermedad a la salud se había enterado de buena parte de lo ocurrido en Los Ángeles. Estaba al tanto de la fuga de Raymond del edificio del Tribunal Penal, de su asesinato a sangre fría de varios policías, entre ellos Red McClatchy, y de que el propio Nicholas había estado a punto de caer cuando trataba de llevarlo frente a la justicia. Más de una vez, y a pesar de la emoción de recuperación y de la nube de medicamentos psicotrópicos que le fue administrada inmediatamente después, la doctora Flannery la animó a revivir su experiencia aterradora en las vías del almacén ferroviario. Sabía que para ella había sido difícil y que lo poco que recordaba estaba impregnado de miedo y locura y lleno de fuego, sangre y horror. Pero no había duda de que ella comprendía que Raymond había estado en el centro de todo. Y como el resto del mundo, pensaba que estaba muerto.

—Si fue incinerado, ¿cómo puede ser que siga vivo?

—No lo sé. Después del asesinato de Neuss, Dan se puso a investigar el tema. Jimmy Halliday también lo estaba haciendo, pero él llevaba más tiempo en ello.

—¿Y crees que Raymond los ha matado a los dos?

—No lo sé. Ni siquiera puedo decir seguro que está vivo. Pero Alfred Neuss está muerto, y también lo están Jimmy y Dan... todos ellos se habían relacionado con él en Los Ángeles. Aunque tú no lo recuerdes con claridad, estuviste allí en el almacén ferroviario. Lo viste y él te vio a ti. Y si está en París, no quiero verte por aquí. —Marten vaciló: esto era algo en lo que no quería pensar, pero debía hacerlo—. Hay otra cosa —dijo—. Si se trata de Raymond, hay una probabilidad muy alta de que se haya sometido a una operación de cirugía estética, de modo que ahora ya no sabemos qué aspecto tiene.

De pronto, el miedo asomó por la mirada de Rebecca:

—Nicholas, tú eres el que intentó arrestarlo. Te conocerá mejor que nadie. Si sabe que estás en París...

—Rebecca, deja que me asegure de que tú estás bien y luego me preocuparé de mí mismo.

—¿Qué quieres que haga?

—Supongo que si el señor Rothfels te ha mandado hasta aquí en su *jet* privado, también te habrá reservado una habitación de hotel.

—Sí, en el Crillon.

—¿El Crillon?

—Sí. —Rebecca se sonrojó y sonrió. El hotel Crillon es uno de los más lujosos y caros de París—. Está bien eso de tener un jefe rico.

—Estoy seguro. —Marten sonrió, y luego su sonrisa se desvaneció—. Le pediré al hermano de Nadine que te acompañe al hotel. Cuando llegues, quiero que subas a tu habitación, cierres la puerta y no le abras a nadie. Te reservaré un billete de vuelta a Ginebra mañana por la mañana. Dile al conserje que disponga un coche del hotel para llevarte al aeropuerto. Asegúrate de que el conserje conoce personalmente al chofer, y pídele que llame a la aerolínea y que disponga que el chofer se quede contigo hasta que embarques. Mientras tanto, yo llamaré a los Rothfels y les pediré que alguien te espere en el aeropuerto y te lleve hasta Neuchâtel.

—Estás asustado, ¿no?

—Sí, por los dos.

363

Rebecca estaba hecha un lío de sentimientos mientras Nicholas salía a buscar al hermano de Nadine. Si Dan Ford hubiera muerto por un accidente o por alguna enfermedad letal, estarían igual de devastados, pero de la manera en que había ocurrido, tan rápida y horrible e inesperadamente, resultaba incomprensible. E incomprensible era también la idea de que Raymond siguiera vivo y estuviera provocando tanto terror, tantos meses después y a tantos kilómetros de distancia de donde todo empezó.

Sin embargo, con todo lo espantosa y abrumadora que resultaba la situación, había algo aparte que quería compartir desesperadamente con su hermano. Era sobre ella y su amor y luz de su vida, Alexander Cabrera, y lo importantes que se habían vuelto el uno para el otro. Y aunque su relación había sido un gran secreto, y a pesar del pacto de silencio que lady Clem compartía con ella, tenía la sensación de que se acercaba el momento en el que Alexander cumpliría su promesa y le pediría que se casara con él y quería que Nicholas lo supiera de antemano.

En el pasado, el secretismo de su relación había sido divertido, un juego bravucón del escondite en el que el hermano mayor no sabía lo que la hermana pequeña hacía. Pero ahora que su relación con Alexander se estrechaba y los llevaba hacia lo inevitable, tenía la sensación de estarle escondiendo deliberadamente algo a Nicholas y eso la hacía sentirse incómoda.

La velada de hoy había sido un ejemplo perfecto. No le había contado toda la verdad sobre la insistencia de Gerard Rothfels de que fuera en el avión privado de la empresa desde Suiza. Era cierto que Rothfels había hecho los trámites, pero los había hecho siguiendo las órdenes de Alexander. Y no había sido un chofer de la empresa quien la había recogido en el aeropuerto de Orly, sino Jean-Pierre Rodin, el chofer y guardaespaldas de Alexander. Ella había tenido la esperanza de que fuera el propio Alexander quien fuera a recibirla en persona al aeropuerto, de modo que ella pudiera haber intentado convencerlo de que la acompañara para presentarle a su hermano, aun en aquellas circunstancias terribles, pero resultó que él se encontraba en Italia por trabajo y Jean-Pierre le dijo que no regresaría París hasta muy tarde aquella noche, así que era un asunto de simple logística y, por ahora, fuera de cuestión.

Y luego estaba Raymond y la duda de si contarle su historia a Alexander. Hacerlo despejaría el motivo por el que había que estar preocupado, y mientras que tanto Clem como Alexander estaban al tanto de su crisis, ninguno de ellos sabía el detonante que la había provocado, ni tampoco lo ocurrido para que saliera de ella.

La historia que les había contado había sido maquinada por Nicholas y por su psiquiatra, la doctora Flannery, antes de marcharse de Los Ángeles. En ella decían que ella y Nicholas se habían criado en un pueblo pequeño de Vermont. Cuando ella tenía quince años, sus padres murieron con una diferencia de dos meses y ella se marchó a California a vivir con su hermano, que estaba estudiando allí en la universidad. Al poco tiempo de llegar, un día fueron a la playa con Nicholas y sus amigos. Ella y una muchacha del grupo se pusieron a pasear y, al cabo de un rato, vieron a un chico muy joven atrapado en una fuerte corriente que lo arrastraba mar adentro y que pedía ayuda a gritos. Rebecca mandó a su amiga a buscar al socorrista y ella se lanzó al agua, nadando entre la fuerte corriente, hacia el chico. Cuando lo alcanzó, luchó con todas sus fuerzas entre el fuerte oleaje durante lo que le parecieron horas para mantener las dos cabezas fuera del agua hasta que llegaron los socorristas. Fue sólo entonces cuando ella se enteró de que el chico ya estaba muerto. Más tarde le dijeron que probablemente ya estuviera muerto cuando lo alcanzó. De pronto, fue consciente de que todo aquel tiempo había estado agarrada a un cadáver. Aquella idea, tan seguida de la pérdida tan reciente de sus dos progenitores, la dejó en estado de *shock* y, casi al instante, sufrió un enorme bloqueo psicológico. Un bloqueo que le duró años, hasta que finalmente empezó a salir del túnel y su hermano la trasladó a la clínica Balmore para seguir un tratamiento especializado con la doctora Maxwell-Scot.

Así, si ahora contaba lo de Raymond, apenas les podría contar lo del tiroteo en el almacén ferroviario y tendría que poner aquella carga sobre Nicholas. Tendría que contarle a Alexander que su hermano no sólo conocía a Dan Ford de cuando era periodista de sucesos en Los Ángeles, sino que, a través de él, había conocido también al detective Halliday, y que los dos habían estado muy involucrados en la investigación de Raymond allí.

Ahora Ford y Halliday estaban muertos en París, y si su asesino era realmente el mismo Raymond, al que se creía muerto pero no lo estaba, había muchos motivos para creer que podía ir también a por Nicholas. Y luego, a su vez, ir a por ella por miedo a que Nicholas le hubiera contado algo.

De modo que lo que ahora se preguntaba Rebecca era, ¿por qué alarmar a Alexander si Nicholas le había dicho que no estaba en absoluto seguro de que el asesino hubiera sido Raymond, ni de que Raymond estuviera realmente vivo? Al reflexionar sobre la cuestión decidió sencillamente que era mejor no contar nada al respecto y olvidarse del tema.

Sin embargo, al mismo tiempo que tomaba esta decisión, sabía que tenía que tener totalmente presentes las advertencias de su hermano y cuando llegara al hotel hacer exactamente lo que él le había dicho.

40

Todavía en rue Huysmans, 27, en casa de Armand Drouin,
2 2:45 h

Nicholas y Rebecca salieron del apartamento por la puerta principal, acompañados de Armand, el hermano de Nadine de veinticuatro años, y otro hombre amigo de Armand y soldado del ejército francés.

Armand era ciclista profesional, joven, tenaz y generoso. Tenía el coche aparcado enfrente de su casa. El Crillon, a esa hora de la noche, quedaba a diez minutos en coche y para él sería un placer acompañarla. La escoltó rápidamente al otro lado de la calle hasta su Nissan verde y se puso tras el volante, mientras su amigo se instalaba en el asiento de atrás.

Marten miró cautelosamente a su alrededor y le abrió la puerta del copiloto a Rebecca.

—¿Qué habitación tienes en el Crillon?

—¿Por qué?

—Porque te llamaré tan pronto como tenga la información de tu vuelo. Quiero que te marches de París a primera hora de la mañana.

—Habitación 412. —Lo miró y él percibió la preocupación en su mirada. Trató de tranquilizarla.

—Ya te he dicho antes que no tengo ninguna prueba de que todo esto sea obra de Raymond. Lo más probable es que esté muerto y que lo que ha sucedido aquí sea, sencillamente, una casualidad, y que el asesino sea un loco que no tiene ni idea de quiénes somos y que le importe un pito, ¿vale?

—Vale. —Rebecca le sonrió y lo besó en la mejilla.

Marten miró rápidamente a Armand:

—Gracias, Armand; mil gracias.

—Está en buenas manos, *mon ami*. Nos aseguraremos de que llega a su habitación y yo mismo hablaré con el conserje para lo del coche de mañana. Ya hemos tenido suficientes lágrimas por hoy.

—Y por cualquier día. —Nicholas cerró la puerta y retrocedió para dejar que Armand pusiera el Nissan en marcha, diera media vuelta y se alejara. Al fondo de la calle giró hacia el boulevard Raspail y el coche desapareció de su vista.

ϒ

41

Raymond estaba sentado en el asiento trasero de un Mercedes negro de cristales ahumados, estacionado tres casas más abajo. Los había visto salir a los cuatro del inmueble y cruzar la calle hasta el Nissan verde, y luego vio como tres de ellos se metían en el coche y se marchaban. Ahora veía a Nicholas Marten salir de la acera en penumbra para cruzar bajo la luz de la farola y volver a entrar en el edificio del número 27 de la rue Huysmans.

Habían pasado diez meses desde la última vez que se vieron y siete desde que lo localizó en Manchester o, más bien, desde que la baronesa lo hizo. Durante aquel tiempo lo supo todo de él: su cambio de nombre, dónde vivía, lo que estaba haciendo con su vida. Incluso sabía lo de lord Prestbury y lo de la relación secreta de Marten con su hija, lady Clementine Simpson. Sabía también lo de Rebecca, lo de Suiza, dónde vivía y para quién trabajaba.

Pero, por mucho que Raymond supiera de Marten, durante todos aquellos meses que habían pasado había hecho un esfuerzo por apartarlo de su cabeza; había hecho todo lo que había podido por no pensar en él en absoluto.

Ahora, al verlo de carne y hueso cruzando la calle con su hermana, se acordó de lo peligroso que era.

Marten era inhumanamente astuto, tenía la determinación de un *bulldog,* o sencillamente tenía más suerte que nadie. O tal vez fuera una combinación de los tres factores. Como un viejo sabueso, estaba siempre siguiendo los talones de Raymond, prácticamente en cada esquina; lo mismo que había hecho en Los Ángeles después de su fuga de la prisión, para aparecer de pronto de debajo de la lluvia en el aeropuerto de Los Ángeles con el fin de evitar que se escapara en el vuelo de Lufthansa a Alemania. Y luego, una vez más, apareciendo en el domicilio de Alfred Neuss en Beverly Hills mientras Raymond se encontraba en él. Y luego, incluso después de haber sido dado de baja en la policía, llevándose a Rebecca a Londres para, estaba seguro, seguir las anotaciones manuscritas que habrían encontrado en su bolsa de mano en el Southwest Chief. Y ahora estaba en París.

Parte de todo esto, y lo sabía, era cosa de él: sabiendo que Marten se encontraba a una hora o dos de allí, en Manchester, mató igualmente a Neuss. Pero con Neuss en París y con la apretada agenda que tenía delante, no le quedó más remedio; además, la ironía de hacerlo en el Parc Monceau le resultó deliciosa, en especial cuando Neuss fue consciente de quién era y de que iba a morir.

367

De todos modos, ver a Marten cruzar delante de él, a tan pocos metros de distancia, lo atormentó. Más que nada en el mundo, Raymond tuvo ganas de salir del coche corriendo, seguir a Marten hasta el interior del edificio y cargárselo, cruel y salvajemente, del mismo modo que lo había hecho con Neuss, Halliday, Dan Ford y Jean-Luc Vabres, pero sabía que no podía hacerlo, todavía no, y desde luego, no esta noche. Esta noche tenía otra misión, de modo que tuvo que dejar sus sentimientos a un lado y concentrar su mente y su energía en lo más inmediato.

Acarició ligeramente un paquete largo, rectangular, envuelto en papel de colores alegres, reflexionó unos segundos más y luego miró a su chofer:

—*L'Hôtel Crillon* —dijo.

42

Hôtel Crillon, 23:05 h

El Mercedes negro de Raymond llegó a la Place de la Concorde y se detuvo delante del hotel. El Nissan verde estaba aparcado enfrente, en la zona de recogida de pasajeros.

Raymond se echó el pelo hacia atrás, se pasó la mano por la cuidada barba y aguardó.

23:08 h

Llegó un taxi y de él descendieron varios adultos bien vestidos, que entraron en el hotel por la gran puerta giratoria.

23:10 h

Una pareja de mediana edad en traje de noche salió por la puerta. Un coche con chofer se acercó y un mayordomo de uniforme les abrió la puerta. La pareja subió al coche y se marchó. La puerta giratoria volvió a girar y Armand y su amigo aparecieron y se dirigieron directamente al Nissan. Pasaron varios segundos, luego se encendieron los faros y el coche pasó por delante de ellos, con sus luces iluminando a Raymond fugazmente al pasar. Unos segundos más y

Raymond abrió la puerta y salió al fresco de la noche, con el alegre paquete bajo el brazo.

Con su barba cuidada, desenvuelto, el pelo negro azabache peinado hacia atrás con estilo, y vestido con un traje a medida gris marengo, tenía todo el aspecto de un joven ejecutivo triunfador dispuesto a disfrutar de una velada íntima con una joven atractiva. Esto era precisamente lo que tenía en mente, aunque la intimidad sería mucho más trascendental de lo normal.

Volvió a echarse el pelo hacia atrás y luego miró hacia el Crillon, con su fachada elegantemente iluminada contra el cielo nocturno, y se dirigió hacia la puerta.

Dos semanas después de cumplir veinticuatro años y por primera vez en lo que le parecía un tiempo excesivamente largo, se sentía realmente vivo. Hasta con más energías de las que había sentido aquella mañana, cuando se encontró y mató a Jean-Luc y luego a Dan Ford en el río, a oscuras y bajo una lluvia torrencial. La pequeña cojera con la que andaba parecía trivial, al igual que los pequeños dolores que arrastraba como resultado de las varias operaciones y rehabilitaciones físicas a las que se había sometido durante lo que le pareció una eternidad pero que había durado —gracias principalmente al chaleco de *kevlar* que le había cogido a John Barron y que llevaba en el tiroteo de las vías— apenas cuatro meses. Durante aquel período, la baronesa había manipulado delicadamente a los personajes principales hasta meterlos en la posición anterior, y ahora las cosas avanzaban a buen ritmo y operaban dentro del mismo esquema preciso y contenido que habían utilizado al principio. Sólo que ahora Neuss estaba muerto y «las piezas» estaban en posesión de ellos. Era una hazaña doble de la que estaban seguros que sir Peter Kitner debía de sospechar que eran los responsables aunque no pudiese hacer nada al respecto. Sin embargo, debía de tener mucho miedo por su familia y por él mismo, aunque fuera un miedo que no podía compartir con nadie. Sería más intenso a medida que transcurrieran los días porque no tendría más idea ahora de lo que estaban planeando de la que había tenido antes, cuando Neuss se marchó a Londres de manera tan precipitada. Como resultado, no podía hacer nada más que aumentar la guardia a su alrededor y el de su familia y avanzar hacia lo que iba a ser el momento estrella de su vida. Y al hacerlo, caería de cuatro patas en su trampa.

Y

Veinte pasos más y Raymond alcanzó la puerta giratoria del Crillon. El mayordomo lo saludó mientras entraba. Dentro, el elegante
vestíbulo estaba animado por una ruidosa reunión de huéspedes del
hotel y de parisinos que habían salido a disfrutar de la noche. Se detuvo un momento y miró por todo el salón, y luego se dirigió hacia
el mostrador de recepción que había al fondo.

Estaba a medio camino cuando los fuertes focos de las cámaras
de televisión le llamaron la atención y vio un pequeño grupo de gente alrededor de dos hombres de negocios que eran entrevistados por
los periodistas. Al acercarse no pudo creer lo que vio: el majestuoso
industrial de pelo blanco de los medios de comunicación y millona-
rio, el mismísimo sir Peter Kitner. Le acompañaba su hijo de treinta
años, Michael, presidente de su imperio y, supuestamente, su heredero.

Entonces vio al tercer hombre, inmediatamente a la derecha de
Kitner. Era el doctor Geoffrey Higgs, un antiguo cirujano de la Ro-
yal Air Force y médico personal, guardaespaldas y jefe de inteligencia de Kitner. Higgs, un hombre con una forma física excepcional, la
mandíbula prominente y un corte de pelo moderno, llevaba un pequeño auricular en el oído izquierdo y un micro todavía más diminuto pegado en la solapa del abrigo. Allá donde iba Kitner iba Higgs
con su cuerpo de seguridad invisible con el que estaba conectado
electrónicamente.

370

Raymond tenía que haber seguido su camino, pero en vez de eso,
se metió en el espacio relativamente oscuro que había detrás del grupo de periodistas y del haz de luz de las cámaras y focos de televisión
mientras Kitner era entrevistado acerca de la reunión de altísimo nivel a la que acababan de asistir él y su hijo. ¿Era cierto, quería saber
la prensa francesa, que su empresa con sede en Estados Unidos MediaCorp estaba tratando de comprar la cadena francesa de televisión
TV5?

Raymond sentía que se le aceleraba el pulso mientras miraba
cómo Kitner toreaba la respuesta.

—Todo está en venta, ¿no? —dijo Kitner en francés—. Hasta
MediaCorp. Es sencillamente cuestión de precio.

Éste era el Peter Kitner que Raymond había conocido durante
toda su vida adulta. Sobre él se habían escrito best-sellers; era protagonista de infinidad de artículos y reportajes en revistas y periódicos
y lo habían entrevistado cientos de veces por televisión. Pero ésta era

la primera vez que Raymond lo veía en persona en muchos años, y lo repentino del encuentro lo pilló por total sorpresa.

Sin embargo, aquí estaba, de pie a oscuras a sólo unos cuantos palmos de él, y Raymond sabía perfectamente que podía simplemente abalanzarse y matarle en un abrir y cerrar de ojos. Pero hacerlo echaría por tierra todo lo que él y la baronesa llevaban años planeando cuidadosamente mientras observaban las agujas del reloj de la historia acercarse al momento exactamente indicado. Había ocurrido una vez antes, hacía casi un año, y luego vino la debacle de Los Ángeles. Pero con su recuperación y con la magnífica manipulación que había hecho la baronesa de los jugadores clave, ese momento volvía estar de nuevo a su alcance. De modo que, por mucho que podría disfrutarlo, matar a Peter Kitner era lo último que ahora debía hacer. Por otro lado, le resultaba imposible limitarse a dar media vuelta y marcharse sin al menos darle al gran hombre algo en qué pensar.

—Sir Peter —dijo de pronto, en francés, desde detrás de los periodistas—, ¿es la adquisición de TV5 el anuncio que tiene previsto hacer en el Foro Económico Mundial de Davos de este fin de semana?

—¿Cómo? —Resultaba obvio que Kitner había sido pillado en fuera de juego y trató de ver a través de los focos quién era el autor de la pregunta.

—¿No tiene algo muy importante que anunciar, que lo involucra a usted personalmente, en la próxima cumbre de Davos, sir Peter?

—¿Quién lo ha dicho?

Kitner avanzó entre el grupo de periodistas, protegiéndose los ojos de los focos, buscando a la persona que había hecho la pregunta. Los periodistas se giraron, también buscando.

—¿Quién ha sido? ¡Apaguen estos malditos focos! —Furioso, Kitner se abría paso entre el grupo, buscando al preguntón. Michael avanzaba con él, y también Higgs, que mientras iba dando órdenes por el micro. Al llegar al otro lado se detuvieron y miraron a su alrededor. El preguntón misterioso había desaparecido entre los clientes del hotel que abarrotaban el vestíbulo.

—*Et Davos, sir Peter?* —¿Y Davos, sir Peter?

—*Sir Peter, quelle est la nature de votre annonce?* —¿cuál es la naturaleza de su anuncio, sir Peter?

Sir Peter. Sir Peter. Sir Peter.

Raymond oía los gritos de la prensa francesa detrás de él mientras avanzaba hacia el mostrador del conserje. A los pocos segundos, varios hombres ataviados con trajes oscuros entraron por una puerta lateral y se colocaron de manera protectora alrededor de Kitner. Eran guardaespaldas llamados por Higgs.

Raymond sonrió confiado. Había plantado una semilla y la prensa la había recogido. Sabía que el estilo y la convicción de Kitner pronto lograrían deshacerse de la prensa, y que su sorpresa y su rabia se desvanecerían. Más tarde, la curiosidad se dirigiría a la identidad del interrogador y a cómo y cuánto sabía sobre lo que iba a ocurrir en Davos. Luego, en algún momento posterior, Kitner se daría cuenta de quién había sido y de lo que había ocurrido. El miedo y la desconfianza ganarían terreno rápidamente a todo lo demás, y eso era precisamente lo que Raymond se había propuesto.

Delante de él estaban los ascensores. Se metió el paquete debajo del brazo y miró el reloj.

23:20 h

Paró delante de los ascensores, tocó el botón y miró a su alrededor. Había una pareja mayor charlando cerca de él, pero aparte de ellos estaba solo.

Uno de los ascensores abrió las puertas y tres personas salieron de él. La pareja mayor no hizo ningún ademán de subir y Raymond se metió dentro. Al cabo de un instante, las puertas se cerraron y tocó el botón de la cuarta planta. Un instante más y el ascensor se elevó. Volvió a mirar su reloj.

23:24 h

Respiró y se cambió el paquete de una mano a la otra. Rebecca estaría sola, descansando en su habitación, con su hermano tranquilamente al otro lado del Sena, en el apartamento de la rue Huysmans, una vez completada su emocionalmente agotadora actividad del día. Tal vez incluso se habría cambiado de ropa.

O tal vez no.

Teniendo en cuenta lo que todavía estaba por ocurrir, lo que llevara importaba poco.

43

Geoffrey Higgs y tres de los guardaespaldas de traje oscuro llevaron a Peter y Michael Kitner por la puerta lateral del Crillon hasta la rue Boissy d'Anglais, donde los esperaba la limusina de Kitner. Uno de los guardaespaldas abrió la puerta y los tres se metieron en el coche, Higgs el último. De inmediato el chofer arrancó, cogió velocidad y cruzó la Place de la Concorde, giró por los Campos Elíseos y se encaminó rumbo a la residencia parisina de Kitner, en la avenue Victor Hugo.

—Quiero saber quién era y lo que sabe —dijo Kitner, mirando directamente a Higgs.

—Sí, señor.

—A partir de ahora tendremos un espacio aparte para la prensa. Michael te dará una lista de los periodistas autorizados y se comprobarán las credenciales. No podrá entrar nadie más.

—Sí, señor.

Michael Kitner miró a su padre.

—Si era un periodista descubriremos quién era.

Peter Kitner no dijo nada. Estaba claramente molesto y se mostraba frío y distante.

—¿Cómo podía saber lo de Davos?

—No lo sé —dijo Kitner. Brevemente su mirada se dirigió a Higgs, para luego volverse a mirar al gentío que, incluso a esa hora y con el frío de enero, paseaba por los Campos Elíseos.

«No lo sé —se dijo Kitner—. No lo sé.»

Con el teléfono al oído, Nicholas Marten se inclinaba encima del escritorio del pequeño despacho de Armand mientras esperaba que atendieran su llamada.

—Vamos, Rebecca —la apremió—, contesta.

Era la sexta vez que llamaba. Las tres primeras llamadas las había hecho al móvil de Rebecca y no obtuvo respuesta. Preocupado y frustrado, esperó diez minutos y volvió a llamar. Sin respuesta. Finalmente colgó y llamó al hotel, dio su número de habitación y pidió que le pasaran la llamada. Con el mismo resultado.

—Vamos —masculló, mientras miraba las notas garabateadas en el bloc que tenía delante.

Vuelo de Air France 1542, sale de París Charles de Gaulle, terminal 2F, a las 7:00; llega a Ginebra a las 8:05, terminal M.

—Maldita sea, Rebecca, cógelo.

Marten sentía crecer su ansiedad con cada timbre sin contestar. Ya había despertado a Armand y obtuvo la misma información que cuando el hermano de Nadine había llegado a casa: sí, había acompañado a Rebecca hasta su habitación del Crillon. Sí, ella cerró la puerta antes de que él se marchara. Sí, oyó cómo cerraba por dentro. Eso era lo único que sabía. ¿Quería Marten que lo llevara al hotel para comprobarlo? No, estaba bien, le dijo Marten, tan sólo una confusión, nada de lo que preocuparse. Con esto, Armand asintió educadamente y volvió a acostarse.

Dos pitidos más y un hombre con acento francés atendió la llamada:

—Lo siento, señor. No contesta nadie en la habitación.

—¿Sabe si la señorita Marten ha salido?

—No, señor.

—¿Podría preguntar en recepción para ver si tal vez ha salido y ha dejado dicho adónde iba?

—Lo siento, señor, pero no estamos autorizados a dar esta información.

—¡Soy su hermano!

—Lo lamento, señor.

—¿Qué hora tiene?

—Las doce, señor.

—Por favor, intente de nuevo pasar la llamada a la habitación.

—Sí, señor.

Las doce en punto, igual que en el armario de sobremesa del despacho de Armand. Rebecca había llegado al hotel a las once, hacía exactamente una hora.

La llamada volvió a pasar, sonó una docena de agonizantes tonos y luego la voz masculina volvió a atenderla.

—Lo siento, señor, sigue sin haber respuesta. ¿Desea dejar algún mensaje?

—Sí. Dígale a la señorita Marten que su hermano ha llamado y que, por favor, me llame tan pronto como le den el recado. —Marten le dio al operador el número de casa de Armand y colgó.

Volvió a mirar el reloj.

00:03 h

Ya era jueves, 16 de enero.

¿Dónde demonios estaba Rebecca?

44

Hôtel Crillon, suite Leonard Bernstein. A la misma hora

Rebecca estaba sentada en una butaca de terciopelo rojo, boquiabierta, apenas capaz de respirar. Estaba rodeada de una elegante decoración rococó: butacas y divanes tapizados en seda roja, paredes cubiertas de paneles de madera pulida, ventanas de suelo al techo cubiertas con ricos cortinajes florales. En el rincón opuesto había un piano Steinway de cola, con la tapa abierta, listo para que alguien tocara, y todo estaba delicadamente iluminado por una mezcla de extraordinaria de delicadas y ornadas lámparas de mesa y apliques de pared.

Al otro lado de la puerta abierta que estaba a su izquierda había un comedor privado, y más allá, unas puertas de cristal que se abrían a una amplia terraza exterior. Detrás, la noche parisina. Aquellas puertas eran una manera de huir, si hubiera tenido el coraje. Pero sabía que no lo tenía y que no lo haría, ni ahora ni nunca.

—Respira larga y profundamente y todo irá bien.

Raymond estaba muy cerca de ella, con los ojos llenos de brillo al mirarla. La había sorprendido en su habitación y la hizo bajar rápidamente una planta, hasta una de las suites más caras del Crillon. Aparte de Adolf Sibony, el conserje de noche, nadie sabía que estaban allí. Ni los había visto nadie entrar, ni ella había avisado de que salía de su habitación. Por encima de todo estaban sus órdenes a Sibony de que no debían molestarles.

—¿Tan difícil te resulta decir algo?

—Yo... —Rebecca temblaba y tenía los ojos llenos de lágrimas.

Raymond se le acercó un poco más. Vaciló y luego la tocó. Sintió cómo se estremecía cuando le acarició la mejilla con el dorso de la mano, y luego la nuca hasta la garganta.

—Has empezado a decir algo... —le susurró— ¿Qué ibas a decir?

—Yo... —De pronto se apartó de él y se incorporó en la butaca. Rápidamente, su mirada se clavó en la de él—. Sí. Sí. Sí. Mil veces sí. Te quiero, siempre te he querido y siempre te querré. Sí, me casaré contigo, mi maravilloso señor, mi maravilloso Alexander Luis Cabrera.

Raymond la miró en silencio. Era el momento más magnífico de su vida y un momento que supo que llegaría desde el primer momento en que la había visto dormida delante del televisor, la noche que él se coló en casa de John Barron en Los Ángeles. Era obra de Dios. Era su *sudba*, su destino, y el motivo por el que estaba seguro de que había sido empujado hacia la vida de John Barron. No había pasado ni una hora ni un día sin que pensara en ella. Había sido el pensamiento, la visualización y las fantasías sobre ella lo que lo ayudaron a superar las operaciones y aquellos meses de recuperación.

Con su larga melena oscura y sus ojos penetrantes, la majestuosa longitud de su cuello y sus pómulos altos y delicados, la simple imagen de ella lo embrujaba. Rebecca era la viva imagen de la princesa Isabella Maria Josepha Zenaide, sobrina nieta del rey Luis III de Baviera que, a la edad de veinticuatro años, fue asesinada por unos revolucionarios comunistas en Múnich, en noviembre de 1918. Su retrato estaba colgado, entre otros, en la biblioteca privada de la casa solariega de la baronesa en el Macizo Central francés, y Raymond estaba cautivado por él desde que era niño. Y aquella fascinación no había hecho más que crecer a medida que se fue convirtiendo en un hombre. Regia, bellísima, inolvidable, tenía la edad de Rebecca cuando murió. Y ahora, en su mente y en sus fantasías, volvía a vivir, reencarnada en la hermana de John Barron.

Se la describió, casi sin aliento, a la baronesa cuando ésta fue a verlo junto a su cama, en su rancho de Argentina después de sus primeras operaciones. Rebecca era realmente su *sudba*, su destino, le dijo. La mujer a la que debía convertir en su esposa.

Fue la manera en que hablaba de ella —una y otra vez, durante meses, mientras la baronesa supervisaba su larga recuperación y la laboriosa rehabilitación de sus operaciones médicas y cosméticas— lo que hizo abrir los ojos a la baronesa del efecto que Rebecca había causado sobre aquel hombre del que era la guardiana legal. En sus ojos había una luz que no le había visto nunca, y sabía que si Rebecca era realmente como él la describía y, en función de su estado mental, podía sanarse y ser moldeada de la manera adecuada, podría representar un papel clave que faltaba en el futuro de ambos.

En poco tiempo siguió el rastro de Rebecca hasta el santuario de Saint Francis en Los Ángeles y se enteró de que su cuidado estaba al cargo de la doctora Flannery. A las pocas horas el ordenador personal de la doctora fue pirateado y el expediente de Rebecca copiado. La baronesa supo así adónde había ido Rebecca y el nombre del terapeuta al que había sido transferida. En muy poco tiempo, los archivos del ordenador en la Balmore de la doctora Maxwell-Scot fueron espiados y la baronesa se enteró de la enfermedad que afectaba a Rebecca y de su excelente prognosis. También se enteró de quién era el garante de los honorarios clínicos de Rebecca: su hermano, Nicholas Marten, que primero residía en Londres, en el hotel Hampstead Holiday Inn y más tarde, en el número 221 de Water Street, en Manchester, Inglaterra.

El hecho de que Rebecca ya se encontrara en Europa simplificaba bastante las cosas. Lausana, Suiza, era la sede europea de la corporación que Alexander presidía, y Suiza era un escenario ideal para que le presentaran a Rebecca e iniciar su relación.

La experiencia de maître Jacques Bertrand, el abogado residente en Zúrich de la baronesa, entró en juego de inmediato. A los pocos meses los agentes inmobiliarios encontraron un elegante balneario privado en Neuchâtel, a poca distancia por carretera de Lausana. Se hizo una oferta para su adquisición, pero sus dueños dijeron que no estaba en venta. Se hizo una segunda oferta, que también fue rechazada. Pero la tercera no lo fue. El precio era fabuloso.

En cuarenta y ocho horas se saldó la venta. Joseph Cumberland, un prominente abogado de Londres, convocó una reunión con Eugenia Applegate, presidenta de la Fundación Balmore. En la misma, le habló de un cliente que era un gran admirador del trabajo que se hacía en la clínica y que había adquirido recientemente un balneario a orillas del lago Neuchâtel, en Suiza. Dicho cliente, que deseaba permanecer en el anonimato, estaba dispuesto a donar la finca y sus terrenos a la fundación. Además se establecía un sistema de becas privadas para hacer posible el funcionamiento de la institución y para cubrir los gastos de los pacientes. La esperanza era que aquel lugar, alejado del bullicio, el ruido y las distracciones de Londres, permitiría a los terapeutas desarrollar un programa concentrado que, con acceso inmediato al aire libre y, por lo tanto, a las actividades físicas como el remo y el senderismo, pudiera acelerar el proceso de curación de sus pacientes y, así, reducir considerablemente el período de terapia.

El número de pacientes iba a limitarse a las habitaciones privadas disponibles, que eran veinte, y serían supervisados por personal elegido por la fundación. Acto seguido, puesto que el donante había hecho las diligencias pertinentes y había estudiado cuidadosamente la operativa de la clínica durante los meses recientes, se sugería firmemente que el equipo médico inicial incluyera a algunos de los psicoterapeutas actuales de la Balmore, los doctores Alistair James, Marcella Turnbull y Anne Maxwell-Scot, que se llevarían, por supuesto, a sus pacientes más habituales.

Y entonces venía lo último. Debido a la situación con Hacienda del donante, la transmisión del título de propiedad y el inicio de operación de las instalaciones debía tener lugar en un periodo no supe-

377

rior a treinta días. Si esto era o no factible debía decidirlo la propia fundación.

Para la Balmore, para la fundación, el regalo era enorme. Al cabo de treinta y seis horas, un grupo de miembros del consejo de la fundación había visitado el lugar, los abogados de la Balmore habían sido consultados y la propuesta fue aceptada. Dos días más tarde se intercambiaron la documentación. El domingo 19 de mayo, con dos días de ventaja sobre la fecha límite, las instalaciones fueron equipadas, repintadas y bautizadas con el nombre Jura, por las cercanas montañas de Jura, y se inauguraron. El martes 21 de mayo, el centro estaba en pleno funcionamiento con los doctores James, Turnbull y Maxwell-Scot y sus pacientes principales instalados, Rebecca la primera de todas.

Fue una hazaña hecha realidad sólo gracias a una fortuna extraordinaria y a una *chutzpah* sin igual, dos elementos que la baronesa poseía en abundancia. Sin embargo, todavía no había terminado. Al mes siguiente, y petición de Alexander, Gerard Rothfels y su familia se mudaron de Lausana a Neuchâtel y, poco después, Alexander Cabrera fue introducido en la vida de Rebecca.

Y un poco más de siete meses después de su primer encuentro en Jura, y por voluntad propia, Rebecca accedía a convertirse en su esposa.

—Qué hijos tan hermosos tendremos —le susurró él, atrayéndola hacia él—. Qué hijos tan hermosos.

—Sí. —Rebecca se rio y lloró y trató de enjugarse las lágrimas, todo al mismo tiempo—. Tendremos unos hijos muy, muy hermosos.

Todo aquello era increíble. Y Alexander lo sabía.

45

00:30 h

Rebecca observó a Alexander levantarse del sofá y cruzar la estancia para atender la llamada en su móvil.

Con una copa de champán en la mano y un poco borracha por primera vez en su vida, se preguntó cuántas veces lo había visto hacer aquel gesto. Estaban profundamente enamorados y acababan de comprometerse en matrimonio. Aquél debía haber sido un interludio tranquilo y muy personal en sus vidas, pero él, de todos modos, contestó al teléfono. Siempre estaba ocupado, siempre trabajando. Le llegaban llamadas de cualquier rincón del mundo prácticamente a cualquier hora, y él contestaba siempre. Todo lo hacía rápida e intensamente, pero, al mismo tiempo, mostraba siempre una delicadeza extrema, en especial hacia ella. Eran características muy similares a las de su hermano y por un momento pensó en lo notable que era el parecido entre ellos y se preguntó si, cuando se conocieran, podrían convertirse en amigos para siempre. Esta idea le hizo darse cuenta de que no tenía más remedio que revelarle a Alexander su pasado, en especial ahora que había aceptado convertirse en su esposa.

—Bajo en cinco minutos.

Alexander colgó el teléfono y se volvió a mirarla.

—Era Jean-Pierre, que me espera fuera en el coche. Parece ser que tu hermano ha venido a verte al hotel.

—¿Mi hermano?

—Seguro que ha intentado ponerse en contacto contigo y no ha podido. Irá al mostrador de recepción a pedir que llamen a tu habitación. Si no estás allí, armará un pequeño revuelo y mandarán a alguien a buscarte.

Alexander experimentó la misma sensación que había tenido dos horas antes, cuando vio a Marten delante del piso de la rue Huysmans. Éste era el motivo por el que debía ser asesinado. Dejarlo vivir ni que fuera un día más era flirtear con el momento en que dejaría de estar medio paso por detrás de él para caerle justo encima y a punto de asfixiarlo. Pero, aun con aquel riesgo creciente, ahora no podía matar a Marten. Davos se estaba acercando y, además, la muerte de su hermano provocaría en Rebecca un torbellino emocional que probablemente la mandaría de nuevo al punto del colapso, y eso era algo que no dejaría que ocurriera.

—¿Lo quieres conocer? —Rebecca se había levantado de pronto y se dirigía hacia él, feliz y sonriente—. Ahora, esta noche, para que podamos darle la noticia.

—No, esta noche no.

—¿Por qué? —Se detuvo, con la cabeza ladeada, contrariada.

Alexander la miró en silencio. No se encontraría con Marten, no podía correr el riesgo de que, de alguna manera, Marten lo reconociera, hasta que llegara el momento de liquidarlo.

—Rebecca —Alexander se acercó a ella y le tomó las manos delicadamente entre las suyas—, sólo tú y yo sabemos lo que ha ocurrido esta noche entre nosotros. Por varios motivos, es muy impor-

379

tante que guardemos nuestra felicidad como un secreto entre nosotros unos cuantos días más. Más adelante lo anunciaremos y organizaremos una celebración magnífica en Suiza, a la que, por supuesto, invitaremos a tu hermano. Y cuando nos conozcamos, lo abrazaré con todo mi cariño, respeto y buena voluntad.

»Pero esta noche, querida, vuelve a tu habitación. Cuando tu hermano llame dile que estabas agotada y te habías quedado dormida en la bañera y que no has oído el teléfono. Invítalo a subir y, mientras tanto, ponte un albornoz y recógete el pelo con una toalla en la cabeza como si acabaras de salir del baño.

—¿Quieres que le mienta incluso ahora?

Alexander sonrió.

—No más de lo que lo has hecho todo este tiempo. Siempre ha sido un juego, ¿no es cierto? Y un juego que has jugado muy bien.

—Sí, pero...

—Pues sigamos con el juego, al menos unos días más. Hasta ahora has confiado en mí, confía en mí otra vez. Pronto entenderás por qué. Lo que el futuro nos depara, cariño, no podrías empezar ni a imaginártelo en tus fantasías más descabelladas.

46

El apartamento del número 27 de la rue Huysmans. El mismo día, 16 de enero, a las 3:05 h

Nicholas Marten se dio la vuelta en el sofá del despacho de Armand. Todavía tenso y aprensivo, volvió a repasar mentalmente lo ocurrido durante las últimas horas.

Extremamente preocupado por la seguridad de Rebecca pero sin querer despertar a unos agotados Armand o Nadine, ni asustar a una gente que emocionalmente ya había sufrido un buen golpe, sencillamente decidió abandonar el apartamento solo, salió a la calle y paró un taxi.

A las doce y media llegaba al hotel Crillon. Sin afeitar y en vaqueros, con unas viejas zapatillas deportivas y una sudadera, entró en el vestíbulo y se dirigió directamente al mostrador de recepción, donde sus exigencias obsesivas al recepcionista le valieron la rápida atención del servicio de seguridad del hotel y luego la del portero de noche. Finalmente, cuando consiguió hablar por teléfono con Rebecca, subió a su habitación acompañado del personal de seguridad. Cuando llamaron, ella abrió la puerta envuelta en un estiloso albornoz del Crillon y con el pelo envuelto en una toalla. Apurada, la chica le dio un beso en la mejilla y le dijo lo mismo que le había dicho por teléfono cuando la llamó desde recepción. Que tomó un baño caliente y se quedó dormida. Cuando él le respondió que eso no era típico de ella y le preguntó por el olor a alcohol de su aliento, ella se limitó a responder que había sido un día largo y lleno de emociones y que le hotel le había ofrecido una botella de champán Tattinger como cortesía, y que antes de entrar en el baño se había tomado una copa. Y ésta era probablemente la explicación de que se hubiera quedado dormida.

Aquella idea le hizo sonreír. Cómo había cambiado. Ahora era una mujer, y muy bella, que hablaba varios idiomas y, en muchos aspectos, era mucho más sofisticada de lo que él sería nunca. Sin embargo, como su enfermedad le había robado una parte tan importante de su adolescencia, en muchas cosas seguía siendo tan niña, ingenua e inexperta en las realidades de la vida y del amor. Algunas veces, a medida que su curación progresaba y él la iba a visitar a Neuchâtel, la tanteaba haciéndole preguntas banales sobre su vida personal y sus amigos del sexo opuesto. Su respuesta había sido siempre poner una sonrisa pícara y decir algo así como «tengo amigos». Y, llegado este punto, él dejaba de insistir, mientras por dentro le deseaba todo lo mejor, toda la felicidad del mundo, y dejaba que ella misma encontrara su camino.

Dios, cuánto la quería.

47

3:20 h

¡*Cric!*

Marten se incorporó al oír un ruido al otro lado de la puerta. Escuchó.

Nada.

De pronto apartó las mantas a oscuras y se acercó a la puerta para escuchar de nuevo.

Todavía nada.

Tal vez se hubiera quedado dormido y estuviera soñando, o —el despacho de Armand estaba justo al lado del recibidor—, tal vez alguien de uno de los apartamentos de arriba había entrado y subido por las escaleras, o tal vez eran sólo sus nervios.

3:30 h

Estaba totalmente desvelado. Por primera vez pensó en Clem. Tendría que haberla llamado mucho antes y, al menos, contarle lo que había estado ocurriendo. Pero no lo había hecho; el vendaval de emociones y acontecimientos había sido demasiado intenso. Ahora, estuviera todavía en Ámsterdam o de regreso en Manchester —a esas alturas le resultaba imposible de recordar su ruta—, era demasiado tarde. Lo que haría sería buscarla por la mañana y llamarla nada más levantarse.

3:35 h

Raymond. No podía quitarse de la cabeza la idea de que pudiera estar vivo y en París.

3:40 h

Clic.

Encendió una pequeña lámpara halógena que estaba en la mesa de despacho de Armand, se sentó, abrió la carpeta archivadora de Dan Ford y encontró un apartado llamado DICIEMBRE. El asesinato de Alfred Neuss fue lo que desencadenó las ganas de Ford de investigar la «incineración» de Raymond, pero Neuss había sido asesinado hacía tan sólo unos días, de modo que no tenía ni idea de lo que podía encontrar en el archivo DICIEMBRE, a menos que Ford ya estuviera intrigado por las acciones de Raymond en Los Ángeles y hubiera estado investigando secretamente por su lado. Tal vez hubiera incluso alguna referencia al hombre llamado Jean-Luc, una persona de la que ni Armand ni Nadine habían oído nunca hablar a Dan. Eso confirmaba lo que Marten había supuesto antes, que Jean-Luc era algún tipo de conocido, ese tipo de personaje con el que todos los periodistas flirtean y que les proporcionan pistas. Y puesto que Ford había salido voluntariamente en medio de la noche, parecía obvio que cualquiera que fuera el tema que acudía a comentar con Jean-Luc debía de ser relativamente inofensivo. O eso había pensado.

ϒ

4:10 h

De momento, nada más que una admiración más profunda por Dan y por el trabajo exhaustivo que llevaba a cabo y que lo convirtió en el tipo de periodista que había sido. Había notas manuscritas y recortes de periódicos de toda Europa, ideas y esquemas de trabajo para reportajes hasta los cinco meses siguientes sobre temas tan variados como exposiciones de jardines, política local e internacional, medicina, deportes, negocios, sociedad y el mundo del espectáculo.

4:40 h

Marten giraba una página, luego otra. Entonces se tropezó con un artículo impreso del *London Times* digital. La noticia hablaba de la concesión del título de sir por parte de la reina al magnate de la prensa internacional Peter Kitner, casi un año antes.

Sorprendido, Marten apartó la hoja. Era un acontecimiento de hacía tiempo, ¿por qué se encontraba en el archivo de ese diciembre? Miró la página siguiente y lo descubrió: delante de él había el menú formal de una cena que iba a celebrarse en una residencia privada. Estaba impreso en una tarjeta de cartón de calidad con letras doradas y en relieve, y anunciaba lo que parecía una cena ceremonial que iba a celebrarse en París el 16 de enero.

> *Carte Commémorative*
> *En l'honneur de la*
> *Famille Splendide Romanov*
> *Paris, France, le 16 janvier*
> *151, Avenue George V*

El francés de Marten era prácticamente inservible, pero no resultaba difícil de entender lo que acababa de leer. Una carta conmemorativa en honor de la «espléndida» familia Romanov para una cena que se celebraría en París el 16 de enero; casi todos los platos que iban a servirse eran rusos.

De pronto se dio cuenta de que hoy era el 16 de enero. ¡La cena era esta noche! Lentamente, casi hipnotizado, giró la tarjeta de la carta. Escrito del puño y letra de Ford ponía «asistirá Kitner» y luego, abajo, con la misma letra, ponía «Jean-Luc Vabres–Menú#1».

Una cena conmemorativa para la que supuso era la legendaria familia Romanov. La familia imperial de Rusia. ¡Rusia! Volvía a aparecer Rusia. Y Peter Kitner estaba invitado.

Marten volvió a mirar el recorte sobre el nombramiento de Kitner.

—Dios mío —masculló entre dientes. Kitner había sido nombrado sir en Londres el miércoles 13 de marzo del año pasado. Ése fue el día después de que Neuss se marchara de Beverly Hills con destino a Londres, lo cual significaba, debido a la duración del vuelo y la diferencia horaria, que el 13 de marzo era el día en que Neuss habría llegado a Londres. ¿Era posible que hubiera ido a ver a Kitner? Neuss le había dicho a la policía metropolitana de Londres que había ido a Londres por negocios. Eso hizo que Marten se preguntara por qué tipo de negocios, y si los investigadores le habrían pedido los detalles de los mismos. Si así fue, no lo hicieron constar en su informe, y desde luego él no podía llamarlos ahora para pedir que lo pusieran en contacto con uno de los investigadores originales. Marten apretó el puño con un gesto de frustración y desvió la mirada, mientras intentaba decidir qué hacer. De pronto se le ocurrió una persona a la que podía llamar. Alguien que podía saberlo muy bien.

Miró bruscamente al reloj. Eran casi las cinco menos cuarto de la madrugada del jueves en París, lo cual significaba que eran las ocho menos cuarto de la tarde en Beverly Hills. Marten buscó el móvil en su chaqueta. Un bolsillo, luego el otro, y luego el bolsillo interior. El teléfono no estaba. No sabía qué le había ocurrido, si lo había perdido o dejado en alguna parte, pero daba igual porque no lo tenía. De inmediato, sus ojos localizaron el teléfono que había en el despacho de Armand. No quería utilizarlo por miedo a que su llamada pudiera ser rastreada. Pero a aquella hora del día y con la presión del tiempo por la cena de los Romanov esa noche, no tenía más remedio.

Cogió rápidamente el auricular, marcó el cero y pidió que le pasaran con AT&T. En veinte segundos lo habían transferido al directorio de información telefónica de Los Ángeles y pidió que le facilitaran el teléfono del domicilio de Alfred Neuss en Beverly Hills. Le dijeron que el número no figuraba como disponible. Marten hizo una mueca y colgó. Había un número especial que la policía y otros servicios de emergencia usaban para acceder a los teléfonos que no figuraban en la guía. Lo sabía porque él mismo lo había utilizado muchas veces desde el LAPD. Lo único que ahora podía esperar era que todavía funcionara y que ni el sistema ni el número hubieran cambiado.

Volvió a coger el auricular, marcó el cero y pidió de nuevo línea con AT&T. Al cabo de un momento se la dieron y marcó el número. Le salió una voz masculina que, para su alivio, le confirmó que había accedido al servicio que quería. Respiró y luego se identificó como el detective del LAPD Gene VerMeer, de Robos y Homicidios, diciendo que estaba involucrado en una importante investigación en el extranjero y que llamaba desde París. A los pocos segundos ya disponía del teléfono personal de Alfred Neuss. Colgó y volvió a iniciar el proceso de obtener línea a través de AT&T. Al cabo de un instante marcó el número y esperó, preocupado por que, debido a la publicidad generada por el asesinato de Neuss, lo único que obtendría sería algún tipo de grabación o contestador. Pero, para su sorpresa, una mujer se puso al teléfono.

—¿La señora Neuss, por favor?

—¿Quién llama?

—Soy el detective Gene VerMeer, del departamento de Policía de Los Ángeles, división de Robos y Homicidios.

—Soy la señora Neuss, detective. ¿No hemos hablado alguna vez?

Marten sintió la extrañeza en su voz.

—Sí, por supuesto, señora Neuss —reaccionó rápidamente—. La llamo desde Francia, la conexión no es muy buena. Estoy en París investigando el asesinato de su marido con la policía local.

Marten se frotó la camisa con el auricular para simular ruidos que dificultaban la conexión. No sabía si eso funcionaría pero lo dio por bueno mientras se dedicaba una sonrisita para sus adentros—. Señora Neuss, ¿sigue ahí?

—Sí; dígame, detective.

—Empezaremos por el día en que su esposo aterrizó en París y luego iremos hacia atrás. —De pronto Marten se acordó de lo que Dan Ford le había dicho cuando volvían del aeropuerto. Era algo que le había parecido poco importante a la luz de todo lo que estaba ocurriendo en aquel momento y tal vez todavía lo fuera, pero ahora tenía la oportunidad de preguntarlo antes de seguir con lo demás—. Su marido voló de Los Ángeles a París, y luego tomó un vuelo de conexión a Marsella antes de seguir hasta Mónaco.

—Yo no sabía lo de Marsella hasta que ustedes me lo dijeron. Supongo que era simplemente una conexión conveniente.

—¿Está segura?

—Detective, ya le he dicho que no lo sabía. Tampoco le pedí que me detallara su itinerario. No era ese tipo de esposa.

385

Marten vaciló. Tal vez fuera cierto. Tal vez la parada en Marsella fuera tan sólo una conexión conveniente.

—Permítame que me remonte un poco más atrás. —Ahora Marten llegó al tema que le importaba—. Creo que usted y él estuvieron en Londres el año pasado. El trece de marzo, para ser exactos.

—Sí.

—Su marido le dijo a la policía de Londres que había ido por negocios.

—Así es.

—¿Sabe exactamente de qué negocios se trataba? ¿Con quién se reunió?

—No, lo siento. Estuvimos muy pocos días. Salía por la mañana y no volvía a verlo hasta la noche. No sé lo que hacía durante el día. No me hablaba de este tipo de cosas.

—¿Qué hacía usted mientras tanto?

—Salía de compras, detective.

—¿Cada día?

—Sí.

—Una pregunta más, señora Neuss. ¿Era su marido amigo de Peter Kitner?

Marten oyó una pequeña expulsión de aire, como si la pregunta la hubiera cogido fuera de juego.

—Señora Neuss —la apremió—, le he preguntado si su marido era amigo de...

—Es la segunda persona que me lo pregunta.

Marten, de pronto, se reanimó:

—¿Quién fue la primera?

—Un tal señor Ford, del *Los Angeles Times*, llamó a mi marido un poco antes de Navidad.

—Señora Neuss, el señor Ford acaba de ser hallado muerto, asesinado, aquí en Francia.

—Oh... —Marten sintió su fuerte reacción—. Lo siento mucho.

—Señora Neuss —la volvió a presionar Marten—, ¿conocía su marido a Peter Kitner?

—No, no lo conocía —contestó rápidamente—. Y ya se lo dijo al señor Ford.

—¿Está segura?

—Sí, estoy segura.

—Gracias, señora Neuss.

Marten colgó el teléfono, con su pregunta sin contestar. La señora Neuss le había mentido al responder que su marido no conocía a Peter Kitner. Que Ford le hubiera hecho exactamente la misma pregunta le sorprendía poco porque, por la razón que fuera, estaba interesado en Kitner y pensó que había algún tipo de relación entre los dos. Por qué había esperado tanto tiempo en intentar descubrirlo resultaba difícil de juzgar, a menos que se hubiera encontrado con la noticia de Kitner justo antes de Navidad y que la coincidencia de la fecha del 13 de marzo se le hubiera ocurrido entonces. Eso le hizo preguntarse si Ford habría intentado llamar a Kitner para preguntarle sobre Neuss... y si él habría respondido lo mismo. Por desgracia, la probabilidad de hablar por teléfono directamente con alguien como Kitner, y luego conseguir que respondiera a preguntas de carácter personal, era semejante a cero hasta para un periodista, o para un policía, a menos que tuvieran algún tipo de sospecha muy fundada de que Kitner hubiera cometido algún crimen. Además, si lo intentaba, se arriesgaba a que la gente de Kitner descubriera su identidad. De modo que, al menos de momento, dejó la idea aparcada.

Sin embargo, poniendo la llamada de Ford a Neuss en perspectiva, había tenido lugar mucho después de que el ruido por el asunto de Raymond Thorne y su interés en el joyero de Bevery Hills se hubiera calmado. De modo que si había alguna relación entre Neuss y Kitner, en especial teniendo en cuenta la fecha del 13 de marzo, a estas alturas los dos Neuss ya habrían tenido tiempo de ensayar un simple «no, Alfred Neuss no conoce a Peter Kitner» de respuesta, en especial si intentaban esconder el hecho de que los dos hombres se conocían y se habían encontrado en Londres e intentaban mantenerlo en secreto. Y Ford, con nada más concreto que una coincidencia de fechas, lo había sencillamente aceptado y había proseguido con sus asuntos.

Desde entonces, Neuss había sido asesinado y la policía y los periodistas habrían disparado preguntas desde todas las direcciones. Y la señora Neuss, todavía consternada por la pérdida de su esposo y con los nervios todavía desquiciados, aunque nadie más le hubiera preguntado sobre Kitner y su esposo, había sido pillada fuera de guardia por la pregunta de Marten y, sin darse cuenta, se había delatado. Nick Marten (o más bien, John Barron) había sido detective de homicidios el tiempo suficiente como para detectar el pequeño grito ahogado e identificarlo como sorpresa. De modo que la respuesta era sí. Alfred Neuss conocía a Peter Kitner. Pero, más concretamente, ¿se conocían lo bastante como para que Neuss hubiera visitado a Kitner en Londres el marzo pasado? Y si era así, ¿por qué? ¿Y por qué entonces? ¿Sobre qué asunto? ¿Y por qué lo ocultaban, tanto Neuss como su esposa?

Ahora Halliday había muerto en París y Dan Ford había sido asesinado por haber ido a reunirse con Jean-Luc Vabres, fuera quien fuese. De pronto Marten se preguntó por qué Ford había escrito la nota sobre la asistencia de Kitner a la cena de los Romanov y por qué, después de que Neuss hubiera sido asesinado y todo apuntara a algún tipo de trama rusa, ni siquiera le había mencionado aquella cena. Tal vez la respuesta fuera que Ford sospechaba algo pero no tenía pruebas y quería mantener a Marten al margen. O tal vez, como con todo lo demás —desde la casa de Uxbridge Street hasta I.M. y el Penrith's Bar, el 7 de abril/Moscú, e incluso el avión fletado— no había nada tangible, y sencillamente consideró la cena de los Romanov como un simple eco de sociedad de esos que a la gente le gusta leer en la prensa. Al fin y al cabo, esto también formaba parte de su profesión.

El problema era que Marten sabía ahora que entre Alfred Neuss y sir Peter Kitner había existido algún tipo de relación. De qué se trataba y cuál era su conexión con la familia Romanov, en estos momentos no tenía forma de saberlo.

De pronto se le ocurrieron dos ideas en rápida sucesión. La primera: ¿qué se conmemoraba con aquella cena?

La segunda: si el menú número 1 tenía un numeral, ¿significaba que había un menú número 2? Si lo había, ¿cuál era la ocasión? ¿Dónde iba a celebrarse y cuándo? Y si había un menú número 2, ¿por qué asunto había ido Ford a ver a Jean-Luc? ¿Y por qué en medio de la noche y en un lugar tan remoto? Por otro lado, no tenía sentido, porque Lenard había preguntado por un mapa. Volvió a mirar el menú.

Carte Commémorative.

¿*Carte*? ¿Qué significaba?

Junto a la lámpara, al otro lado de la mesa de Armand, había una pequeña pila de libros. Todos estaban en francés menos uno: un diccionario Francés-Inglés. Rápidamente lo cogió y lo abrió por la letra C. En la sexta página encontró *carte*. Significaba (*marine, du ciel*) carta; (*de fichier, d'abonnement, etc., à jouer*), ficha; (*au restaurant*) carta, menú; (*de géographie*), ¡mapa!

¡Mapa!

Tal vez Kovalenko hubiera malinterpretado el francés y pensó en «mapa» cuando el significado que realmente aplicaba era «menú».

Marten dejó el diccionario y revisó todo el resto del archivo de Ford buscando más sobre un segundo menú, Kitner, los Romanov o Jean-Luc Vabres, pero no encontró nada hasta que se tropezó con un sobre de nueve por doce centímetros marcado con la palabra KITNER escrita a lápiz. Lo abrió y encontró una serie de fotocopias de artículos sobre Peter Kitner extraídas de las bases de datos de varios periódicos de todo el mundo. La mayoría incluían fotos del alto, distinguido y canoso Kitner y estaban en inglés, aunque había varios en idiomas distintos: alemán, italiano, japonés y francés. Un repaso rápido le dijo que la mayoría eran elogios de Kitner, su familia, su condecoración como Sir de la corona británica, la construcción de su imperio de comunicaciones desde sus orígenes como hijo de un relojero suizo moderadamente adinerado. Por lo que podía deducir, no había nada que pudiera indicar el motivo que lo llevaría a asistir a una cena en honor de los Romanov, aparte del hecho de ser sir Peter Kitner y probablemente formar parte de la lista de privilegiados de miles de celebraciones sociales que tenían lugar por el mundo en cualquier momento. En cuanto al buscado segundo menú, o tal vez alguna referencia al mismo, o a Jean-Luc Vabres, no había nada.

Finalmente, Marten volvió a guardar los recortes y cerró el archivador. Cansado y desanimado por no haber podido descubrir nada más, se estaba levantando, dispuesto a meterse en la cama, cuando sus ojos se tropezaron con la agenda de Halliday y, de pronto, se preguntó si podía haber algo que se le hubiera pasado por alto en aquel amasijo caótico de papeles y de notas. Tal vez Halliday también se hubiera tropezado con los Romanov o con Kitner.

Abrió la agenda y volvió a repasarla, esta vez buscando expresamente alguna referencia a Kitner, a los Romanov, a Jean-Luc Vabres o a un menú.

5:20 h

Completamente agotado y sin haber encontrado nada, llegó a la última página de la agenda. La únicas páginas todavía intactas de esta revisión eran los papeles sueltos embutidos en la cubierta trasera, que había empezado a mirar antes. Dio un fuerte suspiro e hizo un último esfuerzo y las volvió a sacar. Vio las mismas fotos de los niños de Halliday y los cheques de viaje que había visto antes, y luego el billete electrónico de Halliday y su pasaporte. Sin ningún motivo especial, abrió el pasaporte. La foto de Halliday se lo quedó mirando. La observó unos segundos, se dispuso a cerrarlo y no lo hizo. Algo lo atrajo hacia los ojos de Halliday. Era casi como si el detective asesinado lo estuviera llamando desde el otro lado, tratando de decirle que siguiera buscando. Pero ¿dónde? Lo había mirado todo, no había nada más. Poco a poco, Marten cerró el pasaporte, lo puso con el resto de papeles y luego empezó a meter otra vez los papeles en la solapa. Fue entonces cuando vio el bulto raro en el que el soporte de cartón de la parte de calendario de la agenda había sido metido por dentro de la solapa de piel de la cubierta. Pensó que el bulto era tan sólo que el cartón se había arrugado y trató de alisarlo, para que los papeles entraran más fácilmente en el bolsillo. Pero no lo logró.

—Maldita sea —blasfemó, cansado de intentarlo. Entonces se dio cuenta de que el bulto no era una arruga del cartón sino algo más. Sacó todo el cartón y abrió el bolsillo de la solapa de piel. Dentro vio un pequeño paquete de tarjetas de tres por cinco atadas con una goma elástica. Rápidamente sacó el paquete y le quitó la goma. Las tarjetas se abrieron. En medio había un solo disquete de ordenador.

Marten sintió que el corazón se le aceleraba. Respiró hondo una vez y otra y encendió el ordenador de Armand. Metió el disquete y lo seleccionó. El único archivo que contenía se llamaba TONTERÍAS, como si fuera algún tipo de juego de ordenador, o de archivo con chistes que alguien le hubiera pasado a Halliday y él se lo hubiera guardado en la solapa de la agenda y se le hubiera olvidado.

Desanimado, seleccionó de todos modos el archivo. Una décima de segundo más tarde se le abrió en la pantalla y su desánimo se disipó.

—Dios mío —suspiró. TONTERÍAS era una copia del expediente de Raymond que había desaparecido del archivo de detenciones del LAPD. En él había fotos claras de frente y de perfil y sus huellas digitales. Por la información que tenía Marten, éstas eran las únicas copias de sus huellas digitales que seguían existiendo.

5:50 h

Marten sacó bruscamente el archivo del ordenador y lo apagó. Luego volvió a guardar el disco entre las tarjetas, las volvió a atar con la goma elástica y las metió de nuevo en la agenda de Halliday, que ató a su vez con las gomas más grandes. La pregunta era qué haría ahora. Tenía que dormir, al menos un rato, pero también tenía que proteger aquella información. Entonces se acordó del patio que había junto al comedor del apartamento de Armand, que estaba en una planta baja.

Se levantó rápidamente, cogió la agenda de Halliday y el archivador de Ford, abrió la puerta con cuidado y salió al pasillo a oscuras.

48

Al cabo de unos segundos Marten entró en el comedor y miró el pequeño patio que separaba el edificio de Armand del vecino a través de los grandes ventanales. No era mucho, pero era suficiente, en especial si la policía —con Kovalenko, que ya desconfiaba de él, y una vez registrado el apartamento de Dan Ford palmo a palmo con un equipo científico— tenía alguna sospecha de que algo no estaba bien, o faltaba, o no estaba como debería estar y venía a hacer preguntas, tal vez incluso con una versión francesa de una orden de registro.

Era un americano que vivía en Inglaterra, atrapado en una serie de asesinatos turbios en Francia, y conocía a dos de las víctimas personalmente. Si la policía encontraba el material de Ford y Halliday en sus manos, Lenard no sólo lo arrestaría de inmediato por ocultar pruebas, sino que se pondría lo bastante furioso como para mandar su foto y sus huellas a la Interpol para ver si había alguna orden de captura contra él en otros países. ¿Y quién sabe si sus amigos del LAPD no habían sacado ya un aviso de búsqueda de Código Amarillo/Persona desaparecida en la Interpol, con la esperanza remota de que alguien pudiera identificarle? Y entonces ¿qué? Todo saldría a la luz; quién era, dónde estaba, la situación de Rebecca, todo. Hasta Hiram Ott en Vermont podía quedar expuesto y ser denunciado por haber pasado ilegalmente la identidad de un muerto a otra persona.

Y entonces ocurriría lo que había temido antes. En muy poco tiempo, Gene VerMeer o algún otro enviado o enviados llegarían a ejecutar la venganza por aquellos que en el LAPD seguían considerándolo todavía responsable de las muertes de Polchak, Lee y Valparaiso y por destruir la brigada. Era algo que no podía permitir que pasara. Por otro lado, seguía siendo su guerra. Lo que había descubierto en los archivos de Dan Ford y en el disquete de Halliday le acercaba más que nunca a ella.

Y

La esposa de Armand conservaba su pequeña cocina limpia y bien ordenada, y a Marten le llevó muy poco tiempo encontrar lo que buscaba, una caja de bolsas de basura opacas. Sacó una, metió dentro la agenda de Halliday y el archivador de Ford, la cerró con una goma elástica y volvió a entrar en el comedor. Allí encendió una lamparita, abrió las puertas de cristal y salió al frío aire de la madrugada. Con la tenue luz de la lámpara podía ver el patio, que medía apenas cuatro por siete metros, con un muro de tres metros de altura al fondo que lo conectaba a los edificios de apartamentos de ambos lados. El propio muro estaba lleno de parras desnudas con unos cuantos arbustos perennes delante y una fuente grande de ladrillo que en invierno no se usaba, muy arriba.

Avanzó cinco pasos y Marten alcanzó el muro y empezó a treparlo. Sus ojos empezaban a acostumbrarse a la oscuridad y podía ver un callejón estrecho al fondo con varios cubos de basura en el suelo, inmediatamente debajo. Se giró un poco y miró en la fuente. Aparte de unas cuantas hojas caídas que tenía acumuladas al fondo, estaba vacía. Rápidamente, metió la bolsa de basura dentro y la tapó con las hojas. Entonces se dio la vuelta y saltó al suelo.

El cielo estaba todavía oscuro cuando volvió a entrar en el apartamento y cerró la puerta del patio. Al cabo de tres minutos estaba en el sofá, en el despacho de Armand, tapado con una manta y con la cabeza apoyada en la almohada. Tal vez se hubiera protegido de la policía, tal vez no. Tal vez ni siquiera llegaran a venir y hubiera sido demasiado cauto. Al menos tenía la tranquilidad de saber que los archivos de Dan y la agenda de Halliday estaban escondidos en un lugar difícil de encontrar y del que los podía volver a recuperar más tarde, desde el callejón, si le era preciso. Respiró hondo y se dio la vuelta. Lo único que quería hacer ahora era dormir.

49

Hendaya, Francia. Estación de tren de la frontera francoespañola. Jueves 16 de enero, 6:30 h

Estaba todavía oscuro cuando tres hombres y dos mujeres bajaron del tren cruzando por en medio del grupo de pasajeros que embarcaban. Se dirigieron hacia un Alfa Romeo sedán gris oscuro estacionado en el *parking* de la estación. Iban vestidos con sencillez y hablaban en español; tenían todo el aspecto de ser españoles de clase media a punto de entrar en Francia. Los dos primeros hombres eran más mayores y llevaban las maletas de las mujeres además de las suyas propias. El tercero tenía unos veintidós años, era delgado y aniñado, y llevaba su propia maleta. Las mujeres eran su madre y su abuela. Los otros hombres eran guardaespaldas.

Al llegar al coche, uno de los guardaespaldas retrocedió para vigilar lo que estaba ocurriendo a su alrededor. El otro metió las maletas en el maletero. Al cabo de dos minutos el Alfa salía del *parking*. Cinco minutos más y se encontraba acelerando por la autopista A63, alejándose de la frontera española hacia la localidad costera francesa de Biarritz, con los guardaespaldas sentados delante y las dos mujeres y el hombre más joven detrás.

Octavio, el hombre que conducía, de pelo oscuro y con una estrecha cicatriz en el labio inferior, ajustó el retrovisor. Unos doscientos metros detrás de ellos vio un Saab negro de cuatro puertas que los seguía. Sabía que el Saab seguiría allí cuando salieran de la A63 en dirección este, y también cuando se pusieran en dirección norte y pasaran por Toulouse por la A20, dirección París. Dos coches, cuatro guardaespaldas que protegían a los tres que habían llegado tan discretamente desde España: la gran duquesa Catalina Mikhailovna de la familia imperial rusa Romanov en el exilio; su madre, la gran duquesa Maria Kurakina, viuda del gran duque Vladimir, un primo del zar Nicolás II; y su hijo de veintidós años, el gran duque Sergei Petrovich Romanov, el hombre al que las casas reales de todo el mundo reconocían como el heredero legítimo del trono de Rusia, el cual, si la monarquía llegaba a restaurarse, se convertiría en el primer zar de Rusia desde que Nicolás Alexandrovich Romanov, Nicolás III, fuera asesinado con su esposa y sus cinco hijos el principio de la Revolución rusa, en 1918.

La gran duquesa Catalina miró brevemente a su hijo y luego se volvió hacia atrás, a mirar al Saab que los seguía y luego al oscuro paisaje exterior. En poco más de doce horas estarían en París y en una reunión muy formal y muy secreta de la familia Romanov en una residencia privada de la avenue Georges V. La reunión había sido convocada por uno de los más altos enviados de la Iglesia ortodoxa rusa, que les pedía que la familia designara al legítimo sucesor a la corona y era, a todos los efectos, una señal clara de que Rusia estaba preparada, de alguna manera, para restablecer la monarquía, lo más probable como una monarquía constitucional en la que el zar sería poco más que una figura decorativa. Con todo, era un día por el cual la familia Romanov había suspirado al unísono —y había luchado para que llegara, a menudo con desesperación y rabia, apartando a un pretendiente al trono tras otro— durante cerca de un siglo. Con aquella reunión, todos lo sabían, llegaba la batalla final, la elección del sucesor sobre el cual toda la familia debería estar de acuerdo: el Romanov que era el auténtico sucesor de acuerdo con las leyes fundamentales del trono ruso, que establecían que el trono debe pasar del último emperador a su hijo mayor, y del hijo mayor al nieto mayor, y así, de generación en generación.

En el largo y bizantino linaje de familias divididas y de ramas familiares, la gran duquesa Catalina estaba segura de que sólo había un auténtico heredero, y éste era su hijo, el gran duque Sergei Petrovich Romanov. Había hecho grandes esfuerzos para asegurarse de que, cuando llegara el momento, como parecía haber llegado ahora, no habría dudas sobre ello.

Desde la caída de la Unión Soviética, ella, su madre y el gran duque Sergei habían viajado cada año a Rusia desde su domicilio en Madrid, y en sus visitas habían entablado amistad con dirigentes clave de la política, la religión y el ejército, aprovechando siempre cualquier ocasión para flirtear con la prensa. Había sido una maniobra hábil y cuidadosamente orquestada para crear la impresión duradera y muy pública de que Sergei, y sólo Sergei, era el legítimo heredero del trono.

Si su estratagema había sido audaz y descarada, también había logrado dividir a la familia desde el principio, puesto que, aunque muchos apoyaban al gran duque Sergei en el complejo laberinto de aspirantes y pretendientes al trono, había otros que reclamaban el mismo derecho. El más notable era el príncipe Dimitri Vladimir Romanov, quien, a la edad de veintisiete años, era el tataranieto del emperador Nicolás I y primo lejano de Nicolás II que, como cabeza de la familia Romanov, estaba considerado por muchos como el auténtico heredero. Que su domicilio parisino en la avenue Georges V fuera el escenario elegido para la reunión de esta noche dificultaba mucho las cosas si los seguidores del gran duque Sergei cambiaban de pronto de opinión y decidían alinearse con el príncipe Dimitri.

Catalina descansó la vista sobre su madre, que se había quedado dormida entre ellos dos, y luego miró a su hijo, que tenía la luz de pasajero encendida y estaba absorto en un solitario en el ordenador.

—¿Cuándo llegaremos a París? —le preguntó de pronto a Octavio, el chofer, en español.

—Si no encontramos problemas, sobre las cinco de la tarde, gran duquesa.

Octavio la miró por el retrovisor; luego ella vio cómo levantaba la vista hacia algún punto distante detrás de ellos y supo que se estaba asegurando de que el Saab negro seguía detrás de ellos.

Fuera, las primeras mechas del amanecer en el horizonte eran todavía débiles y la promesa de un día frío de invierno. A lo lejos pudo ver las luces de la ciudad de Toulouse, que en el siglo V había sido capital de los visigodos y ahora era un centro de alta tecnología y sede de los gigantes de la navegación aérea y espacial, Airbus y Aerospatiale.

Toulouse.

De pronto la invadió una ola de melancolía. Hacía veintitrés años, y cinco años antes de la muerte de su esposo, Hans Friedrich Hohenzollern de Alemania, el gran duque Sergei había sido concebido ahí, en una suite del Grand Hôtel de l'Opéra.

Vio otra vez a Octavio mirando por el retrovisor.

—¿Hay algún problema? —le preguntó rápidamente. Esta vez su voz reflejaba preocupación.

—No, gran duquesa.

Ella miró por encima del hombro. El Saab seguía allí, con dos coches entre medio. Se volvió, encendió la luz de su asiento y sacó un crucigrama de su bolso para matar el tiempo y para alejar la preocupación que iba creciendo en ella a cada kilómetro que avanzaban. Éste era el motivo de la presencia de los guardaespaldas y del pesado medio de transporte: un tren nocturno desde Madrid a San Sebastián, el breve tren de cercanías hasta Hendaya, y luego el trayecto de diez horas en coche hasta París; cuando un vuelo de Madrid a París llevaba poco más de dos horas.

Viajaban de esta manera agotadora y laboriosa porque, a pesar del relativo secretismo que envolvía la reunión de esa noche, había gente que estaba al corriente, y los brutales asesinatos de cuatro expatriados rusos en América un año antes todavía coleaban. Cada una de las víctimas había sido un destacado Romanov —un dato que poca gente, fuera de los propios familiares, conocía, pero sabido y protegido por los investigadores rusos que aterrizaron en la escena de los crímenes por miedo a que se convirtiera en una bomba política, tanto en el país como en el extranjero—, y todos ellos fervientes y acérrimos seguidores del gran duque Sergei. Además, los asesinatos tuvieron lugar en un momento en que los rumores de reinstauración de la monarquía circulaban con casi tanta fuerza como ahora. Incluso se había organizado una reunión familiar para hablar del asunto pero, a causa de los asesinatos, había sido bruscamente cancelada.

En aquel momento ella protestó ante el gobierno ruso, insinuando que los asesinatos habían sido cometidos para silenciar a las voces familiares leales al Gran Duque, pero de esta suposición no se hallaron nunca pruebas. En cambio, los crímenes fueron atribuidos al loco Raymond Oliver Thorne, quien se encontraba en todos los escenarios en el momento de los asesinatos y que había muerto a manos de la policía de Los Ángeles. En el mismo período, las conversaciones a favor de la restauración monárquica quedaron en silencio, y durante bastante tiempo no sucedió nada.

Luego, justo en los últimos días, habían tenido lugar los asesinatos de dos prominentes expatriados rusos, Fabien Curtay en Mónaco y Alfred Neuss en París. Aunque ninguno era miembro de la familia real —y se desconocía su filiación hacia alguno de los candidatos—, los asesinatos pusieron nerviosos a los Romanov, en especial si se tenía en cuenta que Neuss había sido un objetivo conocido de Raymond anteriormente, y que la reunión familiar a la que iban a asistir se celebraba en la misma ciudad en que había sido asesinado.

—Alteza. —Octavio sonrió y le señaló un gran rótulo colgado encima de la autopista: PARÍS—. Nos estamos acercando.

—Sí, gracias. —La gran duquesa Catalina Mikhailovna intentó no pensar en lo que le esperaba y se distrajo concentrándose en el crucigrama que tenía en el regazo. Resolvió rápidamente una de las palabras. La siguiente estuvo a punto de dejarla sin aliento por su ironía.

Era el 24 horizontal y pedía la palabra de ocho letras con la que se designaba al futuro zar. Sonrió y, rápidamente, en bolígrafo, escribió la respuesta: Z-A-R-E-V-I-C-H.

50

París, 7:50 h

Desde algún lugar lejano Nicholas Marten oyó el timbre de una puerta. Sonó una vez, y luego otra. Luego volvió a sonar con la misma impaciencia, sin parar. Finalmente se quedó en silencio y él pensó que oía voces, pero no estaba seguro. Al cabo de un momento alguien llamó a su puerta y Armand entró, vestido con una camiseta y unos pantalones de montar a caballo, mientras se limpiaba la espuma de afeitar de la cara.

—Creo que será mejor que salgas.

—¿Qué ocurre?

—La policía.

—¿Cómo? —Marten se despertó de repente.

—Y una mujer.

—¿Una mujer?

—Sí.

—¿Quién es?

—Ni idea.

De pronto Marten se quitó la manta de encima, se puso los vaqueros y una camiseta y siguió a Armand fuera de la habitación. ¿Cuánto rato había dormido? ¿Una hora, dos, como mucho? Era cierto lo de la policía, pero ¿quién era la mujer? Desde luego, no era Rebecca, porque Armand se lo habría dicho. Entonces llegaron a la puerta y se quedó estupefacto:

—¡Clem!

—Nicholas, ¿qué demonios está pasando?

Lady Clementine Simpson se abrió paso hacia él, medio arrastrando a una mujer policía con ella. Con el traje de chaqueta azul marino arrugado y el pelo alborotado, estaba exasperada, agotada y claramente furiosa.

Entonces vio a Lenard esperando en el pasillo, detrás de ella, con un sobre de papel manila grande debajo del brazo. Con él iban otro detective parisino al que Marten conocía como Roget, dos agentes uniformados y... ¡Kovalenko!

—¡Este hombre —lady Clem se volvió hacia Lenard— y el otro de la barba, el ruso, me esperaban en el aeropuerto, me han llevado a una sala trasera y han empezado a interrogarme! Están haciéndome preguntas desde entonces. —Se volvió a mirar a Marten—. ¿Cómo demonios sabían que iba a venir? ¿O ni siquiera quién era? Yo te lo diré. ¡Uno de ellos llamó a la universidad para enterarse de lo que nadie, excepto un grupo muy selecto de gente, ha sabido en ocho meses! Y sabes perfectamente de lo que te hablo.

—Clem, cálmate.

—Ya me he calmado. Deberías haberme visto antes.

Lenard se les acercó:

—Será mejor que hablemos dentro.

Y

Nadine salió de la habitación cuando Armand los hizo pasar al apartamento, por un estrecho pasillo, hasta el salón. El espacio no causaba ningún efecto en lady Clem. Estaba muy nerviosa y seguía enfurecida.

—Intentaron ponerse en contacto conmigo en Ámsterdam pero ya me había ido para venir a París, porque me enteré de lo de Dan por las noticias y no conseguía ponerme en contacto ni contigo ni con Rebecca, ni con Nadine. La policía estaba en su casa; dejé un recado, pero... —Volvió a mirar a Lenard—. ¡Nadie parece haberme hecho ningún caso hasta que llegué a París! —Volvió a mirar a Marten—. En el hotel de Ámsterdam les dijeron qué vuelo había cogido, ¿qué te parece, como profesionalidad hotelera?

—Son policías.

Clem se volvió a mirar a Lenard por encima del hombro:

—¡Y a mí qué me importa lo que son!

De nuevo, volvió a mirar a Marten:

—Estaba preocupada. He intentado hablar contigo al menos una docena de veces. ¿No contestas nunca al móvil, ni miras el buzón de voz?

—Clem, han pasado muchas cosas. En algún momento he perdido el móvil. Tampoco he tenido un minuto para mirar los mensajes.

Clem lo miró un momento fugaz y luego, bruscamente, bajó el tono de voz.

—Querían saber cosas de tu relación con Dan. Y con un hombre llamado Halliday. ¿Conoces a un hombre llamado Halliday?

—Sí.

—También querían saber cosas de Alfred Neuss.

—Clem, tanto Halliday como Alfred Neuss han sido asesinados en París.

51

Marten, lady Clem y Nadine Ford estaban sentados en el sofá, delante de una mesa de café grande y antigua. Armand estaba en una butaca a un extremo, y el detective Roget estaba sentado en una silla, al otro lado. Los dos agentes de uniforme tomaron posiciones justo al otro lado de la puerta del salón, mientras que la mujer policía se quedaba dentro.

Marten podía ver a Lenard con el sobre de Manila, hablando con Kovalenko en el pasillo. Charlaron un rato más y luego entraron, Lenard acercó una silla justo delante de Marten y puso el sobre encima de la mesa que había entre ellos. Kovalenko retrocedió, cruzó los brazos sobre su pecho y se apoyó en el marco de la ventana, observándolos.

—No sé lo que están haciendo, por qué han implicado a lady Clementine, ni por qué están aquí —dijo Marten, mirando directamente a Lenard—, pero en el futuro, si tienen alguna pregunta que tenga que ver conmigo, les agradeceré que primero se dirijan a mí, antes de empezar a involucrar a terceras personas.

—Estamos ante un caso de asesinato, monsieur Marten —dijo Lenard, cansinamente.

Marten siguió mirándolo:

—Se lo diré otra vez, inspector. En el futuro, si tiene alguna pregunta que tenga que ver conmigo, le agradeceré que se dirija directamente a mí.

Lenard ignoró su comentario.

—Le voy a pedir que mire unas fotos. —Tocó el sobre y miró a Nadine y a lady Clem—. Tal vez prefieran no mirar, *mesdames*. Son más bien explícitas.

—Yo estoy perfectamente —dijo Clem, sin haber perdido un ápice de su furia.

—Como quiera. —Lenard miró a Marten y abrió el sobre, y luego, una a una, colocó una serie de fotos delante de él. Eran fotos del escenario del crimen tomadas en la habitación de hotel de Halliday, en el hotel Eiffel Cambronne. Cada foto llevaba una fecha y una hora en el extremo inferior derecho.

La primera era un plano general de la habitación con el cadáver de Halliday sobre la cama. La segunda, una toma de la maleta abierta de Halliday. Había otra de Halliday en la cama desde otro ángulo. Y todavía otra, y otra. Entonces Lenard seleccionó tres de las fotos.

—En cada una vemos el cadáver, la cama y la mesilla que hay detrás. Todas están tomadas desde ángulos ligeramente distintos. ¿Hay algo que encuentre claramente distinto de la una a la otra?

—No. —Marten se encogió de hombros. Sabía lo que venía a continuación, pero no estaba dispuesto a revelarlo.

—Las primeras fueron tomadas cuando llegaban usted y Dan Ford. La última fue tomada unos veinte segundos después de que se marcharan.

—¿Qué intenta decirme?

—En las primeras verá usted una agenda vieja y más bien gruesa sobre la mesita de noche. En la última, la agenda ya no está. ¿Dónde está?

—¿Por qué me lo pregunta a mí?

—Porque usted o Dan Ford se la llevaron. Y no estaba ni en el coche de monsieur Ford, ni en ningún rincón de su apartamento.

—Yo no me la llevé. Tal vez lo hiciera otra persona. En la habitación había más gente. —Marten miró a Kovalenko—. ¿Se lo ha preguntado al ruso?

—El ruso no se la llevó —dijo Kovalenko sin alterarse, y Marten lo siguió mirando unos segundos. Había algo raro en la manera en que estaba apoyado en la ventana, con los brazos cruzados encima del pecho, vigilándolos. Le recordó la sensación que tuvo la primera vez que lo vio en la escena del crimen de Halliday. Kovalenko presentaba un aspecto amable, casi académico, pero no tenía nada de lo uno ni de lo otro y ahora, como entonces, andaba buscando algo más. Tal vez hasta fuera algo más de lo que le había contado a la policía francesa. Qué era, o qué creía que Marten sabía y no contaba, le resultaba imposible de saber.

Lo que sí estaba claro era que Kovalenko había sido el que se había enterado de su relación con Clem, la había buscado en Ámsterdam y supo que estaba de camino a París, y luego había convencido a Lenard para que la detuviera para ser interrogada, bajo cualquier ley francesa aplicable, y la llevara hasta aquí. Era lo mismo que le habían hecho a él cuando lo llevaron a los escenarios de los crímenes del río y luego lo interrogaron. Querían saber cómo iba a reaccionar Clem y luego cómo iba a reaccionar él a su presencia y a la manera en que la habían tratado. Si parecía extremo era porque lo era, y significaba que lo que Kovalenko tenía entre manos era mucho más grande que unos cuantos asesinatos. Y, obviamente, no le importaba qué botones tocaba ni a qué nivel lo hacía, porque seguramente estaba al tanto de quién era Clem y de quién era su padre.

—Cuando se marchó de su apartamento para venir aquí, usted hizo dos maletas —dijo Lenard, mirando de pronto a Nadine—. ¿Qué metió en ellas?

Marten se sobresaltó. Esto era lo que había temido. Nadine no estaba en condiciones de ser interrogada. No había manera de saber cómo reaccionaría ni lo que diría. Por un lado, medio esperaba de ella que le dijera a Lenard exactamente lo que había hecho. Por el otro, se daba cuenta de que, de entrada, había sido lo bastante fuerte para hacer lo que había hecho y por lo tanto estaba preparada para ser interrogada por la policía, llegado el caso.

—Ropa —dijo, impasible.

—¿Qué más? —la apremió Lenard.

—Sólo ropa y el neceser. Hice mi maleta y luego metí las cosas del señor Marten en su bolsa, como creo que usted mismo me pidió al ocupar mi casa de manera tan apresurada.

Marten sonrió. Era buena. Tal vez hubiera aprendido aquella contención de Dan, o tal vez fue esto lo que Dan vio en ella de entrada. Él sabía que lo había hecho por Dan, y también por Marten, por su amistad y porque él así lo habría querido.

De pronto Lenard se levantó.

—Me gustaría que mi equipo registrara este apartamento.

—No es mi casa —dijo Nadine—. No soy yo quien tiene que darle el permiso.

—Ni yo tampoco, pero si Armand está de acuerdo, adelante —dijo Marten—. No tenemos nada que ocultar. —Vio que Nadine lo miraba alarmada, pero no le respondió.

—Adelante —dijo Armand.

Lenard le hizo un gesto de aprobación a Roget y el detective se levantó y salió del salón. Los dos agentes de uniforme los siguieron.

Marten había hecho bien despejando de inmediato cualquier sospecha, y confiaba en que los hombres de Lenard llevarían a cabo el registro con rapidez y se limitarían al propio apartamento, sin aventurarse al gélido patio. El problema era que Nadine no sabía que los dos objetos estaban escondidos. Había hecho lo que debía y era una mujer fuerte, pero con su mirada a Marten le reveló su ansiedad. Lenard seguía en el salón, al igual que Kovalenko. Cuanto más durara el registro, más nerviosa se pondría ella y ellos se darían cuenta. Marten sintió que tenía que hacer algo para aflojar la tensión y, al mismo tiempo, enterarse de algo.

—Tal vez mientras sus hombres lo desmontan todo, podría contarme lo que han descubierto al registrar los coches —le dijo a Lenard—. Al fin y al cabo, yo estuve allí a petición suya.

Lenard lo miró un breve instante y luego asintió con la cabeza:

—El muerto del segundo coche era, en efecto, Jean-Luc.

—¿Quién es?

—Era comercial de una imprenta. De momento es lo único que sabemos de él.

—¿Ya está? ¿No han descubierto nada más?

—Tal vez no sería inapropiado, inspector —dijo Kovalenko desde el rincón donde estaba apoyado en la ventana— que compartiéramos nuestra información con el señor Marten y con la señora Ford.

—Como quiera —aceptó Lenard.

Kovalenko miró a Nadine:

—Su esposo no luchó mucho tiempo, pero se las arregló para hacerlo lo bastante como para forzar a su asaltante a apoyar la mano contra el cristal de la ventana del lado del conductor. Al cabo de unos momentos el asesino bajó la ventanilla para que el agua del río entrara en el coche y lo hundiera. Al hacerlo, sin darse cuenta ayudó a conservar su propio rastro, puesto que evitó que el cristal quedara lavado por la presión del agua.

—¿Está diciendo que tienen sus huellas? —Marten hizo un esfuerzo para que no se le notara la sacudida de ánimo que aquella noticia representaba.

—Sí —respondió Lenard.

Marten miró pasillo abajo. Los hombres de Lenard seguían allí. Podía ver a dos en la cocina, otro que entraba en el baño, y otro más en la puerta del estudio en el que había revisado los archivos y luego había dormido. ¿Cuánto tiempo pensaban tardar?

Marten volvió a mirar al salón y se dio cuenta de que Lenard miraba a Kovalenko. El ruso asintió con la cabeza y Lenard miró a Marten.

—Monsieur, podría detenerlo por sospechoso de haber retirado pruebas de la escena de un crimen. En vez de esto, y por su propio bien a la luz de los acontecimientos, debo pedirle educadamente que abandone el territorio francés.

—¿Cómo? —Marten fue pillado por total sorpresa.

De pronto, Lenard se levantó:

—El próximo tren del Canal de la Mancha sale de Londres en unos cuarenta y cinco minutos. Ordenaré a mis hombres que lo acompañen y que se aseguren de que sube al mismo. Para asegurarnos de que llega sano y salvo a Inglaterra, le hemos pedido a la Policía Metropolitana de Londres que nos confirme su llegada.

Marten miró a Kovalenko, que se apartó de la ventana y salió del salón. De modo que éste era el significado del gesto de Kovalenko a Lenard. El ruso ya se había enterado de todo lo que había podido y ya no necesitaba a Marten, de modo que dio su visto bueno a Lenard para que se deshiciera de él.

—Yo no he hecho nada —protestó Marten. La repentina llegada de Lenard y Kovalenko había confirmado sus instintos, y esconder los archivos fuera del apartamento fue un gesto prudente, pero la acción de Lenard lo tomó totalmente por sorpresa. La policía seguía allí y actuaba de una manera extremadamente metódica. Si los hombres de Lenard lo acompañaban al tren en aquel momento y seguían registrando el apartamento de la manera en que lo estaban haciendo, tarde o temprano saldrían al patio. Una vez encontraran las pruebas, se pondrían en contacto con la policía de Londres y él sería arrestado tan pronto bajara del tren para ser devuelto a París.

—Monsieur Marten, tal vez preferiría esperar en una celda de la cárcel mientras su protesta es analizada por el magistrado que lleva el caso.

Marten no sabía qué hacer. Lo mejor que podía hacer era permanecer en el apartamento y esperar que los hombres de Lenard no encontraran nada. Al menos podría recuperar los archivos en aquel momento. También era cierto que si él se marchaba y los otros no hallaban nada, podía encontrar una manera de que Nadine o Armand le mandaran los documentos a Manchester, pero eso llevaría tiempo y, encima, había muchas posibilidades de que los vigilaran.

Además, la acción tenía lugar aquí en París, no en Manchester. El propio Lenard había dicho que el asesinado Jean-Luc era un comercial que trabajaba para una imprenta. Eso apoyaba el hecho de que había entregado el primer menú a Dan Ford, lo cual significaba que había muchas posibilidades, como había supuesto antes, de que existiera un segundo menú, y que el ese segundo menú fuera lo que Dan Ford había ido a buscarle a Jean-Luc cuando fueron asesinados. Y esta noche, en París, tenía lugar la cena del primer menú: la cena de los Romanov a la que debía asistir Peter Kitner.

«Lo mejor es intentar quedarse y esperar que no encuentren las carpetas —pensó Marten—. Si las encuentran, esté aquí o en Inglaterra, me encerrarán de todos modos. Y si no y yo me he marchado a Manchester, pasará demasiado tiempo. Y lo que es peor, Lenard se asegurará de que se avisa al departamento de Inmigración francés, y eso significaría que tratar de volver al país una vez haya salido me será muy difícil».

—Inspector, por favor —Marten eligió la única vía que le quedaba: la misericordia de Lenard—. Dan Ford era mi mejor amigo. Su esposa y su familia han hecho los pasos necesarios para que sea enterrado aquí en París. Me gustaría mucho que me permitieran quedarme hasta entonces.

—Lo siento. —Lenard se mostró tajante y definitivo—. Mis

hombres lo ayudarán a recoger sus cosas y lo acompañarán hasta el tren. —Miró a lady Clem—. Con todos mis respetos hacia usted, señora, y hacia su padre, le sugiero que acompañe a su amigo en el tren y luego se asegure de que no intenta volver a Francia. No me gustaría nada ver cómo reacciona la prensa sensacionalista si se enteran de nuestra investigación. —Vaciló y luego hizo una media sonrisa—. Ya puedo imaginarme los titulares y el clamor, justificado o no, que provocarían. Por no decir nada de la revelación de lo que —miró a Marten— parece una relación más bien confidencial.

52

Gare du Nord. El mismo jueves 16 de enero, 10:15 h

El inspector Roget y dos de los agentes uniformados de Lenard escoltaron a Nicholas Marten y a lady Clem a través de la multitud de pasajeros que esperaban, hasta el andén del Eurostar, el tren de alta velocidad París-Londres que cruza por debajo del canal de la Mancha.

Marten andaba como si estuviera esposado y dentro de una camisa de fuerza, incapaz de hacer nada más que lo que le ordenaban. Al mismo tiempo vigilaba de cerca de lady Clem, que estaba a punto de explotar pero de momento se las había arreglado para mantenerse en silencio, por mucha ira que tuviera dentro. Probablemente porque sabía que la amenaza que Lenard les había hecho sobre la prensa sensacionalista británica era cierta. Era una prensa que se alimentaba básicamente de noticias como ésa, y con ellos se pondrían las botas. Y Clem sabía que su padre se sentiría más que avergonzado, se pondría furioso y exigiría saber qué demonios había estado pasando. Cuando lo descubriera, sería capaz de exigir una disculpa pública por parte del gobierno francés, lo cual no haría más que avivar el fuego de la prensa sensacionalista y complicar al máximo su vida en Manchester, hasta el punto de que, debido a las normas de la universidad, o Clem se vería obligada a abandonar su puesto, o él a marcharse de la facultad, o las dos cosas a la vez. Además, tendrían a los *paparazzi* a la puerta de casa y sus fotos aparecerían por todas partes, hasta en la prensa norteamericana. Y para Marten eso significaba el riesgo de que algún miembro del LAPD lo viera. De modo que, si ahora las cosas estaban mal, amenazaban con volverse mucho peores si Clem llegaba a explotar. Por suerte, no lo había hecho. Era obvio que Lenard había sabido qué teclas tocar para mantenerla, a ella y a todo el asunto, en silencio.

Por otro lado, los dos datos más importantes de información —los archivos de Raymond del LAPD hallados en el disquete de la agenda de Halliday y la huella digital que, de alguna manera, Dan Ford había obligado a su agresor a dejar marcada en el cristal del Peugeot— quedaban atrás; uno en la bolsa verde de basura oculta en la fuente del patio de Armand; el otro, en los archivos de la investigación de la policía parisina. Juntos habrían revelado una verdad definitiva: o bien que las huellas coincidían y el asesino de Dan Ford había sido, en efecto, Raymond; o que no coincidían y que el criminal real era alguien totalmente distinto. Pero no lo sabría nunca si no entregaba sus pruebas a la policía. Y eso era algo que no podía hacer. Si lo hacía, sus pruebas serían confiscadas de inmediato y él sería encarcelado por, como Lenard había dicho, «retirar pruebas de la escena de un crimen». Eso lo colocaba fuera de juego de inmediato, atrapado en la maquinaria de la jurisprudencia francesa, y lo más probable, lo acabaría enfrentando a alguien del LAPD que llegaría para interrogarlo. De modo que, los archivos, al menos en el momento en que salió del apartamento, seguían ocultos y él se iba de camino a abandonar el país.

De pronto, Roget se detuvo junto al vagón número 5922.

—Ya estamos —dijo, mientras se volvía bruscamente hacia Marten—. Su pasaporte, por favor.

—¿Mi pasaporte?

—Oui.

Al cabo de sesenta segundos Marten y lady Clem estaban sentados en sus butacas de clase turista, mientras Roget y dos agentes de uniforme en el pasillo hablaban de la situación en francés con el revisor y uno de los agentes de seguridad. Finalmente, Roget le entregó el pasaporte de Marten al revisor y le dijo que le sería devuelto cuando el tren llegara a Londres. Luego les deseó un mordaz bon voyage, miró a lady Clem y se marchó, acompañado de los dos uniformados.

Acto seguido, el agente de seguridad y el revisor los miraron, se volvieron y se marcharon, pero se dieron la vuelta para mirarlos de nuevo antes de alcanzar el fondo del vagón y cruzar la puerta corredera de acceso al vagón siguiente.

—¿Qué fue eso? —dijo lady Clem, mirando a Marten.

—¿Qué fue qué?

—La policía te estaba mostrando todo el rato las fotos y luego, cuando hablabas con ellos, pasaba algo entre Nadine y tú.

—No.

—Oh, sí, algo pasaba. —Clem levantó la vista hacia los pasajeros que subían al tren y luego volvió a mirar a Marten—. Nicholas, este tren, como la mayoría que viajan hacia o por dentro del Reino Unido, viaja con puntualidad. Saldrá exactamente a las 10:19, lo cual significa que tienes —Clem miró su reloj— exactamente treinta y cinco segundos antes de que las puertas se cierren y empiece a avanzar.

—No sé de qué demonios me estás hablando.

Clem se le acercó más y bajó la voz, con su acento británico cada vez más afilado:

—El inspector Lenard ha ido al apartamento de Armand en busca de la agenda del difunto señor Halliday. Es obvio que el contenido de esa agenda es importante; de lo contrario, tú o Nadine no lo hubierais escondido.

—¿Qué te hace pensar...?

—Treinta y cinco segundos.

—Clem, si se lo hubiera dado —Marten susurraba—, en estos momentos Nadine y yo estaríamos en una cárcel francesa, y es muy probable que tú estuvieras con nosotros.

—Nicholas, tal vez el inspector Lenard haya encontrado la agenda, tal vez no. Pero sé que eres un hombre muy agudo y que la habrás escondido bien. De modo que es más seguro suponer que no la ha encontrado y hacer un último intento por recuperarla antes de que lo haga. Tienes veinte segundos.

—Yo...

—Nicholas, levántate y baja del tren. Si el revisor o el de seguridad vienen les diré que estás en el baño. Cuando lleguemos a Londres le diré a la policía que sufres una terrible claustrofobia y eras incapaz de sobrevivir un trayecto de treinta millas por debajo de un túnel que va a cuarenta y cinco metros por debajo del Canal de la Mancha sin sufrir un ataque de ansiedad. No tuviste más remedio que bajar del tren antes de que arrancara, prometiéndome antes, y prométemelo, que cogerías el siguiente vuelo que saliera para Manchester y que informarías al inspector Lenard al instante que llegaras.

—¿Cómo quieres que vuele a Manchester? ¡No tengo pasaporte!

—Nicholas, ¡baja del puto tren!

53

Peter Kitner observó el sedán Citroën negro que cruzaba las puertas y subía por el camino hasta su enorme residencia de cuatro plantas de la avenue Victor Hugo. En él debía de ir el doctor Geoffrey Higgs, su guardaespaldas personal y jefe de inteligencia. A estas alturas Higgs ya sabría si su mayor temor era cierto: que el hombre que le había hablado desde la oscuridad, detrás de los focos de la prensa en el hotel Crillon, era quien finalmente se había confesado a sí mismo que podía ser.

—¿Cómo podía saber lo de Davos? —le había preguntado su hijo Michael en la limusina mientras abandonaban el Crillon. Y él le contestó: «No tengo ni idea».

El problema era que sí lo sabía. Y ya entonces lo había sabido, aunque se negara a reconocerlo incluso a sí mismo. Pero finalmente lo hizo y le pidió a Higgs que averiguara todo lo que pudiera, y lo antes posible, en especial si el autor de la pregunta planeaba también asistir a Davos personalmente.

Alfred Neuss y Fabien Curtay estaban muertos, y la navaja española y la bobina de película de 8 mm que Neuss había protegido durante tanto tiempo habían desaparecido a manos del asesino de Curtay. Aparte de Neuss y del propio Curtay, sólo dos personas más conocían la existencia del arma y de la película, las dos personas que él estaba convencido que ahora los tenían: la baronesa Marga de Vienne y el hombre del que había tenido la custodia legal la mayor parte de su vida, Alexander Luis Cabrera. Y era Cabrera, estaba seguro, quien le habló desde detrás de los focos.

Las palabras de Michael volvieron a sonar en su cabeza: «¿Cómo podía saber lo de Davos?».

Kitner se sentaba detrás de su enorme mesa de despacho de cristal y acero inoxidable. Tal vez fuera una suposición, pensó. Tal vez Cabrera tan sólo asumió que asistiría al Foro Económico Mundial en Suiza, algo que no había hecho en muchos años, y quiso jugar con él excitando a la prensa. Tenía que tratarse de esto, porque no tenía ninguna manera de saberlo. Ni siquiera la baronesa, con sus extensos contactos y antenas, era capaz de saberlo. Lo que iba a pasar realmente en Davos era demasiado secreto.

Se oyó un golpe seco a la puerta, que se abrió y Taylor Barrie, el secretario ejecutivo de Kitner, de cincuenta años, entró en el despacho.

—El doctor Higgs, señor.

—Gracias.

Higgs entró y Barrie salió, cerrando la puerta detrás de él.

—¿Qué hay?

—Estaba usted preocupado por el hecho de que Alexander Cabrera fuera a asistir al Foro Económico de Davos —dijo Higgs a media voz.

—Sí.

—No consta en ninguna lista de invitados, ni tampoco se ha inscrito para asistir a ninguno de los grupos de debate. Sin embargo, hay un *château* de montaña, a las afueras de la ciudad, que ha sido alquilado por un abogado que trabaja en Zúrich llamado Jacques Bertrand.

—Continúe.

—Bertrand es un solterón de mediana edad que comparte un pequeño apartamento en Zúrich con su anciana tía.

—¿Y...?

—El *château* que ha alquilado se llama Villa Enkratzer. Traducido literalmente, significa Villa Rascacielos. Tiene sesenta habitaciones y un *parking* subterráneo para veinte coches.

—¿Cómo nos lleva esto hasta Cabrera?

—Helilink, una empresa privada de helicópteros con sede en Zúrich...

—Ya sé qué es Helilink, ¿qué pasa con ellos?

—La empresa ha sido contratada para proporcionar un servicio de helicópteros bimotores desde Zúrich hasta el *château* de Davos el sábado, dentro de dos días. La reserva fue hecha por la secretaria personal de un tal Gerard Rothfels. Rothfels está al frente de las operaciones europeas de Cabrera.

—Entiendo. —Kitner giró lentamente en su butaca, luego se levantó y anduvo hacia la ventana que tenía detrás de él para contemplar su jardín, ahora desnudo en pleno enero.

De modo que sus temores no habían sido sólo confirmados, sino que se habían vuelto mucho más oscuros. Había sido Cabrera quien le provocó en el Crillon sobre Davos, pero su objetivo había sido más que mofarse. Cabrera le estaba diciendo a Kitner que estaba al tanto de lo que iba a suceder. Ahora Higgs le confirmaba que estaría allí cuando lo hiciera.

Eso dejaba muy pocas dudas de que la baronesa también se encontraría allí.

Lo que originariamente había sido concebido por un profesor suizo de gestión de empresas como una especie de reunión anual de expertos y líderes empresariales europeos para intercambiar ideas sobre comercio internacional, en la aislada localidad alpina de Davos, se había convertido en una cumbre espectacular de líderes políticos y económicos internacionales en la que, básicamente, se decidía el futuro a escala mundial. Este año no sería distinto, excepto por el hecho de que el presidente ruso, Pavel Gitinov, tenía previsto hacer un importante anuncio sobre el futuro de la nueva Rusia en un mundo cada vez más electrónico y global. Y Kitner, con su enorme experiencia y alcance en el mundo de las comunicaciones, iba a ser una pieza clave en lo que ese futuro deparaba.

Esto era lo que le preocupaba, y mucho.

Cabrera estaba al tanto del anuncio, y se trataba de una información que sólo podía haber venido de la propia baronesa. Cómo se había enterado ella era otro tema, porque se trataba de un asunto secreto, una decisión tomada hacía tan sólo unos días antes en una reunión a la que asistieron Kitner, el presidente Gitinov y unos cuantos líderes rusos, celebrada en una mansión privada a orillas del mar Negro. Pero ese «cómo» no importaba demasiado. El hecho era que lo sabía, y Cabrera también, y que ambos estarían en Davos cuando el anuncio tuviera lugar.

De pronto, Kitner se volvió a mirar a Higgs:

—¿Dónde está Michael?

—En Múnich, señor. Y mañana en Roma. A última hora del día se reunirá con usted, su esposa y sus hijas en Davos.

—¿Llevan las medidas de seguridad habituales?

—Sí, señor.

—Dóblelas.

—Sí, señor.

—Gracias, Higgs.

Higgs hizo un gesto vehemente de asentimiento antes de dar media vuelta y salir de la estancia.

Kitner lo observó marcharse y luego se acercó a su mesa y se sentó, totalmente concentrado en la baronesa y Cabrera.

¿Qué se proponían, en el nombre de Dios? La baronesa tenía casi tanto dinero y tanta influencia como él. Cabrera se había convertido en un hombre de negocios triunfador. El hecho de que Neuss y Curtay estuvieran muertos y de que la navaja y la película fueran los únicos objetos que faltaran de la caja fuerte de Curtay le hacía suponer que la baronesa no sólo era la responsable de sus muertes, sino que estaba ahora en posesión de ambos objetos. Si eso era cierto, los dos estaban a salvo. Por eso no entendía aquella burla del hotel, ni por qué planeaban asistir a Davos... ¿Qué más podían querer?

Era algo que tenía que averiguar y pronto, antes de que empezara la reunión de Davos. Rápidamente, tocó un botón de su interfono. A los pocos segundos, la puerta se abrió y apareció Taylor Barrie.

—¿Sí, señor?

—Quiero que organice una reunión privada para mañana por la mañana, en algún lugar fuera de París. Tengo que encontrarme con Alexander Cabrera y con la baronesa Marga de Vienne. Nadie más tiene que estar presente. Ni de su parte, ni de la mía.

—Querrá que Michael asista también.

—No, no quiero que Michael asista. Ni siquiera que esté al corriente del asunto —contestó Kitner, con dureza.

—¿Ni tampoco Higgs, ni yo?

—Nadie, ¿queda claro?

—Sí, señor. Nadie más, señor —dijo Barrie rápidamente, antes de volverse y salir, cerrando la puerta detrás de él. Era la primera vez en los diez años que llevaba en su empleo que había visto a Kitner tan intensamente preocupado.

54

Metro de París. El mismo jueves 16 de enero, 11:05 h

Nick Marten se agarraba a la barandilla para equilibrarse del balanceo del vagón de metro, mientras interiormente rezaba por haberse metido en la línea adecuada en la estación. Aparte del jersey, los vaqueros, la cazadora y las zapatillas de deporte que llevaba, lo único que tenía era la cartera con su permiso de conducir inglés, su carnet de estudiante de la Universidad de Manchester, una foto de Rebecca tomada en Jura, dos tarjetas de crédito y unos trescientos dólares en euros. Lo suficiente para que un estudiante pasara un agradable fin de semana en París, pero poca cosa para un hombre que ya tenía problemas con la policía y que ahora estaba en el país ilegalmente. Aunque esto era algo por lo que ahora no debía preocuparse. Su misión, antes que nada, era llegar a la rue Huysmans, encontrar el callejón de detrás del edificio de Armand y luego localizar la pared que delimitaba su patio. Y entonces suplicarle a Dios que los hombres de Lenard se hubieran marchado sin encontrar la bolsa de basura.

Si así era, sería sencillamente cuestión de escalar el muro y recuperar la bolsa de basura escondida en la fuente. Se trataba de una operación que no debería llevarle más de diez segundos, tal vez quince si le costaba trepar. Lo bastante fácil si había tomado la línea de metro adecuada y era capaz de encontrar la rue Huysmans. Más allá, había dos obstáculos mayores: el primero, qué hacer si los hombres de Lenard seguían allí; el segundo, qué hacer si ya no estaban y conseguía retirar la bolsa que contenía los archivos. ¿Qué haría entonces? ¿Adónde iría? ¿Dónde se refugiaría? Y después de todo esto, el asunto más difícil: ¿cómo obtener una copia de las huellas que el asesino de Dan Ford había dejado de la policía de París? Pero, de momento, tenía que resolver el primero de sus problemas: llegar al callejón y recuperar la bolsa de basura.

Boulevard Raspail, 11:27 h

Marten salió de la boca del metro bajo un fuerte sol y se detuvo para orientarse.

Más abajo y al otro lado del boulevard vio los edificios imponentes de lo que parecía ser una universidad. Anduvo hacia ellos hasta que pudo encontrar un cartel identificativo: COLLÈGE STANISLAS. Se sobresaltó. Lenard había pasado por aquí cuando volvían del Sena y lo acompañó hasta el apartamento de Armand. Siete metros más y localizó una calle conocida a su derecha: la rue Huysmans.

Anduvo rápidamente calle abajo, con una antena pendiente de la policía y otra tratando de localizar alguna entrada que le permitiera acceder al callejón de atrás. Pasó frente a un inmueble, luego otro y luego vio una entrada estrecha que quedaba entre dos casas. Se metió por la misma y, al cabo de un momento, ya estaba en el callejón.

Empezó a avanzar cautelosamente. Había un coche azul estacionado a medio camino del fondo, y detrás del mismo, un furgón de envíos. Ambos vehículos parecían estar vacíos. Aceleró el paso en busca de la pared que separaba los patios en la que estaban los contenedores de basura apoyados. Doce pasos más adelante la encontró. De manera instintiva, se detuvo y miró el callejón detrás de él. No había nadie, ni siquiera un perro.

Tres pasos y se encaramó a los contenedores y luego trepó pared arriba. Una vez arriba, se detuvo y miró. Al instante, se quedó atónito y retrocedió de un salto. Era un día frío de enero y, sin embargo, en un banco del patio había una pareja de jóvenes totalmente desnudos haciendo el amor. No reconoció a ninguno de ellos... ¿quiénes eran? ¿Cuánto tiempo estarían allí? Al mismo tiempo, por el rabillo del ojo advirtió algo: un coche de policía acababa de doblar la esquina y se dirigía lentamente hacia él.

Se sobresaltó y miró a su alrededor. No tenía adónde ir. Ni tampoco podía, sencillamente dar media vuelta y marcharse sin llamar la atención. ¿Qué podía hacer? Entonces vio unas cuantas cajas de cartón apiladas contra la pared, en la sombra detrás de él. Se apartó y se agachó detrás de ellas, de rodillas, tratando de ocultarse. Pasaron cinco segundos, luego diez. ¿Dónde estaba el coche patrulla? ¿Se habían detenido porque lo habían visto? ¿Estarían ya fuera del coche, armas en mano, acercándose hacia él? Entonces vio el morro del coche que pasaba y luego todo el coche que se deslizaba lentamente callejón abajo. Soltó el aire y contó lentamente hasta veinte, luego se inclinó hacia delante y miró al fondo del callejón. El coche ya no estaba. Miró en la dirección contraria. Nada más que el coche azul y el furgón de mensajería detrás. Entonces vio unos cuantos contenedores más de basura apoyados contra otra pared. Eran los que recordaba haber visto antes. Ésta era la pared de Armand.

Se acercó sin esconderse. En cinco segundos estaba usando los contenedores para trepar. Una vez arriba, vaciló un poco; como antes, miró por encima. Reconoció el patio de Armand de inmediato. Rápidamente, miró los cristales del apartamento en busca de movimiento. No vio nada. Se arriesgó, se aupó y miró dentro de la fuente, oculta bajo la hiedra seca por el invierno que cubría la pared. Pudo ver la bolsa de basura cubierta por una capa de hojarasca, como él la había dejado. Una última ojeada al apartamento y se abalanzó. Sus dedos agarraron el plástico frío. En una décima de segundo tuvo la bolsa levantada y volvía a estar sobre la pared. Sus pies tocaron los contenedores y saltó otra vez al callejón. Justo al hacerlo, la puerta del conductor del coche azul se abrió, y del interior salió un hombre: Kovalenko.

55

—Tres ramitas acabadas de arrancar en la hiedra —dijo Kovalenko, mientras se lo llevaba rápidamente de allí en su coche, bajaba por el boulevard Raspail y luego se metía por la rue de Vaugirard—. Los hombres de Lenard han salido al patio, han mirado a derecha y a izquierda unos segundos y luego han vuelto a entrar en la vivienda. Gente de ciudad, supongo. No como un ruso criado en plena belleza y dureza de la vida rural, o como los americanos, a quienes les gusta mirar películas del oeste. ¿Le gustan a usted las pelis del oeste, señor Marten?

Nick Marten no sabía qué decir ni qué pensar. Kovalenko se había sencillamente presentado y le pidió educadamente a Marten si quería subir a su coche, lo cual, teniendo en cuenta su ausencia de alternativas, aceptó. Ahora Kovalenko lo estaba llevando, obviamente, a la policía francesa.

—Usted ha encontrado la bolsa y ha visto lo que había dentro —le dijo, tristemente.

Kovalenko asintió:

—Sí.

—¿Y por qué no se la ha dado a Lenard?

—Por la sencilla razón que la he encontrado yo, no Lenard.

—Entonces, ¿por qué la ha dejado? ¿Por qué no se la ha llevado?

—Porque sabía que, tarde o temprano, la persona responsable de ocultarla querría recuperarla. Y ahora tengo tanto a la persona como las pruebas. —Kovalenko giró por el boulevard St. Michel y redujo velocidad, por el tráfico que había—. ¿Qué ha encontrado, o creía que iba a encontrar, en la agenda del detective Halliday, que fuera tan importante como para arriesgarse a ser arrestado, no una vez, sino, como hemos visto, dos? ¿Tal vez pruebas que lo puedan incriminar?

Marten se sorprendió:

—¿No creerá usted que yo maté a Halliday?

—Dio media vuelta al verlo en el Parc Monceau.

—Ya le expliqué por qué. Le debía dinero.

—¿Y quién lo puede corroborar?

—Yo no le maté.

—Ni tampoco se llevó su agenda. —Kovalenko miró a Marten directamente, y luego volvió a mirar el tráfico que tenía delante—. Vamos a suponer que usted no le mató. O usted o el señor Ford exhibieron una buena dosis de atrevimiento al llevarse una prueba de la escena de un crimen delante de las mismísimas narices de la policía. Eso significa que o bien sabían, o bien creían, que lo que contenía tenía un valor considerable. ¿Correcto? Y luego, por supuesto, está el otro objeto que estaba en la bolsa: la carpeta de acordeón. ¿De dónde sale y cuál es su valor?

Marten levantó la vista. Estaban cruzando el Sena por el Pont St. Michel. Justo delante estaba la sede de la Prefectura de Policía de París.

413

—¿Qué gana metiéndome en la cárcel?

Kovalenko no respondió. En un momento llegaron a la sede de la policía. Marten esperaba que el ruso se detuviera y entrara, pero no lo hizo. Siguió avanzando por el boulevard Sebastopol y se metió hacia el centro de la Rive Droite.

—¿Dónde vamos?

Kovalenko permaneció en silencio.

—¿Qué quiere de mí?

—Mi dominio del inglés, señor Marten, en especial del inglés escrito a mano, con todos sus usos coloquiales y abreviaturas, no es muy bueno. —Kovalenko apartó los ojos de la calle para mirar a Marten—. Así que, ¿qué quiero de usted? Quiero que me lleve de visita por la agenda y por el archivador.

127 Avenue Hoche, 12:55 h

Linterna encendida, electricidad desconectada.

Un tornillo arriba, luego otro y dos más por abajo y Alexander levantó la tapa del panel eléctrico principal. Dos tornillos más y aflojó un bloqueador de circuito de 220 voltios. Con cuidado de no tocar los cables que lo conectaban, lo liberó.

Luego abrió una bolsa de lona y sacó un temporizador diminuto que llevaba unas conexiones de cables de alta precisión a ambos lados. Con cuidado, sacó un cable de conexión del bloqueador y lo conectó a un lado del temporizador, y luego hizo lo mismo con un cable similar al otro lado del bloqueador, con lo que permitía al temporizador controlarlo todo. Volvió a meter el bloqueador dentro del panel y lo atornilló con fuerza, luego volvió a colocar la tapa y los cuatro tornillos originales que había sacado.

Linterna apagada, electricidad conectada de nuevo.

Al cabo de cinco segundos subió las escaleras del sótano, abrió una puerta de servicio y salió por el callejón. Fuera tenía aparcado un furgón Ford de alquiler. Se metió dentro y se marchó. El mono azul y la peluca rubia que llevaba, junto al carnet de electricista que tenía en el bolsillo, habían resultado innecesarios. Había encontrado la puerta abierta y nadie lo vio entrar ni salir. Tampoco le había dado tiempo a nadie de que se quejara de que no había luz. Toda la operación, de principio a fin, había durado menos de cinco minutos.

Exactamente a las 3:17 de la madrugada de mañana, viernes, 17 de enero, el temporizador se dispararía, mandaría un arco de electricidad por todo el panel y el edificio entero se quedaría a oscuras. A los pocos segundos, un intenso fuego eléctrico, expandido por un perdigón de fósforo colocado dentro del temporizador, se encendería dentro del panel. El edificio estaba lleno de madera y era antiguo, como lo era toda la instalación eléctrica. Como muchos edificios memorables de París, su propietario se había gastado el dinero en yeso y decoración, no en medidas de seguridad. En pocos minutos el fuego se extendería por toda la estructura y, para cuando se disparara la alarma, el edificio entero sería un infierno en llamas. Sin electricidad, sus ascensores resultarían inservibles y las escaleras interiores estarían totalmente a oscuras. El inmueble tenía siete plantas, y dos apartamentos grandes en cada planta. Sólo sobrevivirían los residentes de las plantas de abajo. Los de más arriba tendrían pocas posibilidades de escapar. Los de arriba de todo, el ático, no tendrían ni la más mínima posibilidad de hacerlo. Era el ático frontal el que le preocupaba. Había sido alquilado por la gran duquesa Catalina Mikhailovna para ella misma, su madre, la gran duquesa Maria Kurakina, y su hijo, el gran duque Sergei Petrovich Romanov, de veintidós años de edad, el hombre del que se sospechaba que, si Rusia lo permitía, se convertiría en el próximo zar. La operación de Alexander garantizaba que no sería así.

415

56

Hôtel Saint Orange, rue de Normandie. El mismo jueves
16 de enero, 14:30 h

Nick Marten estaba de pie junto a la ventana de la fría y vetusta habitación de hotel de Kovalenko y escuchaba el clic de las teclas mientras el detective ruso trabajaba en su ordenador portátil, redactando un informe de los acontecimientos del día que debía enviar a Moscú de inmediato. En la cama, detrás del pequeño escritorio en el que Kovalenko trabajaba, estaban la agenda de Halliday y la gran carpeta archivadora de Dan Ford. Ninguno de los dos objetos había sido abierto.

Mientras contemplaba trabajar al detective —grandote, con barba y aspecto de oso, el vientre prominente presionando el jersey azul que llevaba debajo de la americana y un arma automática que le asomaba por la funda del cinturón—, Marten tuvo la sensación de que distaba mucho de ser el hombre profesional y de trato fácil que aparentaba ser. Era lo mismo que había sentido la primera vez que se vieron en la habitación de hotel, rodeados por los hombres de Lenard y con el cadáver de Halliday tendido en la cama, y luego otra vez en casa de Armand.

Con lo buen detective que era Lenard, Kovalenko era todavía mejor. Más agudo, más independiente, más persistente. Lo había demostrado en más de una ocasión: su operación de vigilancia clandestina del apartamento de Ford, su persecución de madrugada hasta una zona rural, su reflexivo interrogatorio a Marten cuando regresaban de las escenas de los asesinatos del río; su aparente orquestación de toda la intimidación con Clem; su búsqueda precisa por el patio de Armand cuando los hombres de Lenard ya la daban por acabada, y su posterior descubrimiento de la bolsa escondida. Y luego, en vez de entregarla a la policía francesa, se apostó en la zona y esperó a que alguien viniera a recuperarla... alguien que estaba seguro que llegaría por el callejón y no por el interior del apartamento. Su principal sospechoso: el propio Marten. Marten no tenía ni idea de cuánto tiempo había estado el ruso dispuesto a esperar, pero era ese tipo de actitud astuta y esforzada que a Red McClatchy le hubiera encantado.

Dejando de lado su intensidad y diligencia, la pregunta era, ¿por qué? ¿Qué se proponía? De nuevo tuvo la sensación de que la presencia de Kovalenko en París tenía otro motivo, aparte del asesinato de Alfred Neuss, algo que no reconocía, ni siquiera a la policía francesa, y que trabajaba totalmente por su cuenta. Si se juntaba esto con lo que podía haber sabido a través de los investigadores rusos que habían viajado a Los Ángeles poco después de que Raymond fuera asesinado, y el conocimiento de que Halliday había formado parte del equipo de investigación del LAPD, resultaba totalmente lógico pensar que Kovalenko había relacionado claramente el pasado con el presente, y eso significaba que creía que lo ocurrido antes en Los Ángeles estaba totalmente vinculado con lo que ahora ocurría en París.

—¿Vodka, señor Marten? —Kovalenko cerró de golpe su ordenador y se levantó para cruzar la gélida habitación hasta una reliquia de mesilla de noche en la que descansaba una botella de vodka ruso, a la que le faltaban ya dos tercios.

—No, gracias.

—Entonces beberé yo por los dos.

Kovalenko se sirvió un trago doble del líquido transparente en un vaso pequeño, lo levantó para brindar por la salud de Marten y se lo bebió.

—Explíqueme lo que hay aquí —dijo, señalando con el vaso hacia la cama con la agenda de Halliday y la carpeta archivadora de Ford.

—¿A qué se refiere?

—A lo que ha encontrado en la agenda del detective Halliday y en la otra cosa.

—Nada.

—¿Nada? Señor Marten, debería tener presente que no estoy del todo convencido de que usted no sea el asesino de Halliday. Ni, por lo que hace al caso, tampoco lo está el inspector Lenard. Si desea que avise a a la policía francesa, lo haré.

—Está bien —dijo Marten bruscamente, antes de acercarse y servirse él mismo un doble trago de vodka. Se lo bebió de un solo trago, sostuvo el vaso vacío y miró a Kovalenko. Seguir en silencio había dejado de tener sentido. Toda la información estaba allí, encima de la cama. Era tan sólo cuestión de tiempo que Kovalenko la descubriera.

—¿Conoce usted el nombre de Raymond Oliver Thorne?

—Pues claro. Buscaba a Alfred Neuss en Los Ángeles. Recibió un tiro en un enfrentamiento con la policía y murió como resultado. Su cuerpo fue incinerado.

—Tal vez no.

—¿Qué quiere decir?

—Quiero decir que Dan Ford no lo creía. Descubrió que los expedientes policiales de Thorne habían desaparecido de los numerosos archivos oficiales en los que se encontraban. Además, las personas involucradas con el certificado de defunción de Thorne y con su cremación están o bien muertas, o bien desaparecidas. Al parecer, Halliday sospechaba lo mismo, porque estaba tras la pista de un prominente cirujano plástico de California que se jubiló de repente y se marchó a vivir a Costa Rica, a los pocos días de la muerte de Thorne. Posteriormente, el mismo hombre apareció en Argentina con un nombre distinto. Qué significa todo esto, no lo sé, pero bastaba para que Halliday se hubiera comprado un billete de avión a Buenos Aires. Planeaba volar allí justo después de terminar sus indagaciones aquí en París. Está todo aquí —Marten hizo un gesto con la cabeza, en dirección a la agenda que había en la cama—, sus notas y también su billete de avión.

—¿Por qué le ocultaba usted esta información al inspector Lenard?

Ésta era una buena pregunta y Marten no supo qué contestar, o al menos, qué contestar sin desvelar su identidad real. O contar lo que había ocurrido con Raymond en Los Ángeles y el motivo por el que los hombres de la brigada habían muerto.

De pronto se le ocurrió la manera de evitar una respuesta direc-

417

ta y al mismo tiempo obtener lo que más necesitaba pero no estaba a su alcance: una copia de las huellas que la policía había recogido del coche de Dan Ford. Era arriesgado, porque si Kovalenko se volvía contra él lo podía perder todo y acabar de golpe en manos de la policía parisiense. Pero se trataba de una oportunidad que no había esperado y, por muy grande que fuera el riesgo que corría, era absurdo no intentarlo.

—¿Y si le digo que Dan Ford sospechaba que el asesino de Neuss era Raymond Thorne?

—¿Thorne?

—Sí. Y tal vez también lo fue de Halliday y del propio Dan. Como usted sabe, los tres estaban relacionados con Thorne, cuando estaba en Los Ángeles.

En los ojos de Kovalenko apareció una chispa que Marten no le había visto antes. Eso le indicó que estaba en el buen camino, y decidió seguir adelante.

—Neuss es asesinado en París. Halliday aparece para investigarlo. Y Ford ya está en la ciudad como corresponsal del *Los Angeles Times*. Ninguno de ellos reconoce a Raymond porque se ha hecho la cirugía estética, pero él los conoce a todos y se están acercando demasiado a lo que sea que tiene entre manos.

—Eso significa que acepta usted que Neuss era su principal objetivo, señor Marten. —Kovalenko cogió el vodka como si formara parte de su brazo, repartió lo que quedaba entre el vaso de Marten y el suyo y le acercó el vaso a Marten—. ¿Tenía Ford alguna teoría sobre lo que ese Raymond Thorne podía querer de Neuss, antes, en Los Ángeles, o ahora, en París? ¿O del motivo de su asesinato?

—Si la tenía, no me la dijo.

—En resumen —Kovalenko dio un largo trago de vodka—, lo que tenemos es a un sospechoso sin rostro, sin móvil conocido para asesinar a Neuss, ni móvil conocido para asesinar a Ford o a Halliday, aparte del hecho de que ambos lo conocían de su encarnación anterior. Además, la versión oficial es que está muerto. Incinerado. La cosa no tiene demasiado sentido.

Marten tomó un sorbo de su copa. Si pretendía desvelarle el resto a Kovalenko, ése era el momento. «Confía en el ruso —se dijo—. Confía en que tiene su propia agenda y no te entregará a Lenard.»

—Si fue Raymond quien dejó la huella en el coche de Dan, lo puedo demostrar de manera incuestionable.

—¿Cómo?

Marten levantó su copa y se la terminó.

—Halliday hizo una copia informatizada de la ficha del LAPD del arresto de Raymond. ¿Cuándo? No tengo ni idea, pero la foto y las huellas de Raymond están en ella.

—Una copia informatizada; ¿quiere decir en un disco?

—Sí.

Kovalenko se lo quedó mirando con incredulidad.

—Y usted lo ha encontrado en su agenda.

—Sí.

57

Rue de Turenne, 15:45 h

El dependiente puso la botella de vodka en una bolsa, junto a un trozo grande de gruyère, un paquete de salami recién cortado a lonchas finas y una barra de pan. También puso un cepillo de dientes, un tubo de dentífrico, un paquete de maquinillas de afeitar y un bote pequeño de espuma de afeitar.

—*Merci* —dijo Marten, mientras pagaba la cuenta antes de salir de la pequeña tienda de barrio para subir por la rue de Normandie hasta el hotel de Kovalenko. En las últimas horas se había levantado un viento muy frío y el cielo se había cubierto de nubes negras, cargadas de una densa nieve. Marten tenía las manos frías y se podía ver el aliento. Tenía la sensación de estar en Manchester o en el norte de Inglaterra, no en París.

Kovalenko lo había mandado a por provisiones y a comprarse los artículos de aseo que necesitaría para pasar la noche... y para —estaba seguro—, tener tiempo de mirar la agenda de Halliday y la carpeta de Ford y ver qué podía descubrir sin la ayuda de Marten. Los dos hombres sabían que Marten podía, sencillamente, largarse, con o sin pasaporte, y desaparecer en la inmensidad de la ciudad, sin que Kovalenko se enterara hasta que fuera demasiado tarde.

Para protegerse de esa posibilidad, el ruso le había dado un dato en el momento en que abría la puerta para salir: la policía de París lo estaba buscando. El Eurostar había llegado a Londres sin él hacía tres horas y media, y la policía londinense había informado a Lenard a los pocos minutos. Furioso, Lenard llamó a Kovalenko de inmediato, no sólo para informarle sino para desahogarse, diciéndole que consideraba la conducta de Marten como una afrenta personal y que había puesto a la policía de la ciudad en alerta para que lo arrestaran.

419

Kovalenko le dijo sencillamente que era algo que creía que Marten tenía que saber y tener en cuenta cuando saliera a comprar. Y luego, tal cual, lo mandó a la calle.

De alguna manera, Kovalenko no tuvo demasiada elección. Unos instantes antes de que Marten saliera, Kovalenko le había pedido a Lenard que le mandara un duplicado del expediente del asesinato de Dan Ford a su hotel de inmediato. Un expediente completo, enfatizó, que incluya una fotocopia clara de la huella digital hallada en su vehículo. De modo que era obvio que Marten no podía encontrarse en su habitación cuando Lenard o alguno de sus hombres vinieran a entregar el expediente.

Era igual de obvio, pensó Marten mientras caminaba, con la cabeza gacha para protegerse del viento y de los gruesos copos de nieve que ahora caían, que debía estar muy alerta a la policía que lo buscaba.

Entró en el deteriorado vestíbulo del hotel Saint Orange cautelosamente, mientras se sacudía la nieve de la cabeza y los hombros. Al fondo, una mujer baja y escuálida con el pelo canoso y un suéter negro se sentaba tras el mostrador y hablaba por teléfono.

La vio mirarlo cuando pasaba y luego volverse mientras él llamaba al ascensor. Pasó casi un minuto hasta que llegó y entonces la vio mirarlo otra vez. Entonces la puerta se abrió y él entró y tocó el botón de la planta de Kovalenko.

Un instante más y la puerta se cerró y el ascensor empezó a subir. Crujía y gemía mientras se elevaba, y Marten se relajó. Solo en el ascensor, al menos por un momento, quedaba protegido de la mirada pública. Eso le dio un segundo para pensar. Aparte de lo evidente —Kovalenko, la presión de la policía francesa—, había otra cosa que le preocupaba desde esa mañana, y deseó tener la tranquilidad mental para hablar con lady Clem del asunto. Era una sensación creciente de que Rebecca no le había contado toda la verdad cuando finalmente habló con ella en el hotel Crillon, la noche anterior; de que su excusa de que se había tomado una copa de champagne y se había quedado dormida en la bañera había sido sólo eso, una excusa y, en realidad, había estado haciendo otra cosa.

Qué era aquello de lo que no podía o no quería hablarle —si había estado con un novio, o con un amante, incluso con un hombre casado—, no importaba. No era un buen momento para que su hermana estuviera haciendo el tonto despreocupadamente, no si

Raymond era realmente quien estaba por ahí; de alguna manera, tenía que hacerle comprender que, sencillamente, ahora ya no podía permitirse actuar como si la vida fuera como antes. Tenía que ser muy consciente de dónde estaba y con quién. Era muy importante. La fuerte sacudida del ascensor al alcanzar la planta interrumpió los pensamientos de Marten. La puerta se abrió y él echó una ojeada al pasillo. No había nadie. Con cuidado, salió y empezó a caminar hacia la habitación de Kovalenko.

De pronto, se sintió inseguro. Fuera no había visto ningún coche de policía, y se preguntó si el mensajero de Lenard todavía no había venido, o tal vez ya se había marchado. O... ¿y si había utilizado un vehículo de camuflaje y estaba todavía en la habitación con Kovalenko?

Se acercó a la puerta y escuchó.

Nada.

Esperó un momento más y luego llamó. No hubo respuesta. No se había ausentado mucho tiempo, y Kovalenko no le advirtió de que tuviera que salir. Volvió a llamar. Nada. Finalmente, probó el pomo. La puerta estaba sin cerrar.

—Kovalenko —dijo, a media voz.

No hubo respuesta y abrió la puerta. La habitación estaba vacía. El portátil de Kovalenko estaba sobre la cama, con la americana doblada al lado. Marten entró y cerró la puerta, y luego colocó su bolsa en una mesita lateral. ¿Dónde estaba Kovalenko? ¿Había venido ya la policía, o no?

Dio un paso más y entonces lo vio, un sobre de papel manila con el sello de la Prefectura de Policía de París estampado y que asomaba por debajo de la americana del detective ruso. Sin aliento, lo cogió y lo abrió. Dentro había una carpeta gruesa de archivador. Y dentro, encima de unas cincuenta páginas mecanografiadas y de tal vez una docena de fotos de la escena del crimen, había una ampliación de ocho por diez de una huella digital. Debajo, las palabras *empreinte digitale, main droite, numéro trois, troisième doigt* (huella digital, mano derecha, número tres, dedo corazón), y estampado debajo ponía *pièce à conviction n. 7* (prueba n. 7).

—Necesitará esto —rugió la voz de Kovalenko detrás de él. Marten se volvió de golpe. Kovalenko estaba al lado de la puerta, con un disquete informático en la mano.

Marten miró detrás de él. Estaba solo.

—¿Dónde estaba?

—Meando. —Kovalenko entró y cerró la puerta.

421

58

—¿Lo ha mirado? —preguntó Marten, señalando el disquete.

—¿Quiere decir si he comparado los dos? Sí.

—¿Y...?

—Véalo usted mismo.

Kovalenko se acercó a la cama, cargó el disquete en el portátil y se apartó mientras la huella de Raymond del expediente del LAPD aparecía en pantalla. Clicó para ver la mano derecha y luego al dedo número tres, el dedo corazón, y seleccionó el recuadro de maximizar. Y la pantalla se llenó con una huella única y excepcionalmente clara.

Marten sentía cómo se le aceleraba el pulso con los nervios, mientras sostenía la ampliación de ocho por diez al lado de la pantalla. Poco a poco, un escalofrío le recorrió los hombros y le descendió por la columna vertebral mientras se daba cuenta de que cada curva, bucle y arco coincidían a la perfección.

—Dios mío —suspiró, y miró a Kovalenko.

El ruso lo observaba atentamente.

—Parece como si Raymond Oliver Thorne hubiera resurgido de sus propias cenizas y hubiera aterrizado en París —dijo Kovalenko en voz baja—. Creo que lo más razonable es suponer que fue él quien mató a Dan Ford, y también al hombre con quien iba a reunirse, el comercial de la imprenta, Jean-Luc...

—Vabres.

—¿Cómo? —La pregunta de Kovalenko fue tajante.

De pronto, Marten se volvió de la pantalla y miró directamente a Kovalenko:

—Vabres era el apellido del comercial de la imprenta.

—¿Y usted cómo lo sabe? Ni Lenard ni yo se lo hemos dicho a nadie más.

—Estaba en las notas de Dan.

Marten apagó el portátil. El miedo profundo, casi animal que Raymond había originado en él, como si fuera una criatura imparable, intocable, incomprensible y de otro mundo, se quedó extrañamente atenuado con la certeza de que estaba vivo. Era una certeza que le dio a Marten el coraje para dar el siguiente paso respecto a Kovalenko.

—La palabra francesa *carte* puede significar plano, o mapa, pero también puede significar menú. Usted buscaba un mapa, pero era un menú lo que Dan Ford iba a recogerle a Vabres cuando fue asesinado.

—Ya me he enterado de los significados de la palabra, señor Marten. La empresa de Vabres no imprime mapas, y no había impreso ningún menú desde hacía más de dos años. Ni tampoco encontramos ningún mapa, ni ningún menú, ni en el coche de Ford, ni en el Toyota de Vabres.

—Claro que no, porque se lo llevó Raymond. —Marten se levantó y cruzó la habitación—. De alguna manera, se enteró de que lo tenía Vabres y de que iba a dárselo a Dan. No sólo lo quería, sino que debía evitar que ninguno de los dos hablara de él *a posteriori*. De modo que los mató.

—¿De dónde sacó Vabres el menú si su empresa no lo había impreso? ¿Y por qué llamó a Ford a las tres de la madrugada para pedirle que fuera tan lejos de París para dárselo?

—Eso es lo que yo me pregunté cuando encontré el menú en la carpeta archivadora de Dan. ¿Cuál era la prisa? —Marten miró al suelo, luego se pasó una mano por el pelo y se volvió hacia atrás—. Tal vez estemos pensando demasiado atrás. ¿Y si Vabres ya había alertado a Dan de la existencia del menú y le había dicho a qué ocasión correspondía? Si era lo bastante importante, si la celebración era algo más que un sencillo acto social, Dan lo habría querido ver con sus propios ojos, aunque sólo fuera para verificarlo. ¿Y si le pidió a Vabres que lo llamara a cualquier hora del día o de la noche cuando lo tuviera, para ir a recogérselo? Entonces Vabres lo consiguió, se dio cuenta de lo importante que era y empezó a temer que tal vez no fuera asunto de su incumbencia y a dudar si debía filtrar aquel asunto a la prensa. La duda lo mantuvo en vela. Entonces, finalmente, en medio de la noche decidió que sí, que tenía que dárselo a Dan. Y lo llamó de inmediato para encontrase con él. Quién sabe, tal vez el lugar ya estuviera acordado de antemano, o ya se habían encontrado allí alguna vez...

423

Kovalenko lo miró un buen rato antes de decir nada, y cuando habló fue con un tono tranquilo.

—Es una versión muy creíble, señor Marten. En especial si era, como usted insinúa, el menú de una ocasión que Raymond no quería que se hiciera pública, ni que se comentara entre dos hombres.

—Kovalenko —dijo Marten, andando hacia él—. Ése no era el primer menú, sino el segundo.

—No entiendo.

—Se lo enseñaré.

Marten abrió la carpeta de Ford y sacó el sobre de Kitner, luego sacó el menú de dentro y se lo dio a Kovalenko.

—Éste es el primero. Vabres se lo había facilitado a Dan anteriormente. No sé lo que buscaba Dan, o pensaba que buscaba, o si tenía algo que ver con el segundo menú y con el motivo de su muerte. Habla de rusos prominentes. Tal vez usted le pueda encontrar algún significado.

Kovalenko lo miró. La tarjeta color hueso, de papel caro y crujiente, las letras doradas en relieve.

Carte Commémorative
En l'honneur de la
Famille Splendide Romanov
Paris, France — 16 janvier
151 Avenue Georges V

Marten lo vio sorprenderse al mirarla, pero Kovalenko no lo reconoció.

—Bueno, parece una reunión inofensiva de miembros de la familia Romanov —se limitó a decir Kovalenko.

—Inofensiva hasta que empezaron los asesinatos y descubrimos que Raymond está vivo y campa a sus anchas por las calles.

Marten se le acercó más, mirándolo a los ojos.

—Raymond ha cortado a mi mejor amigo en trocitos. Usted es un policía ruso que investiga el asesinato de Alfred Neuss, un antiguo ciudadano ruso, que compraba diamantes en Mónaco a Fabien Curtay, también asesinado y también antiguo ciudadano ruso. Hace un año, sus propios investigadores estuvieron en Estados Unidos y en México indagando sobre los asesinatos de otros antiguos ciudadanos rusos a los que supuestamente Raymond había asesinado allí. Los Romanov son una de las familias más ilustres de la historia de su país. ¿Cuál es la conexión, inspector... entre los Romanov, Neuss y los demás?

Kovalenko se encogió de hombros:

—No sé si la hay.

—¿No lo sabe?

—No.

—¿Y qué demonios es todo esto, un puñado de casualidades? —Marten se estaba enojando. El ruso no soltaba prenda—. Pues, si lo es, ¿es también casualidad que los dos menús formen parte del misterio?

—Señor Marten, no estamos seguros de que exista un segundo menú. Se trata de una conjetura. Con lo poco que sabemos, el señor

Ford podía haber salido en busca de un mapa, como le dije inicialmente.

Marten tocó el menú con un dedo.

—Pues entonces, ¿cómo se explica que a éste le asignara un número?

—¿Un número?

—Gírelo. Mire abajo.

Kovalenko lo hizo. Escrito a mano, abajo, ponía «Jean-Luc Vabres–Menú#1».

—Es la letra de Dan.

Marten vio cómo los ojos de Kovalenko se paseaban por el dorso del menú hasta arriba, y lo vio fijarse en otra cosa. Entonces le devolvió el menú, mientras se encogía de hombros:

—Un método de clasificación para su archivo personal, tal vez.

—Había algo más. Estaba escrito de la misma mano arriba de la tarjeta. He visto cómo lo miraba. ¿Qué dice?

Kovalenko vaciló.

—Dígamelo, ¿qué dice?

—Prevista la asistencia de Kitner —dijo Kovalenko, sin mostrar ninguna emoción.

—Antes me ha dicho usted que su dominio del inglés escrito no era del todo bueno. Quería asegurarme que entendía lo que pone ahí.

—Lo entendí, señor Marten.

—Hace referencia a sir Peter Kitner, el presidente de Media-Corp.

—¿Cómo puede estar tan seguro? Estoy convencido de que hay muchos Kitner en el mundo.

—Tal vez esto se lo explique.

Marten vació el contenido del sobre de Kitner delante de Kovalenko, los recortes de periódico que Ford había guardado de noticias sobre sir Peter Kitner.

Basando la siguiente información en su propia conversación telefónica con la esposa de Alfred Neuss, y esperando que Kovalenko pensara que ésta provenía de las notas de Dan Ford, dijo, con aire serio:

—Peter Kitner era amigo de Alfred Neuss. Neuss llegó a Londres el mismo día de la ceremonia en que Kitner era investido Sir. El mismo día en que Raymond Thorne intentó encontrarlo en Los Ángeles.

Marten se alejó de golpe y luego se volvió a mirarlo:

—Dígamelo usted, ¿cómo cuadra Kitner en este rompecabezas?

Kovalenko dibujó una leve sonrisa.

—Parece usted saber muchas cosas, señor Marten.

—Sólo un poco... Eso es lo que dijo usted cuando Dan le preguntó qué era lo que sabía de Estados Unidos. ¿Sólo un poco? No, usted sabe mucho más. Se ha sorprendido cuando le he mostrado el menú. Y se ha sorprendido todavía más cuando ha visto el nombre de Kitner. Bien, yo le he contado lo que sé, ahora le toca a usted.

—Señor Marten, está usted en Francia ilegalmente. No tengo por qué contarle nada de nada.

—Tal vez no, pero tengo la sensación de que mantendrá toda mi información entre nosotros. De lo contrario, hubiera llamado usted a Lenard al segundo en que me ha sorprendido. —Marten volvió a acercársele a través de la habitación—. Se lo he dicho antes, inspector: Raymond cortó a mi mejor amigo en pedazos y quiero asegurarme de que se hace justicia. Si usted no está dispuesto a ayudarme, yo mismo me arriesgaré y me acercaré a Lenard. Estoy seguro de que lo encontraría todo bastante interesante. En especial cuando se pregunte por qué me ha llevado a su hotel sin informarle, y todavía más cuando se entere de que tiene usted la agenda de Halliday y el archivador de Ford.

Kovalenko miró a Marten en silencio. Finalmente habló y, al hacerlo, su voz era tranquila, incluso amable.

—Creo que su amistad con el señor Ford era muy importante para usted.

—Lo era.

Kovalenko asintió levemente con la cabeza y luego se acercó a la botella de vodka que Marten había traído de la tienda. Se sirvió un poco en un vaso, lo sostuvo un momento y luego miró a Marten.

—Es posible, señor Marten, que Peter Kitner fuera otro objetivo de Raymond Thorne.

—¿Kitner?

—Sí.

—¿Por qué?

—He dicho que es posible, no probable. Peter Kitner es un hombre muy importante que era, como usted bien ha dicho, amigo de Alfred Neuss. —Kovalenko tomó un trago del vodka—. Es sencillamente una teoría entre las muchas que hemos barajado.

El chirrido agudo del móvil de Kovalenko interrumpió la conversación, y el ruso posó su vaso para responder.

—*Da* —dijo, antes de, teléfono en mano, darse media vuelta y proseguir su conversación en ruso.

Marten volvió a guardar el menú y los recortes de periódico en la carpeta de Ford. Tanto Ford como Halliday habían creído que Raymond seguía con vida, y estaban en lo cierto. Y, por alguna razón, Dan había seguido la pista de Kitner. No había manera de saber cómo había llegado hasta ella, pero ahora hasta el propio Kovalenko había mencionado a Kitner, cuando dijo que pudo haber sido otro objetivo de Raymond... con lo cual confirmaba que Marten estaba en lo cierto al suponer que Neuss y Kitner eran amigos. Sin embargo, eso no explicaba lo que estaba sucediendo, ni por qué Neuss, Curtay y otros de los asesinados en Estados Unidos y México estaban involucrados en la trama. Pero Marten sabía que, de alguna manera, estaban relacionados, y eso incluía el 7 de abril/Moscú y las llaves de la caja fuerte y otras anotaciones de la agenda de Raymond, en especial las relativas a Londres. Pero éstas eran cosas que no podía comentar con Kovalenko debido a su identidad y a lo que trataba de mantener en secreto. Incluso si decía que se había enterado por Dan Ford, el ruso seguiría sospechando de él, y sacar a relucir aquella información no haría más que incrementar su desconfianza. Era algo que Marten no podía permitirse, en especial cuando todo se apoyaba en la sospecha de que era Raymond, y no otro, el asesino de Neuss y Curtay. Pero ¿quién si no, ahora que sabían que estaba vivo y en París?

Con todo, el enigma seguía siendo, ¿por qué? ¿Por qué lo había hecho, y qué esperaba sacar con ello? Y, además, ¿cómo cuadraba con todo aquello el segundo menú? ¿Cuál era el acontecimiento con menú, pendiente de celebrarse, que era tan secreto que había empujado a Raymond a masacrar —y ésta era la única palabra adecuada— a Dan Ford y a Jean-Luc Vabres para impedir que nadie supiera de él?

Marten miró a Kovalenko, hablando y gesticulando en ruso al otro lado de la habitación. Muy bien, Raymond estaba allí, pero ¿cómo podían encontrarle? ¿Cómo podían saber ni tan siquiera el aspecto que tenía? De pronto pensó en la pista que Halliday había seguido hasta Argentina. Si, de alguna manera, eran capaces de encontrar al cirujano plástico que había operado a Raymond, tal vez Kovalenko pudiera conseguir que la policía argentina emitiera algún tipo de orden judicial que obligara al médico a revelar el nombre que su paciente había utilizado mientras estaba bajo su tratamiento, y tal vez hasta a facilitarles una fotografía de su aspecto actual. Así dispondrían de un nombre y de una cara. Además, si Raymond había entrado legalmente en Francia, por aire, con un pasaporte argentino,

427

tendría que haber pasado por el control policial, y eso les facilitaría un aeropuerto y una fecha de entrada.

Marten se acercó a la cama y abrió la agenda de Halliday. Giró una página tras otra hasta que encontró lo que buscaba:

«Doctor Hermann Gray, cirujano plástico. Bel Air, 48 años de edad. Se retira de repente, vende la casa y abandona el país».

Entre paréntesis, después del nombre de Gray, aparecía: «Puerto Quepos, Costa Rica, luego Rosario, Argentina, nombre cambiado a James Patrick Odett–ALC/accidente de caza».

ALC... ¿quién o qué era? Anteriormente había pensado que tal vez Halliday había cambiado las letras y quería decir LCA, ligamentos cruzados anteriores, una grave lesión de rodilla que uno puede sufrir a raíz de un accidente deportivo. Pero ahora no estaba tan seguro.

De pronto notó una presencia y levantó la vista. Kovalenko había dejado el teléfono y estaba de pie a los pies de la cama, mirándolo.

—Hay algo que le preocupa...

—¿Significan algo para usted las iniciales ALC?

De nuevo, Marten advirtió la expresión de sorpresa en la cara de Kovalenko.

—Depende —le dijo.

—¿De qué?

—Del contexto en que se utilicen.

—Están en las notas de Halliday en las que busca la pista de Raymond y de su cirujano plástico en Argentina.

—¿Un cirujano llamado James Patrick Odett?

—¡Sí que ha revisado usted la agenda de Halliday!

—Sí, pero sólo para encontrar el disco.

—Entonces, ¿cómo sabe lo de Odett?

—El día que mataron al detective Halliday, el doctor Odett murió en un incendio en un edificio de oficinas alquiladas de Rosario, Argentina. El inmueble entero quedó reducido a escombros. Murieron varias personas más. Todo lo de dentro quedó destruido.

—Incluyendo los historiales médicos, las radiografías...

—Todo fulminado, señor Marten.

—Exactamente igual que todo el resto de datos médicos y expedientes judiciales.

Kovalenko asintió:

—La información me llegó a través de mi oficina en Moscú. La recibí al volver de la escena del crimen de Halliday y poco antes de salir a vigilar el apartamento del señor Ford.

La mirada de Kovalenko se quedó perdida, como si estuviera en medio de un proceso muy laborioso, como si hubiera algo que le preocupara mucho.

Marten tenía la sensación de que parte de la información de Kovalenko era nueva, y eso lo incomodaba. El resto era cuánto, si es que había algo, podía revelar a Marten. Finalmente, la mirada del ruso se recuperó. Tenía los ojos agitados pero, a la vez, llenos de una sinceridad, o tal vez fuera una vulnerabilidad, que Marten no había visto antes, y entonces supo que el ruso había decidido incluirlo.

—¿Le gustaría saber cómo y por qué dispongo de esta información? Por el mismo motivo que le he dicho que las iniciales ALC dependían del contexto en que se utilizaban. James Patrick Odett era un cirujano plástico que trató a un solo paciente, de manera exclusiva. Se llamaba Alexander Luis Cabrera. Fue acribillado y gravemente herido en un accidente de caza en los Andes, cuando su escopeta le explotó en la cara al disparar contra un ciervo.

—¿Cuándo —Marten hizo una pausa como si ya supiera la respuesta— ocurrió esto?

—En marzo del año pasado.

—¿Marzo?

—Sí.

—¿Quién lo acompañaba?

—Nadie. Su único compañero de caza estaba mucho más abajo. —La actitud de Kovalenko se endureció de repente. No era que hubiera dicho demasiado, era más bien que no quería creérselo—. Sé lo que está pensando, señor Marten, que se trata de una historia inventada. Que el accidente no fue ningún accidente. Y que no ocurrió en los Andes, sino en Los Ángeles, en un tiroteo con la policía. Pero el hecho es que no es así. Existen documentos del personal médico de urgencias que lo rescató en un helicóptero, historiales médicos de su estancia allí, expedientes de los médicos que lo trataron... Hay muchas pruebas.

—Podrían ser historiales falsos.

—Es posible, excepto por el hecho de que Alexander Cabrera es un empresario prominente y legítimo de Argentina y de que el accidente recibió mucha atención mediática en su país.

—Entonces, ¿por qué le seguía el rastro Halliday? ¿Por qué lo metió aquí? —Marten empujó la agenda de Halliday hacia Kovalenko.

—No tengo esta respuesta. —Kovalenko sonrió—. Pero puedo decirle que Alexander Cabrera no es sólo muy importante, sino que

429

su negocio es extremamente próspero. Es propietario de una empresa global de viaductos, con oficinas en todo el mundo. Mantiene despachos y suites permanentes en hoteles de cinco estrellas en una docena de importantes ciudades del mundo, incluida una aquí en París, en el hotel Ritz.

—¿Cabrera está aquí en París?

—No estoy al tanto de su paradero actual, sólo le he dicho que tiene una suite aquí. No trate de ver coincidencias donde no las hay, señor Marten. Me costaría mucho pensar que Cabrera puede ser el mismo que su infame Raymond Thorne.

—Halliday lo creía.

—¿Lo creía, o se trata simplemente de una anotación, de algo que tenía previsto preguntarle al doctor Odett?

—Obviamente, es algo que no sabremos nunca porque los dos están muertos.

Marten miró a Kovalenko en silencio, luego se acercó a la ventana y miró afuera. Por un largo instante se quedó sencillamente allí, frotándose las manos para paliar el frío y mirando la nieve que caía formando remolinos.

430

—¿Cómo ha llegado a saber tanto de Alexander Cabrera? —preguntó, finalmente.

—Es el hijo mayor de sir Peter Kitner.

—¿Cómo? —Marten se quedó estupefacto.

—Alexander Cabrera es el hijo de un matrimonio anterior.

—¿Se trata de algo de dominio público?

—No. De hecho, creo que lo sabe muy poca gente. Incluso dudo de que lo sepa su propia familia.

—Pero usted lo sabe.

Kovalenko asintió con la cabeza.

—¿Por qué?

—Digamos, simplemente, que lo sé.

Ahí estaba, la confirmación de que Kovalenko llevaba su propia agenda. Marten decidió presionar todo lo que Kovalenko le permitiera.

—De modo que volvemos a Kitner.

Kovalenko encontró su vaso y lo cogió.

—¿Le apetece una copa, señor Marten?

—Me gustaría que me contara usted lo que pasa con Peter Kitner. El motivo por el que va a asistir a la cena de los Romanov esta noche.

—Porque, señor Marten... sir Peter Kitner es un Romanov.

59

El mismo jueves 16 de enero, 18:20 h

El ático frontal del número 127 de la avenida Hoche era amplio y estaba pintado y decorado desde hacía poco tiempo. Tenía dos dormitorios tipo suite y una zona privada para el servicio. Desde las ventanas, hasta cuando nevaba, se veía el Arco de Triunfo iluminado a dos manzanas y el intenso tráfico de última hora de la tarde que lo rodeaba.

La gran duquesa Catalina Mikhailovna y su madre, la gran duquesa Maria, compartirían una de las suites. El hijo de Catalina, el gran duque Sergei Petrovich Romanov, ocuparía la otra. La zona de servicio, en la que habían sido colocadas dos camas individuales, seria utilizada por sus cuatro guardaespaldas, dos de los cuales estarían siempre de guardia. Era la manera en que lo había dispuesto la gran duquesa Catalina, y así sería hasta que se marcharan al cabo de dos días. Para entonces, estaba convencida, la muchedumbre haría cola en las aceras de la avenida con la esperanza de poder ver a su hijo, el recién elegido *zarevich*, el primer zar de Rusia en casi un siglo.

—Como en Moscú —dijo su madre, la gran duquesa María, al ver nevar por la ventana del salón.

—Sí, como en Moscú —dijo Catalina. A pesar del largo viaje, las dos mujeres estaban frescas, elegantemente vestidas y ansiosas por empezar la velada. De inmediato, alguien llamó a la puerta. —Adelante. —Se volvió mientras la puerta se abría, y ella esperaba ver entrar a su hijo, vestido y listo para el breve recorrido que los llevaría hasta la casa de la avenue Georges V. Pero era Octavio, el guardaespaldas con la cara llena de cicatrices.

—Hemos registrado todo el inmueble y es seguro, alteza. Hay dos puertas que dan al callejón de atrás; ambas están cerradas. Una de ellas no lo estaba, pero ahora lo está. En la entrada principal hay un conserje apostado las veinticuatro horas del día. Su jefe está al tanto de nuestra llegada. No se permitirá el acceso al ático de nadie que no tenga nuestra autorización.

—Muy bien, Octavio.

—El coche está dispuesto, alteza.

—Muchas gra...

La gran duquesa Catalina Mikhailovna se detuvo a media frase. Miraba detrás de Octavio adonde se encontraba su hijo, bajo el umbral de la puerta, al que la luz del pasillo le subrayaba los hombros y lo bañaba en un tono dorado. Vestido con un traje oscuro a medida sobre una camisa blanca almidonada, con una corbata de seda natural de color burdeos oscuro, el pelo con la raya a un lado y luego peinado ligeramente hacia atrás, estaba más guapo de lo que jamás se le había aparecido. Más que su presencia, había en él una actitud que superaba su belleza física. Era una actitud culta, segura y majestuosa. Si antes le había cabido alguna duda, mientras lo tenía a su lado en el coche, jugando a juegos de ordenador, como un veinteañero cualquiera, el pelo alborotado, en tejanos y con una sudadera, ahora ya no tenía ninguna. El chico de antes había desaparecido. En su lugar estaba un hombre maduro, de educación refinada y totalmente capacitado para convertirse en el líder de una nación.

—¿Están listas, madre, abuela? —dijo.

—Sí, estamos listas —dijo Catalina, y luego sonrió y lo llamó por primera vez por el nombre que estaba convencida de que todo el mundo usaría a la misma hora del día siguiente—. Sí, estamos listas, *zarevich*.

60

Peter Kitner metió un brazo y luego el otro en la camisa formal almidonada. Normalmente habría tenido a su mayordomo francés ayudándolo, pero, debido a la nieve, el hombre no había podido llegar. En vez de él era su secretario personal, Taylor Barrie, quien lo ayudaba ahora a vestirse y le pasaba los pantalones forrados de seda del *smoking* negro. Luego se volvió para buscarle una pajarita adecuada en la cómoda de caoba en la que guardaban las corbatas formales.

De entre todas las noches en que Barrie podía ser solicitado para actuar como criado, ésa era la peor. El magnate estaba furioso, en especial contra Barrie, y, desde el punto de vista de Kitner, tenía un buen motivo para ello: Barrie había sido incapaz de organizarle la reunión privada que le había pedido con Alexander Cabrera y la baronesa Marga de Vienne. El lugar no había sido un problema: una mansión aislada cerca de Versalles había sido localizada y se habían hecho los preparativos pertinentes para que pudieran utilizarla la mañana del día siguiente. El problema había sido localizar a Cabrera y a la baronesa. Lo máximo que Barrie había podido hacer fue dejarles mensajes, lo cual había hecho en todos los sitios que había podido: para Cabrera en el hotel Ritz, en su sede principal de Buenos Aires y en su sede europea en Lausana; para la baronesa en su hogar en Auvergne y en su apartamento de Zúrich. En todos los casos le habían dicho educadamente que las personas a las que buscaba estaban de viaje y, sencillamente, no estaban disponibles. Era una respuesta que sabía que Kitner se tomaría como una afrenta personal. Sir Peter Kitner tenía línea directa con reyes, presidentes y la *crème de la crème* del empresariado mundial, y nadie, nunca, ni siquiera en momentos de emergencia, se negaba a responderle a una llamada. Ni se les ocurría decirle que «no estaban disponibles».

—La corbata —dijo Kitner, mientras se abrochaba bruscamente el botón superior de los pantalones.

—Sí, señor. —Barrie le acercó la pajarita elegida, medio esperando que se la rechazaría. Pero Kitner la cogió y lo miró.

—Acabaré de vestirme solo. Dígale a Higgs que quiero el coche listo en cinco minutos.

—Sí, señor. —Barrie asintió con un gesto seco y salió de la estancia, aliviado por haber sido liberado.

Kitner se volvió a mirarse al espejo. Hizo un bucle con el corbatín con gesto furioso y luego se quedó quieto. Barrie no tenía ninguna culpa de nada. Era a él a quien Cabrera y la baronesa habían rechazado, no a su secretario. Barrie se limitó a hacer su trabajo. De pronto, Kitner se dio cuenta de que se estaba mirando al espejo y, bruscamente, se giró.

Alfred Neuss estaba muerto, y también Fabien Curtay. El cuchillo y la película de 8 mm habían desaparecido. ¿Cuánto tiempo había transcurrido desde el incidente en el Parc Monceau? ¿Veinte años, tal vez? Él era uno de la media docena de adultos que supervisaban la fiesta infantil de cumpleaños mientras rodaban películas caseras, cuando Paul, el hijo de diez años de Kitner y su esposa, Luisa, salió corriendo hacia unos árboles para recoger una pelota. Con la cámara encendida, Neuss lo siguió y llegó al lugar justo cuando Alexander, de catorce años, salía de la nada y hundía la enorme navaja española en el pecho de Paul. Al instante, Neuss agarró la mano de Paul y le dio la vuelta. La cámara siguió rodando. Alexander se esforzaba por escapar pero no podía. De pronto soltó la navaja, luego se apartó y se marchó corriendo. Pero era demasiado tarde, Paul yacía en el suelo, muriéndose, rodeado de sangre por todas partes, con el corazón destrozado.

El problema era que Alexander había dejado a Neuss tanto con el arma del crimen como con el propio asesinato grabado en película Súper 8. Neuss le contó a la policía lo que había ocurrido: que un joven estaba oculto detrás de los árboles y que había apuñalado a Paul en el pecho y luego se había escapado, pero esto era lo único que les había contado. Ni una sola vez les dijo que conocía al asesino ni que había captado todo el incidente con su cámara, ni que estaba en posesión del arma del crimen.

No dijo nada sobre ninguno de estos detalles porque Peter Kitner era su mejor amigo y lo era desde hacía muchos años, y porque era una de las pocas personas en el mundo que conocía la verdadera identidad de Kitner.

No dijo nada porque la decisión sobre qué hacer con la navaja y con la prueba filmada no era suya, sino de Kitner.

Éste era el motivo por el cual, un día después del funeral de Paul, Kitner convocó a la baronesa y a Alexander a una reunión en el hotel Sacher de Viena. Allí, puesto que no quería que su familia conociera la existencia de Alexander ni deseaba que ninguno de ellos pasara por el trance y el escándalo de ver a un hijo juzgado por el asesinato de otro hijo, les mostró las pruebas y les ofreció un pacto escrito. A cambio de su silencio, Alexander abandonaría Europa de inmediato y se marcharía a Sudamérica, donde adoptaría un nombre nuevo y donde Kitner le facilitaría los medios necesarios para su alojamiento y su formación. A cambio, Alexander firmaría un documento por el que renunciaba, de por vida, a cualquier derecho sobre el apellido familiar y prometía no revelar nunca su auténtico linaje, bajo pena de ver las pruebas que lo comprometían en el crimen entregadas a la policía. En otras palabras, a cambio de su libertad, era desterrado de Europa y desheredado en el sentido más cruel de la palabra: su padre negaba totalmente su existencia.

Kitner tenía la navaja, la película y, en Neuss, el testigo, y por este motivo, Alexander tenía pocas opciones aparte de conformarse. Y la baronesa se vio forzada a firmar también el pacto porque Kitner sabía que ella había sido la auténtica arquitecta de la hazaña y quien lo había convencido para que la llevara a cabo.

La baronesa, como la bella esposa rusa de origen sueco del filántropo francés y barón Edmond de Vienne, y como tutora legal de Alexander, era una de las grandes damas de la aristocracia europea. Su camino se había cruzado a menudo con el de Kitner y mantenían una relación cordial y eficiente. Pero debajo de su máscara cuidadosamente diseñada había una mujer atormentada y muy ambiciosa, que había sido gravemente desdeñada por Kitner y su familia y se había pasado el resto de su vida obsesionada con vengarse.

Si hubiera sido más sabio, él habría podido hacerse una idea de lo que el futuro le deparaba muchos años antes, poco después de que se conocieran y mientras vivían las primeras fases de un romance juvenil. La pista llegó en forma de una historia que ella le contó un día frío y encapotado, cuando paseaban a orillas del Sena cogidos de la mano. Era una historia que dijo no haberle contado nunca a nadie y que tenía que ver con una buena amiga de Estocolmo que, cuando tenía quince años, había hecho un viaje a Italia con el colegio. Un día, en Nápoles, su amiga se separó sin querer del grupo de colegialas y sus acompañantes. Mientras trataba de encontrar el camino de regreso al hotel en el que se alojaban, un joven bravucón de la calle la amenazó con una navaja y le juró que la mataría si no lo seguía. La llevó a un apartamento sombrío y allí le puso el cuchillo en la garganta y la amenazó con matarla si no accedía a mantener relaciones sexuales con él. Estaba asustada pero a la vez hizo lo que le pedía. Y cuando el chico yacía, recuperándose de su propio éxtasis, ella cogió la navaja y lo apuñaló en el vientre antes de cortarle el cuello. Pero esto no le bastó, y entonces se inclinó y le cortó el pene y lo tiró al suelo. Luego entró en el baño y se limpió con cuidado, se vistió y se marchó. Al cabo de treinta minutos había encontrado el camino de regreso al hotel y se reencontró con sus compañeras de colegio. No le contó nunca a nadie lo que había ocurrido. Más de un año después se lo confió a la baronesa.

En aquel momento, Kitner encontró la historia un poco extraña, por no decir simplemente inventada, y le quitó importancia, considerándola el resultado de las maquinaciones de una veinteañera que intentaba impresionarlo con sus conocimientos de la vida. Sin embargo, lo que lo impresionó, fuera o no cierta la historia, fue la mutilación del cuerpo del hombre. Podía comprender la venganza de su amiga contra un hombre que la había violado, incluso hasta el punto de matarlo, pero la mutilación era algo más. Matar no le había parecido suficiente, tuvo que hacer más. Por qué, o qué la llevó a hacerlo, no había manera de saberlo. Pero estaba claro que dentro de aquella mujer había algo que, cuando se disparaba, la llevaba a exigir una venganza no sólo brutal, sino salvaje.

En el momento en que vio la filmación del asesinato de Paul en el parque recordó la historia y supo que ni había sido inventada, ni le había ocurrido a una amiga. La baronesa le habló de ella misma. En un abrir y cerrar de ojos, había pasado de víctima a verdugo, y de verdugo a carnicera. Eso convertía el asesinato de su queridísimo hijo por un medio hermano adolescente del que ni siquiera conocía la existencia en algo mucho más significativo que un simple acto de

435

asesinato, tal vez con la misma navaja. Era un frío descubrimiento de la verdad de lo que había sucedido realmente en Nápoles, ejecutado para que no le cupiera ninguna duda de con quién estaba tratando; una implacable asesina, antigua amante, totalmente decidida a destruirle el corazón y el alma.

Bíblica, shakesperiana y griega clásica a la vez, la baronesa se había erigido en una sádica diosa de las tinieblas. Demasiado mayor y prominente como para cometer el acto ella misma, con Alexander había moldeado a un nuevo mensajero, impregnándolo de su odio retorcido hacia Kitner desde su más tierna infancia. Kitner tenía que haberla matado con sus propias manos —y su propia madre, si hubiera estado viva, probablemente lo hubiera hecho—, pero, con todo lo fuerte que era, este tipo de acto quedaba fuera de su código. De modo que, en vez de ello, hizo un pacto para mantener al asesino personal de la baronesa lejos de su puerta. Durante mucho tiempo había funcionado. Pero habían regresado los dos.

Los ojos de Kitner se posaron en su propia imagen en el espejo. De pronto aparecía viejo, temeroso y vulnerable, como si de pronto hubiera perdido el control de todo. Qué terriblemente propio de la baronesa, haber mandado asesinar a Alfred Neuss en el Parc Monceau. El mismo escenario en el que Paul había muerto apuñalado. Y con Neuss, el único testigo de la muerte de Paul, muerto, y el arma del crimen y la grabación del mismo ahora, sin duda, en manos de Alexander, el pacto que había hecho con ellos ya no tenía ninguna utilidad.

Kitner estaría en Davos con su esposa y sus hijos. La baronesa estaría también allí, lo mismo que Alexander, y no había nada que pudiera hacer para evitarlo. Estaban al tanto del anuncio y, sabiendo eso, conocerían ya su contenido. ¿Y si la Diosa de los Infiernos volvía a mandar a su mensajero, navaja española en mano, para sorprenderlo a él, o a Michael, o a su esposa, o a una de sus hijas?

La idea lo dejó helado.

A la altura de su codo había un teléfono colgado de la pared. De inmediato lo descolgó:

—Póngame con Higgs.

—Sí, señor —le contestó la voz de Barrie, y Kitner lo oyó marcar un código rápido en su teclado. En cuestión de segundos su jefe de seguridad se puso al teléfono:

—Higgs, señor.

—Quiero saber dónde están ahora mismo Alexander Cabrera y la baronesa. Cuando los encuentre, póngalos bajo vigilancia de inmediato. Utilice todos los hombres que considere necesarios. Quiero saber dónde van, con quién se encuentran y lo que hacen. Hasta nueva orden, quiero saber exactamente dónde están las veinticuatro horas del día.

—Llevará un poco de tiempo, señor.

—Pues entonces no lo malgaste. —Kitner colgó. Por primera vez desde el asesinato de su hijo Paul, se sentía presa del pánico y vulnerable. Si se estaba comportando con locura o paranoia, no importaba: se enfrentaba a una loca.

61

Hôtel Saint Orange. A la misma hora, 18:45 h

—Hábleme de Kitner. —Nick Marten se inclinaba sobre el pequeño escritorio de Kovalenko, con toda su atención concentrada en el ruso—. Es un Romanov pero no utiliza el nombre. Y tiene un hijo que vive en Argentina y que utiliza un apellido español.

Kovalenko se sirvió un dedo más de vodka en el vaso y lo dejó reposar.

—Kitner se divorció de la madre de Cabrera antes de que éste naciera, y en el mismo año se casó con su actual esposa, Luisa, prima del rey Juan Carlos de España. Catorce meses más tarde, la madre de Cabrera se ahogó en un accidente naval en Italia y...

—¿Su madre? ¿Quién era?

—Cuando Kitner la conoció estudiaba en la universidad. En cualquier caso, a su muerte, su hermana se convirtió en su tutora legal. Poco después, la hermana se casó con un filántropo francés, aristócrata y muy rico. Más tarde, cuando Cabrera entraba justo en la adolescencia, se lo llevó a vivir en una hacienda que tenía en Argentina. Él mismo adoptó el apellido Cabrera, supuestamente en honor al fundador de la ciudad de Córdoba.

—¿Por qué Argentina?

—No lo sé.

—¿Sabe Cabrera que Kitner es su padre?

—Eso tampoco lo sé.

—¿Sabe que es un Romanov?

—Lo mismo le digo.

Marten miró a Kovalenko unos instantes y luego señaló el ordenador portátil del ruso.

—Tiene un buen disco duro; ¿mucha memoria?

—¿Qué quiere decir?

—Si, como ha dicho, era a Kitner a quien Raymond pretendía matar, probablemente tenga usted un archivo sobre él en su base de datos, ¿no es cierto?

—Sí.

—Y probablemente contenga todo tipo de información, tal vez hasta fotos de Kitner y su familia. Y puesto que Cabrera pertenece a esa familia, puede que además tenga una foto de él. Si nos creemos las notas de Halliday, podemos suponer que se ha sometido a una operación de cirugía plástica. Tal vez severa, tal vez no. Sé que tenemos una foto de Raymond; si usted tiene una de Cabrera —Marten sonrió sólo un poco— las comparamos y vemos si cuadran.

—Parece usted convencido de que Raymond Thorne y Alexander Cabrera son la misma persona

—Y usted parece convencido de lo contrario. Hasta si fueran tan distintos como el día y la noche, al menos me podría hacer una idea del aspecto de Cabrera. Es una pregunta sencilla, inspector. ¿Tiene usted una foto de Alexander Cabrera o no?

62

El mismo jueves 16 de enero, 19:00 h

Las calles de París estaban casi desiertas y casi intransitables por la fuerte nevada cuando Octavio giró con el Alfa Romeo por la avenida Georges V y se puso a buscar la casa del número 55.

Sentada detrás de él, la gran duquesa Catalina miró a su hijo, y luego a su madre, sentada en medio de ellos. Su mirada se perdió luego por las calles cubiertas de nieve. Ésta sería la última vez que viajaban de esa manera —anónimos, en un coche anodino, casi como si fueran fugitivos.

Al cabo de dos horas, tres como mucho —si los miembros de la familia que apoyaban al príncipe Dimitri levantaban una voz demasiado alta sobre los seguidores de su hijo y la obligaban a presentar las cartas de apoyo que llevaba del presidente de Rusia, del alcalde de San Petersburgo y del alcalde de Moscú, la carta con sus páginas anexas con las firmas de los trescientos miembros de la Duma del

Estado y, el golpe de gracia, la carta personal de Su Santidad Gregorio II, el patriarca sagrado de la Iglesia ortodoxa rusa— triunfaría y el gran duque Sergei se convertiría en el *zarevich* y, con tormenta o sin ella, no abandonarían la casa del 151 de la avenida Georges V en el asiento de atrás de ese automóvil conducido por un matón con el rostro marcado, sino en medio de una nube de limusinas y bajo la custodia del *Federalnaya Slujba Ohrani*, el FSO o guardia de seguridad del presidente de Rusia.

—Ya casi hemos llegado, Alteza. —Octavio redujo la velocidad. Delante, a través de la nieve, podían divisar las luces brillantes y las barreras y los policías que vigilaban.

Con expresión distraída, la gran duquesa Catalina se tocó el cuello y luego se miró las manos. Deseó haberse sentido lo bastante segura como para llevar los anillos de diamantes, el collar y los pendientes de rubíes y esmeraldas, los brazaletes de oro y brillantes que debían llevarse en una ocasión como aquélla. Deseó, también, haber llevado un abrigo de elegantes pieles en vez del abrigo de lana de viaje que se vio obligada a vestir bajo las actuales circunstancias... visón, marta cibelina o armiño, el tipo de abrigo adecuado para los miembros reales de la familia imperial Romanov. Un abrigo y unas joyas apropiados para el personaje en el que estaba a punto de convertirse y cuyo nombre la llamarían a partir de entonces. Nunca más la gran duquesa, sino la *zaritsa*, la madre del zar de todas las Rusias.

63

Hôtel Saint Orange. A la misma hora

Nick Marten se inclinó sobre Kovalenko mientras el ruso ponía la foto de la ficha de la detención de Raymond tomada por la policía de Los Ángeles en la pantalla de su ordenador.

—Ahora ponga la de Cabrera —lo apremió.

Con un clic del ratón, la cara de Raymond desapareció y el detective ruso puso en su lugar una foto digital. Mostraba a un hombre joven, alto, delgado, con una barba cuidada y de pelo oscuro, vestido con traje y corbata y subiendo a una limusina frente a un edificio moderno de oficinas.

—Alexander Cabrera. Es una imagen tomada en la sede de su empresa en Buenos Aires, hace tres semanas.

Clic.

Una segunda foto: Cabrera de nuevo, esta vez con un pantalón de trabajo de peto y un casco, mirando unos planos abiertos sobre el capó de un furgón *pick up*, en algún lugar del desierto.

—Hace seis semanas, en la zona petrolera de Shaybah, en Arabia Saudita. Su empresa se prepara para construir una canalización de seiscientos kilómetros. El contrato de construcción es de unos mil millones de dólares.

Clic.

Tercera foto: otra vez Cabrera, ahora vestido con un abrigo grueso y sonriente, rodeado de varios operarios petroleros, con una inmensa refinería al fondo.

—El tres de diciembre del año pasado en la refinería de LUKoil, en el mar Báltico, mientras trabajaba en el proyecto para conectar la zona petrolera de Lituania con los campos de petróleo rusos.

—Ahora divida la imagen de la pantalla en dos —dijo Marten— y ponga a Raymond al lado de Cabrera.

Kovalenko lo hizo.

Cabrera tenía la misma complexión física que Raymond, pero por lo demás tenían poco en común. La nariz, las orejas y la estructura facial eran totalmente distintas. El hecho de que llevara barba complicaba las cosas todavía más.

—De gemelos no tienen nada —dijo Kovalenko.

—Le han hecho la cirugía plástica. No tenemos manera de saber si ha sido simplemente para reconstruirle los huesos faciales rotos, o con la finalidad de hacerle parecer distinto.

Kovalenko cerró el ordenador.

—¿Qué más?

—No lo sé.

Frustrado, Marten se apartó. De pronto, regresó a su lado.

—¿Tiene alguna foto suya de antes del accidente?

—Una. Fue tomada en una pista de tenis de su hacienda, varias semanas antes.

—Póngala.

Kovalenko volvió a encender el ordenador y buscó en varios archivos hasta que encontró lo que quería.

—Aquí, mírela usted mismo.

Clic.

Marten miró a la pantalla. Lo que vio fue una foto relativamente distante de Cabrera vestido de tenis y saliendo de la pista, raqueta en mano. De nuevo vio lo mismo que antes, a un hombre con la misma complexión física de Raymond, pero poca cosa más. En vez del pelo rubio y las cejas rubias que recordaba de la primera vez que detuvieron a Raymond, vio a un hombre con el pelo oscuro y cejas oscuras y una nariz mucho más grande que lo hacía parecer totalmente distinto.

—¿Eso es todo? ¿Es la única imagen que tiene de él de antes?

—Sí.

—¿Y en Moscú?

—Lo dudo.

—¿Por qué?

—Tuvimos suerte de obtener ésta. Fue la única foto que pudo obtener un fotógrafo *free-lance* antes de que lo echaran de la finca. Cabrera es una persona que protege mucho su intimidad. No quiere ni fotos ni noticias suyas en la prensa. No le gusta ese mundillo y tiene un guardaespaldas que mantiene a la gente alejada.

—Ustedes no son la prensa. Como me acaba de demostrar, si querían fotos las podían hacer.

—Señor Marten, entonces no era importante.

—¿El qué?

Kovalenko vaciló.

—Nada.

Marten se acercó a Kovalenko:

—¿Qué es lo que no era importante?

—Son asuntos rusos.

—Tiene que ver con Kitner, ¿no?

Kovalenko no dijo nada; en vez de hablar, fue a coger el vaso de vodka. Marten tomó el vaso y se lo apartó.

—¿Qué cojones hace? —preguntó Kovalenko, indignado.

—Todavía puedo ver los restos de Dan Ford cuando sacaron su coche del río. Y no me gusta lo que veo. Quiero una respuesta —dijo Marten, mirando al detective ruso.

Fuera, el viento ululaba y la nieve caía con más fuerza. Kovalenko se sopló las manos.

—Hotel parisino hecho polvo en medio de un invierno a la rusa.

—Contésteme.

Kovalenko alargó la mano deliberadamente hacia el vaso que Marten le había apartado. Esta vez Marten se lo permitió. El ruso lo cogió, se tragó lo que había dentro y se levantó.

—¿Le dice algo la casa Ipatiev, señor Marten?

—No.

Kovalenko se acercó a la mesa donde estaba el vodka y se sirvió

441

más, y luego hizo lo mismo con el vaso que Marten había usado antes y se lo ofreció.

—La casa Ipatiev es, o mejor dicho, era antes de que la derrumbaran, una mansión en la ciudad de Ekaterimburgo, en los Montes Urales, muchos kilómetros al sureste de Moscú. La distancia no importa. Es la casa lo que importa, porque fue donde el último zar de Rusia, Nicolás II, y su esposa, sus hijos y sus sirvientes estuvieron retenidos por los bolcheviques durante la Revolución comunista. El 17 de julio de 1918 fueron sacados de la cama en medio de la noche, los llevaron al sótano y los acribillaron a todos.

»Después de la matanza, los cuerpos fueron cargados en un camión y se los llevaron por caminos muy enfangados por el bosque hasta el puesto designado para su entierro, en una zona de minas de una explanada llamada los Cuatro Hermanos. El problema era que había llovido toda la semana anterior y el camión se quedaba empantanado a menudo por los caminos, de modo que, finalmente, pusieron los cadáveres en trineos y los arrastraron hasta la galería minera seleccionada. Justo antes del amanecer, desnudaron los cadáveres y quemaron las ropas para destruir cualquier posibilidad de identificación si, por algún motivo, los cuerpos eran hallados más tarde.

»Recuerde que le estoy hablando de la Rusia central, destrozada por la Revolución, en el año 1918. Los cadáveres no eran ninguna rareza y las investigaciones de asesinatos eran muy poco habituales, si es que se hacía alguna.

»Mientras tanto, otros miembros prominentes de la familia Romanov fueron asesinados, pero otros escaparon, ayudados en gran parte por las monarquías europeas. De modo que la línea de sucesión inmediata quedó cortada por los asesinatos de la casa Ipatiev, y el resto de miembros de la línea imperial, o lo que se llama la dinastía rusa, se esparció por Europa y, con los años, por el mundo. Desde entonces, de vez en cuando sale uno u otro esgrimiendo alguna prueba que demuestra su derecho legal a la corona.

»Hoy día, los Romanov supervivientes se dividen en cuatro ramas principales. Todas ellas descienden del emperador Nicolás I, el tatarabuelo del zar Nicolás que fue asesinado en la casa Ipatiev. Y son los miembros supervivientes de esas cuatro ramas los que se reúnen esta noche en la casa de la avenida Georges V.

—¿Por qué?

—Para elegir al próximo zar de Rusia.

Marten no entendía nada:

—¿De qué me habla? En Rusia ya no hay zares.

Kovalenko tomó un sorbo de vodka.

—El Parlamento ruso ha votado secretamente reinstaurar la corona imperial en forma de monarquía constitucional. El presidente de Rusia lo anunciará el sábado en el Foro Económico Mundial de Davos, Suiza. El nuevo zar será una figura representativa sin poder de gobierno. Su única y principal misión será recuperar el espíritu y el orgullo de los ciudadanos rusos y unirlos en un momento de reconstrucción nacional. Tal vez hasta —sonrió— podría hacer algo de relaciones públicas por el mundo. Ya sabe, ser una especie de súpervendedor de los productos y servicios rusos, incluso ayudar a recuperar la industria turística.

Marten no entendía más ahora que antes. La idea de que Rusia votara para reinstaurar realmente la monarquía, de la manera que fuera, le resultaba asombrosa. Y encima, seguía sin ver qué relación tenía aquello con lo que estaba sucediendo en París.

Kovalenko tomó otro trago de su bebida.

—Tal vez le ayude si le digo que la gente que creemos que fue asesinada por Raymond Thorne en América antes de iniciar su escalada criminal en Los Ángeles tenían más en común que el hecho de ser rusos.

—¿Eran Romanov?

—No sólo Romanov, sino miembros muy influyentes de la familia. Incluso los sastres de Chicago.

Marten no se lo acababa de creer.

—¿Y de eso es de lo que trata todo? ¿Un juego de fuerza dentro de la familia Romanov para ver quién se convierte en zar?

Kovalenko asintió con un gesto lento de la cabeza:

—Tal vez sí.

64

La casa del número 151 de la avenida Georges V, 19:30 h

Diminuto, animado y balanceándose ligeramente sobre los talones mientras hablaba, el siempre elegante Nikolai Nemov, el expresivo, influyente y popularísimo alcalde de Moscú, resultaba inconfundible, y la gran duquesa Catalina se quedó sin respiración al verlo. Estaba de pie en medio del salón de suelo de mármol de la soberbia mansión, rodeado de un grupo de miembros la familia Romanov con atuendo formal que representaban las cuatro ramas de la dinastía.

Nikki, como los amigos llamaban al alcalde Nemov, era uno de los triunfos más codiciados por Catalina, una amistad cuidadosa y gradualmente moldeada a lo largo de los años, hasta el punto que ahora charlaban por teléfono al menos una vez a la semana, incluso más, sobre cualquier menudencia, como lo hacen los amigos. El hecho de que estuviera aquí era una sorpresa absoluta y supo que lo había hecho por ella y por su hijo, el gran duque Sergei. Y gracias a su presencia, supo que la guerra ya había terminado y que estaba ganada. Sí, todavía quedaban batallas por librar, pero serían por nada; por el simple peso de las facciones Romanov que rodeaban a Nemov y la singular preeminencia de los hombres de aquellas facciones, sabía que su larga lucha había acabado y que la decisión adecuada ya estaba tomada. La corona imperial Romanov pronto reposaría sobre la cabeza de su hijo. Para ella, el gran duque Sergei era ya el *zarevich* de Todas las Rusias.

Peter Kitner iba solo en el departamento de pasajeros de su limusina mientras el coche se aproximaba al Arco de Triunfo. Su chofer conducía lentamente bajo la nieve, guiando el vehículo con cautela por las calles desiertas de lo que parecía casi una postal invernal de París. Delante, Kitner podía ver a Higgs sentado al lado del chofer y hablando por el móvil, pero un cristal de seguridad separaba la parte delantera de la trasera y le impedía oír lo que estaba diciendo. La nieve y el cristal lo aislaban de todo y le hacían sentirse como un prisionero en una celda silenciosa.

65

—¿Por qué ha ocultado Kitner que era un Romanov? —insistió Marten a Kovalenko. Fuera, el viento y la nieve tamborileaban y hacían vibrar la ventana, lo cual aumentaba la sensación de frío dentro de la habitación.

—Eso es problema suyo, no mío. —Kovalenko se distrajo mirando un e-mail que acababa de aparecer en su pantalla, y se puso a responderlo en ruso.

—¿Quién está al corriente, dentro de su familia?

—Pocos, si es que hay alguien, creo. —Kovalenko intentaba concentrarse en lo que estaba haciendo—. ¿Por qué no hablamos de la tormenta?

—Porque quiero hablar de Peter Kitner. —Marten se acercó para mirar por encima del hombro de Kovalenko. Lo único que descubrió fue una pantalla llena de caracteres cirílicos. ¿Tiene la influencia suficiente para reunir el voto favorable para el zar? ¿Es éste el motivo por el que asiste a la cena? ¿Y para luego esgrimir este favor para expandir sus negocios por Rusia cuando el zar esté en el trono?

—Me dedico a investigar homicidios, y usted me está interrogando sobre política y poder, que no son mi dominio.

—¿Para quién trabaja Raymond? ¿Cómo encaja él en esta «guerra de los Romanov»?

Kovalenko acabó de escribir su e-mail y lo mandó, luego apagó el ordenador y levantó la vista hacia Marten.

—Puede que le interese el contenido de un mensaje que me acaban de mandar desde mi oficina en Moscú. Era el reenvío de un comunicado de la Interpol, desde la sede nacional central en Zúrich. Unos niños que patinaban sobre hielo en un estanque han encontrado el cuerpo de un hombre en una zona de bosque cercana.

Marten sintió levantarse una señal de advertencia.

—¿Y...?

—Le han cortado el cuello y la cabeza estaba separada del tronco. Ha pasado hacia las tres de esta tarde. La policía cree que lo han matado varias horas antes. Todavía están pendientes de hacerle la autopsia.

—¿Tiene una guía de teléfonos de París?

—Sí. —Sorprendido, Kovalenko se acercó a la mesilla de noche y abrió con dificultad un cajón combado, del que sacó un listín telefónico y se lo ofreció a Marten.

—¿A qué hora ha empezado a nevar con fuerza? —dijo Marten, mientras empezaba a girar las páginas.

Kovalenko se encogió de hombros.

—Pues a media tarde; ¿por qué?

—Por la pinta que tiene la tormenta, supongo que a estas alturas los aeropuertos están cerrados y los transportes por tren y por carretera se han reducido a la mínima expresión.

—Es probable, pero ¿qué tiene que ver el tiempo con un hombre al que han hallado muerto en Zúrich?

Marten encontró lo que estaba buscando. Cogió el teléfono y marcó un número.

445

Las cejas de Kovalenko se juntaron de perplejidad.

—¿A quién está llamando?

—Al hotel Ritz.

Marten hizo una pausa mientras el teléfono sonaba y hasta que alguien le respondió.

—Con Alexander Cabrera, por favor. —Pasó un momento largo y luego—: Ya... ¿Sabe si está en la ciudad? Sí, la tormenta, entiendo... No, ningún mensaje. Le volveré a llamar más tarde.

Marten colgó.

—No está. Es la única información que dan. Pero han llamado a la habitación, lo cual me hace pensar que en algún momento del día ha estado por allí.

—¿Qué está insinuando?

—Pues que si es responsable del asesinato en Zúrich, no puede volver a París por la tormenta de nieve. Lo cual significa que puede que siga en Suiza.

66

Neuchâtel, Suiza, a la misma hora

La tormenta de nieve que estaba paralizando París todavía no había alcanzado Suiza y la noche era fría, llena de estrellas y con la luz pálida y plateada de la luna reflejada sobre las aguas del lago Neuchâtel y sobre el paisaje que lo rodeaba.

—Mira. —Alexander sonrió y soltó una bocanada de aire. El vapor se quedó allí quieto, congelado en el aire como si fuera el globo de diálogo de una viñeta infantil.

Rebecca se rio e hizo lo mismo y su bocanada se quedó flotando como la anterior de Alexander hasta que, sencillamente, desapareció.

—¡Puf! —se rio él, antes de tomarla de la mano y seguir paseando con ella como habían hecho hasta entonces, por la orilla helada del río, ambos abrigados con largos abrigos de visón, con gorros y guantes también de visón.

A cierta distancia detrás de ellos paseaban Gerard y Nicole Rothfels, acompañados de la baronesa, elegante y despierta a sus cincuenta y seis años, que, como el resto, disfrutaba del paseo y del aire tonificante antes de cenar, mientras observaba a Alexander y a su futura esposa. La hermosa joven que era el amor de su vida y para la cual había adquirido y luego regalado la finca Jura.

La joven a la que conocía desde hacía casi cinco meses, a la que adoraba y por la que era adorado, la muchacha tan brillante y llena de entusiasmo, y cuyo aprendizaje de varios idiomas ella había orquestado cuidadosamente y supervisado personal y secretamente. Ella era la responsable de que ahora Rebecca hablara francés, italiano, español y ruso casi con fluidez y se estuvieran convirtiendo en idiomas casi naturales para ella, lo cual le permitía, como en el caso de la baronesa y Alexander, cambiar del uno al otro a voluntad.

La formación de Rebecca dirigida por la baronesa no acababa con los idiomas. En varias ocasiones había invitado a Rebecca a su apartamento de Zúrich, donde, haciendo el papel de tía rica, la llevaba de compras y la invitaba a cenar, lo cual le permitía aplicar enseñanzas suplementarias: la instrucción en estilo y presencia personal sobre qué ropas ponerse y cuándo, y cómo llevarlas; la manera de peinarse y de maquillarse, su selección, color y aplicación; cómo andar y comportarse; saber a quién, cuándo y cómo hablar. La baronesa animaba a Rebecca a sonreír más sin perder la frágil vulnerabilidad que la hacía tan atractiva para los hombres de cualquier edad. La instruía personalmente sobre las intimidades del amor, sobre la manera de estar con un hombre, socialmente y en privado, de cuidarle, mimarle o reprenderle. Y sobre la manera de hacerle el amor, aunque sabía que Rebecca seguía siendo virgen. A medida que la baronesa veía avanzar el romance entre Rebecca y Alexander, iba tranquilizando a la muchacha para que cuando llegara su noche de bodas ella tomara las cosas sin miedo y con naturalidad, complaciendo a su esposo y disfrutando ella misma más allá de lo esperado, tal y como la baronesa había gozado y había complacido a su marido en su propia noche de bodas.

Las enseñanzas, las lecciones, habían tenido lugar durante un período de cinco meses escasos, un período en el que había visto a Rebecca cada vez más enamorada de Alexander. El resultado final había sido casi extraordinario; en tan poco tiempo Rebecca se había transformado desde poco más que una canguro americana aniñada e insegura hasta una joven bella, desenvuelta y segura de ella misma, una mujer con los requisitos y las bases necesarias para formar parte de la aristocracia europea de sangre azul.

El teléfono móvil de Nicole Rothfels soltó un chirrido amortiguado dentro de su bolsillo.

—*Oui? Ah, merci* —respondió, antes de colgar. —Monsieur Alexander —dijo—. Por favor, la cena estará lista dentro de diez minutos.

—Volved a la casa —rio Alexander—. Estaremos allí dentro de quince.

Nicole Rothfels sonrió y miró a la baronesa.

—El amor tiene su propio reloj —dijo la baronesa a media voz, con el aliento, como el de los otros, como el de Alexander, como una nube flotando en el aire helado. Entonces ella, Nicole y Gerard Rothfels dieron media vuelta y volvieron paseando hasta la calidez de la casa iluminada a lo lejos.

Alexander observó cómo el paso seguro de la baronesa se los llevaba rápidamente bajo la luz de la luna.

«Baronesa», la había llamado él desde que aprendió a hablar.

«Cariño», lo había llamado ella desde que tenía uso de razón, ya que sus vidas habían estado íntimamente ligadas buena parte de la suya. Sin embargo, con todo la estima que le tenía, en toda su vida había un solo ser humano al que había amado de verdad: Rebecca.

67

19:50 h

—Sí, sí... por favor, deletréeme el nombre en inglés. —Kovalenko estaba encorvado, con el móvil en una mano y garabateando en una libreta de espiral con la otra. Lenard estaba al otro lado de la línea, dándole información sobre el asesinato de Zúrich.

Marten permanecía más atrás, esperando, sin saber qué iba a hacer Kovalenko. De momento no le había mencionado a Lenard nada de Marten, ni del disquete de Halliday, ni de que habían comparado las huellas digitales encontradas en el coche de Dan Ford con las de Raymond Oliver Thorne. Por lo que Marten podía oír, su conversación giraba únicamente alrededor del cuerpo encontrado en Zúrich y en los datos suplementarios que el policía francés había reunido sobre sus circunstancias.

—Bueno, tal vez sea nuestro hombre y hayamos tenido suerte, o tal vez no, ¿eh? Tal vez sea otro loco con una navaja o un cuchillo. —Kovalenko miró a Marten y luego volvió a mirar al teléfono y a las notas que estaba tomando.

Marten sabía que Kovalenko ya le había sacado prácticamente toda la información que podía, de modo que, ¿por qué no entregarlo a la policía francesa? Desde el punto de vista legal y profesional era lo que había que hacer, y eso eliminaría cualquier sospecha que Lenard pudiera tener de que Kovalenko se había llevado la agenda de Halliday de su habitación de hotel, como Marten había sugerido en broma, si el asunto volvía a aparecer más tarde. Pero, y éste era un gran «pero», Kovalenko todavía no había mencionado ni a Marten ni las huellas digitales, y esto lo intrigaba.

—Iré a Zúrich personalmente —dijo Kovalenko, inesperadamente—. Quiero ver el cuerpo y el lugar en el que fue hallado... Sí, ya lo sé, el tiempo. Los aeropuertos están cerrados y los trenes apenas funcionan. Pero es importante que llegue cuanto antes. Si es nuestro hombre y ha trasladado su actividad a Suiza, tenemos que estar encima de él... ¿Cómo? Iré en coche. ¿Puede conseguirme un buen vehículo con tracción en las cuatro ruedas para conducir con nieve?

De pronto, Kovelenko se puso derecho desde su anterior postura encorvada y miró a Marten.

—Por cierto, Philippe, nuestro amigo el señor Marten está en París. De hecho, ahora mismo está conmigo.

Marten se sobresaltó. Al final, Kovalenko lo entregaba a Lenard. Eso significaba que ya podía olvidarse de encontrar a Raymond y que ahora debería concentrarse en impedir que la policía francesa descubriera su identidad.

—Parece ser que sigue muy afectado por el asesinato de su amigo. Ha vuelto al apartamento de la rue Huysmans y allí se encontró con la agenda del detective Halliday... sí, la agenda, eso es... Ya sé que sus hombres lo han registrado todo. Tal vez deba usted preguntarles cómo ha sido que no la han encontrado. En cualquier caso, en algún momento le había dado mi número de móvil al señor Marten y me ha llamado, y yo lo he pasado a recoger. Desde entonces me ha estado contando historias que Dan Ford sabía de las investigaciones en Los Ángeles. Puede que haya más cosas que descubrir, de modo que me lo llevo conmigo.

—¿Cómo? —explotó Marten.

Kovalenko tapó el auricular.

—¡Cállese! —dijo, mirando a Marten con ojos furiosos, y luego volvió a atender al teléfono—. Te agradecería que llamaras a tus perros. Le entregaré la agenda de Halliday al que venga a traerme el coche... ¿Qué contiene? Letra diminuta y un montón de notas. Mi dominio del inglés garabateado no es muy bueno, pero no parece que haya demasiadas pistas en ella. Mírela usted mismo, puede que lo haga mejor que yo. ¿Me puede conseguir el coche rápidamente?... Estupendo. Les informaré desde Suiza.

Kovalenko colgó y su mirada se posó en Marten.

—El muerto era un amigo íntimo y socio de la empresa desde hace muchos años de Jean-Luc Vabres. Es más, tenía una pequeña imprenta en Zúrich.

Marten se quedó boquiabierto:

—Ahí tenemos el «segundo» menú.

—Sí, ya lo sé. Por eso nos vamos a Zúrich esta noche. —Kovalenko miró el material esparcido encima de la cama.

—¿Cómo sabe que Lenard no va a meterme en la cárcel?

—Porque soy un invitado del gobierno francés y no de la policía de París. He solicitado que usted me acompañe y él comprende la política que hay detrás.

»Y ahora, abra la agenda de Halliday y saque las páginas que hace referencia a Argentina y al cirujano plástico, el doctor Odett. Y los sobres con el disquete y el billete de avión de Halliday a Buenos Aires y démelos. Luego coja su abrigo y vaya a mear. Va a ser una noche larga y nevada.

450

El chofer de Peter Kitner bajó cautelosamente por la avenida Georges V, ayudándose de las farolas a ambos lados de la calle como guías en medio de los remolinos de nieve que caían.

Las condiciones de visibilidad casi nulas impedían prácticamente ver a más de unos pocos metros en cualquier dirección y el propio Kitner empezaba a estar preocupado. ¿Y si se habían equivocado de calle? En algún lugar cerca de allí estaba el Sena. ¿Y si se estampaban contra alguna barrera invisible y caían al río? Las calles estaban desiertas; nadie los veía. La limusina pesaba muchísimo, puesto que el verano pasado había sido blindada a insistencia de Higgs. Se hundiría hasta el fondo como un bloque de granito y nunca más los encontrarían. Para su familia, para todo el mundo, sir Peter Kitner habría, sencillamente, desaparecido.

—Sir Peter —sonó de pronto la voz de Higgs por el interfono de la limusina.

Kitner levantó la vista. Higgs lo miraba a través del cristal de seguridad.

—Sí, Higgs.

—Cabrera y la baronesa están en Suiza. En Neuchâtel. Esta noche cenan en casa del director de operaciones europeas de la empresa de Cabrera, Gerard Rothfels.

—¿Está confirmado?

—Sí, señor.

—Mantén a tus hombres encima de ellos.

—Sí, señor.

De pronto Kitner se sintió tremendamente aliviado. Al menos sabía dónde estaban.

—Hemos llegado, señor —sonó de nuevo la voz de Higgs.

De pronto el coche se estaba deteniendo y Kitner vio unas luces brillantes y una retahíla de policías franceses detrás de unas barreras. Se detuvieron y dos policías se acercaron al coche. Higgs abrió su ventanilla e identificó a Kitner.

Un policía miró al interior del coche, luego retrocedió y saludó formalmente. Una de las barreras fue apartada y la limusina cruzó lentamente las puertas para entrar en la finca de los Romanov del número 151 de la avenida Georges V.

68

Neuchâtel, Suiza, a la misma hora

La baronesa vio vagamente la mesa de la cena iluminada con velas , casi sin advertir a las personas y la actividad que la rodeaba. Alexander estaba delante de ella, Gerard Rothfels a un extremo, su esposa Nicole en el otro, Rebecca a su derecha, la fugaz interrupción de los niños Rothfels en pijama que bajaban a dar las buenas noches antes de acostarse. Sus pensamientos estaban lejos de allí, por alguna razón desconocida hundiéndose en las personas y en los hechos que la habían llevado hasta ese punto de su vida.

Nacida en Moscú, su madre se la llevó a Suecia cuando era todavía una niña. Tanto su madre como su padre pertenecían a la aristocracia rusa, y sus familias, con una mezcla de astucia, sacrificio y amor por la madre patria se las habían ingeniado para vivir durante el régimen de Lenin y luego bajo la mano de hierro de Stalin, durante la segunda guerra mundial y después de ella, cuando el dictador endureció todavía más su régimen. La sombra de la policía secreta estaba por todas partes. Los vecinos se delataban unos a otros por la más mínima de las faltas. La gente que protestaba lo mínimo, sencillamente desaparecía. Luego murió Stalin, pero la soga de los comunistas seguía apretando y manteniendo a raya cualquier disidencia. Harto y furioso, el padre de la baronesa se rebeló y levantó su voz contra el régimen totalitario. Como resultado, cuando la baronesa tenía cinco años, su padre fue arrestado por subversión, juzgado y sentenciado a diez años de trabajos forzados en uno de los terribles *gulags,* las llamadas instituciones de trabajo correctivo. Impresa para siempre en su mente estaba la imagen de él siendo llevado, maniatado, hacia el tren que se lo llevaría al *gulag.* De pronto, se liberó de sus guardias y se volvió a mirarlas, a ella y a su madre. Sonrió cálidamente y le mandó un beso, y en sus ojos no pudo ver miedo, sino orgullo y su profundo amor, por ella, por su madre y por Rusia. Aquella misma noche su madre, maleta en mano, la sacó de su cama. En pocos momentos la hubo vestido y estaban fuera de casa y en un coche. Recordaba haber subido a un tren y más tarde a bordo de un barco rumbo a Suecia.

Los años siguientes de su niñez transcurrieron en Estocolmo, donde su madre encontró trabajo como costurera y ella asistió a una escuela internacional y trabó amistad con niños que hablaban sueco, ruso, francés e inglés. Su madre hizo un calendario de diez años y al final de cada día marcaba una cruz. Eso significaba que estaban un día más cerca del día en que su padre sería liberado y vendría a reunirse con ellas. Cada día, ella y su madre le escribían notas de ánimo y de amor y se las enviaban, sin tener idea de si las recibía o no.

Una vez, cuando tenía siete años, recibieron una breve carta manuscrita de él que, de alguna manera, había conseguido mandarles. En ella no les decía nada de sus cartas, pero les decía que las amaba con todo su corazón y que aguantaba y contaba los días hasta su liberación. También les confesaba que había matado a un hombre, a otro prisionero, durante una pelea porque el hombre le había robado el peine y él había intentado recuperarlo. Las vidas de los prisioneros no le importaban a nadie, de modo que no le ocurrió nada. Fuera del *gulag,* una pelea por un peine podía parecer una estupidez, pero dentro, la historia era totalmente distinta. Los peines, un artículo prácticamente imposible de conseguir, se consideraban tesoros porque llevar el pelo y la barba arreglados era lo único que permitía a un prisionero conservar la poca dignidad que le quedaba, y dentro del *gulag* la dignidad era lo único que uno poseía. De modo que, por dignidad, un hombre le había robado el peine a su padre. Y, por dignidad, su padre lo había matado.

La nota era breve pero terriblemente emocionante porque era la primera vez que se ponía en contacto con ellas desde que se lo llevaron. Y sin embargo, a pesar de toda la fuerza y la emoción, hubo una parte en especial que marcó a la baronesa profundamente y más que nada en toda su vida, por lo mucho que lo amaba y porque se sintió como si le estuviera hablando a ella directamente, compartiendo con ella una parte muy profunda de su ser y ofreciéndole un consejo que la acompañaría toda su vida.

«Mis queridísimas y amadas —escribió—, no permitáis nunca a nadie que os quite la dignidad. Nunca, por ningún motivo. Es lo único que en la más oscura de las noches mantiene vivo el fuego de la propia alma. Nuestra propia dignidad y la de Rusia. Protegedla con cada respiración y a cada paso, y responded con fuerza si podéis. Haced que nunca más os puedan volver a lastimar.»

Estas palabras la tocaron en lo más hondo de su ser, y durante meses las leyó una y otra vez hasta que le quedaron grabadas en el corazón. Y un día se detuvo de pronto en medio del párrafo y calculó que cuando su padre saliera en libertad, ella tendría exactamente quince años y sesenta y un días. Con todo lo lejos que le quedaba todavía aquella edad, eso le dio esperanza y la embargó de felicidad porque sabía que habría un día en el que, por fin, él estaría a su lado y podría tomarlo de la mano y mirarle y decirle lo mucho que lo amaba.

Pero ese día jamás llegaría. Dos semanas después de su noveno cumpleaños fueron informadas, a través de un telegrama reenviado por correo por los parientes que seguían en la Unión Soviética, de que su padre había muerto congelado en el más terrible de todos los campos de trabajo, Kolyma, al noreste de Siberia. Más tarde supieron que había muerto todavía lleno de una rabia feroz hacia el sistema soviético y de un amor intenso por su esposa y su hija y por el alma de la Rusia anterior. Lo supieron porque uno de los guardias, un buen hombre sometido a circunstancias terribles, desafió el peligro y les mandó una carta en la que se lo contaba.

—Dios ha elegido a tu padre para que ayude a mantener viva la voz sagrada de la madre patria. Fue su destino desde el nacimiento —le dijo su madre, convencida—. Ahora este mismo destino nos ha sido transmitido.

Hasta en este momento, sentada a la mesa en Neuchâtel mientras Alexander conversaba con Gerard Rothfels y Rebecca con su esposa, podía oír el eco de las palabras de su madre y ver a su padre sonriendo y mandándole un beso cuando lo arrastraban al tren que lo llevaría hasta su muerte en el *gulag*.

Las cosas que lo habían caracterizado —la feroz rebeldía, el orgullo, la fuerza, el coraje y la convicción, su instrucción de que protegieran su dignidad y la de la adorada alma de Rusia con todas sus fuerzas— las había asumido como propias. Era por esto que, ya de

453

adolescente, le había hecho lo que debía a su agresor, hacía tantos años, en Nápoles, con tanta crueldad y, finalmente, con tanta sangre fría. Su tejido mental estaba profundamente impregnado de las palabras de su padre. «Haced que nunca más os puedan volver a lastimar.»

Fue su espíritu el que le inculcó a Alexander desde el principio y el que le alimentó cada día de su vida desde entonces. El mismo espíritu que les había permitido enfrentarse a Peter Kitner como lo habían hecho antes. Y como lo seguían haciendo.

69

20:20 h

El coche era un Mercedes de camuflaje, un monovolumen ML500 que llevaba a Kovalenko y a Marten lento pero seguro hacia el exterior de París bajo lo que los franceses ya habían bautizado como la nevada del siglo.

—Antes era fumador. Ojalá todavía lo fuera —dijo Kovalenko, mientras soltaba el acelerador y dejaba que el Mercedes se deslizara sobre un arcén formado por el quitanieves—. Este viaje es ideal para fumar. Aunque me podría haber muerto antes de llegar a Suiza.

Marten oía el parloteo de Kovalenko a lo lejos, concentrado todavía en los instantes antes de salir. Lenard les acercó el coche personalmente, con la rapidez que les había prometido, y permaneció allí bajo la nieve y el frío frente al hotel Saint Orange mientras Kovalenko le entregaba la agenda de Halliday y cargaba su maleta pequeña y gruesa que contenía, entre sus efectos personales, la carpeta archivadora de Dan Ford, en el asiento de atrás del vehículo. Todo aquel rato Lenard no hizo más que mirar a Marten, con una mirada que lo decía todo. Si no llega a ser por la apremiante bravuconada de Kovalenko, su ansiedad por llegar a Zúrich lo antes posible, su insistencia en que Marten lo acompañara y, como él mismo dijo, la política que había en todo aquello, estaba claro que Lenard lo hubiera arrestado al instante. Por otro lado, se llevaba la agenda de Halliday y se estaba librando de un ruso claramente agresivo y de un americano irritante que ni le gustaban ni de los que se fiaba, pero contra los que no tenía ninguna causa tangible. Al final, se limitó a decirle a Kovalenko que esperaba sus informaciones desde Zúrich y le advirtió que condujera con cuidado bajo la tormenta y que no abollara el coche. Era nuevo y el único monovolumen del que disponían.

El ML era un monovolumen que a Kovalenko le gustaba y del que se fiaba. Satisfecho con la manera en que se agarraba al asfalto, una vez cruzado el Sena en Maisons-Alfort y ya en la N19 desierta empezó a aumentar la velocidad, en dirección sur y luego este hacia la frontera suiza.

Durante un rato, ninguno de los dos hombres dijo nada. Escuchaban el ulular de la tormenta y el batido regular de los limpiaparabrisas que se enfrentaban a la nieve. Finalmente, Marten tiró de su cinturón de seguridad y miró a Kovalenko:

—Con o sin política, me podía haber entregado a Lenard. ¿Por qué no lo ha hecho?

—Es un viaje largo, señor Marten —dijo Kovalenko, sin quitar los ojos de la carretera—, y empiezo a disfrutar de su compañía. Además, estar aquí es mejor que estar en una cárcel francesa, ¿no cree?

—Esto no es ninguna respuesta.

—No, pero es una verdad. —Kovalenko miró a Marten un segundo y luego otra vez a la carretera.

De nuevo, el silencio llenó el espacio y Marten se relajó, contemplando el haz de luz de los faros del vehículo que cortaba aquel túnel inacabable gris blanquecino de nieve que caía, interrumpido de vez en cuando por la forma vaga de alguna señal de la autopista.

Pasaron unos segundos, unos minutos y Marten se volvió otra vez a mirar a Kovalenko. Su cara con barba, iluminada por el brillo de los instrumentos de a bordo, el volumen de su cuerpo, el bulto bajo la chaqueta donde llevaba el arma automática. Era un policía de carrera, con una esposa e hijos en Moscú. Era como Halliday, como Roosevelt Lee o Marty Valparaiso o Polchak o Red, todos ellos policías profesionales con familias a las que mantener. Y como ellos, trabajaba en homicidios.

Sin embargo, como Marten ya había presentido antes, en él había algo distinto. Era su otra agenda. Cuando le había preguntado si Kitner tenía la influencia para decantar el voto favorable hacia el zar y, así, incrementar sus negocios en Rusia, él le respondió que era policía y que el poder y la política no eran sus dominios. Pero luego dijo que Lenard no lo arrestaría debido a la política que envolvía el asunto. De modo que había algún tipo de política que sí era su dominio.

—Son asuntos rusos —le había respondido cuando Marten le preguntó si tenía fotos de Alexander Cabrera de antes del accidente de caza. Su respuesta fue negativa, y el motivo alegado fue que entonces no había sido importante. ¿Qué era importante ahora? ¿Qué había cambiado? ¿Qué «asuntos rusos»? Tal vez no quisiera hablar del tema, pero al llevarlo con él de viaje, Kovalenko había convertido los asuntos rusos en asuntos también de Marten.

—¿Por qué mantiene a Lenard en la inopia? —Marten rompió de pronto el silencio—. ¿Por qué no le ha dicho nada de Cabrera, ni de las huellas? ¿Ni sobre Raymond o Kitner?

Kovalenko no respondió; sencillamente, siguió atento a la carretera que tenían delante.

—Déjeme adivinarlo —lo presionó Marten—. Es porque, en algún rincón de su alma, teme usted que Alexander Cabrera y Raymond Thorne sean una misma persona y no quiere que nadie más lo sepa. Por eso me hizo sacar el disquete y las páginas que contenían alguna referencia a Argentina. Ha dejado la agenda de Halliday porque tenía que hacerlo, y espera que Lenard no descubra nunca el resto. Por eso me ha llevado con usted, para que Lenard no pueda empezar a hacerme preguntas. Usted y yo somos los únicos que lo sabemos y quiere que siga así.

—Sería usted un buen psicoanalista, o —Kovalenko miró a Marten— un estupendo detective, señor Marten. —Se volvió otra vez hacia la carretera y se aferró al volante con más fuerza a medida que la nieve caía copiosamente—. Pero no es usted detective, ¿no es cierto? Usted es estudiante de posgrado en la Universidad de Manchester. Lo he comprobado. Así es cómo logramos encontrar a lady Clementine Simpson.

«Cómo logramos o como lo logró usted», quiso preguntar Marten, pero no lo hizo porque ya sabía la respuesta.

—Le agradecería que la mantuviera al margen —le dijo, con tono frío. Lo que habían hecho Lenard y Kovalenko con Clem todavía le dolía.

Kovalenko sonrió:

—Una joven atractiva no es ningún enigma, señor Marten. El enigma es, si es usted un estudiante de posgrado, ¿dónde cursó usted sus estudios de licenciatura? ¿También en Manchester?

Por un instante, Marten se quedó inmóvil. Kovalenko era listo y traía los deberes hechos, y si Marten no iba con cuidado lo acabaría descubriendo. Cuando hizo la solicitud de matrícula en la Universidad de Manchester, sencillamente llamó a UCLA como John Barron y pidió una copia de su expediente académico. Cuando le llegó, escaneó las páginas en un disquete, lo metió en su ordenador y luego cambió el nombre de John Barron a Nicholas Marten, las imprimió y las mandó. Nadie puso nunca en duda aquellas páginas, y el tema no había salido hasta ahora.

—UCLA —dijo—. Fue entonces cuando veía a Dan Ford muy a menudo y cuando conocí a Halliday.

—UCLA, es decir, la Universidad de California en Los Ángeles.

—Sí.

—No lo había dicho antes.

—No me había parecido importante.

La mirada de Kovalenko se posó en Marten y se quedó allí un instante, sondeando. Pero Marten no le desveló nada y él volvió a mirar hacia la carretera.

—Le cambio una verdad por otra, señor Marten. Tiene que ver con Peter Kitner. Tal vez luego entenderá lo que percibe usted como mi preocupación por Alexander Cabrera y por qué no habría sido prudente por mi parte dejarlo a usted con el inspector Lenard.

70

París, la casa del número 151 de la avenue Georges V,
a la misma hora

La gran duquesa Catalina Mikhailovna se tocó el pelo y sonrió con seguridad mientras esperaba que el fotógrafo oficial tomara su foto. A la izquierda tenía a su hijo, el gran duque Sergei; a la derecha, al príncipe Dimitri Vladimir Romanov, un hombre de setenta y siete años de pelo gris, bigote y porte regio, en cuya magnífica mansión se celebraba la reunión de esa noche y que era el principal rival a la Corona.

Detrás del joven fotógrafo podía ver a su madre, la gran duquesa Maria Kurakina, y detrás de ella las caras de los otros Romanov reunidos en el salón de techos altos del príncipe Dimitri: treinta y tres hombres y mujeres maduros, elegantemente vestidos y con un orgullo desafiante de una docena de países distintos y que representaban las cuatro ramas de la familia. Ninguno de ellos había dejado que el tiempo se interpusiera en su viaje, y ella tampoco habría esperado que así fuera. Eran miembros importantes de la familia imperial y del alma rusa; fuertes, nobles y rotundamente fieles a su linaje divino como auténticos guardianes de la madre patria.

Después de casi un siglo y esparcidos por todo el mundo por el exilio, ellos, o la generación anterior a la suya, habían visto gobernar a los comunistas con la hoz y el martillo de Lenin y con el puño de hierro de Stalin. Habían visto los horrores de la segunda guerra mundial, cuando el ejército nazi invasor pisoteó su tierra y masacró a a millones de sus compatriotas. Habían visto, con horror y desaliento, cómo en las décadas siguientes la Guerra Fría, gobernada por los arsenales nucleares, se veía entremezclada con las brutales represalias del KGB, en el país y en Europa Oriental; y finalmente contemplaron con pasmo absoluto cómo, casi de la noche a la mañana, la Unión Soviética se venía abajo y desaparecía, dejando en su estela poco más que una nación corrupta, caótica y profundamente atrasada.

Sin embargo, ahora, por suerte y después de todo aquel delirio, amanecía un nuevo día y un gobierno de Rusia democrático estaba tendiendo una invitación elegante, propia y sabia —consciente de que la auténtica función de las monarquías es proporcionar una sensación de continuidad y una base de lealtad sobre la cual una nación se puede construir y sostener— al regreso de la familia imperial, devolviendo al pueblo los trescientos años de reinado Romanov. Para los presentes, el significado de aquel gesto era sobrecogedor. Era como si la historia de Rusia les hubiera sido arrebatada, mantenida alejada, y ahora les fuera devuelta.

458

Por este motivo, los miembros de las cuatro casas Romanov allí reunidos habían aceptado plenamente que la larga batalla de competidores y candidatos al trono había terminado. Se había reducido sencillamente a los dos hombres que ahora estaban a los dos lados de la gran duquesa Catalina Mikhailovna: su hijo, el joven y entusiasta gran duque Sergei Petrovich Romanov, y el majestuoso hombre de Estado y miembro mayor de la familia, el príncipe Dimitri Vladimir Romanov. Cuál de ellos asumiría el trono se decidiría en una votación abierta, a mano alzada, que tendría lugar inmediatamente después de la cena. O, en los términos de Catalina, dentro de una hora, dos a lo sumo.

De pronto, la luz estroboscópica del fotógrafo soltó una serie de flashes cegadores. Los acompañó el sonido de la película que corría por el interior de la cámara motorizada mientras el fotógrafo tomaba una docena o más de instantáneas. Luego acabó y se retiró. La gran duquesa Catalina relajó su postura y apretó la mano de su hijo para tranquilizarlo.

—¿Puedo acompañarla hasta la mesa, gran duquesa? —La voz de barítono del príncipe Dimitri resonó detrás de ella. En vez de dejarlos una vez hecho el trabajo del fotógrafo y abandonar a su competidor en compañía de su madre, el mayor de los Romanov permaneció a su lado.

—Por supuesto, Su Alteza Imperial. —Catalina sonrió graciosamente como respuesta, muy consciente del público que tenía y demostrando voluntariamente su capacidad de mostrarse tan encantadora y agradable como la oposición.

Con gesto regio tomó su brazo y, a paso tranquilo, cruzaron el salón central de suelo de mármol hasta las puertas doradas del fondo, donde los esperaban un ejército de sirvientes de pajarita blanca y guantes blancos.

El gran duque Sergei y la madre de Catalina, la gran duquesa María, los seguían, y después de ellos los treinta y tres Romanov.

Cuando llegaron al fondo del salón, los sirvientes abrieron las puertas y entraron en un amplio comedor decorado con paneles de madera tallada a mano que se levantaban más de seis metros hasta el techo. Una mesa antigua, larga y pulida ocupaba el centro de la estancia, con butacas de respaldo alto y tapizadas con seda roja y dorada a ambos lados de la misma. La cubertería era de oro y plata, la cristalería era de cristal de Murano y los platos de color hueso, con servilletas de encaje entre ellos. Más camareros de pajarita blanca aguardaban a un lado.

El ambiente era formal, extravagante y teatral, excesivamente impresionante, pero había todavía un último elemento que eclipsaba todo lo demás. Montada en la pared del fondo del salón había un águila doble de oro macizo, de cuatro metros de altura, con las alas desplegadas de casi la misma anchura. Una de sus enormes garras aferraba el cetro imperial, mientras que con la otra sostenía el orbe imperial. Más arriba de las cabezas gemelas del águila, en el vértice de un gran arco encima de ambas, reposaba la majestuosa y enjoyada corona imperial. Lo que contemplaban era el magnífico emblema de los Romanov, ante el cual nadie podía menos que quedarse boquiabierto. Algunos de ellos inclinaron la cabeza en señal de reverencia ante el mismo, y pocos fueron capaces de apartar la vista del magnífico objeto hasta que estuvieron sentados a la mesa.

La gran duquesa Catalina no estaba menos impresionada hasta que se acercó un poco más y vio otra cosa. Cuatro sillas habían sido colocadas en una tarima elevada, justo debajo del emblema del fondo del espléndido comedor, a pesar de que todos los presentes habían sido ya sentados. En aquel momento la invadió una profunda inquietud.

Un estrado y cuatro sillas.
¿Para qué eran?
¿Y para quién?

71

Kovalenko redujo la velocidad del Mercedes detrás de una hilera de máquinas quitanieves que trabajaban para poder mantener abierta la autopista N19. Se reclinó y mantuvo la velocidad mientras la nieve y el viento agitaban el vehículo. A su alrededor la noche, solamente iluminada por los faros potentes del monovolumen y por las luces traseras de las máquinas quitanieves.

—Conocerá usted la historia de Anastasia, señor Marten.

—Como película, o como obra de teatro, no estoy seguro. ¿Adónde quiere ir a parar?

—Anastasia era la pequeña de las hijas del zar y estuvo ante el pelotón de fusilamiento con el resto de la familia, en la casa Ipatiev.

—Kovalenko aflojó todavía más la velocidad con la mirada fija en el asfalto traidor que tenían delante.

—Once personas fueron conducidas a una pequeña habitación del sótano por un revolucionario llamado Yurovsky: el zar Nicolás, su esposa Alejandra, sus hijas Tatiana, Olga, María y Anastasia, y su hijo, un hemofílico llamado Alexei, el *zarevich*, siguiente en la línea de sucesores al trono imperial. Los otros eran el médico imperial, el mayordomo de Nicolás, un cocinero y una doncella.

»Pensaban que los estaban llevando al sótano por su propia seguridad, por la Revolución, para protegerlos de los tiroteos que había en la calle. Otros once hombres los siguieron hasta la pequeña estancia. Yurovsky miró al zar y dijo algo así como "los tiroteos son porque sus parientes reales están intentando encontrarles y liberarles, por lo cual el Soviet de delegados de los Trabajadores ha decidido ejecutarles".

»En aquel momento el zar gritó "¿Cómo?" y rápidamente se volvió hacia su hijo, Alexei, tal vez con la intención de protegerlo. En el mismo instante Yurovsky disparó al zar Nicolás y lo mató. Al instante siguiente se desencadenó un infierno mientras los otros once hombres empezaron a disparar, llevando a cabo la ejecución de la familia entera. El problema fue que estaban en una estancia muy pequeña, con once personas a ejecutar y doce hombres disparando, con cinco o siete guardas más atrás que iban armados pero que no for-

LA HUIDA

maban parte del pelotón de fusilamiento. El sonido de los disparos y la confusión de personas que gritaban y cuerpos que caían ya era lo bastante terrible, y además en 1918 muchos de aquellos rifles usaban cartuchos de pólvora negra. A los pocos segundos de iniciado el tiroteo, ver algo resultaba casi imposible.

»Ya le he contado antes que después del tiroteo, los cadáveres fueron cargados a un camión y llevados por caminos enfangados hasta el bosque en el que se hallaba el lugar elegido para darles sepultura.

Kovalenko miró a Marten y luego hacia delante, espiando por entre el limpiaparabrisas y a través de la intensa nevada, tratando de adivinar el trazado de la carretera.

—Continúe —lo apremió Marten.

Kovalenko se concentró unos instantes en la carretera, luego alcanzaron un tramo en el que la nieve parecía aclarar un poco y se relajó.

—Como Alexei era hemofílico y debido a la presión de la Revolución, dos marinos de la Marina imperial habían sido asignados al cuidado de los niños. Una especie de combinación de guardaespaldas y niñera. En algún momento, los marinos tuvieron un enfrentamiento con el instructor personal de Alexei, que consideraba que su presencia perjudicaba el desarrollo intelectual del muchacho. Finalmente, uno de ellos se hartó y se marchó. El otro, un hombre llamado Nagorny, permaneció con ellos hasta que fueron detenidos en la casa Ipatiev. Entonces los revolucionarios se lo llevaron a la cárcel de Ekaterimburgo. Supuestamente, allí lo mataron, pero no fue así. Logró escapar y más tarde volvió y encontró la manera de incorporarse al grupo de Yurovsky: era uno de los guardias que estaba detrás del pelotón de fusilamiento.

»Cuando acabó el tiroteo, bajo el humo oscuro y cegador y con el caos de la escena del crimen, mientras los otros cargaban los cuerpos al camión, Nagorny se dio cuenta de que uno de los niños seguía con vida. Era Alexei y lo recogió y lo sacó de allí. A oscuras y con la confusión de todos aquellos hombres tratando de sacar los cadáveres de allí y cargarlos al camión, ¿cómo pudieron no darse cuenta de que faltaban un hombre y un cadáver? Nagorny lo consiguió. Primero lo trasladó a una casa cercana y luego a otro camión. Alexei había sido herido en una pierna y en un hombro. Nagorny conocía bien su hemofilia y sabía cómo aplicarle la presión necesaria para detener las hemorragias, lo que consiguió hacer.

»Mucho más tarde, cuando las piezas de lo que había sucedido empezaron a cuadrar y los cuerpos, incluido uno que se creyó que

461

correspondía al *zarevich* Alexei, fueron hallados en la galería de una mina desnudos, quemados y empapados en ácido para tratar de ocultar su identidad, se determinó que había nueve cuerpos, no once. Finalmente se dieron cuenta de que los dos que faltaban correspondían a Anastasia y a Alexei.

—¿Quiere decir que Anastasia también sobrevivió, y en eso se basa su historia? —dijo Marten.

Kovalenko asintió con la cabeza.

—Durante años se creyó que una mujer llamada Anna Anderson era la auténtica Anastasia. Finalmente se realizó una prueba de ADN y los científicos pudieron comprobar que los cuerpos hallados correspondían, efectivamente, a la familia imperial, pero el mismo proceso demostró que Anna Anderson no era Anastasia. Así que, ¿qué sucedió con la verdadera Anastasia? ¿Quién lo sabe? Probablemente, no lo sepamos nunca.

De pronto Marten se dio cuenta de que no era de Anastasia de quien Kovalenko le estaba hablando.

—Pero sí sabe usted lo que le ocurrió a Alexei.

Kovalenko se volvió hacia Marten.

—Nagorny lo sacó de allí. Primero en un camión y luego en tren hasta el Volga. Allí lo embarcó hasta el puerto de Rostov y luego cruzaron el mar Negro en un barco de vapor hasta Estambul, en aquel entonces Constantinopla, donde los recibió el emisario de un amigo íntimo del Zar, un hombre muy rico que había logrado escapar de la Revolución para irse a vivir a Suiza en 1918. El emisario les facilitó documentación falsa a Nagorny y a Alexei, y los tres juntos tomaron el Orient Express hasta Viena. Después de esto, desaparecieron.

La nieve volvía a caer y Kovalenko se concentró de nuevo en la carretera que tenían delante.

—Nadie sabe qué fue de Nagorny, pero... ¿entiende lo que trato de decirle, señor Marten?

—El primer descendiente masculino directo del zar seguía vivo.

—Por temor a las represalias comunistas no reveló nunca su identidad, pero sabemos que consiguió mucha preeminencia en su negocio de joyería en Suiza. Tuvo un solo hijo, un varón, que continuó los negocios hasta amasar una inmensa fortuna y adquirir mucha más notoriedad.

—Peter Kitner —suspiró Marten.

—El único sucesor auténtico de sangre al trono de Rusia. Y un hecho que le será revelado esta noche a la familia Romanov.

72

La gran duquesa Catalina permanecía boquiabierta mientras escuchaba las pruebas presentadas.

Tres de las cuatro sillas en el estrado bajo el gran emblema Romanov estaban ocupadas por hombres a los que había considerado sus más acérrimos aliados: Nicolai Nemov, el alcalde de Moscú; el mariscal Igor Golovkin, ministro de Defensa de la Federación Rusa y probablemente el oficial más poderoso del ejército ruso; y por último, el hombre al que muchos consideraban la figura más reverenciada de toda Rusia, con su barba y su túnica, Su Santidad Gregorio II, el patriarca sagrado de la Iglesia ortodoxa rusa. Juntos formaban un triunvirato que sin duda representaba la máquina política más potente de Rusia, con más poder incluso que el presidente de la nación, Pavel Gitinov. Y este poder y esta influencia eran los elementos con los que ella había contado.

Pero ahora todo aquello se había desvanecido: su futuro, el futuro de su hijo, el de su madre, un sueño roto por el hombre que ahora ocupaba la cuarta silla, sir Peter Kitner, nacido Petr Mikhail Romanov, el heredero indiscutible del trono imperial.

Estaba todo allí, en la larga pero totalmente comprensible explicación ofrecida por el príncipe Dimitri y en los documentos y fotografías reunidos, de los cuales se proyectaron copias en una pantalla colocada a la derecha del estrado. Unas cuantas de las imágenes eran fotos en blanco y negro desvaído tomadas por el marino ruso Nagorny mientras ayudaba al pequeño *zarevich* Alexei a huir de Rusia hasta Suiza, después de la masacre de Ipatiev. Las otras eran de Alexei y del joven Petr mientras crecía en la casa familiar de Mies, a las afueras de Ginebra. Y otros documentos eran técnicos y mostraban cadenas de ADN, los laboratorios en los que se habían analizado y los técnicos que los firmaban.

Pero las fotos, las muestras de ADN y los documentos sólo servían para subrayar la verdad irrefutable de las pruebas presentadas. Se habían tomado muestras de huesos de los restos del zar Nicolás en la cripta de San Petersburgo y se había analizado su ADN. Estos resultados se compararon con muestras del ADN de los restos del supuesto *zarevich* Alexei, el padre de Kitner, enterrado a las afueras de Ginebra. Las cadenas de ADN y la repetición de sus secuencias coincidían con las del zar Nicolás sin dejar ninguna duda. Para asegurarse del todo de que lo que habían descubierto no era fruto de alguna extraña coincidencia, eligieron un ADN contemporáneo como

463

elemento de comparación. La princesa Victoria, hermana mayor de la emperatriz Alejandra, esposa de Nicolás y madre de Alexei, había tenido una hija que se convirtió en la princesa Alicia de Grecia. De los hijos de la princesa Alicia, su único hijo, el príncipe Felipe, duque de Edimburgo y esposo de Isabel II, reina de Inglaterra, era el candidato vivo idóneo para comparar con las muestras de ADN de su tía abuela, la emperatriz Alejandra. Se tomaron otra vez muestras de huesos de la cripta de San Petersburgo, esta vez de la emperatriz Alejandra, y se compararon con las muestras extraídas del duque de Edimburgo. Y otra vez, las secuencias de ADN coincidían a la perfección. Entonces, las cuatro muestras fueron comparadas con las muestras aportadas por Peter Kitner. Y otra vez, la perfecta coincidencia.

Una vez reunidas, estas pruebas despejaban toda duda sobre la supervivencia del *zarevich* Alexei Romanov a la matanza de Ipaniev, y sobre el hecho de que Peter Kitner era no sólo su hijo sino, por los certificados de nacimiento que se conservaban en la administración suiza y los testimonios aportados por amigos de la familia, su único hijo. El linaje desde entonces hasta el presente era claro, sencillo, sin dudas y sin lugar a error: Petr Mikhail Romanov Kitner era el auténtico cabeza de la casa Romanov y, como tal, sería el hombre que se convertiría en *zarevich*.

El único recurso de Catalina era ahora jugar la carta de Anastasia y alegar que los análisis de ADN no demostraban nada y que Kitner era tan impostor como lo había sido Anna Anderson en su momento, pero sabía que sería un gesto inútil que sólo les traería vergüenza a ella, a su madre y a su hijo. Además, el triunvirato no había hecho el viaje desde Moscú para nada. Habían analizado todas las pruebas mucho tiempo antes, habían mandado a sus propios especialistas a interrogar a los expertos que habían hecho los análisis, habían hecho repetir los análisis del ADN en tres laboratorios distintos y separados y, finalmente, tomaron su decisión. No sólo esto, sino que Pavel Gitinov, el presidente de Rusia, le había pedido a Kitner que fuera a reunirse con él en su residencia de vacaciones en el mar Muerto y allí, en presencia del triunvirato y de los líderes del Consejo Federal y de la Duma —las cámaras alta y baja del Parlamento—, le pidió personalmente que regresara a Rusia como titular de la corona y se convirtiera así en la figura práctica, emocional y promocional que ayudaría a cohesionar una nación asolada por la incertidumbre social y económica, y a devolver a la nueva Rusia el poder global que antaño había tenido.

Lentamente, la gran duquesa Catalina Mikhailovna se puso de pie, con la mirada clavada en Peter Kitner. Al verla, el gran duque Sergei también se levantó. Y también lo hizo su abuela, la gran duquesa María Kurakina.

—Petr Mikhail Romanov —la fuerte voz de Catalina resonó por la enorme estancia. Todas las miradas se volvieron hacia ella mientras levantaba un globo dorado con el escudo de la familia estampado y se lo ofrecía—, la familia del gran duque Sergei Petrovich Romanov os saluda con orgullo y os reconoce humildemente como *zarevich* de Todas las Rusias.

Con esta frase, todos los presentes se pusieron de pie y levantaron sus copas a modo de saludo. El príncipe Dimitri también se levantó. Y también lo hicieron el alcalde Nicolai Nemov, el mariscal Igor Golovkin y el patriarca Gregorio II.

Entonces sir Petr Mikhail Romanov Kitner se levantó, con su pelo blanco a modo de melena real y los ojos oscuros brillando. Levantó las manos y esperó, mientras contemplaba los saludos reales. Finalmente y con un gesto sencillo, agachó la cabeza a modo de aceptación formal de su manto.

73

Cuando Kovalenko advirtió la presencia del coche abandonado ya era demasiado tarde. Giró el volante con fuerza, desviándose alarmado para evitar el vehículo, y mandó el ML500 dando tumbos por encima de la autopista cubierta de nieve como una peonza. Una décima de segundo más y golpearon un arcén de nieve que había al fondo, se levantaron sobre dos ruedas y luego cayeron para resbalar por el arcén a modo de tobogán, deslizándose por un largo terraplén en el que se pararon, con el motor en marcha, los faros encendidos, atascados en la nieve acumulada al borde de un saliente rocoso.

—¡Kovalenko! —Marten tiraba de su cinturón de seguridad y miraba a la forma inmóvil de Kovalenko tras el volante. Por un segundo largísimo hubo silencio y luego, lentamente, el ruso se volvió a mirarlo.

—Estoy bien, ¿y usted?

—Bien.

—¿Dónde coño estamos?

La mano derecha de Marten encontró la manecilla de la puerta y la abrió de un empujón. Notó cómo el coche se balanceaba ligeramente al colarse la nieve y el aire helado. Con cuidado, se deslizó y miró afuera. Con la luz de la puerta abierta podía distinguir apenas el abismo oscuro que había directamente bajo la puerta y escuchar el rumor de agua a lo lejos, debajo de ellos.

Se inclinó un poco más, pero sintió que el coche se volcaba en su dirección. Entonces se detuvo de inmediato.

—¿Qué ocurre? —insistió Kovalenko.

Lo único que Marten veía era la parte de arriba del saliente cubierto de nieve y, debajo, todo oscuro. Lentamente, volvió a meterse en el coche y cerró la puerta.

—Estamos al borde de un precipicio.

—¿Cómo?

—Un precipicio, un acantilado. Juraría que no tenemos más de dos ruedas sobre terreno sólido.

Kovalenko se abalanzó para mirar y el coche se movió con él.

—¡No haga eso!

Kovalenko se quedó inmóvil.

Marten lo miró:

—No sé lo profundo que es ni me gustaría averiguarlo.

—Ni yo tampoco. Ni a Lenard tampoco. Quiere que le devolvamos el coche entero.

—¿Qué hora es?

Kovalenko miró con atención al reloj del salpicadero:

—Las doce en punto.

Marten respiró hondo:

—Está nevando mucho, son las doce de la noche y estamos fuera de la carretera, en medio de la nada. Un estornudo nos podría mandar al carajo y esto sería el final. O nos ahogamos, o nos congelamos, o nos quemamos, si este trasto decide incendiarse.

—Y aunque consigamos hablar con alguien con su móvil no tenemos manera de decirle a nadie dónde estamos porque no lo sabemos. Y aunque lo supiéramos, dudo que nadie pueda llegar hasta aquí antes del amanecer. Y eso en el mejor de los casos.

—Entonces, ¿qué hacemos?

—Tenemos dos ruedas levantadas hacia un lado, lo cual espero que signifique que nos quedan las otras dos sobre el suelo. Tal vez podamos avanzar a partir de ahí.

—¿Qué quiere decir «tal vez»?

—¿Se le ocurre algo mejor?

Marten vio a Kovalenko pensando alternativas y luego decidiendo rápidamente que no las había.

—Al menos resultaría útil —dijo Kovalenko con aire autoritario— que tuviéramos menos peso del lado del copiloto.

—Bien.

—Por tanto, yo saldré por mi puerta. Mientras lo haga, usted se deslizará y tomará el volante y hará el intento de, como ha dicho, salir conduciendo.

—Mientras usted está a salvo en el suelo mirando lo que ocurre, ¿es esto?

—Señor Marten, si el coche se estrella no sirve de nada que estemos los dos dentro, cuando con uno basta.

—Pero el de dentro no será usted, sino yo, señor Kovalenko.

—Si le sirve de consuelo, si usted se estrella, sin duda yo moriré congelado.

Con estas palabras, Kovalenko desenganchó su cinturón y abrió la puerta del conductor. Una ráfaga de viento se la volvió a cerrar pero él apoyó el hombro y la volvió a empujar.

—Vale, voy a salir. Avance conmigo.

Kovalenko empezó a deslizarse desde detrás del volante. Mientras lo hacía, Marten se deslizó cuidadosamente por encima de la consola central, poniendo todo el peso corporal que podía en el lado del conductor. De pronto, el ML crujió y empezó a inclinarse hacia el barranco. Kovalenko volvió a meterse dentro rápidamente, colocando todo su peso al borde de la butaca. El coche se detuvo.

—Madre de Dios —suspiró.

—Quédese dónde está. Me acercaré todo lo que pueda.

Con una mano sobre el asiento del conductor y luego bajando sobre su codo con todo el peso corporal que podía, Marten se levantó de la consola y se deslizó hasta el asiento, desplazando las piernas una a una debajo del volante.

Marten miró hacia arriba. Tenía la nariz de Kovalenko a centímetros de la suya. Una repentina ráfaga de viento empujó la puerta y a Kovalenko por detrás, echándolo encima de Marten. Sus narices chocaron con fuerza y el coche se inclinó hacia el barranco.

Entonces Marten empujó a Kovalenko fuera del coche y se inclinó todo lo que pudo hacia él. Este movimiento bastó; el ML corrigió su inclinación.

—Levántese y cierre la puerta —dijo Marten.

—¿Cómo?

—Levántese y cierre la puerta. Con cuidado.

Kovalenko se levantó de la nieve como un fantasma.

—¿Está seguro?

—Sí.

Marten observó a Kovalenko cerrar la puerta y luego apartarse. Lentamente, miró a través del parabrisas, más allá de las escobillas limpiadoras. Delante de él, los faros del coche iluminaban nada más que superficie blanca. Resultaba imposible de saber si el terreno que había delante subía, bajaba o era totalmente recto. Lo único que sabía era que no debía girar a la derecha.

Respiró hondo y miró a Kovalenko, que lo miraba a su vez desde el exterior. Éste tenía el cuello levantado, y el pelo y la barba cubiertos de nieve.

Marten volvió a concentrarse. Puso la mano sobre el cambio de marchas y lo puso en DRIVE, y luego, con el máximo cuidado, apretó el acelerador. Se oyó un suave gemido mientras el motor empezaba a revolucionarse y sintió cómo las ruedas empezaban a girar. Por un momento no ocurrió nada. Luego sintió un levísimo tirón, cuando las ruedas empezaron a agarrarse, y el ML avanzó un poco. Dos palmos, tres, y luego las ruedas empezaron a girar sobre la gruesa capa de nieve. Dejó de dar gas y el vehículo se volvió hacia atrás. Pisó el freno. El coche patinó y luego se detuvo.

—Calma —dijo—, calma.

De nuevo pisó el acelerador, y de nuevo el vehículo avanzó un poco. Las ruedas se agarraron levemente al suelo y volvieron a rodar sobre ellas mismas. Entonces Marten vio a Kovalenko avanzar y desaparecer detrás del coche. Miró por el retrovisor y vio al ruso tirarse lateralmente contra la puerta trasera del ML.

En aquel instante Marten pisó el acelerador y abrió un poco la ventana.

—¡Ahora! —gritó, pisando el acelerador. Las ruedas giraron. Kovalenko empujaba con todas sus fuerzas. Finalmente Marten sintió que las ruedas se agarraban al suelo y el coche empezaba a avanzar. Esta vez no se detuvo. Ahora iba más rápido, subiendo en línea recta por encima de un palmo de nieve. Volvió a mirar por el retrovisor. Kovalenko iba detrás de él, corriendo por encima del camino surcado que dibujaba el vehículo. Cinco segundos. Otros cinco más. El coche estaba acelerando. Y entonces Marten vio la inmensa barrera de nieve con los faros. Desde su ángulo, parecía al menos tan alta como el coche, tal vez más. Determinar su solidez o si era una pila de nieve, o una roca grande cubierta de nieve, resultaba imposible, pero ahora no podía parar y arriesgarse a resbalar hacia atrás. La única alternativa que tenía era tirarse contra la pared todo lo rápido y fuerte que pudiera y esperar que el coche cruzara al otro lado de la misma.

Medio segundo y pisó el gas hasta el fondo. El ML salió disparado hacia delante. Dos segundos, tres. La pared estaba justo delante y la golpeó con toda su energía. Por un instante quedó todo a oscuras. Luego traspasó y volvió a encontrarse en la carretera.

Respiró hondo y bajó la ventanilla del todo. Por el retrovisor exterior vio a Kovalenko remontar corriendo la pendiente y pasar a través del boquete abierto en la pared de nieve que tenía detrás. Con el pecho agitado, la humareda de su respiración saliéndole de las narices, todo él cubierto de nieve, gritaba victorioso y agitaba los puños al aire. Con la luz roja de los faros traseros parecía un enorme oso danzarín.

74

París. La misma hora, viernes, 17 de enero, 00:40 h

El *zarevich* Peter Kitner Romanov se cubrió los oídos para protegerse del ruido atronador del helicóptero ruso bimotor de ataque, un Kamov 32, que despegaba de una zona protegida del aeropuerto de Orly bajo un fuerte viento y una nieve cegadora.

Delante de él iba el coronel Stefan Murzin, del *Federalnaya Slujba Ohrani*, el FSO, su guardaespaldas personal y uno de los diez agentes de seguridad presidencial que se lo habían llevado desde la residencia del número 151 de la avenida Georges V en la tercera de cuatro limusinas idénticas que aguardaban frente a la entrada de servicio. Los coches habían partido de inmediato y se dirigieron bajo la fuerte ventisca de nieve, cruzando el cordón de policía francesa y en fila india, hasta el otro lado del Sena y a lo largo de catorce kilómetros de calles desiertas y nevadas hasta llegar a una zona acordonada en el aeropuerto de Orly, en aquel momento cerrado por la tormenta.

Allí los esperaban dos Kamov-32, con los motores en marcha y los rotores rodando lentamente. Al instante en que la limusina de Kitner se detuvo, sus puertas se abrieron y el coronel Murzin guió al *zarevich* y a cuatro agentes del FSO armados hasta los dientes hasta el primer helicóptero. A los pocos segundos estaban a bordo, las puertas se cerraron y los rotores se aceleraron, con un Murzin de mandíbula cuadrada y ojos negros que se ocupaba personalmente de colocar el arnés del *zarevich*. Luego Murzin se ató su propio arnés y, a los pocos segundos, los dos helicópteros estaban en el aire.

469

Murzin se reclinó:

—¿Está usted cómodo, *zarevich*?

—Sí, gracias —asintió Kitner, para mirar luego a las caras del resto de hombres que lo protegían. Hacía muchos años que tenía guardaespaldas personales, pero nunca habían sido como éstos. Eran todos antiguos miembros de las fuerzas de élite rusas de Operaciones Especiales, la *spetsialnoe naznacheine*, o Spetsnaz. Todos se parecían a Murzin: eran jóvenes, musculosos y muy en forma, con el pelo cortado al cero. Desde el instante mismo que Kitner había sido proclamado *zarevich* y había hecho una reverencia a los demás a modo de aceptación formal, se había convertido en propiedad de ellos. En un santiamén, Higgs había sido apartado al fondo y ahora su única misión era informar a los altos ejecutivos de MediaCorp que habían de saber que su jefe había tenido que ausentarse por «motivos personales» pero que estaba bien y regresaría al cabo de unos días. Al mismo tiempo, el resto de miembros de la familia Romanov tuvo que jurar guardar el secreto. Pedir que hicieran lo mismo a todo el personal que había servido la cena no fue necesario: eran todos agentes de la FSO.

470

Para la seguridad personal del *zarevich* y debido a la importante magnitud histórica de lo que estaba a punto de ser revelado —que Alexei Romanov había efectivamente sobrevivido a la masacre de Ipatiev y que Peter Kitner, presidente de una de las pocas multinacionales de comunicación en manos privadas del mundo, era su hijo, además de la decisión casi increíble de Moscú de reinstaurar el trono imperial— resultaba esencial que la información se mantuviera en secreto hasta que los elementos de seguridad necesarios estuvieran establecidos para cuando el presidente ruso hiciera el anuncio formal en Davos. Como resultado, sólo la familia más inmediata de Kitner, Higgs, y su secretario privado, Taylor Barrie, habían sido informados.

Tuviera o no razón Kitner al temer que la baronesa pudiera tramar alguna agresión física contra ninguno de ellos, la presencia de esta fuerza de seguridad tan preparada resolvía la cuestión. Ahora estaba aislado y, como zar, lo estaría el resto de su vida. La renuncia a su libertad era algo que había hecho voluntariamente, por su padre, por su país, por sus derechos de nacimiento. Finalmente, su identidad había dejado de ser secreta. El gran temor de su padre a una represalia comunista contra ellos había sido resuelto por el tiempo y por la historia. Lo mismo, era consciente, se podría decir sobre la baronesa y Alexander.

75

París, el ático del número 127 de la avenida Hoche. Viernes 17
de enero, 3:14 h

La gran duquesa Catalina Mikhailovna yacía despierta a la luz
tenue de la lámpara de su mesita de noche, con la mirada posada
distraídamente en el reloj digital que había junto a la cama, al que
había visto marcar prácticamente cada minuto desde que se acostó,
justo después de la una y media. ¿Cuántas veces en aquellas dos últimas horas había repasado mentalmente la velada entera? Por no
decir nada del profundo sentimiento de traición que sentía por
parte de sus «buenos amigos», el alcalde de Moscú y el patriarca de
la Iglesia. Lo que la inquietaba más profundamente era el motivo
por el que ninguno de ellos, con la excepción del príncipe Dimitri,
ninguno entre todos los Romanov, supo nada de Peter Kitner ni de
la huida y salvación de Alexei de la casa Ipatiev. El secretismo podía entenderlo, y la protección de la vida del auténtico *zarevich*,
pero le parecía que no había motivo para ocultar aquella información a todos los Romanov excepto a Dimitri. No sólo la existencia
de Kitner, su verdadera identidad y quién había sido su padre, sino
también las decisiones tomadas en el Parlamento ruso y por el presidente de Rusia que afectaban de manera tan colosal a toda la familia.
Clic.

3:15 h

Pensó en la reacción de su hijo ante la presentación de Peter Kitner y la revelación de quién era. Recordó que, a pesar de todos
aquellos años de preparación y con la plena expectativa de que iba a
convertirse en zar, no se había inmutado. Ni siquiera había pesta-
ñeado. No ocuparía el trono de Rusia, pero honraría y obedecería
al hombre que lo hiciera. Hacerlo era su privilegio y su deber.
En aquel momento supo que, a la edad de veintidós años, el gran duque Sergei Petrovich Romanov era más ruso que ninguno de
ellos.

3:16 h

Oyó a su madre darse la vuelta en la cama detrás de ella. Una fuerte ráfaga de viento sacudió las ventanas y la nieve chocó con violencia contra el cristal.

Deberían haberla puesto al corriente. Al menos el alcalde. Pero no lo hizo. ¿Por qué no le dijo nada y la dejó continuar? De pronto se le ocurrió que había alguien más implicado. Alguien a quien tanto el alcalde como el Patriarca eran más leales que a ella. Pero ¿quién?

Clic.

3:17 h

De pronto toda la casa se quedó a oscuras.

—¿Qué ocurre? —dijo su madre, incorporándose de pronto.

—No es nada, madre —dijo la gran duquesa Catalina—. Se ha ido la luz. Vuelve a dormirte.

76

Basilea, Suiza. El mismo viernes 17 de enero. 6:05 h

—Querremos acceder a sus expedientes y archivos empresariales, esta mañana, si es posible... Sí, de acuerdo. Muy bien, gracias. —Kovalenko cerró su teléfono móvil y miró a Marten—. Dentro de una hora un tal inspector jefe Beelr, de la Kantonspolizei de Zúrich, nos recibirá en la morgue del Hospital Universitario. La policía ya tiene permiso para registrar las pertenencias personales de la víctima, tanto en su casa como en su lugar de trabajo.

Kovalenko tenía los ojos hinchados y enrojecidos, y empezaba a crecerle pelo por el cuello y por la base de la barba por donde tenía costumbre de afeitarse. Los dos hombres estaban cansados después del largo viaje, un periplo que había resultado mucho más fatigoso por las condiciones adversas. Pero la tormenta amainó una vez cruzada la frontera de Francia con Suiza y ahora la nieve ya no caía más que en forma de copo ocasional a la luz de los faros del ML500.

Marten miró la pantalla del navegador del coche y luego tomó la autovía A3 en dirección a Zúrich.

—El nombre de la víctima es Hans Lossberg. Cuarenta y un años, tres hijos. Igual que yo —dijo Kovalenko cansinamente y desvió la vista hacia el todavía oscuro cielo de levante—. ¿Ha estado alguna vez en una morgue, señor Marten?

Marten vaciló. Kovalenko volvía a ponerlo a prueba. Finalmente encontró la manera de responder.

—Una vez, en Los Ángeles. Me llevó Dan Ford.

—Entonces ya sabe qué esperar.

—Sí.

Marten mantenía la vista en la carretera. A pesar de lo pronto que era, el tráfico de primera hora empezaba a densificarse y se veía obligado a vigilar la velocidad sobre la autovía todavía resbaladiza. No podía evitar sentirse molesto por lo que Kovalenko estaba haciendo: era obvio que había hablado con los investigadores rusos que viajaron a Los Ángeles. Estaba al tanto de la historia de Red y de Halliday y la brigada. Marten se preguntaba si, de alguna manera, sospechaba quién era y si éste era el motivo por el cual seguía tendiéndole pequeñas trampas. Como justo ahora, con lo de la morgue, y las insinuaciones sobre ser un buen detective, y luego el tema de su formación universitaria y dónde la había empezado. Y antes, en París, cuando lo observaba comparar las huellas de Raymond con la que la policía francesa había encontrado en el coche de Ford, sabiendo que hacían falta conocimientos considerables para entender lo que él buscaba. Y otra vez, cuando hizo la conjetura sobre Dan Ford y por qué Vabres podía haberle entregado el menú en medio de la noche como lo había hecho, y Kovalenko se lo quedó mirando en silencio antes de decir nada más.

Estaba también seguro de que el motivo por el que Kovalenko había insistido en salir del coche después de salirse de la autopista no fue porque tuviera miedo de que el ML fuera a volcar, sino porque quería ver a Marten detrás del volante, para ver lo bien que manejaba un automóvil en una situación complicada, si había recibido formación y entrenamiento por encima y más allá de lo que se considera la conducción normal.

Pero aunque sospechara que Marten no era el simple estudiante universitario amigo de Dan Ford que decía ser y esperara que se delatara en algún momento, ¿qué esperaba conseguir con ello? A menos que tuviera amigos en el LAPD, lo que Marten dudaba bastante.

Fuera cual fuese la razón, Marten no podía dejar que se convirtiera en un obstáculo. Estaba convencido de que a cada momento se iba acercando a Raymond, y Kovalenko era el único aliado que tenía.

Además, una vez Kovalenko le había abierto las puertas a su propia agenda, había decidido llevarse a Marten con él. Habían entablado un diálogo en el cual compartían información y, después de su experiencia compartida en la nieve y volviendo a poner el coche en la autopista, incluso había nacido una especie de amistad. Era algo a lo que Marten no osaba dar rienda suelta, aunque significara exponerse un poco más. Redujo un poco la velocidad para evitar resbalar por el asfalto helado, miró al ruso y se permitió pensar en voz alta.

—El año pasado, en Los Ángeles, Raymond usó un revólver para huir de la cárcel y asesinar a una serie de personas inocentes, algunos de ellos policías. Usó un revólver en Chicago para matar a los hermanos Azov. Y un revólver para matar a los Romanov de Estados Unidos y México. Neuss fue asesinado de un disparo en París, y Fabien Curtay fue acribillado en Mónaco. Entonces, ¿por qué ahora Raymond (porque sabemos que es Raymond) utiliza de pronto un cuchillo o navaja? Y no sólo lo utiliza, sino que lo maneja como si fuera una especie de fanático enloquecido. Haciendo una carnicería con sus víctimas.

—Antes se me ocurrió que tal vez estuviéramos ante algún tipo de asesinato ritual —dijo Kovalenko—, y tal vez lo sea.

—O tal vez no —respondió Marten—. Tal vez esté empezando a perder el temple. Los rituales son controlados, y aquí lo único que hemos visto controlado es el primer corte, como si lo tuviera planeado. Lo siguiente es algo claramente emocional, y con mucha furia. Amor, odio. Lo uno o lo otro. O un poco de cada. Todo muy apasionado, como si no pudiera refrenarse. O no quisiera.

Durante un largo rato Kovalenko se quedó en silencio, y finalmente habló.

—Un cuchillo largo y antiguo, una navaja española, desaparecido de la caja fuerte privada de Fabien Curtay en Mónaco. También robaron otra cosa, un pequeño rollo de película de 8 mm.

—¿Una película?

—Sí.

—¿No un vídeo?

—No, película.

—¿De qué?

—Quién sabe.

El cielo seguía con su oscuridad invernal cuando la A3 se convirtió en A1 y empezaron a divisar las luces de Zúrich a lo lejos.

—Cuénteme más cosas de Kitner —dijo Marten—. Cualquier cosa que le venga a la cabeza. De su familia quizá, no de Cabrera, sino de la familia de la que él habla.

—Tiene un hijo que un día se quedará con la empresa —explicó Kovalenko, con un suspiro. Estaba empezando a sentirse cansado y se le notaba—. Y una hija que es ejecutiva y que trabaja también en su empresa. Sus otras dos hijas están casadas, una con un médico y la otra con un artista. Su esposa, como ya le he dicho, pertenece a la realeza española, puesto que es prima del rey Juan Carlos.

—La realeza se casa con la realeza.

—Sí.

Marten sentía también la fatiga. Se pasó la mano por la cara y notó que le empezaba a salir barba. Ambos necesitaban tomar una buena ducha, afeitarse y descansar, pero no se lo podían permitir. Todavía no.

—¿Cuánto hace que su esposa conoce su verdadera identidad?

—Puede ser que lo supiera desde el día en que se conocieron, o puede que no se enterara hasta que él aceptó convertirse en zar. No sabría decírselo. No tengo ni idea de cómo se relacionan este tipo de personas, ni probablemente lo sabré nunca. Es un privilegio en la vida que no creo que llegue a alcanzar.

—¿Qué más, a nivel personal? ¿De qué conocía a Alfred Neuss?

—Crecieron juntos en Suiza. El padre de Neuss trabajaba para el de Kitner, y por eso acabó en el negocio de las joyas.

Marten miró y vio al ruso que lo estaba observando, con la misma expresión que lo había hecho antes. Miraba sus manos en el volante. Cómo sus pies tocaban alternativamente el freno y el acelerador.

—¿Qué más? —preguntó Marten.

—Kitner tenía un hijo que fue asesinado cuando tenía diez años —dijo Kovalenko, casi a regañadientes—. Ocurrió hace más de veinte años. Entonces, el nombre de Kitner no era tan importante como lo es ahora; no salía en las noticias. Sin embargo, la noticia salió en la prensa sensacionalista. Un joven criminal lo apuñaló mientras estaba en una fiesta infantil de cumpleaños, en París.

—¿En París?

—Sí, en el Parc Monceau. El mismo parque en el que hallaron el cadáver de Alfred Neuss.

—¿Es eso un hecho? —preguntó Marten incrédulo.

—Es un hecho. Y antes de que empiece de nuevo a hacer suposiciones, déjeme decirle que de momento no hay nada en absoluto que

475

relacione los dos crímenes, aparte del hecho de que Neuss y Kitner eran amigos y que el lugar era el mismo.

—¿Qué pasó luego?

—Que yo sepa, no encontraron nunca al asesino.

—Dice usted que el hijo de Kitner fue apuñalado. ¿Y si el cuchillo robado de la caja fuerte de Curtay fuera el arma del crimen?

—Está usted suponiendo cosas.

—Sí. Pero también está la película que se han llevado con el cuchillo.

—¿Qué pasa con la película? —Kovalenko no lo entendió.

—El crimen fue perpetrado hace más de veinte años, antes de que el vídeo empezara a popularizarse. Antes, la gente usaba cámaras de película. Los cumpleaños infantiles eran el tema principal de las pelis caseras, y la mayoría se rodaban en Súper-8. ¿Y si alguien estaba rodando escenas de la fiesta de cumpleaños y, sin querer, filmó el propio asesinato, y esa película fue la que robaron de la caja fuerte? ¿Y si Neuss y Kitner poseían tanto el arma del crimen como la prueba filmada del asesinato, y los hubieran escondido, y Cabrera lo supiera?

«¡Dios mío!», pensó de pronto Marten. ¿Y si la película y el cuchillo eran «las piezas»? ¡Las dos cosas que Raymond había perseguido todo aquel tiempo! Si lo eran, habrían sido el motivo por el que tenía las llaves de la caja fuerte. De una caja fuerte que contenía el cuchillo y el rollo de película. Una caja fuerte que podía estar en un banco de Marsella, donde Neuss hizo escala antes de ir a ver a Curtay a Mónaco. Cómo cuadraba todo el resto, no tenía idea... excepto que era posible que la gente asesinada en América hubiera tenido las llaves de la caja fuerte por seguridad, en caso de que a Kitner le sucediera algo, pero que nunca les hubieran dicho a qué correspondían o de qué servían. Kitner sabía que Cabrera había matado a su hijo pero no deseaba que se supiera, de modo que lo mandó a Argentina y conservó el cuchillo y la película como seguros de que nunca más regresaría.

Así que, si el cuchillo y la película eran efectivamente «las piezas»... ¿Cómo lo había dicho, Raymond?: «las piezas que asegurarían el futuro». ¿Qué futuro? ¿De qué había estado hablando? ¿Y por qué había cometido Cabrera el asesinato, de entrada?

Marten se volvió bruscamente hacia Kovalenko.

—Siga la lógica: hace veinte años, ¿qué edad tendría Alexander Cabrera? ¿Trece, catorce años? ¿Y si es él su joven criminal?

—Está usted sugiriendo que habría matado a su propio hermano. —Kovalenko volvía a sonar reacio a aceptarlo.

476

—Usted ha sido quien ha dicho que podría estar tramando el asesinato de su padre.

—No, señor Marten. Yo dije que Peter Kitner podría ser el objetivo de Raymond Thorne, no de Alexander Cabrera. —Kovalenko clavó los ojos en Marten y luego apartó la vista.

—¿Qué ocurre, inspector?

Kovalenko no respondió; sencillamente, siguió mirando a otro lado.

—Yo le diré lo que ocurre. Es lo mismo de antes —lo presionó Marten—. Su estómago también le dice que Raymond y Cabrera son el mismo, pero, por algún motivo, no quiere reconocerlo.

—Tiene usted razón, señor Marten. —De pronto, Kovalenko se volvió a mirarlo—. Olvídese un momento del hijo de Kitner asesinado y suponga, como usted dice, que Alexander Cabrera y Raymond Thorne son la misma persona. Y suponga que fue Kitner y no Alfred Neuss o las demás víctimas su objetivo principal desde el principio. En esta situación, tenemos en efecto a un hijo que trata de asesinar a su padre.

—No sería el primer caso.

—No, no sería el primer caso. Pero el problema aquí es que, muy pronto, este padre en especial se convertirá en el próximo zar de Rusia. De pronto, esto lo cambia todo. Y lo descarta como intento de parricidio convencional para convertirlo en un asunto muy delicado de seguridad nacional, un asunto que ha de permanecer totalmente en secreto hasta que se resuelva en uno u otro sentido. Y éste es el motivo real por el cual no se lo podíamos contar a Lenard y por el cual no pude dejarlo a usted en sus manos para que se lo contara. Espero sinceramente que comprenda la posición en la que me encuentro, señor Marten. Por esto hemos conducido toda la noche bajo una terrible nevada: para demostrar que ese Hans Lossberg ha sido asesinado por la misma persona que ejecutó a Dan Ford. Tal vez, con suerte, hasta obtendremos una nueva huella digital.

—¿Por qué no consigue, sencillamente, algún tipo de orden judicial que obligue a Cabrera a facilitarle sus huellas digitales?

—Ayer a la misma hora, posiblemente hubiéramos podido hacerlo. Pero ayer por la mañana yo desconocía la existencia del archivo del LAPD que contenía las huellas de Raymond Oliver Thorne.

—Ayer, hoy... ¿qué diferencia hay?

Kovalenko sonrió tristemente:

—La diferencia es que hoy Cabrera se ha convertido oficialmente en miembro de la familia imperial. Es uno de los problemas de tener monarquía: la policía no le puede pedir a un rey, o a un zar, o a un miembro de su familia que le facilite las huellas digitales. Al menos, no sin pruebas irrefutables de que ha cometido un crimen. Y es el motivo por el que, si soy yo quien lo va a acusar de algo, no puede haber ninguna duda de que es el hombre que busco.

77

Hospital Universitario de Zúrich. Depósito de cadáveres, 7:15 h

Hans Lossberg. Cuarenta y un años de edad, casado, tres hijos. Igual que Kovalenko, como él mismo había observado. Sólo que no estaba como Kovalenko. Estaba muerto, asesinado con un instrumento afilado. De la misma manera que habían matado a Dan Ford y a Jean-Luc Vabres. Tal vez con más enconamiento. Y no, el asesino no había dejado huellas. Pero, con o sin ellas, la única mirada entre Marten y Kovalenko hablaba por sí sola: Raymond había estado en Zúrich.

478
—¿Podíamos ver el lugar de trabajo de herr Lossberg? —pidió Kovalenko, mientras el joven y simpático inspector Heinrich Beelr de la Policía Cantonal de Zúrich les explicaba los detalles del crimen. Cuándo había ocurrido y dónde.

Al cabo de quince minutos se encontraban en la gran sala trasera de Grossmünster Presse, una imprenta industrial ubicada en la Zahringer Strasse, registrando todos los cajones que contenían material gráfico en busca de la maqueta de un menú impreso recientemente, o de alguno que estuviera preparado para ser impreso. El tipo de menú que podía ser, lo ignoraban; sólo suponían que podía estar en ruso o que podía tener algo que ver con la familia Romanov.

Al cabo de una hora seguían allí sin ninguna recompensa que pudiera premiar su labor. Lo que dificultaba todavía más la situación era la seguridad con la que Bertha Rissmak, la gorda y severa jefa de la imprenta, afirmaba que estaban buscando algo que no existía. Mientras que el difunto Hans Lossberg había sido el propietario de Grossmünster Presse, también era su único comercial y lo había sido los últimos quince años. Y, según lo que decía Bertha Rissmak, en esos mismos quince años Grossmünster Presse no había imprimido jamás un menú. Su especialidad era la papelería de oficina: listas de existencias, encabezamientos de cartas, tarjetas, etiquetas de envío y cosas así, nada más. Y para acabar de complicar las cosas, Lossberg había llevado literalmente él solo la gestión de miles y miles de cuentas de clientes y utilizaba un sistema de clasificación muy personal: quince archivadores de cuatro cajones llenos. Y lo más terrible era que muchas de aquellas cuentas llevaban años sin movimiento y que jamás habían sido ni eliminadas ni actualizadas. Especialmente frustrante era el hecho de que no estaban clasificadas ni por fechas ni por temas, sino, sencillamente, por orden alfabético. Era como buscar una aguja en un pajar, pero sin saber en qué pajar buscar ni si la aguja existía realmente. A pesar de todo, no les quedaba más remedio que revisar todo el material gráfico, todos los pedidos y todas las facturas. Era un trabajo tedioso y que les estaba llevando un tiempo incalculable, en especial si Raymond tenía a más gente en su agenda.

Entonces, cuando llevaban unos veinte minutos con la labor, Marten recordó de pronto que Kovalenko le había hablado del pasado de Cabrera. Había sido educado en Argentina por la hermana de su difunta madre, una europea adinerada. Si era europea, ¿por qué iba a educar al hijo de su hermana en Sudamérica, aunque pudiera permitírselo?

Se acercó súbitamente adonde Kovalenko se encontraba, inclinado, revisando archivos.

—La tía de Cabrera, ¿quién es? —le preguntó, a media voz.

Kovalenko levantó la vista y luego, mirando al inspector Beerl, que escrutaba aplicado una serie de archivos detrás de él, tomó a Marten del brazo y lo llevó a un rincón de la sala donde podían hablar.

De momento, lo único que sabía la policía de Zúrich era que Kovalenko hacía el seguimiento de una serie de asesinatos de rusos expatriados que habían tenido lugar en Francia y en Mónaco. Había presentado a Marten como testigo material y explicó lo que buscaban, pero no dijo mucho más. Y en especial, no contó nada en absoluto de Alexander Cabrera.

—No diga nada de Cabrera —le dijo, en voz baja pero rotunda—. No quiero que Beelr empiece a hacer preguntas sobre él y que luego se lo cuente a Lenard. ¿Lo entiende?

—¿Quién es su tía? —Marten lo ignoró.

—La baronesa Marga de Vienne, una dama muy importante e influyente de la alta sociedad europea.

—Y muy rica, ha dicho usted.

—Más que rica.

—Eso explicaría el *jet* fletado que le mandaron a Raymond para huir de Los Ángeles. Y explicaría también cómo se las arregló para que le emitieran un certificado de defunción, para salir del hospital y, probablemente, para conseguir un ambulancia aérea, y para que sacaran a un pelagatos de la morgue y lo incineraran en su nombre en el crematorio. Pero no explica lo de Argentina, y por qué fue educado allí.

De pronto, los dos hombres levantaron la mirada.

—Disculpen mi interrupción. Éste es Helmut Vaudois. Era un buen amigo de Hans Lossberg y lo conocía desde hace mucho tiempo. Al parecer, antes de que Lossberg comprara la empresa, ya era impresor. De vez en cuando le gustaba hacer trabajos aparte, en especial si se trataba de encargos pequeños. De modo que es posible que Lossberg se llevara este encargo del menú de la empresa.

—¿Y lo habría impreso aquí?

—No —dijo Vaudois—. En su casa tenía un pequeño equipo de impresión.

78

287 Zürichbergstrasse, 10:15 h

Maxine Lossberg los recibió en la puerta del pequeño apartamento, a una manzana y media del Zoo de Zúrich. Con el pelo visiblemente recogido a toda prisa y envuelta en un albornoz, la esposa de Hans Lossberg, de unos cuarenta años de edad, estaba claramente bajo los efectos del golpe y la incredulidad. Lo único capaz de consolarla era la presencia del buen amigo de Lossberg Helmut Vaudois; se cogió de la mano de él y no la soltó en todo el tiempo que estuvieron allí.

Con delicadeza y amabilidad, el inspector Beelr le explicó que venían en busca de información que podía ayudar a descubrir la identidad del asesino de su esposo. ¿Sabía si su esposo había hecho recientemente algún trabajo de impresión por su cuenta? ¿Un encargo privado, tal vez, o un favor a un amigo?

—*Ja* —dijo en alemán, y los llevó por un pasillo hasta una habitación trasera en la que Lossberg conservaba una imprenta tradicional y cajas de tipografía que olían a tinta.

Apresuradamente, miró por los cajones y se sorprendió al no encontrar nada.

—Hans guardaba siempre una copia de lo que imprimía —dijo, también en alemán.

Beelr tradujo y luego le preguntó.

—¿Qué es lo que imprimió?

—*Ein Speisekarte.*

—Un menú —tradujo Beelr rápidamente.

Marten y Kovalenko se miraron.

—¿Para quién lo imprimió? —preguntó Kovalenko.

Beelr tradujo. Ella respondió otra vez en alemán y el inspector tradujo la respuesta.

—Un conocido de la imprenta, pero no sabe quién es. Lo único que sabe es que tuvo que hacer exactamente doscientas copias del menú, ni una más, ni una menos. Y luego destruir las pruebas y desmontar la tipografía. Lo recuerda porque su marido se lo comentó.

—Pregúntale si recuerda cuándo le hicieron el encargo.

Beelr volvió a traducir y se repitió el mismo proceso.

—No recuerda con exactitud la fecha del encargo, pero su marido hizo una prueba en algún momento, la semana pasada, y luego la impresión definitiva este lunes por la noche. Ella quería que salieran al cine pero él dijo que no porque tenía que acabar el encargo. Estaba muy ocupado y el pedido tenía que servirse con rapidez.

Marten y Kovalenko volvieron a mirarse. Ford y Vabres fueron asesinados a primera hora del miércoles. Vabres le podía haber recogido el menú a Lossberg el martes.

—¿Qué había en el menú? —insistió Kovalenko.

Beelr volvió a preguntar y Maxine Lossberg respondió. No lo sabía. El domingo había ido un hombre a su casa y ella lo vio fugazmente cuando Lossberg lo llevó a la habitación del fondo, probablemente para mostrarle la prueba. Después de eso no lo había vuelto a ver más.

—Kovalenko —dijo Marten, tirando de la manga del ruso y haciéndole un gesto para que salieron un momento de la sala—. Enséñeselas —le dijo, cuando no los podían oír.

—¿Enseñarle qué?

—Las fotos de Cabrera. Si era él nos lo dirá de inmediato. Eso bastaría para que usted pudiera pedir las huellas digitales.

Kovalenko vaciló.

—¿Tiene miedo de descubrirlo?

Maxine Lossberg esperaba sentada a la mesa de la cocina mientras Kovalenko abría su ordenador portátil. Luego se sentó al lado de ella y le mostró el archivo de fotos de Alexander Cabrera del Ministerio de Justicia ruso.

Marten estaba de pie detrás de ellos, mirando por encima del hombro izquierdo de Kovalenko, mientras Beelr y Helmut Vaudois miraba por encima del derecho.

Hubo un *clic* y Marten vio la foto de Cabrera subiendo a una limusina frente a la sede de su empresa en Buenos Aires.

Kovalenko miró a Maxine Lossberg.

—No sabría decirlo —dijo ella, en alemán.

Otro *clic* y Marten vio la foto de Cabrera en peto y con el casco, estudiando unos planos encima del capó de un furgón *pickup*, en algún lugar del desierto.

Maxine movió la cabeza.

—*Nein.*

Clic.

Otra foto. Una que Marten no había visto nunca. Estaba tomada frente a un hotel de Roma. Cabrera estaba al lado de un coche, hablando por el móvil. A su derecha inmediata, un chofer le aguantaba la puerta abierta del coche. En el asiento de atrás había una joven de pelo oscuro muy atractiva, que parecía esperar a Cabrera.

De pronto, Marten se quedó petrificado.

—*Nein.* —Maxine Lossberg se levantó. No era el hombre al que había visto con su marido.

—Kovalenko —dijo Marten bruscamente—, amplíe esta imagen.

—¿Qué?

—La foto, amplíela. Amplíe a la mujer que va en el asiento trasero.

—¿Por qué?

—¡Hágalo y punto!

Kovalenko se volvió a mirar a Marten, totalmente intrigado. Beelr también lo miraba, y también lo hacían Maxine Lossberg y Helmut Vaudois. Era el tono de Marten. Estupefacción, rabia, miedo, todo en uno.

Kovalenko miró de nuevo la pantalla.

Clic. Amplió la foto; la mujer aparecía ahora con mayor claridad.

—Más —exigió Marten.

Clic.

La cara de la mujer ocupó toda la pantalla. Era un perfil, pero no había duda de quién era. Ninguna duda.

Rebecca.

79

—¡Dios Santo! —Marten agarró a Kovalenko por el cuello de la chaqueta y lo sacó de la cocina a rastras, pasillo abajo—. ¿Por qué cojones no me la había enseñado antes, cuando estábamos en París?

—¿De qué coño me está hablando? Le pregunté si quería ver más, y usted me dijo que no.

—¿Y cómo podía saber que tenía ésta?

Ahora volvían a estar en el salón. Marten guió a Kovalenko hasta el interior, cerró la puerta y lo empujó hacia la misma.

—¡Estúpido cabronazo! ¿Sigue usted a Cabrera a todas partes y no sabe ni con quién está?

—Haga el favor de soltarme —dijo Kovalenko, con frialdad.

Marten vaciló y luego retrocedió. Estaba pálido, temblaba de rabia.

Kovalenko lo miraba perplejo.

—¿Qué pasa con esta chica?

—Es mi hermana.

—¿Su hermana?

—¿Cuántas fotos más tiene de Cabrera con ella?

—Aquí, ninguna. Tal vez media docena más en el archivo de Moscú. No supimos nunca su nombre ni su dirección; él la ha mantenido muy protegida. Siempre elige la habitación de los hoteles a los que va. Se encuentran a menudo. Para nosotros era un asunto de poca importancia.

—¿Cuánto tiempo hace que dura?

—Sólo llevamos unos pocos meses detrás de él, desde que descubrimos lo de Kitner. Lo que sucedió antes, lo ignoro. —Kovalenko vaciló—. ¿No tenía idea de que se estaba viendo con alguien?

—Ni idea. —Marten cruzó la sala y luego se volvió a mirarlo—. Necesito su móvil.

—¿Qué va usted a hacer?

—Llamarla, enterarme de dónde está, asegurarme de que está bien.

—De acuerdo. —Kovalenko buscó en el interior de su chaqueta y sacó el móvil; luego se lo dio a Marten—. No se descubra, no le diga por qué llama. Limítese a saber dónde está y a asegurarse de que está bien. Luego decidiremos qué hacemos.

Marten asintió con la cabeza, luego cogió el teléfono y marcó el número. Sonó cuatro veces y luego le saltó una grabación en francés que decía que el número con el que quería hablar no estaba disponible o estaba fuera de cobertura. Colgó y marcó un segundo número. Sonó un par de veces y luego respondió alguien.

—Residencia Rothfels —dijo una voz femenina con acento francés.

—Rebecca, por favor. Soy su hermano.

—No está, señor.

—¿Dónde está?

—Con el señor y la señora Rothfels y sus hijos. Pasarán el fin de semana en Davos.

—¿Davos? —Marten miró a Kovalenko y luego se volvió hacia el teléfono—. ¿Tiene usted el número del móvil del señor Rothfels?

—No estoy autorizada a dárselo, lo siento.

—Es muy importante que hable con mi hermana.

—Lo siento mucho señor, pero es la norma. Perdería mi trabajo.

Marten miró a Kovalenko:

—¿Cuál es su número?

Kovalenko se lo dijo y Marten volvió a hablar por el teléfono.

—Voy a darle mi teléfono —le dijo a la mujer al otro lado de la línea—. Por favor, llame al señor Rothfels y pídale que Rebecca se ponga en contacto conmigo de inmediato. ¿Puede hacerme este favor?

—Sí, señor.

—Gracias.

Marten le dio el número, le pidió que se lo repitiera, le volvió a dar las gracias y colgó. Seguía estupefacto. La idea de que Rebecca estuviera liada con Cabrera lo asombraba más allá de lo imaginable. Por muy bella o elegante que fuera vestida, por muchos idiomas que fuera capaz de hablar con fluidez, por muy sofisticada que fuera capaz de aparecer en público, para él seguía siendo una criatura que apenas empezaba a recuperarse de una terrible enfermedad. Sin embargo, en algún momento debería empezar a tener experiencias vitales y amorosas. Pero ¿Cabrera? ¿Cómo se habían conocido? Las probabilidades de que ni siquiera se cruzaran por la calle eran entre cero y una, pero en cambio, de alguna manera, lo habían hecho.

—Es curioso cómo pasan las cosas —dijo Kovalenko, tranquilamente—. La información estaba ahí desde el principio y, sin embargo, ninguno de los dos se lo podía ni imaginar. Curioso, también, que su hermana se encuentre precisamente en Davos.

—¿Cree que Cabrera podría estar con ella?

—Davos, señor Marten, es donde estará Kitner, donde ha de tener lugar el anuncio.

—Y si anda detrás de Kitner... —Marten hizo una pausa; no había necesidad de completar la frase—. ¿A qué distancia estamos de Davos?
—Si no cae más nieve, a dos horas en coche.
—Pues creo que allá vamos.
—Eso parece, sí.

80

Villa Enkratzer (villa Rascacielos), Davos, Suiza. El mismo viernes 17 de enero, 10:50 h.

El *zarevich* Peter Kitner Mikhail Romanov despertó de un sueño profundo, mucho más profundo —pensó— de lo normal, casi como si lo hubieran drogado. Pero el día anterior había sido largo e intenso en emociones, y lo achacó a eso.

Se incorporó y miró a su alrededor. Al fondo de la habitación había una cortina ligera tirada por encima de un gran ventanal, que daba suficiente luz como para darse cuenta de que la estancia era amplia, llena de muebles antiguos y, en todos los aspectos, cómoda y bien decorada. A diferencia de la mayoría de habitaciones de hotel, ésta tenía el techo alto y grandes vigas descubiertas, y se preguntó en qué tipo de lugar estaba. Luego se acordó del coronel Murzin, que le había dicho, cuando iban en la comitiva de limusinas hacia el aeropuerto, que se dirigían hacia una mansión privada en las colinas de Davos. Era un lugar seguro, literalmente una fortaleza de montaña, construida en 1912 para un fabricante de armas alemán, con acceso a través de unas puertas de cuartel que daban paso a una pista de montaña de siete kilómetros hasta el propio castillo. Era allí donde lo llevaban y donde, a mediodía, su familia iba a reunirse con él... y donde, aquella misma noche, cenaría con Pavel Gitinov, el presidente de Rusia, para hablar del protocolo del pronunciamiento que éste haría ante los líderes políticos y económicos reunidos en el Foro Económico Mundial.

Kitner apartó las mantas y se levantó, con la cabeza todavía embutida por el sueño. Cuando estaba a punto de entrar en el baño para asearse, oyó que llamaban a la puerta. Acto seguido le apareció el coronel Murzin, vestido con traje y corbata.

—Buenos días, *zarevich*. Lamento decirle que traigo malas noticias.
—¿Qué ocurre?
—La gran duquesa Catalina, su madre y su hijo, el gran duque

485

Sergei, junto a sus guardaespaldas... ha habido un incendio en el apartamento que habían alquilado en París. Quedaron atrapados en la planta superior.

—Y...

—Han muerto, señor. Todos ellos. Lo lamento.

Kitner se quedó petrificado y, por un momento, no fue capaz de decir nada. Luego miró directamente a Murzin.

—¿Está Gitinov al corriente?

—Sí, señor.

—Gracias.

—¿Desea que lo ayuden a vestirse, señor?

—No, gracias.

—Se le espera en veinte minutos, señor.

—¿Se me espera? ¿Dónde? ¿Para qué?

—Una reunión, señor. Abajo, en la biblioteca.

—¿Qué reunión? —Kitner estaba absolutamente perplejo.

—Creo que la convocó usted, señor.

—¿Yo convoqué...?

—Una reunión privada entre usted, la baronesa de Vienne y Alexander Cabrera.

—¿Están aquí? ¿En este edificio? —Kitner se sintió como si le acabaran de clavar un cuchillo afilado.

—El *château* ha sido alquilado para el fin de semana por la baronesa, señor.

—Quiero llamar a mi oficina de inmediato.

—Me temo que no será posible, señor.

—¿Por qué no? —Kitner empezaba a sentirse invadido por el temor, pero trató de ocultarlo.

—Es una orden, señor. El *zarevich* no debe establecer contacto fuera de su residencia hasta mañana, cuando se haya hecho el anuncio formal.

—¿Quién ha dado esta orden? —El temor de Kitner se convirtió de pronto en incredulidad, y luego en indignación.

—El presidente Gitinov, señor.

81

—Clem, soy Nicholas. Es muy importante. Llámame a este número lo antes que puedas. —Marten le dio a lady Clem el número de Kovalenko y colgó.

Y

La distancia por autopista entre Zúrich y Davos era de un poco más de ciento cuarenta kilómetros y, en circunstancias normales debería llevar, como Kovalenko indicó, unas dos horas. Pero aquellas no eran circunstancias normales y el clima tenía poco que ver con ellas. El Foro Económico Mundial atraía cada año a grupos más numerosos, a veces violentos, de disidentes antiglobalización, la mayoría jóvenes idealistas que protestaban contra la tiranía económica mundial que ejercen los países ricos y poderosos y las corporaciones que supuestamente los financian. El resultado era que los accesos por autopista, por ferrocarril y hasta por pistas de montaña estaban bloqueados por hordas de policía suiza.

El inspector Beelrs, de la policía cantonal de Zúrich, le había facilitado un pase a Kovalenko previa advertencia de que no podía garantizarle que le fuera a servir en lo que estaba previsto que fuera una situación muy difícil y hostil. Pero Kovalenko lo tomó de todos modos y les dio las gracias, a él, a Maxine Lossberg y a Helmut Vaudois por su colaboración. Y luego se marcharon, Marten al volante del ML500.

Eran poco más de las once cuando salieron de Zúrich, y el cielo se había aclarado para dar paso a unas nubes blancas y rechonchas intercaladas con un fuerte sol que empezaba a secar el pavimento. Los Alpes cubiertos de nieve resplandecían al fondo, componiendo una imagen típica de tarjeta postal.

Kovalenko miró a Marten y vio que tenía la atención fijada en la carretera, como si estuviera en trance, y supo que estaba pensando en su hermana y en cómo y por qué había llegado a estar con Alexander Cabrera. Era un extraño giro de los acontecimientos que a Kovalenko le empezaba a hacer pensar en la idea de *sudba*, o destino. Era un concepto muy grabado en el carácter ruso, pero él siempre se lo había tomado a la ligera, como un mito folclórico en el que se podía creer o no, según fuera conveniente. Sin embargo, ahora se encontraba totalmente entrelazado con un americano al que apenas unos días antes había visto en un parque de París, marchándose abruptamente de una investigación policial, un gesto que lo colocó de inmediato bajo sospecha. Pero en cuestión de horas habían llegado al punto en el que se encontraban ahora, viajando en el mismo coche, a cientos de kilómetros de París y corriendo a un destino común en el que se encontraba la hermana de ese hombre, que ahora era tanto su foco de atención como el principal sospechoso de asesinato, Alexander Cabrera. Si esto no era el destino, ¿qué podía serlo?

El pitido repentino del móvil sacó a Kovalenko de sus ensoñaciones, y de pronto vio a Nicholas Marten que lo miraba mientras lo sacaba decidido de su chaqueta y respondía.

—*Da* —dijo, en ruso.

Marten lo miraba ansiosamente, convencido de que serían Rebecca o lady Clem y esperando que le pasara el teléfono. Pero no lo hizo. En cambio, prosiguió su conversación en ruso. Marten lo oyó decir una vez la palabra «Zúrich» y más tarde, «Davos», y luego «*zarevich*», pero fueron las únicas palabras que entendió. Finalmente Kovalenko colgó. Pasó un rato largo hasta que miró a Marten.

—Me han asignado otro caso —dijo.

—¿Otro caso? —Marten no podía creerlo.

—Me ordenan que vuelva a Moscú.

—¿Cuándo?

—De inmediato.

—¿Por qué?

—Es algo que uno no debe preguntar. Haces lo que te ordenan y punto.

El móvil de Kovalenko volvió a sonar. Vaciló y luego respondió.

—*Da* —dijo otra vez—. Sí —dijo, ahora en inglés, antes de darle el teléfono a Marten—. Es para usted.

Davos, Hotel Steignerger Belvédère, a la misma hora

—Nicholas, soy Clem, ¿puedes oírme?

Con el pelo lleno de rulos, lady Clementine Simpson se encontraba en el salón de belleza del lujoso hotel mientras la atendían dos mujeres a la vez. Tenía el móvil en el mostrador de delante y hablaba a través de un auricular.

—Sí —dijo Marten.

—¿Dónde estás?

—De camino a Davos, desde Zúrich.

—¿Davos? Es donde estoy yo. En el Steinberger Belvédère. Papá participa en el Foro. —De pronto bajó la voz—. ¿Cómo has conseguido salir de París?

—Clem, ¿está Rebecca aquí? —dijo Marten, ignorando su pregunta.

—Sí, pero no la he visto.

—¿Puedes ponerte en contacto con ella?

—Esta noche cenamos juntas.

—No —la apremió Marten—. Antes de eso. De inmediato. Lo antes posible.

—Nicholas, noto por tu tono de voz que algo va mal, ¿qué ocurre?

—Rebecca ha estado saliendo con un hombre llamado Alexander Cabrera.

Lady Clem soltó un gran suspiro y desvió la vista.

—Ay, ay, ay...

—¿Ay? ¿Qué quieres decir?

Se oyó un fuerte crujido de electricidad estática y la señal quedó interrumpida.

—Clem, ¿estás ahí? —dijo Marten, nervioso.

De inmediato, la línea quedó despejada.

—Sí, Nicholas.

—He tratado de llamar al móvil de Rebecca, pero no responde. ¿Tienes algún móvil de los Rothfels?

—No.

—Clem, Cabrera puede estar con los Rothfels.

—Pues claro que está con los Rothfels. Es el jefe de Gerard Rothfels. Han alquilado una mansión para todo el fin de semana.

—¿Su jefe? —Marten estaba paralizado. Así era cómo Cabrera y Rebecca se habían conocido. Él sabía que Rothfels llevaba la división europea de algún tipo de empresa industrial internacional, desde sus oficinas en Lausana, pero no se le había ocurrido preguntar nunca para quién trabajaba—. Clem, escúchame, Cabrera no es quién Rebecca cree que es.

—¿Qué quieres decir?

—Él es... —Marten vaciló mientras trataba de encontrar las palabras adecuadas—. Puede que tenga algo que ver con el asesinato de Dan Ford. Y con el asesinato de otro hombre que ocurrió ayer en Zúrich.

—Nicholas, eso es absurdo.

—No lo es, créeme.

De pronto, Clem miró a las dos mujeres que la estaban atendiendo:

—Señoras, ¿les importa dejarme sola un momento? Mi conversación es un poco personal.

—¿Se puede saber qué haces?

—Siendo educada. No me gusta hablar de asuntos familiares delante de desconocidos, si puedo evitarlo.

Las dos jóvenes sonrieron cortésmente y salieron.

—¿Qué asuntos familiares?

—Nicholas, no debería estar diciéndote esto porque Rebecca tenía la ilusión de darte una sorpresa, pero, dadas las circunstancias, hay algo que debes saber. Rebecca no ha estado sencillamente saliendo con Alexander Cabrera, sino que va a casarse con él.

—¿Casarse?

Ahora volvió a oírse el fuerte crujido de la electricidad estática y la señal empezó a perderse.

—¿Clem? ¡Clem! —insistió Marten—. ¿Me oyes?

Más crujidos. Esta vez la línea se cortó del todo.

82

La puerta se abrió y el coronel Murzin llevó al *zarevich* Peter Kitner Mikhail Romanov a la biblioteca de la Villa Enkratzer.

La baronesa estaba sentada en un sofá de cuero, frente a una mesa de roble macizo, en el centro de la estancia. Alexander Cabrera estaba de pie, un poco más lejos, cerca de una gran chimenea de piedra, mirando por un ventanal que ofrecía una vista magnífica del valle de Davos. Era la primera vez en muchos años que Kitner veía a Cabrera, pero hasta después de la cirugía estética lo habría reconocido en cualquier lugar, aunque sólo fuera por el porte arrogante que lo caracterizaba.

—*Spasiba*, coronel —dijo la baronesa en ruso. Gracias.

Murzin saludó con la cabeza y abandonó la sala, y luego cerró la puerta detrás de él.

—*Dobra-ye utro, zarevich* —Buenos días, *zarevich*.

—*Dobra-ye utro* —replicó él, cauteloso.

La baronesa llevaba un traje pantalón a medida de seda amarillo pálido —su color favorito, él lo sabía, pero un atuendo muy poco adecuado para el invierno alpino—. Llevaba pendientes de diamantes y un collar de esmeraldas. En las dos muñecas, pulseras de oro. El pelo negro recogido en un moño en la nuca, en un estilo que parecía casi oriental, y sus ojos verdes brillaban, no con el verde sensual y tentador que él recordaba de hacía tantos años, sino más bien como los ojos de una serpiente: agudos, penetrantes y traidores.

—¿Qué queréis de mí?

—Fuiste tú quien pidió vernos, *zarevich*.

Kitner miró a Alexander, junto a la ventana. No se había movido. Seguía mirando el paisaje como al principio. Kitner volvió a mirar a la baronesa.

—Os lo vuelvo a preguntar, ¿qué queréis de mí?

—Hay algo que debes firmar.

—¿Firmar?

—Es algo parecido al acuerdo que nos hiciste firmar hace ya tantos años.

—Un acuerdo que habéis roto.

—Los tiempos y las circunstancias han cambiado, *zarevich*.

—Sentaos, padre. —De pronto, Alexander se volvió de espaldas a la ventana y se acercó a él. Tenía los ojos oscuros como la noche y guardaban la misma amenaza que los de la baronesa.

—¿Cómo es que el FSO hace lo que le ordenáis cuando el *zarevich* soy yo?

—Sentaos, padre —repitió Alexander, esta vez señalándole una butaca de cuero junto a la mesa de roble.

Kitner vaciló y finalmente se decidió a sentarse a la mesa. Sobre ella había un fino dosier de piel y, al lado, una caja rectangular, alargada, envuelta con papel de regalo de colores alegres. El mismo paquete envuelto que Alexander llevaba en el hotel Crillon de París.

—Abrid el paquete, padre —dijo Alexander, con calma.

—¿Qué es?

—Abridlo.

Lentamente, Kitner se acercó, lo cogió y, por un momento, lo sostuvo sin abrirlo. Las ideas se sucedían en su mente a la velocidad de la luz. ¿Cómo podía llamar a Higgs y pedir ayuda? ¿Cómo advertir a su familia de que evitaran el cerco del FSO? ¿Cómo huir de allí? ¿Qué puerta, qué pasillo, qué escaleras...?

Ignoraba cómo podía haber ocurrido todo aquello, cómo habían llegado a controlar a Murzin y a sus hombres. De pronto, se le ocurrió que tal vez sus guardias no fueran de la FSO, sino mercenarios a sueldo.

—Ábrelo, *zarevich* —lo apremió la baronesa en un tono suave y seductor que no le había oído en más de treinta años.

—No.

—¿Lo hago yo, padre? —Alexander se le acercó un poco.

—No, yo lo haré. —Con las manos temblorosas, sir Peter Kitner Mikhail Romanov, caballero del Imperio Británico, *zarevich* de Todas las Rusias, deshizo el lazo y luego abrió el brillante envoltorio. Dentro había una caja alargada de terciopelo rojo.

—Adelante, padre —lo urgió Alexander—. Ved lo que hay dentro.

491

Kitner levantó la vista:

—Ya sé lo que hay dentro.

—Pues entonces, abridlo.

Kitner resopló y abrió la caja. Dentro, posado sobre un lecho de seda blanca, había un cuchillo antiguo y largo, una navaja española con la empuñadura de marfil y bronce entrelazado.

—Cogedlo.

Kitner miró a Alexander y luego a la baronesa.

—No.

—Cogedlo, sir Peter. —La orden de la baronesa era una advertencia clara—. ¿O se lo pido a Alexander?

Kitner vaciló y luego acercó la mano lentamente hacia el cuchillo. Su mano se cerró alrededor de la empuñadura y lo levantó.

—Apretad el botón, padre —le ordenó Alexander. Kitner lo hizo. El metal resplandeció y la hoja salió hacia arriba. Era ancha, pulida y se iba estrechando hacia la punta hasta convertirse en casi una cabeza de aguja. Su hoja tenía unos veinte centímetros y estaba afilada como un bisturí.

Era el cuchillo que Alexander había utilizado para matar a su hijo, Paul, cuando era un niño de diez años. Kitner no lo había visto nunca de cerca, ni, desde luego, tenido en la mano. Ni siquiera cuando, tantos años atrás, Alfred Neuss se lo quiso mostrar. Era demasiado real, demasiado terrible. Lo máximo que había visto de él era cuando Neuss le hizo mirar la película y fue testigo del asesinato con sus propios ojos.

Ahora, la misma arma asesina, robada al asesinado Fabien Curtay, estaba en sus manos. De pronto, todo su ser fue invadido por el odio y la aversión. Con el arma en la mano y su hoja extendida, miró furiosamente al hombre que había matado a su hijo Paul; el hombre que era su otro hijo, Alexander, y que era poco más que un niño cuando lo hizo.

—Su me hubierais querido matar, padre —de pronto Alexander se le acercó y le quitó el arma de las manos—, lo habríais tenido que hacer hace muchos años.

—No lo hizo porque no pudo, cariño. —La baronesa sonreía con crueldad—. No tenía ni el valor, ni el coraje ni el estómago para hacerlo. Un hombre muy poco adecuado para convertirse en zar.

Kitner la miró.

—Es el mismo cuchillo que utilizaste hace tantos años con el hombre de Nápoles.

—No, padre, no lo es —dijo Alexander tajante, dejando muy claro que entre él y la baronesa no había ningún secreto—. La baronesa quería algo más elegante. Más adecuadamente...

—Real —concluyó la baronesa por él, y luego su mirada se dirigió al dosier de piel que había sobre la mesa—. Ábrelo, *zarevich*, y léelo. Y cuando lo hayas, hecho, fírmalo.

—¿Qué es?

—Tu abdicación.

—¿Abdicación? —Kitner estaba estupefacto.

—Sí.

—¿En favor de quién abdico?

—¿En favor de quién crees? —La mirada de la baronesa se posó en Alexander.

—¿Cómo? —La voz de Kitner sonó llena de ira.

—Tu hijo mayor y, después de ti, el heredero directo del trono.

83

—¡Jamás! —Kitner se levantó de golpe. Tenía las sienes hinchadas y la frente cubierta de sudor. Miró a la baronesa y a Alexander—. ¡Antes os vería a los dos en el infierno!

—Ya sabéis que la FSO se encarga de proteger a vuestra esposa e hijos. —Alexander cerró el cuchillo y lo guardó de nuevo en su estuche—. El FSO hará lo que se le ha ordenado. El *zarevich* debe estar protegido, incluso de su propia familia.

Kitner se volvió hacia la baronesa. Estaba viviendo una pesadilla que superaba todo lo imaginable.

—Habéis llegado hasta Gitinov.

La baronesa asintió con un levísimo gesto de la cabeza.

—¿Cómo?

—Es un simple juego de ajedrez, *zarevich*.

Alexander se sentó en el brazo del sofá de la baronesa. La iluminación de la estancia y la manera en que estaban colocados los convertía casi en un cuadro.

—El coronel Murzin ya os ha informado de la trágica muerte de la gran duquesa Catalina —dijo Alexander, serenamente— y de la de su madre y el gran duque Sergei. Un incendio de madrugada en su apartamento alquilado de París.

—Tú —suspiró Kitner. Aquella violencia infernal proseguía interminablemente.

—El gran duque Sergei era el único otro posible pretendiente al trono. A menos que cuente al príncipe Dimitri, pero ése no importa. Al estar de acuerdo con el triunvirato y presentaros a vos como el auténtico *zarevich*, él mismo se borró para siempre de la foto.

—No había necesidad de matarlos.

La baronesa sonrió.

—Una vez hubiera sido anunciado que Alexander se convertía en *zarevich*, la gran duquesa Catalina se habría puesto muy nerviosa. Era una persona fuerte, voluntariosa y arrogante, pero muy admirada en Rusia. Habría sacado a Anastasia, alegando que tú, y por tanto, nosotros, no éramos más que pretendientes al trono. Y a pesar de todas las pruebas presentadas, el populacho podía acabar dándole la razón. Pero esta posibilidad ya no existe.

De pronto Kitner se levantó.

—No pienso abdicar.

—Me temo que sí lo harás, Petr Mikhail Romanov. —El tono de la baronesa volvía a ser dulce y seductor—. Por el bien de tu familia y por el bien de Rusia.

Del otro lado de la ventana se oyeron golpes de puertas de coches. Alexander se volvió a mirar y Kitner pudo ver el diminuto auricular que llevaba en el oído. Había alguien que le hablaba y él escuchaba. Escuchó un momento más y luego se volvió hacia él.

—Nuestros primeros invitados, padre. Tal vez os gustaría ver quiénes son. Por favor. —Alexander se levantó y le señaló la ventana.

Lentamente, como en un sueño, Kitner se incorporó y se acercó a la misma. Fuera había tres limusinas negras sobre el acceso de vehículos cubierto de nieve. Los hombres de Murzin, ataviados con trajes oscuros con abrigos negros, aguardaban junto a los coches, con las cabezas giradas hacia la entrada. Entonces apareció otra limusina. Tras ella había un coche blindado con una bandera rusa ondeando en el capó. La limusina rodeó el patio de vehículos y luego se detuvo directamente bajo la ventana. De inmediato los hombres de Murzin se acercaron a ella y abrieron la puerta. Por un instante no ocurrió nada y luego, un hombre emergió de ella: Nicolai Nemov, el alcalde de Moscú; luego un segundo hombre, el mariscal Igor Golovkin, el ministro de Defensa de la Federación Rusa. Finalmente salió el tercero, un hombre alto, con barba y túnica, Gregorio II, el patriarca más sagrado de la Iglesia ortodoxa rusa.

—No es sólo por el presidente Gitinov, padre. Todos esperan que firmes la abdicación. Por eso han venido.

Kitner estaba absolutamente alelado, apenas era capaz de pensar.

Su esposa, su hijo y sus hijas estaban bajo la custodia de las tropas de Murzin. Higgs y cualquier otra persona capaz de ayudarle estaban fuera de su alcance. El cuchillo y la película ya no le pertenecían. Ya no le quedaba nada.

—No eres lo bastante fuerte para ser zar —dijo la baronesa—. Alexander sí lo es.

—¿Por esto le hiciste matar a mi hijo, para demostrarlo?

—Uno no puede dirigir una nación y tener miedo de ensangrentarse las manos. No querrás obligarle a demostrarlo de nuevo.

Por un momento, Kitner se la quedó mirando; su rostro, su vestido, las joyas que llevaba, la tranquilidad sobrecogedora con la que lanzaba amenazas de muerte. Lo que la movía era la venganza, oscura y cruel —la manera en que, de adolescente, se había vengado de forma brutal y depravada del hombre que la había violado en Nápoles— y nada más. Ahora se daba cuenta de que llevaba décadas planeando esto, jugando con el curso de la historia y preparándose para ese día en el futuro en el que Alexander, su Alexander, podría, si las cartas se jugaban bien, convertirse en el zar de Rusia. Esto, para ella, sería la venganza más dulce de todas.

Y era el motivo por el que al final, a pesar de todos los esfuerzos de la gran duquesa Catalina, de todas sus manipulaciones, todas sus triquiñuelas, todas las amistades que había trabado, sencillamente no tenía la información suficiente ni había tenido la suficiente falta de escrúpulos para competir con la baronesa. Y debido a ello, ella, su madre y su hijo adorado estaban muertos.

De pronto, Kitner fue consciente de su inmensa indefensión. Era prisionero, rehén y víctima a la vez. Además, había sido por su culpa. Por temor a que su familia se enterara de la existencia de Alexander, por temor a llevar a un hijo ante la justicia por el asesinato de otro, temiendo por la vida de sus otros hijos, fue él quien hizo el pacto que los dejó libres. Como resultado, ahora su esposa y sus hijos eran rehenes de los soldados de Murzin, y su familia se enteraría de la existencia de Alexander de todos modos y de manera pública, al mismo tiempo que el resto del mundo.

Su hijo Paul, Alfred Neuss, Fabien Curtay, la gran duquesa Catalina, su hijo y su madre, las víctimas de América... ¿cuántos muertos más por su culpa? Pensó otra vez en los soldados de Murzin reteniendo a su familia. ¿Qué órdenes les habrían dado? Que cualquiera de los suyos sufriera daño o fuera asesinado era algo a lo que no era capaz de enfrentarse. Miró a Alexander y luego a la baronesa. Ambos tenían la misma mirada salvaje. Ambos llevaban la expresión de la victoria fría y segura. Si antes había tenido alguna duda, ahora se le había disipado: sabía que eran capaces de cualquier cosa.

Lentamente se volvió y se sentó a leer el texto de la abdicación. Cuando acabó de hacerlo, y todavía más despacio, la firmó.

84

Que Rebecca fuera a casarse con Alexander era impensable. Pero también lo había sido la vulnerabilidad de América antes de los desastres de las Torres Gemelas y del Pentágono. Después de aquello, el mundo entero sabía que cualquier cosa era posible.

Con el pie pisando el acelerador casi hasta el fondo, el ML500 volaba por encima del asfalto cuando Marten tomó la salida de la A13 que llevaba a Landquart/Davos. Durante los últimos kilómetros había llamado al móvil de Clem media docena de veces pero no había conseguido más que escuchar la grabación en la que se le anunciaba que no estaba disponible o se encontraba fuera de cobertura.

—Tranquilícese —dijo Kovalenko—. Puede que Cabrera no sea quien usted supone.

—Eso ya lo dijo antes.

—Y se lo vuelvo a decir.

Marten apartó los ojos de la carretera para mirar a Kovalenko:

—¿Es por esto que sigue usted aquí, en vez de ordenarme que lo vuelva a llevar a Zúrich para que pueda volver a Moscú? ¿Por qué Cabrera podría no ser Raymond?

—¡Cuidado!

Marten volvió a mirar a la carretera. Directamente delante suyo el tráfico estaba parado y formaba una larga cola. Marten pisó los frenos y consiguió detener el ML a pocos centímetros del Nissan negro que tenían delante.

—¿Qué pasa ahora? —preguntó, mirando la caravana.

—Manifestantes, o por la libertad de expresión o del Bloque Negro, un grupo de anarquistas —dijo Kovalenko, mientras una masa de manifestantes antiglobalización aparecía corriendo por entre el tráfico, hacia ellos. La mayor parte eran jóvenes muy variopintos; muchos de ellos llevaban pancartas antiForo Económico Mundial, y otros llevaban máscaras grandes y grotescas que se parecían a los líderes políticos y económicos mundiales, o pasamontañas negros para no poder ser identificados.

Detrás de ellos apareció un grupo de policías suizos equipados con material antidisturbios. Casi al instante, los manifestantes se volvieron y lanzaron piedras. Marten vio cómo los policías se protegían con sus escudos de plástico. Al cabo de un segundo, cuatro policías avanzaron hacia ellos. Iban vestidos de negro, llevaban la palabra POLIZEI escrita en los cascos y en los chalecos antibalas, y llevaban pequeños rifles de cañón corto.

—¡Gases lacrimógenos! —gritó Marten, mirando por el retrovisor exterior. Un camión grande iba justo detrás de ellos, con más vehículos que hacían cola detrás. Otros se habían arrimado al arcén, tratando de adelantar, pero lo único que consiguieron fue bloquear totalmente la carretera.

—¡Despejen la zona! ¡Despejen la zona! —clamaba desde la nada un megáfono policial. La orden sonaba en inglés, luego en alemán, francés e italiano.

Marten miró a Kovalenko:

—Ponga un mapa local en el GPS.

Ahora los manifestantes rodeaban el ML y lo utilizaban como escudo mientras lanzaban más piedras y gritaban a las fuerzas policiales.

A los pocos segundos se oyeron cuatro explosiones rápidas que procedían del lanzamiento de gas lacrimógeno de la policía. Las latas volaron por encima del ML y llenaron los alrededores de una humareda blanca e irritante.

De inmediato, Marten cortó la ventilación del vehículo, puso una marcha y giró el volante hacia de la derecha. Se apoyó sobre el claxon y se abrió paso hasta colocarse en el arcén. Entre toses, arcadas y gritos, los gases manifestantes aporreaban el coche. Finalmente consiguieron tener el camino despejado. Marten pisó el acelerador a fondo y el monovolumen salió disparado por el arcén interior de la carretera, avanzando a toda velocidad hacia la policía.

—Necesitaremos el pase de Beelr —le dijo a Kovalenko—, y toda su influencia de policía.

Más adelante, varios de los policías de negro se dirigían hacia ellos, agitando los brazos para que se detuvieran. Uno de ellos levantó un megáfono.

—¡Atención, el monovolumen blanco! ¡Deténgase de inmediato! —bramó el mensaje de megafonía, otra vez en inglés, alemán, francés e italiano.

Marten siguió avanzando, buscando una salida. Entonces la localizó. Una pista secundaria, poco más que un sendero que bajaba des-

497

de el arcén hasta un terreno helado. Se abrió bien para enfocar la curva y se metió por él. El ML rebotó y aceleró por la pista abierta, un prado amplio y cubierto de hierba espolvoreada de nieve.

—Al otro lado parece que hay una carretera secundaria. —Kovalenko miraba al mapa iluminado en la pantalla del GPS—. Rodea el municipio, cruza por un puente y luego vuelve a unirse con la carretera principal, al otro lado.

—¡Ya lo veo! ¡Agárrese! —Marten frenó un poco para pasar una zanja. El ML la impactó, rebotó un poco por encima y luego salió con fuerza al otro lado. De pronto vieron un canal directamente delante de ellos. De manera instintiva, Marten aceleró, luego pisó el freno y giró el volante hacia la izquierda, gobernando el vehículo con la fuerza controlada de la tracción en las cuatro ruedas. El coche tocó el borde del canal, se quedó allí un instante, luego rebotó hacia atrás y Marten aceleró.

—¡Allí está el puente! —gritó Kovalenko.

—¡Ya lo veo!

El puente, antiguo y bajo, de madera y vigas de hierro, estaba a cien metros de ellos. Marten pisó el acelerador a fondo. Cinco segundos, diez. Tocaron el entablado a más de ciento veinte kilómetros por hora y en un abrir y cerrar de ojos habían cruzado el puente. De pronto se oyó un rugido tremendo y una sombra les pasó por encima. Al cabo de un instante vieron un helicóptero del ejército suizo. Bajó hasta muy cerca del suelo, voló hacia delante y luego dio media vuelta bruscamente y volvió para posarse en la carretera, cortándoles el paso.

Marten pisó el freno y el ML se detuvo a no más de veinte metros de la nave. Inmediatamente, las puertas del helicóptero se abrieron y salieron una docena de comandos del ejército suizo con armas automáticas, corriendo hacia ellos. En aquel momento sonó el móvil de Kovalenko.

—Shto tyepyer? —¿Y ahora qué pasa?, exclamó en ruso.

—Conteste —le exigió Marten.

Kovalenko lo hizo:

—Da —dijo, y luego miró a Marten.

—Para usted.

—¿Quién es?

Kovalenko se encogió de hombros:

—Un hombre.

Rápidamente le pasó el teléfono a Marten. Los comandos estaban casi encima de ellos. Marten respondió:

—¿Sí? —dijo, intrigado.

—Buenas tardes, señor Marten —era una voz amable y con acento francés—. Mi nombre es Alexander Cabrera.

85

Marten tapó el teléfono y miró a Kovalenko, con expresión incrédula:

—Es Cabrera.

—Le sugiero que hable con él. —Kovalenko miró a Marten con dureza y luego, dejando aposta su Makarov automático en el suelo, abrió la puerta y salió para enfrentarse a los comandos, con las manos en alto.

Villa Enkratzer, a la misma hora

Con el móvil en la mano, Alexander Cabrera estaba frente a la ventana de un pequeño despacho, una planta más arriba de la biblioteca en la que su padre acababa de abdicar del trono ruso. Directamente abajo, frente a él, podía ver a los equipos de limpieza retirando la nieve que había caído durante la noche para que los invitados pudieran pasear a su antojo por la trama de pistas de montaña con espectaculares vistas pertenecientes a la finca.

—Le llamo, señor Marten, porque entiendo que ha intentado ponerse en contacto con Rebecca.

—Sí. Me gustaría hablar con ella, por favor —dijo Marten con una calma mesurada, tratando de ignorar al comando del ejército suizo que tenía al otro lado de la ventanilla, con el dedo en el gatillo de un rifle semiautomático. A la izquierda podía ver a Kovalenko rodeado de comandos, con las manos arriba y hablando directamente con el oficial al mando. Ahora Marten lo veía gesticulando para obtener el permiso para buscar algo dentro de su abrigo. El oficial asintió y Kovalenko hurgó cuidadosamente en el bolsillo del pecho para sacar el pase que el inspector Beelr, de la Policía Cantonal, les había facilitado al salir de Zúrich.

—Me temo que está fuera con los niños de los Rothfels, señor Marten —dijo Cabrera, con la máxima cortesía.

Inmediatamente, Marten concentró toda su atención en la voz y la manera de hablar de Cabrera. Escuchaba cualquier cosa reconocible, pero no había nada. Tenía que hacerlo hablar más, decir más cosas.

—Estoy de camino a Davos, ahora mismo. Me gustaría mucho ver a Rebecca cuando llegue. Tal vez podría usted...

—¿Puedo llamarle Nicholas, señor Marten?

—De acuerdo.

Alexander se volvió de la ventana y se dirigió hasta una mesa de despacho grande. En aquel momento la baronesa se encontraba en la planta baja, en un comedor privado, disfrutando de un almuerzo con el alcalde de Moscú, el ministro de Defensa de la Federación Rusa y Gregorio II, el Gran Patriarca de la Iglesia rusa ortodoxa. Les contaba con todo detalle lo elegante que se había mostrado Peter Kitner al firmar su abdicación por el bien de Rusia, y las ganas que tenía de reunirse más tarde con ellos aquella noche, cuando Pavel Gitinov, el presidente de Rusia, llegaría para cenar.

—Creo que lady Clementine Simpson... ¿cómo lo diría?, ha levantado la liebre, y usted ya sabe que Rebecca y yo planeamos casarnos.

—Sí.

—No pretendía crear un escándalo, Nicholas, ni parecer descortés al guardar el secreto, pero nuestra relación ha sido mantenida al margen de casi todo el mundo por razones más bien complicadas.

Marten no detectaba nada que le resultara familiar en la manera de hablar de Cabrera. Tal vez fuera él quien estaba loco. Tal vez Kovalenko tuviera razón y Cabrera no tuviera nada que ver con Raymond.

—¿Por qué no vienes a la finca, Nicholas? No sólo podrás ver a Rebecca sino que así nos conoceremos. Ven a cenar y quédate a pasar la noche, por favor. Tenemos unos invitados muy interesantes.

Marten vio a Kovalenko haciendo gestos de asentimiento al comandante suizo y luego los dos se dieron la mano, los comandos bajaron las armas y Kovalenko se dirigió de nuevo hacia el coche.

—El *château* se llama Villa Enkratzer. Cualquiera en Davos puede indicarte cómo llegar. Acércate hasta la casa del vigilante. Dejaré un aviso de que te permitan el acceso. Tengo muchas ganas de conocerte.

—Yo también.

—Estupendo. Nos vemos esta noche, pues.

Se oyó un clic al colgar Cabrera. Eso fue todo. Ni adiós, nada más. Sencillamente, una invitación cortés a cenar y a pasar la noche. Era lo último que Marten se hubiera esperado.

86

El mismo viernes 17 de enero, 16:10 h

Las sombras alargadas de la tarde cruzaban el valle de Davos a medida que Marten dirigía el ML por la Promenade, la calle principal de Davos, y se detenía detrás de una larga cola de taxis y limusinas. Hombres y mujeres con trajes de oficina y abrigos llenaban las aceras, hablando entre ellos o por sus teléfonos móviles y aparentemente inalterados por la nieve que cubría el suelo, por la abundancia de patrullas de policía o por los soldados con boina y con rifles semiautomáticos. Ningún rincón parecía ya del todo seguro, ni siquiera para la gente más rica y poderosa del mundo, secuestrados en una ciudad fortificada en medio de los Alpes suizos. Sin embargo, ellos habían aceptado vivir rodeados de patrullas armadas como normalidad, y si aquí había peligro habían elegido ignorarlo.

—Siete kilómetros pasado el núcleo urbano y luego giren a la derecha cuando lleguen a una escultura de piedra en forma de pirámide en la que hay grabado el nombre Enkratzer —les dijo un policía—. No tiene pérdida, la piedra tiene treinta metros de altura. Además, hay dos coches blindados llenos de comandos apostados a la entrada.

—¿Cómo piensa justificar mi presencia? —preguntó Kovalenko, mientras Marten sorteaba el tráfico urbano. El ruso podía haber recibido la orden de regresar a Moscú, pero ni él ni Marten habían vuelto a mencionar el asunto.

—Soy el invitado de Cabrera y usted es mi compañero de viaje. Sería descortés no admitirnos a los dos.

Kovalenko sonrió levemente y desvió la vista. A los pocos minutos habían salido del animado centro urbano y se encontraban a la sombra de un bosque de coníferas, para aparecer rápidamente en medio de la belleza de postal de la extensión rural que formaba el valle de Davos. Lo bordeaban mucho más arriba, a ambos lados, los picos cubiertos de nieve de los Alpes, con cumbres llamadas Pischa, Jakobshorn, Parsenn y Schatzalp/Strela.

16:40 h

La nieve derretida empezaba a endurecerse sobre el asfalto. Pronto se congelaría hasta formar una capa sólida que la convertiría en una traidora y casi invisible pista de hielo negro.

Marten soltó un poco el acelerador y sintió que los neumáticos se agarraban mejor al asfalto. Luego miró a Kovalenko. Estaba en silencio y seguía mirando por la ventana, y Marten sabía que estaba preocupado. Al elegir deliberadamente desobedecer la orden de volver a Moscú se había colocado en una situación difícil, más difícil a medida que avanzaba el tiempo. La pregunta era, ¿por qué lo hacía? En su corazón, ¿creía realmente que Cabrera era Raymond y no lo contrario, como le había dicho antes? O, quizá, sencillamente no estaba seguro y se negaba a estar tan cerca y no comprobarlo. O... ¿tenía algo que ver con su propia agenda? De ser así, ¿trabajaba para, o con alguien más? Alguien lo bastante importante como para arriesgarse a desobedecer órdenes de su propio departamento, tal vez.

De pronto le vino a la cabeza otra cosa. No sabía por qué no lo había pensado antes.

—Londres —le dijo, de pronto, a Kovalenko—. El anuncio de quién era Kitner y la noticia de que era el futuro zar de Rusia, ¿debía tener lugar en Londres el mismo día, o al día siguiente, de su investidura como caballero?

—No. Era algo demasiado importante como para hacerlo a la estela de lo otro. El anuncio debía producirse varias semanas más tarde.

—¿Varias semanas?

—Sí.

Marten lo miró.

—El 7 de abril.

—Sí.

—En Moscú.

—Esta información era altamente privilegiada. ¿Cómo lo sabía usted? —Kovalenko estaba estupefacto.

—Por la agenda de Halliday —mintió Marten, protegiéndose rápidamente—. Tenía anotadas la fecha y el lugar, pero con un gran signo de interrogación al lado, como si no supiera qué significaba o a qué hacía referencia.

—¿Y cómo es posible que Halliday la supiera?

—No tengo ni idea —volvió a mentir Marten, antes de volverse para buscar con la mirada el desvío hacia la Villa Enkratzer. Luego se le ocurrió otra cosa. Cabrera había alquilado la finca de Davos justo antes del anuncio. ¿Había planeado lo mismo para Londres? Pero no una finca, sino una elegante residencia privada... en el número 21 de Uxbridge Street y cerca de la embajada rusa. Además, Raymond había anotado en su agenda, justo debajo del apunte *14 de marzo/Londres, Embajada rusa/Londres*. ¿Significaba esto que la presentación ante la familia Romanov había de tener lugar allí y entonces?

De pronto Marten volvió a dirigirse a Kovalenko. Y de nuevo para mentirle.

—En la agenda de Halliday había dos fechas más. Ponía «Londres» y «14-15 de marzo». Si el anuncio público de lo de Kitner no iba a tener lugar entonces sino semanas más tarde, ¿entonces cuándo iba a ser presentado a...?

—¿La familia Romanov? —Kovalenko acabó la frase por él.

—Sí.

—El 14 de marzo. Durante una cena formal en la embajada rusa en Londres.

¡Bingo! ¡Ya lo tenía! Al menos una parte: quedaba aclarada la anotación sobre la Embajada de Rusia.

Marten apartó la vista y luego volvió a mirarlo.

—Y entonces la cena se canceló de repente.

—Sí.

—¿Quién la canceló?

—El propio Kitner.

—¿Cuándo?

—Creo que el trece de marzo. El día de su ceremonia de investidura.

—¿Alegó algún motivo?

—A mí no me informaron. Ni sé si informaron a alguien. Sencillamente fue su decisión posponerlo hasta nueva convocatoria.

—Tal vez el motivo fuera que Alexander Cabrera se encontraba todavía fugado de la policía de Los Ángeles como Raymond Oliver Thorne. A Thorne no lo arrestaron hasta el quince de marzo. Kitner está al frente de una inmensa cadena mediática internacional. Es muy posible que estuviera al tanto de la información sobre los asesinatos en México y San Francisco y Chicago y que supiera quiénes eran las víctimas incluso antes de que la policía lo confirmara. Esos asesinatos podrían haber sido el detonante del viaje precipitado de Neuss a Londres. No sólo para protegerse, si era el siguiente en la lista de Raymond, sino para que él y Kitner tramaran la manera de ir por delante de Cabrera. El cual, debo recordar, como hijo mayor de Kitner, es el siguiente en la línea de sucesión al trono.

—¿Sugiere que Cabrera pensaba que podía convertirse en zar?

—Lo pensaba entonces y lo piensa ahora —dijo Marten—. Lo único que tiene que hacer es esperar a que la familia esté informada sobre la auténtica estirpe de Kitner y luego, un poco antes de que se haga el anuncio público, filtrarlo a la prensa. De pronto el mundo se entera de quién es Kitner y de qué está destinado a ser.

Kovalenko lo miraba con frialdad:

—Y entonces Kitner muere asesinado y, como su primogénito, Cabrera se convierte automáticamente en el siguiente del linaje en aspirar al trono y el proceso se pone en marcha.

—Sí —Marten recogió el razonamiento—, y a los pocos días, tal vez a las pocas horas, el guapo, triunfador pero huidizo Alexander Cabrera revela su identidad y viaja a Moscú para hacer público su duelo por su difunto padre, y al mismo tiempo declara que si el pueblo lo quiere, está dispuesto a servirle en su lugar.

—Y como el gobierno ya ha accedido al retorno de la monarquía, parece haber pocas razones para pensar que no lo respaldarían. Que es algo con lo que Cabrera y la baronesa han estado contando desde el principio. —Kovalenko sonrió tibiamente—. ¿Es eso lo que está pensando?

Marten asintió:

—Tenía que haber sucedido un año antes, y podía haberlo hecho de no ser porque Cabrera estuvo a punto de perecer a manos de la policía de Los Ángeles.

Kovalenko se quedó callado un instante largo. Finalmente habló:

—El problema con lo que usted postula, señor Marten, es que lo cuenta desde el punto de vista de Cabrera. Le recuerdo que fue Peter Kitner y no Alexander Cabrera quien canceló la reunión familiar de los Romanov y aplazó su propia ascensión al trono.

—¿Hasta cuándo?

—Hasta ahora. Hasta este fin de semana en Davos. Y con ella, la presentación hecha ante la familia Romanov ayer en París.

—Kovalenko, ¿quién eligió las fechas? ¿Kitner? ¿O fue una decisión procedente del gobierno ruso?

—No lo sé. ¿Por qué?

—Porque parece perfectamente calculado para haberle dado tiempo a Cabrera para purgar su historial, tanto los archivos con las pruebas como las bases de datos, recuperarse de las heridas sufridas en su «accidente de caza» y la posterior cirugía plástica (una cirugía que pudo haber sido necesaria o que pudo haber sido elegida para que nadie que hubiera visto a Raymond Oliver Thorne pudiera reconocerle) y luego volver corriendo al frente de sus negocios, para que nada pareciera fuera de lo normal.

—Está insinuando que alguien ha sido capaz de retrasar todo el proceso hasta que Cabrera estuviera preparado.

—Exactamente.

—Señor Marten, para ser capaz de esto, alguien debería tener una influencia enorme dentro de Rusia, suficiente para controlar las dos cámaras del Parlamento. No es posible.

—¿No?

—No.

—No, a menos que esa persona —Marten eligió cuidadosamente cada palabra— fuera inmensamente rica, con unas credenciales impecables, muy sofisticada y con una gran importancia en la sociedad, y que conociera personalmente (y, de alguna manera, tuviera influencia) a la gente más importante de los más altos niveles de la política y el empresariado ruso, o ambas cosas a la vez. Y, por lo tanto, que tuviera el dinero, el poder y la astucia para manipularlos a todos.

—La baronesa.

—Usted lo ha dicho.

505

87

Villa Enkratzer, 17:00 h

Rebecca se miraba al espejo mientras su doncella personal la ayudaba a vestirse. La velada que tenía por delante estaba llena de nobleza, elegancia y romanticismo. Alexander había elegido personalmente lo que debía ponerse —un vestido tipo tubo de inspiración china, confeccionado por un diseñador parisino, largo, de seda y terciopelo violeta, con la silueta bordada y las mangas recogidas por las muñecas—. Sonrió mientras la doncella le abotonaba el último broche en la nuca y retrocedió, mirándose el perfil en el espejo. El vestido le entallaba el cuerpo y le daba el aspecto que Alexander quería: el de una muñeca bella y exquisita.

Se recogió el pelo hacia atrás y se lo sujetó con un clip de perlas de los mares del Sur, y luego se puso unos pendientes que combinaban una perla alargada con un diamante, para acabar con un collar de esmeraldas. Retrocedió un poco más para observar el conjunto y pensó que jamás había estado tan magnífica. Tan magnífica como estaba convencida que sería la velada. En una hora empezarían a llegar los invitados desde Davos. Entre ellos estarían lord Prestbury y su hija, lady Clementine Simpson, que estaba convencida que se quedaría boquiabierta al ver su vestido. Rebecca disfrutaría del momento, por supuesto, pero teniendo en cuenta la grandeza de la velada, el vestido y la reacción de lady Clem eran lo de menos.

Lo que era importante, más importante que cualquier cosa, sería la llegada de Nicholas, invitado por Alexander tal y como le había prometido. Que lady Clem ya lo hubiera informado de los planes de boda no importaba. Lo importante era que él y Alexander por fin se conocerían y que todo el secretismo quedaría relegado al pasado.

El repentino timbre del teléfono la sobresaltó. En los segundos que tardó la doncella en contestar una idea le pasó por la cabeza: ¿por qué no le había dicho antes Alexander que Nicholas había llamado para hablar con ella? Se había enterado por la doncella, que respondió al teléfono cuando llamó Gerard Rothfels suponiendo que Rebecca estaba en su habitación cuando, en realidad, estaba fuera con la esposa y los hijos de Rothfels. Lo más curioso fue que en aquel momento Alexander estaba en la habitación, eligiendo el vestido que ella se pondría aquella noche. En vez de pasarle el mensaje y dejarla hablar con Nicholas, anotó el teléfono de Nicholas y bajó a la biblioteca, desde donde lo llamó él mismo. En aquel momento ella no le dio demasiada importancia, excepto para preguntarse qué asunto llevaba a Nicholas hasta Davos, de modo que no le dio más vueltas, pensando que Alexander estaba muy ocupado y, sencillamente, tenía ganas de sorprenderla. Lo cual, sin duda, hizo. Pero ahora le parecía raro y la inquietaba, aunque no sabía muy bien por qué.

—*Mademoiselle* —le dijo la doncella, después de colgar el teléfono—, *Monsieur Alexander désire que vous descendiez à la bibliothèque.* —El señor Alexander desea que baje usted a la biblioteca.

Todavía preocupada por sus pensamientos, Rebecca no le respondió.

—*Mademoiselle?* —La doncella inclinó la cabeza, como si dudara si Rebecca la había entendido.

Luego Rebecca la miró y le sonrió.

—*Merci* —le dijo—, *merci.*

88

17:10 h

La luz anaranjada del sol poniente dibujaba la silueta de las cumbres más occidentales cuando Marten aminoró la velocidad del ML bajo la creciente oscuridad crepuscular, justo cuando los faros del coche iluminaban una enorme escultura lítica piramidal con el nombre VILLA ENKRATZER grabado en letras grandes y claras. A la derecha estaba la entrada a la carretera de acceso. A diez metros estaba la casa de piedra del guarda. Un coche blindado con una cruz blanca equilátera sobre fondo rojo —la bandera suiza— bloqueaba la entrada. Un segundo vehículo con el mismo distintivo estaba estacionado bajo los árboles, a la izquierda.

Marten redujo todavía más la velocidad hasta detener el ML delante del primer coche blindado. De inmediato, sus puertas se abrieron y dos comandos en traje de faena salieron del mismo. Uno llevaba un rifle semiautomático; el otro, más alto que el primero, llevaba una pistola enfundada.

Marten bajó la ventanilla al verlos acercarse.

—Me llamo Nicholas Marten. Soy un invitado de Alexander Cabrera.

El agente más alto miró a Marten y luego a Kovalenko.

—Él es Kovalenko —dijo Marten—. Viaja conmigo.

El agente retrocedió de inmediato y se dirigió a la casa. Mantuvo una breve conversación con alguien que había dentro, hicieron una llamada telefónica y luego volvió.

—Adelante, señor Marten. Conduzca con cuidado. El sendero hasta la finca es empinado, lleno de curvas y está bastante helado.

—Retrocedió y lo saludó. El coche blindado hizo marcha atrás, despejó la entrada y Marten avanzó.

—Qué guapa estás. —Alexander tomó a Rebecca de la mano y se la besó cuando ella entró en la biblioteca. La estancia estaba a media luz, acogedora con su techo tan alto, el cómodo mobiliario de cuero y los libros encuadernados en piel que cubrían las paredes desde el suelo hasta el techo. En la chimenea de piedra había un fuego que producía un agradable crepitar. Enfrente había una mesa baja de madera sólida de roble y detrás, el sofá de cuero en el que se relajaba la baronesa.

—Estás absolutamente deslumbrante, querida —dijo, cuando Rebecca se le acercó, y luego le indicó un puesto a su lado—. Siéntate conmigo. Tenemos algo que decirte.

Rebecca miró primero a la baronesa y luego a Alexander. Ambos iban elegantemente vestidos, Alexander con un esmoquin negro hecho a medida, con camisa de volantes blancos debajo y una pajarita de terciopelo negro. La baronesa, como siempre, combinaba el blanco con el amarillo pálido. Esta vez era una túnica larga de estilo oriental, con los zapatos amarillos a juego y las medias blancas. Llevaba una pequeña estola de armiño sobre los hombros que resaltaba la gargantilla de rubíes y esmeraldas elegida para la ocasión.

—¿Qué tenéis que contarme? —Rebecca sonrió con inocencia mientras se sentaba junto a la baronesa y volvía a mirar a Alexander.

—Empezad vos, baronesa —dijo Alexander, mientras se colocaba de pie junto a la chimenea.

Lentamente, la baronesa tomó una mano de Rebecca entre las suyas y la miró a los ojos.

—Te ves con Alexander desde hace menos de un año, pero os conocéis bien el uno al otro. Sé que él te ha contado cosas sobre la muerte de su madre y su padre en Italia cuando era muy pequeño, y cómo yo lo eduqué en mi finca de Argentina. Sabes lo de su accidente de caza y de su larga recuperación. Y sabes, también, que es ruso de nacimiento.

—Sí —asintió Rebecca.

—Lo que no sabes es que pertenece a la nobleza europea. No sólo a la nobleza, sino a la alta nobleza, que es el motivo por el que fue educado tan lejos de su influencia, en Sudamérica, y no en Europa. Fue un deseo de su padre que aprendiera sobre la vida y no fuera un niño mimado. Y éste es también el motivo por el que no se le dijo hasta que fue mayor para entenderlo quién era realmente su padre y que, a diferencia de su madre, estaba todavía vivo.

Rebecca miró a Alexander con sorpresa:

—¿Tu padre está vivo?

Alexander sonrió delicadamente:

—Es Peter Kitner.

—¿Sir Peter Kitner, el propietario del imperio mediático? —Rebecca estaba realmente asombrada.

—Sí. Y todos estos años me ha protegido de la realidad de quién es él y de quién soy yo. Como ha dicho la baronesa, fue por mi propio bien y para que ni fuera un mimado, ni eso influyera mi juventud.

—Peter Kitner —prosiguió la baronesa— es más que un hombre

de negocios rico y próspero, es el cabeza de la familia imperial Romanov y, por lo tanto, el heredero del trono imperial ruso. Como su primogénito, Alexander lo sigue en la línea dinástica.

Rebecca estaba perpleja:

—No lo entiendo.

—Rusia está a punto de instaurar una monarquía constitucional y de devolver el trono a la familia imperial. La decisión será anunciada en la conferencia de Davos mañana por el presidente de la Federación Rusa —La baronesa sonrió—. Sir Peter Kitner se encuentra aquí en la finca.

—¿Aquí?

—Sí, está descansando.

Ahora Rebecca volvió a mirar a Alexander.

—Pero sigo sin...

—La baronesa no ha terminado, amor mío.

Rebecca volvió a mirar a la baronesa.

—Esta noche, el primer zar de Rusia en casi un siglo será presentado a nuestros invitados.

Rebecca miró a Alexander. Tenía los ojos abiertos de par en par, atónita y encantada al mismo tiempo:

—¿Tu padre va a convertirse en el zar de Rusia?

—No —dijo Alexander—, yo.

—¿Tú?

—Ha abdicado formalmente a favor mío.

—Alexander. —Los ojos de Rebecca se llenaron de lágrimas. Comprendía, pero no comprendía nada. Era algo demasiado enorme, demasiado alejado de todo lo que ella conocía, hasta de la persona que era ahora.

—Y tú, querida, cuando os caséis... —lentamente, la baronesa levantó las manos de Rebecca y se las besó con cariño, como lo haría una madre con su hija, mientras la miraba a los ojos—, te convertirás en la zarina.

509

89

A través de los árboles, a medida que Marten se iba acercando, la Villa Enkratzen parecía, y era, enorme. Iluminada vivamente bajo el cielo nocturno, la vasta estructura de cinco plantas, de piedra y madera, parecía tanto una fortaleza como una espléndida mansión, o como en este caso, una embajada oculta en medio de los Alpes.

Las banderas de cincuenta naciones distintas ondeaban con el fuerte viento desde sus mástiles clavados en el centro de la entrada de vehículos cuando el ML llegó. Mientras Marten trataba de encontrar el lugar adecuado para dejar el vehículo pudo ver seis limusinas negras estacionadas a la izquierda de la puerta principal, y ahora, con una mirada rápida por el retrovisor vio que había más que subían por el sendero, detrás de ellos. Apenas parecía un sitio adecuado para las correrías de Raymond. Pero, en realidad, no era Raymond, ¿no? El hombre que estaba aquí era Alexander Cabrera.

Por un lado era tan fácil como esto. Un hombre de negocios internacional se presenta al hermano de la prometida. Pero a otro nivel, infinitamente más peligroso, estaba la idea de que Cabrera y Raymond eran uno y el mismo. Y si esto era cierto, tanto él como Rebecca corrían un grave peligro, porque lo que acababa de hacer era meterse en una trampa cuidadosamente concebida.

Una docena de hombres ataviados con trajes oscuros y guantes blancos los esperaban a la entrada mientras Marten acercaba el coche. De inmediato, las puertas se abrieron y Kovalenko y él fueron recibidos como si pertenecieran a la realeza y guiados hasta el interior de la mansión, mientras detrás de ellos se llevaban el ML.

Dentro, otro recepcionista de traje oscuro y guantes blancos les dio la bienvenida mientras entraban en el imponente vestíbulo de dos plantas de altura de la mansión, con los suelos y las paredes de pizarra negra pulida. Frente a ellos, al fondo, unos enormes troncos crepitaban en una enorme chimenea de piedra, mientras que más arriba colgaban las banderas de los veintitrés cantones suizos de una hilera de sólidas vigas de roble. A derecha e izquierda unos arcos góticos llevaban a largos pasadizos, cuyos accesos estaban protegidos a ambos lados por brillantes armaduras antiguas.

—Por aquí, señores —les dijo su ayudante, que los condujo por el pasillo de la izquierda. A medio camino los guió hacia la derecha y por otro pasillo, y luego otro, pasando frente a una serie de puertas que parecían ser habitaciones de invitados. Un poco más allá se detuvo frente a una de las puertas y la abrió con una llave electrónica—. Su habitación, señores. Hay ropa de noche en los armarios. Disponen de un baño con ducha de vapor y todo tipo de productos de aseo. Hay un bar completo en este armario. La cena se servirá a las ocho. Si necesitan cualquier cosa —les señaló un teléfono de varias líneas colocado sobre un escritorio antiguo—, sencillamente llamen a la operadora. —Con esto les hizo una reverencia y se retiró, cerrando la puerta detrás de él. Eran exactamente las cinco y cuarenta y dos minutos de la tarde.

—¿Ropa de noche? —Kovalenko se dirigió hasta las dos grandes camas de matrimonio sobre las cuales les habían preparado un esmoquin para cada uno, con sus correspondientes camisas, zapatos y pajaritas.

—Puede que Cabrera supiera que veníamos —dijo Kovalenko—. Pero no sabía nada de mí y, en cambio, tenemos ropa de noche preparada para los dos, y de la talla correcta.

—Quizás el comando del ejército suizo que nos ha dejado entrar les haya pasado la información.

—Puede ser. —Kovalenko se acercó a la puerta y la cerró, luego se sacó el rifle Makarov automático del cinturón, comprobó el cargador y lo guardó—. Debe usted saber que cuando estábamos en Zúrich puse el disquete y el billete de avión del detective Halliday en un sobre dirigido a mi esposa en Moscú. Le dije al inspector Beelr que con las prisas de la investigación había olvidado mandarle una nota de aniversario y le pedí que lo mandara de mi parte. Allí estarán más seguros que aquí con nosotros.

Marten lo miró.

—Lo que quiere decir en realidad, Yuri, es que ahora tiene usted todas las cartas.

—Señor Marten, tenemos que confiar el uno con el otro. —Kovalenko miró la ropa de noche preparada—. Le sugiero que nos preparemos para la velada y, mientras tanto, decidamos qué hacer con Cabrera y cómo...

Unos golpes repentinos a la puerta interrumpieron a Kovalenko y los dos hombres levantaron la vista.

—¿Cabrera? —dijo Kovalenko en voz baja.

—¡Un segundo! —dijo Marten, y luego miró a Kovalenko y bajó la voz—. He de encontrar a mi hermana y asegurarme de que está bien. Lo que me gustaría que hiciera usted es conseguir las huellas de Cabrera sobre alguna superficie dura, un vaso, un bolígrafo, hasta una postal, cualquier cosa pequeña que podamos llevarnos sin levantar sospechas y en la que las huellas queden claras, no borrosas.

—Tal vez un menú de la cena —dijo Kovalenko con una sonrisa.

La persona que llamaba a la puerta volvió a insistir y Marten se acercó a la puerta y la abrió.

Un hombre delgado y muy en forma, con el pelo afeitado al cero, estaba ante la puerta. Iba vestido formalmente, igual que los otros miembros del servicio, pero ahí acababa la comparación. Su manera de comportarse y la intensidad de su presencia llevaban una etiqueta: autoridad.

—Buenas tardes, caballeros —dijo, con acento ruso—. Soy el coronel Murzin, del *Federalnaya Slijba Ohrani*. Estoy al mando de los equipos de seguridad.

90

18:20 h

Nicholas Marten ignoraba adónde había ido Kovalenko. Murzin había dicho simplemente que deseaba cambiar impresiones a solas con Kovalenko y que Marten había de prepararse para la velada con normalidad. El momento fue delicado e incómodo, pero luego Kovalenko accedió y acompañó a Murzin, y Marten hizo lo que le indicaban.

Ducharse. Afeitarse. Mirarse al espejo. Y oír las palabras de Kovalenko, «decidamos qué hacer con Cabrera y cómo»... él añadió «hacerlo».el resto de la frase de Kovalenko se había perdido con la inesperada irrupción de Murzin.

Rebecca estaba en alguna parte de aquel edificio. Dónde, exactamente, sería difícil de determinar sin la ayuda de Cabrera. De pronto, Marten se dio cuenta de que no había hablado con ella ni una sola vez, simplemente había sabido por Cabrera que se encontraba allí. Y tal vez no fuera cierto.

Envuelto en la toalla de baño, Marten volvió a la habitación y cogió el teléfono.

—*Oui, monsieur* —respondió una voz masculina.

—Soy Nicholas Marten.

—Dígame, señor.

—Mi hermana Rebecca está aquí con los Rothfels. ¿Podría ponerme, por favor, con su habitación?

—Un momento, por favor.

Marten aguardó con la esperanza de hablar finalmente con ella, con la esperanza de que el teléfono no sonara de la manera interminable en que lo hizo en el hotel Crillon de París, cuando al final tuvo que ir personalmente y convencer al recepcionista de quién era y de que accediera a llevarlo hasta su habitación. De pronto se le ocurrió que por eso se había retrasado, por eso Rebecca le apareció en albornoz y con el pelo recogido y un poco bebida. No porque hubiera estado en la bañera, sino porque había estado con Cabrera. Puede que él tuviera una suite en el Ritz, pero había estado todo el tiempo en el Crillon con ella.

—Buenas tardes, Nicholas. —La voz cálida y con acento francés de Alexander Cabrera sonó por el hilo telefónico—. Qué contento estoy de que hayas venido a reunirte con nosotros. ¿Quieres subir a la biblioteca, por favor? Mandaré a alguien para que te acompañe.

—¿Dónde está Rebecca?

—Estará aquí cuando llegues.

—Todavía no me he vestido.

—Pues entonces te esperamos en diez minutos, ¿te parece?

—Está bien, diez minutos.

—Estupendo.

Cabrera colgó y la línea quedó muda.

Todo lo que había dicho había sido exactamente como antes: sereno, exquisito y amable, y pronunciado con el mismo tono y acento cálido. ¿Qué estaba ocurriendo? ¿Era Alexander Cabrera Raymond Oliver Thorne, o no lo era?

513

91

18:30 h

Kovalenko tomó un trago de vodka y dejó el vaso. Estaba en una habitación parecida a la que le habían asignado con Marten, con la única diferencia de que ahora estaba en la segunda planta. Murzin no le dijo demasiado, sencillamente le había preguntado su nombre, dónde vivía, y luego lo acompañó hasta aquella habitación. Luego había salido, y de eso hacía ya más de diez minutos.

Estaba claro que Murzin era del FSO. No tenía manera de saber cuántos más había, pero sospechaba que los miembros de «recepción» de corbata negra eran agentes y que podía haber más entre el personal de servicio, tal vez hasta entre los invitados, aunque sospechaba que pocos, si es que había alguno más, serían del rango de Murzin o tendrían su mismo carácter. Murzin era un Spetsnaz de la vieja escuela, y eso inquietaba a Kovalenko porque significaba que no sólo era un comando de primera fila sino un asesino profesional cuyo principal y único trabajo era cumplir órdenes. Si estaba aquí significaba que algo extremadamente importante estaba a punto de suceder.

Aunque Kovalenko no le había dicho nada a Marten, cuando llegaron había visto una limusina presidencial aparcada a un lado. El presidente Gitinov debía hacer el anuncio público relativo a Peter Kitner al día siguiente, ante el Foro. Así que, teniendo en cuenta el escenario, los coches blindados de la entrada, las limusinas y el personal que recibía a los invitados, por no mencionar a Murzin, todo hacía pensar que Gitinov se encontraría esta noche entre los comensales. Si era el caso, podía haber llegado y entonces la limusina presidencial era la suya. Pero era poco probable que hubiera llegado en un solo vehículo. Gitinov solía viajar en comitivas de tres o cuatro limusinas idénticas, de modo que un francotirador o un terrorista no pudiera saber en cuál de ellas estaba. Una alternativa más probable era que llegara en helicóptero. Era más seguro y mucho más espectacular.

Eso dejaba en el aire la pregunta de quién había llegado en la limusina. La respuesta, en especial si se tenía en cuenta la presencia de Murzin, era que había sido utilizada por algún estadista ruso, o por varios, de igual poder. Actualmente no había ningún hombre que detentara tanta influencia como Gitinov, pero sí había un triunvirato que él conocía de memoria, formado por Nicolai Nemov, el alcalde de Moscú; el mariscal Igor Golovkin, ministro de Defensa de la Federación Rusa, y Gregorio II, gran patriarca de la Iglesia ortodoxa rusa. Y si estaban aquí y Gitinov estaba también invitado...

De pronto se abrió la puerta y entró Murzin. Lo acompañaban dos agentes más, vestidos con traje de noche pero con el mismo pelo rapado. Uno de ellos cerró la puerta.

—Es usted Yuri Ryleev Kovalenko, del Ministerio de Justicia ruso —dijo Murzin con voz tranquila.

—Sí.

—Debía usted haber vuelto a Moscú esta mañana.

—Sí.

—No lo ha hecho.

—No.

—¿Por qué?

—Viajaba con el señor Marten. Su hermana está prometida en matrimonio con Alexander Cabrera. Él me pidió que lo acompañara. Hubiera sido descortés por mi parte no hacerlo.

Murzin lo miró con atención.

—Hubiera sido más prudente por su parte obedecer órdenes, inspector.

Murzin miró rápidamente a los hombres que lo habían acompañado. Uno de ellos abrió la puerta y Murzin volvió a mirar a Kovalenko:

—Síganos, por favor.

92

18:50 h

El escolta de Nicholas iba un paso por delante de él cuando volvieron una esquina y empezaron a bajar por un pasillo de paredes de piedra en dirección a una puerta antigua cerrada, de madera muy ornada, que había al fondo. El suelo estaba enmoquetado y las paredes bañadas por la luz de unas lámparas empotradas en el techo a intervalos regulares. Era una iluminación a la vez antigua y de diseño moderno, pero a Marten le daba la sensación de que lo estaban conduciendo a un calabozo medieval. No podía evitar desear que Kovalenko estuviera con él, y al mismo tiempo se preguntaba dónde estaba y por qué no había regresado a la habitación.

El esmoquin que le habían facilitado a Marten, que le había parecido cómodo y de la talla perfecta cuando se lo puso, de pronto le parecía estrecho y rígido. Se llevó la mano al cuello para aflojarse un poco la pajarita, como si este sencillo gesto lo ayudara. Pero no fue así. Tan sólo le hizo darse cuenta de que tenía las palmas de las manos húmedas y de que estaba sudando.

«Relájate —se dijo—. Relájate. Todavía no sabes nada».

—Aquí estamos, *monsieur*. —El escolta se acercó a la puerta y llamó.

—*Oui* —dijo una voz desde dentro.

—*Monsieur* Marten —dijo el escolta.

Al cabo de un segundo se abrió la puerta y apareció Alexander Cabrera, resplandeciente en su esmoquin negro a medida y con su camisa blanca de volantes, con una pajarita de terciopelo negro en el cuello.

—Bienvenido, Nicholas —le dijo, sonriente—. Pasa, por favor.

Lentamente, Nicholas entró en la biblioteca de Villa Enkratzer, con sus paredes de libros y su cálido mobiliario de piel. Al otro lado de la sala las llamas hacían crepitar los troncos recién añadidos a la chimenea de mármol, llenando el ambiente con un agradable aroma

515

de roble. Sentada en el sofá, frente a la chimenea, había una mujer guapa y majestuosa, probablemente de cincuenta y pocos años. Llevaba el pelo negro recogido en un moño en la nuca y vestía una túnica amarilla larga, con una estola de armiño sobre los hombros. El collar que lucía combinaba las vueltas de pequeños diamantes con las de rubíes, mientras que sus pendientes estaban formados por pequeñas nubes de brillantes diminutos.

Marten oyó como Cabrera cerraba la puerta detrás de él.

—Te presento a la baronesa de Vienne, Nicholas. Es mi querida tutora.

—Es un placer conocerle, señor Marten. —Al igual que sucedía con Cabrera, el inglés de la baronesa arrastraba un acento francés. Ella le tendió la mano y Marten se inclinó sobre ella y la tomó.

—El placer es mío, baronesa —dijo Marten con delicadeza. La baronesa era más joven, delicada y mucho más guapa de cómo la había imaginado. Era elegante, cálida y se mostraba como si estuviera realmente encantada de conocerle. Sin embargo, cuando él le soltó la mano y retrocedió, ella lo siguió mirando. Eso le provocó una sensación inquietante, como si ella lo intentara analizar, buscándole algún punto flaco o alguna debilidad.

Marten miró a Cabrera.

—¿Dónde está Rebecca?

—Estará aquí en un momento. ¿Te apetece tomar algo?

—Agua mineral, si tienes.

—Por supuesto.

Marten observó a Cabrera acercarse a un pequeño bar que había en la esquina de la estancia. Tenía el mismo aspecto que en las fotos que le había mostrado Kovalenko: alto, delgado, con el pelo y la barba bien arreglados. La última vez que había visto a Raymond —cuando se enfrentaban a Polchak, Lee y Valparaíso, y hasta a Halliday antes de que se pusiera del lado de Marten, en el terrible tiroteo de Los Ángeles—, estaba casi calvo en su intento de adoptar la identidad del asesinado Josef Speer. Pero el pelo no era la única diferencia. La cara era totalmente distinta, su estructura más pronunciada, la mandíbula, por lo que la barba le permitía distinguir, hasta la nariz. Y los ojos. Antes los tenía azul verdosos, ahora eran negros como la noche. Tal vez llevara lentillas, podía ser, pero dejando los ojos a un lado, si era Raymond, el cirujano plástico había hecho un trabajo excelente al cambiar su aspecto de una manera tan completa.

—Me miras con curiosidad, Marten. —Cabrera se le acercó con un vaso de agua mineral en la mano.

—Trataba de hacerme una idea del hombre que va a casarse con mi hermana.

—¿Y cómo puntúo? —Cabrera sonrió tranquilamente y le ofreció el vaso.

—Me gustaría que me lo dijera Rebecca. Parece que te has ganado su corazón.

—¿Por qué no la llamo y dejo que se lo preguntes a ella? —Cabrera se acercó a una mesita lateral y tocó un botón.

Al cabo de un momento se abrió la puerta del fondo y apareció Rebecca. Marten contuvo la respiración. No sólo estaba viva y sana sino que, con el espléndido vestido que llevaba, estaba extraordinariamente bella.

—¡Nicholas! —exclamó nada más verlo. De pronto cruzó la habitación y le dio un abrazo. Lo sostuvo entre sus brazos mientras lo miraba con los ojos llenos de lágrimas y riendo al mismo tiempo—. Deseaba tanto que esto fuera una sorpresa.

Marten retrocedió para mirarla y se fijó de pronto en su collar de esmeraldas y en los pendientes de perlas y diamantes.

—Es una sorpresa, Rebecca. De eso no tienes que preocuparte.

—Alexander —de pronto ella se separó y se acercó a Alexander—, díselo. Díselo, por favor.

—Creo que primero los dos tenéis que conocer a mi padre. —Cabrera volvió a tocar el botón, y esta vez habló por un pequeño micro que había al lado—. Por favor —dijo, y luego se volvió a mirarlos—. Estaba descansado. Bajará en un momento.

—Tu padre es sir Peter Kitner —dijo Marten, con cautela—, y está a punto de convertirse en el zar de Rusia.

—Estás bien informado, Nicholas —sonrió Cabrera, relajado—. Debería estar sorprendido, pero no lo estoy, teniendo en cuenta que eres el hermano de Rebecca. Sin embargo, las cosas han cambiado. Eso es lo que Rebecca quería que te dijera. —Su sonrisa se desvaneció—. Mi padre no llegará a ser zar. Ha renunciado al trono a favor mío.

—¿Tú?

—Sí.

—Entiendo —dijo Marten, a media voz. Ahí estaba, tal y como se lo había predicho a Kovalenko. La única diferencia es que no había funcionado de la misma manera: Cabrera no había tenido que matar a Kitner para convertirse en zar, simplemente, se limitó a aterrorizarlo para que abdicara; así no había política de por medio. No tendría que demostrar nada. Con un plumazo de Kitner, Cabrera se había convertido en zar fácilmente.

Unos golpes a la puerta sacaron a Marten de sus cábalas.

—*Oui* —dijo Cabrera.

La puerta se abrió y apareció sir Peter Kitner. Iba vestido formalmente y no lo acompañaba un escolta, como a Marten lo había acompañado, sino el mismísimo coronel Murzin.

—Buenas tardes, *zarevich* —le dijo Murzin a Cabrera, y luego miró a Marten—. El señor Kovalenko me ha pedido que me disculpe por él. Las circunstancias lo han obligado a regresar a Moscú de inmediato.

Marten asintió con la cabeza y no hizo ningún comentario. Kovalenko se había marchado. El cómo o el porqué no era algo que pudiera preguntar. La cruda realidad era que, a partir de ahora, estaba solo ante el peligro.

—Padre —dijo Cabrera, mientras acompañaba a Kitner al interior de la biblioteca—, quiero que conozcas a la mujer que amo y con la que pronto me casaré.

Kitner no reaccionó en absoluto, se limitó a hacer una media reverencia al acercarse a Rebecca. Ella lo miró un momento y luego lo abrazó de la misma manera en que había abrazado a Marten. De nuevo, lágrimas de felicidad le humedecieron los ojos y luego retrocedió, tomó la mano del hombre entre las suyas y le dijo en ruso fluido lo maravilloso que era conocerle y tenerlo allí con ellos. Era la expresión pura de los sentimientos que le brotaban del corazón.

—Éste es mi hermano —dijo, volviéndose hacia Marten.

—Nicholas Marten, señor. —Marten le ofreció la mano.

—Es un placer —dijo Kitner en inglés antes de estrechar lentamente la mano de Marten. Fue un saludo blando y apenas perceptible, y el hombre le soltó la mano apenas se la había cogido. Los ojos de Kitner, su actitud entera, parecían ausentes, como si fuera consciente de lo que estaba ocurriendo pero, al mismo tiempo, no se enterara de nada. Era difícil saber si estaba sencillamente cansado o si estaba bajo los efectos de algún tipo de droga. Fuera como fuese, su manera de comportarse era abúlica y extraviada, apenas la actitud que uno espera del hombre que dirige un imperio mediático y que debía convertirse en zar hasta abdicar a favor de Cabrera.

—Así, mi amor, ¿lo ves? —Cabrera rodeó a Rebecca cariñosamente con un brazo—. Toda nuestra familia reunida. Tú y yo, la baronesa, mi padre y tu hermano.

—Sí —sonrió ella—. Sí.

—*Zarevich* —intervino de pronto Murzin, señalando su reloj.
Cabrera asintió con la cabeza y sonrió con calidez.

—Rebecca, es hora de que recibamos a nuestros invitados. Baronesa, padre, Nicholas; por favor, acompáñennos.

93

20:00 h

El gran salón de baile de Villa Enkratzer tenía sesenta metros de largo y casi los mismos de ancho. El suelo de mármol pulido era como una tabla de ajedrez, blanco y negro. El techo, alto y abovedado, estaba pintado con gloriosos frescos celestiales del siglo XVIII; en el centro, Zeus, entronizado sobre un águila volando, presidía una reunión de dioses.

Una orquesta de veinte maestros con chaqué animaba la velada cerca de la cristalera del fondo, mientras el centenar aproximado de elegantes invitados de la baronesa Marga de Vienne y de Alexander Cabrera permanecían sentados alrededor de las mesas con mantelerías de hilo que rodeaban el perímetro del salón o bailaban al ritmo de la música.

—¡Nicholas! —Lady Clem dejó solo a su padre en la pista de baile en el instante en que vio a Marten entrar, y se dirigió hacia él. No le importó en absoluto que Marten formara parte del entorno inmediato de Alexander Cabrera y estuviera haciendo una entrada formal y espectacular a la sala. Todos los presentes estaban al tanto de lo ocurrido, que sir Peter Kitner Mikhail Romanov había abdicado del trono y que mañana Alexander Cabrera, nacido Alexander Nikolaevich Romanov, sería presentado formalmente al mundo como *zarevich* de Todas las Rusias.

—¡Clementine! —Lord Prestbury trató de llamarla de nuevo a su lado, reprendiéndola en voz baja.

No hubo necesidad. Tan pronto como vieron entrar al *zarevich*, los músicos dejaron de tocar; al mismo tiempo, la gente se quedó quieta y el silencio invadió la sala. Y entonces, como había sucedido con Peter Kitner apenas veinticuatro horas antes, un aplauso fuerte y sostenido se levantó a modo de saludo a Cabrera.

519

Y

Casi sin darse cuenta, Marten tenía a lady Clem entre sus brazos y se encontraba en la pista bailando con ella un vals de Strauss.

Al otro lado del salón veía a Rebecca resplandeciente de felicidad y bailando con el diminuto y jovial ruso que le habían presentado como Alexander Nemov, el alcalde de Moscú. Más atrás, los jefes de Rebecca, los Rothfels, bailaban abrazados como una pareja de recién casados. Más lejos podía ver a lord Prestbury sentado majestuosamente a una mesa, tomando champagne y enfrascado en una conversación con la baronesa y un sorprendentemente animado Gregorio II, gran patriarca de la Iglesia ortodoxa rusa.

Era como un sueño que no tenía ningún sentido y Marten se esforzaba por encontrar la lógica de todo aquello. Para ponérselo todavía más difícil, lady Clem le acababa de contar que ella y su padre conocían a la baronesa desde hacía muchos años y que, de hecho, había sido la baronesa quien le había conseguido a Rebecca el empleo en el hogar de los Rothfels en Neuchâtel. Además, con una mirada tan traviesa como la que le dedicó al confesarle que era ella quien había activado la alarma de incendios en el Withworth Hall de Manchester, admitió ser igual de culpable que Rebecca al mantener en secreto su relación con Cabrera y luego, con una bien ensayada actitud de superioridad muy británica, contestó a la pregunta de Marten antes de que él se la formulara.

—Porque, Nicholas, todos sabemos lo exageradamente protector que eres como hermano. Y no sólo eso —se le acercó un poco más—. Si tú y yo podíamos tener una relación secreta, ¿por qué no podía hacerlo Rebecca? Es bastante razonable, en realidad. Además —añadió, mirándolo a los ojos—, en cuanto a tu absurdo comentario sobre el *zarevich*: le he preguntado a Rebecca si sabía dónde había estado ayer Alexander, por si, casualmente, hubiera estado en Zúrich, pero su respuesta ha sido muy clara: estuvo con ella en casa de los Rothfels, en Neuchâtel.

Marten pudo haber preguntado si estuvo en Neuchâtel todo el día, o si llegó por la tarde, con tiempo más que suficiente para regresar del escenario del crimen en Zúrich, pero no lo hizo. Y luego decidió olvidarlo todo y dejar simplemente que la velada fuera avanzando.

Tomó una copa de champagne y luego otra y, por primera vez en lo que parecían meses, empezó a relajarse. Sentía la calidez de lady Clem mientras bailaban, y el tacto de sus senos contra su pecho

—escondidos como siempre entre los pliegues de un traje de noche oscuro y deliberadamente ancho— empezó a excitarlo. Hasta sus anteriores certezas empezaron a desvanecerse. Por mucho que Kitner hubiera renunciado al trono, bajo las actuales circunstancias, con Kovalenko lejos y Rebecca tan cerca, parecía absurdo sostener nada de todo aquello, y todavía más absurdo parecía ahora investigarlo.

Todo aquello era una locura, como si se hubiera sumergido en una realidad paralela. Pero no era así, y si no se lo creía, sólo tenía que mirar a Rebecca y ver el hechizo y el amor en sus ojos cuando miraba a Cabrera. Y lo mismo le ocurría a Cabrera cuando la miraba a ella. Por muchas cosas que ese hombre pudiera ser, resultaba indiscutible el amor total, entregado y sin condiciones que le profesaba a su hermana. Y verlo revelado de aquella manera tan clara y abierta resultaba a la vez emocionante y extraordinario.

Un poco antes, cuando Nicholas y Rebecca bailaban, ella le dijo que estaba estudiando para convertirse en miembro de la Iglesia ortodoxa rusa, y se rio mientras le contaba lo divertido que era aprender los ritos y los nombres de santos, y lo normal y correcto que le parecía, como si aquello, de alguna manera, ya formara parte de su ser.

Que un día, en los meses próximos, no sólo fuera a convertirse en la esposa de Cabrera sino en la zarina de Rusia le alucinaba. Lord Prestbury incluso bromeó sobre el asunto, diciéndole a Marten que pronto se convertiría en miembro de la familia real rusa y, por lo tanto, tanto él como lady Clementine deberían tratarlo con mucha más deferencia de la que acostumbraban.

Marten no podía creerse lo que le había ocurrido a Rebecca. No había pasado ni un año de la transformación de la muchacha muda, aterrorizada y confinada en un sanatorio católico de Los Ángeles en esta mujer espléndida. ¿Cómo podía haber ocurrido?

Estrechó a Clem un poco más mientras bailaban y entonces oyó la voz de Cabrera.

—Lady Clementine...

Marten se volvió. Cabrera estaba a su lado en la pista de baile.

—Me pregunto si podría hablar a solas con Nicholas unos momentos. Hay algo que me gustaría mucho comentarle.

—Por supuesto, *zarevich*. —Lady Clem sonrió y, saludando a la manera real, se alejó—. Estaré con mi padre, Nicholas —dijo, y él la observó alejarse a través de la pista de baile.

—¿Te apetece tomar un poco de aire frío de los Alpes, Nicholas? Aquí está muy cerrado. —Cabrera le señaló una cristalera entreabierta que había detrás de ellos.

Cabrera vaciló y miró a Cabrera a los ojos.

—De acuerdo —dijo, finalmente.

Cabrera iba delante, respondiendo a las sonrisas y gestos de saludo de sus invitados al pasar.

Ni Cabrera ni Marten iban vestidos para el frío, pero sencillamente salieron sin abrigar, con los esmóquines que vestían. La única diferencia era que Cabrera llevaba un pequeño paquete envuelto en las manos.

94

21:05 h

—Por aquí, creo, Nicholas. Hay un sendero iluminado que ofrece una bonita vista de la finca, en especial de noche.

El aliento congelado flotaba en el aire en forma de nube mientras Cabrera abría el paso a través de una terraza nevada y hacia un sendero que llevaba hasta el bosque, al fondo. Relajado y un poco bebido, Marten seguía a Cabrera paso a paso mientras llegaban a la pasarela y empezaban a caminar por ella. A los pocos segundos, el frío empezó a vigorizarlos y Marten sintió que se le agudizaban los sentidos. Por alguna razón, miró hacia atrás por encima de su hombro.

Murzin los seguía, a una distancia prudente.

—Ha habido rumores de que unos cuantos manifestantes han alcanzado esta parte del valle —dijo Cabrera al advertir la mirada de Marten, y le sonrió con su sonrisa cálida—. Pero estoy seguro que no tenemos de qué preocuparnos. El coronel se limita a ser prudente.

Más adelante el camino se estrechaba entre dos grandes coníferas y Cabrera aflojó el paso, dejando que Marten se colocara delante.

—Por favor —dijo. Marten pasó primero y Cabrera lo siguió.

—Hay algo que quiero contarte de Rebecca —dijo Cabrera, mientras volvía a colocarse a su lado—. Creo que te parecerá increíble.

Ahora el sendero hacía una curva y Marten pudo ver que más adelante empezaba a subir, alejándose de la finca. Volvió a mirar hacia atrás.

Murzin seguía allí, andando detrás de ellos.

—Su presencia es innecesaria —dijo Cabrera de pronto—. Prefiero que vuelva a la casa y no tenerlo aquí detrás recorriendo el bosque. Discúlpame un segundo.

Cabrera se volvió y anduvo hacia Murzin mientras subía, con el paquete envuelto en colores vivos todavía en la mano. Marten se echó aliento a las manos para calentárselas y levantó la vista. Un viento ligero ululaba por entre las copas de los árboles y podía ver la luna llena que empezaba a asomar por encima de la cumbre, a su izquierda. Estaba rodeada de un aura y más atrás se veían las nubes que avanzaban. La nieve no tardaría en llegar.

Miró atrás y vio a Cabrera y a Murzin hablando. Entonces Murzin asintió y volvió andando hacia la casa. Al mismo tiempo, Cabrera se puso a andar hacia él. En aquel momento una voz le recorrió el cuerpo entero: «Da igual el aspecto que tenga Cabrera. A quién conoce. Cómo anda, cómo habla. Quién es. En quién está a punto de convertirse. Da igual todo. ¡Él es Raymond!»

—Lo siento, Nicholas. —Cabrera ya estaba casi a su lado, con la nieve crujiéndole debajo de los pies.

La mente de Marten corría hacia delante y hacia atrás al mismo tiempo. Kitner había abdicado del trono de Rusia a favor de Cabrera allí mismo en la finca. Todo había sido planeado de antemano para que ocurriera en Londres después de la ceremonia de investidura de Kitner como caballero y su presentación como *zarevich* al día siguiente a la jerarquía Romanov en la embajada de Rusia; parecía inevitable que la casa de Uxbridge Street fuera a ser usada después, el viernes 15 de marzo, como había anotado Raymond en su agenda, por el mismo motivo: como lugar en el que poner a Kitner de rodillas y obligarlo a abdicar.

—Conoces a gente en Londres, ¿verdad? —le preguntó Marten a Cabrera, con tono desenfadado, cuando se le acercaba.

—Lord Prestbury forma parte del círculo de la baronesa.

—Debes de conocer a más gente.

—A alguna, ¿por qué?

Marten se aventuró.

—Hace poco conocí a un agente de bolsa inglés retirado. Pasa buena parte del año en el sur de Francia, pero tiene una casa grande cerca de los jardines de Kensington. Se llama Dixon, Charles Dixon. Vive en Uxbridge Street.

—Lo siento, no le conozco. —Hizo un gesto hacia delante, sendero arriba—. ¿Continuamos? Me gustaría hablarte de Rebecca.

—¿Qué hay de ella? —dijo Marten, mientras subían. Cabrera no había reaccionado de ninguna manera perceptible ni al nombre Charles Dixon ni a la dirección de Uxbridge Street. Ni tampoco había hecho ningún gesto o ademán que recordara a Raymond.

¿Era tan bueno, o sencillamente, Marten estaba totalmente equivocado?

—No es la persona que crees que es.

—¿Qué quieres decir? —Marten se volvió a mirar a Cabrera. ¿Era Raymond o no? Si tuviera el disquete de Halliday y pudiera conseguir las huellas de Cabrera, podría comprobarlo. Pero el disco ya no estaba allí, sino en el correo camino de Moscú.

—Rebecca es tu hermana legalmente pero no de nacimiento, porque ambos sois adoptados. Lo sé porque ella me lo ha contado. A medida que nos íbamos comprometiendo más y más el uno con el otro, por razones tanto políticas como empresariales he considerado necesario investigar en su pasado. La quiero muchísimo, pero cuando se está enamorado es fácil cometer errores. Puede sonar poco considerado, incluso frío, pero quería estar seguro de ella antes de proponerle matrimonio. Confío que puedas entenderlo, Nicholas.

—Sí, puedo entenderlo.

Caminaban hombro con hombro, paso a paso por el sendero. Por primera vez, Marten advirtió que Cabrera andaba con una leve cojera. De nuevo lo invadió la incertidumbre. ¿Podía haberse herido la pierna en el tiroteo? La respuesta era sí, por supuesto. Por otro lado, no había manera de saberlo. No había visto el historial clínico de Raymond porque él mismo se encontraba en el hospital cuando todo ocurrió, y por supuesto, aquellos expedientes ya no existían. Además, la cojera podía ser también el resultado de su accidente de caza o provocada por cualquier cosa, un tirón muscular, una torcedura del tobillo, y hasta cualquier obstáculo en su zapato. Hasta era posible que Cabrera hubiera nacido así.

Ahora el sendero volvía a girar. Marten podía ver, más abajo, la residencia iluminada. Su imagen le resultaba reconfortante y le hacían relajarse y pensar que tal vez estuviera equivocado y sus emociones lo estuvieran engañando. ¿Cuánto deseaba realmente que Cabrera fuera su presa? Por Dan Ford, por Halliday, por Red, por todos los otros asesinados... ¿Lo deseaba tanto como para crear algo que no existía? ¿Y, al hacerlo, arriesgarse a mandar Rebecca de nuevo al estado en el que había permanecido todos aquellos años?

—En el transcurso de mi investigación me he enterado de cosas sobre el proceso de adopción —prosiguió Cabrera—. En la época en la que los dos fuisteis adoptados, los procesos de adopción eran cerrados. Eso significa que ni los niños ni sus padres adoptivos sabían quiénes eran los padres biológicos.

Marten no tenía ni idea de adónde quería llegar Cabrera, pero,

524

fuera lo que fuese, sabía de lo que hablaba, porque ni él ni Rebecca sabían nada de sus padres naturales. Ni tampoco lo habían sabido sus padres adoptivos; lo habían comentado con ellos varias veces.

—El dinero y la perseverancia son capaces de abrir muchas puertas, Nicholas —continuó hablando Cabrera—. Tanto tú como Rebecca fuisteis adoptados en la misma institución: una residencia ahora cerrada para madres solteras que se llamaba House of Sarah, en Los Ángeles. —De pronto Cabrera se volvió a mirarlo—. La ciudad en la que los dos os criasteis.

Marten sintió que el corazón se le subía a la garganta.

—He descubierto muchas cosas, Nicholas, no sólo de Rebecca, sino también de ti. —Cabrera hizo su sonrisa abierta y honesta—. En realidad te llamas John Barron y no Nicholas Marten.

Marten no dijo nada mientras doblaban una curva del sendero y, de nuevo, la mansión volvía a desaparecer de su vista.

—Pero quién eres y por qué cambiaste tu nombre y el suyo no es lo importante. Lo que importa es lo que encontré en mi viaje por el pasado de Rebecca. Y curiosamente, lo que descubrí no me sorprendió en absoluto.

Cabrera se cambió de mano el paquete envuelto y Marten se preguntó lo que era y por qué lo llevaba. Estaba también intrigado por saber adónde llevaba aquel sendero. Era cada vez más empinado y las luces que lo iluminaban eran cada vez menos y más espaciadas. A oscuras, lo único que los guiaba era la luz de la luna que se levantaba por encima de los picos montañosos salpicada de nubes y que, poco a poco, empezaba a revelar la enorme extensión forestal que los rodeaba.

Tal vez había sido una enorme locura acompañar a Cabrera, pero, hasta si era Raymond, Marten dudaba de que se arriesgara a ponerse en evidencia, y en especial, dudaba de que hiciera algo que pudiera asustar a Rebecca o hacerle cambiar la percepción que tenía de él. Aunque si era Raymond, era capaz de cualquier cosa.

Cabrera permanecía medio paso por delante de Marten; de hecho, le guiaba.

—Como te decía, tu hermana no es quien supones que es, es decir, un bebé entregado en adopción por una adolescente asustada que se quedó embarazada. —Cabrera miró a Marten directamente—. Rebecca es una princesa y nació en el seno de una de las familias más nobles de Europa.

—¿Cómo? —Marten estaba atónito.

—Su nombre al nacer era Alexandra Elisabeth Gabrielle Christian. Es descendiente directa de Christian IX, rey de Dinamarca. Sus bisabuelos eran Jorge I, rey de Grecia, y su esposa Olga, hija del gran duque Constantino, el hijo de Nicolás I de Rusia.

—No lo entiendo.

—No tienes por qué hacerlo, es demasiado estrafalario. Sin embargo, es cierto. Incluso hay una prueba de ADN que lo demuestra sin dejar dudas.

Marten estaba totalmente fuera de juego. Cualquier idea de que Cabrera fuera Raymond quedaba superada por la absurdidad de lo que estaba escuchando.

—Puedo entender cómo te sientes, pero está todo documentado, Nicholas. Los informes están en mi despacho de Lausana. Estás invitado a consultarlos cuando te parezca.

—¿Cómo...?

—¿Llegó alguien así a ser entregada en adopción a una, no sé cómo decirlo, familia americana de clase media como la suya?

—Eso es bastante exacto.

—Sus abuelos escaparon del nazismo durante la segunda guerra mundial. Primero fueron a Inglaterra y luego a Nueva York, donde, como muchas familias reales de todo el mundo, la mía, por ejemplo, se cambiaron el nombre y se deshicieron de sus títulos para protegerse. Con el tiempo, su hija, Marie Gabrielle, se casó con Jean Félix Christian, príncipe heredero de Dinamarca, y el matrimonio regresó a Europa. Tuvieron una hija, nacida en Copenhague, que, de niña, fue secuestrada en Mallorca a cambio de un rescate. Pero entonces, los autores del secuestro se asustaron y la entregaron a una organización del mercado negro que vendía niños por todo el mundo. Una de las personas de la organización la entregó a una familia californiana, pero la transacción no llegó a buen puerto y la criatura acabó acogida en un hogar para madres solteras. Se trataba, por supuesto...

—De Rebecca.

—Sí.

—¿Y qué hay de sus padres biológicos? ¿Qué hicieron?

—No se encontró jamás el rastro de su hija, y con el tiempo la declararon legalmente muerta.

—Dios mío... —exclamó Marten, y luego desvió la mirada. Luego volvió a mirarlo—. ¿Lo sabe ella?

—Todavía no.

El sendero se hacía más empinado y Marten oyó por algún lado el rumor de un caudal de agua. Ahora Cabrera seguía medio paso por delante de él, guiándolo. A la luz de la luna, su respiración aparecía como vapor que salía de la nariz y, hasta con el frío, tenía gotitas de sudor en la frente. Volvió a cambiarse de mano el paquete.

—¿Por qué me lo cuentas antes que a ella?

—Por respeto. Porque vuestros padres adoptivos han muerto y tú eres el cabeza de familia. Y porque deseo que bendigas nuestro matrimonio. —Cabrera aflojó el paso y se volvió a mirar a Marten—. ¿Tengo tu bendición, Nicholas?

Oh, Dios, pensó Marten... menudo planteamiento.

—¿La tengo?

Nicholas Marten miró a Cabrera fijamente. «Piensa en Rebecca y en lo mucho que lo ama, nada más. Absolutamente nada más. Al menos, por ahora. No hasta que sepas seguro quién es... o no es.»

—Sí —dijo, finalmente—. Sí, claro que tienes mi bendición.

—Gracias, Nicholas. Ahora entenderás por qué era tan importante que tú y yo nos viéramos a solas. —Cabrera sonrió. Con una sonrisa hacia dentro, privada. De alivio o satisfacción. O las dos cosas—. Comprendes que Rebecca está a punto de convertirse no sólo en mi esposa, sino en la zarina de Rusia.

—Sí. —Marten miró a su alrededor. Ya no quedaban luces para iluminar el sendero. El rugido del agua era ahora más fuerte. Mucho más fuerte. Miró hacia delante y vio que se estaban acercando a un puente de madera. Debajo, el agua oscura corría con fuerza y más arriba, detrás, la fuente del estruendo, una cascada alta y atronadora.

—Qué hijos tan hermosos tendremos Rebecca y yo. —Con un gesto lento, casi ausente, Cabrera empezó a abrir el paquete que tenía en las manos—. Hijos hermosos y nobles y sus descendientes, que reinarán en Rusia durante los próximos trescientos años, como los Romanov reinaron en Rusia durante trescientos años antes de que los comunistas trataran de detenernos.

Cabrera se volvió bruscamente y el envoltorio del paquete cayó volando por el sendero nevado a sus pies. Marten vio una caja en las manos de Cabrera. Ahora también ésta cayó al suelo. Se oyó un fuerte clic y un destello de la hoja cortante resplandeció a la luz de la luna. Y, de un solo gesto, Cabrera se le puso delante.

95

Marten lo vio todo en una milésima de segundo. El cuerpo de Halliday tendido en la cama de la habitación del hotel de París, con la garganta seccionada. En la misma fracción de tiempo oyó la voz de

Lenard que decía algo como «quienquiera que lo haya hecho le cortó el cuello en el momento en que le abrió la puerta». Al instante siguiente, Marten se apartó de un salto cuando la hoja de la navaja de Cabrera le rozaba la mejilla.

La rapidez del movimiento de Marten y el fallo de Cabrera provocaron que el criminal perdiera un momento el equilibrio, cosa que Marten aprovechó para estamparle el puño izquierdo en el riñón y luego pegarle un puñetazo con la derecha que le dio debajo de la mandíbula. Cabrera soltó un gruñido y se tambaleó contra la barandilla de madera del puente. Se tambaleó, pero no soltó el arma. Y el cuchillo era lo que Marten quería arrebatarle. Pero fue demasiado tarde. Cabrera se limitó a cambiarse el arma de mano y dejó que Marten lo embistiera. De nuevo, Marten lo esquivó y, de nuevo, la hoja cortante soltó un destello a la luz de la luna. Esta vez, el afiladísimo cuchillo atrapó a Marten justo encima del codo, cortando limpiamente la manga del esmoquin y la camisa, que se llenaron de sangre.

—¡Ni lo sueñes! —le gritó Marten, antes de retroceder. Marten estaba herido pero el corte no era lo bastante profundo. Cabrera había apuntado a su arteria braquial, pero para alcanzarla tenía que hundirse al menos un centímetro y medio en la carne, y no lo había logrado.

—No, todavía no, Nicholas. —Cabrera sonrió y sus ojos desprendieron un brillo febril. De pronto ya no tenía el aspecto de Cabrera, ni siquiera el de Raymond, sino el de un loco peligroso.

Volvió a embestir otra vez a Raymond. Lentamente. Cambiando el arma de una mano a la otra.

—La muñeca, Nicholas. La arteria radial. Allí sólo necesito cortar unos cuantos milímetros. En treinta segundos te quedarás inconsciente. La muerte te llegará en dos minutos. ¿O deseas algo más rápido? El cuello, la carótida. Allí hay que hundir un poco más el cuchillo. Pero después de esto, son sólo cinco segundos hasta que te quedas inconsciente y, en doce segundos más, te mueres.

Marten retrocedía a través del puente a medida que Cabrera avanzaba, sintiendo como los zapatos le resbalaban sobre la plataforma de hielo que cubría el suelo. El rugido de la cascada lo dominaba todo y atraía los sentidos de Marten.

—¿Cómo se lo contarás a Rebecca, *zarevich*? ¿Quién le dirás que mató a su hermano?

La sonrisa diabólica de Cabrera se ensanchó.

—Los manifestantes, Nicholas. Los rumores de que unos cuantos han logrado cruzar a esta parte del valle resultaron ser ciertos.

—¿Por qué? ¿Por qué? —dijo Marten, usando cualquier excusa para retrasar los movimientos de Cabrera y darse tiempo para pensar.

Cabrera seguía acercándosele.

—¿Por qué matarte? ¿Por qué he matado a los demás? —La sonrisa se relajó, pero la locura de la mirada permanecía—. Por mi madre.

—Tu madre está muerta.

—No. No lo está. La baronesa es mi madre.

—¿La baronesa?

—Sí.

Por un instante fugaz Cabrera titubeó. Era la ocasión que Marten estaba esperando y se abalanzó sobre él. Apartó la mano con la que aferraba el cuchillo, lo embistió con todas sus fuerzas y lo lanzó contra la barandilla del puente. Una vez. Dos. Tres. Cada vez lo oía gruñir y sentía cómo expulsaba el aire. Cabrera se desplomó hacia delante, atónito, y la cabeza le cayó sobre el pecho. Al mismo instante Marten lo agarró del pelo, levantándole la cabeza, y le quiso estampar el puño derecho en la cara.

Cabrera sonrió con arrogancia y se limitó a apartar la cabeza a un lado, dejando que la fuerza del puñetazo fallido lo echara contra la barandilla. Al cabo de una décima de segundo Marten sintió un golpe devastador cuando el cuchillo de Cabrera se le clavaba por el costado. Soltó un grito y al mismo tiempo agarró a Cabrera por el cuello de la camisa, arrastrándolo. La camisa se abrió hasta la cintura y Cabrera intentó volver a clavarle el cuchillo, pero no pudo. Marten lo acercó más a él. Por un instante se miraron a los ojos. Entonces Marten estampó la frente en un cabezazo lleno de furia.

Se oyó un fuerte crujido y Cabrera se apartó de golpe, con la cabeza sangrando, para caer contra la barandilla del puente. Marten fue otra vez a por él, pero de pronto sintió que las piernas le flaqueaban y se quedó petrificado. Jamás en su vida había sentido tanto frío. Miró hacia abajo y vio que tenía la camisa empapada de sangre. Luego sintió cómo caía, los pies le resbalaban sobre el hielo y se dio cuenta de que Cabrera lo sujetaba por una pierna y lo estaba arrastrando hacia él. Trató de soltarse pero no pudo. Ahora Cabrera estaba de rodillas y con una mano tiraba de él, y con la otra levantaba la navaja.

—¡No! —gritó Marten y, con todas las fuerzas que le quedaban, dio una patada que mandó el cuchillo volando por encima del puen-

529

te. Pero Cabrera todavía no le había soltado. Todavía lo sujetaba por una mano y lo arrastraba hasta el borde del puente.

Marten oyó el rugido de la cascada y vio el batir del agua oscura debajo de él. Intentó luchar pero no le sirvió de nada. Lo estaba arrastrando hacia el borde y no podía hacer nada para evitarlo.

Entonces se encontró en el aire, cayendo. Un segundo, una hora, una vida más tarde cayó al agua helada. Y luego quedó sumergido y desapareció, llevado por la furiosa corriente.

—*Dasvedanya* —le susurró Cabrera cuando cayó, con la muerte reflejada en sus ojos oscuros a la luz de la luna.

Dasvedanya. Lo mismo que había dicho en la cinta transportadora de equipajes en el aeropuerto internacional de Los Ángeles cuando estaba a punto de matar a John Barron con su propia arma.

«Raymond» Una voz sonó de pronto de la nada. No era una voz cualquiera. Era la de Red McClatchy.

Aquellos segundos u horas o días antes de caer al agua Nicholas Marten rogó por aquella voz de nuevo. El grito que una vez más le salvaría la vida. Pero no se oyó nunca.

¿Cómo podía oírse?

Red estaba muerto.

TERCERA PARTE

Rusia

1

*L*os rumores eran ciertos. Los manifestantes anarquistas del Black Bloc habían entrado en el valle. Cabrera y Nicholas Marten se tropezaron con ellos en el puente de un sendero, más arriba de la finca. Con los rostros tapados con pasamontañas, grandes bufandas y mascarillas de esquí, no les dijeron ni una palabra. Sencillamente, los atacaron. Tanto Cabrera como Marten fueron víctimas de fuertes puñetazos y patadas. A Cabrera casi le arrancaron la camisa. Los dos hombres se defendieron con furia. Marten persiguió a uno que había sacado un cuchillo pero, al hacerlo, otro lo atrapó y lo sujetó. Cabrera intentó ayudarle pero le dieron un golpe y lo tiraron al suelo. Al mismo tiempo, el del cuchillo apuñaló a Marten salvajemente, y el que lo sujetaba lo tiró por el puente. Cayó en las aguas salvajes del río y desapareció de la vista. Fue entonces cuando Cabrera pudo escapar. Se quitó de encima a un asaltante cubierto con una máscara de esquí y corrió camino abajo en busca de ayuda.

Murzin y una docena de agentes del FSO llegaron corriendo. Para entonces, las nubes habían cubierto la luna y empezaba a nevar, y los manifestantes se habían vuelto a retirar camino arriba a oscuras y se habían dispersado por el bosque. Los hombres de Murzin encontraron sus huellas, pero Cabrera les pidió que ayudaran a buscar a Marten.

Capitaneados por el propio Cabrera, con botas de nieve y con tan sólo un anorak echado por encima del esmoquin, la búsqueda se prolongó hasta el día siguiente y estuvo empañada por fuertes vientos y una nevada imparable. Patrullas de la policía cantonal y del ejército suizo se incorporaron a ellos casi de inmediato, y equipos de guardas forestales y de rescate llegaron en menos de una hora. Juntos peinaron el traidor curso del río que cruzaba la montaña y bajaba por la ladera en una serie de cascadas, algunas de hasta veinte metros de altura, a lo largo de veintisiete kilómetros. Durante unas horas hasta utilizaron el helicóptero en el que había llegado el presidente Gitinov tan sólo un rato antes de que Cabrera diera la voz de alarma, pero la fiereza de la tormenta y la dureza del terreno desaconsejaban muchísimo sobrevolar la zona y la búsqueda se acabó limitando a los hombres a pie. Y al final volvieron sin haber encontrado nada. Fuera lo que fuese que le hubiera ocurrido a Marten —si se había quedado atrapado entre las rocas del fondo del río, o se había metido en alguna cueva subterránea, o se había arrastrado hasta algún lugar y estaba tan enterrado bajo la nieve que ni los perros del equipo de rescate eran capaces de oler su rastro—, una cosa era segura: nadie que hubiera sido herido de aquella manera tan brutal y no llevara más que un esmoquin podía haber sobrevivido aquella noche a la intemperie. Si no lo hubieran matado las heridas o la violencia del caudal del agua que lo arrastró por las rocas, la hipotermia se habría encargado de liquidarlo. Finalmente, no quedó más remedio que cancelar la búsqueda.

2

Ya fuera por su creciente madurez o por la compañía de Alexander, lady Clem y la baronesa, Rebecca se tomó la noticia del ataque a su hermano y su posterior desaparición con una serenidad impresionante. Su preocupación principal era el bienestar de Alexander y que a la gente que buscaba a Nicholas no le ocurriera nada. En varias ocasiones había bajado hasta el curso del río vestida con ropa de montaña para animarlos y ayudar en la búsqueda. Su fuerza, se darían cuenta más tarde, provenía de lo que ella afirmó desde el principio y lo que parecía creerse sinceramente: que, de alguna manera, Nicholas había sobrevivido y estaba en alguna parte, todavía con vida. Cómo, ni dónde podía ser «alguna parte», no formaban parte de la ecuación.

El hecho de que amaneciera y todavía no hubiera ni rastro de él no hizo más que reforzar su convicción. Podía ser que no lo encontraran ni hoy ni mañana ni dentro de una semana, dijo, pero estaba vivo y en algún momento lo encontrarían, de eso no había ninguna duda. Nada de lo que le dijeran o hicieran podía hacerla cambiar de parecer.

Lady Clem era otra historia.

El hecho de que su padre estuviera presente, esperando como todos los otros el desenlace de la búsqueda, era irrelevante. Lady Clem se negaba a reconocer el horror y el pánico que sentía; se negaba a admitir, ni siquiera ante sí misma, la intimidad que compartía con Marten. En cambio, sus emociones estaban totalmente volcadas contra los manifestantes violentos que habían cometido aquel acto monstruoso.

Y cuando las patrullas del ejército suizo y de la policía criminal cantonal descubrieron a los manifestantes y los sacaron de sus tiendas alpinas plantadas en las colinas más arriba de la finca justo antes del amanecer, y los bajaron a la finca para meterlos en furgones y llevarlos a la sede central de la policía cantonal de Davos, lady Clem se dirigió directamente hacia ellos. Había nueve, seis hombres y tres mujeres. Al oírlos protestar y negarlo todo, se puso hecha una furia y los amenazó con condenarlos a todos y cada uno de ellos bajo el peso de cualquier ley imaginable. Incluso cuando cabezas más serenas intervinieron y un mando policial intentó apartarla y llevársela hacia la casa, ella se separó bruscamente y les hizo una advertencia final:

—No sólo habéis asesinado salvajemente al señor Marten, sino que habéis dejado a su hermana totalmente sola en el mundo. Y esta es una acción que no quedará impune. Os lo prometo.

535

3

La «acción», como lady Clem la llamó, era algo que Alexander Cabrera tenía planeado con un cuidado meticuloso y con mucha previsión. Aunque la lucha con Marten había resultado mucho más difícil de lo que había anticipado, al final funcionó, y funcionó bien.

La idea de utilizar a los manifestantes había sido concebida mucho antes como una póliza de seguridad relativamente sencilla y de bajo coste para cubrir la muerte de Marten. Una llamada a un colectivo de activistas europeos antiglobalización puso en marcha la maquinaria. Se identificó como miembro de un grupo conocido como la Red de Entrenadores de Activistas Radicales, informó al colectivo sobre la reunión de alto nivel de políticos y empresarios que iba a tener lugar en Villa Enkratzer. Les describió la finca y les dijo dónde estaba ubicada, les detalló quién asistiría al encuentro, cómo acceder a ella desde un camino de emergencia en la montaña, y dónde, en el bosque de más arriba, se podía instalar un campamento desde el cual los activistas podían llevar a cabo una manifestación sorpresa desde la ladera, uniéndose a otra protesta que intentaría alcanzar la finca desde la carretera principal y que estaba prevista para el sábado 18, el día después de su cita nocturna con Marten en el sendero de la finca. En otras palabras, los manifestantes estarían acampados y en el lugar adecuado, pero no se esperaba que bajaran a la finca hasta el día siguiente.

Las autoridades habían previsto que unos treinta mil activistas trataran de entrar en Davos, de modo que no tenía ninguna duda que al menos un grupo de los más aplicados morderían el anzuelo. Y no se equivocó. Una llamada de seguimiento que hizo una semana más tarde, en la que decía que había oído rumores de la protesta y que quería incorporarse al grupo se lo confirmó. Le respondieron que ya había un pequeño grupo previsto y que no precisaban a nadie más.

Se aseguró personalmente de su presencia cuando él, Rebecca, la baronesa y los Rothfels volaron en helicóptero desde Neuchâtel unas horas antes y le pidió al piloto que entrara al helipuerto de la finca desde arriba de las montañas en vez de desde el valle de Davos, como tenía costumbre de hacer. Contó cinco tiendas alpinas, ocultas entre los árboles, cuando sobrevolaron la zona boscosa.

Se limitó a echar un vistazo, pero fue suficiente para cerciorarse de que su astucia había funcionado y sus cabezas de turco estaban ya colocados.

Él mismo hizo las huellas en la nieve que llevaba hasta el campamento, en los momentos gélidos pero histéricos posteriores a la caída de Marten por el puente y después de haber recuperado el cuchillo. Regresó sólo cuando la tormenta se hizo tan intensa que le hizo ver que la nieve taparía las huellas de todos modos. Entonces, con su propia sangre brotando e ignorando el frío, corrió hacia la finca a dar la voz de alarma.

Su valiente actuación de aquella noche, poniéndose inmediatamente al frente del grupo de búsqueda, fue principalmente para demostrar su madera de héroe como *zarevich* del pueblo, pero también para mostrar su horror y tristeza ante lo sucedido y para que todos vieran cómo se preocupaba por Nicholas Marten. Su único temor, por supuesto, era que Nicholas apareciera con vida, pero sabía que las probabilidades de que ocurriera eran prácticamente nulas. Lo había herido gravemente y el furioso caudal del río helado por encima de kilómetros y kilómetros de rocas y empinadas cascadas, combinado con la fuerte tormenta y con las temperaturas bajo cero, convertía la supervivencia en una imposibilidad.

Lo último que hizo, con luz de día y ya en el calor de la casa, todavía con las botas y el anorak por encima del esmoquin rasgado, fue reunirse con los cuatro hombres más importantes de su vida, los hombres que, con muchos otros, habían permanecido en la finca y se habían mantenido despiertos toda la noche: el presidente Gitinov, Su Santidad Gregorio II, el alcalde Nemov y el mariscal Golovkin.

—Debido a lo sucedido —les dijo—, y porque Nicholas Marten era el hermano de la mujer que va a convertirse en la próxima zarina de Rusia, les pido que aplacemos el anuncio del retorno de la monarquía hasta un momento y un lugar más adecuados.

No hubo ninguna duda de que se trataba de lo correcto y lo propio, y los cuatro al unísono accedieron. El momento se completó cuando el presidente Gitinov, de cincuenta y dos años de edad, se lo llevó a un aparte para expresarle personalmente su pésame y para decirle que lo comprendía perfectamente.

—Es lo mejor para usted y también para Rusia —le dijo Gitinov con sinceridad y simpatía.

Alexander sabía que aquél no era un gesto fácil para el hombre que había aprobado el regreso de la monarquía, principalmente por la combinación de fuerzas de los otros tres que los acompañaban: el patriarca de la Iglesia, el alcalde de Moscú y el ministro de Defensa. Aunque cada uno de ellos era una figura autoritaria por derecho propio, cuando se trataba de política nacional pensaban y actuaban unitariamente, y cuando elegían poner sobre la mesa o involucrarse en un asunto de Estado, su influencia sobre los miembros de las dos cámaras del Parlamento era enorme.

La idea de la restauración de la monarquía había originado discusiones de sobremesa a lo largo de toda Rusia casi desde el día en que el bisabuelo de Alexander, el zar Nicolás, fue ejecutado. Pero no había sido nunca más que eso hasta que el triunvirato, a través de sus propias experiencias individuales y colectivas, se dio cuenta de que Rusia, reestablecida como Estado desde la caída de la Unión Soviética, seguía profundamente desestabilizada. Gobernada por una burocracia abotargada, la joven democracia estaba bajo el peso de una economía que, a pesar de haberse librado de buena parte de la deuda y mostrar sólidos beneficios en sus industrias de cereales y petróleo, seguía siendo débil e inestable. Era además un país protegido por un inmenso ejército desanimado, mal pagado y anticuado y, además, en prácticamente todos los rincones del territorio la pobreza, la corrupción y la violencia campaban a sus anchas. Eran problemas enormes y complejos que creían que el Gobierno actual no estaba siendo capaz de solucionar con planes concretos. Al enfocar la situación con mayor profundidad, el triunvirato llegó a la conclusión de que si Rusia quería ser un país realmente fuerte, influyente y que progresara económicamente, necesitaba una fuerza muy estabilizadora a nivel popular y emocional que ofreciera a la ciudadanía una sensación fuerte e inmediata de unidad, orgullo e identidad. Y vieron la respuesta en la restauración de la dinastía imperial al trono ruso en forma de una monarquía constitucional; un gobierno con una figura simbólica que, como en el caso de Inglaterra, básicamente careciera de poder para gobernar pero reflejara la pompa, circunstancia, ceremonia y buena voluntad capaces de emocionar rápida y efectivamente al pueblo, y alrededor de la cual pudiera concentrarse un espíritu nacional nuevo y duradero. Una vez tuvieron sus argumentos organizados y los hubieron presentado formalmente al Parlamento, presionaron con fuerza a sus miembros para que aprobaran la medida.

A Gitinov la idea le pareció imposible. Vio el triunvirato como una fuente de hostilidad hacia su administración, y su influencia como una amenaza oscura y siempre planeando encima de su propia base de poder. De modo que para él, la idea del regreso de la monarquía era poco más que una maniobra política para perseguir sus propios fines. Además, era algo peligroso, porque sabía que su apoyo a un jefe de Estado monárquico, fuera o no una figura simbólica, podía, en algún momento, empezar a mermar su propia autoridad... y hasta la de ellos, si el monarca acababa abarcando demasiado poder. Era una cuestión que le pareció todavía más preocupante cuando se enteró de que Kitner había abdicado a favor de su primogénito, porque eso significaba que, de cara al público, estaría compitiendo no sólo con una cabeza coronada sino con alguien que además era joven, guapo y terriblemente carismático, y que tenía una novia extraordinariamente bella avanzando a su lado. Parecían estrellas de cine y la prensa de todo el mundo los colocaría sobre un pedestal como la superpareja, los Kennedy rusos. Y lo peor de todo, Alexander era pura realeza, descendiente directo de una dinastía Romanov con más de trescientos años de historia, a quien hasta el más viejo de los viejos y el más pobre de los pobres adoraría como el corazón vivo del alma rusa.

Gitinov sabía que podía haber utilizado su propio y considerable poder e influencia para girar el voto contra el triunvirato y, al final, era probable que ganara. Pero para entonces, la idea de que el Parlamento estaba sopesando la posibilidad de restaurar el trono con la familia imperial era ya del dominio público y contaba con una buena base de apoyo. Girar el voto contra la propuesta le hubiera supuesto un esfuerzo inmenso y lo hubiera hecho aparecer como temeroso de que el retorno de la monarquía fuera a debilitar su poder, y eso era algo que no podía permitirse. De modo que, en vez de enfrentarse a la idea decidió sumarse a ella, llegando incluso a reunirse con el triunvirato en la residencia de Su Santidad Gregorio II en Predelkino, cerca de Moscú, para defender abierta y entusiasmadamente la idea.

Era todo política. Por qué había consentido, y por qué había venido a Davos, y por qué, también, se había esforzado por ofrecer personalmente su pésame a Alexander por lo ocurrido en la montaña. Alexander lo sabía pero no había demostrado nada; sencillamente se limitó a darle las gracias con respeto y sinceridad y a estrecharle la mano cordialmente.

Luego, con el deber cumplido, Alexander Nikolaevich Romanov, *zarevich* de Rusia, sencillamente salió de la sala y fue a acostarse. Totalmente agotado y absolutamente victorioso.

4

Moscú. Domingo 19 de enero, 7:05 h

El timbre del teléfono despertó a Kovalenko de un sueño inquieto. Cogió el auricular al instante de la mesita de noche y se inclinó sobre el mismo, tratando de no despertar a su mujer.

—Da —dijo.

—Soy Philippe Lenard, inspector. Lamento despertarle tan pronto un domingo —dijo el policía parisino—. Entiendo que ha sido usted apartado del caso.

—Así es. El FSO se encarga de devolverle el coche.

—Lo sé, gracias.

Kovalenko ladeó la cabeza. Lenard hablaba con frialdad, pronunciando simplemente las palabras. Algo iba mal.

—Ayer estuvo usted casi todo el día de viaje, ¿no es cierto?

—Sí. De Zúrich a París, y de París a Moscú. Debí haberlo llamado en mi escala en París, lo siento. ¿Qué sucede? ¿Por qué me llama?

—Por el tono de su voz debo suponer que todavía no se ha enterado.

—¿Enterado de qué?

—Nicholas Marten.

—¿Qué pasa con él?

—Está muerto.

—¿Cómo?

—Fue atacado por un grupo de activistas radicales en Davos, el viernes por la noche.

—Dios mío. —Kovalenko se pasó una mano por el pelo y se levantó de la cama.

—¿Qué ocurre? —Su mujer se dio la vuelta y lo miró desde la almohada.

—Nada, Tatiana, vuelve a dormirte. —Volvió a dirigirse al teléfono—. Déjeme llamarlo dentro de media hora, Philippe... a su móvil, sí. —Kovalenko colgó y dejó la mirada perdida.

—¿Qué ocurre? —insistió Tatiana.

—Un hombre al que conocía, un americano; lo mataron el viernes por la noche en Suiza. No sé muy bien qué hacer.

—¿Era amigo tuyo?

—Sí, era amigo.

—Lo siento. Pero, si está muerto, ¿qué puedes hacer por él?

Kovalenko apartó la vista. Fuera oyó un camión que pasaba, con un fuerte ruido del cambio de marchas.

De pronto volvió a mirar a Tatiana:

—Te hice mandar un sobre desde Zúrich el... —Kovalenko tuvo que pararse a pensar, todos los días se le juntaban— viernes. Todavía no ha llegado.

—Estás hablando de antes de ayer, claro que no ha llegado. ¿Por qué?

—Nada, no es importante. —Kovalenko se tiró del lóbulo de la oreja y cruzó la estancia, luego se volvió hacia ella—. Tatiana, ya sé que acabo de llegar a casa, pero tengo que ir al ministerio.

—¿Cuándo?

—Ahora.

—¿Y los niños? Llevan mucho tiempo sin verte.

—Tatiana, tengo que ir ahora.

5

Ministerio de Justicia ruso, 7:55 h

Kovalenko no había vuelto a llamar a Lenard en la media hora que le prometió. La única llamada que había hecho había sido a su superior inmediato, Irina Malikova, una mujer de cincuenta y dos años, madre de cinco hijos y jefa de investigaciones del Ministerio de Justicia. Tenía que hablar con ella y en un espacio seguro como su despacho en el ministerio, cuanto antes.

Lo que iba a contarle era lo que hasta entonces había sido tan reticente a explicar a nadie por su pura volatilidad y por su falta de pruebas concluyentes. Pero ahora tenía la sensación de que no le quedaba más remedio que revelarlo porque era un asunto que afectaba a la seguridad nacional. Lo que iba a contarle era que Alexander Cabrera, segundo en la línea de sucesión al trono imperial, era con toda probabilidad el loco Raymond Oliver Thorne, el hombre responsable de los asesinatos de miembros de la familia Romanov en América el año anterior, de Fabien Curtay en Mónaco, y de Alfred Neuss, de James Halliday, un antiguo detective de homicidios del LAPD, del corresponsal en París del *Los Angeles Times* Dan Ford, y de dos personas más, una a las afueras de París y otra en Zúrich... y, estaba seguro, de la muerte de Nicholas Marten en Villa Enkratzer, en Davos.

Lo que su superior Irina Malikova, de pelo gris y ojos azules, iba a decirle —en el interior de su despacho sin ventana de la tercera planta de aquel edificio utilitario del 4.ª Ulitsa Vorontzovo Pole— era, para el mundo exterior, información altamente secreta, pero al mismo tiempo también era algo que todos los presentes en Villa Enkratzer ya sabían.

—El señor Cabrera no es el segundo en la línea de sucesión al trono —dijo Irina Malikova—. Ya es el *zarevich*. Sir Peter Kitner Mikhail Romanov abdicó ayer formalmente en favor de su hijo.

—¿Qué?

—Sí.

Kovalenko estaba atónito. Prácticamente todo lo que Marten le había predicho estaba sucediendo.

—De modo que, inspector, le resultará más que obvio que le primer *zarevich* de Todas las Rusias desde la revolución no puede ser también un criminal común. Un asesino en serie.

—El problema, señora inspectora jefe, es que estoy prácticamente convencido de que lo es. Y con sus huellas digitales, podría eliminar cualquier duda al respecto.

—¿Cómo?

—Tengo un disquete de ordenador. Pertenecía al antiguo detective de homicidos de la Policía de Los Ángeles asesinado en París.

Contiene la ficha original del arresto de Raymond Thorne en Los Ángeles, y en ella figuran su foto y sus huellas digitales. Tan sólo necesitamos las huellas de Cabrera para saberlo con seguridad.

—Thorne está muerto —dijo Irina Malikova con rotundidad.

—No —insistió Kovalenko—. Tengo todos los motivos para creer que es Cabrera. Su aspecto ha sido transformado mediante cirugía plástica, pero no sus huellas.

Malikova vaciló, mientras lo escrutaba.

—¿Quién más sabe lo del disquete? —preguntó al final.

—Sólo lo sabíamos Marten y yo.

—¿Está seguro?

—Sí.

—Y no hay ninguna copia.

—No que yo sepa.

—¿Dónde está ahora este documento?

—En el correo, de camino a mi domicilio. Fue enviado el viernes desde Zúrich.

—Cuando lo reciba, entréguemelo de inmediato. De día o de noche, me da igual. Y... esto es muy importante: no hable con nadie de este asunto. Con nadie.

Irina Malikova miró fijamente a Kovalenko, como si con ello quisiera subrayar la importancia y el peso inmenso de su orden; luego su actitud se suavizó y sonrió:

—Ahora vuelva a su casa y esté con su familia. Lleva demasiado tiempo lejos de ellos.

Esto fue el final de la conversación y Malikova se volvió para abrir un archivo de su ordenador. Pero Kovalenko no había terminado.

—Si puedo preguntarle una cosa, señora inspectora jefe —dijo, a media voz—, ¿por qué me apartaron de la investigación?

Irina Malikova vaciló de nuevo y luego lo miró:

—Fue una orden de arriba.

—¿De quién?

—«La participación del personal del Ministerio de Justicia en casos en el extranjero debe cesar de inmediato.»

»Estas fueron las palabras, inspector. No hubo ninguna explicación.

—Nunca la hay. —Kovalenko se levantó bruscamente—. Tengo ganas de pasar tiempo con mi esposa y mis hijos. Cuando reciba el disquete se lo haré saber.

Con estas palabras abandonó el despacho y bajó por un largo pasillo, pasando frente a los despachos tipo cubículo en los que ya habían unos cuantos investigadores que cubrían el turno de domingo. Luego tomó el ascensor hasta la planta baja y le mostró su tarjeta de identificación a la persona que había tras un biombo de cristal. Sonó un pitido y la puerta que había delante de él se abrió. En unos segundos se encontró bajo el cielo gris de Moscú. Hacía frío y caía una ligera nevada, igual que cuando los hombres de Murzin lo llevaron desde Villa Enkratzer hasta el tren de Zúrich, dejando a Marten a solas frente a Alexander Cabrera.

Hasta ahora, cuando abandonaba el ministerio y caminaba por las calles frías, grises y ventosas del invierno moscovita, no se había dado cuenta de lo mucho que la noticia le había afectado. Nicholas Marten estaba muerto. No parecía posible, pero lo era. «¿Era un amigo?», le había preguntado Tatiana y, sin pensarlo, él le había respondido que sí. Y era cierto. Apenas lo conocía, pero por alguna razón se sentía más próximo a Marten que a mucha de la gente a la que conocía desde hacía años. De pronto sintió que se le hacía un nudo en la garganta.

—Y entonces, eso es todo —dijo amargamente y en voz alta—. Eso es todo.

Todo lo que había sido la vida de un hombre. Desaparecido con su último suspiro. Así de fácil.

6

Universidad de Manchester. Miércoles 22 de enero, 10:15 h

Contra la voluntad de Rebecca, en St. Peter's House, la capilla del recinto universitario situada en Oxford Road, se celebró un servicio privado en memoria de su hermano.

Bajo un techo de paraguas para protegerlos de la fría lluvia que sostenían la comitiva del FSO del coronel Murzin, Alexander acompañó a Rebecca, la baronesa y lady Clementine desde el Rolls Royce gris oscuro, por la escalinata hasta la iglesia.

Lord Prestbury, el canciller y el vicecanciller de la universidad, varios profesores de Nicholas y un grupo de compañeros de estudios fueron los únicos asistentes. El servicio duró poco más de veinte minutos y al final del mismo los asistentes se levantaron, le expresaron sus respetos y el pésame a Rebecca y se marcharon.

—De verdad hubiera deseado que no lo organizaras —dijo Rebecca, de camino al aeropuerto.

Alexander le tomó la mano y la miró con cariño y delicadeza:

—Cariño, ya sé lo difícil que es para ti, pero ante estas cosas tan terribles lo mejor es ponerles un punto y final lo antes posible. De lo contrario siguen carcomiéndote el corazón y no hacen más que intensificar el dolor.

—Mi hermano no está muerto. —Rebecca miró primero a lady Clem y luego a la baronesa—. Tampoco vosotras creéis que lo esté, ¿no es cierto?

—Sé cómo te sientes. —Por mucho dolor, tristeza y sentimiento que lady Clem sentía por dentro, por fuera conservaba la compostura y la dignidad y, al mismo tiempo, el respeto por su buena amiga—. Ojalá pudiéramos despertar todos de esta pesadilla y descubrir que no es cierta, que nada de esto ha ocurrido. Pero me temo que no va a ser así. —Lady Clem esbozó una leve sonrisa.

—La realidad no coincide a menudo con lo que deseamos —dijo la baronesa con el mismo tono sereno—. Me temo que no tenemos más remedio que aceptar la verdad.

Rebecca se incorporó y su mirada se llenó de desafío:

—La verdad es que Nicholas no está muerto. Y por mucho que vosotros digáis o hagáis, no cambiaré de opinión. Un día se abrirá una puerta y aparecerá. Ya lo veréis, todos vosotros.

544

7

La baronesa observó a Rebecca, que iba sentada al otro lado de la cabina leyendo en silencio, y luego miró a Alexander, de pie en el pasillo, más abajo, que charlaba con el coronel Murzin. Finalmente se volvió a mirar por la ventanilla mientras el avión Tupolev fletado para el viaje cruzaba las nubes. A los pocos instantes habían superado la barrera del frente nuboso y pudo ver la costa inglesa mientras sobrevolaban el mar del Norte en dirección este, rumbo a Moscú.

Rebecca no había dicho casi nada desde su defensa categórica de la supervivencia de su hermano en el coche, y Alexander había tenido el acierto de no prestarle más atención. Su recuperación después de meses de psicoterapia la había dejado no sólo llena de salud, sino también con una voluntad de hierro y un espíritu muy independiente. Esta sensación devolvió a la baronesa a unos momentos atrás, cuando dejaron a lady Clementine en su despacho de la universidad de camino al aeropuerto y Rebecca salió del coche, bajo la lluvia, para darle un abrazo emotivo de despedida. Al verlo, ella sintió una repentina punzada de preocupación, casi mal presagio, de que su relación fuera demasiado fuerte y esto pudiera causarles problemas a ella y a Alexander. Pero fue una idea que alejó como infundada y tan sólo desencadenante de ansiedad, y se negó a darle ninguna vuelta más.

Más abajo se veían los puntos blancos sobre el mar gris y, a lo lejos, la costa de Dinamarca. Pronto lo estarían cruzando y se acercarían al extremo sur de Suecia. Pensar en la tierra que la había visto crecer le provocaba recuerdos, y pensó entonces en el largo viaje que emprendió a los diecinueve años, cuando su madre murió y ella se marchó de Estocolmo para empezar a estudiar en la Sorbona de París. Fue allí donde conoció a Peter Kitner, y ambos se enamoraron loca y apasionadamente de inmediato. Fue una relación tan natural y tan cargada física y emocionalmente que hasta la media hora que pasaban lejos el uno del otro representaba una agonía. Estaban convencidos de que era un amor predestinado y para toda la eternidad. El suyo era un amor diferente a todos. Se dijeron cosas profundas y secretas y muy personales. Ella le contó la historia de su padre y de su huida de Rusia, y la posterior muerte de él en el *gulag*. Luego le contó lo que le había ocurrido en Nápoles cuando tenía quince años, aunque lo ocultó cuidadosamente atribuyendo la historia del secuestro, la violación y la mutilación y muerte del violador a una buena amiga, y le dijo que a la amiga nunca la habían descubierto.

Aunque le contó la verdad sin descubrirse ella misma, era lo más cerca que había estado nunca de compartir su asesinato secreto con nadie. No mucho tiempo después Kitner le confesó su secreto, le contó quién era su padre y quién había sido su familia, y le hizo jurar silencio eterno porque temían las represalias de los comunistas y sus padres le habían prohibido terminantemente que contara su historia a nadie.

Fue una revelación que la impresionó en lo más profundo de su ser y la dejó literalmente boquiabierta. Si antes había habido alguna duda, ahora ya no existía. Su encuentro era realmente obra de Dios y su auténtico destino. Ella era hija de la aristocracia rusa y él heredero del trono. El alma sagrada de la madre patria, el ancho manto de sus ancestros y aquello por lo que su padre había muerto vivía dentro de ellos y a ellos les correspondía conservarlo. Ella lo creía y él también. Muy poco después ella se quedó embarazada de Alexander y, pletórico de felicidad, Kitner se casó con ella. Después del padre de Kitner y de él mismo, su hijo podría ser el legítimo heredero de la corona rusa. En lo que pareció un abrir y cerrar de ojos, su futuro y

545

lo que creían realmente que era el de Rusia había quedado sellado. Un día, mientras ellos vivieran, el sistema comunista se hundiría y, finalmente y por derecho propio, la monarquía sería restaurada, y ellos ocuparían su trono. Su marido, ella y el hijo de ambos.

Y entonces, y de la misma manera repentina, todo se vino abajo.

Cuando se enteraron del matrimonio y del embarazo, los padres de Kitner montaron en cólera. Su madre la llamó puta y aprovechada y, fuera o no hija de la aristocracia rusa, le dijo que no tenía ni de lejos el linaje adecuado para ser la madre de un heredero a la corona. Kitner fue apartado de manera sumaria del piso que compartían y se le prohibió volverla a ver nunca más. Al día siguiente su matrimonio fue anulado y un abogado, en representación de la familia, le entregó un cheque con una cantidad considerable y le ordenó que no intentara volver a ponerse en contacto con la familia, ni utilizar su nombre, ni divulgar quiénes eran. Pero todavía no habían terminado. Su última petición fue la más cruel de todas: que abortara al hijo que llevaba en el vientre.

Encolerizada, rotundamente, a gritos, ella se negó. Pasó un día, luego dos, y no ocurrió nada. Pero al tercer día apareció a su puerta un hombre cauteloso y de ojos oscuros. Le dijo que le habían concertado hora en una clínica para someterse a un aborto y que debía acompañarlo. Ella se negó de nuevo absolutamente y trató de cerrarle la puerta en la cara. Pero lo que recibió a cambio fue una fuerte bofetada y la orden tajante de que recogiera sus cosas. A los pocos minutos estaban los dos en un coche. Para ella era como volver a revivir lo de Nápoles. Violación o aborto contra su voluntad, la vejación era la misma. El mayor error de su secuestrador fue permitirle recoger sus efectos: en su bolsa llevaba el cuchillo que había utilizado en Nápoles y que guardaba para un momento exactamente como aquél. Al cabo de unos instantes se pararon en un semáforo. El hombre le sonrió tibiamente y le dijo que el lugar al que se dirigían estaba tan sólo a una manzana, y que pronto todo habría terminado.

Y así fue para él. Antes de que el semáforo cambiara de color ella sacó el cuchillo de su bolso y, de un solo gesto, le seccionó la garganta. En un segundo abrió la puerta del coche y salió corriendo, convencida de que la pillarían en cualquier momento y la mandarían a la cárcel por el resto de sus días. Recogió sus cosas y se marchó de París el mismo día, en un tren que la llevó hasta Niza. Allí alquiló un apartamento cualquiera y vivió del dinero que le había entregado la familia Kitner. Al cabo de seis meses nació Alexander. Todo aquel tiempo vivió esperando a la policía, que jamás llegó. Mirando atrás, la única explicación que se le ocurría era que no había habido testigos de su crimen y que la familia Kitner, temiendo quedar expuesta, no había comunicado nunca a la policía su relación ni con la víctima, ni con ella. De todos modos, ella había vivido todos aquellos meses llena de ansiedad y esforzándose por controlar su temor a la policía y por apaciguar la rabia por lo que le habían hecho. Luego, con su bebé Alexander sano en sus brazos, se concentró en su futuro.

Las acciones deliberadas y odiosas de la familia de Peter Kitner habían sido una cosa. De alguna manera, podía entender e incluso aceptarlo como el mismo tipo de comportamiento humano perverso, cruel y arrogante que había mandado a su padre al *gulag* y había llevado al brutal violador a atacarla.

Lo que no podía entender ni aceptaría nunca era el comportamiento del propio Peter Kitner. El hombre que le había jurado que la amaba por encima de todo, que la había dejado embarazada y que se había casado con ella, que compartía el mismo sueño de Rusia que ella... cuando recibió la orden de apartarse de ella por parte de sus padres, se limitó a cumplirla y se alejó de su vida.

Ni una sola vez se plantó y declaró su amor. Ni una sola vez salió a defenderla, ni a ella ni a su relación. Ni una sola vez hizo nada por ella ni por su hijo por nacer. Ni una sola vez le dedicó una palabra amable o de consuelo. Lo único que hizo fue cruzar la habitación y salir, sin volverse ni una sola vez a mirarla. Su padre, sin embargo, se volvió a mirarla y le sonrió y le mandó un beso cuando se lo llevaban al tren que lo trasladaría al *gulag*.

Su padre había sido un ser orgulloso, amable y rebelde. Para ella representaba el alma de Rusia. Peter Kitner era el heredero directo de la corona; sin embargo, se limitó a acatar las órdenes para proteger el linaje imperial, y más tarde a hacer lo mismo, casándose con una miembro de la familia real española y criando a una familia de la estirpe real adecuada.

Tal vez esta parte estaba dispuesta a aceptarla, pero el hecho de que la abandonara sin ni siquiera mirarla, sin ni siquiera darle tan poco, era algo que jamás le perdonaría y por lo que había jurado que un día pagaría con creces.

Y lo hizo. Con la vida de su hijo. Con la corona de Rusia. Y seguiría pagando.

Con lo que todavía quedaba por llegar.

547

8

San Petersburgo, miércoles 29 de enero, 12:15 h

La comitiva ocupaba toda una manzana. Sonaban las bocinas y las sirenas ululaban. Multitud de confeti de colores caía de los edificios de apartamentos y de oficinas en los que, a pesar del frío intenso, cientos de personas aplaudían desde las ventanas abiertas de par en par, mientras que miles de individuos ocupaban las aceras de abajo.

El objeto de su atención eran las figuras que asomaban por el techo abierto de una limusina Mercedes negra rodeada por ocho Volgas negros.

Alexander, con un traje a medida de color gris, sonreía radiante y saludaba a la emocionada muchedumbre al pasar. A su lado iba Rebecca, envuelta en un abrigo de visón largo hasta los pies y con un gorro también de visón que le protegía la cabeza. Sonreía, bella y elegante. Para la gente mayor y de mediana edad eran como los jóvenes Jack y Jackie Kennedy. Para los jóvenes, eran como estrellas del rock.

Y ésta era la intención.

Menos de cuarenta y ocho horas antes Alexander Cabrera Nikolaevich Romanov había sido nombrado oficialmente *zarevich* por el presidente Gitinov en una presentación muy pública del mismo a las dos cámaras del Parlamento, en Moscú. La respuesta de los miembros de la Duma, la Cámara baja, y del Consejo Federal, la Cámara alta, había sido inmediata: una atronadora ovación de pie por parte de todos sus miembros excepto de unos cincuenta comunistas de la línea dura que demostraron su descontento abandonando la sala.

El discurso de aceptación por parte de Alexander no había sido menos entusiasta y emotivo que el aplauso, puesto que rendía homenaje a su abuelo, Alexei Romanov, hijo del zar Nicolás, y a su padre, el *zarevich* Petr Mikhail Romanov Kitner, quienes con tanto cuidado habían protegido la historia de la huida de Alexei de la masacre de la casa Ipatiev y, de esta manera, conservaron la auténtica línea de sucesión hasta que llegó el momento oportuno para restaurar la monarquía. Luego dio las gracias al presidente Gitinov y a los miembros del Parlamento, a Nikolai Nemov, el alcalde de Moscú, al mariscal Golovkin, ministro de Defensa de la Federación Rusa, y muy especialmente a Gregorio II, el gran patriarca de la Iglesia ruso ortodoxa —todos ellos presentes— por haber tenido la gracia y la sabiduría de devolver el corazón y el alma de la historia rusa a su pueblo. Acabó hablando otra vez de su padre, alabándolo por haber considerado Rusia no como una nación debilitada, vieja, corrupta y decadente, sino como un país joven y vibrante; con problemas, sí, pero libre ya de los horrores del estalinismo, el comunismo y la guerra fría, y totalmente dispuesta a renacer desde sus cenizas. Era la juventud de Rusia quien marcaría el camino, le había dicho, y éste era el motivo por el que su padre, con tanta generosidad, se había apartado a un lado a favor de un Romanov más joven, que estaría al frente de esa juventud. Juntos llevarían a Rusia hacia un mañana próspero, noble y saludable.

El discurso, retransmitido en directo a las once zonas horarias del país y por las cadenas de televisión en ruso de todo el mundo, duró sólo treinta y dos minutos y acabó con una segunda ovación de pie que duró quince minutos más. Cuando acabó, Alexander Cabrera Nikolaevich Romanov se había convertido no sólo en el *zarevich* de Rusia, sino en un héroe nacional.

Al cabo de veinticuatro horas, con cámaras de prácticamente todas las agencias de noticias existentes abarrotando el salón dorado del Kremlin que antaño había sido el salón del trono de los zares, presentó a la bellísima Alexandra Elisabeth Gabrielle Christian como su prometida y como la mujer que, tras la coronación, se convertiría en la zarina de Rusia.

—La habría llamado Alexandra, pero ella prefiere su nombre de pila, Rebecca —bromeó cariñoso mientras la rodeaba con un brazo—. Supongo que es para no confundirme.

Eso hizo reír a todos. De la noche a la mañana, como de la nada, había nacido un Camelot ruso y la nación y el mundo enloquecieron.

—¡Saluda, cariño! —le gritó Alexander por encima del bullicio de la muchedumbre que les lanzaba el confeti que les caía por todos lados.

—¿Crees que está bien? —le preguntó Rebecca en ruso.

—¿Bien? ¡Quieren que lo hagas, querida! —La miró, con los ojos llenos de amor y la sonrisa más ancha que nunca—. Quieren que los saludes. ¡Saluda, saluda! No esperan ni a nuestra boda ni a mi coronación. ¡Para ellos ya eres la zarina!

9

Las imágenes iban y venían. Algunas eran claras y cristalinas, como si estuvieran ocurriendo ahora mismo. Otras eran muy vagas, como soñadas. Y otras contenían todo el miedo y el horror de las pesadillas.

Lo más claro de todo era su regreso desde el filo de la muerte, cuando se veía en una cama en el suelo que le habían hecho en el pequeño refugio. Con los ojos cerrados y la tez pálida como la de un fantasma, el cuerpo envuelto en una manta raída, estaba perfectamente inmóvil y sin ningún síntoma de vida. Luego, con tan poco esfuerzo que parecía fruto de los efectos especiales de una película, empezó a elevarse y a escapar de él mismo. Se elevó más y más, como si la habitación no tuviera techo, el edificio no tuviera tejado, y luego vio la puerta que se abría y la joven madre que entraba. Llevaba una taza con una bebida caliente y se arrodilló a su lado y le levantó la cabeza, luego le separó los labios y le obligó a beber. Una calidez como nunca la había experimentado antes lo invadió, y de pronto ya no estaba marchándose, sino mirándola a los ojos.

—Más —le dijo ella, o algo parecido, porque hablaba un idioma que él no entendía. Pero lo que dijo no importaba porque le acercó la taza a los labios otra vez para hacerle beber. Y él lo hizo. El sabor era amargo pero agradable, y se lo bebió todo. Luego se relajó y volvió a bajar la cabeza, y vio a la joven que lo arropaba con la manta y le sonreía amablemente mientras él volvía a dormirse.

Y en su sueño recordó.

El agua veloz y negra que lo empujaba corriente abajo a oscuras, precipitándolo con violencia contra las rocas, el hielo y los deshechos, mientras él se esforzaba por sujetarse a algún palo, tronco, piedra, a cualquier cosa a mano para detenerse mientras bajaba a toda velocidad en una carrera que parecía no tener fin.

Y sentir de pronto que todo se detenía y encontrarse en un remanso quieto, lejos de la violencia y el rugido del agua. Un lugar protegido por los arbustos pelados y por troncos de árboles caídos. Se agarró a uno, un abedul, pensó, y se levantó hasta la nieve. Allí se dio cuenta de que la tormenta había cuajado. El viento ululaba y la nieve se precipitaba casi horizontalmente. Pero en momentos intermedios, como la tormenta no estaba totalmente encima, el viento se detenía y en el cielo brillaba la luna llena. Fue allí, empapado y en medio del frío cortante, donde vio la mancha roja sobre la nieve debajo de él. Y recordó el destello del cuchillo y el corte profundo que

Raymond le había hecho en el costado, encima de la cintura, justo debajo de las costillas.

Oh, sí, había sido Raymond. En la lucha del puente Marten le rasgó la camisa, que se le abrió hasta el ombligo. Por un instante pudo verle la cicatriz en la garganta, donde la bala de John Barron había arañado a Raymond en el tiroteo que siguió a su huida del edificio del Tribunal Penal de Los Ángeles.

Podía hacerse llamar Alexander Cabrera, o hasta Romanov, o *zarevich*, pero fuera como fuere que se llamara, no había ninguna duda de que era Raymond.

El refugio en el que se encontraba era poco más que una cabaña, a unos cinco kilómetros río abajo del puente del sendero que pasaba por encima de la Villa Enkratzer. La chiquilla de siete u ocho años que, al salir a buscar leña con su padre, lo encontró al amanecer en medio de la nieve cegadora, arrebujado contra la protección de un gran abeto caído, era uno de los cuatro que lo ayudaron. Los otros eran su padre, su madre y su hermanito, de cinco o seis años. Hablaban muy poco inglés, tal vez media docena de palabras, y él no entendía absolutamente nada del idioma de ellos.

Por lo que pudo deducir —mientras pasaba de la vigilia a los sueños y a las alucinaciones, para luego despertarse febril por la infección que tenía en las heridas de arma blanca— eran una familia de refugiados, tal vez de Albania. Eran muy pobres y esperaban en el refugio a un personaje al que el padre llamaba «el transportista». Tenían té y hierbas y muy poca comida, pero lo poco que tenían lo trituraban, lo hervían y lo compartían con él.

En algún momento hubo una fuerte discusión entre el marido y la mujer, cuando Nicholas fue presa de fuertes temblores y la mujer le pidió al marido que se olvidaran de sus problemas y buscaran a un médico. El marido se negó, abrazando a sus hijos como si quisiera decir que no valía la pena perderlo todo por un hombre al que ni siquiera conocían.

Más adelante alguien llamó a la puerta, pero él lo oyó desde lejos porque la familia —fuegos apagados, cualquier rastro de su presencia sabiamente borrado, como hacían cada día— ya se había ocultado en el bosque con Marten, mientras la patrulla del ejército suizo registraba el refugio y luego se marchaba.

Mucho más tarde, tal vez días después del primero, se oyeron otra vez unos golpes fuertes a la puerta, pero esta vez los oyeron

551

desde dentro y llegaron en medio de la noche. Y recordaba cómo la familia abrió la puerta tan cautelosamente para descubrir que su «transportista» finalmente había llegado.

Recordaba claramente cómo el padre trataba de sacar a su familia de allí para marcharse con el «transportista», mientras que la esposa y los niños se negaban a hacerlo sin Marten. Y el padre finalmente accedió. Y Marten, medio andando, medio tambaleándose, avanzando por la nieve y la oscuridad con la familia durante casi un kilómetro. Y allí, al borde de un camino rural lleno de hielo, lo cargaron con los otros veinte que ya estaban a bordo, en la bodega de un camión que esperaba.

Después de esto vino el traqueteo del camión por caminos sin asfaltar. Recordaba el dolor entumecedor de sus heridas, del corte en el costado y del corte menos profundo en el brazo, y las fracturas que se había hecho durante el brutal descenso por el río. Dos costillas rotas, tal vez más, y un hombro severamente contusionado.

Recordaba dormirse y despertarse y ver caras exhaustas y demacradas mirándolo. Y luego volverse a dormir y a despertarse durante lo que le parecieron varios días. De vez en cuando el camión hacía paradas en bosques o en campos ocultos entre los árboles. Entonces el padre lo ayudaba a bajar como los demás y Marten orinaba o defecaba o no hacía nada. Como los demás. Más tarde la madre, o la niña o el niño le daban algo de comer y de beber, y él volvía a dormirse. Cómo se las arregló para sobrevivir, o, en realidad, cómo cualquiera de ellos lo hizo, le seguía resultando un misterio.

Finalmente no hubo más movimiento y alguien lo ayudó a bajar del camión y a subir por unas escaleras largas y estrechas. Recordaba una cama y que se metió dentro de aquel lujo indescriptible.

Mucho más tarde se despertó por la luz del sol en un apartamento grande y totalmente desconocido. El niño y la niña lo ayudaron a incorporarse hasta una ventana desde la que pudo ver la claridad de la tarde de un día soleado de invierno. Fuera vio un canal ancho de navegación con barcos que bajaban al mar y la gente y el tráfico de la calle que transcurría paralela al mismo.

—Róterdam —dijo la niña—. Róterdam.

—¿Qué día es? —preguntó él.

La niña miró sin entender. Y también el niño.

—Día. Ya sabes: lunes, martes, miércoles...

—Róterdam —repitió la niña—. Róterdam.

10

Marten tuvo poco más que un momento para reflexionar sobre lo que le había ocurrido y adónde lo habían llevado, por no hablar de lo que más le convenía hacer de ahora en adelante, cuando la puerta que tenía detrás se abrió y dos hombres con pasamontañas entraron. Uno cruzó rápidamente la habitación y corrió las cortinas de la ventana. El otro hizo salir a los niños para que fueran con alguien que esperaba al otro lado de la puerta.

—¿Quiénes son ustedes? —preguntó Marten.

—Venga —respondió la voz gutural del primer pasamontañas, y de pronto el segundo pasamontañas se puso a enrollarle un pañuelo por los ojos que le ató con fuerza, para luego atarle rápidamente las manos a la espalda con algún tipo de correa.

—Venga —volvió a decir el segundo pasamontañas, y Marten fue sacado de la habitación y conducido dos pisos más arriba por las empinadas escaleras. Las costillas, las heridas, el esfuerzo hacía que todo le doliera. No podía ver nada.

Luego vino un pequeño tramo por un pasillo.

—Siéntese —dijo la voz gutural con un fuerte acento que Marten no era capaz de situar. Un segundo más tarde oyó el sonido de una puerta que se cerraba.

—Siéntese —le dijo la otra voz. Lentamente, empezó a agacharse hasta que notó la firmeza de una silla debajo de él.

—Es usted estadounidense —dijo la voz gutural, y Marten pudo oler su aliento de tabaco.

—Sí.

—Y su nombre es Nicholas Marten.

—Sí.

—¿Cuál es su profesión?

—Estudiante.

Lo que parecía una mano abierta se estrelló de pronto contra su mejilla. Se apartó y estuvo a punto de caer de la silla. Una mano fuerte lo recogió y él gimió en voz alta mientras el dolor lo atormentaba en la herida del costado.

—¿Cuál es su profesión? —le repitió la voz.

Marten no tenía idea de quién era aquella gente o de lo que querían de él, pero sabía que era mejor que guardara la compostura y no tratara de enfrentarse a ellos, al menos, de momento.

—Saben mi nombre, de modo que deben de tener mi cartera —dijo, a media voz—. Ya habrán visto mis documentos y sabrán que soy estudiante de diseño de paisajes en la Universidad de Manchester, Inglaterra.

—Trabaja para la CIA.

—No es cierto —dijo Marten, categórico. Intentaba averiguar quiénes eran. Por las preguntas que le hacían y por la actitud que tenían sospechó que tal vez fueran terroristas o traficantes de drogas, o tal vez una combinación de ambas cosas. Fueran quienes fueran, parecían considerarlo como un premio, como un pez gordo que de alguna manera había caído en sus redes.

—¿Qué hacía usted en Davos?

—Yo... —Marten vaciló, sin saber muy bien qué contarles, y luego decidió decirles la verdad—. Estaba invitado a una cena.

—¿Qué tipo de cena?

—Una cena de celebración.

—No era una sencilla cena de celebración, señor Marten —dijo la voz, de pronto llena de furia—. Era un acto en el que iba a anunciarse la restauración de la monarquía rusa. Asistía hasta el presidente de Rusia. En sus ropas encontramos un sobre. Dentro había una tarjeta muy formal en la que se confirmaba la proclamación. Un *souvenir*, creo que podríamos llamarlo.

—¿Un sobre?

—Sí.

Por un instante muy breve Marten recordó como un *maître* elegantemente vestido le entregó un pequeño sobre envuelto en plástico mientras se encontraba en el salón de baile de la finca, y él se lo había guardado en el bolsillo de la chaqueta sin mirar qué era poco antes de salir a pasear con Alexander. Tenía que ser un recuerdo oficial de la celebración que se había entregado a todos los invitados y que, al igual que su cartera, debió de haber sobrevivido a su accidentado descenso por el río.

—¿Dice usted que es estudiante pero, en cambio, lo invitan a este tipo de celebraciones?

—Sí.

—¿Por qué?

Lo último que Marten quería hacer era hablarles de Rebecca. Sólo Dios sabía lo que harían si descubrían que era el hermano de la mujer que estaba a punto de convertirse en la esposa del nuevo zar. Eso lo convertiría en la prenda más preciada, vendible a cualquiera de las organizaciones terroristas del mundo, para que lo usaran de la manera que creyeran más conveniente. Lo que necesitaba era una respuesta creíble, y rápido.

—Era la pareja de una profesora, amiga de la universidad. Su padre es un importante miembro del Parlamento británico que también estaba invitado.

—¿Cómo se llama?

Marten vaciló. Odiaba dar cualquier información, en especial nombrar a Clem o a su padre. Por otro lado, probablemente no les costaría demasiado esfuerzo acceder a la lista de invitados de la cena de aquella noche. Era muy posible que, como la mayoría de cosas, ya estuviera disponible en la página web de alguien, o que incluso hubiera aparecido en la prensa, puesto que seguramente fue así cómo supieron que el presidente Gitinov había asistido.

—Se llama sir Robert Rhodes Simpson. Es miembro de la Cámara de los Lores.

Por unos instantes no hubo respuesta; luego oyó el clic de un mechero y a su interlocutor que inhalaba. Acababa de encenderse un cigarrillo. En medio segundo, la voz ronca continuó el interrogatorio.

—Estaba usted en lo cierto cuando ha dicho que recuperamos su cartera. En ella hay una foto de una joven muy atractiva tomada a orillas de un lago. ¿Quién es?

Marten se sobresaltó. Era Rebecca. La foto era una instantánea que le había hecho nada más llegar a Jura. En ella aparecía saludable y llena de esperanzas y felicidad. Le encantaba aquella imagen y la llevaba siempre en la cartera.

—Le he preguntado quién es.

Marten blasfemó para sus adentros. Maldijo la foto. Se maldijo él mismo por guardarla. Ahora ya tenían algo que lo relacionaba con Rebecca. Pero no podía dejar que se enteraran de la relación que tenían.

—Una amiga.

Un fuerte bofetón en la nuca hizo caer a Marten de la silla. Un dolor insoportable le punzó todo el costado. Gritó con fuerza mientras unas manos toscas lo volvían a sentar en la silla. Al cabo de un segundo sintió un tirón en los ojos mientras alguien le ajustaba la venda de los ojos.

—¿Quién es?

—Ya se lo he dicho, una amiga.

—No, es un activo.

—¿Un activo? —Marten se quedó atónito. Activo era un término militar o de espionaje. ¿Qué quería decir? ¿Adónde querían ir a parar?

555

—Si era usted un invitado, como dice, ¿entonces por qué le clavaron un cuchillo y lo tiraron al río para matarle? Usted trabaja para la CIA y alguien lo descubrió, tal vez los rusos. El problema que tiene usted ahora —la voz bajó de pronto el volumen y adoptó un tono más amenazador— es que ha sobrevivido.

Así que de esto se trataba. Pensaban que era un operativo de la inteligencia norteamericana que se había infiltrado en el círculo íntimo de la alta política rusa y suponían que Rebecca era, de alguna forma, su colaboradora.

—Se lo volveré a preguntar, señor Marten. ¿Quién es la chica? ¿Cuál es su nombre?

—Se llama Rebecca —dijo Marten, con tono concluyente. Era todo lo lejos que estaba dispuesto a llegar—. No trabajo para la CIA ni para ninguna otra organización. Soy estudiante de la Universidad de Manchester. Fui invitado a la cena de Davos por una profesora amiga mía, hija de sir Robert Rhodes Simpson. Salí a pasear por la nieve y resbalé y caí de un puente de la montaña a un río de aguas rápidas, y la corriente se me llevó. Los cortes me los hice con una roca afilada o con alguna rama sumergidos en el agua. En algún momento conseguí arrastrarme hasta fuera del río y me desmayé. Allí fue dónde me encontró la familia con la que estaba; la niña, me parece. —Marten hizo una pausa, luego acabó—. Pueden creerse lo que quieran, pero lo que les he dicho es la verdad.

Hubo un largo silencio. Marten podía oír ruidos distintos mientras varios hombres cambiaban de lugar en la habitación. Luego sintió que su interrogador se le acercaba más. El olor a tabaco de su aliento se intensificó.

—Por favor, hágase una pregunta, señor Marten —le dijo la voz gutural con tono sereno—. ¿Vale la pena que arriesgue mi vida por seguir contando falsedades? ¿Estoy dispuesto a morir por las mentiras que cuento?

De nuevo reinó el silencio y Marten no tenía ni idea de qué era lo siguiente que pensaban hacer. De pronto, alguien le quitó la correa que le ataba las muñecas. Oyó unos pasos que se retiraban y el sonido de una puerta que se abría y luego se cerraba con llave detrás de él. Inmediatamente, se quitó la venda que le tapaba los ojos. La diferencia fue mínima: la habitación a la que lo habían llevado estaba oscura como la noche.

Se levantó a tientas y trató de encontrar la puerta. Palpó con las manos por una pared y luego por otra, y por otra. Finalmente notó los paneles de madera de la puerta. Siguió buscando con las manos hasta que encontró el pomo. Giró, pero no se abrió. Tiró con fuerza, pero no consiguió nada. Siguió buscando por la pared hasta que encontró las bisagras, pero estaban bien apretadas. Necesitaría un martillo y un cincel o destornillador para sacarlas.

Volvió a cruzar la habitación a tientas, estuvo a punto de caerse por encima de la silla y luego se sentó. Estaba en un armario grande o en un trastero de algún tipo. De vez en cuando podía oír rumores de la ciudad, un claxon, una sirena, pero eso era todo. Lo único que tenía era una silla y la oscuridad, y nada más que la ropa que llevaba... la misma ropa que cuando salió del salón de baile de la Villa Enkratzer, el esmoquin facilitado por Alexander Cabrera, ahora roto y arrugado. Levantó la mano y se tocó la cara. Lo que sintió era más que una barba incipiente: llevaba ya una buena barba.

11

Se oyó un ruido y la puerta se abrió. Creyó ver la silueta de tres hombres con la escasa luz del pasillo de fuera.

—Venga. —Era la misma voz ronca y con acento raro de antes.

—¿Qué día es? ¿Qué mes? —preguntó Marten, tratando al menos de situarse en el tiempo.

—¡Silencio!

De pronto se le acercaron dos hombres, lo sujetaron y lo llevaron hacia la puerta. Por un instante vio dos cabezas con pasamontañas que aguardaban en el pasillo. Le volvieron a vendar los ojos y se lo llevaron hacia delante. Otra vez las escaleras, esta vez de bajada. Tres tramos. Y por un pasillo y luego una puerta. De pronto, el aire frío y fresco lo golpeó y él respiró profundamente.

—Orine —le ordenó una voz—, orine.

Unas manos lo empujaron contra una pared. Él hurgó en su bragueta y se sacó el pene. Le sentó bien. Antes había pensado que iba a reventar, había golpeado la puerta y había gritado para que alguien lo llevara a un lavabo, pero no vino nadie y estuvo a punto de orinar en el suelo de la habitación. Fue entonces cuando la puerta se abrió y entraron a llevárselo adonde estaba ahora, y donde se pudo aliviar finalmente.

Al instante en que hubo terminado y se subió la bragueta, unos brazos fuertes lo llevaron por encima de un pavimento de adoquines. Luego los mismos brazos lo subieron y sintió otras manos que lo atrapaban desde allí. Oyó el sonido de una puerta corredera que se cerraba. De pronto, el lugar en que se encontraba dio una sacudida hacia delante y estuvo a punto de perder el equilibrio. De nuevo le ataron las muñecas y unas manos lo cogieron y lo obligaron a echarse boca abajo en el suelo. Olía a humedad y supo que estaba en la parte de atrás de un furgón y sobre algún tipo de moqueta. Sintió otra sacudida y el vehículo cogió velocidad. De pronto notó como levantaban la moqueta por encima de sus hombros y entonces lo enrollaron con ella, una y otra vez.

«Dios mío —pensó—, me están enrollando dentro de una alfombra.» Entonces pararon de darle vueltas y todo quedó en silencio, excepto por el ruido del furgón cuando el chofer cambiaba de marchas, se situaron en una carretera lisa y empezaron a viajar a velocidad de autopista.

12

Moscú. Jueves 20 de enero, 18:20 h

Trece días después de que el inspector Beelr de la Policía Cantonal de Zúrich lo hubiera metido en el correo, el sobre llegó y lo esperaba en la mesita del recibidor cuando Kovalenko llegó a su casa.

—Papá. —Yelena, su hija de nueve años, corrió pasillo abajo—. ¿Sabes que he hecho en el cole, papá?

—No lo sé, ¿qué has hecho? —dijo Kovalenko, mientras cogía el sobre.

—Adivínalo.

—¿Qué quieres que adivine? Haces cientos de cosas.

—Adivínalo igualmente.

—Un dibujo.

—¿Cómo lo sabes?

—Lo he adivinado.

—¿Un dibujo de qué?

—¡Y yo qué sé! —Hizo girar el sobre entre las manos, dudando sobre qué hacer con él. La inspectora jefe Irina Malikova le había dicho que le llevara el disquete directamente al instante de recibirlo, de día o de noche. ¿Por qué, cuando apenas unos instantes antes le había dicho «inspector, le resultará más que obvio que el primer *zarevich* de Todas las Rusias desde la revolución no puede ser también un criminal común. Un asesino en serie»? Así que, una vez tuviera el disco, ¿qué pensaba hacer con él?

Por otro lado —con Alexander Cabrera y la hermana de Marten, una hermana adoptiva, según se le había recordado a la prensa, recientemente presentados como miembros de la realeza europea, un motivo de alegría no sólo para Rusia sino para el mundo entero—, ¿qué podía hacer él con aquella información? Tenía órdenes de entregar el disquete al instante de recibirlo. No sabía si lo estaban vigilando los de su propio departamento para asegurarse de que lo hacía, o si el servicio de seguridad de Correos había recibido instrucciones de estar atentos al correo que le llegara de Europa y lo notificara de inmediato a la recepción. ¿Qué alternativa tenía? ¿Arriesgarse a hacer una copia del mismo y luego investigar por su lado para conseguir unas huellas digitales del *zarevich* para poder demostrarle al mundo que su amado Alexander Romanov era en realidad el loco asesino Raymond Oliver Thorne?

Tal vez, sólo tal vez, si Marten estuviera vivo, podría haber hecho una copia del disco y arriesgarse a perder su trabajo, o incluso a pasar una temporada en la cárcel con el fin de poder demostrar algo juntos. Pero «tal vez» no era una idea viable porque Marten estaba muerto y a él lo habían mandado de regreso a Moscú, lo cual, básicamente, lo apartaba del caso. La inspectora jefe Malikova estaba esperando que le entregara la mercancía cuando llegara. Ahora la tenía en las manos.

—Papá —le preguntó Yelena, impaciente—, ¿qué estás haciendo?

—Pensar.

—¿En mi dibujo?

—Sí.

—¿Y qué crees que es?

—Un caballo.

—No, es una persona.

—Y supongo que ahora querrás que adivine qué persona es.

—No, tontito —se rio Yelena, y luego lo tomó de la mano y lo llevó por el pasillo hasta la cocina. Tatiana estaba delante del fuego, de espaldas a ellos. Sus hijos, Oleg y Konstantin, estaban ya sentados a la mesa, esperando la cena. Yelena cogió un dibujo de una mesita lateral y se lo escondió detrás, mientras le sonreía a su padre con picardía.

—Es un retrato. De alguien que conoces.

—Mamá.

—No.

—Oleg.

—No.

—Konstantin.

—No.

—Yelena, no puedo decir todos los nombres del mundo.

—Un intento más.

—Va, dime quién es.

—¡Tú! —con una sonrisa radiante, Yelena le mostró una caricatura perfecta de él. Unos ojos grandes en una cara ancha y cubierta de una gran barba, y una barrigota.

—¿Es ésta al pinta que tengo?

—Sí, papá. Y te quiero.

Kovalenko sonrió y por un momento se olvidó del disquete y de todo lo que suponía.

—Yo también te quiero, Yelena. —Se agachó, cogió a su hija en brazos y apoyó la cabeza contra la de ella, como si nada más en el mundo importara.

13

Ministerio de Justicia, 21:30 h

Clic.

La foto del arresto de Raymond Oliver Thorne del LAPD apareció en la pantalla de diecisiete pulgadas del ordenador de la inspectora jefe Irina Malikova. Dos fotos, una de frente y la otra de perfil.

Su mano tocó el ratón.

Clic.

Las huellas de Raymond Oliver Thorne. Claras, perfectamente legibles.

Malikova miró a Kovalenko.

—¿No hay ninguna copia más?

—Como le dije antes, no que yo sepa. Los archivos originales y varias bases de datos con el historial de Thorne han desaparecido, algunos simplemente robados y otros pirateados y borrados. Del mismo modo que las personas que ayudaron a Thorne a fugarse del hospital, o que intervinieron en el envío del cadáver de un Juan Pérez cualquiera del depósito hasta el crematorio en su lugar, han también desaparecido o están muertos. El cirujano plástico que viajó a la Argentina para reconstruir la cara y el cuerpo de Cabrera después de su «accidente de caza» también está muerto, atrapado en el incendio de un edificio que no sólo lo mató, sino que destruyó todos sus historiales médicos.

—¿Y esto? —Irina Malikova miró el resto del contenido del sobre que Kovalenko le había llevado: un billete de avión a nombre de James Halliday de Los Ángeles a Buenos Aires, y una página arrancada de la agenda de Halliday en la que había apuntado al rastro de un cirujano plástico llamado Hermann Gray, a quien Halliday había seguido de Los Ángeles a Costa Rica, y de allí a la Argentina.

—He pensado que tenía usted que verlo todo —dijo Kovalenko a media voz. Le había dicho a Marten que le había entregado al inspector Beelr un sobre con el disquete y el billete de avión de Halliday para que se lo mandara a su esposa, pero no le había dicho nada de que había incluido una página de la agenda de Halliday. No hubo motivo para hacerlo.

—¿Nadie más está al corriente de esto?

—No.

—¿Ni los franceses?

—No.

—Gracias, inspector.

Kovalenko vaciló.

—¿Qué tiene intención de hacer con esto?

—¿Con qué?

—Con este material, inspectora jefe.

—¿Qué material, inspector Kovalenko?

Kovalenko la miró unos segundos.

—Entiendo —dijo, y se levantó—. Buenas noches, inspectora jefe.

—Buenas noches, inspector Kovalenko.

Kovalenko sintió cómo lo seguía con los ojos mientras cruzaba el cubículo y se dirigía a la puerta.

Aquel material no existía. Ni el disquete, ni el billete de avión, ni la página de la agenda. Aquello por lo que Halliday había muerto, aquello que él y Marten le habían ocultado con tanto cuidado a Lenard, aquello que él acababa de entregarle, sencillamente, no existía. Y nunca había existido.

14

—*Trabaja usted para la CIA.*
—*No, soy estudiante.*
—*¿Cómo se infiltró en el círculo más privilegiado de Rusia?*

—*Soy estudiante.*
—*¿Quién es Rebecca?*
—*Una amiga.*
—*¿Dónde está ahora?*
—*No lo sé.*
—*Trabaja usted para la CIA. ¿Quién es su contacto? ¿Cuál es su base?*

A oscuras, Marten no tenía ni idea de dónde estaba ni de cuánto tiempo llevaba allí. Dos días, tres, cuatro. Una semana. Tal vez hasta más. El viaje en el furgón, atado y enrollado dentro de la alfombra, le pareció interminable, pero seguramente, en realidad no había durado más de cinco o seis horas. Luego lo sacaron con los ojos vendados. Como en Róterdam, tuvo que subir escaleras, esta vez cuatro tramos, y como en Róterdam, lo dejaron solo en una habitación pequeña y sin ventana. La única diferencia era que ahora disponía de un pequeño lavabo con retrete y lavamanos, y de un catre con almohada y mantas. De la familia que le había salvado la vida no tenía más noticias.

En este mismo período, sus captores le ataron las manos y le vendaron los ojos para sacarlo de su celda al menos una docena de veces, para llevarlo un tramo de escaleras más abajo, hasta una sala en la que el hombre de la voz gutural, aliento de fumador y el acento fuerte lo esperaba para hacerle cada vez las mismas preguntas. Y cada vez le daba las mismas respuestas. Y cuando lo hacía, las preguntas se repetían una y otra vez.

—*Trabaja usted para la CIA. ¿Cómo se infiltró en el círculo más privilegiado de Rusia?*
—*Me llamo Nicholas Marten, soy estudiante.*
—*Trabaja usted para la CIA. ¿Quién es su contacto? ¿Cuál es su base?*
—*Me llamo...*
—*¿Quién es Rebecca? ¿Dónde está ahora?*
—*Una amiga. Me llamo...*

A estas alturas se había convertido en un reto de voluntades. Aunque Marten, como detective de homicidios del LAPD, estaba bien instruido en el arte del interrogatorio, no le habían enseñado lo que era estar al otro lado de la barrera, siendo interrogado en vez de haciendo las preguntas, y desde luego no contaba con ningún abogado defensor que interviniera en su favor. Se sentía como un soldado capturado por el enemigo, confesando su nombre, rango y número. Y como soldado capturado, sabía que su principal deber era escapar. Pero le había resultado imposible. Estaba bajo su control las veinticuatro horas del día, ya fuera solo, encerrado en la celda a oscuras con guardas con pasamontañas custodiando su puerta, o con la puerta abierta por sorpresa, con los de los pasamontañas entrando a toda prisa para atarle las manos y taparle los ojos y llevárselo al piso de abajo para proseguir el interrogatorio.

Le habían facilitado comida, agua y los medios para mantenerse más o menos aseado. Curiosamente, aparte de la oscuridad constante —o las vendas en los ojos, lo cual daba el mismo resultado— y los interrogatorios, que suponían algún bofetón o empujón ocasional, no había sido maltratado ni torturado de ninguna manera. Sin embargo, dejando de lado el interminable paso del tiempo, lo peor era el desconocimiento. Por mucho que se esforzara en hacer suposiciones, no tenía ni idea de quiénes eran sus captores, ni de lo que hacían o planeaban hacer, ni de lo que esperaban realmente ganar manteniéndolo prisionero. Tampoco tenía ni idea de cuánto tiempo podía durar... ni de si, en algún momento, se cansarían de los interrogatorios y, sencillamente, lo matarían.

Aunque hacía todo lo posible por no demostrarlo, aquello empezaba a agotarlo. Sin tener ni idea de si era de día o de noche, sin ningún punto de referencia sobre el paso del tiempo, estaba empezando a perder la noción de la realidad. Y todavía peor, sus nervios empezaban a llenarse de electricidad y sentía que flirteaba con la paranoia. La oscuridad ya le resultaba lo bastante negativa, pero además, de manera creciente, se sorprendía a sí mismo atento al más mínimo sonido al otro lado de su puerta que le indicaría que volvían otra vez a buscarle. A vendarle los ojos y maniatarlo para llevárselo al piso de abajo para seguir interrogándolo. A veces oía sonidos distintos, o pensaba que los había oído. Los peores eran agudos y como arañazos. Empezaban siempre un par de veces y luego se producían rápidamente cinco, diez, cincuenta, cien hasta que estaba convencido de que había miles de pies diminutos que correteaban al otro lado de la puerta, un ejército de ratas rascando la madera, tratando de entrar en su habitáculo. Cuántas veces había saltado del catre y se había abalanzado contra la puerta en la oscuridad, gritando y golpeándola para ahuyentarlas, sólo para detenerse al cabo de un instante, convencido de que no había oído nada de nada.

De vez en cuando, una vez al día, tal vez, la puerta se abría y los encapuchados entraban. Eran siempre dos, y le dejaban comida y volvían a salir sin mediar palabra. A veces no ocurría nada más durante días interminables. En aquellos días acababa deseando que lo llevaran abajo para interrogarlo. Al menos era interacción humana, aunque fuera siempre acusatoria y siempre la misma.

A estas alturas, la voz de su interrogador ya casi se había convertido en la suya propia, con su cadencia tan familiar y su acento que todavía no era capaz de localizar. El olor de su aliento de tabaco que antes le parecía nauseabundo, ahora casi le reconfortaba; como una especie de narcótico. Para mantenerse cuerdo y sobrevivir era consciente de que tenía que transformar enteramente su manera de pensar y no concentrarse en sus secuestradores ni en la oscuridad, sino en algo totalmente distinto.

Y lo hizo.

En Rebecca. En su aspecto y en su manera de comportarse la última vez que la vio, en la mansión de Davos. La novia adorable, la próxima zarina de Rusia. Pensó en su estado emocional de entonces y en cómo sería ahora. Si tal vez pensaba que estaba muerto, y en cómo habría reaccionado ante su muerte. Y si todavía se hallaría arrastrada inocentemente por la estela de la encubierta y sangrienta persecución del trono ruso que Cabrera llevaba a cabo.

Arrastrada.

Porque lo amaba.

Y sabía que él la amaba.

Y no tenía ni idea de quién era.

Ni de lo que había hecho.

—*¿Quién es Rebecca?*

—*Una amiga.*

—*Trabaja usted para la CIA.*

—*No.*

—*¿Cómo se infiltró en el círculo más privilegiado de Rusia?*

—*Soy estudiante.*

—*¿Quién es Rebecca? ¿Dónde está ahora?*

—*No lo sé.*

—*Trabaja usted para la CIA. ¿Quién es su contacto? ¿Cuál es su base?*

Y

—¡No! —gritó Marten con fuerza. La voz de su interrogador estaba dentro de su cabeza, luchando contra él como si estuviera en la sala de interrogatorios. Era él mismo contra él mismo, como sabía que querían que sucediera, pero era un juego al que se negaba a jugar. De pronto saltó con fuerza del catre y se sentó a oscuras; poco a poco llegó hasta el pequeño retrete. Entonces tiró de la cadena y aguardó, escuchando el agua caer y la cisterna que volvía a llenarse. Había sólo un motivo por el que lo había hecho: para alejar aquella voz. Tiró otra vez de la cadena. Y otra. Al final volvió y encontró de nuevo el catre, y se tumbó para quedarse mirando a la oscuridad.

Sabía que sus secuestradores utilizaban la oscuridad y que variaban el tiempo entre interrogatorios para desorientarlo deliberadamente, excitar su ansiedad y provocar que cada vez temiera más su regreso. Su objetivo estaba claro, provocarle un estado en el que se derrumbara y confesara prácticamente todo lo que querían saber de él, lo cual les permitiría utilizarlo como una valiosa carta de juego, en especial si confesaba que era un agente de la CIA. Y querían convertirle en un ejemplo político. De modo que no podía hacerles el regalo de derrumbarse. Y para ello tenía que conservar la cordura. La mejor manera de hacerlo, era consciente, era esforzarse por no pensar en el presente y concentrarse en el pasado, recreándose en los recuerdos. Y así lo hizo.

La mayor parte eran de muchos años atrás, de Rebecca haciéndose mayor, de él y Dan Ford cuando eran niños, montando en bicicleta y bromeando con las niñas; luego recordó en qué había pensado cuando vio el cuerpo de Dan dentro del Citroën, mientras lo sacaban del Sena... la explosión del cohete casero que, a la edad de diez años, le hizo perder a Dan el ojo derecho. Y volvió a preguntarse si, de haber conservado Dan su visión completa, hubiera visto a Raymond antes y eso le habría dado la oportunidad de salvarse. La trágica realidad era que aquella pregunta no tendría jamás respuesta y tan sólo haría que el sentimiento de culpa de Marten fuera más terrible e inmenso.

Con esta idea le vino otra, un pensamiento que trataba siempre de alejar pero que siempre le volvía a la cabeza. ¿Qué hubiera ocurrido si, en el garaje, rodeado de la brigada, hubiera hecho sencillamente lo que Valparaiso le ordenaba y hubiera apuntado su Double Eagle Colt a la cabeza de Raymond y hubiera disparado? Si lo hubiera hecho, nada de lo que vino después hubiera sucedido nunca.

565

15

Lo que vino después.

—Las piezas.

—Las piezas que aseguran el futuro.

Marten todavía podía ver a Raymond en el tren Metrolink en Los Ángeles. Oír sus palabras con tanta claridad como si se las estuviera diciendo ahora mismo.

—¿Qué piezas? —le había preguntado Marten.

Todavía podía ver la sonrisa lenta, calculada y arrogante de Raymond cuando le respondió:

—Eso deberá averiguarlo usted mismo.

Bueno, pues lo había hecho. Ya sabía qué eran «las piezas». La navaja española antigua y el rollo de película de 8 mm. Una película, estaba convencido, que mostraba el asesinato perpetrado por Raymond/Alexander a su medio hermano en París, veinte años atrás.

Antes, al elucubrar sobre lo que podía haber ocurrido en el parque, le sugirió a Kovalenko que tal vez alguien había estado haciendo una filmación casera de la fiesta de cumpleaños y, por sorpresa, había filmado el asesinato. Ahora se preguntaba si ese alguien podía haber sido Alfred Neuss. En este caso, ¿podía, de alguna manera, haberse hecho después con el arma del crimen? Y luego, sabiendo claramente quién era el autor del asesinato —y como uno de los amigos más antiguos de Peter Kitner— no contó nada a la policía y le entregó a su amigo tanto el arma como la filmación, de los que Kitner le pidió que fuera el custodio.

¿Y era posible que Neuss, sabiendo quién era realmente Kitner, de manera discreta y clandestina, y con el permiso de éste, divulgara aquella información a los cuatro miembros de la familia Romanov que vivían en América y lejos de la tragedia parisina? Haciéndoles prometer el secreto, ¿podía haberles pedido que fueran los custodios de las llaves de la caja fuerte, que sólo podrían entregar al auténtico jefe de la familia imperial? Esa posibilidad y la manera en que las víctimas habían sido torturadas antes de ser asesinadas hacía pensar a Marten que Neuss no les había dado una razón concreta para su petición, ni les había explicado el porqué de las propias llaves, ni les había revelado la localización de la caja fuerte que abrían. Tal vez aquella gente ni siquiera supo nunca que se trataba de unas llaves. Tal vez cada uno de ellos recibió sencillamente un paquete o sobre sellado con la instrucción de que si llegaba a sucederle algo a Kitner, los sobres o paquetes debían ser mandados de inmediato a una tercera persona: tal vez la policía francesa, o quizá los representantes legales de Neuss o de Kitner. ¿O, quizá, una combinación de los tres?

¿Retorcido? Tal vez lo fuera.

¿Innecesario? Quizá.

Pero teniendo en cuenta la astucia y los tejemanejes de la baronesa, podía muy bien haber sido una especie de táctica contra fallos para proporcionarles un nivel más de protección contra cualquiera que tratara de hacerse con «las piezas».

Si Marten proseguía por aquella línea de pensamiento y había sido realmente Neuss el que filmó la escena del crimen, estaba claro que también habría sido testigo del mismo y, por tanto, un sujeto al que era muy necesario eliminar. Por qué Alexander y la baronesa habían tardado tantos años en actuar, para recuperar «las piezas» y para ocuparse de Neuss era un misterio, a menos que —como Marten le había sugerido antes a Kovalenko— la baronesa hubiera empleado todos aquellos años en observar de cerca el transcurso de la historia y, después de la caída de la Unión Soviética y sospechando lo que estaba a punto de ocurrir, hubiera empezado forzada y deliberadamente a coquetear con los principales representantes del poder en Rusia. No sólo los del empresariado y la política, como él había pensado anteriormente, sino también, como había podido ver en directo en la mansión de Davos, las más altas instancias de la Iglesia rusa ortodoxa y del ejército ruso.

Con su influencia colocada y totalmente consciente de quién era Kitner, la baronesa habría invertido bien su tiempo hasta que se hubo asegurado que las condiciones económicas y sociales eran las óptimas para el regreso de la monarquía. Cuando llegó el momento hizo su avance, divulgando discretamente a las personas adecuadas la identidad real de Kitner y, así, poniendo en movimiento el aparato técnico y legal para que se confirmara sin rastro de duda aquella identidad.

Una vez hecho, y tal vez también a petición de la baronesa, Kitner fue invitado a reunirse con el presidente ruso y/o otros altos representantes del gobierno ruso, a los que se presentaron los hechos, y se le pidió que encabezara una nueva monarquía constitucional. Una vez él hubo accedido y los planes y fechas estaban firmemente establecidos —primero, su presentación a la familia Romanov el día siguiente de su investidura como caballero del Imperio Británico y

567

luego, el anuncio público, que tendría lugar varias semanas más tarde en Moscú—, la baronesa y Alexander sincronizaron sus relojes y pusieron en marcha su metódico plan. Funcionaría con tanta rapidez que ni el mismo Kitner se daría cuenta de nada hasta que fuera demasiado tarde, porque para entonces los Romanov ya sabrían quién era y que el gobierno ruso lo había reconocido formalmente, aunque fuera en secreto, como el nuevo monarca.

Era un plan llevado a cabo, como vio Marten, como un cálculo minucioso que no sólo anunciaba la restauración de la monarquía con Kitner reconocido como heredero legítimo al trono, sino que dejaba abierta de par en par la puerta a su abdicación a favor de su primogénito. Ni siquiera con todo lo que había ocurrido Marten podía dejar de maravillarse ante la fina astucia de la baronesa. Con la sola presencia del presidente de Rusia, del patriarca de la Iglesia ortodoxa, del alcalde de Moscú y del ministro de Defensa de la Federación Rusa en la finca de Davos, había pocas dudas de que había suavizado el camino también para Alexander, tal vez convenciéndolos de que Alexander tenía una cosa que Kitner no tenía: juventud, y el romance tan público que lo acompañaba, cuando estaba a punto de casarse con una belleza joven, emparentada con la realeza, culta y sofisticada como Rebecca.

Y cada uno de ellos —presidente, patriarca, alcalde y ministro— por sus propios motivos, y de una manera u otra, habría accedido, o de lo contrario no habrían venido. Cómo o cuándo la baronesa lo había conseguido, o de qué manera les había hablado de Alexander, resultaba todavía un enigma. Pero el hecho era que lo había logrado. Y Kitner, al parecer, sería el último en enterarse de su propia abdicación. Era un *fait accompli*, un asunto cerrado incluso antes de que lo firmara.

A juzgar por la cuidadosa planificación de la baronesa y la habilidad letal de Raymond, era una conspiración que debía de haber funcionado sobre ruedas: recuperar las llaves de la caja fuerte, eliminar a los cuatro Romanov que las tenían y luego matar a Neuss y recuperar las «piezas» incriminatorias. Entonces, el día después de que Kitner fuera presentado a la familia Romanov en Londres, pedirle al coronel Murzin del FSO que lo llevara a la casa de Uxbridge Street, hacerle saber que estaban en posesión de «las piezas» y exigirle que abdicara. Y Kitner, aterrorizado por que Alexander pudiera matarle a él o a algún miembro de su familia, lo cual ya había demostrado tan salvajemente que era capaz de hacer, incluso de niño, obedecería: para proteger la vida de su esposa y de sus hijos, y la suya propia.

Neuss había sido el último de la lista en caer... cuando, como testigo del asesinato de Paul por parte de Raymond/Alexander, habría parecido lógico eliminarlo el primero. Eso podía haber sido debido a que temían que el propio Neuss formara parte del plan de seguridad y que matarlo pudiera disparar una alarma mayor y provocar que los Romanov mandaran de inmediato las llaves de la caja fuerte adonde tuvieran instrucciones de hacerlo. De modo que, en vez de eso, primero resolvieron esos problemas: recuperar las llaves y matar a los Romanov que las guardaban. El asesinato de Neuss sería entonces el punto de exclamación de esa parte del juego, pensado tanto para aterrorizar a Kitner como para eliminar al joyero. Por supuesto, cabía siempre la posibilidad de que si Kitner se enteraba de los asesinatos de los Romanov y de Neuss y de la desaparición de las llaves, cayera presa del pánico y decidiera frenar todo el proceso —lo cual, en retrospectiva y con la llegada de Neuss a Londres, era exactamente lo que había hecho— pero, con Murzin y el FSO preparados para ponerse al mando en el instante en que él fuera presentado a la familia, y contando con la propia ansiedad de Kitner por hacerse con el trono, era un riesgo que, obviamente, habían estado dispuestos a correr.

Sin embargo, con todo lo razonable que parecía el análisis de Marten, sabía que no tenía manera de comprobar que sus teorías eran ciertas. Podía ser que otras cosas totalmente distintas hubieran entrado en el juego.

Pero, dejando de lado el orden de las cosas, era un plan que debía haber funcionado. Excepto que no lo hizo porque el destino había decidido intervenir sin avisar y dos circunstancias totalmente imprevistas, una tras otra, lo habían echado todo por tierra: la primera, el hecho de que los custodios de las llaves desconocían la ubicación exacta de la caja fuerte; la segunda, la tormenta de hielo que había metido a Alexander, como Raymond Thorne, en el mismo tren que Frank Donlan.

Furioso por haber tardado tanto en comprender lo que había estado ocurriendo, y furioso también por su confinamiento forzoso en el que todavía se encontraba, Marten volvió a levantarse del catre, esta vez no para ir al lavabo sino para andar arriba y debajo de aquel espacio a oscuras. De una pared a la otra tenía cinco pasos antes de tener que dar media vuelta. Cruzó de un extremo a otro una y otra vez. Al cruzar por tercera vez sus pensamientos se dirigieron a la navaja que Alexander había utilizado para tratar de matarle en el sendero alpino. Estaba casi seguro de que se trataba del mismo cuchillo español recuperado de la caja fuerte de Fabien Curtay en Mónaco, y probablemente el mismo que había utilizado para matar al hijo de Kitner veinte años atrás en París. Y con toda probabilidad se trataba de la misma arma afilada utilizada para matar a Dan Ford y a Jimmy Halliday, y al comercial de imprenta Jean-Luc Vabres, y al impresor de Zúrich Hans Lossberg. Kovalenko había dicho que en algún momento había creído encontrarse ante un caso de asesinatos rituales, y tal vez fuera así como todo había empezado: Alexander habría matado al joven Paul para meter el miedo y el terror en el alma de Kitner y, al mismo tiempo, eliminar a su hijo mayor, quien pudiera haberse convertido en su rival para hacerse con el trono.

Pero entonces, de adulto, se había convertido en un soldado frío y desapasionado, había utilizado un revólver para cometer los asesinatos de América y para acabar con Neuss y con Curtay en Europa. Con «las piezas» de nuevo en sus manos, ese revólver impersonal había sido de pronto sustituido por el cuchillo tan personal que había utilizado para iniciar su periplo letal. ¿Por qué? ¿Era ahora, cuando tenía el trono casi en la punta de los dedos, cuando había adquirido una necesidad casi primaria de demostrar, a sí mismo y a la baronesa, hasta al mundo entero, que estaba al frente de aquel juego y que era merecedor de ser llamado zar de todas las Rusias? Con el repentino abandono del revólver para volver a empuñar el cuchillo que ahora volvía a tener en su posesión como singular ritual, con la sangre y la matanza encarnizada de sus víctimas, estaba, consciente o inconscientemente, tratando de demostrar que era sin duda capaz de gobernar Rusia con mano de hierro.

Kovalenko había pensado que podían estar enfrentándose a una serie de asesinatos rituales y Marten, al mismo tiempo, le había sugerido, basándose en el uso del cuchillo y en la forma de matar, que el asesino mostraba síntomas de empezar a perder el control. Ahora, viendo a Alexander como una especie de rey guerrero que se acercaba al final de una campaña sanguinaria, agotadora y casi tan larga como su vida (con el premio, el codiciado trono de Rusia, finalmente al alcance de su mano), reunido de pronto con su cuchillo simbólico, dedujo que lo usaba ahora para eliminar, emocional y furiosamente, los últimos obstáculos en su camino hacia la meta. Al parecer, los dos estaban en lo cierto.

Y a pesar de todo esto, había algo más. Recordando la manera en que Alexander había mirado a Rebecca aquella noche en la mansión de Davos, con un amor incondicional en la mirada, Marten se preguntó si no estaba viviendo también un desequilibrio emocional. Tal vez el exceso de ambición, de lucha, de sangre y de violencia estaba siendo intensamente contrarrestado por su amor absoluto hacia Rebecca y el mar de calma que representaba. Y aquella parte de él no quería tener nada que ver con la sádica espiral de muerte y de sangre inherente a su carrera hacia el trono, o incluso al trono mismo. Si eso era cierto, significaría que dentro de él había un enorme conflicto psicótico que estallaría con mucha más furia a medida que avanzaran los días y se acercara el momento de su coronación.

Y luego estaba su madre, la baronesa, que durante años había desempeñado el papel de su tutora, de la hermana de su fallecida madre que, en realidad, nunca existió.

¿Qué pintaba ella en todo aquello?

16

Marten volvió a cruzar la habitación, pero esta vez se detuvo a escuchar en la puerta. Esperó, escuchando concentrado, pero no oyó nada. Finalmente se acercó al lavamanos y se echó agua fría en la cara, se frotó la nuca y se quedó de pie, sintiendo el frío y tomándose un momento para relajarse. Al cabo de un minuto se sentó en el catre, cruzó las piernas y apoyó la espalda en la pared, decidido a seguir juntando pistas para llegar a comprender el conjunto de la historia. Sabía que si algún día lograba escapar de sus secuestradores, cuanto mayor fuera su comprensión de todo lo que había ocurrido, mejor preparado estaría para enfrentarse con la siguiente etapa: liberar a Rebecca del monstruo que la tenía presa.

Peter Kitner, resultaba obvio, gobernaba su propia vida con convenciones imperiales. Su único matrimonio conocido por el público había sido con una mujer perteneciente a una familia real. Su esposa era prima del rey de España. Era una maniobra que hacía sospechar que el propio Kitner se había preparara desde hacía mucho tiempo para el momento futuro en el que el trono ruso pudiera ser restaurado y él, como auténtico cabeza de la familia imperial, se convertiría en el zar.

Para Marten, saber que Kitner era el padre de Alexander y que la baronesa era su madre le hacía plantearse una pregunta: ¿qué había ocurrido?

¿Y si, muchos años atrás, Kitner y la baronesa habían sido amantes? Casi seguro que ella se habría enterado de quién era él y, casi al mismo tiempo, se habría quedado embarazada de Alexander. Posiblemente, y como consecuencia, Kitner se habría casado con ella y después habría habido una pelea o una discusión de algún tipo —que tal vez hubiera incluido a la familia de él— y se divorciaron o el matrimonio fue anulado, tal vez incluso antes del nacimiento de Alexander. Y entonces, no mucho después, Kitner habría emparentado, a través de un nuevo matrimonio, con la realeza española, un movimiento socialmente adecuado para un hombre que estaba directamente posicionado para convertirse él mismo en rey.

La baronesa podría haberse sentido lo bastante humillada como para dedicar el resto de su vida a perseguir no sólo la venganza, sino también el poder, decidida a obtener lo que ella consideraba que por derecho le pertenecía en el caso de que alguna vez el trono imperial fuera restaurado a favor del hombre del que ella tenía el primogénito. ¿Y si hubiera iniciado aquella guerra larga, odiosa y sin cuartel casándose con alguien de riqueza e influencia social extremas?

Más adelante, cuando su hijo fue lo bastante mayor, podría haber iniciado una asociación secreta y conspiradora con él. Le habría contado quién era su verdadero padre y lo que él y su familia les habían hecho, y se habrían prometido que si algún día la monarquía era restaurada en Rusia y el trono devuelto a la familia imperial, sería él, Alexander, y no Peter Kitner quien se convertiría en zar.

Era un objetivo que podía haber logrado sin violencia, mediante el uso de su posición e inmensa riqueza para ganarse la influencia sobre los representantes necesarios del poder, pero, en cambio, ella eligió la vía de la sangre. ¿Por qué? ¿Quién lo sabía? Tal vez tenía la sensación que era el precio que el zar y su familia —y los otros personajes necesarios que arrastraría por el camino— debían pagar por haberla apartado a ella y a su hijo. Fuera cual fuése la razón, con todo lo violenta y retorcida que era, ése el camino que había recorrido durante años, mediante la lenta manipulación de su hijo hacia el papel y la terrible mentalidad de los zares antiguos, aleccionándolo en el proceso en el refinado arte del asesinato. Finalmente, cuando el chico no tenía más de quince años, ella le hizo tocar sangre con los dedos, ordenándole que diera los primeros pasos salvajes hacia el trono con el asesinato de su posible competidor más cercano, su propio medio hermano, Paul.

Y Kitner, atónito y horrorizado, preocupado por la seguridad del resto de su familia, temeroso de exponer su pasado por miedo de comprometer su futuro, con el arma y la filmación del crimen en su posesión, se había enfrentado a la baronesa y a Alexander y llegó con ellos a un acuerdo. En vez de entregar a Alexander a la policía, lo mandaría al exilio en Argentina, lo más probable con algún tipo de compromiso por el que Alexander no revelaría nunca su identidad real y, por lo tanto, no sería nunca capaz de reclamar su derecho al trono.

Otra vez, Marten se levantó del catre para dar aquellos breves cinco pasos arriba y abajo en la oscuridad más absoluta. Tal vez se equivocara, pero no lo creía probable. Podía parecer un argumento imaginativo, pensado para una película, pero en realidad no era tan distinto de los casos que Marten había visto en las calles de Los Ángeles, donde la amante humillada encontraba a su antiguo novio o marido en un bar y lo cosía a puñaladas con un cuchillo hasta la muerte o le volaba la cabeza de cinco disparos. Lo que diferenciaba este caso era que aquellas mujeres no utilizaban a sus hijos en sus crímenes. Tal vez ésta fuera la distinción entre la gente corriente y la gente impulsada por el odio y la ambición maníaca, o por la seducción extrema de las más altas esferas del poder.

De pronto se acordó de Jura y de los Rothfels y se preguntó si la baronesa también los habría manipulado. Recordó haberle confiado a la psiquiatra de Rebecca, la doctora Maxell-Scot, su preocupación por que Jura le resultara demasiado caro, y que ella le dijo que los gastos de Rebecca, como los de todos los pacientes que eran enviados a la institución en el lago, estaban totalmente cubiertos por la fundación, tal como lo estipulaba la donación del benefactor que había cedido las instalaciones.

—¿Quién es el benefactor? —había preguntado Marten, y la respuesta fue que el mismo había preferido permanecer en el anonimato. En aquel momento lo aceptó, pero ahora...

—¡Anónimo, maldita sea! —dijo furioso, en voz alta, a oscuras—. Era la baronesa.

El sonido repentino de la llave en el cerrojo de su puerta lo hizo quedarse petrificado donde estaba, y la puerta se abrió.

Eran dos de ellos, como siempre, y había dos más en el pasillo. Eran altos y llevaban los pasamontañas, y cerraron la puerta casi de inmediato, ayudándose de linternas para ver. Uno llevaba una botella grande de agua, una barra de pan negro, queso y una manzana. De pronto Marten fue preso de la furia. ¡Quería que lo liberaran y quería que fuera ahora!

—¡No trabajo para la CIA ni para nadie más! —le dijo de pronto y airadamente al hombre que tenía más cerca—. Soy estudiante, nada más. ¿Cuándo os lo vais a creer, eh? ¿Cuándo?

—Cállate —le gruñó el otro—. Cállate. —De inmediato, dirigió la linterna hacia el otro hombre, que llevaba algo que Marten no veía y se había acercado a la pared del fondo y estaba mirando en la base, buscando. Entonces encontró lo que buscaba, un enchufe. Se arrodilló y enchufó algún tipo de cable. Marten sintió que el corazón le daba un vuelvo de alegría. ¡Le daban una lámpara! Cualquier cosa era mejor que la oscuridad permanente. Luego oyó un clic pero no se encendió ninguna luz. En cambio apareció algo blanco grisáceo y una pequeña imagen. En ella se veía un pastor alemán corriendo por la pantalla en blanco y negro. Inmediatamente la imagen se cortaba y vio una patrulla de caballería americana corriendo por el desierto, siguiendo al perro.

—Rin Tin Tin —dijo uno de los encapuchados, en inglés, y luego salieron y cerraron la puerta con llave. Le habían traído agua, bebida y un televisor.

17

Por qué se lo habían llevado, no tenía idea. Daba igual. El televisor era luz. Después de días y días en la oscuridad le dio la bienvenida como si se tratara de algo sagrado. Al cabo de una hora ya se había convertido en su compañero y, al cabo de un día, en un amigo. Que pudiera ver sólo un canal no importaba, ni que la recepción, según manipulara la antena, resultara clara y nítida o imposiblemente borrosa, con imágenes cubiertas de nieve y un sonido gravemente distorsionado. El sonido era poco importante, de todos modos, porque casi todo el tiempo las emisiones eran en alemán, un idioma que desconocía por completo. Pero le era absolutamente igual. La televisión representaba una conexión, aunque fuera leve, con el mundo que había fuera de su cabeza. A pesar de que emitieran básicamente viejos programas de televisión americanos doblados al alemán. Pasaba horas contemplando fascinado series como *Davy Crockett*, *Andy Griffith*, *Father Knows Best*, *Gunsmoke*, *Dobie Gillis*, *F Troop*, *The Three Stooges*, *Corrupción en Miami*, *Magnum, P.I.*, *La fuga de Ho-*

gan, Gilligan's Island, Leave It To Beaver, más *The Three Stooges...* cualquier cosa. Por primera vez en días había algo además de él mismo, su propia rabia y pensamientos y aquella densa oscuridad. Entonces ocurrió algo totalmente distinto y todo cambió: aparecieron las noticias de la noche. En directo y emitido en alemán, parecía emitirse desde Hamburgo, pero mostraba imágenes de vídeo de todo el mundo, muchas de ellas con entrevistas en el idioma del país, con un narrador en alemán que explicaba lo que ocurría. No sólo oyó hablar en inglés, sino que escuchó historias de Nueva York, Washington, San Francisco, Londres, Roma, El Cairo, Tel Aviv, Sudáfrica, Poco a poco empezó a deducir el día y la fecha; hasta la hora.

Eran las 19:50 del viernes 7 de marzo. Exactamente siete semanas después de su caída al agua del río que pasaba junto a la Villa Enkratzer. De pronto pensó en Rebecca. ¿Dónde estaría ahora y qué habría pasado? A estas alturas ya debían de considerarle muerto. ¿Cómo habría reaccionado ante este hecho? ¿Estaría bien, o habría vuelto a caer en el terrible estado en el que se encontraba antes? ¿Y qué habría pasado con Alexander?... O más bien, Raymond, ¿sería ya el zar? ¿Era posible hasta que se hubieran casado?

Como si la respuesta fuera de origen divino, de pronto le aparecieron los dos en la pantalla del televisor: Rebecca, sonriendo con calidez y vestida más elegante de lo que jamás la había visto, y Raymond, con el pelo perfectamente cortado, con un traje elegantísimo y sin la barba. Y todavía absolutamente irreconocible como Raymond Thorne. Recorrían un pasillo dentro de Buckingham Palace acompañados de Su Majestad, la reina de Inglaterra. Rápidamente, el reportaje giraba hasta una escena muy parecida en Washington, D.C., sólo que esta vez la pareja aparecía en el jardín de rosas de la Casa Blanca y en compañía del presidente de Estados Unidos.

El narrador alemán hablaba por encima de los trozos en los que se oía al presidente expresándose en inglés, pero hasta con el alemán doblado fue capaz de entender la información que se ofrecía: el anuncio de la boda entre Alexander Nikolaevich Romanov, *zarevich* de Rusia, y Alexandra Elisabeth Gabrielle Christian, princesa de Dinamarca, que iba a celebrarse en Moscú el miércoles 1 de mayo, el antiguo día del trabajador soviético, a la que seguiría de inmediato la ceremonia de coronación del zar en el Kremlin.

Marten bajó el sonido de la tele para quedarse de pie frente a la pantalla, atónito, mirando ausente al televisor. Tenía que hacer algo, pero ¿qué? Era prisionero y estaba atrapado en aquella habitación.

575

De pronto la emoción se apoderó de él. Se volvió hacia la puerta y se puso a aporrearla, gritando para que alguien acudiera a abrirle. Tenía que salir de allí. ¡Tenía que salir ahora mismo!

No tenía idea de cuánto tiempo había estado aporreando y gritando, pero no vino nadie. Finalmente abandonó y volvió a acercarse al televisor que tenía en el suelo, con su luz blanca que iluminaba tenuemente la habitación.

Clic.

Furioso, la apagó. El brillo se desvaneció y él volvió a tumbarse en su catre, escuchando su propia respiración. Antes, la luz lo había significado todo. Ahora la oscuridad era igual de bienvenida.

18

Hotel Baltschug Kempinski, Moscú. Jueves 21 de marzo. 10:50 h

CENA ESTATAL DE CORONACIÓN
PALACIO DEL GRAN KREMLIN
Salón de San Jorge – capacidad aproximada 2.000 personas
(a confirmar)

Menú principal

Sopa –*borscht* ucraniano
Pescado –esturión en su jugo
Ensalada –*izkrasnoy svykli* (ensalada de remolacha)
Plato principal –estofado Stroganoff con berenjena rellena
Relevée –liebre en su jugo con puré de cuatro tubérculos
Postre –crêpes de *lingonberry* con miel y brandy
Licores –vodka ruso
Vinos –Beaujolais, Moselle, Petsouka, Novysuet Reserve, Borgoña, Château d'Yquem, champagne ruso
Té, café.

Alexander estaba sentado frente a una mesa de despacho antigua en la suite presidencial de la planta octava, estudiando el menú para la cena de su coronación. Había otros asuntos que esperaban ser discutidos: la seguridad, el itinerario que debía recorrer a lo largo de las seis semanas siguientes, que incluía los planes de viaje y de alojamiento para él mismo, Rebecca y la baronesa; entrevistas en televisión y otros medios; planes para la boda y para la propia coronación, el escenario, la ruta, el vestuario, las carrozas...

Al otro lado de la mesa el coronel Murzin atendía a varios teléfonos al mismo tiempo, al igual que lo hacía Igor Lukin, su recién nombrado secretario privado. Más allá, al otro lado de la estancia, media docena de secretarias se apresuraban por mesas de trabajo provisionales, y éstas eran sólo las más inmediatas.

La octava planta entera había sido ocupada por los casi trescientos miembros del personal del *zarevich*. Era como si estuvieran preparando una inauguración presidencial, unos Juegos Olímpicos, la final de la liga norteamericana de béisbol, la copa del mundo y la entrega de los Oscar, todo al mismo tiempo. Y, de alguna manera, así era. Era un evento enorme y muy amplio... y, para todos aquellos que trabajaban en el mismo, muy emocionante. No había sucedido nunca en sus vidas y, excepto en caso de enfermedad o accidente, probablemente no volvería a suceder. El 1 de mayo Alexander se convertiría en el zar para toda la vida, y tenía tan sólo treinta y cuatro años de edad.

Parecía no importarle demasiado a nadie que la política establecida relegara su figura a un papel meramente simbólico. Era el sentimiento del nombramiento lo que era mágico, lo cual, por supuesto, era el motivo principal por el cual se había decidido restaurar la monarquía. Desviar la atención del pueblo ruso de la realidad que los rodeaba —la pobreza, la corrupción, la criminalidad urbana, el levantamiento rebelde de los estados secesionistas— se había convertido en una especie de elixir que ahora lo llevaría a adquirir una conciencia nacional de la esperanza y el orgullo que representaban la juventud y el encanto de un Camelot ruso, una imagen perfecta de la alegría y la felicidad y de la manera como la vida podía y debía ser.

De pronto Alexander dejó el menú y miró a su secretario privado.

—¿Tenemos la lista revisada de invitados?

—Acaban de traerla, *zarevich*. —Igor Lukin se dirigió a una de las secretarias, tomó un alista mecanografiada y se la acercó a Alexander.

Alexander la cogió y se acercó al gran ventanal, por el que entraba una agradable luz del sol, para revisarla. Aparte de muchos otros detalles, era la lista de invitados, examinada y retocada varias veces, lo que más le interesaba.

Podía sentir cómo el corazón se le aceleraba y el sudor se le acumulaba en el labio superior mientras analizaba las páginas. Había un nombre en particular que no dejaba de reaparecer, y cada vez que lo veía pedía que fuera borrado. Estaba seguro de que lo habían hecho, pero quería asegurarse.

Página diez, once. Miró hasta el final de la página doce y luego giró a la trece. Ocho líneas más abajo y...

—¡Oh, Dios! ¡Maldita sea! —masculló entre dientes. Seguía allí.

NICHOLAS MARTEN.

—¿Por qué sigue en la lista Nicholas Marten? —dijo en voz alta, sin ocultar su ira. Todas las secretarias levantaron la vista a la vez. Murzin también lo hizo—. Nicholas Marten está muerto. Pedí que borraran su nombre. ¿Por qué sigue aquí?

Igor Lurkin se le acercó.

—Lo habíamos borrado, *zarevich*.

—Pues, entonces, ¿por qué vuelve a aparecer?

—La futura zarina, *zarevich*. Vio que no estaba y exigió que lo volvieran a poner.

—¿La zarina?

—Sí.

Alexander apartó la vista y luego miró a Murzin:

—¿Dónde está ahora?

—Con la baronesa.

—Quiero verla, a solas.

—Por supuesto, *zarevich*. ¿Dónde?

Alexander vaciló. La quería lejos, aislada de cualquier otra persona.

—Que la lleven a mi despacho del Kremlin.

19

El Kremlin, palacio Terem. Salones privados construidos en el siglo XVII para el zar Mikhail Romanov, primero de la dinastía Romanov, 11:55 h

Rebecca ya estaba allí cuando él llegó. Permanecía sentada en una butaca de respaldo alto frente a una pared tapizada del ornamentado salón rojo y dorado que había sido el estudio privado del zar Mikhail y que Alexander había decidido adoptar como suyo.

—¿Querías verme? —le preguntó, con voz tranquila—. Estaba a punto de almorzar con la baronesa.

—Quería hablarte de la lista de invitados, Rebecca.

Seguía queriéndola llamar Alexandra. Como Rebecca no tenía sangre real ni era merecedora de convertirse en la esposa del cabeza de la familia imperial, pero como miembro de la realeza europea, como Alexandra, hija del príncipe de Dinamarca, sí lo era. Sin embargo, respetaba sus deseos y, además, Rebecca era como el mundo la conocía.

—Ordené que sacaran el nombre de tu hermano; tú has hecho que lo vuelvan a poner. ¿Por qué?

—Porque vendrá.

—Rebecca, sé lo dolorosa que fue su muerte para ti y para todos nosotros, lo mucho que todavía nos rompe el corazón. Pero la lista de invitados se convertirá en un documento público y no puedo permitir que un hombre del que todos saben que ha fallecido, y de quien el forense de Davos firmó un certificado de defunción oficial hace casi dos meses, esté invitado a la coronación. No sólo sería una muestra de mal gusto, sino que también llamaría a la mala suerte.

—¿Mala suerte? ¿Para quién?

—Sólo... mala suerte. ¿Me he expresado con claridad? ¿Lo comprendes?

—Haz lo que quieras con esa lista. Pero él no está muerto. Lo sé aquí —dijo Rebecca, mientras se tocaba el corazón—. Y ahora, ¿me puedo marchar? La baronesa me está esperando.

Los ojos de Alexander se clavaron en los de Rebecca. Debió de haber dicho sí o de asentir con la cabeza porque ella, al cabo de un instante, se volvió y se marchó.

Que su recuerdo de haberla visto realmente abandonar el estudio fuera impreciso resultaba comprensible, puesto que su mente ya estaba concentrada en otra cosa, en algo que había sentido antes pero nunca con tanta intensidad como ahora. La primera vez que lo recordaba fue durante la búsqueda del cuerpo de Marten, cuando estuvieron rastreando las orillas horas y horas cerca de Villa Enkratzer y no encontraron ni rastro de él. Le sucedió de nuevo durante el servicio funerario en Manchester. Era una ceremonia sin féretro y sólo una suposición de muerte. La ceremonia fue celebrada sólo después de que Alexander hubiera convencido a lord Prestbury y a lady Clementine de la importancia de dar un final simbólico a la muerte de Marten, alegando que quería ahorrarle a Rebecca más dolor del que ya había sufrido.

Su testaruda negativa a aceptar el hecho de la muerte de su hermano cuando se encontraban en el coche, inmediatamente después del servicio, volvió a tocarle la fibra sensible. Y más tarde, cuando ella insistió en seguir pagando el alquiler de su apartamento de Manchester. Y su desafío, que continuaba todavía ahora, semanas más tarde y de manera tan pública entre su personal, con la lista de invitados. Y otra vez aquí, cuando él la acababa de amonestar y ella, sencillamente, ignoró la lista de invitados y en cambio subrayó su confianza reiterada en que Nicholas seguía vivo.

La convicción de Rebecca lo inquietaba ahora más que nunca, corroyéndolo y retorciéndole las entrañas. Podía verla como una mancha negra en una radiografía, con su raíz diminuta y fibrosa empezando a apoderarse de sus órganos, como una enfermedad que empezaba a extenderse. Y con ella, una sola noción.

Miedo.

Miedo a que Rebecca estuviera en lo cierto y Marten siguiera con vida y estuviera en alguna parte, mirando hacia Moscú. Tal vez todavía sin actuar, pero pronto, cuando su cuerpo estuviera recuperado de las cuchilladas y los golpes que habría recibido al caer al río. ¿Qué pasaría si Marten aparecía y exponía su identidad real, quién pensaba y podía demostrar que era Alexander? ¿Y qué ocurriría si, como resultado, Alexander fuera repentinamente apartado de la luz pública? La versión oficial sería que había caído enfermo de pronto y que eso lo incapacitaba para reinar. ¿Y qué ocurría si, *a posteriori*, le pedían a su padre que retrocediera su abdicación y lo pronunciaran finalmente *zarevich*? ¿Y si, por culpa de esto, Rebecca se negara a casarse con él?

Un latido rítmico le empezó a golpear la boca del estómago. Era una sensación distante, hasta leve, pero que sin embargo allí estaba, como un metrónomo que imitaba el latido de su corazón.

Bum, bum. Bum, bum. Bum, bum. Bum, bum.

20

Lunes 31 de marzo

El brillo de la televisión a oscuras. Otra vez. *The Three Stooges, Gilligan's Island, Corrupción en Miami, El show de Ed Sullivan.*

Otra vez.

The Three Stooges, Gilligan's Island, Corrupción en Miami, El show de Ed Sullivan.

Otra vez.

The Three Stooges, Gilligan's Island, Corrupción en Miami, El show de Ed Sullivan.

Nicholas Marten dormitaba, se despertaba, se volvía a dormir. Y entonces se levantó y hizo todo lo posible por recuperar la fuerza física y luego, conservarla. Una hora, dos horas, tres, cada día. Abdominales, balanceos del tronco, levantamiento de las piernas, equilibrio de las extremidades, estiramientos, correr sin desplazarse. Sus costillas rotas y los rasguños de la caída al río ya estaban prácticamente curadas. Lo mismo que sus heridas de arma blanca.

No sabía con exactitud cuánto tiempo llevaba allí dentro, pero le daba la impresión de que era una eternidad. Le parecía que habían pasado semanas desde el último interrogatorio. La intensidad del principio había ido cediendo poco a poco, y eso lo llevaba a preguntarse qué había sucedido. Tal vez su interrogador de la voz ronca se había marchado a hacer otras cosas, y había dejado en su lugar un equipo de vigilantes para que se ocuparan de él. O tal vez lo habían encontrado y detenido. O tal vez se hubiera desplazado a otro lugar del mundo para hablarles del americano al que habían capturado y para hacer algún trato con él. Incluso si no era de la CIA, todavía lo podían matar y dejar su cadáver tirado en algún lugar y decir que lo era, para cualquier ventaja que eso les supusiera.

Cada día, cuando entraban a llevarle la comida, él insistía, preguntándoles, ¿por qué? ¿Por qué lo mantenían allí encerrado? ¿Qué pensaban hacer con él? Y cada día obtenía la misma respuesta: cállate. Cállate. Y entonces le dejaban la comida y se marchaban. Y luego venía el temido sonido de la puerta que se cerraba con llave.

Otra vez.

The Three Stooges, Gilligan's Island, Corrupción en Miami, El show de Ed Sullivan. Y esta vez con *Rin Tin Tin* añadido.

Empezaba a imaginarse que tal vez las series no existían. Que quizá la pantalla estaba en blanco y era él quien se imaginaba las series. Tal vez había cambiado el único canal que retransmitía algo por un canal sin señal, tan sólo para tener la tele encendida para darle luz. No lo sabía, no lo recordaba. Todo giraba alrededor de las noticias de la noche, pero cada vez le costaba más hacerse a la idea de la hora del día o de la noche en la que se encontraba, o de la fecha en que vivía, porque habían empezado a emitir las noticias de la misma manera que emitían las series, una y otra vez, las repetían unas ocho veces al día. Además, la última noticia que había visto de Alexander y Rebecca había sido unos días atrás. Curiosamente, había sido algo divertido y le hizo reír en voz alta: la primera risa que recordaba en meses.

La prensa, ávida de saber cualquier cosa de Rebecca, la había mostrado en el jardín de una mansión en Dinamarca, acompañada de dos personajes de mediana edad, bien vestidos y sonrientes, el príncipe Jean Félix Christian y su esposa, Marie Gabrielle, que eran sus padres biológicos (o eso es lo que había sido capaz de deducir ahora que, poco a poco, empezaba a comprender algo de alemán). Explicaron la historia de quién era, explicaron que había sido secuestrada de niña y que a sus padres se les pidió un rescate. Ellos esperaron en vano más noticias de los secuestradores mientras las agencias policiales investigaban, pero nunca más ocurrió nada. Hasta ahora.

Luego el reportaje mostraba el lugar en el que ella pasó sus primeros años, en Coles Corner, Vermont. Alexander sabía perfectamente que ella se había criado en Los Ángeles como Rebecca Barron, pero tuvo el acierto de dejar que la versión de su infancia en Vermont pasara como cierta, y funcionó. Al menos media docena de lugareños fueron entrevistados y afirmaron haber conocido a Rebecca y a su hermano, Nicholas, de niños. Resultaba increíble, como si todos allí sintieran alguna necesidad imperiosa de formar parte de aquel inmenso mito, de modo que se inventaban todo tipo de anécdotas personales sobre la pequeña muchacha del pueblo que pronto se convertiría en la hermosa zarina de Rusia. Bailes del colegio, desfiles del 4 de julio, compañeros y compañeras, una profesora de tercero que la había ayudado con su terrible caligrafía. «Oh, era realmente terrible.»

Incluso mostraron una escena grabada en el pequeño cementerio familiar de la antigua casa solariega de los Marten; el reportero se había colocado directamente sobre el lugar sin nombre en el que Hiram Ott había enterrado al auténtico Nicholas Marten. Alfred Hitchcock no lo habría hecho mejor, hasta el último detalle de perfección: un periodista que interrogó a un concejal de Coles Corner sobre el expediente académico de Rebecca se enteró de que varios años antes, el ayuntamiento del municipio, que, curiosamente, compartía instalaciones con los bomberos, había sufrido un grave incendio que lo dejó reducido a cenizas y todos los archivos municipales, incluidos los del departamento de educación, fueron pasto de las llamas.

Ante esto Nicholas Marten, el nuevo Nicholas Marten, el cautivo, tuvo un ataque de risa, y luego se rio y se rio hasta que la risa se convirtió en llanto y en dolor de estómago.

Pero todo esto había sucedido unos días antes, y desde entonces no los había vuelto a ver. Hasta las noticias le parecían absurdas y llenas de repeticiones. Se estaba volviendo loco y lo sabía.

Entonces, por millonésima vez, oyó la sintonía de *Gilligan's Island* y, de pronto, dijo que basta. Cualquier cosa era mejor que la tele. Al menos, a oscuras, podía escuchar los ruidos de la ciudad que había allí fuera. Sirenas, tráfico, niños jugando, camiones recogiendo la basura. Y, de vez en cuando, gritos de enfado en alemán.

De pronto se dirigió hacia el halo de luz, dirigiendo la mano apasionadamente contra el interruptor de encendido de la tele, cuando la cadena cortó la emisión de *Gilligan's Island* para poner en antena un presentador de noticias en alemán. Marten oyó el nombre sir Peter Kitner y entonces la cámara cortó la imagen del estudio para poner las imágenes de una carretera rural inglesa. Henley-on-Thames, se podía leer en el subtítulo. Vio a la policía y a los equipos de rescate y los restos terribles de un Rolls Royce que había explotado. No había necesidad de traducción. Entendía perfectamente lo que el periodista alemán contaba: el coche había explotado y cuatro personas habían muerto: sir Peter Kitner, el titán de la prensa, antiguo *zarevich* ruso, nieto del zar Nicolás, hijo del fugado Alexei; la esposa de Kitner, Luisa, prima del rey Juan Carlos de España; su hijo Michael, heredero del imperio mediático Kitner; y el conductor del vehículo, el guardaespaldas de Kitner, un tal doctor Geoffrey Higgs.

—Dios mío, también los ha matado —musitó Marten, horrorizado.

De pronto, el horror se convirtió en ira.

—¡Raymond! —exclamó. Se volvió de la pantalla bruscamente. Daba igual que hubiera matado a Red, a Josef Speer, a Alfred Neuss, o a Halliday o a Dan Ford, o a Jean-Luc Vabres o al impresor de Zúrich, Hans Lossberg. Alexander/Raymond se había vuelto otra vez contra su propia familia, esta vez matando a su padre, como antes había matado a su medio hermano. ¿Qué pasaría cuando tuviera un ataque y desatara su terror contra Rebecca?

No podía soportar pensar en ello, pero sabía que tenía que hacer algo, y que tenía que hacerlo cuanto antes.

21

Una vez más, Marten anduvo arriba y abajo por la habitación. Esta vez sus pensamientos estaban concentrados en sus captores. En quiénes eran, quiénes podían ser, qué los movía. Buscaba un punto débil, algo que no hubiera advertido, algo que se le hubiera pasado por alto, un lugar en el que fueran vulnerables. Empezó a pensar en retrospectiva, examinando su comportamiento desde el momento en que habían cogido el control sobre él, en Róterdam, a lo largo de todos los días y semanas hasta ahora. Lo que le parecía más evidente, y que ya había pensado antes, era que, por muy intensos que hubieran sido los interrogatorios o aislada su cautividad, aparte de algún pequeño golpe o bofetón, no habían recurrido nunca a ninguna forma de castigo físico. Su método había consistido meramente en interrogarlo y en aislarlo en la oscuridad, para hacer que su cerebro hiciera el trabajo por ellos. Lo que ignoraba era el motivo por el cual le habían facilitado el televisor. Tal vez estuvieran, sencillamente, mostrándose humanos. O tal vez fuera por alguna otra razón que ignoraba. Pero el hecho era que no lo habían torturado y que le habían proporcionado alimentos y el aseo básico que le permitía permanecer básicamente limpio. Considerándolo de esta manera, empezó a pensar que tal vez no fueran ni terroristas ni traficantes de drogas, sino más bien gente como el «transportista» que traficaba con seres humanos, que, a estas alturas, habían decidido que Marten no era el pez gordo que pensaron inicialmente y se estaban preguntando qué hacer con él.

¿Eran peligrosos? Por supuesto. Estaban metidos en el muy peligroso y muy ilegal negocio de transportar a personas indocumentadas entre países que estaban en plena alerta antiterrorista, y lo hacían en un momento en que las agencias policiales internacionales estaban cooperando a un nivel nunca visto en el pasado. Para hacer lo que hacían, no podían operar sin contactos sólidos con el crimen organizado. De modo que no sólo temerían que los desenmascararan, sino que también debían de tener miedo de los gángsteres a los que pagaban para que los protegieran.

Estaba seguro de que habían hecho aquello con él porque pensaban que habían atrapado a alguien a quien podían rentabilizar en forma de poder y de prestigio. Al mismo tiempo, tenía pocas dudas de que si se sentían presionados y pensaban que la policía se les estaba acercando, sencillamente se lo llevarían, le dispararían una bala en la cabeza y abandonarían su cadáver en el primer vertedero o descampado que encontraran.

Aparte de esto, el caso era que, si eran traficantes de personas, debían de actuar meramente por el dinero y no tendrían el fanatismo de los terroristas o la mentalidad asesina de los sicarios que corrían por el mundo de la droga.

Siguiendo aquella línea de pensamiento, tenía que asumir que su mayor temor, aparte de caer en desgracia ante los criminales con los que sin duda se entendían, era caer en manos de la policía. Tal vez lo más plausible era revelarles lo que había protegido con tanto encarnizamiento: decirles quién era realmente Rebecca y preguntarles qué creían que sucedería si se descubría que habían tenido secuestrado al cuñado del próximo zar de Rusia. Preguntarles cuál sería el resultado si eran entregados a la fuerza de seguridad personal del zar, el FSO, tal vez hasta nombrándoles al coronel Murzin para añadir veracidad a su argumento, y luego hacer la amenaza más terrible, sugiriéndoles que Murzin, a su vez, podía llegar a entregarlos a Servicio de Seguridad Federal de Rusia, el FSB, heredero del antiguo KGB. En ese caso no habría duda alguna del resultado. Serían tratados con una severidad extrema, si no final.

Utilizar este enfoque con ellos era, en el mejor de los casos, jugar a una posibilidad remota porque, aparte de los nombres que les podía soltar y el hecho que sabían que estaba presente en la cena del *zarevich*, no tenía absolutamente nada que avalara su amenaza. Sería un farol de primera categoría, y si se equivocaba y al final resultaba que eran terroristas o traficantes de drogas, una vez les hubiera dicho quién era Rebecca y, por tanto, quién era él, sencillamente les estaría confirmando lo que habían supuesto todo el tiempo, que era un pez gordo, y en un santiamén se encontraría en una situación mucho peor de la que quería imaginarse.

Por otro lado, si estaba en lo cierto y no eran más que traficantes de indocumentados, su confesión podía asustarles lo bastante como para soltarlo, aunque fuera sólo para evitar meterse en una situación potencialmente desastrosa, incluso letal.

No era mucho, pero era lo único que tenía. Al final se reducía a dos preguntas simples: ¿estaba dispuesto a jugarse la vida y la de Rebecca por su deducción de quiénes eran esta gente? Y si lo estaba, ¿era un actor lo bastante bueno como para hacer bien su función?

La respuesta a ambas preguntas era la misma.

No tenía otra elección.

22

—¡Quiero hablar! —Marten aporreó la puerta y gritó a través de la misma—. ¡Quiero hablar! ¡Quiero confesar!

Al cabo de cuarenta y cinco minutos se encontraba sentado en la sala de interrogatorios, maniatado y con los ojos vendados.

585

—¿Qué es eso que quieres contarnos? —le dijo el interrogador de la voz gutural, como siempre, con su aliento apestoso—. ¿Qué quieres confesar?

—Querían saber por qué estaba en la cena de Davos. Me preguntó usted quién era Rebecca. Les mentí porque intentaba protegerla. La foto de mi cartera no la muestra como está ahora. El motivo por el que yo me encontraba en Davos era porque me había invitado el propio *zarevich*. Rebecca no es amiga mía, es mi hermana. Se la conoce formalmente como Alexandra Elisabeth Gabrielle Christian, y va a casarse con el *zarevich* inmediatamente después de su coronación.

—Si eso es cierto, ¿por qué no nos lo has confesado antes? —La respuesta del interrogador era serena, hasta distanciada. A Marten le resultaba imposible saber cómo había reaccionado o qué era lo que pensaba. Lo único que podía hacer era proseguir con su historia.

—Temía que al saber que pertenecía a la familia del zar me podrían utilizar políticamente. Que encontraran la manera de explotar mi personaje. Hasta matarme, si eso contribuía a vuestra causa.

—Podemos hacer contigo lo que nos dé la gana, exactamente igual que antes. —La voz del interrogador seguía siendo regular y despojada de emoción—. ¿Qué esperas conseguir, diciéndonoslo ahora?

Era una pregunta que Marten había anticipado. Aquí era donde tenía que girar las cosas con cuidado para sacarse la presión de encima y ponerla sobre el interrogador.

—Lo que espero conseguir no es sólo en beneficio mío, sino en el suyo.

—¿El mío? —el interrogador soltó una carcajada de enojo—. Eres tú quien está maniatado y con los ojos vendados. Es tu vida la que está en juego, no la nuestra.

Marten sonrió por dentro. Su hombre no sólo estaba enojado, sino ofendido. Eso era bueno, porque lo ponía a la defensiva y era exactamente lo que Marten quería.

—Llevo aquí mucho tiempo. Demasiado.

—¡Al grano! —le soltó su interrogador. Ahora empezaba a irritarse. Mucho mejor.

—El calendario avanza rápidamente hacia el día en que Alexander Romanov será coronado zar. Su futuro cuñado anda desaparecido y lleva demasiado tiempo así. Es una situación que no beneficia ni a su vida de casado ni a su posición como monarca, y empezará a enfadarse y a impacientarse.

Llegado a este punto, Marten temía que su interrogador le preguntara por qué no había habido ninguna cobertura mediática de su desaparición, pero no lo hizo. Sin embargo, era algo que él mismo se había preguntado. Finalmente supuso que Alexander había ordenado el silencio y, por lo que él sabía, sus órdenes habían sido acatadas.

—Puesto que no ha habido noticias mías y puesto que no habrán encontrado mi cadáver, y debido al malestar que reina en el mundo, él y sus gentes supondrán que he sido secuestrado y creerán que, quienquiera que lo haya hecho, está esperando hasta la coronación para hacer algún tipo de acción de signo terrorista que tenga que ver conmigo. Pero es algo que ellos no pueden permitir que suceda.

»Puede que sepa usted que el *zarevich* dispone de una guardia personal llamada *Federalnaya Slujba Ohrani*, el FSO. Son antiguos comandos de la Spetsnaz dirigidos por un hombre muy competente llamado coronel Murzin. No hay duda de que me habrán estado buscando. Y a estas alturas, pueden estar seguros de que otras fuerzas de seguridad rusas muy selectas y persuasivas se habrán unido a ellos.

»No pasará demasiado tiempo antes de que encuentren su puerta, y cuando entren por ella le aseguro que no lo harán sonriendo. —Marten hizo una pausa para darle a su interrogador un poco de tiempo para pensar, pero no demasiado—. El reloj sigue avanzando, y el cerco se está estrechando. Si yo fuera usted cogería a mis hombres y me marcharía con ellos lo más lejos y lo antes posible.

Durante un buen rato hubo silencio. Luego Marten oyó un chasquido de dedos y, sin mediar palabra, se lo llevaron escaleras arriba hasta su habitación. Ya sin la venda de los ojos, se quedó allí sentado a oscuras sin tener idea de qué esperar. Pasó una hora y luego otra, y empezó a preguntarse si había errado el tiro y ya ahora estarían haciendo tratos para mandarlo al escondite de alguna banda terrorista para que lo trataran de alguna manera que no quería ni imaginar.

Pasó otra hora. Entonces los oyó acercarse por las escaleras. Eran cuatro, al parecer. A los pocos segundos la puerta se abrió de un golpe y le vendaron los ojos y lo maniataron de nuevo. Entonces lo sacaron por la puerta y lo bajaron por las escaleras. Un tramo, luego otro, y luego dos más. Oyó una puerta que se abría de golpe y entonces lo sacaron a la fría intemperie.

Lo empujaron y pudo oír a alguien que gruñía, y entonces lo levantaron y lo metieron a trompicones en lo que parecía la bodega de un furgón, el mismo medio por el que había llegado hasta allí. Contuvo el aliento, esperando que lo tiraran al suelo y lo enrollaran en una alfombra como la otra vez, pero en cambio oyó la voz gutural de su interrogador.

—Que Dios sea bondadoso contigo —le dijo. Entonces los oyó marcharse. Cerraron las puertas de un golpe y cerraron el seguro desde fuera. Lo siguiente que oyó fue el motor que arrancaba. Un segundo más tarde, el sonido del cambio de marchas y sintió el vehículo que avanzaba.

23

Marten se preparó para lo peor mientras el furgón aceleraba. Al cabo de veinte segundos el vehículo ralentizó la marcha y tuvo que mentalizarse de nuevo, al sentir como el conductor hacía una curva cerrada y luego otra. Ignoraba por completo dónde había estado hasta entonces, o adónde lo llevaban ahora, pero ya no importaba. Las palabras frías y tétricas de su interrogador le habían bastado.

Que Dios sea bondadoso contigo. Era una sentencia de muerte. Había malinterpretado totalmente a aquellos hombres. Se había pasado de listo y ahora eran ellos los que se burlaban de él y les había puesto el premio en bandeja, un premio mayor de lo que nunca se habrían esperado. Y debido a ello ahora se encontraba de camino al infierno. Corrían tiempos brutales y sabía demasiado bien lo que les había ocurrido a otros sujetos que se habían convertido en trofeos de uno u otro tipo. Estaba convencido de que en pocas horas sería entregado a algún grupo desconocido. Sería interrogado y luego torturado hasta que hiciera cualquier tipo de declaración política que le exigieran. Y finalmente, lo matarían. Lo más probable sería que todo tuviera lugar frente a una cámara de vídeo y que una copia de la grabación fuera enviada a una serie de agencias de noticias internacionales con el fin de divulgar el poder terrible y sin escrúpulos al que el mundo se enfrentaba.

Si Rebecca lo veía, se quedaría lo bastante horrorizada como para volver al estado vegetal en el que se encontraba en Los Ángeles. Y sólo Dios sabe cómo el desequilibrado Alexander reaccionaría ante aquella situación.

Que Dios sea bondadoso contigo.

Había tratado de echarse un farol y lo habían pillado. Y ahora estaba encerrado en la bodega de un furgón, maniatado y con los ojos vendados, como un animal de camino al matadero. Y como un animal, no tenía ninguna posibilidad de cambiar su destino.

588

Y

Marten calculó que había pasado casi una hora hasta que el furgón redujo la velocidad y se detuvo. Al cabo de un momento el conductor giró bruscamente a la derecha y condujo un poco más de un kilómetro, luego volvió a girar a la derecha y, de pronto, otra vez a la izquierda. Cincuenta metros más y el furgón se detuvo. Oyó voces y el sonido de puertas que se abrían. Fuera donde fuera que lo habían llevado, aquí estaban. Se preparó mientras las puertas de atrás se abrían bruscamente y oía a dos hombres que subían. Entonces unas manos lo agarraron y fue empujado hacia fuera y al suelo.

—Que Dios sea bondadoso contigo —dijo una voz desconocida cerca de él. Aquello era su mantra, lo sabía, y tuvo la certeza de que iban a matarlo allí mismo. Su único pensamiento fue «por favor, que sea rápido».

Entonces oyó un clic nítido y esperó que alguien apoyara el frío acero de un revólver contra su sien. Volvió a suplicar para sus adentros que fuera rápido. Al cabo de un segundo notó que le metían algo en el bolsillo de la chaqueta. Entonces le cortaron las correas que le ataban las muñecas. Bruscamente oyó el correteo de pies y el sonido de las puertas del furgón que se cerraban de golpe, y el motor que se ponía en marcha y luego que aceleraba y se alejaba.

Marten se arrancó la venda de los ojos. Era de noche. Estaba solo en una calle oscura de la ciudad. Los faros del furgón desaparecieron al volver la esquina.

Por un momento permaneció petrificado, incrédulo. Y luego, muy lentamente, una sonrisa monstruosa le cruzó la cara:

—Dios mío... —dijo, en voz alta— ¡Oh, Dios mío!

Lo habían liberado.

589

24

Marten dio media vuelta y se echó a correr.

Cincuenta metros, cien. Más adelante vio una calle bien iluminada. Oyó música. Música alta, como la que sale de los bares y discotecas de noche. Miró hacia atrás. La calle, detrás de él, estaba desierta. Al cabo de treinta segundos dobló una esquina y se metió en una calle animada por el tráfico nocturno. Los peatones llenaban las aceras y él se unió a ellos, tratando de entremezclarse con la muchedumbre, por si, por alguna razón, sus secuestradores cambiaban súbitamente de opinión y volvían a buscarle.

Ignoraba dónde, en qué ciudad se encontraba. Los retazos de conversaciones que oía al pasar eran casi todos en alemán. El canal de televisión que había mirado durante su cautiverio emitía en alemán; las voces que oyó de la calle contigua hablaban en alemán, de modo que supuso que lo habían llevado a algún lugar de Alemania. Ahora las conversaciones de la gente que lo rodeaba parecían confirmarlo. Había estado en Alemania y probablemente seguía en Alemania. O en una ciudad fronteriza.

Ahora vio un gran reloj digital en el escaparate de un comercio que marcaba la 1:22. Había una señal en la calle, al final de la manzana siguiente, en la que se leía REEPERBAHN. Y entonces vio un anuncio grande e iluminado. Era del hotel Hamburg Internacional. Entonces pasó un autobús, y en él había un anuncio del Hamburger Golf Club. No sabía dónde había estado hasta entonces, pero ahora estaba prácticamente seguro de que se encontraba en Hamburgo.

Siguió andando, tratando de orientarse, sin saber muy bien qué hacer.

La calle por la que caminaba parecía estar ocupada exclusivamente de bares y discotecas. La música salía de cada portal; música de todo tipo, rock, hip-hop, jazz y hasta música country.

Estaba a punto de llegar al final de la manzana cuando el semáforo se puso rojo y los peatones que lo rodeaban se detuvieron. Se detuvo con ellos y respiró una fuerte bocanada del aire nocturno. Distraídamente, levantó la mano y se tocó la barba, y luego se miró el esmoquin raído en el que prácticamente vivía desde que estuvo en Davos. El semáforo se pudo verde de nuevo y él y los demás avanzaron. De pronto recordó que sus secuestradores le habían metido algo en el bolsillo justo antes de cortarle las cuerdas de las manos. Se tocó el bolsillo y notó un bulto, entonces metió la mano y sacó una pequeña bolsa de papel. No tenía idea de lo que había dentro y se apartó de la muchedumbre para detenerse bajo la luz de una tienda y abrirla. Dentro encontró su cartera y un sobre de plástico del tamaño de la mano. Para su total sorpresa, todo lo que antes había en la cartera seguía allí, aunque claramente empapado y luego puesto a secar, después de su accidentado viaje curso abajo del río: su permiso de conducir inglés, su carnet de estudiante de la Universidad de Manchester, las dos tarjetas de crédito, los aproximadamente trescientos dólares en euros y la foto de Rebecca a la orilla del lago, el

Jura. Por alguna razón, le dio la vuelta. Garabateado en lápiz en el dorso había una sola palabra: *zarina*.

De nuevo, la sonrisa que antes le había inundado el rostro le asomó por los labios. Esta vez no sólo por la sensación de que lo habían liberado, sino por el triunfo. Sin importar quiénes eran sus secuestradores, el hecho es que se habían tomado en serio su advertencia, habían hecho los deberes rápidamente y luego habían decidido que lo último que les faltaba era enfrentarse al FSO o a la policía secreta rusa. Después de semanas cautivo, Marten se había convertido de pronto en el hijo bastardo del que no querían saber nada y lo habían echado literalmente a la calle, mediante el viaje en furgón que utilizaron para asegurarse de que sería incapaz de reconstruir el rastro hasta ellos. Su «que Dios sea bondadoso contigo» tal vez hubiera sido un mantra, pero no había sido una sentencia de muerte. Más bien un saludo para mandarlo a su viaje en solitario y, con el gesto de devolverle sus pertenencias personales intactas, una plegaria para que él también fuera «bondadoso» con ellos si un día volvían a encontrarse cara a cara y los papeles se habían invertido.

Las risas de un grupo de adolescentes que pasaban cerca hicieron que Marten fuera más consciente de que estaba llamativamente solo, y siguió avanzando. Mientras caminaba, se puso la cartera en el bolsillo y abrió el sobre de plástico. Dentro encontró un grabado grande, en forma de moneda, del escudo de la familia Romanov, que obviamente estaba pensado para ser un recuerdo de la velada en Davos. Con él había otro recuerdo, el objeto al que sus interrogadores se estuvieron refiriendo: un sobre, ahora medio borrado, de 12 × 17 cm, de color crema. Dentro debía de haber el anuncio formal de la restauración de la monarquía rusa y el nombramiento de Alexander como nuevo zar. Marten abrió el sobre y sacó una tarjeta sencilla pero elegantemente impresa que, como el sobre y el contenido de su cartera, mostraba signos de los maltratos sufridos en su viaje fluvial.

De pronto se quedó sin aliento y petrificado en medio de la acera. La gente protestó y se empujó para no chocar con él, pero él no les prestó la más mínima atención; todo su interés estaba centrado en la tarjeta que tenía en la mano. Descolorida o no, lo que había impreso en la tarjeta era claramente legible. Impreso en letras de oro en la parte superior ponía:

Villa Enkratzer
Davos, Suiza
17 de enero

Abajo estaba el resto.

Menú conmemorativo con ocasión del anuncio de la restauración de la familia imperial Romanov al trono de Rusia y el nombramiento de Alexander Nikolaevich Romanov como zarevich *de Todas las Rusias.*

Marten se estremeció al darse cuenta de que lo que tenía en la mano no era sólo un recuerdo conmemorativo anunciando la restauración de la monarquía, sino que era aquello que él y Kovalenko habían estado buscando. ¡Era el segundo menú!

Moscú, Gorky Park. Miércoles 2 de abril, 6:20 h

El parque no estaba abierto al público hasta las diez, pero sí era accesible para un policía que quería perder peso y ponerse en forma. Y esto era lo que Kovalenko estaba haciendo a aquella hora temprana y fría de la mañana, correr, pasar ante la enorme noria por tercera vez en una hora, haciendo gimnasia. Estaba harto de tener barriga y papada. Se había puesto a beber menos, a comer más sano y a levantarse temprano. Y a correr, a correr mucho. Por qué, no estaba muy seguro, excepto que tal vez lo hacía para ganar tiempo, tratando de ganarle puntos a la mediana edad. O tal vez intentara olvidar el asunto que ahora ocupaba todos los rincones de la atención pública: la increíble obsesión por Alexander y Rebecca, explotada con desenfreno por la prensa y magnificada por una febril cuenta atrás hasta el día de su boda y de la coronación.

La vibración de su teléfono móvil en el bolsillo interior de la chaqueta del chándal interrumpió su concentración. Nunca sonaba a aquella hora. Su vida se había convertido en una rutina de papeleo, no de intriga, y ahora ya sólo tenía un contacto muy esporádico con su inspectora jefe, de modo que ya no trataba asuntos policiales. La llamada tenía que ser de su esposa, o de alguno de sus hijos.

—*Da* —dijo, casi sin aliento, resoplando mientras abría el aparato.

—El arma del crimen era un cuchillo —le dijo una voz conocida.

—*Shto?* —¿Qué?, dijo Kovalenko, petrificado.

—La navaja. Tu gran navaja española, la que sacaron de la caja fuerte de Fabien Curtay.

—¿Marten?

—Sí, Marten.

—Madre de Dios, ¡si estás muerto!

—¿Es eso lo que creen?

Kovalenko miró a su alrededor y se apartó al ver venir un furgón de servicios del parque.

—¿Cómo? ¿Qué ha sucedido?

—Necesito que me ayudes.

—¿Dónde estás?

—En un bar, en Hamburgo. ¿Puedes venir?

—No lo sé. Lo intentaré.

—¿Cuándo? —le insistió Marten.

—Llámame dentro de una hora.

25

Aeropuerto de Fuhlsbüttel, Hamburgo, Alemania. El mismo día, miércoles 2 de abril, 17:30 h

Marten vio a Kovalenko salir por la puerta de Lufthansa en medio de un grupo de pasajeros y cruzar por el pasillo hacia la cafetería en la que lo esperaba. Podía ver al ruso que lo buscaba con la mirada mientras avanzaba, pero sabía que Kovalenko no sería capaz de reconocerle. No sólo llevaba barba como él, sino que había perdido casi doce kilos y se había quedado en los huesos. Además, durante las horas en las que estuvo esperándolo, se había gastado ciento sesenta de sus euros y había tirado su viejo esmoquin a la basura para cambiarlo por un traje de pana marrón, un polo de algodón y un jersey azul marino. Tenía el mismo aspecto que Kovalenko, el de un profesor. Dos profesores universitarios encontrándose en la cafetería de un aeropuerto, una escena que no tenía nada de excepcional.

Kovalenko llegó al bar y entró. Pidió una taza de café en la barra y luego se sentó a una mesa cerca del fondo y sacó un periódico. Al cabo de un momento Nicholas se sentó en una silla, a su lado.

—*Tovarich* —le dijo. Camarada.

—*Tovarich*. —Kovalenko lo miró con atención, como si quisiera asegurarse de que era él realmente—. ¿Cómo...? —dijo, finalmente—. ¿Cómo lograste sobrevivir? ¿Y por qué apareces aquí, tantas semanas más tarde?

Al cabo de diez minutos estaban en el autobús del aeropuerto, camino de la Hauptbahnhof, la estación central de trenes de Ham-

593

burgo. Quince minutos más tarde Kovalenko lo había llevado por Ernst-Merckstrasse hasta el restaurante Peter Lembcke. Cuando ya iban por la segunda cerveza les trajeron la sopa de anguila y Kovalenko pudo escuchar al fin la respuesta a su «cómo»... al menos todo lo que Marten era capaz de recordar. La niña que lo encontró en la nieve, la familia fugitiva, el «transportista», Róterdam, el viaje en furgón enrollado en una alfombra, el cautiverio en habitaciones oscuras, los temibles interrogatorios por hombres a los que nunca vio... y de los que todavía no sabía quiénes eran ni dónde le tuvieron escondido. La televisión interminable, el hecho de haber visto a Alexander y a Rebecca con sus padres biológicos en Dinamarca, con la reina de Inglaterra y con el presidente de Estados Unidos. Y los restos del coche en el que Peter Kitner y su familia habían sido asesinados. Fue entonces cuando Marten sacó el sobre que sus secuestradores le habían devuelto y se lo dio a Kovalenko.

—Ábrelo —le dijo, y Kovalenko lo hizo y sacó la elegante tarjeta desteñida que empezaba por:

Villa Enkratzer
Davos, Suiza,
17 de enero

Marten lo observó mientras la miraba, vio su reacción al darse cuenta de lo que era, vio cómo de pronto levantaba la vista.

—El segundo menú —dijo Marten—. Gíralo y mira con atención la esquina inferior derecha.

Kovalenko lo hizo y Marten lo oyó gruñir al ver lo que ponía. En un cuerpo diminuto, casi tan diminuto que costaba leerlo, había escrito *H. Lossberg, maestro impresor. Zúrich.*

—La esposa de Lossberg dijo que su marido conservaba siempre una copia de todo lo que imprimía —dijo Marten, mirando a Kovalenko a los ojos—. Pero cuando fue a buscarla, no la encontró. También nos dijo que hubo que imprimir exactamente doscientas copias del menú, ni una más, ni una menos, y que luego las pruebas debían ser destruidas y la tipografía desmontada. Lossberg y el comercial Jean-Luc Vabres eran buenos amigos. Ésta era una noticia muy importante. ¿Y si Lossberg le dio su única copia a Jean-Luc Vabres, y a su vez, Vabres iba a entregársela a Dan Ford? Alexander no podía permitir que se supiera que él iba a convertirse en *zarevich* hasta que Kitner hubiera sido presentado a la familia y luego hubiera renunciado al trono a favor suyo.

—Y de alguna manera, a través de su contacto en Zúrich —prosiguió ahora Kovalenko—, descubrió lo que Lossberg había hecho. Hizo seguir a Vabres, o le pinchó el teléfono, o las dos cosas, y entonces, cuando Vabres iba a encontrarse con Dan Ford para darle el menú, él estaba ya allí, esperándolos.

Marten se le acercó un poco más.

—Quiero alejar a Rebecca de su lado.

—¿Estás al tanto de lo ocurrido? En pocas semanas se ha convertido en una celebridad.

—Sí, ya lo sé.

—Creo que no entiendes la magnitud del asunto. En Rusia, él es una estrella, un rey, casi un dios. Y ella también.

Marten repitió lentamente sus palabras:

—Quiero alejar a Rebecca de su lado.

—Están rodeados por el FSO. Murzin se ha convertido en su guardaespaldas personal. Sería como intentar secuestrar a la esposa del presidente de Estados Unidos.

—No es su esposa. Todavía no.

Kovalenko puso la mano sobre la de Marten:

—*Tovarich*, ¿quién sabe si ella lo abandonaría, aunque tú se lo pidieras? Las cosas han cambiado de una manera inconmensurable.

—Lo haría si yo me acercara a ella y le contara quién es él realmente.

—¿Acercarte a Rebecca? No podrías acercarte ni a un kilómetro de ella sin que te pillaran. Por no hablar de que estás aquí y no en Moscú.

—Por eso necesito tu ayuda.

—¿Qué quieres que haga? Estoy casi sin empleo y, desde luego, sin contactos a ese nivel.

—Consígueme un móvil, un pasaporte y algún tipo de visado que me permita viajar hasta y por dentro de Rusia. Utiliza mi nombre si es necesario. Ya sé que es peligroso, pero de esta manera podrás sencillamente renovar mi pasaporte americano. Eso sería más fácil y más rápido.

—Estás muerto.

—Eso lo hace todavía mejor. Tiene que haber más de un Nicholas Marten en este mundo. Di que soy un profesor visitante de Paisajismo de la Universidad de Manchester que desea estudiar los jardines rusos. Si alguien lo quiere comprobar, no encontrarán más que confusión al otro lado. Una confusión que podría jugar a nuestro favor. Estoy muerto. Soy otra persona. Ahora soy profesor, no estu-

595

diante. Nadie podrá estar seguro. La universidad es una burocracia descontrolada. La gente va y viene constantemente. Podría llevarles días, semanas, descubrirlo. E incluso entonces puede que no encuentren nada seguro. —Marten miró a Kovalenko directamente—. ¿Puedes hacerlo?

—Yo... —Kovalenko vaciló.

—Yuri... de niño mató a su hermano, y de mayor ha matado a su padre.

—¿La bomba en el coche de sir Peter?

—Sí.

—Crees que ha sido cosa de Alexander.

—No hace falta mucha imaginación.

Kovalenko miró a Marten y no levantó la vista hasta que el camarero se acercó a su mesa.

—No, desde luego. —Se inclinó un poco hacia él y bajó la voz—. Utilizaron explosivos muy sofisticados, y el detonador era ruso. La investigación se está desarrollando de manera muy secreta. Pero todavía no significa que Alexander lo hiciera o encargara el atentado.

—Si le hubieras visto los ojos en el puente de encima de la finca cuando intentó matarme; si hubieras visto el cuchillo y cómo lo utilizaba, lo entenderías. Está perdiendo cualquier control que antes pudiera tener. Es lo que pensamos cuando vimos el cuerpo de Dan salir del agua. Cuando vimos lo que le hizo a Vabres. Y lo mismo con Lossberg en Zúrich.

—Y temes que en algún momento pueda desatar la misma furia sobre tu hermana.

—Por supuesto.

—Entonces, *tovarich*, tienes toda la razón. Tenemos que hacer algo.

26

Catedral de Pedro y Pablo, cripta de la capilla de Santa Catalina. San Petersburgo, Rusia. Jueves 3 de abril. 11:00 h

Con velas funerarias encendidas solemnemente entre sus manos, Alexander y Rebecca permanecían junto al presidente Gitinov y al rey Juan Carlos de España mientras Gregorio II, el santo patriarca de la iglesia ortodoxa rusa, oficiaba el solemne funeral de réquiem. A su izquierda, en la sala ornada de mármol, estaban las tres hijas de

Peter Kitner con sus esposos. Aparte de los varios sacerdotes que atendían al patriarca, y de la baronesa, vestida de negro y con un velo que le cubría el rostro, no había nadie más. El oficio era estrictamente privado.

Ante ellos reposaban tres ataúdes cerrados con los restos mortales de Peter Kitner, su hijo Michael y su esposa Luisa, prima de Juan Carlos.

—Hasta en la muerte, oh, Señor, Petr Mikhail Romanov devuelve la grandeza al alma y a la tierra de Todas las Rusias. —Las palabras de Gregorio II resonaban por las columnatas doradas y el inmenso pavimento de piedra de la cripta en la que descansaban los restos del bisabuelo de Alexander, el asesinado zar Nicholas, su esposa y tres de sus hijos. La misma cámara imponente y triste que había sido la morada final de todos los monarcas rusos desde Pedro el Grande y donde, con el consentimiento del Parlamento ruso, Petr Mikhail Romanov Kitner y su familia serían depositados para su eterno reposo, a pesar de no haber accedido nunca al trono.

—Hasta en la muerte, oh, Señor, su espíritu permanece.

«Hasta en la muerte...» La baronesa sonrió tibiamente detrás del velo. Hasta en la muerte le das poder y credibilidad a Alexander; más, quizá, del que le podías haber dado en vida. Tu muerte te ha hecho más querido, casi un mártir, pero has convertido a Alexander en el último auténtico Romanov varón sucesor al trono.

«Hasta en la muerte...»

Las mismas palabras resonaban dentro de Alexander, que no tenía la mente en el funeral sino en el incesante latido de su metrónomo interior, que se hacía más fuerte y más inquietante a cada hora que pasaba. Miró a Rebecca y vio la calma reflejada en su rostro y en sus ojos. Su serenidad, hasta aquí en la cripta, con la prueba de la finalidad de la muerte a tan sólo unos cuantos palmos, en las tumbas que tenían delante, resultaba desquiciante y no hacía más que incrementar su creciente certeza interior de que Nicholas Marten no estaba muerto. No estaba muerto en absoluto. Estaba ahí fuera, en algún lugar, acercándose a él como un tsunami.

—No —dijo, de pronto, en voz alta—. ¡No!

Los demás se volvieron a mirarle, el patriarca incluido. Entonces él, de pronto, se tapó la boca y tosió, como si esto fuera lo que había hecho antes, y se volvió a fingir más tos.

Nick Marten/John Barron. No importaba cómo se hacía llamar. Pensaba que lo había liquidado en el sendero de encima de Villa Enkratzer. Pero no lo había hecho. De alguna manera, Marten había sobrevivido y ahora le seguía los pasos. Venía a destapar quién era y, al hacerlo, volvería a Rebecca contra él.

Era cierto. Lo sabía.

El metrónomo latió más fuerte. Tenía que sacarse a Marten de la cabeza. Fingió una última tos y se volvió de nuevo hacia el oficio. Marten estaba muerto. Todos los demás que lo habían buscado con él estaban de acuerdo: Murzin, los otros agentes del FSO, las patrullas del ejército suizo, la policía cantonal, y los equipos de forestales y de rescate entre los cuales había tres médicos. Eran gente con mucha experiencia que no sólo opinaba, sino que sabía. Además, recordaba haber recorrido personalmente cada palmo de aquellas orillas fluviales oscuras, cubiertas y dejadas de la mano de Dios. No se equivocaba, y todos los otros tampoco. Nadie habría podido sobrevivir a aquella noche, herido y sangrando en aquel horrible caudal de agua helada. ¿Por qué debería pensar que Marten lo había hecho? No, Nicholas Marten estaba muerto. No cabía ninguna duda. Igual que su padre estaba muerto en el ataúd que ahora tenía delante. Miró a la baronesa y ella le hizo un gesto tranquilizador con la cabeza. Se volvió y miró a su alrededor, a la sala espléndida, ornada, en la que reposarían para siempre los restos de sus reales ancestros. El metrónomo se calmó y él se animó pensando en ellos. Él era, con toda la autenticidad, uno de ellos, el bisnieto de Nicolás y Alejandra. Éste era su destino y siempre lo había sido. Él, y sólo él, era el *zarevich* de Rusia. Nada, y menos un hombre muerto, podría cambiarlo.

27

Aeropuerto de Fuhlsbüttel Hamburgo, Alemania.
Viernes 4 de abril, 10:10 h

Nick Marten aguardaba en la cola junto a otros pasajeros para abordar el avión del vuelo 1411 de Air France destino al aeropuerto Charles De Gaulle de París, donde tenía una conexión con un vuelo a Moscú. Había utilizado una de sus tarjetas de crédito para comprar el billete, algo que lo hizo ponerse nervioso porque cabía la posibilidad de que Rebecca hubiera notificado su defunción a los bancos emisores y las hubiera cancelado. Pero era obvio que no lo había hecho, porque su tarjeta fue aceptada y el billete le fue entregado sin ningún problema. Había ocurrido lo mismo con el resto de sus asuntos. Recogió su pasaporte, una copia del original, a última hora del día ante-

rior en la delegación consular de Hamburgo. Con él había un pequeño paquete. Dentro había un móvil activado con su cargador de batería y un visado de empresa para entrar en Rusia, válido para tres meses y emitido por el departamento de Servicios Consulares del
Ministerio de Asuntos Exteriores ruso, a petición de Lionsgate
Landscapes, una empresa británica de diseño de paisajes con sucursal
en Moscú. Su destino en Rusia, el lugar en el que iba a alojarse —tal
y como lo requieren todos los visados rusos— era el hotel Marco Polo
Presjna, situado en el número 9 de Spiridonjevskij Pereulok, Moscú.

Marten se preguntó qué debía de ser realmente Lionsgates
Landscapes, o si realmente existía, pero daba igual porque su visado
había sido aprobado. Todo lo que había pedido le había sido concedido, y en menos de cuarenta y ocho horas. Para ser alguien que, en sus
propias palabras, estaba casi sin empleo, Kovalenko había hecho un
trabajo notable.

Hotel Baltschug Kempinski, Moscú. El mismo día,
viernes 4 de abril. 13:30 h

Alexander, Rebecca y la baronesa compartían una pequeña mesa
de almuerzo en un rincón de la suite privada de Alexander en la octava planta, con vistas a un día de sol espléndido sobre la Plaza Roja.
El almuerzo constaba sencillamente de blinis con caviar rojo y café.

Su conversación era también poco enrevesada y se centraba alrededor de dos temas: los últimos pasos de la conversión de Rebecca a
la fe rusa ortodoxa, obligatoria para cualquier mujer que fuera a
convertirse en emperatriz y ser madre de hijos reales; y la elección
del vestuario que llevaría para su boda y para la ceremonia de coronación que seguiría casi de inmediato a la misma, y luego para el baile de aquella noche. Los dos temas eran importantes porque el tiempo empezaba a echárseles encima y ahora ya se encontraban a menos
de un mes de ambos acontecimientos. Además, uno de los modistas
más importantes de París y su equipo iban a reunirse con ellos al
cabo de una hora para tomarle medidas a Rebecca y tomar las últimas decisiones. En este tema, Alexander iba a conformarse con lo
que Rebecca, la baronesa y el propio modisto eligieran finalmente.
Para él había otros temas urgentes: tenía que probarse un traje adecuado para la coronación, someterse a una entrevista estatal televi-
sada y, más tarde, tenía una reunión en el Kremlin con el jefe del Estado Mayor del presidente Gitinov.

La reunión trataría sobre protocolo y deberes y era de naturaleza tanto política como social. Rusia no había tenido nunca antes un zar que fuera básicamente una figura simbólica, y Alexander sabía que debido a su repentina e inesperada popularidad, Gitinov quería contenerlo y asegurarse de que no intentaría convertir su influencia en poder. Era algo que Gitinov no haría cara a cara, porque era demasiado consciente de la potencia política del triunvirato de poderes que había restaurado la monarquía, pero dejaría claros, a través del su jefe del estado mayor, los límites hasta los que Alexander tendría permitido llegar. O, lo que era más sencillo, le ofrecería una descripción de sus funciones, a saber: un monarca constitucional es un animador del pueblo, un anfitrión ceremonial, un representante de la nueva Rusia en casa y en el extranjero. Nada más. Punto.

Era un papel que a Alexander le irritaba pero que estaba totalmente preparado para hacer, al menos durante un tiempo, mientras extendía sus redes y empezaba a construirse una base de poder. Luego, poco a poco, empezaría a desempeñar un papel más activo, primero en lo político y luego en lo militar. La idea era iniciar un sueño popular de grandeza nacional en el que él se convertiría en la irremplazable pieza central. En tres años el Parlamento temería tomar cualquier decisión sin consultarle; en cinco, la figura simbólica sería el presidente, no él; en siete, lo mismo sería aplicable al Parlamento y a los generales al mando de las fuerzas armadas. En una década, la palabra «constitucional» dejaría de acompañar a la palabra «monarquía», y Rusia y el mundo conocerían finalmente el significado de la palabra «zar». Josef Stalin decía que el defecto de Iván el Terrible era que no había sido lo bastante terrible. Alexander no tendría este problema: ya tenía sangre en las manos y estaba dispuesto a tener más. La baronesa le había instruido así desde su más tierna infancia.

Alexander sonrió ante su imagen y sintió una paz que no había experimentado en mucho tiempo. Sabía que se trataba de la certeza de que, con la muerte de su padre, el trono era final y firmemente suyo. Y que Rebecca estaría a su lado el resto de su vida.

Se dio también cuenta de que su anterior miedo, un miedo que le retorcía las tripas, de que Nicholas Marten hubiera despertado milagrosamente de la muerte, no era nada más que una pesadilla de creación propia, provocada por lo que admitía era un pánico casi primitivo, rayano en la psicosis, de perder a Rebecca. Era una emoción con la que debía tener mucho cuidado, porque si no lo hacía, si dejaba que se apoderara de él, podía hacerlo enloquecer.

—Cuando saliste a pasear con Nicholas llevabas un regalo contigo. —De algún lugar lejano le llegó la voz de Rebecca. Sus ensoñaciones se desvanecieron al levantar la vista y verla mirarlo fijamente a través de la mesa. Estaban solos; la baronesa se había marchado.

—¿Qué has dicho? —preguntó, sorprendido.

—En la mansión. Llevabas un regalo, un paquete envuelto bajo el brazo, cuando tú y Nicholas salisteis a dar un paseo. ¿Qué era?

—No lo sé, no me acuerdo.

—Claro que te acuerdas. Lo llevabas desde la biblioteca. Lo pusiste sobre una mesa, en la sala de baile en la que estuvimos luego. Y luego te lo llevaste cuando...

—Rebecca, ¿por qué hablamos de regalos? ¿Dónde está la baronesa?

—Ha ido a atender una llamada telefónica.

—No había necesidad, podía haber contestado desde aquí.

—A lo mejor era una llamada confidencial.

—Sí, es posible.

Desde detrás de ellos se oyeron unos golpes a la puerta, ésta se abrió y apareció en coronel Murzin. Iba vestido con el traje azul marino y la camisa azul claro almidonada que se había convertido en el uniforme de diario de los FSO que protegían a Alexander.

—*Zarevich*, el modisto de París ha llegado y ha sido recibido por la baronesa. Ha pedido ver a la zarina. —Por la manera en que hablaba Murzin, Alexander comprendió que había algo que quería comentarle en privado.

—Ve con ellos, querida —dijo Alexander, mientras se levantaba—. Os veré luego, por la tarde.

—Por supuesto. —Rebecca se levantó y le sonrió. Recogió su bolso, saludó amablemente a Murzin y salió.

Murzin esperó a que se cerrara la puerta.

—He pensado que debería saberlo, *zarevich*. El servicio consular ha emitido un visado de empresa a un hombre llamado Nicholas Marten.

—¿Cómo? —Alexander sintió que el corazón le daba un vuelco.

—Sucedió ayer en Hamburgo, gestionado a través del Ministerio de Asuntos Exteriores, a petición de una empresa de paisajismo británica con sede en Moscú.

—¿Es británico?

601

—No, es americano. Llega hoy desde Alemania. Tiene reservada habitación en el hotel Marco Polo Presnja, aquí en Moscú.

Alexander miró fijamente a Murzin:

—¿Es él?

—Su visado incluirá una foto. He pedido una copia electrónica, pero todavía no la hemos recibido.

Alexander se volvió de espaldas y cruzó la estancia para mirar hacia fuera. El día se mantenía espléndido bajo un cielo libre de nubes, la ciudad seguía animada con el tráfico de primera hora de la tarde y una aglomeración de peatones. Pero allí, en aquella sala, con Murzin detrás de él, podía sentir la oscuridad que volvía a acercarse a él lentamente. Y entonces, desde muy adentro, el metrónomo empezó a palpitar de nuevo.

Bum, bum. Bum, bum.

Lo mismo que antes. Enervante e irreprimible. Como un monstruo que asomaba de sus entrañas.

Bum, bum.

Bum, bum.

Bum, bum.

28

Aeropuerto Charles de Gaulle, París. Viernes 4 de abril, 12:25 h

Billete en mano, Nicholas Marten avanzaba por la línea azul pintada sobre el suelo pulido, cruzando rápidamente desde la terminal 2F, en la que había aterrizado, hasta la 2C, desde la que salía el vuelo 2244 de Air France dentro de treinta minutos. Dio interiormente las gracias por aquella línea azul, facilitaba muchísimo el tránsito de una Terminal a la otra, en especial ahora, cuando su mente estaba concentrada en Rebecca y en qué hacer con ella.

Kovalenko le informó de que estaba alojada con la baronesa Marga de Vienne en una suite de la octava planta del hotel Baltschug Kempinski. Alexander y el equipo encargado de su coronación habían reservado toda aquella planta y la de abajo. Por lo tanto, el FSO tendría las dos plantas, por no decir el hotel entero, prácticamente precintadas. Eso significaba que no tendría ninguna manera práctica de llegar hasta ella personalmente, de modo que debería encontrar el modo de que fuera ella la que llegara hasta él. Cómo lo conseguiría, lo ignoraba por completo, pero debía confiar en que encontraría la manera y en que Kovalenko estaría cerca para ayudarle.

Moscú, el Kremlin. El mismo viernes 4 de abril, 17:55 h

Murzin había dejado a Alexander en el despacho del jefe del Estado Mayor de Gitinov exactamente a las cuatro de la tarde. Luego Alexander fue acompañado hasta un despacho privado, se le sirvió café y se le pidió que esperara. El jefe del Estado Mayor, le dijeron, estaba reunido con el presidente por un asunto vital y le atendería lo antes posible. Al cabo de una hora Alexander seguía esperando. Finalmente, a las 17:20 entró un secretario y Alexander fue escoltado hasta el despacho privado de Gitinov, donde el propio presidente lo esperaba. Solo.

—Siéntese, por favor —dijo Gitinov, llevándolo hasta una confortable zona de estar donde había un par de butacas frente a una chimenea encendida. Un camarero entró, les sirvió el té y se marchó. Cuando la puerta se cerró detrás de él, Alexander se dio cuenta de que, aunque había estado con el presidente ruso en muchas ocasiones, ésta era la primera en la que se encontraban totalmente a solas. Por primera vez se dio cuenta de que Gitinov estaba mucho más en forma físicamente de lo que parecía. El corte de su ropa disimulaba un cuello fuerte y unos brazos potentes, y un pecho ancho que se estrechaba en la cintura. Los muslos se veían fuertes y musculosos bajo el pantalón, como los de un luchador o un ciclista. Más allá de su fuerza física, sus maneras resultaban también desconcertantes. Aunque su modo de actuar amable y agradable después de la caída de Marten al río y su posterior desaparición estaba guiada por la corrección política, aquí en la intimidad de su despacho parecía muy relajado, casi ajeno a lo político. Preguntó por los planes de Alexander para la coronación y para la boda, y por el destino de su luna de miel con la zarina, y hasta le sugirió algunos lugares de vacaciones en el mar Negro. Su actitud abierta, su manera de hablar, el brillo de sus ojos y la calidez de su sonrisa hubiera hecho sentirse cómoda a cualquiera de sus visitas, propiciando la tranquilidad y las ganas de devolverle la conversación con una actitud similar, como si se tratara de un encuentro entre viejos amigos. El problema era que aquello era puro teatro. En realidad Gitinov lo tenía bajo su escrutinio y estaba observando cada uno de sus gestos y palabras, mirando debajo de su capa de barniz para tratar de dilucidar si era la persona que aparentaba ser o si tenía otros proyectos y ambiciones y no era de fiar.

603

ALLAN FOLSOM

Para alguien lo bastante astuto como para darse cuenta de lo que estaba ocurriendo, el impacto resultaría intimidante, por no decir temible. Sin embargo, sabía perfectamente que no era el momento ni el lugar de enseñar los dientes, de modo que se limitó a seguirle el juego, relajarse y charlar de nimiedades, ofreciéndole a Gitinov la oportunidad de juzgarlo como más le apeteciera.

Al cabo de veinte minutos dieron por concluida la reunión. Se estrecharon la mano y Alexander se marchó, después de que el presidente volviera a expresarle el pésame por la muerte de su padre y luego lo despidiera como si mandara al niño al colegio.

Mirando hacia atrás, ahora pensaba que tenía que haberlo predicho: Gitinov le había querido demostrar quién mandaba, le hizo esperar un buen rato y luego le sorprendió con una reunión privada pensada para tomarle el pulso y evaluar su carácter. Pero Alexander no le había dado nada y se había dedicado a representar conscientemente el papel de agradable bufón y no el de rey. El resultado final había dejado a Gitinov, a pesar de su habilidad, con una impresión de su propia pequeñez e ineptitud, puesto que había sobrevalorado una jugada que, de entrada, ni siquiera era necesario jugar. Alexander no pudo más que sonreírse ante aquel fracaso y agradecer su efecto secundario. La intrusión había conseguido, al menos durante un rato, distraerle de su fijación con Nicholas Marten, y con ella, el terrible latido del metrónomo.

—*Zarevich* —dijo Murzin, mientras giraba el negro Volga para salir del Kremlin y meterse en fuerte tráfico de aquella hora de la tarde en Prechistenskaya Naberezhnaya, la amplia avenida que bordeaba el río Moscú. Con una mano al volante se sacó un papel doblado del bolsillo y se lo dio a Alexander, sentado en el asiento de atrás—. Una copia del visado de Nicholas Marten.

Alexander lo abrió rápidamente y miró el rostro con barba que lo miraba desde el papel. Era una cara delgadísima, prácticamente tapada por la barba que ocultaba la mayor parte de sus facciones. Tenía los ojos un poco desviados, como si lo hubiera hecho aposta. A pesar de todo, no cabía ninguna duda sobre su identidad y en aquel momento Murzin se lo confirmó:

—Su pasaporte es una copia del anterior. Nació en Vermont, Estados Unidos. Su domicilio actual es la Universidad de Manchester, Inglaterra. Es el hermano de la zarina.

Todavía con el papel en la mano, Alexander miró por la ventana y Moscú se le hizo borroso.

—*Zarevich*. —Murzin lo miraba por el retrovisor—. ¿Estáis bien?

Por un largo instante no hubo reacción, y luego los ojos de Alexander se desviaron hacia él.

—Tsarkoe Selo —dijo, con fuerza—. Llévense a la zarina y a la baronesa allí ahora, esta noche, en helicóptero. Les dirán que he sido convocado a una reunión urgente y que, teniendo en cuenta la creciente complicación de mi agenda y la atención mediática cada vez más apremiante sobre mí y la zarina, he querido liberarlas de todo esto. Nadie debe saber dónde están. Oficialmente se han ausentado de la ciudad y se encuentran en un destino desconocido para descansar antes de la coronación. Bajo ninguna circunstancia hay que informar a nadie, y en especial a la zarina, sobre Nicholas Marten.

—¿Qué deseáis que hagamos con él?

—De este asunto me ocuparé personalmente.

29

Aeropuerto de Moscú-Sheremetyevo. 18:50 h

De nuevo, Nicholas Marten guardaba cola. Esta vez estaba en Moscú y la cola era para pasar por el control de pasaportes. En algún punto, al otro lado de las cabinas oficiales y de los agentes uniformados, lo esperaba Kovalenko. De momento, a Nicholas no le quedaba más remedio que esperar junto al más de un centenar de personas que como él debía pasar por el puesto de control.

De momento, la única persona a la que había informado de que estaba vivo era Kovalenko. Había temido informar a nadie más, hasta a lady Clem, por miedo a que Rebecca pudiera acabar enterándose y, a su vez, también lo hiciera Alexander. Ahora sabía que necesitaba llamarla y, estar allí de pie, avanzando a paso de tortuga hacia el puesto de control de pasaportes, le daba tiempo para hacerlo, de modo que sacó el móvil que Kovalenko le había facilitado, lo abrió y marcó su número. No importaba dónde estuviera ni lo que estuviera haciendo; necesitaba hablar con ella. No sólo quería hacerle saber que estaba vivo y sano, sino que quería tenerla a su lado lo antes posible.

Manchester, Inglaterra. A la misma hora

Lady Clem estaba en el baño del apartamento de Leopold, preparándose para él. El propio Leopold, un carpintero musculoso y de una belleza primitiva que le había estado rehaciendo el apartamento, la esperaba en la penumbra de su habitación, tumbado desnudo y lleno de impaciencia en su cama enorme. Cuando oyó el sonido distante del móvil que sonaba en el baño se incorporó. No era el suyo, así que tenía que ser el de ella.

—Dios mío, ahora no —protestó—. Di lo que tengas que decir y cuelga. Cuelga y ven aquí.

—¡Nicholas Marten! —susurró Clem absolutamente atónita—. Espera. —Se puso recta, contemplando su propia desnudez en el espejo—. ¿Quién eres realmente? Seas quien seas, esta broma es exageradamente cruel.

De pronto, el rostro de Clem adquirió un tono casi morado al darse cuenta que estaba hablando con el propio Marten, y cogió rápidamente el albornoz de Leopold que colgaba de detrás de la puerta como si Marten pudiera verla y saber lo que estaba a punto de hacer.

—¡Nicholas Marten, eres un cabrón! —susurró, furiosa, mientras se echaba el albornoz por encima—. ¿Cómo te atreves a llamarme así, aquí y ahora? Y... Oh, Dios mío. —Sintió que se estremecía de la emoción al ser consciente de lo que estaba pasando—. Dios mío, ¡estás vivo! ¿Estás bien? ¿Dónde estás? ¿Dónde? —De pronto cambió totalmente de actitud. La emoción se había apoderado de ella—. ¿No podías haber llamado antes? ¿Tienes idea de lo que he pasado? ¡La preocupación! ¡La desesperación! ¡La terrible tristeza! ¿Tienes idea de lo que estaba a punto de...?

—Lo siento muchísimo, Leopold, pero ha ocurrido una emergencia familiar. —Totalmente vestida, lady Clem besó a Leopold en la frente de camino a la calle—. Llamaré para saludarte cuando vuelva.

Cogió la puerta y la abrió.

—¿Cuándo vuelvas? ¿Adónde demonios te vas?

—A Rusia.

—¿Rusia?

—Sí, Rusia.

30

Hotel Baltschug Kempinski. Sábado 5 de abril, 1:50 h

¿Dónde estaba Marten?

Alexander se dio la vuelta a oscuras. Tal vez había dormido un poco, tal vez no; no estaba seguro. Rebecca y la baronesa se encontraban ya en Tsarkoe Selo, el inmenso complejo imperial cerca de San Petersburgo que la esposa de Pedro el Grande había hecho construir hacía casi trescientos años como lugar de descanso de las tareas de gobierno. Hoy, al ponerlo bajo la vigilancia del FSO, Alexander le había dado un aire totalmente distinto: lo había convertido en una fortaleza en la que proteger su valiosa joya de la corona de la influencia de su hermano.

¿Dónde estaba?

Los registros de inmigración del aeropuerto de Sheremetyevo tenían anotada las 19:08 h como momento en que se había procedido a la aprobación de su pasaporte. Pero para entonces todavía no había llegado al hotel Marco Polo Presnja, el destino que constaba en su visado de entrada. Ni tampoco sabían nada de él a las once y a las doce de la noche. ¿Dónde estaba? ¿Adónde había ido? ¿Y cómo, con quién?

607

Tren nocturno n.º 2, Krasnaya Stella *Firmeny* (Flecha roja), *Moscú-San Petersburgo. A la misma hora*

Nicholas Marten se recostó contra la pequeña almohada, bajo una luz tenue, con las manos detrás de la nuca, y miró a Kovalenko durmiendo. Fuera, tras la cortina corrida de su *couchette*, pasaba Rusia a oscuras.

Tal vez fue por la velocidad del tren y el sonido de sus ruedas sobre las vías, pero Marten se sorprendió recordando aquella noche tan lejana cuando subió al *Southwest Chief* en el desierto de California como joven detective lleno de ansia y entusiasmo en su primera misión como miembro de la más célebre brigada de la historia de la policía de Los Ángeles. Qué largo, oscuro, traidor y peculiar había sido su camino desde entonces.

Kovalenko soltó un par de ronquidos mientras dormía y luego se dio la vuelta para quedarse de cara a la ventana, de espaldas a Marten. Aquí estaban, traqueteando hacia el Noroeste por la noche rusa, porque Kovalenko había insistido en que fueran directamente desde el aeropuerto a la estación de Leningrado, en vez de ir a registrarse al hotel Marco Polo como lo requería su visado. Si lo hubieran hecho, le advirtió Kovalenko, podía muy bien convertirse en el último lugar que Marten vería en su vida, porque una vez el visado quedara registrado en el aeropuerto de Sheremetyevo, cabía pocas dudas de que el *zarevich* se enteraría de su llegada. Y al descubrirla, sabría el destino de Marten. Y cuando lo supiera...

—Ya te imaginas lo que viene después, *tovarich*. Sabe que vas al hotel y... como para el mundo, de todos modos, ya estás muerto...

Así que, en vez de una cama en una habitación de hotel moscovita o en un agujero del suelo, se encontraba en un compartimiento de un vagón dormitorio del *Flecha Roja* con Kovalenko, de camino a San Petersburgo. Allí lady Clem se reuniría con ellos, llegando en un vuelo desde Copenhague a las 14:40 de aquella tarde, no lejos del vasto complejo imperial de Tsarkoe Selo, donde Kovalenko le había dicho que Rebecca se encontraba.

31

Moscú, Hotel Baltschug Kempinski. Sábado 5 de abril, 4:30 h

Le resultaba imposible conciliar el sueño.

Vestido con nada más que unos calzoncillos *boxer*, Alexander anduvo arriba y debajo del dormitorio a oscuras de su suite, mirando la ciudad por la ventana. Por la calle pasaron un taxi, un furgón municipal, un coche de policía. Marten estaba ahí fuera. En algún lugar. Pero ¿dónde?

De momento, ni Murzin ni ninguno de los veinte hombres de su equipo sabía lo que había hecho Marten al salir del control de pasaportes de Sheremetyevo. Sencillamente había salido entre la masa de pasajeros anónimos y desapareció, como si la ciudad se lo hubiera tragado.

Era, pensó Alexander, lo mismo que debió de ocurrirle a John Barron en Los Ángeles, cuando barrió todos los rincones de la ciudad en busca de Raymond Oliver Thorne. Pero entonces Barron tenía la ayuda de la prensa y de los nueve mil agentes de la policía de Los Ángeles. La diferencia era que Alexander no podía hacer sonar la alarma general, y por eso ni el control de pasaportes ni la policía fronteriza habían sido alertados. No eran tiempos de estalinismo, ni siquiera soviéticos, ni tampoco eran todavía zaristas. Puede que la prensa sufriera algunas restricciones, pero a menos que fueran medios críticos con el gobierno, eran relativamente pocas. Además, como la prensa en todo el mundo, los periodistas estaban muy bien conectados. Y estaba Internet. Al segundo que alguien descubriera que el hermano de la zarina estaba vivo, ¿quién sería la siguiente en enterarse, si no Rebecca?

De modo que el paradero tenía que ser averiguado no sólo con rapidez, sino con la máxima discreción y silencio. A cambio de una recompensa sabrosa e inmediata a cualquiera que diera pistas sobre el paradero de Marten, aunque sin revelar nunca su nombre ni el motivo por el que se le buscaba, los hombres de Murzin imprimieron y repartieron rápidamente cientos de copias de la foto del visado de Marten a un grupo de *avtoritet,* o capos de grupos de la mafia rusa que controlaban a trabajadores de aeropuertos y estaciones de tren, a empleados de hoteles y restaurantes, a taxistas y empleados de los transportes y del municipio. Como medida adicional emplearon a *fartsovchik,* camellos callejeros, a *blatnye,* matones, y *patsani,* miembros de bandas juveniles en los que, como los demás, se podía confiar en que tendrían la boca cerrada y los ojos bien abiertos y que estarían encantados de delatar a cualquiera a cambio de una buena pasta. Puesto que la mayoría de esos individuos llevaban teléfonos móviles, había la garantía de obtener una respuesta rápida, si no inmediata, una vez lo hubieran localizado.

609

32

Tren nocturno n.º 2, Krasnaya Stella *Firmeny,*
Moscú-San Petersburgo, 6:25 h

Kovalenko cogió una taza de té y miró por la ventana, donde la luz del alba mostraba un paisaje frío y gris. Todo lo que se veía eran bosques y agua, ríos y arroyos entrecruzados de lagos y estanques. Aquí y allí manchas de nieve cubrían todavía el suelo, helado entre árboles desnudos a los que todavía les quedaban unas cuantas semanas para brotar.

—Estaba pensando en tu amigo, el detective Halliday. —Kovalenko miró a Marten, con su propia taza de té, a través del pequeño cubículo. El té era cortesía del *provodnik,* el encargado del vagón dormitorio, una de cuyas misiones era mantener el samovar para que los pasajeros tuvieran siempre agua caliente para preparar sus bebidas e infusiones.

—Te dije que lo conocía —dijo Marten a media voz—, no que fuera mi amigo.

Kovalenko lo estaba presionando como lo había hecho antes, en Suiza. Pero por qué? Y, en especial, ¿por qué ahora?

—Lo llames como lo llames, *tovarich*, sigue siendo un tipo excepcional.

—¿En qué sentido?

—Por un lado, se le hizo la autopsia después de su asesinato, y resulta que tenía cáncer de páncreas. Podía haber vivido un mes más, tal vez dos. Pero hizo el viaje hasta París, con un billete pagado hasta Buenos Aires, tan sólo para saber sobre Alfred Neuss y seguirle los pasos a Raymond Thorne.

—Desde luego, se preocupaba.

—Pero ¿de qué?

Marten sacudió la cabeza:

—No te sigo.

—La famosa brigada 5-2, *tovarich*. Era miembro de la misma desde mucho antes que nadie supiera nada de Raymond Thorne. Su comandante, Arnold McClatchy, era un hombre muy querido, ¿no?

—No lo sé.

—¿Lo llegaste a conocer?

—¿A McClatchy?

—Sí. —Kovalenko lo observaba con atención.

Marten vaciló, pero sólo un momento porque no podía dejar que el ruso notara que no sabía qué decir.

—Una vez, brevemente.

—¿Cómo era?

—Alto y fuerte, como si supiera qué esperar del mundo.

—Sin embargo, Raymond, o más bien, nuestro *zarevich*, le mató.

Marten asintió con la cabeza.

Kovalenko lo observó un instante más, y luego habló:

—Bueno, en cualquier caso, es obvio que Halliday otorgaba una gran importancia a la 5-2. Incluso después de que la brigada fuera desmantelada y él hubiera dejado de ser policía, le importaba lo bastante como para darle sus últimas energías. Me pregunto si yo haría lo mismo, o si cualquier otro hombre lo haría. ¿Qué crees, *tovarich*?

—Soy un estudiante que está aprendiendo a diseñar jardines.

Los diseñadores de jardines no suelen enfrentarse a pruebas de este tipo.

—A menos que estén intentando liberar a su hermana de un loco.

Marten tomó un sorbo de té y se apoyó en el respaldo. Ahora era él quien observaba a Kovalenko.

—¿Para quién trabajas? —le preguntó, finalmente.

—Para el Ministerio de Justicia, ¿para quién te crees?

—No, *tovarich*, ¿para quién trabajas realmente?

Kovalenko volvió a sonreír:

—Voy a trabajar, me pagan, trato de no hacer demasiadas preguntas. Eso sólo me trae problemas.

Marten tomó otro sorbo de té y apartó la vista. Más adelante podía ver los grandes motores Skoda hechos en la República Checa que arrastraban al enorme tren por una curva cerrada, el *clic-clic* regular de las ruedas que se oían mucho mejor por la escasa velocidad. Entonces las vías se hicieron rectas y pudo escuchar un chirrido por la aceleración, a medida que el tren adquiría mayor velocidad. Eran las 6:45, quedaba una hora y quince minutos para llegar a San Petersburgo.

—*Tovarich* —Kovalenko se acarició la barba aposta.

Marten lo miró, intrigado.

—¿Qué?

—Una vez que el *zarevich* descubra que no estás en el hotel, empezará a buscar por otros lugares. El control de pasaportes le confirmará que has entrado en el país. Mandará a gente a buscarte. Buscarán a alguien que se parezca al tipo de la foto de tu visado.

—Pero buscarán por Moscú.

—¿Tú crees? —Kovalenko volvió a mesarse la barba.

—Crees que debería afeitarme.

—Y cortarte el pelo.

611

33

Moscú, Hotel Baltschug Kempinski, 7:20 h

¿Dónde estaba? ¿Dónde estaba Marten?

Alexander volvía a estar al teléfono hablando con Murzin, ignorando el pitido de su propio móvil. Por la cantidad de veces que había sonado en las últimas horas sabía que era la baronesa, que exigía saber el motivo por el cual ella y Rebecca habían sido enviadas apresuradamente a Tsarkoe Selo sin advertencia previa y sin una explicación personal de él.

¿Por qué seguía sin haber noticias?, le preguntó a Murzin. ¿Qué problema había? Era obvio que Marten había llegado a Moscú; pensaba que su hermana estaba allí, de modo que no había motivo para creer que había ido a cualquier otro lugar. ¡Tenía que estar en Moscú! ¡En algún lugar! Los *avtoritet* eran unos inútiles. Y también el resto de criminales de la calle.

—No les hemos dado el tiempo suficiente, *zarevich* —dijo Murzin a media voz, para tratar de apaciguar la ansiedad de Alexander—. No fue hasta última hora de la noche de ayer que les repartimos la foto. Hoy todavía no ha salido el sol.

—Esto es una excusa, no una respuesta —lo cortó Alexander bruscamente, a la manera que habría utilizado la baronesa.

—Os lo prometo, *zarevich*. Mañana a esta misma hora lo habremos encontrado. No hay ninguna esquina en todo Moscú por la que pueda pasar sin ser visto.

Por un largo instante Alexander sostuvo el teléfono en silencio, dudando sobre qué hacer o decir a continuación. Quedarse sentado esperando no era una buena solución, pero ¿qué más podía hacer? La mente le iba a toda velocidad. ¿Y si, de alguna manera, Marten había conseguido el número de móvil de Rebecca? Lo único que tenía que hacer era llamarla. Pero eso era imposible. Le cambiaban el número cada día desde que los piratas informáticos la hubieran localizado un par de veces, tratando de conseguir hablar con la nueva zarina. Desde entonces se había advertido a Rebecca que usara el móvil sólo para hacer llamadas, y las operadoras de Tsarkoe Selo, además de dos secretarios privados, controlaban todas las llamadas entrantes. De modo que no, Marten no podía haberla localizado por teléfono. De pronto se le ocurrió otra idea, algo que le provocó un escalofrío por toda la espalda.

—¿Y si... —le dijo a Murzin, casi en un susurro—, no está en Moscú? ¿Y si, de alguna manera, se ha enterado y está de camino a Tsarkoe Selo?

—*Zarevich* —trató de tranquilizarlo Murzin—, es imposible que se haya enterado del paradero de la zarina. Y aunque lo supiera, el palacio está rodeado de FSO. Es imposible ni que consiga colarse en la propiedad, y todavía más imposible que logre entrar en los apartamentos en los que se encuentra ella.

Los ojos de Alexander se llenaron de furia y empezó a sentir que tenía las palmas de las manos húmedas.

—Coronel, no me diga usted lo que Marten es o no es capaz de hacer. Este hombre ha sobrevivido cuando todo el mundo lo juzgaba imposible. Es peligroso y muy astuto. Lo he visto con mis propios ojos. —Alexander sintió un nudo en el estómago y el metrónomo que iniciaba de nuevo su compás. Trató de ignorarlo—. Quiero que la búsqueda se extienda hasta San Petersburgo y todas las vías, carreteras y senderos que llevan hasta Tsarkoe Selo.

—Desde luego, *zarevich* —dijo Murzin con voz serena.

—Y quiero que me preparen también un helicóptero.

—¿Con qué destino, *zarevich*?

—Tsarkoe Selo.

34

Estación de Moscú, San Petersburgo, 8:35 h

Marten bajó del tren el cuarto después de Kovalenko, como si fueran dos desconocidos, y lo siguió hasta el edificio de la estación en medio del resto de pasajeros. Marten iba recién afeitado y llevaba el pelo mucho más corto que antes, cortesía del *provodnik*, el mismo encargado del vagón que se había asegurado que el samovar estuviera caliente y les había ofrecido té, y que, por un puñado de rublos que Kovalenko le había puesto discretamente en la mano, les llevó unas hojas de afeitar, una pastilla de jabón, un par de tijeras y un espejo de mano hasta el compartimiento. El resto había sido obra del propio Marten, hecha sobre el lavamanos de uno de los pequeños lavabos del vagón. Su peinado no era para ganar ningún premio, pero sin barba y con el pelo corto identificarlo a partir de su foto del visado resultaba prácticamente imposible.

Kovalenko advirtió al joven con vaqueros rasgados y un cigarrillo en los labios que estaba cerca de las ventanillas de venta de billetes. Era obvio que estaba drogado, sentado en el suelo con las piernas cruzadas y con una guitarra en el regazo, de cuyas cuerdas intentaba arrancar alguna melodía. Kovalenko sabía detectar un *fartsovchik* cuando lo veía, pero éste le resultaba familiar. Lo conocía o lo había visto en alguna parte, y al cabo de un rato Kovalenko se acordó de que era un drogadicto al que había arrestado hacía unos años en Moscú como sospechoso de asesinato de otro camello. Más tarde se le retiraron los cargos, pero era evidente que no había aprendido nada de la experiencia, porque volvía a estar trapicheando en la calle, aunque ahora era en San Petersburgo y no en Moscú.

Cuando Kovalenko se le acercó un poco más se dio cuenta de que, por muy drogado que estuviera, era obvio que estaba vigilando a la gente que bajaba de los trenes, buscando a alguien en particular. Si había visto o no a Kovalenko, no había manera de saberlo. Más adelante el pasillo giraba a la derecha. Encima había un cartel que indicaba la conexión con el Transiberiano Express. Kovalenko se metió por él y bajó rápidamente por el pasillo para salir del campo de visión del *fartsovchik*. Al cabo de diez segundos Marten lo atrapó.

—Están aquí —dijo Kovalenko en voz baja.

—¿Quién?

—Los espías del *zarevich*.

—¿Nos han visto?

—Tal vez. Quién sabe. Sigue andando.

35

Moscú, Hotel Baltschug Kempinski, 9:55 h

Con el pelo negro peinado hacia atrás, espectacularmente atractivo con un jersey, unos pantalones oscuros y una cazadora de piel, calzado con unos zapatos deportivos de piel y suela de crepé, Alexander seguía a Murzin por los últimos peldaños que conducían al helipuerto de la azotea. Una vez allí, Murzin abrió la puerta y salieron al soleado exterior.

Enfrente de ellos tenían el Kamov Ka-60, el helicóptero del ejército ruso que los esperaba con los motores en marcha. Al cabo de treinta segundos se encontraban ya dentro de la nave con las puertas cerradas y poniéndose los arneses de seguridad. Fue entonces cuando sonó el móvil de Murzin. Lo abrió rápidamente y se lo ofreció de inmediato a Alexander.

—Para vos, *zarevich*. Lo llaman de palacio.

—¿Rebecca?

—No, la baronesa.

Tsarkoe Selo, a la misma hora

El fuerte sol que se colaba por los ventanales de la gran biblioteca del palacio iluminaba tanto a la baronesa como el salón que, con su mobiliario sólido y oscuro y sus paredes de mármol blanco artificial inmaculado, cubierto por estanterías de caoba repletas de almanaques, calendarios, cuadernos de viajes y antologías que constituían un vago recuerdo del pasado. Pero, de momento, para la baronesa el pasado no tenía ningún interés. Lo que la enfurecía era el presente.

—Llevo horas llamándote —le dijo al teléfono, riñendo a Alexander en ruso como si fuera un niño pequeño—. He dejado mensajes en veinte lugares distintos. ¿Por qué no me has contestado?

—Yo... —Alexander vaciló—, os pido disculpas. Hay otros asuntos...

—¿Qué otros asuntos? ¿Qué significa que nos envíes aquí en medio de la noche, sin la más mínima explicación? ¿Nos mandas salir de Moscú con el FSO con nocturnidad sencillamente porque tú estás ocupado y quieres que nos limitemos a empolvarnos la nariz y nada más?

Alexander le hizo un gesto a Murzin para que abriera la puerta, y luego se desató y salió. Con el móvil de Murzin en la mano, anduvo por la azotea, alejándose del helicóptero.

—Baronesa, el hermano de Rebecca está vivo. Llegó anoche a Moscú. Éste es el motivo por la que he mandado que os lleven a Tsarkoe Selo.

—¿Dónde está ahora?

—No lo sabemos.

—¿Estás seguro de que es él?

—Sí.

—De modo que la zarina siempre ha estado en lo cierto.

—Baronesa, Rebecca no puede saberlo.

La baronesa de Vienne se apartó bruscamente del centro del salón y se acercó a los ventanales.

—Maldita sea Rebecca —escupió—. Hay otros asuntos que son infinitamente más importantes.

—¿Qué asuntos?

—Ayer te reuniste con el presidente Gitinov.

—Sí, ¿y qué?

De pronto se metió un mechón rizado de su pelo negro detrás de la oreja y se volvió de espaldas al sol.

—No le gustaste.

—¿Qué queréis decir?

—Que no le gustó tu actitud. Te mostraste condescendiente.

—Baronesa, estuve cortés. Conversamos. No dije nada. Si esto es ser condescendiente...

—Leyó entre líneas. Opina que eres demasiado fuerte. Que tienes otras ambiciones.

Alexander sonrió con seguridad y miró más allá de la azotea, hacia el río Moscú y el Kremlin, detrás del mismo.

—Es más perspicaz de lo que pensaba.

—Gitinov no ha llegado a presidente por ser tonto. ¡La culpa es tuya, no suya! —lo cortó la baronesa como un estilete.

Alexander se volvió de espaldas al helicóptero como si Murzin o la tripulación pudieran ver su reacción o, todavía peor, pudieran escuchar su conversación.

—¿No has aprendido nada en esta vida? ¡Nunca jamás tienes que revelar lo que tienes dentro! —La baronesa llegó a los ventanales de la biblioteca e inmediatamente dio media vuelta, caminando malhumorada por el salón—. ¿Es que no te das cuenta del esfuerzo que ha costado llevarte hasta donde estás? No sólo los años de moldear tu carácter, sino los años de entrenamiento físico y otra formación especial y muy personal, todo lo cual estaba pensado para hacer de ti una persona lo bastante fuerte y voluntariosa y brutal para convertirte en zar de Todas las Rusias, manipulando toda su política...

»¿Quién se ha trabajado al triunvirato durante casi dos décadas enteras, juntos y por separado, obtenido su confianza, metiéndose dentro de sus mentes, escuchando sus problemas, entregándoles dinero, mucho dinero, para sus causas? ¿Quién les convenció de que la única manera de dar estabilidad al país y construir un espíritu nacional duradero era restaurar la monarquía? ¿Quién los convenció para que exigieran que Peter Kitner se apartara a favor tuyo? —dijo, con una furia creciente—. ¿Quién?

—Vos —susurró él.

—Exacto, yo. Así que escúchame cuando te digo que todavía ahora existe mucha amargura entre el Presidente y el triunvirato. Te recuerdo que fueron ellos los que presionaron a los miembros de las dos cámaras del Parlamento para que restauraran la monarquía. Y lo hicieron porque yo convencí a cada uno de ellos que hacerlo no era sólo por el interés de Rusia, sino en el de su propia institución. Y fue por esto que ellos, y su influencia, lo arreglaron.

»El presidente, por otro lado, temió secretamente desde el principio que tú le hicieras sombra a ojos del pueblo. Y este temor ya ha sido traducido en realidad con la atención que el público te ha dispensado. Él sabe lo que significa ser un personaje célebre, y cree que ya acumulas demasiado poder.

»Ya es lo bastante grave que, a tres semanas de la coronación, le hayas dado motivos para sentirse incómodo. Pero si puede convertir su propia preocupación en temor por la seguridad nacional, convenciéndolos de que eres una fuerza presuntuosa y perturbadora, y si esta preocupación llega al Parlamento o a alguno de los tres, ni siquiera mi influencia y tu popularidad podrán evitar que nuestro plan se debilite hasta el punto que podría convocarse una nueva votación parlamentaria que podría llegar a disolver la monarquía antes de que llegue a reinstaurarse. Sería una votación que para el presidente Gitinov —su voz adquirió un tono gélido— sería un regalo de Dios.

—¿Qué queréis que haga?

—El presidente ha accedido amablemente a tomar el té contigo a las seis de esta tarde en el Kremlin, donde, se le ha dicho, le presentarás tus disculpas por cualquier malentendido que ayer se hubiera podido producir y le tranquilizarás, en términos muy directos, sobre tu falta de ambición respecto a cualquier asunto que no ataña al bien del pueblo ruso. ¿Está claro —vaciló un segundo, y luego suavizó el tono—, cariño?

—Sí. —Alexander tenía la mirada perdida, humillado, no veía nada.

—Pues entonces ocúpate de que así sea.

—Sí —Alexander respiró con fuerza—, madre.

La oyó colgar el teléfono y por unos instantes se quedó allí quieto, furioso de rabia. La odiaba, odiaba a Gitinov, los odiaba a todos. Era él el *zarevich*, no ellos. ¿Cómo se atrevían a ponerlo en duda, a él o a sus motivos? En especial cuando había hecho todo lo que le habían pedido y había accedido a todo.

Al otro lado de la azotea podía ver la silueta oscura del helicóptero, con las puertas abiertas y las hélices girando al ralentí. ¿Qué tenía que hacer, olvidarse de Marten y devolver el helicóptero? De pronto vio un movimiento en la puerta de la nave; luego Murzin salió de la misma y se le acercó rápidamente, con una radio de dos bandas en la mano. Estaba claro que algo había ocurrido.

—¿Qué ocurre?

—Kovalenko, el inspector de homicidios del Ministerio de Justicia que acompañaba a Marten en Davos, ha sido visto bajando de un tren a las ocho y veinticinco en San Petersburgo, procedente de Moscú.

—¿Lo acompañaba Marten?

—Al principio se le vio solo, pero luego otro hombre se ha reunido con él dentro de la estación.

—¿Marten?

—Es posible, pero este hombre iba afeitado y llevaba el pelo corto, y Marten pasó por el control de pasaportes con barba y el pelo largo.

—¿Cuánto cuestan unas tijeras y unas maquinillas de afeitar?

—Alexander podía sentir el latido de su corazón y con él la desagradable oleada de angustia que lo invadía al sentir que el metrónomo se le disparaba de nuevo—. ¿Dónde están ahora Kovalenko y su amigo?

—No lo sabemos, *zarevich*. El *fartsovchik* que lo ha visto no sabía ni siquiera si valía la pena avisar sobre Kovalenko, y ni tan solo lo ha seguido. Al fin y al cabo, Kovalenko no era el hombre que le habían mandado buscar. Y si se consulta con el Ministerio de Justicia, resulta que Kovalenko está de vacaciones. Su esposa lo ha confirmado, y ha dicho que se marchó sin compañía ayer para acampar y hacer montañismo por los Urales. Al parecer está siguiendo un programa para recuperar la forma física.

—San Petersburgo no está en los Urales. —Alexander se ruborizó de rabia—. Kovalenko ya fue retirado de la investigación una vez, ¿por qué ha vuelto?

—Lo ignoro, *zarevich*.

—Pues entérese. Y esta vez averigüe exactamente en qué departamento del ministerio está y el nombre de la persona que le da las órdenes.

—Sí, *zarevich*.

Alexander miró a Murzin durante una décima de segundo. Luego desvió la vista y Murzin pudo ver la mueca que le cruzaba el rostro, como si sufriera algún tipo de dolor interno. Al cabo de un instante Alexander volvió a mirarlo:

—Quiero a todos los *avtoritet*, *fartsovchik*, *blatnye* y *patsani* de San Petersburgo alertados —dijo con frialdad—. Quiero que encuentren de inmediato a Kovalenko y al tipo que lo acompaña.

36

10:57 h

Moscú desapareció bajo las nubes cuando el helicóptero Ka-60 se elevó bruscamente y luego se estabilizó para poner rumbo fijo al palacio de Tsarkoe Selo.

Madre, había llamado Alexander a la baronesa. Era un término que no había utilizado desde la infancia, y no sabía por qué lo había hecho ahora, excepto que estaba enfadado y lo hizo. Pero ni su rabia ni la de ella, mientras lo aleccionaba sobre Gitinov, serían nada al lado de la furia que podía esperar cuando lo viera llegar a Tsarkoe Selo. El motivo por el que había ido no le interesaría para nada, ni siquiera le preocuparía. Sus sentimientos y preocupaciones personales no tenían ninguna importancia y, ahora que lo pensaba, nunca la habían tenido. Ella ya había perpetrado su venganza sobre Peter Kitner. Lo único que importaba ahora, y tal vez siempre, era la monarquía y sólo la monarquía.

Maldita sea Rebecca, había dicho la baronesa. Pues bien, Rebecca no sería maldita. Ni por la baronesa ni por nadie. Ni tampoco la perdería por culpa de su hermano.

De pronto se volvió hacia Murzin, levantando la voz por encima el rugido de los motores.

—Hay que quitarle de inmediato el teléfono móvil a la zarina. Si pregunta por qué, hay que decirle que le volvemos a cambiar el número y necesitamos el aparato para reprogramarlo. Tampoco hay que pasarle ninguna llamada de ningún otro teléfono, móvil o fijo.

»En caso de que decida hacer ella una llamada, habrá que decirle que hay un problema con la centralita principal y que se está reparando. Bajo ningún concepto hay que permitirle que tenga contacto con nadie de fuera de palacio, ni tampoco ha de permitírsele que salga del recinto.

»Por otro lado, no hay que alarmarla ni dejar que crea que ocurre nada fuera de lo normal, ¿está claro?

—Por supuesto, *zarevich*.

—Otra cosa. Doble el número de guardias en la muralla del perímetro del palacio y adjunte una unidad canina a cada patrulla. Al mismo tiempo, aposte cuatro agentes del FSO en cada entrada y salida del palacio, dos dentro y dos fuera. No se debe permitir la entra-

619

da de nadie al palacio que no cuente con la autorización directa mía o de usted, y sólo previa identificación. Esta orden incluye a todos los proveedores, empleados del servicio, personal del palacio y miembros del FSO, a quien hay que decir sencillamente que hemos aumentado la seguridad a medida que se acerca la fecha de la coronación. ¿Alguna pregunta, coronel?

—No, *zarevich*, ninguna pregunta. —Murzin se volvió resuelto a coger su radiotransmisor.

Alexander escuchó como Murzin se ponía en contacto con el cuartel general del FSO en Tsarkoe Selo, y luego se apoyó en el respaldo para acariciar distraídamente la piel de su cazadora de aviador. La navaja estaba allí, en el bolsillo interior y, como tantas veces en el pasado, su mera presencia lo tranquilizó.

Eran ahora un poco más de las diez. Llegarían al palacio casi a la una y media. Su plan era claro y, una vez se hubiera calmado y lo escuchara, tranquilizaría a la baronesa.

Había mandado a Rebecca de Moscú a Tsarkoe Selo porque supo que su hermano había aparecido vivo en Moscú. Puesto que Marten —estaba convencido de que el hombre que acompañaba a Kovalenko era Marten— se encontraba ahora en San Petersburgo, tal vez hasta de camino al palacio, lo más evidente era sencillamente volver a sacarla del palacio y llevarla de vuelta a Moscú. El motivo, además, era también evidente: los habían invitado a tomar el té con el Presidente a las seis de la tarde, y qué mejor manera de mostrarse humilde con el Presidente que hacerse acompañar por la bella y encantadora novia.

Era una idea que la baronesa captaría enseguida. Suavizaría su furia de inmediato y al mismo tiempo alejaría a Rebecca del alcance de su hermano. Además todo sucedería rápidamente poque tendrían que marcharse casi tan pronto como llegara, para estar de vuelta a Moscú a tiempo para vestirse y asistir al té presidencial.

Alexander miró a Murzin y luego al paisaje ruso que sobrevolaban; extensiones enormes de tierra todavía virgen interrumpida aquí y allá por ríos, lagos o bosques, y alguna carretera o vía de tren. Rusia era un país enorme, y sobrevolarlo de aquella manera daba todavía más la impresión de inmensidad. Pronto Rusia absorbería toda su energía y él iría modificándola poco a poco, a medida que se convertía en su soberano supremo.

Sin embargo, a pesar de todos sus planes, a pesar de todo lo que ya estaba en movimiento, quedaba todavía el problema de Marten. Alexander debió haberlo matado en París, cuando tuvo la oportunidad de hacerlo. O antes de París, debería haber ido a su apartamento de Manchester a matarlo. Pero no lo hizo por Rebecca.

Aquella mañana, cuando salió de la ducha que se había dado aposta con agua fría, había visto su propia imagen reflejada en el espejo y se había quedado traspuesto. Era la primera vez que recordaba haberse permitido mirar su cuerpo y las feas cicatrices que lo cubrían. Algunas eran quirúrgicas; otras, de la metralleta de Polchak, el policía de Los Ángeles, unas balas que lo hubieran matado a no ser por su pirueta del último segundo y por el chaleco de *kevlar* de John Barron, que Raymond se había puesto casi en el último instante antes de salir de su apartamento en dirección al aeropuerto de Burbank. Y allí delante tenía también la leve cicatriz de su garganta, donde le había rozado el tiro de Barron, chamuscándole la carne durante su sangrienta fuga del edificio del Tribunal Penal.

En realidad debería estar muerto, pero no lo estaba porque cada vez lo había rescatado una combinación de su propia ingenuidad, destreza y suerte. Y también Dios, que le había dado la fuerza y lo había llevado hasta su destino como zar de Todas las Rusias. Era gracias a su destino divino por lo que no había muerto en Los Ángeles, y por lo que no moriría durante este vuelo en un helicóptero del ejército ruso a Tsarkoe Selo.

Pero Marten tampoco había muerto. Él también seguía aquí, a pesar de todo y casi en cada esquina. Como había estado en Los Ángeles y en París, y también en Zúrich y en Davos, y luego en Moscú, y ahora en San Petersburgo. Siempre estaba allí. ¿Por qué? ¿A qué parte de la obra de Dios pertenecía? Era algo que Alexander no lograba entender.

621

37

Club Náutico de San Peterburgo, Naberezhnaya Martynova.
El mismo sábado 5 de abril, 12:50 h

Desde donde estaba, con el cuello levantado para protegerse del viento frío, mirando a través de una ventana que hacía esquina, Marten podía ver a Kovalenko en la barra, vaso en mano, hablando con un lobo de mar alto y con una gran melena gris y rizada.

Hacía casi media hora que Kovalenko lo había dejado esperando en el Ford beis de alquiler y le había dicho que volvía en unos minutos. Pero allí estaba, hablando y bebiendo como si estuviera de vacaciones y no tratando de alquilar una embarcación.

Marten se volvió y anduvo hacia el muelle, mirando hacia la hilera de islas y canales navegables que había al otro lado. Lejos, a su izquierda, podía ver el enorme estadio Kirov y, más allá, iluminado por el sol, el golfo de Finlandia. Estaban de suerte, le dijo Kovalenko, porque el puerto de San Petersburgo, a estas alturas del año olía estar todavía medio helado, pero el invierno ruso había sido suave y los ríos y el puerto, y muy probablemente el propio mar de Finlandia, no tenían prácticamente grandes trozos de hielo, lo cual significaba que los canales navegables, aunque todavía eran un poco peligrosos, estarían abiertos.

A Marten se le ocurrió la idea de utilizar una embarcación como medio para sacar a Rebecca de Rusia cuando venían en tren desde Moscú, contemplando dormir a Kovalenko. Sacarla de Tsarkoe Selo era una cosa; sabía que si Clem llamaba a Rebecca, le decía tranquila y como cosa hecha que iría a San Petersburgo y le preguntaba si tenía alguna manera de escaparse de sus deberes cortesanos para pasar una hora o dos con ella, Rebecca lo haría encantada. Una vez fuera de palacio, las dos podrían librarse de los escoltas del FSO que acompañarían a Rebecca diciendo, sencillamente, que deseaban estar a solas. Si Rebecca no osaba hacerlo, estaba claro que lady Clem no tendría ningún problema y, si elegían el lugar indicado —una catedral, un restaurante exclusivo, un museo—, una vez a solas, tenían varias maneras de escapar sin ser vistas.

El problema era qué hacer luego. Rebecca, como la enormemente popular futura zarina, era el bombón de la prensa internacional y su cara, junto a la de Alexander, estaba en todas partes y en casi todo, desde la tele, los periódicos y las revistas, hasta estampada en camisetas, tazas de café y pijamas de niña. Rebecca no podría ir a ningún lado sin que la reconocieran y, por tanto, no se podía esperar que fuera capaz de cruzar una estación de tren o un aeropuerto sin ser acosada y sin que la gente se preguntara qué estaba haciendo la zarina en público, sin seguridad y sin el *zarevich*.

Las autoridades se preguntarían lo mismo e inmediatamente alertarían al FSO. Además, aunque llevara algún tipo de disfraz y lograra evitar ser reconocida, el billete y el pasaporte resultaban necesarios hasta para una zarina distinguida. Si a eso se le añadían horarios, meteorología y retrasos de llegada y de salida, el transporte público se convertía en algo demasiado complicado y largo como para lograr escapar con éxito y rapidez. Por lo tanto, Marten tuvo que pensar en un medio de transporte alternativo que los sacara no sólo de San Petersburgo, sino de Rusia, rápido, discreto y con el horario que a ellos les conviniera. Una posibilidad era un avión privado, pero resultaba demasiado caro; además, habría que proporcionar un plan de vuelo. Utilizar el coche alquilado por Kovalenko era otra posibilidad, pero era posible que se montaran rápidamente controles por carretera y que cada vehículo tuviera que detenerse y someterse a un registro. Además, la frontera más cercana quedaba muy lejos, Estonia al oeste o Finlandia al norte. Sin embargo, alquilar una embarcación privada que pudiera salir de inmediato de San Petersburgo y salir rápidamente de las aguas rusas era tan interesante como atractivo. Cuando le mencionó el asunto a Kovalenko les pareció a ambos la solución ideal, todavía mejor por los contactos hechos a lo largo de su carrera profesional por Kovalenko entre los agentes de la ley. Y de ahí la negociación entre el hombre del pelo gris del bar del club náutico y Kovalenko para obtener un barco y una tripulación.

Podía parecer una locura, pero de momento estaba funcionando. Clem, que esperaba para cambiar de avión en Copenhague, había llamado a Marten con el móvil para decirle que ya había hablado con Rebecca justo antes de desayunar. La había localizado llamando sencillamente al Kremlin y diciendo quién era y, después de haber facilitado al Kremlin la información suficiente para que pudieran comprobar su linaje aristocrático, su llamada fue transferida a la secretaria de Rebecca en Tsarkoe Selo. Al instante Rebecca accedió a encontrarse con ella a solas en el Ermitage, del que lord Prestbury había sido patrono muchos años y en el que lady Clem, como su hija, tenía acceso a los salones privados.

Era casi la una del mediodía. En un poco más de noventa minutos Clem aterrizaría en el aeropuerto de Pulkovo y Marten y Kovalenko la recogerían con el coche alquilado y la llevarían a San Petersburgo. A las tres y media se encontraría con Rebecca en el Ermitage y empezaría a visitar el museo. A las cuatro, Clem y Rebecca entrarían en el salón del trono de Pedro el Grande, donde Marten y Kovalenko las estarían esperando. Si todo iba bien, a las cuatro y cuarto abandonarían el edificio por una puerta lateral e irían andando directamente hasta el muelle que había frente al museo donde, suponiendo que Kovalenko hubiera triunfado con el marinero de la melena gris, el tipo del bar, una embarcación fiable los estaría esperando. Marten, Clem y Rebecca subirían a bordo de inmediato y se meterían en la cabina para que nadie los viera. A los pocos minutos, el barco zarparía del muelle, descendería por el río Neva hasta le puerto de San Petersburgo y saldría al golfo de Finlandia, para hacer la travesía nocturna hasta Helsinki. Kovalenko se limitaría a devolver el coche de alquiler y a marcharse en el primer tren que saliera con destino Moscú.

Cuando el FSO se diera cuenta de que Rebecca había desaparecido y diera la señal de alarma ya sería demasiado tarde. Podrían poner en alerta a todos los aeropuertos, registrar todos los trenes y detener a todos los coches si querían, pero no encontrarían a nadie. Incluso si sospecharan que se había fugado por mar, ¿cómo podían saber en cuál de los cientos de barcos que surcaban las aguas estaba? ¿Qué harían, pararlos a todos? Imposible. Aunque lo intentaran, para cuando la alarma hubiera sonado y los guardacostas rusos puestos a actuar la noche estaría ya cayendo y Rebecca, Clem y Marten se encontrarían ya al abrigo, o muy cerca, de las aguas internacionales.

Así que, con Clem de camino y Kovalenko negociando la disponibilidad del barco, el reloj había empezado la cuenta atrás. El enigma era ahora cómo y si el resto de las piezas del plan funcionarían sin desmontarse. El elemento más problemático era la propia Rebecca. La sencilla acción de salir de Tsarkoe Selo para trasladarse a San Petersburgo podía llegar a ser muy complicada si los agentes de seguridad protestaban. Pero suponiendo que llegara a San Petersburgo sin problema, no había manera de predecir lo que ocurriría una vez llegara al Ermitage y se encontrara con lady Clem, pensando que se encontraba allí para una sencilla y agradable reunión con una amiga y, de pronto, se encontrara cara a cara con Nicholas. Sería un momento con una alta concentración de emoción. Y cómo reaccionaría ante la verdad que tenía que contarle sobre Alexander al cabo de unos instantes, y si tendría la fuerza y el coraje de creerle y de marcharse de San Petersburgo en aquel momento, era algo totalmente distinto. Sin embargo, su huida dependía totalmente de esa reacción.

—*Tovarich*, quiere que le pagues ahora. —Kovalenko caminaba hacia él, con el marinero pisándole los talones—. Pensé que se fiaba de mí y que le podrías pagar más tarde. Tiene un barco y una tripulación que no hará preguntas, pero como se trata de un asunto arriesgado tiene miedo de que pase algo y luego no le pagues. Y desde luego, yo no dispongo del dinero que él pide.

—Yo... —Marten tartamudeó. Lo único que llevaba encima eran sus dos tarjetas de crédito y, por ahora, menos de cien euros en efectivo.

—¿Cuánto pide?

—Dos mil dólares.

—¿Dos mil?

—*Da.* —El marinero se puso al lado de Kovalenko—. Efectivo y por adelantado —le dijo, en inglés.

—Tarjeta de crédito —dijo Marten, rotundo.

El marinero hizo una mueca y movió la cabeza:

—*Niet.* Dólares en efectivo.

Marten miró a Kovalenko:

—Dile que es lo único que tengo.

Kovalenko se volvió hacia el marinero pero no llegó a hablar.

—Cajero —dijo el marinero bruscamente—. Cajero.

—Quiere... —empezó a explicar Kovalenko.

—Ya sé lo que quiere. —Marten miró al marinero—. Cajero. De acuerdo, de acuerdo —dijo, rezando para que entre las dos tarjetas dispusiera de bastante dinero en efectivo para cubrir aquel gasto.

38

Tsarkoe Selo, 14:16 h

Los jardineros levantaron la cabeza ante el repentino estruendo de hélices cuando el Kamov Ka-60 se acercaba apenas a unos cuantos palmos de las copas de los árboles para sobrevolar los pastos ocres de las enormes extensiones y las primeras plantaciones de los inmensos jardines formales. Volando por encima de un mar de fuentes y obeliscos, viró de pronto encima de una esquina del enorme palacio de Catalina y luego se dirigió directamente por encima de un denso bosquecillo de robles y arces, para aterrizar en medio de una humareda frente al imponente palacio de Alexander, de dos alas, fachada con columnas y cien habitaciones.

Los motores se apagaron de inmediato y Alexander bajó de la nave. Agachado bajo las hélices que todavía giraban, corrió ansioso hacia la puerta que llevaba al ala oeste del edificio. Durante la última hora se habían enfrentado a un viento de frente especialmente fuerte que los obligó a consumir mucho combustible y les redujo velocidad, lo cual había retrasado considerablemente su llegada y los forzaba a repostar fuel antes de regresar a Moscú. Eso significaba que disponía de poco tiempo para recoger a Rebecca y regresar a Moscú a tiempo para su cita con Gitinov.

Cuando llegó a la entrada, los dos agentes del FSO recién apostados en la misma se pusieron rígidos. Uno de ellos tiró de la puerta y Alexander entró.

—¿Dónde está la zarina? —les preguntó a los dos agentes del FSO apostados justo en el interior—. ¿Dónde? —insistió.

—*Zarevich* —la voz de la baronesa retumbó aguda al fondo del largo pasillo de paredes blancas que tenían detrás. Inmediatamente, Alexander dio media vuelta. La baronesa estaba frente a una puerta abierta, a medio pasillo, bajo un fuerte haz de luz solar. Con el pelo recogido en un moño severo, llevaba una chaqueta ligera de visón sobre un traje pantalón tipo sastre, blanco y amarillo como siempre.

—¿Dónde está Rebecca? —dijo, andando rápidamente hacia ella.

—Se ha ido.

—¿Cómo? —el horror inundó el rostro de Alexander.

—He dicho que se ha ido.

La baronesa guió a Alexander a través de un dormitorio y luego por unas puertas dobles con grandes cortinajes que daban acceso al Salón Malva, el salón favorito de la esposa del zar Nicolás II, su propia Alexandra. Para la baronesa, la atracción singular de aquel salón no eran ni su color ni su historia, sino el hecho de que sólo se pudiera acceder a ella a través de un dormitorio y luego por aquellas puertas con cortinas, y por lo tanto era un salón protegido de las miradas y de los oídos indiscretos. Para estar todavía más protegidos, cerró la puerta detrás de ellos una vez dentro.

—¿Qué queréis decir, que no está? —Alexander había aguantado el temple todo el tiempo que pudo.

—Le ha pedido a un FSO que la llevara a San Petersburgo.

—¿San Petersburgo?

—Se ha ido unos treinta minutos antes de que tú llegaras.

—Nicholas Marten está en San Petersburgo.

—De eso no puedes estar seguro. La única información de que dispones es que un detective del Ministerio de Justicia ha llegado a San Petersburgo en un tren procedente de Moscú, y puede que alguien lo acompañara.

—¿Cómo os habéis enterado? —Alexander estaba atónito.

—Trato de mantenerme informada de lo que sucede a mi alrededor.

—El FSO tenía órdenes expresas de no dejarla salir de palacio.

—Es una mujer tenaz. —Una leve sonrisa cruzó el rostro de la baronesa.

Alexander reaccionó bruscamente:

—Vos sois la única persona lo bastante tenaz para esto. Fuisteis vos quien dio el permiso para que se marchara.

—Ella no es prisionera de tu imaginación —dijo la baronesa, eligiendo las palabras con cuidado—, ni de tus preocupaciones.

De pronto, Alexander se dio cuenta de todo:

—Vos sabíais que yo estaba de camino.

—Sí, lo sabía, y no quería que ella estuviera aquí cuando llegaras porque su presencia habría complicado las cosas todavía más. Que quisiera salir se adaptaba perfectamente a mis planes. —La mirada de la baronesa se volvió gélida—. La absoluta estupidez de tu viaje hasta aquí. Eres el *zarevich*, y con la cita más importante de tu vida a unas pocas horas, actúas como un colegial caprichoso que tiene un helicóptero del ejército con el que jugar.

Alexander ignoró su comentario.

—¿Adónde ha ido?

—De compras. Al menos, eso es lo que me ha dicho.

Alexander se volvió hacia la puerta bruscamente.

—El coronel Murzin se pondrá en contacto por radio con los agentes del FSO que están con ella y ordenará que la vuelvan a llevar al palacio.

—No lo creo.

—¿Qué?

—Ya tienes muchas posibilidades de llegar tarde a tu «té» con el presidente tal y como vas ahora; no voy a permitir que arriesgues todo lo que hemos planeado durante tantos años esperando a que te devuelvan a tu «zarina».

—¡Está de compras! —Alexander estaba indignado—. ¡Atraerá a la muchedumbre! La gente sabrá que está en la calle. ¿Y si...?

—¿Su hermano la encuentra? —Con frialdad, con serenidad, la baronesa le completó la frase.

—Sí.

—Entonces el coronel Murzin tendría que hacer algo, ¿no? —dijo ella, directamente, con la mirada todavía clavada en su hijo—. ¿Sabes lo que significa? —preguntó, con una voz que de pronto era amable, hasta distante, y que tenía la textura de la seda—. ¿Sabes lo que significa ser zar? —Sus ojos mantenían la mirada clavada en él hasta que dio media vuelta y se acercó a la ventana, para mirar a lo lejos—. Saber que tienes poder absoluto. Saber que la tierra y todo lo que hay en ella, sus ciudades, sus gentes, sus ejércitos, sus ríos y sus bosques, te pertenece.

La baronesa dejó que sus palabras quedaran suspendidas en el aire. Luego, poco a poco, se volvió a mirarlo:

—Una vez coronado, querido, este poder será tuyo para siempre, para que jamás pueda arrebatártelo nadie, porque has tenido la formación y has vivido la orgía de sangre, y tendrás la fuerza y los medios para garantizarlo.

»Para mí, haberte dado la vida, haberte concebido con la semilla más noble de Rusia, ha sido la voluntad de Dios. Con el tiempo tendrás tus propios hijos y, a su vez, ellos tendrán los suyos. Ellos serán nuestros descendientes, todos ellos, querido, tuyos y míos. Hemos resucitado una dinastía. Una dinastía que será temida y adorada, y obedecida sin rechistar. Una dinastía que un día convertirá Rusia en la nación más poderosa de la Tierra. —Los labios de la baronesa dibujaron una sonrisa discreta. Luego, bruscamente, apretó los ojos y su voz se agudizó—. Pero, por todo esto, todavía no eres el zar. Dios todavía te está poniendo a prueba. Y Gitinov es su sable.

Lenta, casi imperceptiblemente, la baronesa se puso a cruzar el salón hacia Alexander, sin dejar de mirarlo ni un segundo.

—Un zar es un rey, y un rey ha de ser lo bastante sabio para conocer a sus enemigos. Para comprender que no puede arriesgar su futuro y el futuro de sus hijos por la desconfianza o la ambición de un simple político. Para darse cuenta de que hasta que el trato esté hecho y la corona repose totalmente sobre su cabeza, el futuro rey está todavía a la merced del político.

»El presidente Gitinov es poderoso y astuto y muy peligroso. Se debe jugar con él como el instrumento cruel que es. Ha de ser mimado y acariciado, hay que darle vueltas como si fuera una marioneta hasta que confíe totalmente en que no eres ninguna amenaza para él, en que no serás nunca más que una figura simbólica contento con permanecer a su sombra.

La baronesa llegó hasta Alexander y se detuvo delante de él, con los ojos todavía clavados en los suyos, poderosa e inquebrantable:

—Una vez esto superado, la corona será nuestra —susurró—. ¿Lo entiendes, mi amor?

Alexander quería dar media vuelta y alejarse de ella, pero no podía hacerlo; la fuerza de la baronesa era demasiado potente.

—Sí, baronesa —sintió que decían sus labios, y su voz, como amortiguada—. Lo entiendo.

—Pues entonces deja a Murzin aquí conmigo y regresa de inmediato a Moscú —le dijo, tajante.

Durante un rato largo Alexander no hizo nada más que quedarse allí de pie, mirándola envuelto de un silencio adormecido, con todo su ser superado por dos pensamientos, uno tal vil como el otro. ¿Quién acabaría llevando la corona, en realidad? ¿Él o ella? ¿Y quién era realmente la marioneta: Gitinov o él mismo?

—¿Me has oído, cariño? —el tono enfadado de su voz lo sacudió.

—Yo... —empezó a decir, a reaccionar.

Alexander la miró un instante más, deseando ser claro con ella de una vez, decirle de una vez por todas que estaba harto de sus manipulaciones y todo lo que las acompañaba. Pero sabía, por su experiencia de toda la vida, que una reacción tal no haría más que desencadenar una nueva tormenta. Aquí, como siempre, frente a ella no había ninguna posibilidad de ganar.

—Nada, baronesa —dijo, finalmente, antes de girar sobre sus talones y marcharse.

39

San Petersburgo, 15:18 h

El Ford beis cruzó en puente de Anichkov y prosiguió por la concurrida Nevsky Prospekt, los Campos Elíseos de San Petersburgo, su Quinta Avenida. El coche no tenía nada de especial, era uno de los miles de vehículos que circulaban por la ciudad. Dentro de unos minutos aparecería la aguja dorada del edificio del Almirantazgo a orillas del río Neva. Y entonces, directamente enfrente del mismo, el inmenso edificio barroco del Ermitage.

—Déjeme en Dvortsovy Prospekt, justo delante del río. —Lady Clem miró a Kovalenko, tras el volante, desde el asiento del copiloto—. Hay una entrada lateral en la que le he pedido a Rebecca que me esperara. Allí habrá un guía personal que nos hará una visita privada por el museo. Eso debería bastar para deshacernos del FSO, al menos durante un buen rato.

—Eso suponiendo que llegue hasta aquí. —Marten se inclinó nerviosamente hacia delante, desde el asiento de atrás.

—*Tovarich* —dijo Kovalenko, mientras reducía velocidad detrás de un abarrotado autobús urbano—, en algún momento tendremos que confiar en la suerte.

—Sí —dijo Marten, antes de reclinarse otra vez. Clem también se reclinó, y Kovalenko permaneció atento a la conducción.

Clem estaba todavía más guapa de lo que Marten recordaba. Se le cortó la respiración cuando la vio acercarse desde la cola de los pasaportes en el aeropuerto de Pulkovo, andando hacia ellos con las gafas de sol, un jersey de cuello alto de *cashmere*, pantalones negros y gabardina ocre Burberry, con el gran bolso de piel negra colgado estilosamente al hombro.

La reacción de Clem ante él, al verlo esperando, o más bien, al ver a Kovalenko esperando junto a un hombre extremadamente flaco, con la cara afeitada y el pelo mal cortado, fue bastante distinta.

—Por Dios, Nicholas, estás hecho un adefesio —le dijo, francamente preocupada, pero eso fue lo único que fue capaz de decir porque Kovalenko los apartó rápidamente de la puerta sin ni siquiera darles la oportunidad de abrazarse. Lo que ambos sintieron al verse de nuevo después de tanto tiempo y después de todo lo ocurrido debería esperar a comentarse más tarde. Lo que Clem también tuvo que aparcar fue su recuerdo no tan cariñoso de Kovalenko, quien la había interrogado de manera infernal, junto a Lenard, en París.

Lo que ahora importaba más, y todos lo sabían, mientras seguía la cuenta atrás y se acercaban al Ermitage, era Rebecca, cómo reaccionaría cuando viera a su hermano y luego fuera informada sobre Alexander, y lo que haría a partir de ahí. No se volvió a hablar en absoluto de la preocupación previa de Marten, de que la suerte pudiera cambiar y ella no pudiera llegar.

40

Museo del Ermitage, 15:25 h

Clem bajó del Ford y anduvo directamente hacia la entrada lateral del magnífico museo en Dvortsovy Prospekt.

—Lady Clementine Simpson —dijo, poniendo su mejor acento británico, al guardia uniformado de la puerta.

—Por supuesto —dijo el guardia, en inglés, antes de abrirle la puerta.

Una vez dentro siguió por un pasadizo de suelo de mármol hasta la Oficina de Visitas. De nuevo volvió a presentarse sencillamente con su nombre.

Al cabo de un momento se abrió una puerta y apareció una mujer bajita y con aspecto de matrona, vestida con un uniforme impecable.

—Soy su guía, lady Clementine. Me llamo Svetlana.

—Gracias —dijo Clementine, y luego miró a su alrededor. Éste era el lugar y la hora en que debía encontrarse con Rebecca. El plan era decirle a la guía que querían ver el Salón Malaquita. Luego despedirían al FSO y, con la guía llevándolas, tomarían un ascensor privado hasta la segunda planta. Un pequeño tramo por un pasillo las llevaría hasta el Salón Malaquita, cuyas ventanas ofrecían unas vistas magníficas del río y del muelle que había directamente delante del museo. La embarcación del marinero de la melena gris debía llegar a las 15:55 horas. Cuando lo hiciera, Rebecca y Clem se dirigirían directamente al pequeño Salón del Trono, el salón en memoria de Pedro el Grande que lord Prestbury había solicitado personalmente que aquella tarde cerraran al público. Una vez allí le pedirían a la guía que esperara fuera mientras mantenían una conversación privada. Entonces entrarían y cerrarían la puerta. Dentro las estarían esperando Marten y Kovalenko.

15:34 h

631

¿Dónde estaba Rebecca?

Marten estaba detrás de Kovalenko en la cola de entrada de una de las cuatro ventanillas de billetes. A su alrededor había gente que esperaba a entrar y que conversaba en una docena de idiomas distintos. Avanzaron un poco.

—Si no fueras conmigo, te costaría casi once dólares la entrada —dijo Kovalenko—. Los rusos sólo pagan cincuenta y cuatro céntimos. Hoy eres ruso. Estás de suerte, *tovarich*.

De pronto se produjo una conmoción detrás de ellos. La muchedumbre a su alrededor se volvió a mirar. Tres FSO con traje oscuro aparecieron por la puerta principal. En medio de ellos, esplendorosa con su abrigo de visón, gorro de visón y un velo oscuro, iba Rebecca.

—¡La zarina! —exclamó una mujer.

—¡La zarina! —repitieron varias voces asombradas por todo el vestíbulo.

Y entonces desapareció, llevada por los FSO.

Marten miró a Kovalenko:

—Tienes razón, *tovarich*, estoy de suerte.

15:40 h

Rebecca y lady Clem se abrazaron felices mientras el FSO hacía salir a la gente del Salón de Visitas. Al cabo de un momento sólo quedaban seis personas, los tres FSO, lady Clem, Rebecca y Svetlana Maslova, su guía.

Ahora venía lo más difícil, y Clem se llevó a Rebecca a un rincón apartado, sonriendo, conversando de banalidades. Cuando estuvieron lo bastante apartadas, miró a Rebecca.

—Tengo una sorpresa para ti —le dijo, con voz serena—. Tenemos que ir a la segunda planta pero sin el FSO. ¿Te puedes deshacer de ellos?

—¿Por qué?

—Es importante que nos quedemos solas. Ya te lo contaré cuando lo estemos.

—Pero me temo que no es posible. Alexander les ha mandado la orden por radio de que se queden conmigo hasta que llegue él.

Lady Clem trató de disimular su espanto:

—¿Alexander viene hacia aquí, al Ermitage?

—Sí. ¿Por qué? ¿Qué sucede?

—Rebecca... da igual. Yo me ocuparé de ello.

Acto seguido, Clem se volvió y cruzó la sala hasta donde estaban los agentes del FSO. Por suerte, eran todos hombres.

—La zarina y yo vamos con la guía a la segunda planta, al Salón Malaquita. Deseamos estar solas.

Un FSO alto y de espalda ancha, con unos ojitos que eran poco más que puntos, avanzó hacia ella.

—Eso no es posible —le dijo, con frialdad.

—¿No es...? —Clem empezó a enfurecerse, pero enseguida se dio cuenta de que era un enfoque equivocado—. ¿Está usted casado? —le preguntó de pronto, al tiempo que bajaba un poco la voz y retrocedía un paso, apartándose de los demás, de modo que lo obligaba a seguirla.

—No —le dijo él, acercándose.

—¿Tiene alguna hermana?

—Tres.

—Entonces entenderá que cuando una mujer se entera de que está embarazada y no está casada, lo que tiene que hacer a partir de ahí no es algo que le apetezca discutir delante de extraños, en especial si son hombres, aunque sean —utilizó el nombre completo del FSO con un tono respetuoso y con una sólida pronunciación rusa— *Federalnaya Slujba Ohrani*.

—¿La zarina está...?

—¿Por qué se cree que nos hemos tomado toda la molestia de encontrarnos fuera del palacio?

—¿Y no lo sabe, el *zarevich*?

—No, y será mejor que no se entere. Cuando lo sepa, la noticia tiene que venir de la propia zarina. —Lady Clem miró a los dos FSO que había detrás de él—. Esto le ha sido confiado de manera confidencial, ¿lo comprende?

El agente de ojos pequeños se movió incómodo:

—Sí, por supuesto.

—Y ahora —dijo lady Clem, señalando una puerta de ascensor cercana al fondo de la sala—, subiremos por el ascensor privado. Svetlana se asegurará de que a la zarina y a mí no nos molesta nadie cuando entremos solas en el salón para hablar. Ella dispone de una radio. Puede llamarles al instante si surge cualquier problema.

—Yo... —El agente vaciló y Clem lo vio flaquear. No era el momento de hacerse atrás.

—La zarina es la mujer más famosa de Rusia. Faltan apenas tres semanas para la boda y la coronación. Me ha pedido ayuda en un asunto muy delicado. ¿Será usted quien se la niegue?

Él siguió dudando, con los ojillos clavados en ella, buscándole la mentira, la trampa, cualquier indicio que le indicara que lo estaba engañando. Pero ella se mantuvo firme y él no detectó nada.

—Váyase —le dijo—. Suban.

—*Spasiba* —le susurró lady Clem—. *Spasiba*. —Gracias.

633

41

15:45 h

Alexander se apoyó hacia delante con un gesto lleno de ansiedad, tirando del cinturón de seguridad, mientras su chofer sorteaba el tráfico con el Volga negro de camino al centro de la ciudad.

Detrás de ellos estaba el aeródromo Rzhevka, adonde el piloto había llevado el helicóptero Kamov para repostar mientras esperaba que Alexander regresara del Ermitage con Rebecca.

El hecho que estuviera allí contra los dictados de la baronesa no era un problema porque ella no tenía ni idea de lo que estaba haciendo. Por lo que ella sabía, sencillamente había dejado a Murzin atrás, como ella le exigió, y había subido al helicóptero rumbo a Moscú.

Había subido al helicóptero, desde luego, pero no para volver a Moscú y no antes de pedirle a Murzin que averiguara el paradero de Rebecca, y luego mandar personalmente un mensaje por radio a los FSO que la acompañaban para que no se separaran de ella hasta que Alexander llegara. Cuando se marchó del palacio, Murzin le advirtió que no llamara la atención de la gente aterrizando en la misma ciudad. Una maniobra así no haría más que complicar las cosas cuando el *zarevich* y Rebecca se marcharan de San Petersburgo. Rzhevka había sido la propuesta del piloto: necesitaban repostar, la ciudad se encontraba a poca distancia en coche del aeródromo y Murzin. Pudo arreglar que un coche del FSO estuviera esperando a Alexander cuando aterrizaran.

El propio Murzin había recibido instrucciones para que informara a la baronesa cuando hubiera localizado a la zarina en el Ermitage de San Petersburgo y luego fuera con un coche desde Tsarkoe Selo hasta la ciudad para recogerla y volverla a llevar al palacio. Una vez de vuelta con Rebecca, Murzin debería decirle a la baronesa que el *zarevich* había solicitado que Rebecca fuera trasladada directamente a Moscú para acudir a su cita con el presidente. Era un plan simple y conciso para sacarse a la baronesa y sus incesantes intromisiones de encima.

15:50 h

El Volga cruzó el puente de Alexander Nevsky y se metió por Nevsky Prospekt, sumergiéndose en la congestión de tráfico creciente de la hora punta. La caravana de vehículos era claustrofóbica. Alexander se sentía atrapado e incapaz de moverse, y ahora mismo el movimiento lo era todo para él, porque le mantenía el metrónomo interior en silencio. Si él se movía, el metrónomo no lo hacía. Pero allí sentado, totalmente indefenso en medio de aquel caos de camiones, autocares y turismos, empezaba a notarlo en movimiento dentro de él.

Bum, bum. Bum, bum.

El latido de su corazón como un *leitmotiv* de la fatalidad.

15:15 h

El tráfico avanzaba a rastras.

¡Él era el *zarevich*! ¿Por qué no le abrían un carril para él solo? ¿No veía la gente su coche? No, ¿cómo iban a verlo? Iba en un simple Volga negro, no en una limusina. Ni tampoco iba en comitiva. El latido de su metrónomo se hacía cada vez más fuerte.

¿Por qué había tenido Rebecca que ir de pronto a la ciudad? Y si era sólo para ir de compras, ¿por qué había ido al Ermitage? ¿Para comprar regalos? Tal vez, pero, ¿para quién? El gobierno se encargaba de los regalos de Estado, y si quería algo para ella, podía haberle pedido a un asesor que fuera al palacio. Era la zarina. Lo único que tenía que hacer era pedirlo.

De pronto se acordó de su pregunta sobre el paquete que se había llevado cuando salió a pasear con Marten en Davos.

—Llevabas un regalo contigo —le había dicho Rebecca—, un paquete envuelto bajo el brazo. ¿Qué era?

—No lo sé, no me acuerdo —le había mentido él.

Pero tal vez ella lo sabía, y por eso se lo preguntó, tratando de que negara su conocimiento. ¿Y si, de alguna manera, Marten había estado en contacto con ella mucho antes de su regreso a Rusia, y le había contado lo del cuchillo? Tal vez ésta fuera la razón por la que se había mostrado tan tajante al negarse a creer que su hermano estaba muerto, porque había hablado con él.

Por otro lado, tal vez ella no le hubiera preguntado nada del paquete. Tal vez sólo fuera su imaginación. Tal vez estuviera tan aterrorizado ante la idea de poder perderla que se estaba creando escenas imaginarias. Tal vez la baronesa tenía razón y el hombre al que habían visto en la estación con Kovalenko no fuera Marten.

Se tocó la cazadora de piel distraídamente, de la misma manera que lo había hecho en su vuelo desde Moscú a Tsarkoe Selo, para tranquilizarse y comprobar que la navaja seguía en su bolsillo interior, a mano.

—¡Adelante el tráfico! ¡Adelántelo! —ordenó de pronto.

—Sí, zarevich —dijo su chofer del FSO, sacando de inmediato el Volga de su carril y acelerando. Rodeó un camión grande, le cortó el paso a un autobús y estuvo a punto de arrollar a un muchacho que iba en bicicleta hacia ellos, en la dirección contraria. Rápidamente, el chofer cortó hacia la derecha y subió por el lado interior mientras alcanzaban la rotonda de la plaza Vosstania.

635

15:55 h

El cuchillo. ¿Por qué había empezado otra vez a utilizar la navaja, después de haber matado a su medio hermano Paul con ella hacía veintiún años? ¿Sencillamente porque la había recuperado después de tantos años? ¿Era éste el motivo? ¿Una retribución de su propio amago de muerte en manos de la policía de Los Ángeles? ¿Una furiosa reacción al complicado juego de mantenerle alejado al que su padre y Albert Neuss habían jugado durante décadas? ¿O había algo más? ¿Lo utilizaba para exorcizar sus demonios? En vez de atacar a su madre, que se había pasado toda la vida de Alexander obsesiva y egoístamente retorciendo, manipulando y convirtiendo a su hijo en arma de venganza y en instrumento de sus ambiciones, Alexander había desatado su pasión homicida y había masacrado a sus víctimas cada vez con más encarnizamiento.

¿Y qué había de Marten, que seguía vivo sólo gracias al amor de Alexander por su hermana?

Tenía que ser el hombre al que el *fartsovchik* había visto con Kovalenko en la estación de tren. Alexander sabía el aspecto que Marten tenía la última vez que se vieron, en Davos. ¿Qué aspecto tendría ahora? ¿El pelo largo y una barba como en la foto de su visado, o flaco y afeitado como lo había descrito el *fartsovchik*? ¿Sería capaz de reconocer a Marten, si se encontraban cara a cara? Tal vez pudiera reconocerlo por los ojos, como lo había hecho en la foto del visado, pero tal vez no.

De pronto lo invadió una temible ironía. No sería más capaz de reconocer a Marten de lo que Marten lo habría reconocido a él en París, si Marten lo hubiera visto, o lo hubiera reconocido en el momento en que se encontraron cerca y cara a cara en Davos, tanto en la mansión como en el sendero de montaña. Si Marten estaba en San Petersburgo, si estaba en el Ermitage, podía estar a pocos palmos y Alexander jamás lo sabría.

El metrónomo batió con más fuerza.

15:59 h

42

Salón Malaquita. Museo del Ermitage, a la misma hora

Svetlana y una de las mujeres ancianas cuyo trabajo era vigilar las obras de arte mantenían a la gente alejada y miraban embobadas desde la puerta cómo la zarina y lady Clementine Simpson hacían una visita privada del que era probablemente el salón más imponente del Ermitage: una estancia de magníficas columnas de malaquita, tachonadas con figurillas de oro y malaquita, cuencos y urnas.

—Clem —sonrió Rebecca—. ¿Qué está ocurriendo? Tenías una sorpresa, ¿no? —Se mostraba coqueta, hasta boba, como si esperara que Clem le hubiera preparado algo muy frívolo y femenino.

—Ten paciencia —le dijo lady Clem con una sonrisa, y se acercó distraídamente a mirar por la ventana hacia el río Neva. Ahora, el sol de antes se había ocultado y el cielo aparecía gris y cubierto. Desde donde estaba tenía una buena vista del río y del muelle que había enfrente del Ermitage. Mientras miraba, una única embarcación se separó del tráfico del río y se acercó al muelle. Si ése era el barco que le habían dicho que esperara, desde luego no tenía que ver con la nave que Marten le había descrito. Ésta era una sencilla lancha de río, con asientos descubiertos y una pequeña cabina cubierta, y entonces miró más allá, río arriba, en busca de una embarcación más grande. Lo único que vio fue la hilera de tráfico fluvial y nada que se acercara al muelle, y entonces volvió a concentrarse en la lancha. A medida que se acercaba pudo ver a un hombre solo que estaba en popa. Era alto y tenía una melena de pelo gris y rizado. Era el hombre al que buscaba.

637

De pronto, Clem cruzó el salón y abrió la puerta principal.

—Svetlana, la zarina desea ver al Salón del Trono.

—Por supuesto.

El recorrido por el pasillo que llevaba del Salón Malaquita hasta el Salón del Trono era corto y no les llevó casi tiempo. Un cartel advertía que el salón se encontraba cerrado durante toda la tarde.

—Svetlana —dijo Clem, deteniéndose frente a la puerta—. La zarina y yo deseamos estar un rato a solas.

Svetlana vaciló y miró a Rebecca, quien asintió con la cabeza.

—Las espero aquí —dijo Svetlana.

—*Spasiba* —dijo lady Clem con una sonrisa, y luego abrió la puerta y ella y Rebecca entraron.

43

Alexander pudo ver la aguja dorada del enorme y extenso viejo edificio del Almirantazgo enfrente de ellos. En el extremo más alejado del mismo estaba el río Neva, y directamente en frente, la plaza del Palacio, con un acceso trasero al Ermitage dentro de su círculo de edificaciones.

—Mande un mensaje por radio a los FSO que custodian a la zarina —le dijo a su chofer—. Que la bajen a la Puerta de los Inválidos de inmediato.

—Sí, *zarevich*. —El chofer redujo la velocidad, se accedió a la plaza y cogió su receptor de radio.

Nicholas Marten advirtió un aluvión de movimiento al entrar las dos mujeres; luego Clem cerró la puerta y ella y Rebecca los miraron, a él y a Kovalenko, que las estaban esperando.

Marten vio como a Rebecca se le cortaba la respiración al verlo. El momento fue increíble y, por un brevísimo instante, el tiempo pareció detenerse.

—¡Lo sabía! —gritó Rebecca, antes de cruzar el salón apresuradamente. Y lo abrazaba, lo miraba, lloraba y se reía—. ¡Nicholas! ¿Cómo? ¿Cómo, Nicholas?

De pronto, como si recordara ahora con quién había venido, se dio la vuelta y miró a Clem:

—¿Cómo lo sabías? ¿Cuándo? ¿Por qué ha tenido que ser a escondidas del FSO?

—Tenemos que irnos. —Kovalenko se puso al lado de Marten. Entrar en el Salón del Trono era una cosa (lo único que tuvo que hacer fue mostrar su documento del Ministerio de Justicia) pero salir de allí y llegar a la embarcación sería muy distinto si no actuaban con rapidez.

Al verlo, el rostro de Rebecca se llenó de perplejidad.

—¿Quién es? —preguntó, mirando a su hermano.

—El inspector Kovalenko. Detective de homicidios para el Ministerio de Justicia ruso.

—Nicholas —intervino bruscamente Clem—. Alexander ha viajado de Moscú a Tsarkoe Selo hace poco rato. Sabe dónde está Rebecca. Viene de camino hacia aquí.

Rebecca miró preocupada de Marten a Clem. Advirtió el miedo y la aprensión en ambos.

—¿Qué ocurre?

Marten le tomó la mano con fuerza.

—En París te dije que Raymond podía estar todavía vivo.

—Sí...

—Rebecca —Marten quería decírselo con cuidado, pero no había tiempo—, Alexander es Raymond.

—¿Qué? —Rebecca reaccionó como si no lo hubiera oído bien.

—Es cierto.

—No puede ser —dijo, y dio un paso hacia atrás, horrorizada.

—Rebecca, por favor, escúchame. Tenemos muy poco tiempo antes de que el FSO aparezca por esta puerta. Alexander llevaba un paquete envuelto para regalo cuando él y yo salimos a pasear en la finca de Davos, ¿te acuerdas?

—Sí —susurró Rebecca. Se acordaba. Hasta le había preguntado a Alexander por aquel paquete. Entonces había sido solamente una idea que le había venido a la cabeza y la había intrigado, pero él reaccionó enojado a su pregunta, de modo que decidió no volver a hablarle del tema.

—Cuando estábamos lejos de todos y en aquel puente, de pronto lo desenvolvió. Dentro había un cuchillo grande y muy afilado.

—Súbitamente, Marten se abrió la chaqueta de pana y se levantó el jersey—. Mira.

—No. —Rebecca se volvió de espaldas, espeluznada ante la visión de la cicatriz irregular y sinuosa encima de la cintura de Marten. Aquél era el motivo por el cual Alexander había reaccionado de manera extraña cuando ella le mencionó el paquete. Creyó que había supuesto lo que había dentro.

—Intentó matarme, Rebecca. Del mismo modo que mató a Dan Ford y a Jimmy Halliday.

—Lo que le está diciendo es la verdad —dijo Kovalenko, con cautela.

Rebecca temblaba. Trataba de luchar contra la realidad, hacía lo imposible por no creérselo. Miró a Clem, deseando que le dijera que se equivocaban.

—Lo siento, cariño —le dijo Clem sincera, cariñosamente—. Lo siento muchísimo.

La boca de Rebecca se retorció y sus ojos se llenaron de dolor e incredulidad. Lo único que podía ver era a Alexander, cómo la miraba, cómo siempre la había mirado. Con toda su delicadeza, su respeto y su amor incondicional.

La estancia en la que se encontraba le daba vueltas. Aquí, en este salón, en este edificio espléndido, estaba la inmensa e imponente historia de la Rusia imperial. Detrás de ella, tan cerca que casi podía tocarla, estaba el trono dorado de Pedro el Grande. Todo, todo aquello, pertenecía a Alexander por derecho dinástico. Formaba parte de él y ella tenía que compartirlo. Sin embargo, delante de ella estaba su amado hermano y, con él, su mejor amiga. Y con ambos, un policía ruso. Pero Rebecca seguía sin querer creérselo. Tenía que haber alguna respuesta, alguna explicación distinta, pero ahora sabía que no la había.

Marten vio la pálida fragilidad, la horrible y agónica inquietud, la misma mirada de terror, de pérdida y de horror que le había visto en la masacre del almacén ferroviario, cuando Polchak la tenía como rehén mientras intentaba matar a su hermano. Si Rebecca tenía que hundirse en aquel estado traumático por tercera vez en su vida, sería ahora, pero él no podía permitir que ocurriera.

Mirando a Clem rodeó a Rebecca con un brazo, guiándola hacia la puerta.

—Tenemos una embarcación esperándonos —dijo, con voz autoritaria—. Nos va a sacar de aquí. A ti, a Clem y a mí. El inspector Kovalenko se asegurará de que así sea y de que todos estamos a salvo.

—Puede que tengamos un barco, puede que no —dijo Clem en voz baja.

—¿Qué quieres decir? —se sobresaltó Marten.

—¿No está en el muelle? —preguntó Kovalenko

—Bueno, está, eso sí, y tu marinero de la melena gris está dentro. Pero es una lancha de río, y si crees que Rebecca y yo vamos a cruzar el golfo de Finlandia lleno de hielo en ella en medio de la noche, será mejor que te lo replantees.

Se oyeron unos golpes bruscos a la puerta y apareció Svetlana.

—¿Qué ocurre? —dijo Clem.

—Los del FSO suben a llevarse a la zarina. El *zarevich* la está esperando.

De pronto Rebecca se recuperó:

—Por favor, déjenos solos y dígale al FSO que bajaré en un instante —dijo, mirando a Svetlana, con aire majestuoso y sin demostrar ninguna emoción.

—Sí, zarina. —Svetlana salió de inmediato y cerró la puerta detrás de ella.

Rebecca miró a Marten.

—Por muy grave que sea lo que Alexander ha hecho, no puedo dejarle sin decirle nada. —Se volvió rápidamente y se acercó al trono. A su lado había un libro de invitados abierto y ella arrancó una página en blanco y cogió el bolígrafo que había al lado.

Marten miró a Kovalenko.

—Vigila la puerta —le dijo, y luego se acercó rápidamente a su hermana—. Rebecca, no nos queda tiempo.

Ella levantó la vista. Era una mujer fuerte y con voluntad propia.

—No puedo marcharme sin hacerlo, Nicholas. Por favor.

44

Alexander corrió desde el Volga hasta la Puerta de los Inválidos del museo.

Dentro no había nadie, ni siquiera el guardia que acostumbraba a vigilar la puerta. Corrió por un pasillo. Los visitantes del museo se paraban, boquiabiertos, a medida que lo iban reconociendo.

—El *zarevich*, el *zarevich*.

Alexander ignoraba las caras que lo miraban y el murmullo creciente de su nombre y seguía avanzando. ¿Dónde estaba el FSO? ¿Dónde estaba Rebecca? Justo enfrente vio a una mujer uniformada que salía de la tienda de recuerdos.

—¿Dónde está la zarina? —le preguntó, autoritario, con el rostro ruborizado de furia—. ¿Dónde está el FSO?

No lo sabía, le balbució la mujer, horrorizada de que el *zarevich* se estuviera dirigiendo a ella directamente y absolutamente paralizada.

—¡Olvídese! —Siguió corriendo. ¿Dónde estaban? ¿Por qué habían desobedecido sus órdenes? El metrónomo palpitaba más fuerte; algo horrible estaba pasando. Estaba a punto de perderla, ¡lo sabía!

—¡*Zarevich*! —gritó una voz fuerte desde detrás de él. Se detuvo y se volvió.

—¡Todos los agentes del FSO han subido al Salón del Trono! —Su chofer del FSO corría hacia él, con el radio receptor en la mano que bullía con una tormenta de comunicaciones solapadas del FSO.

—¿Por qué? ¡Está ella allí? ¿Qué ha pasado?

—No lo sé, *zarevich*.

—¡Por aquí! —dijo Kovalenko tajante cuando salían por la puerta lateral del museo, la misma puerta por la que había entrado lady Clem. El ruso iba delante, luego Clem, y luego Marten con Rebecca. Marten rodeaba a su hermana con un brazo, y la gabardina de Clem le servía para cubrirle los hombros y la cabeza, tanto para proteger-

641

la de las miradas públicas como para abrigarla del viento frío que procedía del río.

A los pocos segundos, Kovalenko los había hecho cruzar Dvortsovaya Naberezhnaya, el boulevard que había entre el museo y el río, y los llevaba apresuradamente hasta el muelle, donde el marinero del pelo gris los esperaba fumando junto a una lancha de río amarrada.

—¡Ey! —le gritó Kovalenko cuando se acercaban.

El marinero tiró el cigarrillo al agua y se dirigió rápidamente en la popa para destensar las amarras.

—¿No piensa usted llevar a la zarina por alta mar en este trasto, supongo? —Kovalenko estaba plantado ante el marinero, señalando la lancha con un dedo—. ¿Dónde coño está el barco que habíamos pactado?

—Tenemos una barca pesquera anclada en el puerto, pero no podíamos amarrarla aquí arriba sin que todos los policías de San Petersburgo se preguntaran qué demonios estábamos haciendo. Ya debería usted saberlo, amigo —dijo el marinero, levantando una ceja—. ¿Qué pasa, no se fía de mí?

Una levísima sonrisa cruzó el rostro de Kovalenko; luego, bruscamente, se volvió hacia los otros:

—¡A bordo!

El marinero equilibró la lancha contra el muelle mientras Marten ayudaba a Rebecca y a lady Clem por la pasarela y las observaba desaparecer dentro de la cabina. Luego el marinero tiró del amarre y se encaramó por la pasarela delantera.

—¡Vamos! —le gritó a Marten.

—Por la mañana estarán en Helsinki. —Kovalenko estaba tan cerca de Marten que ninguno de los otros podía oírlo, ni ver el Makarov automático que tenía en la mano, ofreciéndoselo a Marten por el mango—. ¿Y tú que piensas hacer?

—¿Yo qué pienso...? —Marten se lo quedó mirando. Así que esto era lo que había planeado desde hacía tanto tiempo. Los tanteos sobre su pasado, la amistad cuidadosamente trabada, la rapidez y facilidad con la que Kovalenko le había tramitado el pasaporte y el visado, la conversación sobre el cáncer terminal de Halliday y su extraordinaria dedicación a la brigada. Alexander era Raymond, y sabía que Kovalenko lo había sabido desde hacía mucho tiempo. Pero la única manera de demostrarlo era probar que sus huellas digitales coincidían con las que había en el disquete de Halliday, y ahora esto había desaparecido, víctima del protocolo y la política. Sin embargo, todavía había que hacer algo con Raymond como *zarevich* de Todas las Rusias. El cómo y el qué debían de haber estado rondando por la cabeza de Kovalenko desde París. Éste era el motivo por el cual había tanteado tanto sobre el pasado de Marten. Sin tener más remedio que contestar, Marten le había dicho pequeñas mentiras, informaciones que podían ser comprobadas. Y al final le había dado a Kovalenko lo que necesitaba: un hombre que protegía su verdadera identidad, que sabía cómo matar y que tenía varias razones muy personales para ejecutar a Raymond.

—Tú sabes quién soy. —La voz de Marten era apenas un susurro.

Kovalenko asintió lentamente con la cabeza.

—Llamé a la Universidad de California en Los Ángeles. No había ningún Nicholas Marten que hubiera asistido a la universidad en el período que tú dijiste haber estudiado. Sin embargo, sí hubo un John Barron matriculado. Además, *tovarich*, la brigada tenía seis hombres. Se sabía qué había sucedido con sólo cinco de ellos, de modo que, ¿qué había sucedido con el sexto? Juntar las piezas no es muy difícil, en especial si estás donde yo estoy.

—¡Nicholas! —gritó Rebecca detrás de ellos. Al mismo tiempo, se oyó un ruido estridente del motor, mientras el marinero lo arrancaba.

643

Kovalenko ignoró a los dos.

—El Ermitage está lleno de gente. El *zarevich* no sabrá el aspecto que tienes, ni tampoco el FSO.

Los ojos de Marten se dirigieron hacia el arma automática que Kovalenko tenía en la mano. Tenía la sensación de que un giro enorme del destino lo había transportado desde un garaje vacío de Los Ángeles hasta el corazón de San Petersburgo.

Kovalenko podía estar exigiendo lo que Roosevelt Lee había pedido. Podía haber dicho tranquilamente, «por Red», o «por Halliday», o «por Dan Ford». O, incluso, «por la brigada».

—¿Para quién demonios trabajas? —masculló Marten.

Kovalenko no le contestó. En vez de hacerlo, miró hacia el Ermitage.

—Está ahí, probablemente en el Salón del Trono en el que hemos estado, o al menos, cerca de él. Estará furioso por lo de la zarina y amonestando a los FSO asignados a su custodia. Ni él ni ellos prestarán demasiada atención a lo que sucede a su alrededor. El museo está lleno de gente. Luego no será tan difícil escapar entre la muchedumbre, en especial si uno sabe exactamente adónde tiene que ir.

Tendré el coche esperándote en Dvortsovy Prospekt, en la puerta por la que acabamos de salir.

La mirada de Marten cortó al ruso por la mitad.

—Serás hijo de puta... —murmuró.

—Tú decides, *tovarich*.

—¡Nicholas! —volvió a gritar Rebecca—. ¡Vamos!

De pronto Marten alargó el brazo, cogió el Makarov con una mano y se lo metió dentro del cinturón, por debajo de la chaqueta. Luego se volvió, mirando primero a Rebecca y luego a Clem.

—¡Llévatela a Manchester, yo me reuniré allí con vosotras! —Marten las miró unos segundos más, tratando de grabar aquella imagen en su memoria. Luego se volvió y se empezó a alejar por el muelle.

—¡Nicholas! —oyó gritar a lady Clem detrás de él—. ¡Sube al maldito barco! —Pero ya era demasiado tarde. Ya estaba cruzando Dvortsovaya Naberezhnaya y se dirigía hacia el Ermitage.

45

Mi querido Alexander,

Con toda la tristeza de mi corazón te comunico que no volveremos a vernos nunca más. Este destino no nos pertenecía. Echaré siempre de menos lo que pudo haber sido.

Rebecca

El latido del metrónomo retumbaba. Alexander se quedó helado, mirando fijamente aquella hoja de papel arrancada del libro de invitados con la caligrafía que tan bien conocía.

Los tres FSO asignados a Rebecca, más el que lo había llevado en el Volga hasta el museo, estaban apartados y en silencio, observando, temerosos por su propio futuro. Lo único que sabían era que cuando habían llegado al Salón del Trono, lo habían encontrado vacío. Se hizo sonar una alarma general y el edificio fue registrado por el personal de seguridad. A los cuatro agentes del FSO se les ordenó que permanecieran junto al *zarevich*. Sólo Dios sabía lo que pasaría a continuación.

—¡Fuera, todos fuera! —La voz de la baronesa irrumpió en el salón como un látigo.

Alexander levantó la vista y la vio frente a la puerta, con Murzin detrás de ella.

—¡Fuera, he dicho! —repitió.

Murzin asintió y los FSO salieron rápidamente.

—¡Usted también! —espetó, y Murzin salió y cerró la puerta detrás de él.

Tres escalinatas con alfombras rojas llevaban hasta el trono dorado de Pedro el Grande, y Alexander estaba arriba de ellas, observándola acercarse.

—Se ha ido. —Los ojos de Alexander estaban ausentes, como si no viera nada o no tuviera ni idea de dónde estaba. Lo único que había, lo único que existía, era el terrible *bum, bum, bum, bum* del metrónomo que lo atormentaba.

—La encontrarán, por supuesto. —La voz de la baronesa era tranquila, incluso balsámica—. Y cuando la encuentren... —su voz se arrastró y ella sonrió levemente—. Ya sabes que la quiero como a una hija, pero si tuviera que morir, el pueblo te adoraría incluso más.

—¿Qué? —Alexander fue devuelto al presente de golpe.

La baronesa se le acercó un poco más hasta quedarse, finalmente, al pie de las escaleras, con la mirada levantada hacia él.

—Ha sido secuestrada, por supuesto —afirmó—. Los ojos del mundo se concentrarán en este hecho. El presidente Gitinov no puede decir nada, sólo sumarse al horror nacional. Y luego, al final, encontraremos su cuerpo, ¿Lo entiendes, mi amor? Los corazones del mundo estarán en tus manos. No habíamos podido tener mejor suerte.

Alexander la miraba incrédulo. Tembloroso, incapaz de moverse, como si sus pies, de pronto, se hubieran fundido con el suelo.

—Todo esto forma parte de tu destino. Nosotros somos los últimos Romanov. ¿Sabes cuántos fueron destruidos después de convertirse en zares? Cinco. —Subió un peldaño, acercándose más a él, con su voz tan suave de siempre—. Alejandro I, Nicolás I, Alejandro II, Alejandro III, y tu bisabuelo, Nicolás II. Pero a ti no te ocurrirá. No lo permitiré. Serás coronado zar y no serás destruido. Dímelo... —Subió el segundo peldaño y sonrió delicada, cálidamente.

Alexander la miraba fijamente.

—No —murmuró—, no lo haré.

—Dímelo, mi amor... dilo como lo has dicho desde que tienes el don de la palabra. Dímelo en ruso.

—Yo...

645

—¡Dímelo!

—*Vsay* —Alexander inició el mantra. Era un autómata, incapaz de hacer nada más que lo que ella ordenaba—. *Vsay... ego... sudba... V rukah... Gospodnih.*

Vsay ego sudba V rukah Gospodnih. Todo su destino en las manos de Dios.

—Otra vez, mi amor.

—*Vsay ego sudba V rukah Gospodnih* —repitió él, como un niño cediendo a las exigencias de su madre.

—Otra vez —le susurró ella, mientras subía el último peldaño hasta quedarse frente a él.

—¡*Vsay ego sudba V rukah Gospodnih!* —dijo con energía y convicción, como un juramento hacia Dios y hacia él mismo. Del mismo modo en que lo hizo cuando cayó en manos de la policía de Los Ángeles. —¡*Vsay ego sudba V rukah Gospodnih!*

De pronto tenía los ojos desorbitados y sacó el cuchillo del bolsillo de su chaqueta, con su hoja afilada resplandeciendo en su mano. El primer corte le seccionó la yugular. Luego vino otro corte. Y el tercero. Y el cuarto. ¡Y el quinto! Su sangre estaba por todas partes, por el suelo, por las manos de él, por su chaqueta, por su cara, por sus pantalones. La sintió deslizarse por su cuerpo y caer al suelo, a sus pies, con un brazo sobre el reposapiés del trono dorado.

De alguna manera alcanzó a cruzar el salón y abrió la puerta de un manotazo. Murzin estaba allí, a solas. Se miraron a los ojos. Alexander lo cogió por las solapas y lo metió en el salón.

Murzin miró horrorizado.

—Dios mío...

El cuchillo volvió a brillar. Murzin se llevó las manos a la garganta. La última mueca de su vida fue de asombro.

Con un gesto mecánico, Alexander se arrodilló y sacó el rifle automático Grach de 9 mm de la pistolera de Murzin. Luego se levantó, retrocedió y salió por la puerta, con el rifle embutido dentro de su cinturón y el cuchillo ensangrentado otra vez dentro de la chaqueta.

46

Marten avanzaba hacia el Salón del Trono, subiendo la escalinata principal del Ermitage en medio de una muchedumbre de visitantes del museo, cuando oyó el grito horrorizado de una mujer en el piso de arriba. Todo el mundo se quedó quieto, mirando hacia arriba.

—El *zarevich* —murmuró un hombre a su lado.

Alexander estaba de pie encima de la escalinata, mirando hacia abajo, aparentemente tan sobresaltado por el grito de la mujer como toda la gente allí aglomerada. Tenía las manos medio levantadas al aire, como si fuera un cirujano esperando a que le pusieran los guantes, y las tenía empapadas de sangre. Tenía también una mancha grande de sangre en la cara, y otra en la cazadora de piel.

—Dios del Cielo —masculló Marten, antes de empezar a moverse, lenta, cuidadosamente, subiendo la escalinata, usando a la gente que miraba a Alexander para ocultar su avance. De pronto, Alexander giró la cabeza y sus ojos se clavaron en los de Marten. Por un instante se quedaron quietos y luego, rápidamente, Alexander dio media vuelta y desapareció.

Alexander empujó una puerta y corrió hacia una escalera interior. Con el corazón acelerado, la mente ofuscada, apenas sentía los peldaños debajo de los pies mientras los bajaba a la carrera. Al pie había otra puerta. Por un instante brevísimo vaciló, luego tiró de ella y salió a un pasillo central de la primera planta. En una dirección estaba la Puerta de los Inválidos, por la que había entrado. En la otra, la escalinata principal en la que el hombre que estaba convencido que era Marten había estado en medio de la muchedumbre, mirándolo. En medio estaban los lavabos.

Alexander abrió la puerta del cubículo y se metió dentro. La cerró detrás de él y pasó el candado. Luego, abatido, apoyó una rodilla sobre el retrete y vomitó. Estuvo allí arrodillado, sintiendo las náuseas y vomitando, vaciando todo el contenido de su estómago, durante dos minutos enteros. Finalmente, con la garganta irritada, logró levantarse y tiró de la cadena, antes de enjugarse la boca y la nariz con papel higiénico. Luego trató de tirar el papel al retrete pero no pudo; lo tenía pegado a las manos y, por primera vez, se dio cuenta de la sangre que tenía en ellas.

De pronto se oyó una oleada de agitación y oyó a varias personas entrando en el baño desde el pasillo. El *zarevich* había sido visto en el edificio, arriba de la escalinata principal, decían. Iba ensangrentado, o al menos manchado de algo que parecía ser sangre. Había rumores de que habían asesinado a dos personas. Los equipos de seguridad habían precintado todo el segundo piso. El asesino podía estar en cualquier parte.

Lentamente, Alexander se inclinó hacia el retrete y metió las manos en el agua fría. Rápida, frenéticamente, se las frotó, tratando de limpiarse la sangre. De alguna manera hasta le parecía divertido, porque no sabía de quién era aquella sangre, si de Murzin o de la baronesa, o de ambos. Se frotó con más fuerza. La sangre se deshizo con la humedad, o al menos gran parte de ella. Era suficiente. Luego vio que tenía más sangre en los pantalones y en su chaqueta de aviador. Oyó que se abría la puerta de los lavabos y una persona, y luego otra, salieron.

Alexander entreabrió la puerta del cubículo un poco. Había un solo hombre, peinándose ante el espejo. Debía de tener treinta años, una altura y una complexión medias, e iba elegantemente vestido con un traje de cuadros de color crudo y una bufanda grande, azul marino, envuelta elegantemente en el cuello. Curiosamente, hasta en la escasa luz del lavabo, llevaba puestas unas gafas de sol tipo mosca.

—Disculpe —dijo Alexander en inglés, al salir del retrete.

—¿Sí? —respondió el hombre. Sería la última palabra que pronunciaría en su vida.

47

Marten había intentado subir la escalinata detrás de Alexander, pero una retahíla de agentes del FSO y de seguridad uniformados acordonó de pronto la segunda planta y estaba mandando a todo el mundo hacia abajo. Al cabo de unos minutos, una voz masculina sonó por los altavoces, primero en ruso, luego en inglés, francés y alemán, que el museo estaba a punto de cerrar por motivos de seguridad y que no se dejaría salir a nadie del edificio hasta que hubiera sido identificado por la policía.

Marten había retrocedido rápidamente escaleras abajo con el resto de la gente y se dirigió apresuradamente por una gran sala con columnas hasta la entrada principal. Sabía que con el grito, fuera lo que fuese que había pasado en el piso de arriba, y con la rapidez de la huida de Alexander, las cosas estaban avanzando con demasiada rapidez como para que el dispositivo de seguridad estuviera totalmente organizado. Si se quedaba atrapado dentro con la gente, podía estar horas haciendo cola antes de que lo autorizaran a salir —o no, puesto que llevaba el arma automática de Kovalenko y un pasaporte que lo identificaba como Nicholas Marten— y para entonces Alexander ya se habría marchado. Delante de él podía ver la entrada principal. Siete metros más y... de pronto se quedó parado. La policía ya estaba allí. La entrada estaba precintada y empezaban a organizar su protocolo de control.

A su izquierda estaban las taquillas de venta de entradas y, detrás de las mismas, bajando por un pasadizo corto, estaba la Oficina de Visitas, en la que Clem se había encontrado con Rebecca. Nervioso, avanzó por el vestíbulo, abriéndose paso por entre los visitantes del museo, confundidos y asustados. En unos instantes había alcanzado la Oficina de Visitas. Justo detrás había una puerta de emergencia que daba al exterior. Tenía una barra para empujar y tal vez estuviera conectada a una alarma, pero valía la pena intentarlo. La alcanzó y estaba a punto de empujarla con el hombro cuando advirtió a dos agentes del FSO que corrían por el pasillo en dirección a él. Entonces se volvió y retrocedió, forzando el paso por entre la marabunta de gente, pasando más allá de las taquillas y de la entrada principal. Ahora volvía a oírse la advertencia por megafonía.

649

Ahora volvía a encontrarse en la sala de las columnas, dirigiéndose hacia la escalinata principal. Luego vio un pasillo largo que doblaba a la derecha. Se metió rápidamente por él, buscando con la mirada a un lado y a otro una puerta de salida. Pasó frente a una librería y a una tienda de arte. Había más gente, mayor confusión. Siguió avanzando, pasando por delante de los lavabos. Una docena de pasos más y algo le hizo bajar la vista. Se quedó petrificado: en el tablero blanco y negro del suelo había una huella ensangrentada de un zapato. Más adelante vio otra huella. Instintivamente, la mano se le fue al Makarov que llevaba en el cinturón. Lo sacó cuidadosamente y dejó caer el brazo a un costado. Siguió andando, con el rifle automático lo más oculto que pudo.

Otra huella ensangrentada, y otra. Era el pie derecho, y quien fuera que estuviera dejándolas caminaba rápidamente. Los pasos eran alargados y la huella era cada vez más débil, a medida que la sangre se iba secando.

48

Un cielo gris y tapado cubría la ciudad mientras un hombre vestido con un elegante traje de cuadros, una bufanda azul marino y unas gafas de sol tipo mosca salía cautelosamente por la Puerta de los Inválidos a la plaza del Palacio, por la parte trasera del edificio, con una mano en el arma automática de Murzin que llevaba bajo la americana, dispuesto a ser desafiado por la policía. Pero no había ningún agente a la vista. Por la dirección de las sirenas, parecían concentrados, al menos de momento, en la muchedumbre que abarrotaba la entrada principal. Alexander vaciló unos instantes y luego se ajustó las gafas de sol y siguió andando.

Delante de él estaba el Volga negro. No tenía ni idea de dónde estaba su chofer del FSO, ni los otros agentes. La última vez que los había visto fue en el salón del trono, después de que la baronesa les ordenara salir.

Se volvió apresuradamente y miró a través de la extensa plaza. En el centro se levantaba la columna de Alejandro, que conmemoraba la derrota de Napoleón, al fondo, el Edificio General de Personal, unido a la casa de los Guardas por un magnífico arco de triunfo, encima del cual había una sólida escultura de seis toneladas de la Victoria conduciendo un carro tirado por seis caballos. Todos eran recordatorios de la victoria de Rusia en la guerra de 1812. Debían haberle infundido la esperanza y el coraje del alma rusa, y podían haberlo hecho si no fuera porque, al volverse, vio las leves pero visibles huellas de sangre que le hicieron darse cuenta de que estaba dejando rastro.

Horrorizado, avanzó cruzando la plaza, andando rápidamente, evitando echarse a correr para no llamar demasiado la atención. Al caminar, frotaba la suela de su zapato derecho contra el suelo, tratando desesperadamente de borrar la poca sangre que todavía llevaba pegada, mientras intentaba de comprender lo que había sucedido exactamente en el retrete de los *muzhskoy*, los lavabos de hombre. No había tenido demasiado tiempo para quitarse su ropa y cambiarse al traje de cuadros del hombre asesinado. Con las prisas, debió de haber pisado el charco de sangre con el pie derecho, y la suela de crepé debió de haberla absorbido como una esponja. De nuevo, el espectro del cuchillo lo perseguía. ¿Por qué había empezado a usarlo de nuevo? De no haberlo hecho, la baronesa seguiría viva, y también Murzin estaría allí para protegerlo.

Se apresuró, pasó frente a la columna de Alejandro, con los ojos

clavados en el arco de triunfo del fondo. Lo único que oía eran los au-
llidos de las sirenas. A la izquierda veía a la policía, que estaba acor-
donando la zona de aparcamiento del personal del museo. Al menos
cincuenta personas lo habían visto encima de las escaleras, manchado de sangre. Con todo el caos y la conmoción no había manera de
saber cuánto tiempo tardarían la policía y el FSO en encontrar al
muerto en el lavabo de hombres junto a su cazadora y sus pantalones. Pero cuando lo hicieran, la confusión sería mucho mayor. Nadie
sabría bien lo que había ocurrido, por qué estaban allí las prendas del
zarevich ni lo que le había ocurrido. La primera suposición —en especial después de haber sido visto ensangrentado por el público—
sería que había sido atacado por la misma persona o personas que
habían matado a la baronesa y a Murzin, y que estaba muerto o re-
tenido u oculto en algún lugar del cavernoso edificio, en el que con-
centrarían la búsqueda. Además, nadie sabría, al menos de momento, que el hombre hallado muerto llevaba un traje de cuadros antes
de morir. Todos aquellos elementos unidos le daban un tiempo precioso y el espacio que necesitaba. Un paso más y miró atrás, hacia el
museo. La plaza estaba vacía. Siguió avanzando.

De pronto pensó en Marten. Lo había visto allí, al pie de la escalinata, en medio de la muchedumbre, subiendo hacia él. Iba bien
afeitado y estaba muy flaco, con el pelo corto y un traje barato de
pana marrón. Podía haberse tratado de otro hombre, pero no lo era,
era Marten sin ninguna duda, allí, de nuevo, como, de alguna manera, siempre había estado. No sabía por qué había pensado que no lo
reconocería. Ahora se daba cuenta de que sería capaz de reconocerlo
en cualquier lugar. La razón era simple: sus ojos. Marten lo miraría
siempre de frente, como si fuera el alma y la sombra de Alexander al
mismo tiempo.

—¡Basta! —se dijo a sí mismo—. Has de pensar con claridad.
Basta ya de esta obsesión con Marten.

Levantó la vista. Estaba muy cerca del arco de triunfo. Seguía sin
haber policía, al menos no en aquella zona. Al otro lado del arco estaba San Petersburgo, y sabía que una vez se metiera en el centro urbano, podía confundirse con la gente del mismo modo que lo hizo
antaño en Los Ángeles. Volvió a mirar hacia la Puerta de los Inválidos. Nadie, nada. Ahora ya estaba en el arco. Se volvió para echar una
última mirada. Justo entonces, la Puerta de los Inválidos se abrió y
un hombre solo salió al exterior. Estaba a cierta distancia pero no había ninguna duda sobre su identidad.

Nicholas Marten.

651

49

Marten vio el leve rastro de sangre del zapato justo delante de la puerta. Y entonces, en la plaza, lejos de él, un hombre con traje de cuadros que de pronto se giraba y miraba hacia él antes de salir disparado para refugiarse en las sombras de debajo de un gran arco que unía dos edificios.

Marten echó a correr mientras con una mano buscaba su teléfono móvil.

—¡Está solo y está huyendo! —saltó la voz de Marten en el teléfono de Kovalenko.

—¿Dónde está? ¿Y tú, dónde estás? —Kovalenko, estacionado frente a la entrada secundaria del museo, estaba ya arrancando el motor del Ford.

—Cruza la plaza de detrás del museo. Acaba de pasar por debajo de un arco, al fondo.

—No lo pierdas de vista, voy para allá.

Alexander ya había pasado bajo el arco y caminaba hacia el bullicioso Nevsky Prospekt. Miró atrás por encima de un hombro y no vio a nadie. Entonces llegó a Nevsky Prospekt y bajó por él, en dirección opuesta al museo y al río.

Marten pasó por debajo del arco a la carrera. Delante de él vio a tres muchachas que caminaban y charlaban animadamente entre ellas. Rápidamente se les acercó.

—Por favor, ¿han visto a un hombre con traje de cuadros? —preguntó.

—*No English* —dijo una de ellas, con dificultad, y las tres se miraron entre ellas.

—Gracias, disculpen. —Marten siguió corriendo hacia el fondo de la calle. Al cabo de treinta segundos llegó a Nevsky Prospekt, justo cuando el Ford beige de Kovalenko se detenía.

—Le he perdido. —Marten subió al lado de Kovalenko y cerró la puerta de un golpe—. Lleva un traje ocre a cuadros.

—Muy bien —dijo Kovalenko, arrancando el Ford de nuevo—. Ésta es la calle más importante de San Petersburgo, *tovarich*, tal vez de toda Rusia. Cada día la recorren millones de personas. Le resultará muy fácil esconderse, a menos, claro está, que lo reconozcan. Entonces ya no podrá ocultarse. Tú mira por la derecha, yo miraré por la izquierda.

De pronto se oyó el crujido de la radio del coche y el parloteo policial sonó por el radio receptor que Kovalenko había dejado en el salpicadero del coche.

—¿Qué ocurre? —preguntó Marten.

—El Ermitage. Han encontrado otro muerto en el lavabo de la primera planta.

—¿Qué quieres decir, otro...?

—Había dos muertos arriba, el coronel Murzin, el comandante de la guardia personal del *zarevich* del FSO y... —Kovalenko vaciló— la baronesa.

—¿La baronesa?

—*Tovarich*, ha matado a su propia madre.

50

Alexander se abría paso por entre la muchedumbre lenta que abarrotaba las aceras de Nevsky Prospekt. De momento, con las gafas de sol y el traje del hombre asesinado, nadie lo había reconocido; ni siquiera nadie se había girado a mirarlo con curiosidad. Miró hacia atrás, vigilando ambas aceras con atención. Lo único que veía era una masa de gente sin rostro y la calle en medio, llena de tráfico. Ni rastro de Marten. Siguió andando.

En el suelo delante de él había cartones pisoteados de envoltorios del McDonald's. Al lado, una botella de Coca-cola pisoteada. Doce pasos más allá pasó por delante de un Pizza Hut; media manzana más adelante, una tienda en la que vendían calzado deportivo Nike y Adidas, y luego otro escaparate lleno de gorros de béisbol de equipos americanos. Podía estar en Londres, París o Manhattan, daba igual. Las tiendas, la gente, nada importaba. Aparte de Marten, lo único que tenía en la cabeza era el helicóptero Kamov repostado en el aeródromo de Rzhevka, y el piloto que aguardaba su regreso. Adónde iría en él no importaba. Tal vez hacia el sur, a Moscú, y llamaría al presidente Gitinov desde el aire para decirle que la zarina había sido secuestrada y que él había logrado huir de la masacre del Ermitage e iba de camino a Moscú, a refugiarse en el Kremlin. O al oeste, a la mansión del siglo XVII de la baronesa en el Macizo Central de Fran-

cia. O quizá —su cabeza erraba mientras pensaba en las posibilidades— iría hacia el este, cruzando Rusia hasta Vladivostok, luego Japón, hacia el sur, utilizando las Filipinas, Nueva Guinea y la Poline-
sia francesa para parar a repostar, cruzando el Pacífico del sur de
camino a su rancho en Argentina.

Miró hacia atrás. Seguía sin ver ni rastro de Marten. Tenía que
llegar al aeródromo. ¿Qué podía hacer? ¿Parar un coche, obligar al
conductor a bajar y conducir él mismo? No, el tráfico era demasiado
denso. Podía avanzar una manzana, dos como mucho, antes de que lo
atraparan. Levantó la vista.

Enfrente había una estación de metro. Era perfecto. No sólo
como refugio, sino como medio de transporte hasta el aeródromo.
Usar el metro como lo había hecho en Los Ángeles cuando, como Josef Speer, había tomado el autobús para llegar a LAX. De pronto se
dio cuenta de que para coger el metro necesitaba dinero. Metió las
manos en los bolsillos de la chaqueta. Nada.

Buscó en los bolsillos de los pantalones, delante y detrás. Nada.
¿Qué había hecho con los efectos personales del muerto, cuando lo
desnudó en el lavabo? No tenía ni idea.

Necesitaba dinero. No mucho, sólo lo bastante para comprarse
una tarjeta de metro. Diez pasos delante de él había una mujer mayor que andaba con arrogancia, con un bolso grande colgado del
brazo.

Actuó rápido, decidido. En un instante estaba al lado de la anciana, agarrado del bolso y arrancándoselo. Se coló entre la gente mientras la mujer caía al suelo. La oyó gritar detrás de él.

—*Vor, vor!* —gritaba. ¡Ladrón, ladrón!

Siguió avanzando, abriéndose paso por entre la gente. De pronto
sintió una mano que lo agarraba y se ponía a tirar de él.

—*Vor!* —Un joven fornido gritaba y le dio un puñetazo. Alexander se agachó. Y entonces otro joven le atacó.

—*Vor! Vor! Vor!* —le gritaban, mientras le daban puñetazos y al
mismo tiempo trataban de recuperar el bolso de la mujer.

Alexander levantó un brazo y se volvió mientras la muchedumbre lo iba acorralando más y más.

—*Vor! Vor!* —gritaban los jóvenes, atacándolo.

De prondo Alexander se volvió con el Grach automático de
9 mm de Murzin en la mano.

¡Pum! Le dio al primer joven en la cara.

¡Pum! ¡Pum! El segundo joven cayó de lado y se tambaleó hacia
la calle, delante de un autobús, con dos tercios de la cabeza estallados.

La gente gritaba horrorizada. Alexander los miró durante una décima de segundo y luego dio media vuelta y salió corriendo. Los ojos de Marten escrutaban los rostros mientras caminaba. Alexander podía ser cualquiera de ellos. Matar a cambio de una muda de ropa o cualquier otra menudencia no significaba nada para él. La vida no significaba nada para él. Excepto... Marten se acordó de la villa de Davos y de la expresión en la mirada de Alexander cuando estaba con Rebecca. La devoción, el amor absoluto, eran cosas de las que Marten había estado seguro que Alexander era absolutamente incapaz de sentir. Pero se equivocaba, porque estuvo allí y lo había visto.

Pasaron más caras. Hombres, mujeres, Alexander podía ser cualquiera. De pronto recordó los trucos y las astucias funestas de Alexander en Los Ángeles. Al mismo tiempo, recordó la advertencia de Dan Ford en París. «No sabrás lo que trata de hacer hasta que sea demasiado tarde. Porque, para entonces, tú estarás en el mismo agujero que él y luego... ya está.»

Marten se llevó la mano al Makarov de su cinturón y siguió andando, pasando con la mirada de un rostro a otro. Alexander estaba allí, en algún lugar, lo sabía.

De pronto, el cielo tapado y acerado que había cubierto San Petersburgo durante casi toda la tarde dio paso a un sol brillante justo cuando se estaba poniendo por el horizonte. En pocos segundos la ciudad entera quedó bañada en una impresionante luz dorada. Cogió a Marten por sorpresa y se detuvo a mirarla. Entonces se dio cuenta de que se encontraba en el mismo puente por el que había visto cruzar a Alexander, y miró a su alrededor. El movimiento que había debajo le llamó la atención y vio a un hombre con traje de cuadros que avanzaba rápidamente a lo largo del canal y que se acercaba a las escaleras que llevaban hasta el lugar donde él estaba.

Alexander tenía la mano en la barandilla de las escaleras y miraba hacia arriba cuando se quedó petrificado. Marten estaba arriba, mirando hacia él. Una brisa ligera revolvía el pelo de Marten, y él, la ciudad y el cielo estaban teñidos de un amarillo brillante.

Tranquila, hasta fríamente, Alexander dio media vuelta y volvió a marcharse por donde había venido. Al fondo del canal, la catedral de Nuestra Señora del Kazan resplandecía, bañada en la misma luz dorada. Unos peldaños bajaban del puente también por ese lado, y le pareció ver a alguien vagamente familiar descender por ellos.

Aceleró el paso. No había necesidad de mirar. Sabía que Marten bajaba por las escaleras detrás de él. Caminaba, no corría, con pasos

655

calculados, manteniéndolo en el punto de mira, pero sin forzarlo. Si corría, Marten correría. Sí, cabía la posibilidad de perderlo, pero había muchas más posibilidades de que dos hombres corriendo llamaran la atención, y sabía que la policía rondaba por ahí porque todavía podía oír sus sirenas. Estaban buscando a la persona que había matado a la baronesa y al coronel Murzin del FSO, y al hombre de los lavabos del Ermitage. No debían de tener ni idea de quién era, ni de qué aspecto tenía. Pero ahora también estarían buscando a otra persona, un hombre con traje de cuadros que acababa de matar a dos muchachos en Nevsky Prospekt.

De modo que había que seguir andando, pensó, dejar que Marten se acercara. Finalmente lo comprendió. Marten estaba aquí ahora, igual que había estado tras cada uno de sus movimientos. Estaba aquí porque era donde tenía que estar. Era el motivo por el cual se habían enfrentado en Los Ángeles, por el cual Alexander se había enamorado de su hermana, tal vez incluso por el cual había dejado las huellas sangrientas. Marten era una parte integral de su *sudba*, su destino. Rebecca le había dicho más de una vez lo mucho que se parecían él y su hermano. Sus habilidades y su coraje estaban a un mismo nivel excepcional; lo mismo que su valentía, voluntad y tenacidad. Y los dos habían regresado de la muerte. Marten era el último guante que Dios le echaba, un guante feroz, la última prueba de su capacidad para alcanzar la grandeza que Dios esperaba de él.

Esta vez, y de una vez por todas, Alexander lo conseguiría, le demostraría a Dios que era capaz de volver de la inconsciencia en la que se encontraba.

Debería ser fácil. Todavía tenía el revólver y la navaja. Marten había estado en el Ermitage. Lo único que tenía que hacer era matarle, luego poner sus huellas en la navaja y la navaja en su bolsillo, y el pueblo ruso vería de qué material estaba hecho su *zarevich*. Se convertiría en el héroe que, él solo, había perseguido al asesino de la baronesa y del coronel Murzin por las calles de San Petersburgo y finalmente lo había matado. Después de eso ya no habría más preguntas sobre el traje de cuadros o los hombres muertos en Nevsky Prospekt o en el lavabo del museo. Todos ellos, afirmaría, eran cómplices del asesino que había intentado matarlo. Ni tampoco tendría ninguna necesidad de llegar hasta el helicóptero. El helicóptero iría hasta él.

Más adelante había otro puente que cruzaba el canal. Era un puente para peatones. El Bankovski Most, el puente de la orilla, se llamaba. Era precioso, antiguo, clásico, con dos grifones de grandes alas doradas a ambos lados. A la izquierda había una serie de edificios de tres y cuatro plantas, de piedra y ladrillo. Nada más. Siguió andando, de espaldas a Marten.

Tardó poco tiempo en llegar al puente. Cuando lo hiciera, sacaría el arma automática de Murzin de su cinturón, luego lanzaría el bolso hacia un lado como medida de distracción, se volvería y dispararía.

Marten estaba a veinte metros detrás de él cuando vio a Alexander que se cambiaba de mano en bolso robado y miraba directamente delante de él, al puente que cruzaba al otro lado del canal. Entonces fue cuando vio a Kovalenko. Estaba en la otra orilla y se mantenía un poco por detrás de él, sin perderlo de vista. Marten sabía que Kovalenko era listo, pero no lo había visto nunca disparar y no sabía si era consciente de la rapidez letal y la extrema puntería de Alexander con las armas de fuego. Si Alexander tomaba el puente y reconocía a Kovalenko, éste era hombre muerto.

—¡Raymond!

Alexander oyó a Marten gritar detrás de él. Siguió andando. Cinco pasos más y estaría en el puente. Los grifones eran unas estatuas enormes de bronce y resultarían una protección excelente. Marten estaría solo en la pasarela sin cubierta posible. Sentía el Grach ligero, hasta hábil en su mano. Tan sólo le llevaría un disparo, y sería entre los ojos.

Marten se detuvo y levantó el Makarov con las dos manos, entrenando el ojo en la nuca de Alexander.

—¡Raymond! ¡Alto! ¡Ahora!

Alexander puso una media sonrisa y siguió andando.

—¡Raymond! —volvió a ordenar Marten—. ¡Última oportunidad! ¡Quieto! ¡O disparo ahora mismo!

Durante un instante brevísimo Marten no hizo nada. Luego, lentamente, su dedo se apoyó en el gatillo del Makarov. Una sola explosión atronadora resonó por todo el canal y los edificios de alrededor. Cascotes del pavimento resquebrajado explotaron a los pies de Alexander.

Pero Alexander lo ignoró y siguió andando. Estaba casi en el puente. En su mente, Marten ya estaba muerto. Deslizó la mano derecha dentro del pantalón y tomó el Gracht en su cintura.

Tres pasos, dos.

Ya estaba en el puente.

Dejó caer el bolso de su mano.

Marten ya estaba en el suelo y rodando de lado cuando Alexander se volvió, con el Grach en la mano. Marten se levantó sobre los codos, apuntando a Alexander con el Makarov, mientras las ideas se le agolpaban en la cabeza, todos los botones que Kovalenko había tocado antes: «Por Red, por Dan, por Halliday. Por la brigada».

Apretó el gatillo justo en el momento en que Alexander disparaba. Se oyó un rugido atronador de disparos. Trozos de cemento le saltaron a la cara y por un momento se quedó ciego. Luego se le aclaró la vista y vio a Alexander tambaleándose hacia atrás, con la pierna izquierda hecha un picadillo de sangre y cuadros. Entonces su pierna cedió y todo él cayó al suelo, con el arma automática deslizándose sobre el pavimento.

Alexander vio a Marten levantarse y dirigirse hacia él, con el Makarov entre las dos manos. Al mismo tiempo, se dio cuenta de que estaba en el suelo y de que el Grach había caído delante de él. Trató de levantarse a recoger el arma, pero no pudo. Tenía la sensación de que estaba tumbado sobre algo mullido, como si hubiera caído sobre una cama de hojas secas. De pronto vio a Marten detenerse y mirar más allá de él. Rápidamente, se volvió para saber qué era lo que había atraído la atención de Marten.

La figura vagamente familiar que había visto bajando por las escaleras al fondo del canal cruzaba ahora el puente en dirección a él. Era el policía ruso, Kovalenko. Llevaba una Makarov en la mano y tenía una mirada gélida. La confusión inundó el rostro de Alexander. ¿Por qué estaba Kovalenko avanzando hacia él con el arma levantada de aquella manera? ¿Por qué lo miraba de aquella manera, si estaba tirado en el suelo y desarmado y resultaba inofensivo? De pronto lo supo. Éste era su destino, y lo había sido desde el día en que había hundido la navaja en el pecho de su medio hermano en el parque de París.

—¡Kovalenko, no! —oyó gritar a Marten detrás de él.

Demasiado tarde. El policía ruso estaba justo a su lado.

—¡No! ¡No! ¡No lo hagas! —oyó a Marten gritar otra vez.

Entonces vio que la mirada del policía ruso se endurecía y sintió el acero del Makarov contra su cabeza. El dedo se tensó más sobre el gatillo. Un disparo atronador quedó interrumpido por una inundación de luz blanca dentro de su cabeza. Era una luz que lo cegaba todo como una marea feroz y que se hacía, más y más y más fuerte. Y luego. Finalmente. Se apagó.

52

Golfo de Finlandia, a la misma hora

Rebecca y lady Clem estaban frente a la cabina del barco pesquero de dieciocho metros de eslora número 67730, mirando hacia San Petersburgo, ahora mismo bañado en una luz dorada. El barco estaba a veinte minutos del puerto y avanzaba a ocho nudos a través de un suave oleaje con trozos de hielo intermitentes. La luz dorada duró todavía un rato y luego, como si de pronto hubieran bajado el telón, se oscureció mientras el sol se ocultaba tras las nubes del horizonte.

Una vez sumidas en la oscuridad y, como atraídas por la misma fuerza que había llevado la luz radiante sobre San Petersburgo, las dos mujeres se miraron.

—El tiempo pasará y el dolor te parecerá cada vez más soportable —dijo Clem con voz serena—, y, con el tiempo, tu mente se irá distanciando de los recuerdos. Es algo en lo que iremos trabajando, las dos, tú y yo. Lo haremos, te lo prometo.

Rebecca la miró atentamente unos instantes, tratando de creer lo que le decía, queriendo creérselo. Finalmente cerró los ojos y, con un sollozo terrible, empezaron a brotarle las lágrimas.

Lady Clem la rodeó con sus brazos y la abrazó fuerte, llorando con ella en silencio, compartiendo su dolor, tal vez el más doloroso de todos. Al cabo de unos minutos, tal vez horas, quién lo sabía, y al sentir la caricia del mar debajo de ellas, Clem volvió la vista de nuevo hacia San Petersburgo y llevó a Rebecca dentro, a la claridad y la calidez de la cabina.

San Petersburgo. El mismo sábado 5 de abril, 19:40 h

Kovalenko aceleró por la plaza Sennaya a oscuras, alejándose rápidamente con Marten del puente y del canal, lejos de Nevsky Prospekt.

—Estaba en el suelo. No llegaba a su pistola. No había ningún motivo para matarlo. —Marten estaba furioso.

—*Tovarich* —Kovalenko no desviaba la vista del tráfico que tenía delante—, ¿te salvo la vida y así es como reaccionas?

—Era inofensivo.

—Siempre llevaba la navaja, tal vez incluso otro revólver. ¿Quién sabe qué? Un hombre así sólo es inofensivo cuando está muerto.

—No tenías por qué ejecutarlo.

—¿Qué te parecería desayunar mañana con tus chicas? —Kovalenko giró el vehículo por Moskovsky Prospekt y aceleró de nuevo, en dirección al aeropuerto Pulkovo—. Hay un vuelo a Helsinki en poco más de una hora.

Marten lo miró y luego desvió la vista bruscamente, con las luces de los coches que venían iluminándole el rostro de manera intermitente.

—Has trabajado cuidadosamente para construir la confianza entre nosotros, incluso la amistad. —La voz de Marten estaba llena de amargura—. Y mientras tanto buscabas la manera de descubrir quién soy. Me hacías preguntas para hacerme caer, y cuando finalmente lo descubres, empiezas a jugar con mi sentimiento de culpa, por lo que ocurrió en la brigada, por toda la gente a quien Raymond mató en Los Ángeles, y más tarde en París, y con mi amor por mi hermana. Me facilitas un pasaporte y un visado, hasta un teléfono móvil. Y entonces, cuando llega el momento oportuno, me das un arma y me mandas a hacer el trabajo sucio. Y yo lo he hecho, por todos los motivos que predicabas y más. Y luego le tengo y estaba tumbado en el suelo. Podías haberlo arrestado, pero en vez de ello, vas y lo matas. —La mirada de Marten se dirigió de nuevo a Kovalenko—. Ha sido un asesinato, ¿no es cierto?

Kovalenko miraba a la carretera mientras los faros del Ford iban iluminando alternativamente las entradas de plantaciones de patatas y densos bosquecillos de abedules y arces, todavía desnudos, y, en medio, bosques todavía más densos de paneles iluminados con anuncios de Ford, Honda, Volvo y Toyota.

—Esto es lo que va a suceder, *tovarich*. —Kovalenko miró a Marten y luego otra vez a la carretera—. A estas alturas ya habrán descubierto el cadáver. Se quedarán horrorizados cuando se den cuenta de quién es. Tardarán un rato en deducir lo que ha sucedido en el Ermitage, pero luego lo harán, en especial cuando vean que todavía lleva la navaja en el bolsillo de la americana.

»Al cabo de poco Moscú emitirá el comunicado oficial de que el *zarevich* ha muerto, asesinado cuando intentaba capturar a los asesinos de la baronesa y de su FSO, el coronel Murzin, en el Ermitage. Las tres personas a las que ha matado por el camino serán identificados como conspiradores, y se organizará una misión exhaustiva de busca y captura de su asesino o asesinos. Lo más probable es que la culpa recaiga sobre alguna facción comunista, porque los demócratas siguen enfrentados con los comunistas. Al final, para proteger el respeto a la ley, puede que incluso haya un arresto y un juicio.

»Tu hermana, la zarina, amada por el *zarevich* asesinado antes de su coronación, amada por el pueblo ruso, estará en un lugar desconocido, enviada a un lugar secreto en el que pasar un periodo de duelo junto a su buena amiga y confidente, la hija del conde de Prestbury, lady Clementine Simpson.

»Lo siguiente serán unos cuantos días de duelo oficial. El féretro de Alexander será expuesto en el Kremlin, aclamado como un héroe nacional. A ello le seguirá un funeral de Estado, y acto seguido será enterrado junto a su padre y los otros emperadores rusos en la cripta de la capilla de Santa Catalina de la catedral de Pedro y Pablo en San Petersburgo. Se esperará que tu hermana asista al acto y, sin duda, tú también.

—Eso no responde...

—¿A por qué lo he matado? Era un loco, y Rusia no se merece tener a un zar loco.

Marten seguía enojado.

—Lo que estás diciendo es que si ese loco estuviera vivo y detenido, deberíais someterlo a un juicio y, al final, tendríais la obligación de meterlo en la cárcel de por vida o de ejecutarlo. Y eso no es lo que más convenía al gobierno ruso. De modo que tú te has ocupado de liquidar el asunto.

Kovalenko sonrió un poco.

—Eso es una parte de la verdad.

—¿Cuál es el resto?

—Como ya he apuntado, cabía siempre la posibilidad de que llevara la navaja u otro revólver. ¿Qué habría pasado si, cuando te le acercaras, hubiera intentado matarte? Conocemos demasiado bien sus acciones. Habría actuado con rapidez, y no habrías tenido más remedio que matarle o ser víctima, ¿no es cierto?

—Es posible.

Kovalenko apretó los ojos y miró a Marten.

—No, *tovarich*, no es posible, es seguro. —Lo miró un rato más, dejando que Marten quedara convencido, y luego volvió a mirar a la carretera—. Primero te diré que es cierto, que te tenía fichado cuando nos fuimos de París, y que también es cierto que te he mandado al museo a matar a Alexander porque sabía que eras capaz de hacerlo y tenías un motivo para hacerlo, y además porque así no tenía que involucrar a nadie más.

»Pero cuando te estaba esperando fuera he recordado lo que ocurrió cuando tú y tu hermana os reencontrasteis, y cómo ha reaccionado al verte y ante lo que le has dicho. Me di cuenta de que había tomado la decisión equivocada. Si hubieras sido tú el responsable de matar al *zarevich*, nunca más podrías mirarla a la cara sin temer que ella viera la verdad de lo que habías hecho en tus ojos y habrías tenido que vivir el resto de tus días así, consciente de que habías matado al hombre al que ella había amado más que a la propia vida, aunque fuera lo que sabemos que era.

»Y luego, *tovarich*, hay otra cosa, y es una verdad básica. Algunos hombres, por muy preparados que estén técnicamente y por muy sacrificados que sean, no tienen madera de policías. La crueldad que a veces es necesaria, el hecho de matar sin remordimientos y pasando por encima de la ley que han jurado respetar cuando las circunstancias lo requieren, no forma parte de ellos. —Kovalenko lo miró y le sonrió con calidez—. Tú eres uno de esos hombres, *tovarich*. Vuelve a tus jardines ingleses. Es una vida mucho mejor.

Epílogo

Kauai, Hawaii. Cuatro meses más tarde

El mar era turquesa brillante y la arena blanca resplandecía caliente bajo el sol. Más allá de la arena y bajo la superficie del océano había colores inimaginables. Blancos sobrenaturales, franjas de corales radiantes y espectaculares magentas, naranjas nunca vistos en la tierra, matices de negro que no aparecen en ninguna carta de colores, todos en la magia de los peces tropicales que subían a picotear las migas de pan que Marten sacaba de una bolsita de plástico para darles de comer mientras se bañaba, contemplando aquel mundo desde sus gafas de buceo, al tiempo que respiraba con el tubo.

Más tarde, hacia el atardecer, guardó el material de buceo en el maletero del coche alquilado y paseó por la playa desierta de Kekaha.

La venta de un breve artículo sobre el uso de pizarras en el diseño de jardines privados a una revista internacional de interiorismo y paisajismo le había proporcionado un primer contrato para la entrega de una serie de artículos similares de frecuencia mensual. El dinero del anticipo, aunque no era mucho, le permitió pagar el cargo de su tarjeta de crédito por el alquiler del barco pesquero y le dejó lo bastante para cuidar un poco de su salud mental, o la poca que le quedaba, sin mermar sus ahorros. Había venido aquí a Kauai siete días atrás, a unos once mil kilómetros de Inglaterra, con su tan atrasado trabajo de la universidad, como sus estudios del semestre, finalmente entregado, y sus exámenes superados con resultados brillantes.

Delgado y moreno, con una barba de cinco días y vestido tan sólo con unas bermudas descoloridas y una camiseta de la Universidad de Manchester igualmente desteñida, podía pasar perfectamente por un trotamundos playero.

Kekaha era la playa a la que Rebecca y él solían ir de vez en cuando de niños, con sus padres. Era un lugar que conocía bien y del que guardaba muy buenos recuerdos. Por eso había venido aquí ahora, solo, a pasear y pensar y a intentar obtener cierta perspectiva razonable de lo que había ocurrido. Y tal vez, finalmente, recuperar ni que fuera una pequeña parcela de tranquilidad mental. Pero era una meta que se presentaba difícil, hasta escurridiza. Su contexto era crudo y obsceno como siempre, y su realidad no era el material del que están hechos los sueños, sino las pesadillas.

Alexander Nikolaevich Romanov, *zarevich* de Todas las Rusias, había sido enterrado cinco días después de su muerte, como lo había predicho Kovalenko, con los honores de un héroe nacional. Rebecca y Clem habían ido a San Petersburgo; también él lo hizo —invitado oficialmente como familiar de Rebecca—, para darle apoyo emocional. Estuvo en la espléndida cripta de la catedral de Pedro y Pablo, junto a los padres biológicos de Rebecca y los presidentes de Rusia y de Estados Unidos, y los primeros ministros de una docena de países.

La presencia masiva de dignatarios extranjeros y la cobertura mediática que la acompañó estuvo sólo superada por la enorme afluencia de notas de pésame de gente de todo el mundo. El Kremlin sólo recibió decenas de miles de tarjetas de pésame y el doble de e-mails. Aunque la boda entre Alexander y Rebecca no había llegado a celebrarse, veinte mil notas manuscritas fueron entregadas en la oficina de correos central del Kremlin, dirigidas a la zarina. Cientos de ramos de flores fueron depositados al pie del puente sobre el canal Ekaterininski en el que Alexander fue asesinado. La gente, con lágrimas en los ojos, encendía velas y dejaba flores y fotos de él frente a las embajadas rusas de todos los continentes.

Todo esto consiguió corroer el alma de Marten, que se retorcía de rabia ante la terrible ironía. ¿Cómo podía el mundo saber, ni llegar a imaginar, que la dolorosa y solemne pompa de Estado en honor de la figura romántica y carismática que habría sido el primer zar de Rusia de los tiempos modernos era en realidad poco más que un espléndido funeral por el atroz asesino en serie Raymond Oliver Thorne?

Un pequeño paquete que llegó a Manchester unas cinco semanas después del funeral en San Petersburgo ayudó a Marten a comprender que, con todo lo disgustado que estaba, no se encontraba solo en sus sentimientos.

El paquete, entremezclado entre su correo regular, no tenía remitente pero estaba sellado en Moscú. Dentro encontró una sola hoja de papel, mecanografiada a un solo espacio y doblada en cuatro trozos. Junto a ella había dos fotos en blanco y negro de 12 × 17 cm. Una llevaba un código de fecha y hora del LAPD; la otra tenía una anotación manuscrita: Depósito de cadáveres estatal, Moscú. Eran reproducciones digitales de unas huellas dactilares. La primera, lo sabía, correspondía a las huellas de la ficha del arresto de Raymond por el LAPD. La segunda, no lo sabía pero lo supuso, había sido tomada durante la autopsia de Alexander. Las huellas, como las que hicieron coincidir las del asesino de Dan Ford con la de Raymond, eran idénticas.

La hoja mecanografiada decía lo siguiente:

FSO Coronel Murzin: Antiguo soldado de la Spetsnaz. Dos años antes de la misión en Moscú pasa ocho meses de baja por enfermedad recuperándose de las heridas sufridas en un ejercicio de entrenamiento especial. Siete de esos ocho meses los pasa fuera del país. País de destino: Argentina.

FSO Coronel Murzin: Cuenta personal en el banco Credit Suisse, Luxemburgo. 10.000 dólares USA depositados mensualmente durante los últimos tres años. Los depósitos eran en concepto de nómina de CKK, AG, compañía de seguridad personal de Frankfurt, RFA. Los asuntos legales del CKK eran gestionados por el abogado con sede en Zúrich Jacques Bertrand.

J. Bertrand hizo el pedido de impresión del menú de Davos al fallecido impresor de Zúrich, H. Lossberg.

J. Bertrand era el abogado personal de la baronesa Marga de Vienne.

Antiguo soldado de la Spetsnaz, I. Maltsev. Empleado como oficial jefe de seguridad en el rancho de Alexander Cabrera en Argentina durante los últimos diez años. Miembro de la expedición de caza en el momento del accidente de Cabrera. En la Spetsnaz era especialista en armas de fuego y entrenador de combate cuerpo a cuerpo, especializado en la lucha de arma blanca. Experto también en explosivos y técnicas de sabotaje. Llegó a Reino Unido tres días antes de la explosión en el automóvil de Kitner. Actualmente en paradero desconocido.

Banque Privée, 18 Bis Avenue Robert Schuman, Marsella, Francia. Caja fuerte n. 8989 visitada por Alfred Neuss tres horas antes de su encuentro con Fabien Curtay en Mónaco.

Eso era todo. Ninguna nota adicional, ninguna firma. Lo único

665

que contenía. Pero era obvio que lo había mandado Kovalenko. Marten no le había hablado nunca de I.M. ni de las llaves de la caja fuerte, pero la información estaba allí de todos modos. Maltsev era obviamente el I.M. con quien Raymond/Alexander debía encontrarse en el Penrith's Bar de Londres. Las especialidades letales de Maltev dejaban muy claro que el plan original desarrollado por la baronesa y Alexander un año atrás debían de haber consistido en que Maltsev se cargara a Kitner y su familia muy poco después de que éste hubiera sido presentado oficialmente a la familia Romanov y luego obligado a abdicar, de manera que quedaba eliminada cualquier posibilidad de replanteamiento que pudiera haber surgido *a posteriori*.

Hasta sin la nota de identificación, Kovalenko se había revelado como un hombre exhaustivo y que se preocupaba. Era su manera de atar las cosas y dar credibilidad documental a lo que habían pasado juntos. Cómo se las había arreglado para obtener la huella del LAPD, no había manera de saberlo, excepto que tenía que venir del disquete de Halliday, que Kovalenko se vio obligado a entregar a su superior. Lo más probable era que hubiera pensado que algo así podía ocurrir y se hubiera preparado haciendo una copia del disquete de antemano, sin decírselo a nadie, ni siquiera a Marten.

El cómo, cuándo o por qué de las acciones de Kovalenko ya no importaba. Era su información, y su generosidad de compartirla, lo que importaba. El resultado era que Marten tenía en su posesión una prueba irrefutable de que Alexander Cabrera y Raymond Oliver Thorne eran una y la misma persona. Además sabía que, con toda posibilidad, Alexander había sido entrenado en el arte de matar por Murzin y Maltsev, y que Murzin, y tal vez Maltsev también, habían sido empleados directamente por la baronesa. Eso llevó a Marten —y, estaba convencido, a Kovalenko— a creer que había sido la baronesa quien había ordenado el asesinato de Peter Kitner y su familia, por no decir nada de encargarle a Alexander que asesinara a Neuss, a Curtay y a los Romanov de América.

¿Qué le había dicho Marten a Kovalenko cuatro meses atrás, cuando el ruso lo acompañó a pasar el control de pasaportes en Pulkovo, para tomar su vuelo nocturno a Helsinki?

—Hay algo que no comprendo. ¿Por qué robó el bolso de la mujer? ¿Por dinero? ¿Cuánto podría haber sacado, y para qué lo necesitaba? Si no llega a hacerlo y hubiera seguido andando, es casi seguro que habría logrado escapar.

Kovalenko se limitó a mirarlo y a responder:

—¿Por qué mató a su madre?

Estas ideas y preguntas llevaron a otras. Y a lo que Kovalenko había dicho casi al mismo tiempo. Era sobre lo que hay que tener para ser policía y «la crueldad que a veces es necesaria, el hecho de matar sin remordimientos y pasando por encima de la ley que han jurado respetar cuando las circunstancias lo requieren».

Kovalenko hablaba de los policías en general, pero Marten sabía que no lo decía en ese sentido. La mayoría de policías, los que él había conocido y con los que había trabajado en Los Ángeles, primero en el coche patrulla y luego como detective de Robos y Homicidios, creían como él que estaban para hacer respetar la ley y no para crear la suya. Al hacerlo, trabajaban duro muchas horas, a veces sin que nadie se lo agradeciera, para ser considerados a menudo, por la prensa y por la opinión pública, como seres corruptos o ineficientes, o ambas cosas a la vez. La mayoría no eran ni lo uno ni lo otro. Sencillamente, tenían un trabajo increíblemente difícil y peligroso por el que recibían una atención irracionalmente cruel. Lo que Kovalenko quiso decir era algo más y estaba guiado por la misma línea de razonamiento que pertenecía a Red McClatchy. Un razonamiento profundo, complejo y muy oscuro. Y aunque estuvieran separados por miles de kilómetros y ejercieran en esferas políticas totalmente distintas, ambos hombres trataban con lo que consideraban la misma verdad: que había personas y situaciones que la ley, el público y los legisladores no estaban preparados para tratar, de modo que el problema de qué hacer con ellos caía en sus manos. Hombres como McClatchy y Polchak, Lee y Valparaiso, y hasta Halliday, y, por supuesto, Kovalenko, que asumían este tipo de responsabilidad en sus manos y se apeaban de la ley para hacerlo. En eso, Kovalenko estaba en lo cierto cuando dijo que Marten no era este tipo de policía. No lo había sido entonces ni lo sería nunca. Él no era como ellos.

Eso, por sí mismo, planteaba una pregunta: ¿quién era Kovalenko y para quién trabajaba? Dudaba de que jamás lograra saberlo, y tal vez tampoco quería hacerlo. Se preguntaba, también, si las cosas hubieran sido distintas en San Petersburgo y Alexander no se hubiera escapado como lo hizo, si Marten le hubiera matado en el Ermitage como Kovalenko deseaba y luego hubiera salido por la puerta lateral, en la que Kovalenko lo esperaba, si el ruso no lo habría matado allí mismo, liquidando al asesino del *zarevich* cuando intentaba escapar y, de esa manera, hubiera puesto punto y final a la his-

667

toria. Era algo, pensaba ahora, que le preguntaría en persona si alguna vez se volvían a ver.

Se estaba haciendo de noche y Marten sintió el tirón de la marea
bajo los pies mientras andaba por el agua a la orilla del mar. La única luz que había era la proveniente de los últimos rayos de sol en el
horizonte, y entonces dio media vuelta sobre el oleaje y se encaminó
de regreso a su coche. Rebecca había reaccionado con una fuerza ad-
mirable. Incluso apareció ante las dos cámaras del Parlamento ruso
para darles las gracias por su amabilidad y apoyo en el terrible periodo posterior al asesinato del *zarevich*. Luego mantuvo una reunión privada con el presidente Gitinov, durante la cual recibió su pésame personal y también le dio las gracias. Luego, sencillamente
pidió poder volver a su vida anterior en Suiza, y eso fue exactamente lo que hizo. Ahora se encontraba allí sana y salva, protegida por
agentes especiales de la policía cantonal de Neuchâtel y cuidando de
nuevo a los hijos de los Rothfels.

Después de todo aquello, Marten sabía que tenía que estar agradecido y lo estaba. Sin embargo, había una cosa que todavía seguía
resultándole difícil de aceptar, y ésta era el auténtico linaje de Rebecca. La confirmación estaba toda en la oficina de Alexander de
Lausana, como él mismo le había prometido, el expediente completo
—obtenido, en sus propias palabras, a base de dinero e insistencia—
que seguía su rastro hasta su infancia, en los archivos de la residencia House of Sarah para madres solteras en Los Ángeles. Este rastro
llevaba hasta alguien llamada Marlene J. en un lugar desconocido, y
luego hasta alguien llamado Houdremont en Port of Spain, Trinidad,
y luego hasta un tal Ramón, en Palma de Mallorca, y luego a una tal
Gloria, también en Palma. Y, finalmente, a su familia real en Copenhague. El informe del ADN estaba también allí, y había visto los suficientes para saber que era auténtico, o al menos, lo parecía mucho.
Sin embargo, conociendo a Alexander —o Raymond, o como quisiera llamarse— y conociendo a la baronesa y lo que había hecho y lo
que era capaz de hacer, ¿quién podía estar seguro de nada? Podía
ser que todo fuera cierto, o podía ser que todo hubiera sido tramado
astutamente para fabricarle a Rebecca el linaje real necesario para
convertirla en la esposa del zar de Todas las Rusias. Pero ¿qué podía
hacer ahora? ¿Pedirles a Rebecca y al príncipe y a su esposa que se
sometieran de nuevo a una prueba del ADN? ¿Con qué fin, aparte de
su propia satisfacción? Rebecca tenía ahora un padre y una madre a

los que consideraba suyos y a los que quería, y dos personas que habían perdido una hija habían recibido lo que creían un milagro. ¿Cómo podía arriesgarse a destruir algo así? La respuesta era que no podía hacerlo.

Siguió andando, y sus pensamientos volaron ahora hacia Clem. Fue ella, al fin y al cabo, quien, cuando le habló de esta playa en Kekaha y los cálidos recuerdos que conservaba de niño, le propuso que viniera después de los exámenes a reflexionar y a reponerse. Fue una idea que él acogió de inmediato, y quiso que ella lo acompañara, pero ella dijo que no, que era algo que necesitaba hacer solo y para él. Y con todo lo que la echaba de menos, tenía que reconocer que estuvo en lo cierto: la combinación de soledad, largos paseos y buceo le habían aportado una paz interior que no recordaba haber sentido desde hacía mucho tiempo.

Clem era maravillosa, una mujer encantadora, a veces aterradora, cariñosa y tierna, con un corazón grande y valiente. Se la podía imaginar ahora mismo en Manchester, en su improvisado apartamento de Palatine Road, rodeada de libros y artículos por todas partes mientras preparaba el semestre siguiente, siempre de uñas con su padre.

669

La amaba y estaba convencido de que ella también lo amaba, pero sabía que ella sentía que había algo de él que no le había revelado. Nunca lo presionó para que lo hiciera. Era como si supiera que, en el momento oportuno, encontraría la manera de contárselo, y estaba dispuesta a esperar hasta que lo hiciera. Y él sabía que un día lo haría, cuando tuviera su título y estuviera trabajando y pudiera plantearse de veras pasar el resto de su vida con ella, tal vez incluso con hijos. Pero para esto faltaba un año, tal vez dos. Para entonces, esperaba, el peligro de su pasado se habría difuminado del todo y se sentiría lo bastante cómodo para hablarle de él. Contarle quién era en realidad, quién había sido y la verdad de lo que sucedió.

Marten se apartó del agua y anduvo solo a través de la arena en dirección al coche, feliz por el hecho de que por la mañana regresaría a Manchester y al lado de Clem y al mundo verde y tranquilo que había hecho suyo. ¿Qué era lo que Kovalenko le había dicho? «Vuelve a tus jardines ingleses. Es una vida mucho mejor.»

Justo delante estaba su coche, y a medida que se acercaba iba viendo algo que estaba escrito a lo largo del parabrisas en grandes letras, como si lo hubieran hecho con una pastilla de jabón. Con la escasa luz no distinguía bien lo que ponía, ni lograba imaginar quién lo había hecho, ni por qué. ¿Qué más daba? Podía ser un fastidio, pero después de todo lo sucedido, no significaba nada. Luego se acercó más y vio lo que era. El corazón se le subió a la garganta y un escalofrío le recorrió el espinazo. Garabateadas de mala manera y cubriendo casi todo el parabrisas, subrayadas con signos de exclamación, estaban las cuatro letras más aterradoras que se podía imaginar:

¡LAPD!

Le habían encontrado.

Agradecimientos

Quiero expresar mi más profundo agradecimiento por su información técnica y sus consejos a Paul Tippin, antiguo investigador de homicidios del Departamento de Policía de Los Ángeles; a Tony Fitzpatrick, inspector detective de la Unidad de Investigaciones de Homicidios de la Policía de West Midlands (Inglaterra); a David Davidson, médico; a Pete Noyes, periodista de investigaciones en televisión; a Olga Gottlieb, Gillian Hush, Lorcan Sirr, Antonia Bailey Camilleri, Ian Trenwith y Norton F. Kristy, Ph.D. Por sus sugerencias y correcciones al manuscrito estoy especialmente agradecido a Robert Gleason, a Hilary Hale y a Marion Rosenberg.

Estoy especialmente en deuda con Tom Doherty por su fe en el proyecto, y a Robert Gottlieb, que consiguió mantenerme dirigido y equilibrado durante el largo y arduo proceso de pasar *La huida* de idea a manuscrito.

671

Este libro utiliza el tipo Aldus, que toma su nombre
del vanguardista impresor del Renacimiento
italiano Aldus Manutius. Hermann Zapf
diseñó el tipo Aldus para la imprenta
Stempel en 1954, como una réplica
más ligera y elegante del
popular tipo
Palatino

* * *

* *

*

La huida se acabó de imprimir
en un día de primavera de 2008,
en los talleres de Egedsa
calle Rois de Corella, 12-16
Sabadell
(Barcelona)

* * *

* *

*